# EL CORAZÓN DEL MUNDO

SERIE MAYOR

PETER FRANKOPAN

# EL CORAZÓN DEL MUNDO

## Una nueva historia universal

Traducción castellana de
Luis Noriega

CRÍTICA
BARCELONA

Primera edición: octubre de 2016
Nueva edición en esta nueva presentación: abril de 2018
Séptima impresión: abril de 2022

*El corazón del mundo. Una nueva historia universal*
Peter Frankopan



Título original: *The Silk Roads*


Av. Diagonal, 662-664, 08034 Barcelona (España)
Crítica es un sello editorial de Editorial Planeta, S. A.

editorial@ed-critica.es
www.ed-critica.es

ISBN: 978-84-9892-986-7

Depósito legal: B. 6.016 - 2018

2022. Impreso y encuadernado en España por Book Print Digital, S. A.

El papel utilizado para la impresión de este libro está calificado como papel ecológico y procede de bosques gestionados de manera sostenible.

*Para Katarina, Flora, Francis y Luke*

Nos detuvimos en el país de una tribu de turcos [...] vimos a un grupo que veneraba a las serpientes, a un grupo que veneraba a los peces y a un grupo que veneraba a las grullas.

Ibn Faḍlān,
*Viaje a donde los búlgaros del Volga*

Yo, el Preste Juan, soy el señor de los señores, y supero a todos los reyes del mundo entero en riqueza, virtud y poder [...]
La leche y la miel fluyen libremente en nuestras tierras; aquí los venenos no causan daño y no molestan las ranas croando. Aquí no hay escorpiones ni serpientes arrastrándose entre la hierba.

Supuesta carta
del Preste Juan a Roma
y Constantinopla, siglo XII

Hay un grandísimo palacio todo cubierto de placas de oro fino.

Notas de investigación
de Cristóbal Colón
sobre el Gran Kan de Oriente,
finales del siglo XV

Si no hacemos un sacrificio relativamente pequeño ahora y cambiamos nuestra política en Persia, pondremos en peligro nuestra amistad con Rusia y nos encontraremos en un futuro más bien cercano [...] en una situación en la que estará en juego nuestra existencia misma como Imperio.

Sir George Clerk a sir Edward Grey,
ministro de Asuntos Exteriores del Reino Unido,
21 de julio de 1914

El presidente ganaría aunque permaneciéramos sentados sin hacer nada.

Jefe de gabinete de Nursultán Nazarbáyev,
presidente de Kazajistán,
poco antes de las elecciones de 2005

# NOTA SOBRE LA TRANSLITERACIÓN

La cuestión de la transliteración es causa de desacuerdo entre los historiadores. En un libro como este, que utiliza fuentes primarias escritas en lenguas muy diferentes, es imposible emplear una única regla para los nombres propios. He preferido utilizar Gengis Kan, Trotski, Gadafi y Teherán a pesar de que quizá otras transliteraciones sean más exactas; por otro lado, evito utilizar las alternativas occidentales para Beijing (Pekín) y Guangzhou (Cantón). Los lugares que han cambiado de topónimo plantean un problema particularmente complicado. Llamo Constantinopla a la gran ciudad sobre el Bósforo hasta el final de la primera guerra mundial, momento en que empiezo a referirme a ella como Estambul; hablo de Persia hasta 1935, cuando el país cambió formalmente de nombre por el de Irán. Espero que el lector acostumbrado a reclamar mayor coherencia en estas cuestiones sepa ser paciente.

# PREFACIO

De niño, una de mis posesiones más preciadas era un gran mapa del mundo. Estaba clavado en la pared, al lado de la cama, y cada noche, antes de quedarme dormido, pasaba un rato mirándolo con atención. No tardé mucho tiempo en aprender de memoria los nombres y ubicaciones de todos los países, con sus capitales, así como los océanos y los mares y los ríos que desembocaban en ellos; los nombres de las cadenas montañosas y desiertos más importantes estaban escritos en una cursiva apremiante que prometía aventuras y peligros.

Para cuando llegué a la adolescencia, había empezado a molestarme el enfoque implacablemente estrecho de las clases de geografía que recibía en la escuela, las cuales se concentraban de forma exclusiva en Europa occidental y Estados Unidos y en las que la mayor parte del resto del mundo no tenía cabida. En la asignatura de historia estudiábamos la Britania romana, la conquista normanda de 1066, Enrique VIII y los Tudor, la guerra de independencia de Estados Unidos, la industrialización victoriana, la batalla del Somme, el ascenso y la caída de la Alemania nazi. Y yo miraba mi mapa del mundo y veía regiones enormes de las que nunca nos ocupábamos.

Cuando cumplí catorce años mis padres me regalaron un libro del antropólogo Eric Wolf, que fue para mí un auténtico detonador. Wolf escribía que la historia de la civilización aceptada, y perezosa, era una en la que «la Grecia antigua engendró a Roma, Roma engendró la Europa cristiana, la Europa cristiana engendró el Renacimiento, el Renacimiento engendró la Ilustración, la Ilustración engendró la democracia política y la revolución industrial. La industria se mezcló con la democracia para engendrar a su vez a los Estados Unidos, la encarnación de los derechos a la vida, la libertad y la búsqueda de la felicidad».[1] De inmediato me di cuenta de que ese era exactamente el relato que me habían contado: el mantra del triunfo político, cultural y moral de Occidente. Ese relato, sin embargo, era defectuoso: había formas alternativas de ver la historia, formas que no implicaban ver el pasado desde la perspectiva de los vencedores de la historia reciente.

Yo estaba cautivado. De repente, resultaba obvio que las regiones sobre las que no nos enseñaban nada en la escuela habían quedado en el olvido, ahogadas por la insistencia en el relato del ascenso de Europa. Le rogué a mi padre que me llevara a ver el mapamundi de Hereford, que sitúa Jerusalén en el centro mientras que Inglaterra y los demás países occidentales aparecen a un lado, como territorios básicamente irrelevantes. Cuando leí que había geógrafos árabes que acompañaban sus obras con mapas que parecían estar al revés y en los que el mar Caspio figuraba en el centro, quedé estupefacto; y volví a sentirme así cuando descubrí que en Estambul se conservaba un importante mapa turco de la Edad Media en el que el lugar central lo ocupaba una ciudad llamada Balāsāghūn, un sitio del que yo nunca había oído hablar, que no aparecía en ningún otro mapa y cuya ubicación misma había sido objeto de duda hasta épocas recientes, y que, no obstante, en otro tiempo era considerado el centro del mundo.[2]

Yo quería saber más acerca de Rusia y Asia Central, acerca de Persia y Mesopotamia. Quería entender los orígenes del cristianismo desde la perspectiva de Asia y cómo eran las cruzadas para quienes vivían en las grandes ciudades de la Edad Media: Constantinopla, Jerusalén, Bagdad y El Cairo, por ejemplo; quería aprender más sobre los grandes imperios de Oriente, sobre los mongoles y sus conquistas; y comprender cómo se veían las dos guerras mundiales cuando se las consideraba no desde Flandes o el frente oriental, sino desde Afganistán y la India.

El hecho de que pudiera aprender ruso en la escuela fue, por tanto, una suerte extraordinaria. Mi profesor fue Dick Haddon, un hombre brillante que había prestado servicio en la inteligencia naval y estaba convencido de que la mejor forma de entender la lengua rusa y su *dusha* (o alma) era a través de las grandes obras literarias y la música campesina. Y me sentí todavía más afortunado cuando además se ofreció a darnos clases de árabe a quienes estuviéramos interesados, lo que nos permitió a media docena de estudiantes introducirnos en la cultura y la historia del islam y sumergirnos en la belleza del árabe clásico. Estas lenguas contribuyeron a abrir la puerta de un mundo que estaba a la espera de ser descubierto o, como pronto supe, redescubierto por Occidente.

En la actualidad, se dedica mucha atención a valorar el posible impacto del rápido crecimiento económico de China, donde se prevé que la demanda de artículos de lujo se multiplique por cuatro en el próximo decenio, o a estudiar el cambio social en la India, donde el número de personas que tiene acceso a la telefonía móvil es mayor que el de quienes tienen acceso a inodoros.[3] Pero ninguno de estos dos países nos ofrece la mejor perspectiva para considerar el pasado y el presente del mundo. De hecho, el eje alrededor del cual giraba el planeta durante milenios no fue Oriente u Occidente, sino la zona geográfica entre uno y otro, el espacio que conectaba Europa con el océano Pacífico.

Ese punto a mitad de camino entre Oriente y Occidente, la región que en términos muy generales se extiende desde la ribera oriental del Mediterráneo y el mar Negro hasta la cordillera del Himalaya, acaso parezca una posición poco prometedora desde la cual se pueda examinar la historia mundial. Hoy, ese territorio acoge una serie de estados que evocan lo exótico y lo periférico, como Kazajistán y Uzbekistán, Kirguistán y Turkmenistán, Tayikistán y los países del Cáucaso; es una región asociada con regímenes inestables y violentos que constituyen una amenaza para la seguridad internacional, como Afganistán, Irán, Irak y Siria, o poco versados en las mejores prácticas de la democracia, como Rusia y Azerbaiyán. En términos generales, la región parece acoger una serie de estados fallidos, o en proceso de convertirse en tales, dirigidos por dictadores que obtienen mayorías increíblemente elevadas en las elecciones nacionales y cuyas familias y amigos dominan empresas que crecen sin control, poseen vastas fortunas y ejercen el poder político. Son lugares con un pésimo historial en materia de derechos humanos, en los que la libertad de expresión es muy limitada en lo que se refiere a religión, consciencia y sexualidad, y donde el control de los medios de comunicación determina lo que aparece y no aparece en la prensa.[4]

Aunque tales países puedan parecernos disparatados, lo cierto es que no son lugares atrasados ni yermos perdidos. De hecho, el puente entre Oriente y Occidente es la propia intersección de la civilización. Lejos de encontrarse en el margen de los asuntos mundiales, estos países ocupan hoy un lugar central, como lo han hecho desde el comienzo de la historia. Fue allí donde surgió la civilización y donde muchos consideran que fue creada la humanidad: por lo general, se considera que el jardín del Edén, que «plantó Yahveh Dios» con «toda clase de árboles deleitosos a la vista y buenos para comer», estaba situado en los fértiles campos entre el Tigris y el Éufrates.[5]

Fue en este puente entre Oriente y Occidente donde hace casi cinco mil años se fundaron las grandes metrópolis de la Antigüedad, ciudades como Harappa y Mohenjo-Daro, en el valle del Indo, maravillas del mundo antiguo, con poblaciones de decenas de miles de habitantes y calles que se conectaban mediante un complejo sistema de alcantarillado que durante miles de años no conocería rival en Europa.[6] Otros grandes centros de la civilización, como Babilonia, Nínive, Uruk y Acad, en Mesopotamia, eran famosos por su majestuosidad e innovaciones arquitectónicas. Entre tanto, un geógrafo chino escribía hace más de dos mil años que los habitantes de Bactria, un reino surgido alrededor del río Oxus, en lo que hoy es el norte de Afganistán, eran negociantes y comerciantes legendarios; la ciudad principal era la sede de un mercado en el que se compraba y vendía una gama inmensa de productos procedentes de todos los lugares imaginables.[7]

Esta región fue el lugar en el que surgieron las grandes religiones del mundo, donde el judaísmo, el cristianismo, el islam, el budismo y el hinduismo se desarrollaron en estrecho contacto entre sí. Fue el caldero en el que los grupos lingüísticos compitieron, en el que las lenguas indoeuropeas, semíticas y sino-tibetanas se hablaban junto a las altaicas, turcas y caucásicas. Fue allí donde los grandes imperios se alzaron y cayeron, donde las consecuencias de los choques entre culturas y grupos rivales se sentían a miles de kilómetros de distancia. Situarse en esa región abre nuevas formas de mirar el pasado. Nos muestra un mundo profundamente interconectado, donde lo que ocurría en un continente tenía impacto en otro, donde las réplicas de lo ocurrido en las estepas de Asia Central podían percibirse en el norte de África, donde los sucesos que tenían lugar en Bagdad repercutían en Escandinavia, donde los descubrimientos realizados en el continente americano alteraban el precio de los productos en China y causaban un aumento de la demanda en los mercados de caballos del norte de la India.

Estos temblores viajaban a través de una red que se desplegaba en todas las direcciones, las rutas que transitaban los peregrinos y los guerreros, los nómadas y los comerciantes, en las que se vendían y compraban mercancías y cosechas, en las que las ideas se intercambiaban, adaptaban y refinaban. Por esos caminos, sin embargo, no solo circulaba prosperidad, sino también muerte y violencia, enfermedades y desastres. A finales del siglo XIX el eminente geólogo alemán Ferdinand von Richthofen (tío del famoso piloto de la primera guerra mundial conocido como el Barón Rojo) bautizó esa dinámica red de conexiones con un nombre que se ha mantenido hasta nuestros días: *Seidenstraßen*, «rutas de la seda».[8]

Esas rutas son una especie de sistema nervioso central del mundo, una red que une y conecta pueblos y lugares, pero que se encuentra bajo la superficie, invisible a simple vista. Del mismo modo en que la anatomía explica el funcionamiento del cuerpo, comprender esas conexiones nos permite entender cómo funciona el mundo. Y no obstante, pese a su tremenda importancia, esa parte del planeta ha quedado en el olvido para la historia convencional. Ello se debe, en parte, a lo que se ha dado en llamar «orientalismo», la concepción estridente y abrumadoramente negativa de un Oriente poco desarrollado y en general inferior a Occidente y, por ende, indigno de estudio serio.[9] Por otro lado, sin embargo, también es consecuencia del hecho de que el relato dominante sobre el pasado ha conseguido consolidarse de tal forma que no hay espacio en él para una región que durante mucho tiempo ha sido considerada periférica para la narración del ascenso de Europa y la sociedad occidental.

En la actualidad, Jalalabad y Herat, en Afganistán, Faluya y Mosul, en Irak, y Homs y Alepo, en Siria, parecen sinónimos de fundamentalismo religioso y violencia sectaria. El presente se ha llevado por delante el pasado: olvidados están los días en los que el nombre de Kabul evocaba la imagen de los jardines plantados y cuidados por el gran Bābur, el fundador del imperio mogol en la India. El Bāgh-i-Wafa (Jardín de la Fidelidad) incluía un estanque, rodeado por un huerto de naranjos y granados y una pradera de tréboles, del que Bābur estaba particularmente orgulloso: «Esta es la mejor parte del jardín, la vista es bellísima cuando las naranjas adquieren color. ¡En verdad que el jardín tiene una ubicación admirable!».[10]

Del mismo modo, las impresiones modernas acerca de Irán han oscurecido las glorias de su historia más distante, cuando los persas eran un paradigma de buen gusto en todos los ámbitos, desde la fruta que se servía durante la cena hasta los deslumbrantes retratos en miniatura creados por artistas legendarios o el papel en el que escribían los estudiosos. En una obra muy apreciada, Simi Nīshāpūrī, un bibliotecario que vivió en Mashad, en el este de Irán, alrededor de 1400, recoge con sumo detalle el consejo de un bibliófilo que compartía su pasión por los libros. Cualquiera que piense en escribir, recomienda solemnemente, debe saber que el mejor papel para la caligrafía es el fabricado en Damasco, Bagdad o Samarcanda. El papel producido en otras partes «por lo general es basto, se mancha y no dura». Téngase en cuenta, advierte, que vale la pena teñir ligeramente el papel antes de escribir con tinta en él, «pues el blanco daña los ojos y todos los ejemplos maestros de caligrafía conocidos han sido realizados sobre papel teñido».[11]

Lugares cuyos nombres han sido prácticamente olvidados fueron dominantes en otra época, ciudades como Merv, que un geógrafo del siglo X describe como una «ciudad encantadora, magnífica, elegante, brillante, vasta y agradable» y «la madre del mundo», o Rayy, cerca de la moderna Teherán, que según otro autor del mismo periodo era un sitio tan esplendoroso que se lo consideraba «el novio de la Tierra» y «la creación más hermosa» del mundo.[12] Esparcidas por la columna vertebral de Asia, esas ciudades estaban unidas como un collar de perlas que conectaba el Pacífico con el Mediterráneo.

Los centros urbanos se espoleaban unos a otros, y la rivalidad entre los gobernantes y las élites se traducía en obras arquitectónicas cada vez más ambiciosas y monumentos cada vez más espectaculares. Bibliotecas, templos, iglesias y observatorios de dimensiones colosales y gran influencia cultural salpicaban la región, conectando Constantinopla con Damasco, Isfahán, Samarcanda, Kabul y Kasgar. Ciudades como estas se convirtieron en el hogar de eruditos brillantes que ampliaron las fronteras de sus ámbitos de estudio. Hoy apenas nos resultan familiares los nombres de un puñado de ellos, hombres como Ibn Sīnā, más conocido como Avicena, al-Bīrūnī y al-Jwārizmi, gigantes en los campos de la astronomía, la medicina y las matemáticas, pero hubo muchos más junto a ellos. Antes del comienzo de la era moderna, los centros intelectuales de la excelencia mundial, como Oxford y Cambridge —los Harvard y Yale del momento—, estuvieron durante siglos ubicados no en Europa o en Occidente, sino en Bagdad y Balj, en Bujará y Samarcanda.

Había una buena razón para explicar el desarrollo y avance de las culturas, ciudades y pueblos que vivían a lo largo de las «rutas de la seda»: a medida que comerciaban e intercambiaban ideas, esos pueblos aprendían y tomaban prestados conocimientos unos de otros, lo que estimulaba aún más el avance de la filosofía, la ciencia, el lenguaje y la religión. El progreso era esencial, como sabía muy bien hace más de dos mil años uno de los soberanos del reino de Zhao, en el noreste de China, en un extremo de Asia: «El talento para seguir las costumbres de ayer», declaró el rey Wuling en 307 a. C., «no es suficiente para mejorar el mundo de hoy».[13] Los líderes del pasado entendían cuán importante era ir acorde con los tiempos.

Sin embargo, el manto del progreso cambió a comienzos de la era moderna como consecuencia de dos grandes expediciones marítimas que tuvieron lugar a finales del siglo XV. A lo largo de la década de 1490, en un lapso de apenas seis años, quedaron establecidos los cimientos para una gran alteración de los sistemas de intercambio tradicionales. Primero, Cristóbal Colón cruzó el Atlántico, allanando el camino para la conexión de Europa (y el resto del mundo) con dos grandes masas de tierra hasta entonces desconocidas; y luego, apenas unos pocos años después, Vasco da Gama consiguió abrirse camino a través del extremo meridional de África y navegar hasta la India, inaugurando en el proceso una nueva ruta marítima. Esos descubrimientos modificaron la pauta de las interacciones y el comercio, e hicieron que el centro de gravedad político y económico del mundo sufriera un cambio extraordinario. Europa occidental dejó de ser una región atrasada para convertirse en la piedra angular de un sistema de comunicación, transporte y comercio que crecía con rapidez: de repente se convirtió en el nuevo punto intermedio entre Oriente y Occidente.

El ascenso de Europa desencadenó una feroz batalla por el poder y por el control del pasado. A medida que los rivales se enfrentaban unos con otros, se remodeló la historia para subrayar los acontecimientos, temas e ideas que podían usarse en los conflictos ideológicos que se propagaron con furia al mismo tiempo que la lucha por los recursos y el dominio de las rutas marítimas. Se hicieron bustos de políticos y generales destacados luciendo togas con el fin de asemejarlos a los héroes romanos del pasado; y se construyeron edificios espléndidos usando un estilo clásico imponente que se apropiaba de las glorias del mundo antiguo y las convertía en antecedentes directos. Se retorció y manipuló la historia para crear un relato insistente en el que el ascenso de Occidente no solo era un proceso natural e inevitable, sino una continuación de lo que había ocurrido previamente.

Fueron muchos los relatos que me llevaron a mirar el pasado del mundo de un modo diferente, pero hay uno que destaca de forma particular. La mitología griega cuenta que Zeus, el padre de los dioses, liberó dos águilas, una en cada extremo de la Tierra, y les ordenó volar la una hacia la otra. En el lugar en el que se encontraron se puso una piedra sagrada, el *omphalos*, el ombligo del mundo, para permitir la comunicación con el ámbito divino. Más tarde me enteré de que la idea de esa piedra ha fascinado durante mucho tiempo a filósofos y psicoanalistas.[14]

Recuerdo que la primera vez que escuché ese relato miré mi mapa preguntándome dónde se habrían encontrado las águilas. Me las imaginé despegando desde las orillas del Atlántico occidental y la costa china del Pacífico y dirigiéndose tierra adentro. La posición precisa cambiaba en función de dónde pusiera los dedos para empezar a medir la misma distancia desde el este y el oeste, pero siempre terminaba en algún lugar entre el mar Negro y el Himalaya. Por las noches, tumbado en la cama, me desvelaba pensando en el mapa que tenía en la pared del dormitorio, en las águilas de Zeus y en la historia de una región que nunca se mencionaba en los libros que leía y que, por tanto, no tenía nombre.

Desde hace tiempo, los europeos dividen Asia en tres grandes zonas: Oriente Próximo, Oriente Medio y Lejano Oriente. Sin embargo, cuando a medida que crecía y escuchaba o leía acerca de los problemas del mundo contemporáneo, tenía muchas veces la impresión de que la segunda, Oriente Medio, había cambiado de significado e incluso de ubicación, pues el término se usaba para hablar de Israel, Palestina y los territorios circundantes y, ocasionalmente, del golfo Pérsico. Y yo no podía entender por qué se hablaba todo el tiempo de la importancia del Mediterráneo como cuna de la civilización, cuando parecía tan evidente que no había sido realmente allí donde se había forjado. El verdadero crisol, el Mediterráneo en sentido literal, el corazón del mundo, no estaba en el mar que separaba Europa y el norte de África, sino en el centro de Asia.

Abrigo la esperanza de que al plantear nuevas preguntas y abrir nuevas áreas de investigación este libro consiga animar a otros a conocer unos pueblos y lugares que los estudiosos han ignorado durante generaciones. Espero incitarles a plantearse sus propias inquietudes acerca del pasado y desafiar y someter a escrutinio los tópicos. Por encima de todo, quisiera motivar a quienes lean este libro a mirar la historia de una manera diferente.

Worcester College, Oxford
Abril de 2015

# Capítulo 1

# LA CREACIÓN DE LA «RUTA DE LA SEDA»

Desde el inicio de los tiempos, el centro de Asia era el lugar en el que se forjaban los imperios. Las tierras bajas de aluvión de Mesopotamia, alimentadas por el Tigris y el Éufrates, proporcionaron la base para el nacimiento de la civilización, pues fue en esta región donde cobraron forma los primeros pueblos y ciudades. La agricultura sistemática se desarrolló en Mesopotamia y a lo largo del Creciente Fértil, una franja de tierra altamente productiva con acceso a agua en abundancia que se extendía desde el golfo Pérsico hasta la costa del Mediterráneo. Fue aquí, hace casi cuatro mil años, cuando Hammurabi difundió algunas de las primeras leyes de las que se conservan registros, un código en el que el rey de Babilonia detallaba las obligaciones de sus súbditos y establecía los temibles castigos que conllevaba transgredirlas.[1]

Aunque de este crisol surgieron muchos reinos e imperios, el mayor de todos fue el de los persas. En el siglo VI a. C. los persas se expandieron con rapidez desde su país de origen, en lo que hoy es el sur de Irán, y consiguieron dominar a sus vecinos: alcanzaron las orillas del Egeo, conquistaron Egipto y en su avance hacia el este llegaron hasta el Himalaya. A juzgar por lo que dice el historiador griego Heródoto, este éxito debía mucho a su capacidad de adaptación: «Los persas», escribió, «tienen una gran disposición a adoptar las costumbres extranjeras». No tenían inconveniente en cambiar su forma de vestir cuando llegaban a la conclusión de que la moda del rival derrotado era superior, lo que les llevó a tomar prestada la indumentaria utilizada tanto por los medos como por los egipcios.[2]

Esta disposición de los persas a adoptar ideas y prácticas nuevas fue importante, pues les permitió construir un sistema administrativo capaz de dirigir con fluidez un imperio que incluía muchos pueblos diferentes.

Una burocracia muy bien organizada supervisaba la gestión eficaz de la vida cotidiana dejando constancia de todo, desde los pagos realizados a los trabajadores que servían a la casa real hasta la validación de la cantidad y calidad de los artículos que se compraban y vendían en los mercados. Esa misma burocracia también tenía a su cargo el mantenimiento y la reparación del sistema de carreteras que cruzaba el imperio y que era la envidia del mundo antiguo.[3]

Una red de carreteras unía la costa de Asia Menor con Babilonia, Susa y Persépolis y permitía recorrer una distancia de más de dos mil quinientos kilómetros en apenas una semana, un logro que maravillaba a Heródoto, que anotó que ni la nieve ni el calor ni la lluvia impedían la veloz transmisión de los mensajes.[4] Las inversiones en agricultura y el desarrollo de pioneras técnicas de irrigación para mejorar el rendimiento de las cosechas contribuyeron a apoyar el crecimiento de las ciudades, pues hicieron posible que poblaciones cada vez más grandes pudieran subsistir a partir de la producción de los campos circundantes, no solo en las ricas tierras agrarias que había a ambas orillas del Tigris y el Éufrates, sino también en los valles bañados por los caudalosos ríos Oxus y Yaxartes (hoy llamados Amu Daria y Sir Daria, respectivamente) así como en el delta del Nilo, que los ejércitos persas conquistaron en 525 a. C. El imperio persa era una tierra de abundancia que conectaba el Mediterráneo con el corazón de Asia.

Persia se presentaba a sí misma como un modelo de estabilidad y justicia, como muestra la inscripción trilingüe labrada en la pared de un acantilado en Behistún. Escrita en persa, elamita y acadio, esta inscripción refiere que Darío el Grande, uno de los reyes más conocidos de Persia, sofocó rebeliones y levantamientos, hizo retroceder a los invasores extranjeros y no agravió a los pobres ni a los poderosos. «Mantén el país seguro», manda la inscripción, «y cuida del pueblo con rectitud, pues la justicia es el cimiento del reino».[5] La tolerancia de las minorías era legendaria; de hecho, otro rey persa, Ciro, es celebrado en la Biblia como «mesías» (ungido) y alguien bendecido por «Yahveh, el Dios de los cielos» debido a su política, que incluyó liberar a los judíos de su exilio en Babilonia.[6]

El florecimiento del comercio en la antigua Persia proporcionó a los gobernantes los ingresos necesarios para financiar expediciones militares que tenían como objetivo lugares capaces de aportar todavía más recursos al imperio, lo que a su vez les dio la posibilidad de permitirse gustos y placeres famosos por su extravagancia. Se erigieron edificios espectaculares en las grandes ciudades de Babilonia, Persépolis, Pasargada y Susa, donde Darío construyó un palacio espléndido utilizando ébano y plata egipcios de la mayor calidad, cedro del Líbano, oro fino de Bactria, lapislázuli y bermellón de Sogdiana, turquesa de Jorasmia y marfil de la India.[7] Los persas eran aficionados al placer y, de acuerdo con Heródoto, les bastaba tener noticias de un nuevo deleite para ansiar entregarse a él.[8]

La mancomunidad comercial estaba respaldada por un ejército agresivo que contribuía a ampliar las fronteras, pero que también necesitaba defenderlas. Había problemas persistentes al norte, un mundo dominado por nómadas que vivían con sus rebaños en cinturones de praderas semiáridas, las estepas, que se extendían a través de Asia Central, desde el mar Negro hasta Mongolia. Estos nómadas eran conocidos por su ferocidad: se decía que bebían la sangre de los enemigos y hacían ropa con sus cueros cabelludos y que, en algunos casos, comían incluso la carne de sus propios padres. En cualquier caso, la interacción con los nómadas resultaba compleja, pues a pesar de que era frecuente describirlos como caóticos e impredecibles, lo cierto es que eran socios importantes para el abastecimiento de animales y, en especial, de caballos. Sin embargo, también es cierto que los nómadas podían causar desastres, como cuando Ciro el Grande, el arquitecto del imperio persa en el siglo VI a. C., pereció intentando subyugar a los escitas; según las crónicas, los vencedores decapitaron al rey y metieron su cabeza en un odre lleno de sangre humana para que pudiera saciar por fin la sed de poder que le dominaba.[9]

No obstante, ese fue un revés inusual y no detuvo la expansión persa. Los líderes griegos miraban hacia el este con una mezcla de temor y respeto, tratando de aprender las tácticas persas en el campo de batalla y de adoptar su técnica. Autores como Esquilo utilizaron los triunfos contra los persas como una forma de celebrar la pericia militar griega y demostrar el favoritismo de los dioses, conmemorando la resistencia heroica a los invasores en dramas y obras épicas.[10]

«He venido a Grecia», dice Dioniso en las primeras líneas de *Las bacantes*, desde el «este fabulosamente rico», donde el sol baña las mesetas de Persia, los muros protegen las ciudades de Bactria y torres de hermosa construcción dominan las regiones costeras. En Asia y Oriente se encontraban las tierras que Dioniso había puesto a «danzar» con los misterios divinos mucho antes que las de los griegos.[11]

Nadie estudió esas obras con mayor aplicación que Alejandro de Macedonia. Cuando ascendió al trono en 336 a. C. tras el asesinato de su padre, el brillante rey Filipo, no cabía duda de hacia dónde se dirigiría el joven general en búsqueda de gloria. Ni por un instante miró en dirección a Europa, que no ofrecía nada en absoluto: ni ciudades, ni cultura, ni prestigio, ni recompensas. Para Alejandro, como para todos los griegos de la Antigüedad, la cultura, las ideas y las oportunidades, así como las amenazas, procedían de Oriente. De modo que no fue una sorpresa que su mirada se posara en la potencia más grande del mundo antiguo: Persia.

Tras desalojar a los gobernadores persas de Egipto en un ataque relámpago en 331 a. C., Alejandro lanzó un ataque sin cuartel contra el corazón del imperio. La confrontación decisiva tuvo lugar después, ese mismo año, en las polvorientas llanuras de Gaugamela, cerca de lo que hoy es la ciudad de Erbil, en el Kurdistán iraquí, donde Alejandro infligió una derrota espectacular al ejército persa bajo el mando de Darío III, que era enormemente superior. El hecho de que el macedonio estuviera en plena forma tras una noche de buen sueño quizá contribuyera a la victoria: según Plutarco, Alejandro insistió en descansar antes de enfrentarse al enemigo y durmió tan profundamente que sus oficiales, preocupados, tuvieron que emplearse a fondo para despertarle. Vestido con su atuendo favorito y un casco tan pulido que «brillaba como la plata más refinada», tomó la leal espada con la mano derecha y condujo a sus soldados a una victoria aplastante que le abrió las puertas de un imperio.[12]

Discípulo de Aristóteles, que fue su tutor, Alejandro creció con grandes expectativas sobre los hombros. No decepcionó. Después de destrozar a los ejércitos persas en Gaugamela, siguió avanzando hacia el este. Una ciudad tras otra se rindieron ante él a medida que fue apoderándose de los territorios antes controlados por sus rivales. Lugares legendarios por sus dimensiones, riqueza y belleza cayeron ante el joven héroe. Cuando Babilonia se rindió, la población cubrió la carretera que conducía a la gran ciudad con flores y guirnaldas y se instalaron altares de plata con pilas de incienso y perfumes a uno y otro lado de la vía. Jaulas con leones y leopardos le fueron presentadas como obsequio.[13] Alejandro y sus hombres no tardaron en tomar todos los puntos a lo largo del camino real que unía las principales ciudades de Persia y la red de comunicaciones que conectaba la costa de Asia Menor con Asia Central.

Aunque algunos eruditos modernos lo reducen a poco más que un «matón juvenil borracho», Alejandro parece haber poseído un tacto sorprendentemente delicado a la hora de tratar con territorios y pueblos reción conquistados.[14] Solía ser comprensivo con las creencias y prácticas religiosas locales, por las que mostraba tolerancia y también respeto: por ejemplo, se cuenta que le disgustó tanto la forma en que la tumba de Ciro el Grande había sido profanada que no solo ordenó su restauración, sino que castigó a los culpables del expolio.[15] Después de que se hallara abandonado en una carreta el cuerpo de Darío III, que había sido asesinado por uno de sus propios lugartenientes, Alejandro se aseguró de que recibiera un funeral acorde con su rango y fuera sepultado junto a otros soberanos persas.[16]

Otra razón por la que Alejandro consiguió poner más territorios bajo su dominio fue su disposición a contar con las élites locales. «Si no queremos solo atravesar Asia sino conservarla», se afirma que dijo, «debemos ser clementes con estas gentes; será su lealtad la que haga estable y permanente nuestro imperio».[17] Se permitió que los funcionarios locales y los miembros de la vieja élite conservaran sus posiciones y se ocuparan de administrar las ciudades y los territorios conquistados. El propio Alejandro decidió adoptar los títulos tradicionales y vestirse con prendas persas para subrayar su aceptación de las costumbres locales. Le gustaba presentarse no tanto como conquistador e invasor, sino como el último heredero de un reino antiguo, a pesar de quienes aseguraban a todo el que estuviera dispuesto a escuchar que solo había llevado miseria y bañado de sangre la tierra.[18]

Es importante recordar que gran parte de la información que tenemos acerca de las campañas, triunfos y políticas de Alejandro procede de historiadores posteriores, relatos con frecuencia idealizados en extremo, que transpiran emoción y entusiasmo al narrar las hazañas del joven general.[19] No obstante, si bien hemos de mirar con cautela la forma en que las fuentes se ocupan de la caída de Persia, la rapidez con la que Alejandro continuó extendiendo la frontera hacia al este evidencia su propia historia. Lleno de energía, fundó nuevas ciudades, que él solía bautizar con su nombre, pero que hoy conocemos con otras denominaciones, como Herat (Alejandría de Aria), Kandahar (Alejandría de Aracosia) y Bagram (Alejandría del Cáucaso). La construcción de estos puestos, y el refuerzo de otros más al norte, hasta el valle de Ferganá, creó una nueva serie de puntos a lo largo de la columna vertebral de Asia.

La construcción de nuevas ciudades dotadas de defensas poderosas, así como de fortalezas y fuertes independientes, tenía como objetivo principal hacer frente a la amenaza que planteaban las tribus de las estepas, que eran expertas en lanzar ataques devastadores contra las comunidades rurales. El programa de fortificaciones de Alejandro se concibió para proteger las nuevas áreas que solo recientemente había sido posible conquistar. Entre tanto, más al este, y en la misma época, una inquietud similar recibía una respuesta similar. Para entonces, los chinos ya habían desarrollado la idea de la *huaxia*, que representaba el mundo civilizado en contraposición al desafío que suponían los pueblos de las estepas, y animados por el mismo principio adoptado por Alejandro, es decir, que la expansión sin defensa era inútil, emprendieron un programa intensivo de construcciones que amplió una red de fortificaciones en lo que terminaría siendo la Gran Muralla china.[20]

Alejandro, por su parte, continuó luchando de forma implacable. Cruzó el Hindú Kush y marchó hacia el sur por el valle del Indo, fundando a su paso nuevos fuertes y dejando guarniciones para su defensa, si bien comenzaron a ser frecuentes los gritos de protesta de sus hombres, cada vez más cansados de la guerra y deseosos de volver a casa. Desde una perspectiva militar, los logros alcanzados hasta el momento de su muerte, a la edad de treinta y dos años en Babilonia (323 a. C.), y en circunstancias que siguen envueltas en el misterio, son nada menos que sensacionales.[21] La rapidez y la extensión de sus conquistas fueron asombrosas. Y no menos impresionante (aunque con frecuencia se suele pasar por alto) fue la magnitud del legado que dejó tras de sí y el modo en que las influencias de la Grecia antigua se mezclaron con las de Persia, las de la India, las de Asia Central y, llegado el momento, también las de China.

Si bien a la muerte repentina de Alejandro sucedió un periodo de agitación y luchas intestinas entre sus principales generales, no tardó en surgir un líder para la mitad oriental de los nuevos territorios: un oficial nacido en el norte de Macedonia llamado Seleuco que había participado en todas las expediciones importantes del rey. Apenas unos pocos años después de la muerte de su señor, Seleuco se había convertido en gobernador de las tierras que se extendían desde el Tigris hasta el Indo, un territorio tan vasto que más que un reino parecía un imperio por derecho propio. Allí fundó la dinastía que iba a gobernar la región durante casi tres siglos, los seléucidas.[22] Las victorias de Alejandro a menudo se suelen minimizar con facilidad como una serie brillante de conquistas a corto plazo y por lo general se considera que su legado fue básicamente efímero. Sin embargo, sus logros no fueron en absoluto pasajeros, sino el comienzo de un nuevo capítulo en la historia de la región que se extiende desde el Mediterráneo hasta el Himalaya.

Las décadas que siguieron a la muerte de Alejandro fueron protagonistas de un programa de helenización inconfundible, en el que ideas, temas y símbolos de la Grecia antigua se introdujeron gradualmente en Oriente. Los descendientes de sus generales recordaban sus raíces griegas y las subrayaron de forma deliberada; por ejemplo, en las monedas acuñadas en las cecas de las principales ciudades, a saber, las situadas en puntos importantes a lo largo de las rutas comerciales o en centros agrarios especialmente dinámicos. La forma de esas monedas se estandarizó: una imagen del gobernante en el anverso, con una diadema para contener sus rizos y mirando invariablemente hacia la derecha, como hiciera Alejandro; y una imagen de Apolo en el reverso, siempre identificado con letras griegas.[23]

La lengua griega se oía (y veía) a lo largo y ancho de Asia Central y el valle del Indo. En Ai-Janoum, en el norte de Afganistán, una de las nuevas ciudades fundadas por Seleuco, se grabaron máximas de Delfos en un monumento como la siguiente:

> En la infancia, compórtate.
> En la juventud, contrólate.
> En la madurez, sé justo.
> En la vejez, sé sabio.
> En la agonía, no sufras.[24]

Más de un siglo después de la muerte de Alejandro, el griego seguía siendo usado de forma cotidiana por los funcionarios, como demuestran los comprobantes fiscales y los documentos relacionados con el salario de los soldados de Bactria que datan del año 200 a. C., aproximadamente.[25] De hecho, la lengua griega tuvo una gran penetración en el subcontinente indio. Algunos de los edictos promulgados por el emperador mauria Asoka, el más importante de los primeros gobernantes de la India, tenían una traducción griega paralela, de la que evidentemente se beneficiaba la población local.[26]

La vitalidad del intercambio cultural que produjo el choque de Europa y Asia fue asombrosa. Las estatuas de Buda solo aparecen después de que el culto de Apolo hubiera arraigado en la región de Gandhara y en el oeste de la India. Los budistas se sintieron amenazados por el éxito de las nuevas prácticas religiosas y empezaron a crear imágenes visuales propias. De hecho, la correlación no es solo temporal, en cuanto a la fecha de aparición de las primeras estatuas de Buda, sino estilística: la apariencia y el diseño de las estatuas sugieren que tuvieron como modelo las de Apolo, pues tal era el impacto de la influencia griega. Hasta entonces, los budistas habían evitado voluntariamente las representaciones visuales; fue la competencia lo que les obligó a reaccionar, tomar prestado e innovar.[27]

Los altares de piedra adornados con inscripciones griegas, las imágenes de Apolo y las exquisitas miniaturas de Alejandro hechas en marfil procedentes de lo que hoy es el sur de Tayikistán revelan cuán lejos penetraron las influencias occidentales.[28] E igual suerte tuvo la impresión de que la cultura importada del Mediterráneo era superior, al menos en algunos aspectos. En la India, por ejemplo, los griegos eran reconocidos en general por su talento científico: «Son bárbaros», dice el texto conocido como *Gārgī Samhitā*, «no obstante, la ciencia de la astronomía se originó con ellos y por ese hecho merecen ser venerados como dioses».[29]

Según Plutarco, Alejandro se aseguró de que la teología griega se enseñara a lo largo y ancho del imperio, hasta la India, y en consecuencia, los dioses del Olimpo empezaron a ser venerados por toda Asia. En Persia, y más al este incluso, los jóvenes varones se formaban leyendo a Homero y «cantando las tragedias de Sófocles y Eurípides», mientras que la lengua griega se estudiaba en el valle del Indo.[30] Esto quizá explica por qué es posible detectar ciertos préstamos en las grandes obras literarias de la Antigüedad. Se ha propuesto, por ejemplo, que el *Rāmāyana*, la gran epopeya sánscrita del siglo III a. C., es deudora de la *Ilíada* y la *Odisea*, pues el motivo del rapto de Sita a manos de Rāvaṇa sería un eco directo de la fuga de Helena con Paris de Troya. Las influencias y la inspiración, sin embargo, no viajaron en una sola dirección, y algunos estudiosos sostienen que textos indios como el *Mahābhārata* influyeron a su vez en la composición de la *Eneida*.[31] Las ideas, las historias y los temas circulaban de un lado a otro por las carreteras, difundidos por los viajeros, los comerciantes y los peregrinos; las conquistas de Alejandro de algún modo propiciaron una apertura mental, tanto en las tierras conquistadas como en las de la periferia y más allá, a medida que la población local entraba en contacto con nuevas ideas, nuevas imágenes y nuevos conceptos.

Incluso las culturas de las inhóspitas estepas se vieron afectadas por las nuevas tendencias, como resulta visible en los exquisitos objetos funerarios hallados en las tumbas de las figuras de alto rango sepultadas en Tillya Tepe, en el norte de Afganistán, en los que es posible apreciar la influencia artística de Grecia, así como de Siberia, la India y otros lugares. Los bienes suntuarios ingresaban en el mundo nómada a cambio de reses y caballos y, en ocasiones, como tributo pagado a cambio de la paz.[32]

Las ambiciones cada vez mayores de China aceleraron la integración de las estepas en este mundo cada vez más entrelazado e interconectado. Bajo la dinastía Han (206 a. C.-220 d. C.), las oleadas expansionistas fueron empujando la frontera hasta finalmente alcanzar una provincia que entonces se llamaba Xiyu («regiones occidentales»), pero que en la actualidad conocemos como Xinjiang («nueva frontera»). Esta provincia se encuentra más allá del corredor de Gansu, la ruta de más de novecientos cincuenta kilómetros que une el interior de China con la ciudad oasis de Dunhuang, un cruce de caminos en el borde del desierto de Taklamakán. En este punto había la posibilidad de elegir entre dos rutas potencialmente igual de traicioneras, la septentrional y la meridional, que convergían en Kasgar, una ciudad situada en la conjunción de la cordillera del Himalaya, la cordillera del Pamir, la cordillera de Tian Shan y el Hindú Kush.[33]

La expansión de los horizontes de China contribuyó a conectar el continente asiático. Hasta entonces, esas redes habían estado bloqueadas por los yuezhi y, sobre todo, los xiongnu, tribus nómadas que como los escitas de Asia Central eran motivo de inquietud constante, pero también importantes socios comerciales como proveedores de ganado: autores del siglo II a. C., durante la dinastía Han, mencionan decenas de miles de reses compradas a los pueblos de las estepas.[34] No obstante, era la demanda china de caballos la que resultaba prácticamente insaciable; la razón era la necesidad de mantener una fuerza militar eficaz para mantener el orden interno del país y preparada en todo momento para responder a los ataques e incursiones de los xiongnu y demás tribus. Los caballos de la región occidental de Xinjiang eran muy apreciados, y los jefes tribales podían hacerse ricos comerciando con ellos. En una ocasión, un jefe yuezhi intercambió unos caballos por una gran remesa de mercancías que luego vendió a otros, una operación en la que multiplicó diez veces su inversión.[35]

Las monturas más famosas y valiosas se criaban en el valle de Ferganá, al otro lado de la espectacular cordillera del Pamir, que se extiende a lo largo de lo que hoy es el oriente de Tayikistán y el noreste de Afganistán. Muy admirados por su fortaleza, los escritores chinos decían que esos caballos eran descendientes de dragones y los llamaban *hanxue ma*, «los que sudan sangre», por el color rojo de su sudor (una característica que podía deberse tanto a la acción de un parásito local como a que tuvieran una piel inusualmente delgada, lo que les hacía propensos a la ruptura de vasos sanguíneos durante el esfuerzo). Algunos ejemplares particularmente magníficos, a los que con frecuencia se denomina *tianma* («caballo divino o celestial»), se convirtieron en celebridades por derecho propio, hasta el punto de inspirar poemas, esculturas y pinturas.[36] Y algunos incluso acompañaron a sus dueños a la otra vida: un emperador fue enterrado junto con ochenta de sus corceles preferidos en una tumba custodiada por las estatuas de dos sementales y un guerrero de terracota.[37]

Las relaciones con los xiongnu, que dominaban las estepas de Mongolia y las praderas del norte de China, no siempre eran fáciles. Los historiadores contemporáneos los describen como una tribu de bárbaros capaces de comer carne cruda y beber sangre; ciertamente, dice uno de ellos, son un pueblo «abandonado por los cielos».[38] Aprendían a cazar desde niños: primero, ratas y pájaros; después, zorros y liebres. Los chinos estaban dispuestos a pagarles tributo con tal de no correr el riesgo de que atacaran sus ciudades. Con regularidad enviaban embajadas a visitar a los nómadas, que en nombre del emperador preguntaban cortesmente por la salud del líder supremo.[39] Surgió así un sistema de tributo formal en el que, a cambio de la paz, los nómadas recibían regalos suntuosos, como arroz, vino y textiles. El artículo más importante que incluían los regalos era la seda, un género que los nómadas apreciaban por su textura y liviandad y utilizaban como forro en prendas de vestir y ropa de cama. La seda era también un símbolo de poder político y social: envolverse en cantidades enormes del precioso género era una de las formas en que el *chanyu* (jefe supremo de la tribu) subrayaba su propio estatus y recompensaba a quienes le rodeaban.[40]

Las sumas que los chinos pagaban a cambio de la paz eran considerables. En el año 1 a. C., por ejemplo, los xiongnu recibieron treinta mil rollos de seda y una cantidad similar de seda cruda, además de trescientas setenta prendas.[41] A algunos funcionarios les gustaba pensar que el gusto por el lujo de la tribu sería su perdición. «Ahora [os habéis] aficionado a las cosas chinas», dijo con descaro un enviado a un líder tribal. Las costumbres de los xiongnu estaban cambiando. China, predijo con confianza, «terminará conquistando toda la nación xiongnu».[42]

Eso era hacerse ilusiones. De hecho, la diplomacia utilizada para mantener la paz y las buenas relaciones tenía un precio tanto desde el punto de vista económico como desde el político: pagar el tributo era costoso y suponía una señal de debilidad política. Por tanto, y a su debido tiempo, los Han resolvieron lidiar con los xiongnu de una vez y para siempre. Primero, se hizo un esfuerzo coordinado para tomar el control de las regiones occidentales de Xiyu, que tenían una agricultura muy rica; los nómadas se vieron obligados a retroceder a medida que los chinos fueron haciéndose con el control del corredor de Gansu en una serie de campañas que se prolongó durante diez años y terminó en 119 a. C. Al oeste se encontraba la cordillera del Pamir y, más allá, un mundo nuevo. China había abierto una puerta que conducía a una red transcontinental; fue en ese momento cuando nacieron las «rutas de la seda».

La expansión de China estuvo acompañada de un interés cada vez mayor por lo que había más allá de sus fronteras. El gobierno encargó a representantes oficiales que investigaran y escribieran informes sobre las regiones que se encontraban al otro lado de las montañas. Uno de esos testimonios ha sobrevivido hasta nuestra época, el *Shi Ji* [Memorias históricas] escrito por Sima Qian, el hijo del gran historiador (*taishi*) de la corte imperial, quien continuó trabajando en el documento incluso después de haber sido deshonrado y castrado por osar defender a un general joven e impetuoso que había conducido a sus tropas a la derrota.[43] De forma cuidadosa, Sima Qian expuso lo que había conseguido descubrir acerca de la historia, la economía y los ejércitos de los pueblos del valle del Indo, Persia y Asia Central. Los reinos de Asia Central, anotó, se habían debilitado debido a la presión de los nómadas desplazados por las fuerzas chinas, que habían tenido que dirigir su atención a otros lugares. Los habitantes de esos reinos, escribió, eran «ineptos en el uso de las armas, pero ingeniosos en materia de comercio», prueba de lo cual eran los prósperos mercados de la capital, Bactra, «donde se compran y venden toda clase de mercancías».[44]

El comercio entre China y el mundo más allá de sus fronteras se desarrolló con lentitud. Cruzar las rutas a lo largo del borde del desierto de Gobi no era sencillo, sobre todo después de la Puerta de Jade, el puesto fronterizo por el que salían las caravanas de mercaderes de camino al oeste. Viajar de un oasis a otro por terreno traicionero era difícil, ya fuera que su ruta les llevara a través del desierto de Taklamakán, por los pasos de las montañas de Tian Shan o por la cordillera del Pamir. En el camino había que soportar temperaturas extremas, y esa es una de las razones por las que el camello bactriano era tan apreciado. Además de ser lo bastante resistentes como para hacer frente a las duras condiciones del desierto, estos animales identificaban con antelación las mortíferas tormentas de arena, que como observa un autor de la época, les hacían «levantarse de inmediato y ponerse a gruñir», una señal para que los comerciantes y jefes de la caravana «se cubran las narices y la boca envolviéndolas con fieltro». No obstante, los camellos estaban lejos de ser pronosticadores infalibles, y las fuentes mencionan el gran número de esqueletos y animales muertos que se veían a lo largo de las rutas.[45] En circunstancias tan severas, las recompensas tenían que ser muy altas para que valiera la pena correr el riesgo. Aunque era posible encontrar a la venta bambú y telas fabricadas en Sichuan en los mercados de Bactria, a miles de kilómetros de distancia, las mercancías que se transportaban a semejantes distancias eran sobre todo las raras y de gran valor.[46]

La principal de estas era la seda. Aparte del valor que le daban las tribus nómadas, la seda tenía varias funciones importantes en el mundo antiguo. Durante la dinastía Han se usaba, junto con el dinero en metálico y el grano, para pagar a los soldados. En cierto sentido, era la moneda más fiable: producir dinero en cantidades suficientes era difícil y el hecho de que no todo el país estuviera monetizado suponía un problema; las dificultades era particularmente evidentes cuando se trataba de pagar al ejército, pues los escenarios de acción solían estar situados en regiones remotas, en las que el dinero en metálico era prácticamente inútil. El grano, por su parte, tenía el inconveniente de que pasado un tiempo se pudría. En consecuencia, era habitual usar rollos de seda cruda como moneda, ya fuera para pagar los salarios o, como en el caso de un monasterio budista de Asia Central, cancelar las multas que se imponían a los monjes que quebrantaban las reglas del centro.[47] La seda se convirtió al mismo tiempo en una divisa internacional y en un artículo de lujo.

Los chinos también regularon el comercio mediante la creación de un marco formal para el control de los comerciantes que llegaban de los territorios extranjeros. Los treinta y cinco mil textos conservados en Xuanquan, una ciudad con una guarnición militar no lejos de Dunhuang, forman un corpus extraordinario que nos ofrece una imagen vívida de los entresijos de una población situada en el cuello del corredor de Gansu. Gracias a esos textos, escritos en tablillas de bambú y de madera, sabemos que los visitantes que entraban en China tenían que seguir una ruta determinada, recibían permisos de tránsito por escrito y eran contados regularmente por los funcionarios gubernamentales con el fin de garantizar que todo el que entraba en el país regresaba al suyo llegado el momento. De forma similar al fichero de clientes de un hotel moderno, se llevaba un registro de cada visitante en el que se señalaba cuánto gastaba en comida y se consignaba el lugar de procedencia, el título y el destino.[48]

Tales medidas no han de entenderse como una forma de vigilancia recelosa, sino más bien como un recurso para saber con exactitud quién entraba y salía de China, qué hacía en el país y, sobre todo, para dejar constancia del valor de los bienes comprados y vendidos con fines aduaneros. La sofisticación de las técnicas y su temprana implementación revelan la forma en que las cortes imperiales de la capital, ya fuera Chang'an (la moderna Xi'an) o, desde el siglo I d. C., Luoyang, lidiaron con un mundo que parecía encogerse ante sus ojos.[49] Hoy solemos pensar en la globalización como un fenómeno exclusivamente moderno, pero hace dos mil años era también una realidad, una que ofrecía oportunidades, creaba problemas y animaba el progreso tecnológico.

Entre tanto, los sucesos que estaban teniendo lugar a miles de kilómetros de distancia sirvieron para estimular la demanda de artículos de lujo y generar la capacidad de pagar por ellos. En Persia, los descendientes de Seleuco fueron derrocados hacia 247 a. C. por Arsaces, un hombre cuyos orígenes siguen siendo oscuros. Sus descendientes, conocidos como los arsácidas, consolidaron su control del poder y procedieron a extenderlo, apropiándose con habilidad de la historia para fundir ideas griegas y persas en una nueva identidad cada vez más coherente y sólida. El resultado fue una época de estabilidad y prosperidad.[50]

No obstante, el mayor estímulo de todos procedió de lo que estaba ocurriendo en el Mediterráneo. Una ciudad pequeña, en una ubicación poco prometedora hacia la mitad de la costa oeste de Italia, había logrado dejar de ser una provincia atrasada para convertirse lentamente en una potencia regional. Tras someter una tras otra a las ciudades-estado de la costa, Roma se hizo con el dominio del Mediterráneo occidental. Para mediados del siglo I a. C., sus ambiciones de expansión estaban creciendo de forma espectacular y la atención se centraba con firmeza en el este.

Roma había evolucionado hacia un estado intensamente competitivo que glorificaba las artes militares y aclamaba la violencia y la muerte. Los combates de gladiadores eran la base del ocio público, un espacio para celebrar de forma brutal el dominio tanto sobre los pueblos extranjeros como sobre la naturaleza. Los arcos del triunfo erigidos por toda la ciudad proporcionaban un recordatorio cotidiano de las victorias militares a la ajetreada población. El militarismo, la valentía y el amor a la gloria se cultivaban con esmero como las características clave de una ciudad ambiciosa cuyo alcance siempre estaba extendiéndose.[51]

La columna vertebral del poder romano era el ejército, un cuerpo adaptado y perfeccionado de acuerdo con estándares muy exigentes. Se esperaba que los soldados fueran capaces de marchar más de treinta kilómetros en cinco horas, al tiempo que cargaban con un equipo de al menos veinte kilos de peso. El matrimonio no solo era mal visto, sino que estaba específicamente prohibido con el fin de mantener a los reclutas unidos entre sí. Los cuerpos formados por varones jóvenes, muy bien adiestrados, en plena forma y apasionados, a los que se había educado para confiar en sus capacidades y estar convencidos de su destino, eran la roca sobre la que Roma había sido construida.[52]

La conquista de la Galia (en términos generales, el área que hoy ocupan Francia y los Países Bajos y parte de Alemania occidental) en 52 a. C. trajo consigo un botín considerable, suficiente para causar una corrección del precio del oro en el Imperio Romano.[53] Sin embargo, en Europa no había muchos otros lugares de los cuales apoderarse, y muy pocos de ellos eran prometedores. Lo que hacía grandes a los imperios era tener una gran cantidad de ciudades que produjeran rentas gravables; lo que los hacía espectaculares, desde un punto de vista cultural, eran los artistas y artesanos que desarrollaban nuevas ideas cuando clientes ricos competían entre sí por sus servicios y les recompensaban por su destreza. Era improbable que la incorporación a los territorios imperiales de lugares como Bretaña resultara lucrativa para Roma: como atestiguan las cartas escritas en pizarra que los soldados establecidos en Bretaña enviaban a sus hogares, la provincia era sinónimo de aislamiento lúgubre y estéril.[54]

Pero la transición de Roma hacia el imperio tuvo poco que ver con Europa o con establecer el control a lo largo de un continente en el que escaseaban la clase de recursos y ciudades que servían para atraer consumidores y contribuyentes. Lo que impulsó a Roma a una nueva era fue la reorientación hacia el Mediterráneo oriental y más allá. El éxito y la gloria romanos fueron consecuencia, en primer lugar, de la conquista de Egipto, y después, de haber conseguido establecerse en el este, en Asia.

Gobernado durante casi trescientos años por los descendientes de Ptolomeo, uno de los lugartenientes de Alejandro Magno, Egipto había acumulado una riqueza fabulosa alrededor del Nilo, cuyas crecidas producían unas cosechas de cereales prodigiosas. Tales cosechas no solo eran suficientes para alimentar a la población local, sino que proporcionaban excedentes espléndidos que permitieron que Alejandría, en la desembocadura del río, creciera hasta convertirse en la ciudad más grande del mundo, según un autor contemporáneo, que calculaba que en el siglo I a. C. tenía una población de alrededor de trescientos mil habitantes.[55] Los cargamentos de grano se supervisaban con gran cuidado. Los capitanes tenían que prestar el juramento real cada vez que llenaban sus barcazas, momento en el que un representante del escriba oficial les expedía un recibo; solo entonces se liberaba el grano para que se procediera a cargarlo.[56]

Hacía mucho tiempo que Roma había puesto su codiciosa mirada en Egipto y aprovechó la oportunidad cuando la reina Cleopatra se enredó en la turbia lucha por el control político que tuvo lugar después del asesinato de Julio César. La reina egipcia tomó la decisión fatídica de unir su suerte a la de Marco Antonio, y tras la derrota sufrida en la batalla de Accio (30 a. C.), no tardó en ver cómo el ejército romano dirigido por Octavio, un maestro del cálculo político, se cernía sobre Alejandría. Después de una serie de decisiones defensivas en las que se combinaron una profunda negligencia y la incompetencia más burda, Cleopatra se suicidó, ya fuera dejándose morder por una serpiente venenosa o quizá tomando ella misma el veneno. Egipto cayó como una fruta madura.[57] Octavio había salido de Roma como general; regresó convertido en dirigente supremo, y el Senado, agradecido, pronto le otorgaría un nuevo título: Augusto. Roma se había convertido en un imperio.

La conquista de Egipto transformó la suerte de Roma. Ahora que controlaba las vastas cosechas del valle del Nilo, el precio del grano cayó, lo que dio un importante empuje al poder adquisitivo de los hogares. Las tasas de interés se desplomaron, al caer aproximadamente del 12 al 4 por ciento, lo que a su vez avivó el auge que suele acompañar a las avalanchas de dinero barato: un aumento rápido de los precios de la propiedad inmobiliaria.[58] El incremento de la renta disponible fue tan pronunciado que el emperador consiguió elevar en un 40 por ciento el umbral económico que cualificaba para ser miembro del Senado.[59] Como al mismo Augusto le gustaba alardear, había encontrado una Roma hecha de ladrillo y la dejó de mármol.[60]

Esta riqueza creciente era el resultado de la implacable expropiación por parte de Roma de las rentas tributarias de Egipto y, en general, de los enormes recursos del país. Equipos de inspectores fiscales se desplegaron a lo largo y ancho de Egipto para imponer un nuevo impuesto de capitación que habían de pagar todos los hombres entre los dieciséis y los sesenta años de edad. En unos casos especiales, muy pocos, se otorgaron exenciones: por ejemplo, a los sacerdotes, que lograron evitar el impuesto, pero solo después de que sus nombres hubieran quedado consignados en los registros de los templos.[61] Estas medidas formaban parte de un sistema que un historiador ha calificado como «*apartheid* antiguo» y que tenía por objetivo maximizar el flujo de dinero que llegaba a Roma.[62]

El proceso de apropiación de las rentas se repitió en otros lugares a medida que los tentáculos de la expansión económica y militar de Roma continuaban extendiéndose. Poco después de la anexión de Egipto, se enviaron asesores fiscales a Judea para realizar un censo, una vez más con el fin de garantizar que los impuestos pudieran calcularse con exactitud. Dando por sentado que el modelo utilizado fue el mismo que se empleó en Egipto, el cual estipulaba que debían registrarse todos los nacimientos y defunciones así como el nombre de todos los varones adultos, la llegada al mundo de Jesucristo acaso fuera registrada por un funcionario al que la identidad del niño y de los padres no interesaba tanto como lo que el nacimiento representaba para el imperio, es decir, una mano de obra adicional y un futuro contribuyente.[63]

El mundo que encontró en Oriente abrió los ojos de Roma. Asia ya era célebre como el continente del lujo ocioso y la buena vida. Era indescriptiblemente rica, escribió Cicerón: allí las cosechas eran legendarias; la variedad de la producción agraria, increíble; el tamaño de las manadas y rebaños, sencillamente asombroso; las exportaciones, colosales.[64] Tanta era la riqueza de Asia que los romanos pensaban que sus habitantes podían permitirse vivir dedicados a los placeres mundanos. No es de extrañar que fuera en Oriente donde los soldados romanos se hacían hombres, escribió el poeta Salustio: era allí donde las tropas aprendían a hacer el amor, a embriagarse y a disfrutar de las estatuas y las pinturas y el arte. Eso difícilmente era algo bueno, al menos en lo que respecta a Salustio. Asia quizá fuera «voluptuosa y permisiva», pero «sus placeres pronto ablandaban el espíritu belicoso de los soldados».[65] Presentado en estos términos, el este era la antítesis de todo lo que representaba la Roma dura y marcial.

Augusto realizó un esfuerzo concertado por entender lo que había más allá de las nuevas fronteras orientales. Se enviaron fuerzas expedicionarias al reino de Axum, en la moderna Etiopía, y al reino sabeo de Yemen, mientras que la exploración del golfo de Áqaba había empezado incluso antes de que Roma hubiera consolidado su poder en Egipto.[66] Luego, en el año 1 a. C., Augusto mandó hacer una inspección detallada a ambos lados del golfo Pérsico con el fin de conocer el comercio en esa región y el modo en que las rutas marítimas se conectaban con el mar Rojo. Asimismo, supervisó la investigación de las rutas terrestres que se adentraban en Asia Central a través de Persia. De esa época data el texto conocido como las *Stathmoi Parthikoi* [Estaciones partas], que recoge las distancias entre varios puntos clave en el este y expone con cuidado los lugares más importantes en el itinerario que va desde el Éufrates hasta Alejandrópolis, la moderna Kandahar, en Afganistán.[67]

El horizonte de los mercaderes se amplió de forma considerable. Según el historiador Estrabón, a los pocos años de la ocupación de Egipto eran ya ciento veinte los barcos romanos que zarpaban anualmente hacia la India desde el puerto de Myos Hormos, en el mar Rojo. El intercambio comercial con la India no fue tanto una apertura como una explosión, como resulta patente en la extraordinaria riqueza del registro arqueológico del subcontinente. En una amplia variedad de yacimientos, en lugares como Pattanam, Kolhapur y Coimbatore, se han recuperado ánforas, lámparas, espejos y estatuas de dioses romanos.[68] Se han hallado tantísimas monedas de la época del reinado de Augusto y sus sucesores en la costa occidental de la India y en las islas Laquedivas que algunos historiadores argumentan que los gobernantes locales utilizaban las monedas romanas de oro y plata como moneda propia o, quizá, las fundían para reutilizar esos metales.[69]

La literatura tamil de este periodo da a conocer una historia similar y da cuenta con entusiasmo de la llegada de los comerciantes romanos. Un poema habla del «vino fresco y perfumado» que los romanos traen en «buenos barcos», mientras que otro canta emocionado: «Los barcos grandes y hermosos [...] llegan, trayendo oro, salpicando la blanca espuma sobre las aguas del [río] Periyar, y luego regresan cargados con pimienta. Aquí la música del oleaje nunca cesa, y el gran rey obsequia a los visitantes con raros frutos del mar y la montaña».[70] Otra fuente nos ofrece un testimonio lírico de los comerciantes europeos que se establecían en la India: «El sol brillaba sobre las terrazas abiertas, sobre los almacenes junto al puerto y sobre las torrecillas con ventanas como ojos de ciervo. En diferentes lugares [...] lo que captaba la atención del transeúnte era la visión de las moradas [de los occidentales], cuya prosperidad nunca menguaba».[71] Las *Stathmoi Parthikoi* revelan qué clase de mercancías querían los romanos en el oeste de la India, en dónde podían adquirir los comerciantes metales y minerales valiosos, como estaño, cobre, plomo y topacio, y en dónde podían encontrar con facilidad marfil, piedras preciosas y especias.[72]

No obstante, el comercio con los puertos de la India no se limitaba a los productos originarios del subcontinente. Como han demostrado las excavaciones en el puerto egipcio de Berenice, en el mar Rojo, diversos artículos procedentes de lugares tan lejanos como Vietnam y Java encontraron camino hacia el Mediterráneo.[73] Los puertos occidentales y orientales de la India sirvieron como almacenes para las mercancías que llegaban de todo el este y sureste de Asia, listas para ser enviadas a Occidente.[74]

Y estaban también los artículos y productos agrarios procedentes del mar Rojo, una zona comercial vibrante por derecho propio, así como el punto que conectaba el mundo mediterráneo con el océano Índico y más allá.[75]

Para entonces, los acaudalados ciudadanos de Roma estaban en condiciones de permitirse los gustos más exóticos y extravagantes. Los cronistas de la época bien informados se quejaban de que el gasto rozaba lo obsceno y lamentaban las exhibiciones de exceso entonces en boga.[76] Esto es algo que capta a la perfección el *Satiricón*, de Petronio, cuya escena más famosa es el banquete de Trimalción, un liberto que ha amasado una gran fortuna. La sátira es un retrato mordaz de los gustos de los nuevos ricos. Trimalción solo se conforma con lo mejor que el dinero puede comprar: faisán importado especialmente desde la costa oriental del mar Negro, gallina pintada africana, pescados raros y costosos y pavo real, entre muchas otras cosas, y todo presentado con exceso. La escena grotesca de la aparición de un plato tras otro (el cerdo relleno de pájaros vivos que echan a volar cuando se lo trincha o los mondadientes de plata entregados a los invitados) era una parodia despiadada de la vulgaridad y los excesos de los advenedizos en la sociedad romana. Uno de los mayores auges económicos de la Antigüedad produjo una de las mayores expresiones literarias de amarga envidia hacia los nuevos ricos.[77]

La nueva riqueza puso a Roma y sus habitantes en contacto con nuevos mundos y nuevos gustos. El poeta Marcial ofrece un ejemplo del internacionalismo y la ampliación de los horizontes que conoció este periodo en un poema en el que llora a una joven esclava a la que compara con un lirio virgen, el marfil pulido de la India y las perlas del mar Rojo, para a continuación señalar que su pelo es más fino que la lana bética o las trenzas rubias de las muchachas del Rin.[78] Mientras que anteriormente las parejas que deseaban concebir hijos hermosos tenían sexo rodeadas de imágenes eróticas, «ahora», informa un horrorizado autor judío, «llevan esclavos israelitas y los atan a los pies de la cama» para inspirarse (y, obviamente, porque podían permitírselo).[79] No obstante, los nuevos gustos no impresionaban a todos por igual. Más tarde Juvenal se quejaría en sus *Sátiras* de que el Tíber hubiera sido sobrepasado por las aguas del Orontes, el río que recorre Siria y el sur de Turquía; en otras palabras, la decadencia asiática había destruido las antiguas virtudes romanas: «Largo de aquí», escribe, «si te gustan las prostitutas adornadas con sombreros bárbaros».[80]

Para algunos cronistas conservadores, era la apariencia de una mercancía en particular lo que provocaba escándalo: la seda china.[81] La disponibilidad cada vez mayor de este textil en el Mediterráneo era causa de consternación entre los tradicionalistas. A Séneca, por ejemplo, le horrorizaba la popularidad de ese material ligero y suelto; los vestidos de seda, sostenía, difícilmente podían ser considerados indumentaria, pues no conseguían ocultar ni las curvas ni la decencia de las damas romanas. En su opinión, la seda socavaba los cimientos mismos de las relaciones maritales, pues los hombres descubrían qué era posible ver a través de la fina tela, que se adhería a la forma femenina y dejaba poco a la imaginación. Para Séneca, la seda no era más que un sinónimo de exotismo y erotismo. Era imposible que una mujer dijera honestamente que no iba desnuda cuando se ponía un vestido de seda.[82] La prueba de que otros compartían esa opinión fue que se hicieron repetidos esfuerzos para prohibir que los hombres se vistieran con ese género, incluida la aprobación de edictos. Algunos resumían la cuestión con sencillez: era una desgracia, coincidían dos destacados ciudadanos, que los varones romanos pensaran que era aceptable vestirse con ropa de seda traída de Oriente.[83]

A otros, en cambio, la prevalencia de la seda les resulta preocupante por razones diferentes. Hacia la segunda mitad del siglo I d. C., Plinio el Viejo escribía con enfado sobre el coste elevado de un producto suntuoso cuyo único fin era «permitir a las damas romanas brillar en público».[84] El precio inflado de la seda era un escándalo, se quejaba, pues era cien veces el coste real del material.[85] Los romanos, continuaba, gastaban cada año cantidades enormes de dinero en artículos de lujo, «para nosotros y nuestras mujeres», procedentes de Asia, con lo que anualmente hasta cien millones de sestercios salían de la economía romana rumbo a los mercados de más allá de la frontera.[86]

Esta cifra asombrosa representaba casi la mitad de la moneda acuñada al año en el imperio, y más del 10 por ciento del presupuesto anual. Lo extraordinario, sin embargo, es que al parecer no se trataba de una exageración. Un contrato en papiro descubierto recientemente recoge los términos de un transporte de bienes entre el puerto indio de Muziris y un puerto romano en el mar Rojo y evidencia cuán habitual se había hecho en el siglo II d. C. la importación de grandes volúmenes de mercancías. El documento establece una serie de obligaciones mutuas, explica con claridad en qué momento se considera que los bienes están en manos del propietario o del transportista y resume las sanciones correspondientes en caso de que el pago no se efectúe en la fecha especificada.[87] Los negocios a larga distancia requerían rigor y sofisticación.

No obstante, los comerciantes romanos no pagaban solo con monedas. A cambio de textiles, especias y tintes como el añil, comerciaban con manufacturas finas de vidrio, plata y oro, así como con coral y topacio del mar Rojo e incienso de Arabia.[88] Con todo, independientemente de la forma que adoptara, una salida de capitales de semejantes dimensiones tenía que tener consecuencias trascendentales. Una fue el fortalecimiento de las economías locales a lo largo de las rutas comerciales. Las aldeas se convirtieron en pueblos y los pueblos se convirtieron en ciudades a medida que los negocios florecían y las redes de comunicación y comercio se extendían y la interconexión entre ellas aumentaba. Testimonio de ello fue la construcción de monumentos arquitectónicos impresionantes en lugares como Palmira, en el límite del desierto sirio, una ciudad que prosperó como un centro comercial que unía Oriente y Occidente. El que se haya llamado a Palmira la Venecia de las arenas no es ninguna casualidad.[89] En el eje norte-sur las ciudades también sufrieron una transformación similar, siendo el ejemplo más deslumbrante Petra, que se convirtió en una de las maravillas de la Antigüedad gracias a su ubicación en la ruta entre las ciudades de Arabia y las del Mediterráneo. Luego estaban las ferias, que, convenientemente situadas en lugares en los que las diferentes rutas se cruzaban, atraían a comerciantes que vivían a centenares o miles de kilómetros de distancia. Cada septiembre, la ciudad de Batnae, cerca del Éufrates, «se llenaba de mercaderes ricos cuando una gran multitud se congregaba en la feria para comprar y vender objetos traídos desde la India y China, así como toda clase de otros artículos que también llegaban allí por tierra y por mar».[90]

Tal era el poder adquisitivo de Roma que incluso llegó a determinar el diseño de las monedas que se acuñaban en lo profundo de Asia oriental. Tras haber sido expulsados de la cuenca del Tarim por los chinos, los nómadas yuezhi habían conseguido asegurarse una posición dominante en el este de Persia, apoderándose de territorios que habían estado gobernados por los descendientes de los generales de Alejandro. Con el tiempo surgió un imperio próspero, bautizado con el nombre de uno de los grupos destacados dentro de la tribu, los guishang o kushán, que empezó a acuñar grandes cantidades de monedas siguiendo el modelo de las acuñadas en Roma.[91]

El dinero romano entraba a raudales en el territorio kushán a través de los puertos de la India septentrional, como Barbaricum y, sobre todo,

Barygaza, donde aproximarse y fondear era tan arriesgado que desde uno y otro puerto solían enviarse pilotos para guiar a las embarcaciones y ayudarlas a llegar a la costa. Entrar a cualquiera de los dos se consideraba extremadamente peligroso para quienes tenían poca experiencia o no estaban familiarizados con las corrientes.[92] Una vez en tierra, los comerciantes podían comprar pimienta y especias, así como marfil y textiles, lo que incluía tanto telas de seda acabadas como seda en hilo. La zona era un emporio al que llegaban artículos de toda la India, Asia Central y China, y proporcionaba una riqueza extraordinaria a los kushán, que controlaban las ciudades oasis y las rutas de caravanas que las conectaban.[93]

Una consecuencia de la posición dominante alcanzada por los kushán fue que, pese al volumen creciente de las importaciones y exportaciones entre el Mediterráneo y China, los propios chinos tuvieron una participación escasa en el comercio con Roma a través del océano Índico. Fue solo a finales del siglo I d. C., cuando el gran general Ban Chao dirigió una serie de expediciones que llevaron al ejército hasta el mar Caspio, cuando se decidió despachar a un enviado especial para que recabara más información acerca de la población «alta y de rasgos regulares» del poderoso imperio del oeste, al que los chinos llamaban Da Qin, «el Gran Qin». A su regreso, el enviado informó de que el Imperio Romano poseía reservas abundantes de oro, plata y piedras preciosas: era una fuente de muchas maravillas y objetos raros.[94]

Las relaciones entre China y Persia se hicieron regulares y se intensificaron. Varias veces al año se enviaban embajadas, anota una fuente china, de las que al menos diez tenían como destino Persia, e incluso en periodos menos agitados se mandaban cinco o seis al oeste.[95] Por lo general, los enviados diplomáticos acompañaban a las grandes caravanas, que transportaban mercancías para el comercio y regresaban luego cargadas con productos muy solicitados en China, entre ellos las perlas del mar Rojo, el jade, el lapislázuli y productos de consumo como cebollas, pepinos, cilantro, granadas, pistachos y albaricoques.[96] El incienso y la mirra, que eran muy apetecidos, se conocían en China como «productos persas» (*Po-ssu*), cuando en realidad procedían de Yemen y Etiopía.[97] Gracias a una fuente posterior sabemos que los melocotones de Samarcanda, «tan grandes como huevos de ganso», eran considerados valiosísimos y que debido a su rico color se conocían en China como «melocotones dorados».[98]

Así como los chinos tuvieron poco trato directo con Roma, el conocimiento que se tenía en el Mediterráneo del mundo más allá de la cordillera del Himalaya y el océano Índico era bastante limitado, y apenas hay testimonios de la llegada de una embajada romana a la corte del emperador Huan hacia 166 d. C. El interés de Roma por el Lejano Oriente fue pasajero; los ojos del imperio estaban firmemente concentrados en Persia.[99] El país no era solo un rival y un competidor, sino un objetivo potencial por derecho propio. Incluso antes de que el control sobre Egipto estuviera consolidado, autores como Virgilio y Propercio ya hablaban con entusiasmo de ampliar la influencia romana. En un poema compuesto para ensalzar a Augusto y sus logros, Horacio no se limita a señalar el control romano del Mediterráneo, sino que habla de dominar el mundo entero, incluida la conquista de la India y China.[100] Hacer tal cosa implicaba avanzar sobre Persia, y esa posibilidad se convirtió en la preocupación común de varios emperadores sucesivos. Se concibieron planes grandiosos para empujar la frontera del imperio hasta el paso de montaña conocido como las puertas del Caspio, en lo profundo del territorio persa: Roma necesitaba controlar el corazón del mundo.[101]

De hecho, se hicieron esfuerzos para convertir esos sueños en realidad. En 113 d. C. el emperador Trajano dirigió personalmente una gran expedición hacia el este. Avanzando con rapidez a través del Cáucaso antes de girar hacia el sur para seguir el curso del Éufrates, conquistó Nísibis y Batnae, y acuñó monedas en las que se proclamaba que Mesopotamia había sido «sometida al poder del pueblo romano». Ante el desvanecimiento de la resistencia, el emperador siguió adelante y dividió en dos sus fuerzas. Las grandes ciudades del imperio persa cayeron una detrás de otra con rapidez: después de una campaña brillante que duró tan solo unos meses, los romanos habían tomado Adenistra, Babilonia, Seleucia y Ctesifonte. De inmediato se acuñaron monedas con una leyenda que no hacía concesiones de ningún tipo: «PERSIA CAPTA», Persia ha sido conquistada.[102] A continuación Trajano marchó hacia Charax, la moderna Basora, en la costa del golfo Pérsico, a donde llegó justo cuando un barco mercante zarpaba rumbo a la India. El emperador miró la embarcación con melancolía: si fuera tan joven como Alejandro Magno, reflexionó, se embarcaría rumbo al Indo.[103]

Habiendo diseñado los planes para la creación de las nuevas provincias de Asiria y Babilonia, Roma parecía estar lista para iniciar un nuevo capítulo de su historia, uno en el que la expansión de las fronteras la llevaría hasta el valle del Indo y a las puertas de China. Sin embargo, el triunfo de Trajano se reveló efímero: en las ciudades de Mesopotamia ya se estaba produciendo un contraataque feroz antes de que el emperador sufriera el edema cerebral que acabó con su vida, mientras que en Judea estalló una revuelta que se propagó con rapidez y requirió atención inmediata. No obstante, sus sucesores siguieron centrando su interés en Persia, y prueba de ello es que fue allí donde se concentró el gasto militar del imperio. Roma seguía con intenso interés todo lo que ocurría en la frontera, y más allá de ella.

En marcado contraste con las provincias europeas del imperio, los emperadores realizaban con regularidad campañas en Asia, aunque estas no siempre resultaban exitosas. En 260 d. C., por ejemplo, el emperador Valeriano fue hecho prisionero y «vivió el resto de su vida en una humillante servidumbre», sirviendo como taburete humano al rey persa, que «cuando deseaba subir al carro o montar a caballo mandaba al romano que se postrase y le ofreciese la espalda». Cuando murió «fue despellejado y, tras separarle las vísceras de la piel, tiñeron esta con un líquido rojo y la colgaron en el templo de los dioses bárbaros a fin de que sirviese de conmemoración de tan brillante victoria y, a nuestros embajadores, la contemplación de los despojos de este emperador cautivo en el templo de los dioses bárbaros les sirviese de advertencia perenne».[104] Exhibido de esta forma, Valeriano se convirtió en recordatorio de la locura y la deshonra de Roma.

Resulta irónico que el crecimiento y la ambición de Roma tuvieran precisamente el efecto de contribuir a galvanizar a los persas. Por un lado, Persia se benefició enormemente del comercio a larga distancia entre Oriente y Occidente, lo que a su vez sirvió para que el centro de gravedad político y económico del país cambiara y se alejara del norte. Antes, la prioridad había sido estar cerca de las estepas con el fin de negociar reses y caballos con las tribus nómadas y supervisar los contactos diplomáticos necesarios para evitar atenciones y demandas no deseadas de los temibles pueblos esteparios. Fue esta la razón por la que ciudades oasis como Nisa, Abivard y Dara se hicieron importantes y se convirtieron en sedes de magníficos palacios reales.[105]

Con las arcas centrales repletas gracias a los impuestos y las tasas de tránsito que se cobraban al comercio local y a larga distancia, los persas pudieron embarcarse en grandes proyectos de infraestructura. Uno de esos proyectos fue la transformación de Ctesifonte, en la ribera oriental del Tigris, en Mesopotamia central, en una capital nueva y digna de respeto; otro, una fuerte inversión en puertos del Golfo como Characene para que estuvieran en condiciones de manejar el volumen creciente del tráfico marítimo, del que no todo tenía como destino Roma: durante los siglos I y

II d. C. se había desarrollado un próspero comercio de exportación de cerámica vidriada persa a la India y Sri Lanka.[106]

Con todo, el efecto más significativo de la atención militar de Roma fue que promovió una revolución política. Ante la intensa presión de su vecino, Persia experimentó una transformación de enorme importancia. Hacia 220 d. C. surgió una nueva dinastía, la de los sasánidas, con una visión nueva y estridente, pues entre sus requisitos estaba quitar la autoridad a los gobernadores provinciales (que salvo por el nombre, se habían vuelto independientes) y concentrar el poder en el centro. Una serie de reformas administrativas permitió reforzar el control sobre casi cualquier aspecto del estado: dado que el rendimiento de cuentas se consideraba prioritario, los funcionarios persas recibieron sellos para registrar sus decisiones, lo que permitía rastrear la responsabilidad de toda medida y garantizaba la transmisión fidedigna de la información. Los muchos miles de sellos que han llegado hasta nosotros demuestran cuán lejos llegó esta reorganización.[107]

Se regularon el comercio y los mercados, y una fuente indica, por ejemplo, que se asignaron zonas específicas en los bazares a los productores y los comerciantes, muchos de los cuales estaban organizados en gremios. Esto facilitaba la labor de los inspectores que debían asegurarse del cumplimiento de los estándares de calidad y cantidad y, sobre todo, del cobro eficiente de las obligaciones tributarias.[108] La atención prestada a los entornos urbanos, que era donde tenían lugar la mayoría de los intercambios comerciales, se extendió al mejoramiento de los sistemas de suministro de agua, que en algunos casos se ampliaron varios kilómetros para aumentar los recursos disponibles y posibilitar un mayor crecimiento urbano. Se fundaron incontables ciudades nuevas, algo atestiguado por un texto persa posterior, pero basado en fuentes de la época, que da cuenta del auge del desarrollo urbano que experimentaron Asia Central, la meseta iraní y Oriente Próximo.[109]

En Juzestán y en Irak se emprendieron programas de irrigación a gran escala como parte de un intento deliberado de estimular la producción agraria, lo que a su vez debió de traducirse en un descenso de los precios de los alimentos.[110] Los hallazgos arqueológicos revelan que los paquetes de mercancías eran inspeccionados antes de la exportación, y hay materiales textuales que demuestran que en las oficinas del registro se sellaban y guardaban copias de los contratos.[111] La incorporación en Persia propiamente dicha de las ciudades y territorios que durante la mayor parte de los últimos dos siglos habían estado sometidos a los kushán también contribuyó a intensificar el comercio con el este.[112]

Sin embargo, al mismo tiempo que Persia remontaba el vuelo, Roma empezaba a tambalearse. Los sasánidas no eran el único problema: hacia 300 d. C. toda la frontera oriental del imperio, que iba desde el mar del Norte hasta el mar Negro y desde el Cáucaso hasta el extremo meridional de Yemen, estaba bajo presión. Había sido construido sobre la expansión y lo protegía un ejército bien adiestrado, pero cuando el crecimiento territorial se redujo —como consecuencia de alcanzar las fronteras naturales que suponían el Rin y el Danubio en Europa y los montes Tauro y Antitauro al oriente de Asia Menor— Roma pasó a ser la clásica víctima del propio éxito y se convirtió en el objetivo de quienes vivían más allá de sus fronteras.

Para intentar corregir el preocupante desequilibrio entre las menguantes rentas tributarias y los costes cada vez mayores de defender las fronteras, se adoptaron medidas desesperadas, lo que inevitablemente causó grandes protestas. Un cronista lamentaba que el emperador Diocleciano, que intentó lidiar de forma agresiva con el déficit fiscal, creara problemas en lugar de resolverlos: «Llevado por la codicia y la ansiedad, puso el mundo entero patas arriba».[113] Se realizó una revisión radical de los activos imperiales, el preludio de la reforma del sistema fiscal. Con este fin se enviaron representantes oficiales a todos los rincones del imperio, donde los tasadores se presentaban sin previo aviso para contar cada parra y cada árbol de fruta con el objetivo de aumentar la recaudación.[114] Se promulgó un edicto que fijaba los precios en todo el territorio del imperio tanto de los productos básicos como de ciertas importaciones de lujo, como las semillas de sésamo, el comino, el rábano picante y la canela. Un fragmento de la norma, descubierto recientemente en Bodrum, evidencia cuán lejos pretendió llegar el estado con esta medida: los recaudadores romanos establecieron precios máximos para al menos veintiséis tipos diferentes de calzado, desde las sandalias para mujer bañadas en oro hasta zapatos «púrpuras de tacón bajo de estilo babilonio».[115]

Llegado el momento, el esfuerzo de restablecer el imperio terminó desgastando a Diocleciano, que se retiró a la costa de Croacia para dedicar su atención a cuestiones más agradables que los asuntos de estado. «Me gustaría que vinieras a Salona», le escribió a uno de sus antiguos colegas, «y vieras las coles que he plantado yo mismo»; son tan impresionantes, continuaba, que «es posible que nunca vuelva a verme tentado por la perspectiva del poder».[116] Mientras que Augusto se había hecho representar como un soldado (en la famosa y espléndida estatua hallada en Prima Porta, a las afueras de Roma), Diocleciano prefería presentarse como un granjero. Eso resumía muy bien el cambio que habían sufrido las ambiciones de Roma a lo largo de trescientos años: de plantearse la posibilidad de expandirse hasta la India a dedicarse el cultivo de hortalizas dignas de concurso.

Y mientras los romanos consideraban con nerviosismo sus opciones, una potente tormenta había empezado a formarse. Fue el emperador Constantino el que pasó a la acción. Hijo de una de las figuras destacadas del imperio, Constantino era un hombre ambicioso y capaz, con cierta habilidad para encontrarse en el momento justo en el lugar indicado. Tenía una visión acerca de lo que Roma necesitaba hacer que era tan clara como sobrecogedora. El imperio necesitaba un liderazgo fuerte: eso era obvio para todos. Pero el plan de Constantino no preveía solo concentrar el poder en sus manos, sino que era más radical: quería construir una nueva ciudad, una nueva perla en el collar que unía el Mediterráneo con Oriente. La ubicación elegida para ella difícilmente podía ser más apropiada: el punto en el que Europa y Asia se encuentran.

Los rumores de que Roma pensaba trasladar la sede del poder imperial habían circulado muchas veces. Según una fuente romana, Julio César se planteó establecer la capital en Alejandría, o bien en Asia Menor, donde se alzaba la antigua Troya, lugares que consideraba mejor situados para gobernar, pues se encontraban allí donde Roma tenía sus intereses.[117] Finalmente, a comienzos del siglo IV d. C., los rumores se hicieron realidad con la fundación de una ciudad magnífica en el cruce de Europa y Asia, toda una declaración acerca de dónde estaba centrada la atención del imperio.

A orillas del Bósforo, en el lugar en el que se encontraba la antigua ciudad de Bizancio, se construyó una metrópolis cuyo esplendor no solo rivalizaría con el de Roma, sino que con el tiempo lo superaría. Se levantaron palacios inmensos y también un hipódromo para las carreras de carros. En el centro de la ciudad se instaló una columna inmensa, hecha a partir de un único bloque de pórfido, coronada por una estatua del emperador mirando hacia abajo. La nueva ciudad fue bautizada como Nueva Roma, pero pronto se hizo famosa como la ciudad de su fundador, Constantino: Constantinopla. Allí se crearon instituciones paralelas que reproducían las de la ciudad matriz, incluido el Senado, cuyos miembros eran mirados con desdén por quienes los consideraban nuevos ricos: hijos de artesanos del cobre, empleados de los baños, fabricantes de salchichas, etc.[118]

Constantinopla iba a convertirse en la ciudad más grande y significativa del Mediterráneo, eclipsando a sus pares en tamaño, influencia e importancia, y con gran diferencia. Aunque muchos estudiosos modernos rechazan con vehemencia la idea de que la intención de Constantino era que la ciudad se convirtiera en la nueva capital imperial, los recursos invertidos con prodigalidad en ella cuentan su propia historia.[119] Constantinopla estaba situada en una posición dominante respecto a varias rutas clave, en particular el tráfico marítimo del mar Negro, y también era un centro privilegiado para estar al tanto de los acontecimientos que estaban teniendo lugar tanto en el este como en el norte, en los Balcanes y hacia la llanura panónica, donde ya germinaban graves problemas.

En la Antigüedad, el horizonte de la enorme mayoría de la población era decididamente local: el comercio y las interacciones entre la gente tenían lugar a distancias cortas. No obstante, las redes de las distintas comunidades se entretejían unas con otras para crear un mundo complejo en el que los gustos y las ideas eran moldeados por productos, principios artísticos e influencias originados a kilómetros de distancia.

Hace dos mil años, las sedas hechas a mano en China eran usadas por los ricos y poderosos de Cartago y otras ciudades del Mediterráneo, mientras que la cerámica manufacturada en el sur de Francia podía encontrarse en Inglaterra y en el golfo Pérsico. Las especias y los condimentos cultivados en la India se empleaban por igual en las cocinas de Xinjiang y en las de Roma. Mientras que en el norte de Afganistán había edificios con inscripciones en griego, los caballos de Asia Central eran motivo de orgullo para los jinetes que los montaban a miles de kilómetros de distancia hacia el este.

Imaginemos la vida de una moneda de oro de hace dos mil años: acuñada posiblemente en una ceca provincial, esa moneda se utilizaba inicialmente como parte del salario de un joven soldado que, a su vez, la usaba para comprar bienes en la frontera septentrional del imperio, en Inglaterra; la moneda regresaba luego a Roma en los cofres del funcionario imperial enviado a recaudar impuestos, antes de pasar a las manos de un comerciante que viajaba rumbo a Oriente y la usaba para pagar la producción agraria que compraba a unos mercaderes que habían acudido a vender sus provisiones en Barygaza. Allí, la manufactura de la moneda era motivo de admiración y era mostrada a algún jefe del Hindú Kush, que asombrado por su diseño, forma y tamaño mandaba copiarla a un grabador acaso oriundo de Roma, de Persia, de la India o de China, o incluso quizá a algún lugareño que había aprendido las destrezas necesarias para hacer el trabajo. Este era un mundo conectado, complejo y hambriento de intercambios.

Es fácil moldear el pasado para darle una forma que nos resulte conveniente y accesible. Sin embargo, el mundo antiguo era mucho más sofisticado y estaba mucho más interconectado de lo que en ocasiones nos gusta pensar. La idea de Roma como progenitora de Europa occidental pasa por alto el hecho de que Roma miró sistemáticamente hacia el este y en muchos sentidos fue moldeada por influencias orientales. El mundo de la Antigüedad fue el precursor del mundo que hoy conocemos en innumerables aspectos: vibrante, competitivo, eficaz y enérgico. Una serie de ciudades formaban una cadena que recorría Asia entera. El oeste había empezado a mirar al este, y el este había empezado a mirar al oeste. Junto con el creciente tráfico que conectaba la India con el golfo Pérsico y el mar Rojo, las rutas de la seda de la Antigüedad rebosaban vitalidad.

Los ojos de Roma se posaron fijamente en Asia desde el momento en que se transformó de república en imperio. Y lo mismo le ocurrió también a su alma, pues Constantino (y con él, todo el imperio) había encontrado a Dios, y la nueva fe procedía también del este. Lo sorprendente, sin embargo, era que no había nacido en Persia o en la India, sino en una provincia poco prometedora en la que, tres siglos antes, Poncio Pilato se había hecho tristemente célebre como gobernador. El cristianismo estaba a punto de diseminarse en todas las direcciones.

Capítulo 2

# LA RUTA DE LOS CREDOS

Las mercancías no eran lo único que circulaba por las arterias que unían el océano Pacífico, Asia Central, la India, el golfo Pérsico y el Mediterráneo en la Antigüedad; también lo hacían las ideas. Y entre las ideas más poderosas se encontraban aquellas relacionadas con lo divino. El intercambio intelectual y religioso, que siempre había sido muy dinámico a lo largo y ancho de la región, se hizo ahora más complejo y competitivo. Los cultos y sistemas de creencias locales entraron en contacto con cosmologías consolidadas y la zona se convirtió en un rico crisol en el que las ideas se adoptaban, se refinaban y se reinventaban.

Después de que las campañas de Alejandro Magno llevaran a Oriente las ideas griegas, no pasó mucho tiempo antes de que empezaran a fluir en dirección contraria. Los conceptos budistas se abrieron paso a través de Asia con rapidez, en especial gracias al impulso que les dio el emperador Asoka, quien, según se cuenta, se convirtió al budismo después de reflexionar sobre el espantoso coste de las campañas militares que habían creado un gran imperio en la India en el siglo III a. C. Las inscripciones de la época atestiguan que eran muchísimas las personas que seguían los principios y prácticas budistas en lugares tan apartados como Siria y acaso todavía más lejos. Las creencias de una secta conocida como los «terapeutas», que floreció en Alejandría durante siglos, guardan similitudes inconfundibles con el budismo, incluido el uso de escrituras alegóricas, la búsqueda de la iluminación a través de la oración y el distanciamiento del sentido individual del yo para encontrar la paz interior.[1]

Las ambigüedades de las fuentes hacen que rastrear con exactitud la difusión del budismo sea difícil. No obstante, es muy llamativa la existencia de una abundante literatura contemporánea que describe cómo la religión salió del subcontinente indio y llegó a otras regiones. Los gobernantes locales tenían que decidir si toleraban la llegada de la nueva fe, la combatían o la adoptaban y la respaldaban. Uno de los que optó por esta última alternativa fue Menandro, rey de Bactria en el siglo II a. C., descendiente de uno de los hombres de Alejandro Magno. Según un texto conocido como el *Milindapañhā*, el monarca decidió seguir el nuevo camino espiritual gracias a la intercesión de un monje inspirador cuya inteligencia, compasión y humildad contrastaban con la superficialidad del mundo contemporáneo. Al parecer, eso fue suficiente para convencer al soberano de que debía buscar la iluminación a través de las enseñanzas budistas.[2]

Los espacios intelectuales y teológicos de las rutas de la seda eran lugares abarrotados en los que deidades y cultos, sacerdotes y jefes locales tenían que abrirse paso empujándose unos a otros. Era mucho lo que estaba en juego. Esta era una época en la que las sociedades eran muy receptivas a las explicaciones de todo tipo, desde lo mundano hasta lo sobrenatural, y en la que cada fe ofrecía soluciones para numerosos problemas. Las luchas entre los distintos credos estaban muy relacionadas con la política. En todas esas religiones —ya fueran de origen indio como el hinduismo, el jainismo o el budismo, tuvieran sus raíces en Persia, como el zoroastrismo y el maniqueísmo, o procedieran de todavía más al oeste, como el judaísmo y el cristianismo y, posteriormente, el islam— el triunfo en el campo de batalla o en la mesa de negociación iba de la mano con las demostraciones de supremacía cultural y bendición divina. La ecuación era tan sencilla como poderosa: las sociedades que gozaban de la protección y el favor del dios o los dioses correctos, prosperaban; las que se confiaban a ídolos falsos y promesas vacías, sufrían.

Por tanto, existían fuertes incentivos para que los gobernantes invirtieran en la infraestructura espiritual adecuada, por ejemplo construyendo edificios espléndidos para el culto. Ello les otorgaba una herramienta de control interno y permitía a los dirigentes forjar con los sacerdotes una relación en la que unos y otros resultaban fortalecidos; en todas las religiones importantes los sacerdotes eran un grupo que ostentaba una autoridad moral y un poder político considerables. Esto no significa que los gobernantes fueran sujetos pasivos que solo actuaban en respuesta a las doctrinas expuestas por una clase (o, en algunos casos, casta) independiente. Por el contrario, un gobernante decidido tenía la capacidad de reforzar su autoridad y dominio mediante la introducción de nuevas prácticas religiosas.

El imperio kushán, que se extendió desde el norte de la India hasta la mayor parte de Asia Central en los primeros siglos de nuestra era, constituye un buen ejemplo. Allí, los reyes apoyaban el budismo, pero forzaron también su evolución. Para una dinastía que no era oriunda de la región era importante justificar su preeminencia, por lo que se mezclaron ideas procedentes de diversas fuentes con el fin de crear un mínimo denominador común que resultara atractivo para la mayor cantidad de personas posible. En consecuencia, los kushán patrocinaron la construcción de templos (*devakulas* o «templos de la familia divina») que desarrollaban el concepto, ya arraigado en la región, de que los gobernantes eran un vínculo entre el cielo y la Tierra.[3]

Ya antes Menandro se había proclamado, en las monedas que acuñó, no solo gobernante temporal, sino salvador, algo tan importante que las piezas lo llevaban escrito tanto en griego (*soteros*) como en indio (*tratasa*).[4] Los kushán fueron más lejos al establecer un culto al líder que proclamaba una relación directa con lo divino y creaba una distancia entre el gobernante y sus súbditos. Una inscripción hallada en Taxila, en el Punyab, recoge esto de manera perfecta. El soberano, afirma con rotundidad, era «el gran rey, el rey de reyes y el Hijo de Dios».[5] La frase tiene ecos evidentes del Antiguo y el Nuevo Testamento, como los tiene la idea de que el gobernante es un salvador y una puerta hacia la otra vida.[6]

Hacia el siglo I d. C., en lo que para el budismo fue prácticamente una revolución, la manera en que la fe moldeaba la vida cotidiana de sus adeptos sufrió un gran cambio. En su forma más básica y tradicional, las enseñanzas de Buda eran directas: propugnaban el cese del sufrimiento (en sánscrito, *duḥkha*) y alcanzar un estado de paz (*nirvāna*) siguiendo los ocho «caminos nobles». La ruta hacia la iluminación no implicaba a ningún tercero ni involucraba de forma significativa el mundo físico o material. El viaje era una cuestión espiritual, metafísica e individual.

Eso cambió de manera drástica a medida que surgieron nuevas formas de alcanzar un estado más elevado. Lo que hasta entonces había sido un intenso viaje interior, desprovisto de paramentos e influencias exteriores, pasó a verse complementado con consejos, asesorías y lugares diseñados de manera específica para que el camino hacia la iluminación y el budismo en sí mismo resultaran más atractivos. Se construyeron estupas o santuarios, visiblemente ligados a Buda, que se convirtieron en centros de peregrinación, y se redactaron textos sobre cómo comportarse en esos lugares en los que los ideales que sustentaban el budismo resultaban más reales y tangibles. Llevar flores o perfumes como ofrenda a un santuario contribuía a alcanzar la salvación, aconsejaba el *Saddharmapundarīka*, más conocido como el *Sutra del loto*, escrito en este periodo. Igualmente útil era contratar músicos para que «batan tambores, soplen cuernos y caracolas, siringas y flautas, toquen laúdes y arpas, gongs, guitarras y címbalos», ya que eso permitía al devoto alcanzar la condición de buda.[7] Se trataba de esfuerzos deliberados para hacer que el budismo fuera más visible (y audible) y conseguir que estuviera en mejores condiciones de competir en un entorno religioso cada vez más ruidoso.

Otra idea nueva fue la de las donaciones, en especial las otorgadas a los nuevos monasterios que estaban brotando a lo largo de las rutas que unían la India con Asia Central. Las donaciones de dinero y joyas y los regalos de otro tipo se convirtieron en una práctica común, y con ella la noción de que, llegado el momento, el donante sería transportado «por encima de los océanos del sufrimiento» como recompensa por su generosidad.[8] De hecho, el *Sutra del loto* y otros textos de este periodo llegan al punto de elaborar listados de los objetos preciosos que se consideraban más apropiados como regalo: perlas, cristales, oro, plata, lapislázuli, corales, diamantes y esmeraldas tenían una gran aceptación.[9]

Los proyectos de irrigación a gran escala construidos alrededor del cambio de era en los valles de lo que hoy son Tayikistán y el sur de Uzbekistán evidencian que este periodo fue testigo de un aumento significativo de la riqueza y la prosperidad, así como de intercambios comerciales y culturales cada vez más dinámicos.[10] Con élites locales adineradas a las cuales acudir, los centros monásticos no tardaron mucho tiempo en convertirse en hervideros de actividad, centros de eruditos dedicados a compilar textos budistas, copiarlos y traducirlos al idioma local con el fin de ponerlos al alcance de audiencias más amplias. Eso también formaba parte de un programa para difundir la religión haciéndola más accesible. El comercio abría la puerta por la que la fe entraba.[11]

Hacia el siglo I d. C., la propagación del budismo desde el norte de la India a través de las rutas comerciales usadas por los comerciantes, los monjes y los viajeros se aceleró con rapidez. Hacia el sur, se construyeron decenas de templos en cuevas de la meseta del Decán; y hasta las profundidades del subcontinente, el paisaje estaba salpicado de estupas.[12] Hacia el norte y el este, el budismo se transmitió con energía creciente gracias a los mercaderes sogdianos, los cuales desempeñaban un papel fundamental en las conexiones entre China y el valle del Indo. Estos eran comerciantes viajeros oriundos de Asia Central, intermediarios que gracias a unas redes sociales muy tupidas y un uso eficaz del crédito habían alcanzado una posición ideal para dominar el comercio a larga distancia.[13]

La clave de su éxito residía en tener a su disposición una cadena fiable de escalas. A medida que más sogdianos se convertían al budismo, fueron apareciendo más estupas a lo largo de las principales rutas que empleaban, como resulta visible en el valle del Hunza, en el norte de Pakistán: a su paso por allí, decenas de sogdianos grabaron en las rocas su nombre junto a imágenes de Buda con la esperanza de que sus largos viajes fueran fructíferos y seguros, un recordatorio conmovedor de la necesidad de consuelo espiritual del viajero cuando se encuentra lejos de casa.[14]

Sin embargo, esas inscripciones son apenas un testimonio menor de la enérgica difusión del budismo en este periodo. Alrededor de Kabul había cuarenta monasterios, incluido uno que un visitante posterior describiría sobrecogido. Su belleza, escribió, era comparable a la de la primavera: «Los pavimentos eran de ónice; las paredes, de mármol púrpura; la puerta estaba hecha de oro moldeado, mientras que el suelo era de plata sólida; había estrellas por donde se mirara [...] en el salón, había un ídolo de oro tan hermoso como la luna, sentado en un espléndido trono cubierto de joyas».[15]

Pronto las ideas y las prácticas del budismo se difundieron hacia el este a través de la cordillera del Pamir y llegaron a China. Para comienzos del siglo IV d. C., había templos budistas por toda la provincia de Xinjiang, en el noroeste de China, como el espectacular complejo de las cuevas de Kizil, en la cuenca del Tarim, que incluye salones para orar, espacios dedicados a la meditación y una amplia zona residencial. En poco tiempo, el mapa de China occidental quedó salpicado de lugares que habían sido transformados en santuarios, en Kasgar, Kucha y Turfán, por ejemplo.[16] Para la década de 460, el pensamiento, las prácticas, el arte y la imaginería budistas habían entrado a formar parte de la cultura dominante en China y competían con fuerza con el confucianismo tradicional, una cosmología amplia, en parte ética personal, en parte credo espiritual, profundamente arraigada en el país con casi un milenio de desarrollo. Contribuyó a ello la promoción agresiva de la nueva fe impulsada por la nueva dinastía en el poder, un grupo de conquistadores oriundos de las estepas, y por ende, extranjeros. Como los kushán antes de ellos, los Wei septentrionales tenían mucho que ganar promoviendo lo nuevo a expensas de lo viejo y abanderando unos conceptos que apuntalaban su legitimidad. En Pincheng y Luoyang, al este del país, se erigieron estatuas enormes de Buda, así como monasterios y santuarios con dotaciones espléndidas. El mensaje era inconfundible: los Wei septentrionales habían triunfado y lo habían hecho porque formaban parte de un ciclo divino y no solo por haber resultado vencedores en el campo de batalla.[17]

El budismo también realizó considerables avances a lo largo de las principales arterias comerciales que se dirigían al oeste. Los diferentes grupos de cuevas desperdigados alrededor del golfo Pérsico, así como los numerosos hallazgos realizados en las cercanías de Merv, en el actual Turkmenistán, y las inscripciones encontradas en lo profundo de Persia, atestiguan la capacidad del budismo para competir con las creencias locales.[18] La abundancia de préstamos budistas en el idioma parto constituye una prueba adicional del intenso intercambio de ideas que conoció este periodo.[19]

Sin embargo, la intensificación del intercambio comercial impulsó a Persia en otra dirección. El renacimiento que experimentaron la economía, la política y la cultura persas se tradujo en una reafirmación de una identidad diferenciada y los budistas se descubrieron perseguidos en lugar de emulados. La ferocidad de los ataques obligó a los creyentes a abandonar los santuarios del Golfo y acabó con las estupas que, es de suponer, habían aparecido a lo largo de las rutas terrestres en el territorio persa.[20]

Las religiones vivían auges y caídas a medida que se propagaban por Eurasia y competían entre sí por espacio, seguidores y autoridad moral. La comunicación con el ámbito divino dejó de buscar únicamente la intervención sobrenatural en la vida cotidiana para convertirse en una cuestión de salvación o condena. El choque se tornó violento. Los cuatro primeros siglos del primer milenio, que fueron testigos de la explosión del cristianismo desde su nacimiento como una pequeña secta en Palestina hasta su difusión por el Mediterráneo y Asia, fueron un torbellino de guerras religiosas.

El momento decisivo llegó con el ascenso al poder de la dinastía sasánida, que consiguió derrocar el régimen imperante en Persia fomentando las revueltas, asesinando a sus rivales y aprovechándose de la confusión que siguió a los reveses militares sufridos en la frontera con Roma, sobre todo en el Cáucaso.[21] Después de hacerse con el poder en 224 d. C., Ardashir I y sus sucesores se embarcaron en una transformación del estado a gran escala, transformación que incluía la afirmación de una identidad enérgica con la que se buscaba poner punto final a la historia reciente y acentuar los vínculos con el gran imperio persa de la Antigüedad.[22]

Esto se logró fundiendo el paisaje físico y simbólico de la época con el del pasado. La propaganda cultural se apropió de los lugares clave del antiguo Irán, como Persépolis, la capital del imperio aqueménida, y la necrópolis de Naqs-i Rustām, asociada con los grandes reyes persas como Darío y Ciro; se añadieron nuevas inscripciones, monumentos arquitectónicos y grabados en relieve con los que se pretendía identificar el régimen con el recuerdo del pasado glorioso.[23] El sistema de acuñación se revisó: las leyendas griegas y los bustos inspirados en Alejandro Magno que habían estado utilizándose durante siglos en las monedas se reemplazaron por un perfil real nuevo e inconfundible (el rostro miraba ahora en la dirección opuesta), en una cara, y un altar del fuego, en la otra.[24] Esto último resultaba deliberadamente provocador, una declaración de intenciones acerca de la nueva identidad y la nueva actitud hacia la religión. Hasta donde nos permite entender el limitado material que nos ofrecen las fuentes del periodo, los gobernantes de esta región se habían mostrado durante siglos tolerantes en cuestiones de fe y habían permitido un grado considerable de coexistencia.[25]

El ascenso de la nueva dinastía pronto trajo consigo un endurecimiento de las actitudes, y las enseñanzas de Zardust (o Zaratustra) se promovieron de forma inequívoca a expensas de otras ideas. Conocido por los antiguos griegos como Zoroastro, el gran profeta persa vivió hacia el año 1000 a. C., si no antes, y enseñaba que el universo estaba dividido de acuerdo con dos principios, Ahura Mazda («sabiduría iluminadora») y su antítesis, Angra Mainyu («espíritu hostil»), que se encontraban en un estado de conflicto permanente. Por tanto, era importante venerar al primero, que era el responsable del orden bueno. La división del mundo en fuerzas benignas y malignas se extendía a todos los aspectos de la vida e incluso afectaba a cuestiones como la categorización de los animales.[26] La purificación ritual, sobre todo a través del fuego, era un aspecto clave del culto zoroástrico. Los fieles de Ahura Mazda, rezaba el credo, distinguían «el bien del mal, la luz de la oscuridad» y la salvación de los demonios.[27]

Esta cosmología permitió a los soberanos sasánidas ligar su poder a la edad de oro de la antigua Persia, cuando los grandes monarcas profesaban la devoción de Ahura Mazda.[28] Pero también les proporcionó un potente marco moral para un periodo de expansión militar y económica: el énfasis en la lucha constante entre el bien y el mal fortalecía las mentes para la batalla, mientras que la atención dada al orden y la disciplina resaltaba las reformas administrativas que se convirtieron en la firma de un estado cada vez más estridente en su resurgimiento. El zoroastrismo tenía un conjunto de creencias sólido, acorde en todo sentido con la cultura militarista de la renovación imperial.[29]

Los sasánidas se expandieron de forma agresiva durante los reinados de Ardashir I y su hijo, Sapor I, que sometieron ciudades oasis, rutas de comunicación y regiones enteras, que quedaron bajo su control directo o se vieron reducidas a la condición de satélites. Ciudades importantes como Sistán, Merv y Balj fueron tomadas en una serie de campañas que comenzó en la década de 220, mientras que una parte significativa de los territorios de los kushán se convirtieron en estados vasallos, administrados por funcionarios sasánidas que recibían el título de *kushānshāh* («gobernante de los kushán»).[30] Una inscripción triunfal de Naqs-i Rustām da cuenta de las dimensiones del logro alcanzado al señalar que el reino de Sapor se extendía hasta las profundidades de Oriente: llegaba hasta Peshawar y «las fronteras» de Kasgar y Taskent.[31]

Cuando los sasánidas se hicieron con el trono, los defensores del zoroastrismo se situaron cerca del centro del poder y se esforzaron por concentrar el control administrativo en sus manos a expensas de las demás minorías religiosas.[32] Esa situación se reprodujo luego en las nuevas regiones controladas por la monarquía persa. Las inscripciones encargadas a mediados del siglo III d. C. por el sumo sacerdote, Kirdīr, celebraban la expansión del zoroastrismo. La religión y sus sacerdotes pasaron a ser apreciados y honrados a lo largo y ancho del imperio, y en las tierras arrebatadas a los romanos florecieron «muchos fuegos y colegios sacerdotales». La propagación de la fe requirió un trabajo arduo, señala la inscripción de forma explícita, pero como dice con modestia Kirdīr: «Soporté muchos trabajos y problemas por el bien de los *yazads* [poderes divinos] y de los reyes y por el bien de mi propia alma».[33]

La promoción del zoroastrismo corrió paralela a la supresión de los cultos locales y las cosmologías rivales, consideradas doctrinas malignas que debían ser rechazas. Se persiguió, entre otros, a los judíos, los budistas, los hindúes y los maniqueos, cuyos lugares de oración fueron saqueados: «Se destruyeron los ídolos y los santuarios de los demonios se demolieron y transformaron en templos para los dioses».[34] La expansión del estado persa estuvo acompañada de la imposición tenaz de unos valores y creencias que se presentaban como tradicionales y, al mismo tiempo, esenciales para el éxito político y militar. Quienes proponían explicaciones diferentes o valores alternativos fueron perseguidos y, en muchos casos, asesinados; tal fue el caso de Mani, un profeta carismático del siglo III cuyas enseñanzas, una mezcla de ideas basada en fuentes orientales y occidentales que había gozado del respaldo de Sapor I, terminaron siendo condenadas como subversivas, venenosas y peligrosas, y a cuyos seguidores se persiguió sin piedad.[35]

Entre los objetivos seleccionados para recibir un trato severo, la lista de Kirdīr menciona explícitamente a los *nasraye* y los *kristyone*, esto es, a los «nazarenos» y los «cristianos». Aunque ha habido muchos debates académicos acerca de los grupos a los que designan esos dos términos, hoy se acepta que el primero se refiere a la población nativa del imperio sasánida que se había convertido al cristianismo, mientras que el segundo hace alusión al gran número de cristianos que Sapor I había deportado al este después de ocupar la Siria romana, algo que en su momento tomó por sorpresa a las autoridades locales y centrales.[36] Una de las razones por las que el zoroastrismo consiguió penetrar en la conciencia y la identidad persas del siglo III fue el hecho de presentarse como respuesta a los avances realizados por el cristianismo, que había empezado a propagarse de forma alarmante a lo largo de las rutas comerciales, justo como el budismo había hecho en Oriente. La reacción hostil a las ideas cristianas que traían los comerciantes y los prisioneros reubicados en territorio persa tras ser deportados de Siria aceleró la drástica radicalización de la filosofía zoroástrica precisamente por esta época.[37]

El cristianismo es una religión que tradicionalmente se asocia con el Mediterráneo y Europa occidental. Ello se debe, en parte, a la ubicación de los principales líderes de la Iglesia: los jefes de las iglesias católica, anglicana y ortodoxa tienen su sede, respectivamente, en Roma, Canterbury y Constantinopla (la moderna Estambul). Pero, en realidad, el cristianismo primitivo era una religión asiática en todos sus aspectos. Su centro geográfico era, por supuesto, Jerusalén, así como los demás lugares vinculados al nacimiento, vida y crucifixión de Jesús; su lengua original era el arameo, un idioma que forma parte del grupo de lenguas semíticas originarias de Oriente Próximo; su trasfondo teológico y lienzo espiritual los proporcionaba el judaísmo, una religión que había cobrado forma en Israel y durante el exilio hebreo en Egipto y Babilonia; y sus historias hablaban de desiertos, inundaciones, sequías y hambrunas, fenómenos con los que Europa no estaba familiarizada.[38]

El relato histórico de la expansión del cristianismo a través del mundo mediterráneo está bien establecido, pero inicialmente su progreso fue mucho más espectacular y prometedor en Oriente que en la cuenca del Mediterráneo, donde se propagó a través de las rutas marítimas.[39] Para empezar, las autoridades romanas no molestaron a los cristianos, más perplejas que cualquier otra cosa ante la pasión de sus primeros adeptos. En el si-

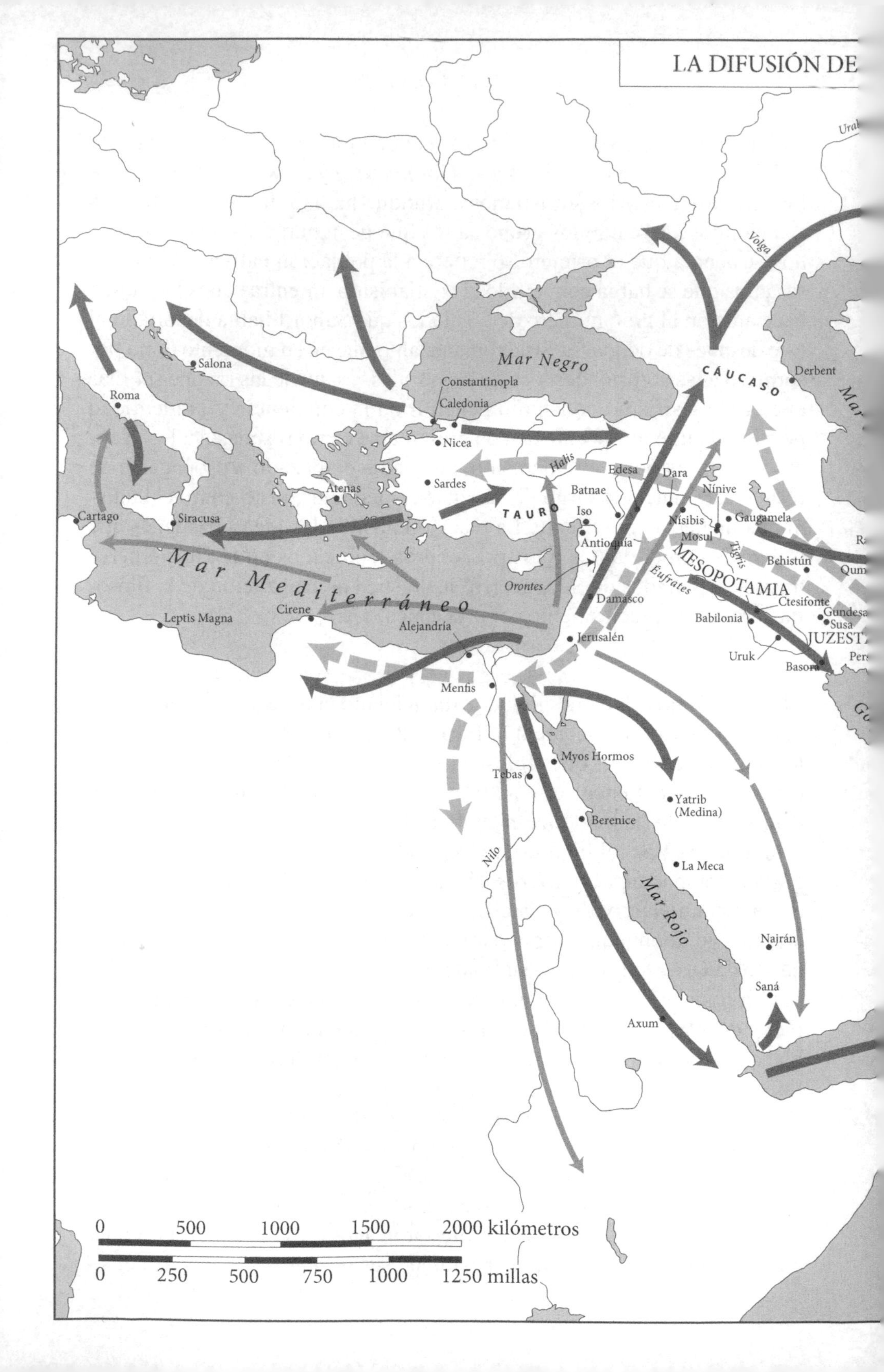
LA DIFUSIÓN DE
Ural
Volga
Mar Negro
CÁUCASO
Derbent
Salona
Roma
Constantinopla
Caledonia
Nicea
Halis
Sardes
Atenas
TAURO
Edesa
Dara
Batnae
Nínive
Iso
Nisibis
Gaugamela
Mosul
Antioquía
Tigris
Cartago
Siracusa
MESOPOTAMIA
Éufrates
Behistún
Mar Mediterráneo
Orontes
Damasco
Ctesifonte
Cirene
Leptis Magna
Alejandría
Babilonia
Gundesa
Susa
Jerusalén
JUZEST
Uruk
Basora
Menfis
Myos Hormos
Tebas
Yatrib (Medina)
Berenice
Nilo
La Meca
Mar Rojo
Najrán
Saná
Axum
0 500 1000 1500 2000 kilómetros
0 250 500 750 1000 1250 millas

# IGIONES A TRAVÉS DE LAS RUTAS DE LA SEDA ANTES DEL AÑO 600 D. C.

La difusión del zoroastrismo
La difusión de judaísmo
La difusión del cristianismo
La difusión del budismo

Mar de Aral
Yaxartes (Sir Daria)
VALLE DE FERGANÁ
Urumchi
Turfán
CORDILLERA DE TIAN SHAN
Kucha
Dunhuang
Cuevas de Kizil
XINJIANG
SIERTO ARAKUM
SOGDIANA
Oxus (Amu Daria)
Alejandría Escate
DESIERTO DE TAKLAMAKÁN
Miran
Samarcanda
Panjikent
Kasgar
Bujará
CORDILLERA DEL PAMIR
Nisa
Tillya Tepe
OSAN
Merv
Ai-Khanoum
Alejandría de Aria
BACTRIA
mis
Nishapur
Bamiyán
HINDÚ KUSH
Alejandría del Cáucaso
Kabul
Peshawar
Herat
Alejandría Bucéfala
Taxila
Indo
CORDILLERA DEL HIMALAYA
SISTÁN
Alejandría de Aracosia
Yazd
Multān
Harappa
argada
Kermán
aqs-i Rustām
Ganges
Mathura
Kanauj
Aiodhia
Mohenjo-Daro
Pataliputra
Varanasi
Ujjain
Mascate
Tamralipti
Barygaza
Mar Arábigo
Kolhapur
Golfo de Bengala
Socotra
Kanchipuram
Vanavasi
Coimbatore
Pattanam
Madurai
Islas Laquedivas
SRI LANKA
OCÉANO ÍNDICO

glo II, por ejemplo, Plinio el Joven escribió al emperador Trajano para pedirle consejo acerca de lo que debía hacer con los cristianos que llevaban ante él en Asia Menor. «Nunca he participado en juicios de cristianos», escribió. «Por tanto, no sé qué tipo de castigo resulta apropiado ni qué tan lejos debo indagar en sus actividades.» Había hecho ejecutar a algunos, «pues no tengo duda de que sean cuales sean sus creencias, la tozudez y obstinación inflexible ciertamente merecen ser castigadas».[40] La respuesta del emperador aconsejaba tolerancia: no había que perseguir a los cristianos, decía, pero si alguien los denunciaba, lo mejor era tratar cada caso de forma individual, «pues es imposible establecer una regla aplicable con independencia de las circunstancias». Ahora bien, por ningún motivo había que actuar a partir de rumores o acusaciones anónimas; hacer lo contrario, escribía con nobleza, estaría «en desacuerdo con el espíritu de nuestra época».[41]

Sin embargo, no mucho después de este intercambio la actitud hacia los cristianos se endureció, un reflejo de la penetración cada vez mayor de la nueva religión en la sociedad romana. En particular, el ejército imperial comenzó a ver el cristianismo como una amenaza para los valores marciales tradicionales debido a sus subversivos puntos de vista acerca del pecado, el sexo, la muerte y la vida en general.[42] A partir del siglo II una serie de persecuciones brutales condujeron a la muerte de miles de cristianos, con frecuencia como parte de espectáculos públicos. Resultado de ello fue el surgimiento de un rico corpus de textos que conmemoraban a los mártires que daban la vida por causa de la fe.[43] Los cristianos primitivos tuvieron que combatir contra los prejuicios, una lucha que arrancó gritos de angustia a autores como Tertuliano (*c.* 160-225 d. C.), cuyas súplicas han sido comparadas por un destacado erudito con las del Shylock de Shakespeare: nosotros, los cristianos, «vivimos junto a vosotros, compartimos vuestra comida, vuestro vestido, vuestras costumbres, tenemos las mismas necesidades vitales que vosotros», imploraba.[44] El que no asistamos a las ceremonias religiosas romanas, escribió, no significa que no seamos humanos. «¿Tenemos acaso los dientes dispuestos de forma diferente u órganos distintos de los de los demás hombres para la satisfacción de la lujuria incestuosa?»[45]

El cristianismo se propagó inicialmente en el este a través de las comunidades judías establecidas en Mesopotamia desde la época del exilio babilónico.[46] Estas recibieron las noticias de la vida y muerte de Jesús no en traducciones griegas, como ocurrió con casi todos los conversos en Occidente, sino en arameo, el idioma de Jesús y los apóstoles. Al igual que en el Mediterráneo, los comerciantes fueron fundamentales para el proceso evangelizador en Oriente, en el que la ciudad de Edesa, la actual Urfa en el sureste de Turquía, se convirtió en un lugar particularmente destacado debido a su condición de punto de encuentro de las rutas norte-sur y este-oeste.[47]

Los evangelizadores pronto llegaron al Cáucaso, donde las prácticas funerarias y las inscripciones revelan la existencia en Georgia de una población judía de dimensiones considerables que se convirtió a la nueva fe.[48] No mucho después, había comunidades cristianas desperdigadas alrededor del golfo Pérsico. Cerca de Baréin, sesenta tumbas excavadas en los bancos de coral muestran cuán lejos había llegado la religión a comienzos del siglo III.[49] Un texto conocido como *El libro de las leyes de los países*, escrito aproximadamente en esa época, señala que los cristianos se encontraban por toda Persia y que hacia el este su presencia llegaba hasta el territorio controlado por los kushán, es decir, hasta lo que hoy es Afganistán.[50]

La propagación del credo se benefició de la deportación en masa de cristianos desde Persia en el siglo III, durante el reinado de Sapor I. Entre los exiliados se encontraban figuras eminentes como Demetrio, el obispo de Antioquía, al que se trasladó a Bet Lapat, la moderna Gundesapor, en el suroeste de Irán, donde reunió a sus correligionarios y estableció un nuevo obispado.[51] Hubo en Persia algunos cristianos de estatus elevado, como Cándida, una concubina romana que gozó del favor de la corte hasta que su negativa a abandonar la fe la condujo al martirio, según el testimonio de un autor cristiano que advertía sobre el carácter sanguinario del sah y de quienes le rodeaban.[52]

Esos relatos formaban parte de toda una literatura encaminada a demostrar la superioridad de las costumbres y creencias cristianas frente a las prácticas tradicionales. Las fuentes conservadas son escasas, pero permiten hacernos una idea de las batallas propagandísticas que se libraron en la época. A diferencia de otros habitantes de Persia, escribe un autor, los «discípulos de Cristo» en Asia «no practican los hábitos condenables de los pueblos paganos». Eso era de agradecer, señala otro escritor, pues era una prueba de cómo los cristianos mejoraban las normas de conducta en Persia y otros lugares de Oriente; «los persas que se convierten en sus discípulos ya no se casan con sus madres», mientras que quienes viven en las estepas han dejado de «alimentarse con carne humana gracias a que la palabra de Cristo ha llegado hasta ellos». Tales acontecimientos debían acogerse con alegría, concluye.[53]

Fue la penetración y visibilidad creciente de los cristianos en la Persia de mediados del siglo III lo que hizo que los sacerdotes zoroástricos reaccionaran cada vez con más violencia, repitiendo la respuesta del Imperio Romano.[54] No obstante, como evidencia la inscripción de Kirdīr, la actitud de los persas había empezado a endurecerse no solo en relación al cristianismo, sino también ante otros credos. La extirpación de las cosmologías rivales fue de la mano con el zoroastrismo ferviente que caracterizó el resurgimiento de Persia. Comenzaba a emerger una religión estatal, una que identificaba los valores zoroástricos con los valores persas y proporcionaba a la monarquía sasánida «una columna de apoyo».[55]

Se había puesto en marcha una serie de reacciones en cadena en las que la competencia por los recursos y la confrontación militar fomentaban el desarrollo de sistemas de creencias complejos que, además de dar sentido a las victorias y los triunfos, socavaban directamente los de los rivales vecinos. En el caso de Persia, esto significó el surgimiento de una clase sacerdotal ruidosa y segura de sí misma cuyas funciones llegaban hasta las entrañas de la esfera política, como dejan en claro las inscripciones.

Como era inevitable, todo ello tuvo consecuencias, en especial cuando se decidió exportar la fe a las regiones fronterizas o a los territorios recién conquistados. Al construir los templos del fuego de los que Kirdīr se sentía tan orgulloso no solo se estaba corriendo el riesgo de contrariar a la población local, sino que se estaba imponiendo la doctrina y la fe por la fuerza. El zoroastrismo se convirtió en sinónimo de Persia. Y la religión no tardó en empezar a ser vista más como una herramienta de ocupación que como un camino de liberación espiritual. Por tanto, que algunos empezaran a buscar en el cristianismo un antídoto a la forma opresiva en que Persia promovía sus creencias desde el centro no fue ninguna casualidad.

Las circunstancias precisas de cómo y cuándo adoptaron el cristianismo los gobernantes del Cáucaso no son del todo claras. Los relatos sobre la conversión del rey armenio Tiridates III a comienzos del siglo IV fueron escritos algún tiempo más tarde, y como fuentes son deudores tanto del deseo de contar una buena historia como del sesgo cristiano de sus autores.[56] Según la tradición, Tiridates se convirtió después de que, transformado en cerdo, hubiera vagado desnudo por los campos hasta ser curado por san Gregorio, al que antes se había arrojado a un foso infestado de serpientes por negarse a venerar a una diosa local. Gregorio sanó a Tiridates librándolo del hocico, los colmillos y la piel de cerdo, antes de bautizar al agradecido monarca en el Éufrates.[57]

Tiridates no fue la única figura política de relieve que abrazó el cristianismo en este periodo, pues a comienzos del siglo IV también se convirtió Constantino, una de las personalidades más influyentes de Roma. El momento decisivo llegó durante una guerra civil, cuando Constantino se enfrentó a su rival, Majencio, en el puente Milvio, en Italia central, en 312 d. C. Se dice que poco antes de la batalla el primero alzó la vista al cielo y vio encima del sol «una luz en forma de cruz», acompañada de una leyenda en griego que decía: «Con este signo, vencerás». El significado pleno de esa visión le resultó claro después de tener un sueño en el que Jesucristo se le aparecía y le explicaba que la señal de la cruz le ayudaría a derrotar a todos sus rivales. En cualquier caso, así fue como algunos quisieron describir luego lo ocurrido.[58]

Los testimonios cristianos dejan pocas dudas acerca del entusiasmo ilimitado con el que el emperador en persona supervisó la imposición del cristianismo en detrimento de todas las demás religiones. Un autor, por ejemplo, nos informa de que en lugar de estar «contaminada con altares, templos griegos o sacrificios paganos», la nueva ciudad de Constantinopla gozaba de «espléndidas casas de oración en las que Dios prometió bendecir los esfuerzos del emperador».[59] Otro escritor declara que el emperador ordenó cerrar centros de culto famosos y prohibió los oráculos y la adivinación, aspectos esenciales de la teología romana. De igual forma, se ilegalizó el sacrificio ritual que era habitual realizar antes de los asuntos oficiales, y se derribaron las estatuas paganas, contra las que además se expidieron leyes.[60] No había lugar para las equivocaciones en un relato que estaba en manos de autores que tenían un interés personal en mostrar a Constantino como un promotor firme y decidido de sus nuevas creencias.

No obstante, las motivaciones de Constantino para convertiste al cristianismo ciertamente eran más complejas de lo que sostienen los testimonios escritos durante su vida o poco después de su muerte. Por un lado, adoptar la fe cristiana era una política inteligente en un momento en el que un gran número de miembros del ejército pertenecían a ella; por otro, los monumentos, monedas e inscripciones encontrados por todo el imperio en los que se representa a Constantino como un seguidor devoto del culto del «invencible Dios Sol» (*Sol Invictus*) sugieren que su epifanía quizá fuera más vacilante de lo que hacen pensar los panegíricos apasionados. A pesar de las aseveraciones en sentido contrario, lo cierto es que el carácter del imperio no cambió de un día para otro, y en Roma, Constantinopla y otras partes figuras destacadas continuaron siguiendo las creencias tradicionales mucho después de que el emperador tuviera la célebre revelación y decidiera promover con entusiasmo su nueva fe.[61]

Con todo, es indudable que la aceptación del cristianismo por parte de Constantino causó un cambio radical en el Imperio Romano. Las persecuciones, que habían tenido su apogeo durante el reinado de Diocleciano, apenas una década atrás, terminaron. Las luchas de gladiadores, durante mucho tiempo un aspecto básico del entretenimiento romano, se abolieron debido a la repulsión que sentían los cristianos hacia un espectáculo que devaluaba enormemente el carácter sagrado de la vida. «Los espectáculos sangrientos nos desagradan», reza un extracto de la ley aprobada en 325 y recogida más tarde en una compilación de leyes imperiales. «Nosotros [por tanto] prohibimos por completo la existencia de los gladiadores.» En consecuencia, quienes previamente habían sido enviados a la arena como castigo por los delitos cometidos o las creencias que se negaban a abandonar, fueron enviados a «trabajar en las minas, de modo que paguen la pena por sus crímenes sin derramamiento de sangre».[62]

A lo largo y ancho del imperio se prodigaron recursos para respaldar el cristianismo, y en Jerusalén, en particular, se acometió la construcción de edificios monumentales, que a su vez recibieron dotaciones extravagantes. Si Roma y Constantinopla eran los centros administrativos del imperio, Jerusalén había de ser su corazón espiritual. Partes enteras de la ciudad fueron allanadas y la tierra extraída de debajo de los templos paganos se arrojó lo más lejos posible, «contaminada como estaba por la adoración del demonio». Las excavaciones revelaron un lugar santo tras otro, incluida la gruta en la que reposó el cadáver de Jesús, que fue objeto de una gran renovación y «como nuestro Salvador, devuelta a la vida».[63]

Constantino asumió personalmente la dirección de esos trabajos e incluso intervino en la selección de los materiales empleados en la construcción de la iglesia del Santo Sepulcro. El emperador accedió a delegar en un colaborador la elección de las telas y los adornos de las paredes, pero quiso participar en la selección de las columnas y el tipo de mármol utilizado. «Me gustaría conocer su opinión», le escribió a Macario, el obispo de Jerusalén, «acerca de si el cielo raso debe ir con paneles o decorado en algún otro estilo. Si va con paneles, podría también decorarse con oro». Semejantes decisiones, continuaba, requerían de su aprobación personal.[64]

La celebrada conversión de Constantino marcó el inicio de un nuevo capítulo en la historia del Imperio Romano. Aunque el cristianismo no se convirtió en religión estatal, la eliminación de las restricciones y los castigos abrió de par en par las puertas a la nueva fe. Eso fue una buena noticia para los cristianos y el cristianismo occidentales, pero supuso un desastre para el cristianismo en Oriente. Aunque en un comienzo el emperador fue un converso discreto que acuñaba monedas con imágenes típicamente paganas, e incluso mandó erigir en su nueva ciudad una estatua de sí mismo como Helios-Apolo, pronto su fe se tornó más estridente.[65] Constantino no tardó en empezar a presentarse como el protector de los cristianos, estuvieran donde estuvieran, lo que incluía a los que vivían fuera de las fronteras del Imperio Romano.

En la década de 330 se difundió el rumor de que Constantino se preparaba para atacar Persia, aprovechando la ocasión que le ofrecía un hermano desafecto del sah que había encontrado refugio en la corte imperial. Los persas debieron de reaccionar con irritación al recibir del emperador una carta en la que anunciaba que le alegraba haberse enterado de que «las provincias más excelentes de Persia están llenas de esos hombres en cuyo nombre actualmente hablo; me refiero a los cristianos». Constantino tenía un mensaje específico para el monarca persa, Sapor II: «Os encomiendo esas personas para su protección [...] cuidad de ellas con vuestra humanidad y bondad habituales; pues mediante esa prueba de fe os aseguraréis beneficios incalculables tanto para vos como para nosotros».[66] Es posible que esto solo pretendiera ser un consejo amable, pero parecía una amenaza: no mucho antes Roma había avanzado su frontera oriental en el interior del territorio persa e inmediatamente después había iniciado un programa de fortificaciones y construcción de carreteras con el fin de asegurarse esas conquistas.[67]

Cuando el rey de Georgia, otro reino caucásico de valor comercial y estratégico, experimentó una epifanía algo menos colorida que la de Constantino (el rey literalmente vio la luz después de haber sido tragado por la oscuridad mientras estaba de caza), la ansiedad se convirtió en pánico.[68] Estando Constantino ausente en la frontera del Danubio, Sapor II lanzó un ataque sorpresa en el Cáucaso, derrocó a uno de los gobernantes locales e instaló en su lugar a su propio candidato. Constantino respondió en el acto y de forma radical: reunió un gran ejército y, tras ordenar a los obispos que le acompañaran en la expedición que se disponía a emprender, mandó hacer una réplica del Tabernáculo, la estructura empleada para albergar el Arca de la Alianza. Luego anunció que deseaba lanzar un ataque para castigar a Persia y hacerse bautizar en el río Jordán.[69]

La ambición de Constantino no conocía límites. Acuñó monedas en las que, por adelantado, daba a su medio sobrino un nuevo título real: monarca de Persia.[70] La excitación se propagó con rapidez entre los cristianos de Oriente, como se refleja en una carta escrita por Afraates, el abad de un importante monasterio cerca de Mosul: «El bien ha llegado al pueblo de Dios». Era el momento que él había estado esperando: el reino de Cristo en la Tierra estaba a punto de establecerse de una vez y para siempre. «Tened la certeza», concluía, «de que la bestia morirá en el momento que le está predestinado».[71]

Mientras se preparaban para montar una resistencia feroz, los persas tuvieron un golpe de suerte tremendo: antes de que la expedición pudiera ponerse en marcha, Constantino cayó enfermo y murió. Sapor II procedió entonces a desatar el infierno sobre la población cristiana local en represalia por la agresión de Constantino. Alentado por las autoridades zoroástricas, el sah «tenía sed de la sangre de los santos».[72] Hubo docenas de mártires: un manuscrito de comienzos del siglo V procedente de Edesa refiere la ejecución de no menos de dieciséis obispos y cincuenta sacerdotes en este periodo.[73] Los cristianos pasaron a ser considerados una vanguardia, la quinta columna que abriría Persia al Imperio Romano. Obispos prominentes fueron acusados de hacer que «los seguidores y el pueblo [del sah] se rebelen contra [su] Majestad y se conviertan en esclavos del emperador que comparte su fe».[74]

Esta carnicería fue una consecuencia directa de la adopción entusiasta del cristianismo en Roma. La persecución lanzada por el sah era, finalmente, el resultado de la identificación por parte de Constantino de la promoción del Imperio Romano y del cristianismo. Las declaraciones grandiosas del emperador quizá impresionaran e inspiraran a hombres como Afraates, pero para los dirigentes persas representaban un desafío inmenso. Antes de la conversión de Constantino, la identidad romana estaba definida con claridad. Sin embargo, tras abrazar la fe el emperador comenzó a hablar voluntariamente de proteger no solo a Roma y sus ciudadanos, sino también a los cristianos en general (y sus sucesores siguieron su ejemplo). Esa era una carta que le resultaba conveniente jugar, sobre todo en donde semejante retórica iba a ser, con seguridad, bien recibida entre los obispos y los fieles. Sin embargo, para quienes vivían más allá de las fronteras del imperio, era potencialmente desastrosa, como descubrieron las víctimas de Sapor.

Por tanto, resulta irónico que Constantino sea conocido por ser el emperador que estableció las bases para la cristianización de Europa, pero que nunca se señale que su conversión a la nueva fe tuvo un precio: comprometió espectacularmente el futuro del cristianismo en Oriente. Y la pregunta es si las enseñanzas de Jesucristo que habían arraigado en lo profundo de Asia serían capaces de sobrevivir a un desafío decidido.

## Capítulo 3

# LA RUTA DEL ORIENTE CRISTIANO

Con el tiempo, las tensiones entre Roma y Persia amainaron, y cuando lo hicieron, las actitudes hacia la religión se suavizaron. Esto ocurrió porque en el siglo IV Roma se vio obligada a retroceder con tanta firmeza que se descubrió luchando por su propia supervivencia. En una serie de campañas que se prolongaron hasta la muerte de Sapor II, en 379, Persia consiguió tomar centros clave a lo largo de las rutas comerciales y de comunicación que corrían hacia el Mediterráneo. Recuperó Nísibis y Sinagra y se anexionó la mitad de Armenia. Aunque este reequilibrio territorial contribuyó a apaciguar los resentimientos, las relaciones solo mejoraron realmente cuando tanto Roma como Persia se vieron enfrentadas a un nuevo desafío: procedente de las estepas, el desastre se avecinaba.

El mundo estaba entrando en un periodo de cambio ecológico. En Europa, ese cambio se manifestó en el aumento del nivel del mar y la llegada de la malaria a la región del mar del Norte; en Asia, en la pronunciada reducción de la salinidad del mar de Aral desde comienzos del siglo IV, la aparición de una vegetación marcadamente diferente en las estepas (demostrada mediante análisis de alta resolución del polen) y nuevas pautas del avance de los glaciares en la cordillera de Tian Shan. Todos esos fenómenos constituyen alteraciones fundamentales que demuestran el cambio climático que estaba teniendo lugar a nivel mundial.[1]

Las consecuencias fueron devastadoras, como atestigua una extraordinaria carta escrita a comienzos del siglo IV por un comerciante sogdiano y hallada cerca de la ciudad de Dunhuang, en el oeste de China. El mercader refiere a sus colegas comerciantes que la escasez de comida y el hambre han causado grandes estragos; tal ha sido la catástrofe que ha caído sobre China que apenas puede describirse. El emperador había huido de la capital y prendido fuego a su palacio antes de marcharse; las comunidades de comerciantes sogdianas habían desaparecido, barridas por el hambre y la muerte. No os molestéis en tratar de comerciar allí, aconseja el autor: «No hay ningún beneficio que obtener de ello». Una tras otra, las ciudades que menciona han sufrido saqueos. La situación era apocalíptica.[2]

El caos creó las condiciones perfectas para la consolidación del mosaico formado por las tribus de las estepas. Estos pueblos habitaban las franjas de tierra que unían Mongolia con las llanuras de Europa central, donde el control de los pastos y de las fuentes de agua fiables garantizaba un dominio político considerable. Y ahora una tribu había conseguido convertirse en la dueña de las estepas y avanzaba aplastando todo a su paso. En la carta, el comerciante sogdiano se refiere a los arquitectos del apocalipsis como los *xwn*. Se trataba de los xiongnu, más conocidos en Occidente como «hunos».[3]

Entre 350 y 360, aproximadamente, se produjo una oleada masiva de migraciones a medida que las tribus se veían expulsadas de sus tierras y empujadas hacia el oeste. Lo más probable es que ese movimiento fuera consecuencia del cambio climático, que hizo la vida en las estepas excepcionalmente dura y desencadenó una competencia intensa por los recursos. El impacto se sintió desde Bactria, en el norte de Afganistán, hasta la frontera romana del Danubio, a donde los refugiados empezaron a llegar en grandes cantidades rogando que se les permitiera establecerse en territorio imperial después de haber tenido que dejar sus tierras al norte del mar Negro debido al avance de los hunos. La situación pronto se tornó peligrosamente inestable. En 378 el gigantesco ejército romano que había acudido a restaurar el orden sufrió una derrota aplastante en las llanuras de Tracia; el emperador Valente fue una de las numerosas bajas.[4] Las defensas se abrieron de par en par y una tribu tras otra penetraron en las provincias occidentales del imperio y llegaron a amenazar incluso a la propia Roma. En épocas anteriores se consideraba que la costa septentrional del mar Negro y las estepas que se extendían hasta las entrañas de Asia eran un territorio inexorablemente bárbaro, repleto de guerreros feroces y carente por completo de civilización o recursos. Nunca pasó por la cabeza de Roma que esas regiones pudieran funcionar como arterias similares a las rutas que unían Occidente con Oriente a través de Persia y Egipto. Esas mismas regiones estaban ahora a punto de llevar la muerte y la destrucción al corazón de Europa.

Persia también se estremecía contemplando el cataclismo que llegaba de las estepas. Las provincias orientales sucumbieron a la arremetida, antes de quedar colapsadas por completo: las ciudades se despoblaron y las redes de irrigación, cruciales para la supervivencia, se deterioraron hasta quedar en ruinas debido a los estragos causados por las incursiones.[5] Los ataques a través del Cáucaso resultaron abrumadores; los asaltantes cayeron sobre las ciudades de Mesopotamia, Siria y Asia Menor, donde hicieron prisioneros y obtuvieron botines enormes. Luego, en 395, un ataque a gran escala devastó las ciudades del Tigris y el Éufrates; los invasores lograron llegar hasta Ctesifonte, la capital persa, antes de que se les obligara a retroceder.[6]

Unidos por el interés común que tenían en repeler a las hordas bárbaras, Persia y Roma formaron una alianza extraordinaria. Para impedir que los nómadas descendieran por el Cáucaso, se construyó una enorme muralla fortificada de casi doscientos kilómetros entre el mar Caspio y el mar Negro que protegía el interior de Persia de los ataques y servía como una barrera física entre el mundo ordenado del sur y el caos del norte. Dotada con treinta fuertes dispuestos a intervalos regulares a lo largo de su extensión, la muralla también estaba protegida por un canal de más de cuatro metros y medio de profundidad. Era una maravilla de planificación arquitectónica e ingeniería, construida con ladrillos estandarizados fabricados por decenas en los hornos instalados *in situ*. Guarnecían la fortificación unos treinta mil soldados, que se alojaban en los cuarteles que estaban apartados de la muralla.[7] La barrera fue solo una de las varias medidas innovadoras que los sasánidas adoptaron para defender la extensa frontera septentrional con la estepa y proteger puestos comerciales vulnerables como Merv, que era el primer lugar que encontraban los atacantes que llegaban a través del desierto de Karakum (Turkmenistán).[8]

Roma no solo accedió a contribuir con regularidad al mantenimiento de la muralla persa, sino que también, de acuerdo con varias fuentes contemporáneas, aportó soldados para ayudar a su defensa.[9] En una demostración de hasta qué punto las antiguas rivalidades habían sido dejadas de lado, en 402 el emperador romano en Constantinopla, Arcadio, nombró como guardián de su hijo y heredero al propio sah.[10]

Sin embargo, para entonces era demasiado tarde, al menos para Roma. Los desplazamientos a través de las estepas al norte del mar Negro habían creado una tormenta perfecta que hizo que las fronteras del imperio en el Rin se vieran superadas. A finales del siglo IV se produjo una serie de incursiones que penetraron por completo a través de las provincias occidentales; los éxitos militares y las ganancias materiales aumentaban cada vez más el prestigio personal de los líderes tribales, lo que atraía a su lado a nuevos seguidores y proporcionaba un impulso renovado para posteriores ataques. El ejército imperial se esforzaba por contener a las hordas invasoras, pero una tras otra las oleadas bárbaras consiguieron abrirse paso a través de las defensas romanas y devastar la provincia de la Galia. Las cosas fueron de mal en peor cuando Alarico, un líder particularmente eficaz y ambicioso, marchó con su tribu de visigodos hasta Italia y acampó fuera de Roma para intimidar a la población y convencerla de que le pagaran por dejarla en paz. Mientras el Senado, desesperado, intentaba acceder a sus peticiones, Alarico se cansó de que le dieran largas y en 410 asaltó y saqueó la ciudad.[11]

La conmoción se expandió por todo el Mediterráneo. En Jerusalén, la noticia se recibió con incredulidad. «La voz del orador se quebró y los sollozos interrumpieron su discurso», escribió san Jerónimo, «la ciudad que había conquistado el mundo entero había sido ella misma conquistada [...] ¿Quién podía creerlo? ¿Quién podía creer que Roma, levantada a través de los siglos mediante la conquista del mundo, había caído, que la madre de las naciones se había convertido en su tumba?».[12] Al menos no se prendió fuego a la ciudad, escribió el historiador Jordanes con la resignación cansada de quien habla con un siglo de distancia.[13]

Incendiada o no, el imperio de Roma en el oeste se desmoronó. Pronto España también fue arrasada por los ataques de tribus como los alanos, un grupo cuya tierra natal estaba muy lejos, entre el mar Caspio y el mar Negro, y cuyo comercio con pieles de marta había sido descrito meticulosamente casi dos siglos antes por los cronistas chinos.[14] Hacia la década de 420, los vándalos, otro pueblo tribal desplazado por los hunos, llegaron al norte de África y se hicieron con el control de Cartago, la ciudad más importante de la región, así como de las dinámicas y lucrativas provincias circundantes, que eran las que proveían de grano a la mayor parte de la mitad occidental del imperio.[15]

Como si esto no fuera bastante, a mediados del siglo V, tras haber adelantado a una heterogénea mezcla de tribus (godos tervingios, alanos, vándalos, suevos, gépidos, neurianos y bastarnianos, entre otros), los hunos llegaron a Europa encabezados por la figura más conocida de la Antigüedad tardía: Atila.[16] Los hunos causaban terror puro. Eran «el semillero del diablo», escribió un autor romano, que los describe como «sumamente salvajes». Adiestrados desde jóvenes para resistir sin límite el frío, el hambre y la sed, se vestían con pieles cosidas de ratones silvestres y se alimentaban de raíces y carne cruda, que debía de estar relativamente caliente, pues la llevaban entre los muslos.[17] No tenían interés alguno en la agricultura, anota otra fuente; lo único que querían era robar a sus vecinos y, de paso, esclavizarlos: eran como los lobos.[18] Los hunos cicatrizaban las mejillas de sus hijos varones al nacer para impedir que al hacerse mayores les creciera vello facial, y pasaban tanto tiempo a caballo que sus cuerpos tenían deformaciones grotescas; parecían animales capaces de alzarse sobre las patas traseras.[19]

Aunque es tentador descartar tales comentarios como meras demostraciones de intolerancia, el examen de los restos óseos ha mostrado que los hunos se deformaban artificialmente el cráneo vendando la cabeza de los jóvenes para aplanar, mediante presión, los huesos frontal y occipital. Esto hacía que el cráneo adquiriera una forma ovoide y alargada a medida que crecía. No era solo que los hunos se comportaran de un modo aterradoramente fuera de lo común, sino que también tenían un aspecto aterradoramente fuera de lo común.[20]

La llegada de los hunos representaba un grave peligro para la mitad oriental del Imperio Romano, que hasta entonces se había visto relativamente poco afectada por los trastornos que estaban devastando gran parte de Europa. Las provincias de Asia Menor, Siria y Palestina y Egipto seguían aún intactas, al igual que la magnífica ciudad de Constantinopla. Decidido a no correr riesgos, el emperador Teodosio II rodeó la capital con defensas formidables, incluido un inmenso conjunto de murallas terrestres, para protegerla de cualquier ataque.

Esas murallas, y la estrecha franja de agua que separa Europa de Asia, resultaron cruciales. Tras establecerse justo al norte del Danubio, Atila asoló los Balcanes durante quince años en los que, a cambio de no avanzar más allá, cobró un cuantioso tributo al gobierno de Constantinopla y se aseguró vastas cantidades de oro. Habiendo exprimido a las autoridades imperiales todo lo que podía en concepto de rescates y sobornos, siguió hacia el oeste hasta que, finalmente, se logró contener su avance. Quien lo hizo, sin embargo, no fue el ejército de Roma, sino una coalición formada por muchos viejos enemigos de los hunos. En 451, en la batalla de los Campos Cataláunicos, en lo que hoy es el centro de Francia, una gran fuerza en la que participaban una variedad asombrosa de pueblos oriundos de las estepas derrotó a Atila. El jefe huno murió no mucho después, durante su noche de bodas (no era la primera). Tras los excesos de la celebración, refiere un contemporáneo, «se echó de espaldas abrumado por el vino y el sueño», sufrió una hemorragia cerebral y murió mientras dormía. «Y así la ebriedad trajo un final vergonzoso a un rey que había alcanzado la gloria en la guerra.»[21]

En la actualidad, se ha puesto de moda describir el periodo que siguió al saqueo de Roma como una época de transformación y continuidad al mismo tiempo (en lugar de hablar de la «edad oscura»). Con todo, como argumenta de forma convincente un erudito moderno, es difícil exagerar el impacto de las violaciones, el pillaje y la anarquía que marcaron el siglo V, con los godos, los alanos, los vándalos y los hunos batallando por toda Europa y el norte de África. Los niveles de alfabetización cayeron en picado; la construcción en piedra desapareció casi por completo, un indicio claro del colapso de la riqueza y la ambición; el comercio a larga distancia que otrora conseguía llevar las cerámicas fabricadas en Túnez hasta lugares tan lejanos como la isla Iona, en Escocia, se derrumbó; y a juzgar por la polución registrada en los glaciares de Groenlandia, la fundición de metales sufrió una gran contracción y cayó a niveles de tiempos prehistóricos.[22]

A los contemporáneos les resultaba difícil entender lo que, desde su punto de vista, era el derrumbamiento completo del orden mundial. «¿Por qué permite [Dios] que seamos más débiles y miserables» que todos esos pueblos tribales?, se lamentaba Salviano, un autor cristiano del siglo V. «¿Por qué ha permitido que nos conquisten los bárbaros? ¿Por qué permite que se nos someta al dominio de nuestros enemigos?» La respuesta, concluía, era sencilla: los hombres habían pecado y Dios les estaba castigando.[23] Otros llegaron a la conclusión opuesta. Roma había sido el amo del mundo mientras se mantuvo fiel a sus raíces paganas, argumentó el historiador bizantino Zósimo (pagano él mismo); cuando abandonó esas raíces para seguir un credo nuevo, estaba cavando su propia tumba. Eso, afirmó, no era una opinión: era un hecho.[24]

El colapso de Roma alivió la situación del cristianismo en Asia. Las relaciones con Persia habían mejorado debido al interés mutuo que ambas potencias tenían en contener a los pueblos de las estepas, y estando el imperio gravemente debilitado, el cristianismo ya no parecía tan amenazador (o quizá incluso tan convincente) como lo había parecido un siglo antes, cuando Constantino se preparaba para atacar Persia y liberar a la población cristiana del país. En consecuencia, en 410 se celebró el primero de varios encuentros auspiciados por el sah, Yezdegard I, con el fin de formalizar la situación de la Iglesia cristiana en Persia y normalizar su credo.

Como ocurriera en Occidente, a lo largo de los años habían surgido en Oriente muchas concepciones divergentes acerca de lo que significaba exactamente seguir a Jesús, cómo debían vivir los creyentes y cómo debían estos manifestar y practicar la fe. Como hemos señalado en el capítulo anterior, incluso la inscripción de Kirdīr, del siglo III, menciona dos tipos de cristianos, los *nasraye* y los *kristyone*, lo que por lo general se interpreta como una distinción entre los nativos persas que habían sido evangelizados y los cristianos deportados desde territorio romano. Las variaciones en las prácticas y la doctrina eran una fuente constante de problemas, algo quizá no tan sorprendente si se tiene en cuenta que en lugares como en Rev-Ardashīr, en Fars, en lo que hoy es el sur de Irán, había dos iglesias, una que hacía los servicios en griego y otra que los hacía en siriaco. En ocasiones, la rivalidad incitaba a la violencia física, como en Susiana (actual suroeste de Irán), donde los obispos enfrentados intentaron resolver sus disputas con los puños.[25] Los esfuerzos del obispo de Seleucia-Ctesifonte, una de las ciudades más importantes del imperio persa, por poner orden y dar unidad a todas las comunidades cristianas se revelaron frustrantes e ineficaces.[26]

Dado que la posibilidad de alcanzar la salvación dependía de entender bien las cuestiones de la fe, era importantísimo resolver las diferencias de una vez y para siempre, algo que los primeros padres de la Iglesia se habían esforzado por subrayar prácticamente desde el inicio.[27] «Como lo tenemos dicho, también ahora lo repito», recordaba san Pablo a los gálatas: «Si alguno os anuncia un evangelio distinto del que habéis recibido, ¡sea anatema!» (Gálatas 1:9). Fue en ese contexto cuando surgieron los textos destinados a evangelizar —literalmente, «dar la buena nueva»—, escritos con el fin de explicar quién era el Hijo de Dios y cuál había sido su mensaje preciso y sistematizar las creencias.[28]

Para poner fin a un debate que tantas aflicciones causaba a la Iglesia primitiva en Occidente, el emperador Constantino había organizado la celebración de un concilio en Nicea, en 325, al que fueron convocados los obispos de todo el imperio con el propósito de resolver las interpretaciones rivales acerca de la relación entre Dios Padre y Dios Hijo, una de las mayores causas de desavenencia, y una multitud adicional de cuestiones conflictivas. El concilio se ocupó de ello acordando una estructura para la Iglesia, resolviendo el problema de cómo calcular la fecha de la Pascua y codificando la declaración de fe que aún utiliza la Iglesia cristiana: el credo niceno. Constantino estaba decidido a poner fin a las divisiones y subrayar la importancia de la unidad.[29]

Los obispos de Persia y de otros lugares situados fuera de las fronteras del Imperio Romano no fueron invitados al concilio de Nicea. Por tanto, los concilios celebrados en Persia, primero en 410, y después en 420 y

424, se organizaron con el fin de permitir a los obispos resolver las mismas cuestiones que habían examinado sus pares del imperio. Este ánimo por reunirse y dialogar contó con el respaldo del sah, al que una fuente describe como «el rey de reyes victorioso, en quien las Iglesias confían para la paz». Yezdegard, al igual que Constantino, quería beneficiarse del apoyo de las comunidades cristianas en lugar de tener que intervenir en sus disputas.[30]

La información de lo que se acordó en esos encuentros no es del todo fiable, pues reflejan las posteriores luchas de poder entre las sedes y los clérigos más destacados. No obstante, resulta claro que se tomaron importantes decisiones en relación a la organización de la Iglesia. Supuestamente se acordó que el arzobispo de Seleucia-Ctesifonte debía actuar como «cabeza y regente sobre nosotros y sobre todos nuestros obispos hermanos en la totalidad del imperio» persa, pero la decisión llegó en un marco de gran discusión y considerable hostilidad.[31] La mecánica de los nombramientos clericales, una cuestión clave, se debatió en detalle con el fin de eliminar la duplicación de jerarquías en aquellos lugares en los que había confesiones cristianas rivales. Se dedicó tiempo a fijar las fechas de las fiestas religiosas importantes, y se determinó además que había que poner fin a la costumbre de pedir la intervención y el consejo de los «obispos occidentales», pues ello socavaba a la cúpula de la Iglesia en Oriente.[32] Por último, se decidió adoptar el credo y los cánones del concilio de Nicea, así como los acuerdos alcanzados en los sínodos occidentales celebrados en los años posteriores.[33]

Este tendría que haber sido un momento seminal, un punto de inflexión para que el músculo y el cerebro de la religión cristiana se engranaran de forma apropiada y crearan una institución que uniera el Atlántico con las laderas del Himalaya, con dos brazos plenamente funcionales, con sedes en Roma y Persia, los dos grandes imperios de la Antigüedad tardía, trabajando de común acuerdo entre sí. Con el patrocinio imperial de la primera y una aceptación creciente en la última, se había creado una plataforma envidiable que podría haber convertido al cristianismo en la religión dominante no solo en Europa, sino también en Asia. En lugar de ello, lo que ocurrió fue que estalló una lucha interna encarnizada.

Algunos obispos pensaron que los intentos de armonizar la Iglesia socavaban su autoridad y acusaron a importantes miembros de la jerarquía no solo de carecer de la educación adecuada, sino de no tener siquiera las órdenes legítimas. Después llegaron los problemas causados por la militancia cristiana, que en un brote de fervor religioso destruyó una serie de templos zoroástricos, lo que inevitablemente puso al sah en una posición comprometida y le obligó a cambiar su actitud de tolerancia religiosa por una de defensa del sistema de creencias de la aristocracia persa. Fue un revés tremendo. En lugar de dar la bienvenida a una era dorada, la Iglesia se encontró con una nueva oleada de persecuciones.[34]

Las disputas clericales feroces eran endémicas en la Iglesia primitiva. Gregorio Nacianceno, arzobispo de Constantinopla en el siglo IV y uno de los mayores pensadores del cristianismo primitivo, relata que sus detractores le silenciaban a gritos. Los rivales, escribe, chillaban como una bandada de cuervos. Era como estar en medio de una enorme tormenta de arena o ser atacado por animales salvajes: «Era como si un enjambre de avispas te saltara de repente a la cara».[35]

Con todo, esta crisis particular, a mediados del siglo V, no podía ser más inoportuna y desgraciada. En el oeste, llevaba algún tiempo madurando una enconada disputa entre dos clérigos rivales, Nestorio, el patriarca de Constantinopla, y Cirilo, el patriarca de Alejandría, en torno a la cuestión de la naturaleza divina y humana de Jesús. Los debates de este tipo no necesariamente se resolvían con medios razonables. Cirilo era un político nato y tenía métodos implacables para conseguir apoyos para la posición que defendía, como evidencia la extensa lista de los sobornos que pagó: personajes influyentes, y sus esposas, recibieron mercancías de lujo, como alfombras de primera calidad, sillas hechas de marfil, manteles costosos y dinero en efectivo.[36]

Algunos clérigos orientales encontraron desconcertante tanto la disputa como la manera de resolverla. El problema, desde su punto de vista, residía en una traducción griega descuidada del término siriaco para describir la encarnación. Eso, sin embargo, no resolvía mucho, pues la discusión era en igual medida una lucha de poder entre dos figuras prominentes en la jerarquía eclesiástica y el prestigio que cada una podía obtener si conseguía que sus posiciones doctrinales fueran aceptadas y adoptadas. El enfrentamiento llegó a su apogeo en el debate sobre la condición de la Virgen, a quien en opinión de Nestorio no debía describirse como *Theotokos*, la que engendra a Dios, sino como *Christotokos*, la que engendra a Cristo (o, en otras palabras, la que engendra solo la naturaleza humana de Jesús).[37]

Superado en estrategia y astucia por Cirilo, Nestorio fue destituido, una medida que desestabilizó a la Iglesia. La posición teológica de los obispos cambiaba con rapidez según las circunstancias, primero en un sentido y luego en otro. Las decisiones tomadas en un concilio podían ser cuestionadas en el siguiente, pues las facciones rivales no dejaban de ejercer presión entre bambalinas. Gran parte de la discusión giraba alrededor de la cuestión de si Jesucristo tenía dos naturalezas (una divina y otra humana) unidas en una única persona indivisible y cómo estaban ligadas esas dos naturalezas. La relación precisa entre Jesús y Dios también era objeto de intenso debate; en este caso, la discusión giraba alrededor de si el primero era creación del segundo, y por lo tanto estaba subordinado a este, o era una manifestación del Todopoderoso y, por ende, igual y coeterno. Esos interrogantes tuvieron una respuesta contundente en 451, en el concilio de Calcedonia, donde se formuló una nueva definición de la fe que debía ser aceptada a lo largo y ancho del mundo cristiano (e iba acompañada de la amenaza explícita de que se expulsaría de la Iglesia a todo aquel que no estuviera de acuerdo con ella).[38] En el este, la Iglesia reaccionó con furia.

Según los obispos orientales, la nueva enseñanza de la Iglesia occidental no solo era errónea, sino que bordeaba la herejía. Por tanto, promulgaron un credo reelaborado que daba cuenta de las naturalezas distintas y separadas de Jesús y amenazaron con la condena eterna a quienquiera que «considere o enseñe a otros que el sufrimiento y el cambio pertenecen a la divinidad de nuestro Señor».[39] El emperador también se vio involucrado en el debate. Cerró la escuela de Edesa, que se había convertido en un centro clave del Oriente cristiano y desde el que se difundían textos, vidas de santos y consejos no solo en siriaco, el dialecto del arameo usado en la ciudad, sino también en varios otros idiomas, como el persa y el sogdiano.[40] A diferencia del Mediterráneo, donde la lengua del cristianismo era el griego, en Oriente se reconoció desde un primer momento que si se quería atraer a nuevos públicos, era necesario contar con materiales que pudieran entender tantos grupos diferentes como fuera posible.

El cierre de la escuela de Edesa agudizó el cisma entre las Iglesias del este y del oeste, entre otras razones porque muchos eruditos expulsados del territorio del imperio buscaron refugio en Persia. Con el tiempo, la situación se tornó cada vez más problemática, pues se esperaba que los emperadores con sede en Constantinopla defendieran la doctrina «ortodoxa» y adoptaran medidas enérgicas contra las enseñanzas consideradas desviadas y heréticas. En 532, cuando se firmó un tratado de paz con Persia tras un periodo de inestabilidad y conflicto en el Cáucaso, una de las cláusulas clave del acuerdo estipulaba que las autoridades persas debían ayudar a localizar y detener a los obispos y sacerdotes cuyas opiniones fueran contrarias al concilio de Calcedonia y cuyas actividades fueran consideradas peligrosas por Roma.[41]

Intentar calmar las pasiones de las facciones religiosas rivales era una labor desagradecida, como demuestra muy bien el caso del emperador Justiniano. En repetidas ocasiones Justiniano buscó que los dos bandos reconciliaran sus puntos de vista; después de un periodo de recriminaciones cada vez más amargas, en 553 convocó un gran concilio ecuménico en un esfuerzo por poner límites, al tiempo que organizaba reuniones discretas de clérigos destacados a las que asistía en persona, todo con el objetivo de encontrar un camino hacia una solución definitiva.[42] Un testimonio escrito después de su muerte evidencia cómo interpretaban algunos esos esfuerzos por hallar un terreno común: «Después de sembrar absolutamente por todas partes la confusión y el desorden y cobrar un salario por ello, al final de su vida pasó a los lugares de castigo más bajos» (es decir, al infierno).[43] Otros emperadores optaron por un enfoque diferente, y en un intento de silenciar el ruido y las recriminaciones, sencillamente prohibieron la discusión de cuestiones religiosas.[44]

Mientras en Occidente la Iglesia vivía obsesionada con erradicar las opiniones diferentes, la Iglesia oriental emprendió uno de los programas misioneros más ambiciosos y de mayor alcance de la historia, uno cuya escala puede compararse con la de la evangelización posterior de las Américas y África: el cristianismo se expandió con rapidez por nuevas regiones sin el respaldo de la mano de hierro del poder político. La avalancha de mártires que hubo en las profundidades de la parte meridional de la península arábiga demuestra cuán lejos llegaron los tentáculos de la religión, como también lo hace el hecho de que el rey de Yemen se convirtiera al cristianismo.[45] Hacia 550, un viajero de lengua griega encontró en Sri Lanka una comunidad cristiana robusta, a la que prestaba servicio un clero nombrado «desde Persia».[46]

El cristianismo llegó incluso a los pueblos nómadas de las estepas, para gran sorpresa de las autoridades en Constantinopla, que al recibir a unos rehenes como parte de un acuerdo de paz se toparon con que algunos tenían «el símbolo de la cruz tatuado en negro sobre la frente». Al preguntárseles a qué se debían esos tatuajes, respondieron que había habido una peste «y algunos cristianos que había entre ellos les habían propuesto hacérselos [para tener protección divina] y que desde ese momento su país había estado a salvo» de la enfermedad.[47]

Para mediados del siglo VI había arzobispados en lo más profundo del continente asiático. Había comunidades cristianas florecientes en muchas ciudades, incluidas Basora, Mosul y Tikrit. La escala de la evangelización era tal que Kokhe, situada cerca de Ctesifonte, contaba con el apoyo de por lo menos cinco obispados subordinados.[48] Ciudades como Merv, Gundesapor e incluso Kasgar, el oasis que era punto de entrada a China, tuvieron arzobispados mucho antes que Canterbury; siglos antes de que los misioneros llegaran por primera vez a Polonia o Escandinavia, todas esas ciudades eran ya importantes centros cristianos. Samarcanda y Bujará (en lo que hoy es Uzbekistán) también tenían prósperas comunidades cristianas mil años antes de que el cristianismo llegara a las Américas.[49] De hecho, aún en la Edad Media había muchos más cristianos en Asia que en Europa.[50] A fin de cuentas, Bagdad está más cerca de Jerusalén que de Atenas, Teherán se encuentra más cerca de Tierra Santa que Roma, y Samarcanda más cerca de ella que París y Londres. El éxito del cristianismo en Oriente ha permanecido en el olvido durante demasiado tiempo.

Esta expansión debió mucho a la tolerancia y destreza de los gobernantes sasánidas de Persia, que lograron implementar políticas inclusivas en un momento en que la aristocracia y el sacerdocio zoroástrico estaban apaciguados. Era tal la actitud conciliadora de Cosroes I (531-579) en su trato con los eruditos extranjeros que se hizo famoso en la Constantinopla de la época como «un amante de la literatura y un estudioso en profundidad de la filosofía», algo que hacía exclamar con incredulidad a un escritor de la capital imperial: me resulta imposible creer, protestaba no mucho después el historiador Agatías, que de verdad haya sido tan brillante. Hablaba en una lengua burda y poco civilizada: ¿cómo era posible que entendiera los matices de la filosofía?[51]

Para finales del siglo VI, los encuentros de la Iglesia oriental se iniciaban ya con oraciones fervientes por la salud del rey persa. Y no mucho después encontramos al sah organizando la elección de un nuevo patriarca, instando a todos los obispos del reino a «acudir pronto [...] para elegir a un líder y gobernador [...] que tendrá bajo su gestión y liderazgo cada altar y cada iglesia de nuestro Señor Jesucristo en el Imperio de los persas».[52] El monarca sasánida había pasado de ser el perseguidor de los cristianos en Asia a ser su paladín.

Eso, al menos en parte, era una consecuencia de la seguridad y confianza crecientes de Persia, una actitud que alimentaban los pagos regulares en metálico de las autoridades romanas en Constantinopla, cuyas prioridades militares y políticas estaban orientadas a resolver problemas en otras partes. Con las estepas tranquilas y la atención de Roma centrada en estabilizar y recuperar las provincias del Mediterráneo que habían caído, los siglos V y VI fueron una época de prosperidad para Persia: la tolerancia religiosa iba de la mano del crecimiento económico. Por todo el territorio del imperio se fundaron incontables ciudades a medida que el gobierno central destinaba a la construcción de infraestructuras una porción cada vez mayor de los ingresos públicos.[53] Los programas de irrigación a gran escala, sobre todo en Juzestán e Irak, potenciaron la producción agraria, al tiempo que se construyeron sistemas de suministro de agua o se ampliaron los ya existentes en varios kilómetros de longitud. Una vasta maquinaria burocrática garantizaba la gestión sin contratiempos desde el Levante hasta las entrañas de Asia Central.[54] Este periodo fue testigo de una centralización considerable del estado sasánida.[55]

El control era de tal magnitud que se precisaba incluso la disposición de los distintos puestos en los mercados y bazares. Un texto recoge el modo en que los oficios se organizaban en gremios regulados y señala que había inspectores presentes para garantizar los controles de calidad y valorar el beneficio que correspondía al tesoro estatal.[56] A medida que las riquezas aumentaban, también lo hizo el comercio de artículos de lujo y mercancías valiosas a larga distancia: se conservan miles de los sellos que se empleaban para marcar los paquetes cuya venta o exportación estaba aprobada, así como un corpus considerable de materiales escritos que dan cuenta de los contratos que se sellaban y guardaban en las oficinas de registro durante este periodo.[57] Las mercancías viajaban desde el golfo Pérsico hasta el mar Caspio, y llegaban y salían hacia la India por tierra y por mar. El volumen de los intercambios con Sri Lanka y China, así como con el Mediterráneo oriental, aumentó con rapidez.[58] En todo momento, las autoridades sasánidas se mantuvieron muy atentas a lo que ocurría dentro de sus fronteras y más allá de ellas.

Una parte considerable de ese comercio a larga distancia lo realizaban los comerciantes sogdianos, famosos por sus caravanas, su visión empresarial y los estrechos vínculos familiares que les permitían comerciar a lo largo de las principales arterias que atravesaban Asia Central hasta llegar a Xinjiang y el oeste de China. A comienzos del siglo XX, Auriel Stein descubrió, en una torre de vigilancia cerca de Dunhuang, una colección de cartas extraordinarias que dan cuenta de las pautas del comercio y las sofisticadas facilidades de crédito empleadas, así como de los bienes y productos que los sogdianos transportaban y vendían. Entre los muchos artículos con los que comerciaban había adornos de oro y plata (broches para el pelo, por ejemplo), recipientes de factura excelente, cáñamo, lino, géneros de lana, azafrán, pimienta y alcanfor; su especialidad, no obstante, era el comercio de la seda.[59] Los sogdianos eran el nexo que mantenía conectados las ciudades, los oasis y las regiones. Y desempeñaban una función primordial en el camino de la seda china hasta el Mediterráneo oriental, donde gozaba de un gran aprecio entre la élite romana. Del mismo modo, los sogdianos transportaban artículos en dirección contraria: por toda Asia Central, e incluso en lo profundo de China, se han encontrado monedas acuñadas en Constantinopla, así como objetos de prestigio como el aguamanil de plata con escenas de la guerra de Troya que se halló en una tumba de mediados del siglo VI junto a su poderoso dueño, Li Xian.[60]

A medida que las religiones entraban en contacto entre sí, fue inevitable que tomaran ideas prestadas unas de otras. Aunque se trata de un fenómeno que resulta difícil de rastrear con exactitud, es llamativo que la aureola se convirtiera en un símbolo visual común en el arte hinduista, budista, zoroástrico y cristiano, donde representa un vínculo entre lo terrenal y lo divino y es un marcador del brillo y la iluminación a los que todos estos credos atribuyen una gran importancia. En Tāq-i Bustān, en el actual Irán, se halla un monumento magnífico que representa a un gobernante a caballo, rodeado por ángeles alados y con un anillo de luz alrededor de la cabeza, en una escena que habría resultado reconocible para los seguidores de cualquiera de las grandes religiones de esta región. De igual modo, se adoptaron incluso ciertas posturas (como la *vitarka mudra* budista, formada uniendo el pulgar y el índice de la mano derecha, a menudo con el resto de los dedos estirados) para ilustrar la conexión con lo divino, en especial por parte de los artistas cristianos.[61]

El cristianismo fluía a lo largo de las rutas comerciales, pero su avance no dejó de ser contestado. El centro del mundo siempre había sido ruidoso, un lugar en el que las corrientes de pensamiento, los credos y las religiones intercambiaban ideas, pero también chocaban. La competencia por la autoridad espiritual se tornó cada vez más intensa. Semejante tensión había marcado desde hacía mucho tiempo la relación entre el cristianismo y el judaísmo, donde los líderes religiosos de uno y otro bando se esforzaban por poner límites entre ambos: en el caso de los primeros, se promulgaron repetidas leyes para prohibir los matrimonios mixtos, y la fecha de la Pascua se movió de forma deliberada para evitar que coincidiera con la fecha de la Pascua judía.[62] Para algunos esto no era suficiente. Juan Crisóstomo, arzobispo de Constantinopla a comienzos del siglo IV, exhortó a hacer la liturgia más emocionante, quejándose de que a los cristianos les resultaba difícil competir con la teatralidad de la sinagoga, donde se tocaban tambores, liras, arpas y otros instrumentos musicales durante la oración para entretener a los fieles y se empleaban actores y bailarines para animar los servicios.[63]

Por su parte, había figuras destacadas dentro del judaísmo que no sentían ningún entusiasmo ante la idea de recibir a los nuevos conversos. «No tengáis fe en el prosélito», declaró Ḥiyya el Grande, un famoso rabino, «hasta que haya pasado la vigésimo cuarta generación, porque el mal inherente sigue dentro de él». Los conversos son tan irritantes y difíciles como la sarna, señaló Ḥelbo, otro rabino influyente.[64] La actitud de los judíos hacia el cristianismo se endureció en Persia como consecuencia de la penetración de este último. Esto se aprecia con claridad en el Talmud de Babilonia, la colección de textos centrada en la interpretación rabínica de la ley judía. A diferencia del Talmud palestino, que se refiere a Jesús de modo más superficial, la edición babilónica adopta una postura violenta y mordaz hacia el cristianismo, atacando tanto sus doctrinas como sucesos y figuras específicas de los Evangelios. La concepción virginal, por ejemplo, es satirizada y ridiculizada como un fenómeno tan probable como el que una mula tenga descendencia. Las versiones alternativas de la vida de Jesús, relatos muy detallados y sofisticados que incluían parodias de las escenas del Nuevo Testamento y, sobre todo, del Evangelio según san Juan, demuestran cuán amenazador resultaba el avance del cristianismo. Se llevó a cabo un esfuerzo sistemático para dejar establecido que Jesús era un falso profeta y que su crucifixión estaba justificada, es decir, que los judíos no eran culpables ni responsables por lo ocurrido. Estas reacciones violentas fueron un intento de contrarrestar los progresos ininterrumpidos que los cristianos estaban consiguiendo a costa del judaísmo.[65]

En este sentido resulta importante señalar que también hubo lugares en los que el judaísmo hizo progresos. En el reino de Ḥimyar, en el extremo suroccidental de la península arábiga, en territorio de lo que hoy es Arabia Saudí y Yemen, las comunidades judías adquirieron cada vez mayor prominencia, como evidencian descubrimientos recientes de sinagogas, como la estructura del siglo IV hallada en Qana.[66] De hecho, Ḥimyar adoptó el judaísmo como religión estatal y lo hizo con entusiasmo. Para finales del siglo V, los cristianos, incluidos sacerdotes, monjes y obispos, eran martirizados allí con regularidad debido a sus creencias y tras haber sido condenados por un consejo de rabinos.[67]

A comienzos del siglo VI, una expedición militar etíope cruzó el mar Rojo con el objetivo de reemplazar al rey judío por un títere cristiano; la operación fue una chapuza cuyo único resultado fueron las represalias despiadadas que desencadenó. Las autoridades adoptaron medidas para eliminar toda traza de cristianismo del reino y las iglesias se demolieron o se transformaron en sinagogas. Centenares de cristianos fueron detenidos y ejecutados; en una ocasión en que doscientos creyentes se habían refugiado en un templo, se decidió prender fuego al edificio y quemarlos vivos. Todo esto fue relatado con júbilo por el rey, que envió cartas por toda la península arábiga regocijándose por el sufrimiento que había infligido.[68]

Los sacerdotes zoroástricos también reaccionaron ante el avance del cristianismo en el imperio sasánida, en especial después de la conversión de varios miembros prominentes de la élite gobernante. Esto también tuvo como resultado una serie de ataques violentos contra las comunidades cristianas y numerosos martirios.[69] Los cristianos, a su vez, empezaron a producir relatos morales intransigentes, el más famoso de los cuales fue la historia épica de Qardagh, un varón joven y brillante que cazaba como los reyes persas y argumentaba como los filósofos griegos, pero renunció a una carrera prometedora como gobernador provincial para convertirse al cristianismo. Condenado a muerte, el joven escapó del cautiverio solo por tener un sueño en el que se le decía que era mejor morir por la fe que pelear. La ejecución, en la que el padre arrojó la primera piedra, se conmemoró en una narración extensa y hermosa escrita evidentemente con el fin de inspirar a otros la confianza necesaria para convertirse al cristianismo.[70]

El secreto del éxito del cristianismo residía en parte en el compromiso y la energía de su misión evangelizadora. Por supuesto, resultaba útil que ese entusiasmo estuviera permeado por una dosis saludable de realismo: los textos de comienzos del siglo VII muestran a los clérigos esforzándose por reconciliar sus ideas con las del budismo, no como atajo, pero sí como forma de simplificar el proceso. El Espíritu Santo, escribe un misionero que había llegado a China, era desde todo punto de vista compatible con lo que la población local ya creía: «Todos los budas fluyen y cambian gracias al mismo soplo [esto es, el Espíritu Santo], y no hay en este mundo un lugar al que el soplo no llegue». Del mismo modo, continuaba, Dios ha sido el responsable de la inmortalidad y la felicidad perpetua desde la creación del mundo. En cuanto tal, «el hombre [...] siempre honrará el nombre de Buda».[71] El cristianismo no solo era compatible con el budismo, decía, sino que en términos amplios *era* budismo.

Otros intentaron codificar la fusión de las ideas cristianas y budistas mediante la creación de un conjunto de «evangelios» híbridos que de forma eficaz simplificaba el mensaje y el relato cristianos utilizando elementos que resultaban familiares y accesibles a las poblaciones de Oriente, todo ello con el fin de acelerar el avance del cristianismo a través de Asia. Este enfoque, al que se suele llamar «gnosticismo», tenía una lógica teológica propia que defendía que predicar recurriendo a referencias culturales comprensibles y usando una lengua accesible era una forma obvia de difundir el mensaje.[72] No es de extrañar entonces que el cristianismo encontrara respaldo en amplios sectores de la población: las ideas que proponía habían sido elaboradas de manera deliberada para que parecieran familiares y resultaran fáciles de entender.

Otros cultos, creencias y sectas se beneficiaron del mismo proceso, como las enseñanzas de Mazdak, un predicador carismático que gozó de una gran popularidad a finales del siglo V y comienzos del VI, a juzgar por las críticas furiosas y extravagantes que dedicaron a sus seguidores los cronistas de la época, tanto cristianos como zoroástricos. En textos cargados de emoción, los críticos vilipendiaban las actitudes y prácticas de los discípulos de Mazdak, desde la dieta que seguían hasta el supuesto interés por el sexo en grupo. De hecho, hasta donde nos permiten entender las fuentes, por lo demás en extremo parciales, Mazdak abogaba por un estilo de vida ascético que tenía similitudes obvias con la actitud budista hacia la riqueza material, la desconfianza hacia el mundo físico propia del zoroastrismo y las tradiciones del ascetismo cristiano.[73]

En este competitivo entorno espiritual era importante defender el territorio intelectual, pero también el físico. Un viajero chino que pasó por Samarcanda en el siglo VI señaló que la población local se oponía con violencia a la ley de Buda y ahuyentaba con «fuego ardiente» a cualquier budista que buscara cobijo en la ciudad.[74] En esa ocasión en particular, el recibimiento inicialmente hostil tuvo un desenlace feliz, pues al final se permitió al visitante convocar una reunión, que parece ser que utilizó para convencer a muchos de que se convirtieran al budismo gracias a la fuerza tanto de su personalidad como de sus argumentos.[75]

Pocos entendían mejor que los budistas cuán importante era publicitar y exhibir los objetos que sustentaban las declaraciones de fe. Otro peregrino chino que se abrió paso hasta Asia Central en búsqueda de textos sánscritos para estudiar se maravilló al contemplar las reliquias sagradas veneradas por la población de Balj. Entre ellas estaba uno de los dientes de Buda, la jofaina que usaba para lavarse y la escobilla con la que barría, que era de paja, pero estaba decorada con finas joyas.[76]

No obstante, había afirmaciones todavía más visibles e impresionantes diseñadas para ganar los corazones y las mentes de los fieles. Los templos habilitados en cuevas se habían convertido en una forma consolidada de evocar e imponer un mensaje espiritual, y su ubicación junto a las rutas comerciales les permitía combinar la idea del santuario y el ámbito divino, por un lado, con la del comercio y el viaje, por otro. El complejo de Elefanta, frente a la costa de Bombay, y las cuevas de Ellora, en la India septentrional, constituyen ejemplos espectaculares. Llenos de grabados de las deidades, obras de arte majestuosas y ricamente decoradas, los templos habían sido concebidos como una exhibición de superioridad moral y teológica, en este caso la del hinduismo.[77]

Esto guarda un obvio paralelismo con Bamiyán (en el actual Afganistán). Situada en la intersección de las rutas que unían la India, hacia el sur, Bactria, hacia el norte, y Persia, hacia el oeste, Bamiyán albergaba un complejo de 751 cuevas que completaban unas figuras inmensas de Buda.[78] Las dos estatuas, una de cincuenta y cinco metros y la otra, algo más antigua, de aproximadamente dos tercios de ese tamaño, permanecieron en sus nichos excavados en la roca durante casi mil quinientos años, hasta 2001, cuando los talibanes las hicieron volar por los aires en un acto de filisteísmo y salvajismo cultural comparable a la destrucción de artefactos religiosos en Gran Bretaña y Europa septentrional durante la Reforma.[79]

Cuando hablamos de las «rutas de la seda» tendemos a pensar que la circulación siempre iba de Oriente a Occidente, cuando en realidad había un interés y un volumen de intercambios considerables que fluían en la dirección contraria, como deja claro con admiración un texto chino del siglo VII. Siria, escribió el autor, era un lugar que «produce telas a prueba de fuego, inciensos que devuelven la vida, perlas lunares brillantes y gemas que resplandecen en la noche. Los bandidos y los ladrones son desconocidos allí y la gente goza de paz y felicidad. Nada prevalece salvo las leyes ilustres; nadie asciende al poder soberano salvo el virtuoso. El país es ancho y amplio y sus producciones literarias son perspicaces y claras».[80]

Y lo cierto es que a pesar de la competencia feroz y la algarabía de las religiones en su lucha por hacerse oír, era el cristianismo el que continuaba minando las creencias, las prácticas y los sistemas de valores tradicionales. En 635 unos misioneros llegaron a China y consiguieron convencer al emperador de que abandonara la oposición a la fe y la reconociera como una religión legítima con un mensaje que no solo no ponía en peligro la identidad imperial sino que, por el contrario, podía afianzarla.[81]

Hacia mediados del siglo VII el futuro parecía fácil de leer. El cristianismo avanzaba a través de Asia, haciendo progresos a costa del zoroastrismo, el judaísmo y el budismo.[82] Las religiones siempre se habían enfrentado unas a otras en esta región y sabían que tenían que competir por la atención de la gente. La más competitiva y exitosa, sin embargo, estaba resultando ser una religión nacida en la pequeña ciudad de Belén.[83] En vista del avance conseguido en los siglos que siguieron a la crucifixión de Jesús a manos de Poncio Pilato, era solo cuestión de tiempo que sus tentáculos llegaran al Pacífico y conectaran por fin el gran océano con el Atlántico al oeste.

Y, sin embargo, justo en ese momento de triunfo del cristianismo, intervino el azar. El cristianismo había dispuesto una plataforma para la conquista espiritual que no solo conectaba ciudades y regiones, sino que abarcaba continentes. Pero justo entonces estalló una guerra enervante que socavó los poderes existentes y creó una serie de oportunidades para nuevos contendientes. Fue como si internet se hubiera desatado en la Antigüedad tardía: de repente, una nueva avalancha de ideas, teorías y tendencias amenazaba con acabar con el orden existente y sacar provecho de las redes establecidas a lo largo de los siglos. El nombre de la nueva cosmología no reflejaba cuán revolucionaria era. Estrechamente relacionado con las palabras que designan la seguridad y la paz, el término «islam» no sugería en absoluto el cambio que el mundo estaba a punto de experimentar. Había llegado la revolución.

## Capítulo 4

# LA RUTA DE LA REVOLUCIÓN

El ascenso del islam se produjo en un mundo que había conocido un centenar de años de confusión, discordia y catástrofe. En 541, un siglo antes de que el profeta Mahoma comenzara a recibir revelaciones divinas, lo que sembraba el pánico a través del Mediterráneo era la noticia de una amenaza diferente. Nadie estaba a salvo. La escala de mortandad era difícil de imaginar. Según un contemporáneo que perdió a la mayor parte de su familia, una ciudad en la frontera de Egipto fue aniquilada por completo: siete hombres y un niño de diez años fueron los únicos supervivientes de una población otrora llena de vida; las puertas de las casas estaban abiertas, sin nadie que cuidara del oro, la plata o los objetos preciosos que pudiera haber dentro.[1] Las ciudades fueron las que se llevaron la peor parte del salvaje ataque: en determinado momento, a mediados de la década de 540, diez mil personas morían diariamente en Constantinopla.[2] El Imperio Romano no fue el único que sufrió. Al poco tiempo también las ciudades de Oriente empezaron a ser arrasadas a medida que el desastre se propagaba por las redes de comunicación y las rutas comerciales; las ciudades de la Mesopotamia persa fueron devastadas y finalmente la tragedia llegó a China.[3] Allí a donde llegaba, la peste bubónica sembraba la catástrofe, la desesperación y la muerte.

Y con ellas, la depresión económica: los campos despojados de labradores, las ciudades sin consumidores y una generación segada en su juventud alteraron gravemente la demografía de la Antigüedad tardía y causaron una importante contracción de la economía.[4] En su momento, eso incidiría en la forma en que los emperadores romanos en Constantinopla llevaban la política exterior. Durante la primera parte del reinado de Justiniano (527-565), el imperio había conseguido una serie de triunfos impresionantes que le permitieron recuperar las provincias del norte de África y hacer progresos significativos en Italia. El uso de la fuerza de forma acertada y sensata estuvo acompañado de esfuerzos deliberados por mantener la flexibilidad necesaria para lidiar con los problemas que podían estallar en cualquier momento en sus extensas fronteras, incluida la de Oriente. Lograr ese equilibrio se hizo cada vez más difícil durante la segunda parte de su reinado, pues la escasez de efectivos, las campañas militares sin resultados concluyentes y el aumento de los costes fueron sangrando un tesoro que ya estaba bastante mermado cuando atacó la peste.[5]

El estancamiento arraigó y el sentimiento popular hacia Justiniano se agrió. Se le criticó con particular ferocidad por la forma en la que parecía dispuesto a comprar la amistad de los vecinos del imperio, a los que pagaba con dinero y otorgaba favores de manera indiscriminada. Justiniano era lo bastante necio como para creer que era «un golpe de suerte estar repartiendo la riqueza de los romanos y arrojándola a los bárbaros», escribió Procopio, el historiador más prominente y cáustico del periodo. El emperador, proseguía sin piedad, «no perdía oportunidad de derrochar vastas sumas de dinero en todos los bárbaros», los del norte, los del sur, los del este y los del oeste; se enviaban pagos en metálico, continuaba el autor, a pueblos de los que nunca antes se habían tenido noticias.[6]

Los sucesores de Justiniano abandonaron ese enfoque y adoptaron una política ruidosa e intransigente con los vecinos de Roma. En 565, poco después de la muerte de Justiniano, los embajadores de los ávaros, una de las grandes tribus de las estepas, se toparon con la displicencia del nuevo emperador, Justino II, cuando llegaron a Constantinopla a pedir que se les pagara el tributo usual: «Nunca jamás volveréis a enriqueceros a expensas de este imperio y obtener lo que queréis sin prestarnos ningún servicio; de mí no recibiréis nada». Cuando los enviados le amenazaron con las consecuencias que tendría esa nueva actitud, el emperador estalló: «¿Osáis vosotros, perros muertos, amenazar el reino romano? Sabed que os afeitaré esos pelos vuestros y luego os cortaré las cabezas».[7]

Se adoptó una postura similarmente agresiva en relación a Persia, en especial después de conocer que una poderosa agrupación de nómadas turcos había ocupado el lugar de los hunos en la estepa de Asia Central y estaba presionando las fronteras orientales. Los turcos desempeñaban una función cada vez más dominante en el comercio, para gran enfado de los chinos, que los describían como gente difícil en la que no se podía confiar (un indicio seguro de su creciente éxito comercial).[8] Los encabezaba una figura magnífica, Sizabul, que solía recibir a los dignatarios en una tienda llena de adornos, recostado en un lecho de oro que se apoyaba sobre cuatro pavos reales dorados, con una gran carreta rebosante de plata situada cerca, de modo que resultara bien visible a los visitantes.[9]

Los turcos tenían grandes ambiciones y enviaron una embajada a Constantinopla con el objetivo de proponer una alianza militar a gran escala. Un ataque conjunto, dijeron los embajadores a Justino II, destruiría Persia.[10] Ansioso por alcanzar la gloria a expensas del rival tradicional de Roma y animado por las perspectivas, el emperador aceptó el plan y se volvió cada vez más grandilocuente, lanzando amenazas al sah y exigiendo la devolución de ciudades y territorios cedidos en anteriores acuerdos. Después de que los romanos fracasaran en un ataque pésimamente ejecutado, el contraataque persa se encaminó a la piedra angular de las defensas romanas, la ciudad de Dara (cuyos restos se encuentran en el sur de lo que hoy es Turquía). Tras un asedio terrible que se prolongó durante seis meses, en 574 los persas consiguieron tomar la ciudad, después de lo cual el emperador se desmoronó física y mentalmente.[11]

El fiasco convenció a los turcos de que Constantinopla era un aliado indigno y poco fiable, algo que su embajador declaró sin rodeos en 576, cuando rechazó airado toda posibilidad de lanzar un nuevo ataque contra Persia. Después de meterse los diez dedos en la boca, dijo con rabia: «Así como ahora tengo diez dedos en la boca, vosotros, romanos, habéis usado muchas lenguas». Roma había engañado a los turcos prometiéndoles hacer su mejor esfuerzo contra Persia; los resultados habían sido patéticos.[12]

En cualquier caso, la reapertura de las hostilidades con Persia marcó el comienzo de un periodo turbulento que tuvo consecuencias extraordinarias. Siguieron dos décadas de enfrentamientos, con momentos de gran dramatismo, como cuando el ejército persa consiguió penetrar en lo profundo de Asia Menor antes de dar media vuelta y regresar. Al hacerlo, sin embargo, sufrieron una emboscada; la reina fue hecha prisionera y con ella el carruaje real, hecho de oro y decorado con perlas y piedras preciosas. El fuego sagrado que el monarca persa llevaba consigo en campaña, «el más grandioso de todos los fuegos», según se decía, fue capturado y arrojado a un río, mientras que el sumo sacerdote zoroástrico y «una multitud de personas de altísimo rango» murieron ahogadas (acaso por la fuerza). Apagar el fuego sagrado fue un acto violento y provocador, una forma deliberada de mostrar desprecio hacia el pilar básico de la religiosidad persa. Los romanos y sus aliados celebraron la noticia enloquecidos de júbilo.[13]

La religión pasó a ser cada vez más importante a medida que las hostilidades continuaban. Por ejemplo, cuando una propuesta de reducir el salario de los soldados hizo que estos se sublevaran, el oficial al mando exhibió ante las tropas una imagen de Jesús para inculcarles que servir al emperador era servir a Dios. En 579, cuando murió el sah Cosroes I, algunos aseguraron, sin ningún fundamento, «que la luz del mundo divino brillaba espléndidamente a su alrededor, pues él creía en Cristo».[14] El endurecimiento de las actitudes se tradujo en denuncias vehementes del zoroastrismo como un credo bajo, falso y depravado: los persas, escribió Agatías, adquirieron «hábitos desviados y degenerados prácticamente desde que cayeron bajo el hechizo de las enseñanzas de Zoroastro».[15]

La inyección de una dosis alta de religiosidad en el militarismo imperante tuvo implicaciones para aquellos pueblos que vivían en la periferia del imperio, a los que se había cortejado o convertido al cristianismo como parte de una política deliberada para obtener su respaldo y su lealtad.[16] En particular, se había hecho un esfuerzo por atraer a las tribus de Arabia meridional y occidental con la promesa de recompensas materiales. La concesión de títulos reales, que introdujeron conceptos nuevos de parentesco (y realeza) que era posible explotar en el nivel local, también ayudó a convencer a muchos de unir su suerte a la de Constantinopla.[17]

La radicalización de las sensibilidades religiosas durante la confrontación con Persia tuvo consecuencias, pues el cristianismo adoptado por algunas de esas tribus no coincidía con la fórmula acordada en Calcedonia en 451, sino que era una versión o versiones que sostenían conceptos diferentes acerca de la unidad de Cristo. Las relaciones con los gasánidas, los aliados de Roma en Arabia desde hacía mucho tiempo, se agriaron como resultado de los mensajes estridentes lanzados desde la capital imperial.[18] En parte debido al recelo mutuo en torno a las cuestiones religiosas, la alianza se hundió en este delicado momento, lo que proporcionó a los persas una oportunidad perfecta que había que aprovechar. El sah se hizo con el control de los puertos y los mercados de Arabia meridional y occidental, al tiempo que se abrió una nueva ruta terrestre que conectaba Persia con La Meca y ʿUtuẓ. Según la tradición islámica, este desplazamiento animó a una destacada figura de La Meca a acercarse a Constantinopla y solicitar que se le nombrara filarca (guardián) de la ciudad en representación de Roma, después de lo cual el emperador otorgó un título real de soberano de La Meca a un tal ʿUthmān. Un proceso paralelo tuvo como resultado el nombramiento, desde Persia, de un personaje con una función similar en Yatrib.[19]

Mientras esas tensiones cristalizaban en la península arábiga, al norte, en el principal escenario del conflicto, la guerra interminable apenas si había hecho progresos. El punto de inflexión llegó a finales de la década de 580, pero no en el campo de batalla, sino en la corte persa, cuando Bahrám, un general que gozaba de gran popularidad y había conseguido estabilizar la frontera oriental con los turcos, decidió tomar cartas en el asunto y se reveló contra el sah, Cosroes II. El sah huyó a Constantinopla, donde prometió al emperador Mauricio grandes concesiones en el Cáucaso y Mesopotamia, incluida la devolución de Dara, a cambio del respaldo del imperio. Después de regresar a casa en 591 y haberse librado de su rival con, sorprendentemente, poco alboroto, Cosroes se dispuso a honrar el acuerdo. Fue, como ha anotado un destacado estudioso, un «momento Versalles»: muchísimas ciudades, fuertes y lugares importantes pasaron a manos de los romanos, lo que dejó expuestos los centros económicos y administrativos de Persia; la humillación fue tan grande que, como era inevitable, suscitó una respuesta enérgica.[20]

El péndulo había oscilado en ambas direcciones durante la intensa lucha que había tenido lugar a lo largo de las dos décadas precedentes. A todos los efectos, parecía que Roma había conseguido una gran victoria diplomática y política. Ahora que contaba con las bases avanzadas de las que antes carecía, finalmente tenía la oportunidad de establecer una presencia permanente en Oriente Próximo. Como reconocía el historiador Procopio, las llanuras de Mesopotamia, desplegadas en todas direcciones a lo largo de la gran cuenca del Tigris y el Éufrates, proporcionaban pocas fronteras evidentes en forma de ríos, lagos o montañas.[21] Esto implicaba que cualquier conquista era vulnerable, a menos que fuera posible anexar y conservar una extensión de territorio gigantesca. Cosroes II quizá hubiera recuperado el trono, pero había pagado un precio muy alto por ello.

Y, sin embargo, apenas una década más tarde, las tornas cambiaron de una manera espectacular. En 602, cuando en un golpe palaciego el emperador Mauricio fue asesinado por Focas, uno de sus generales, Cosroes II aprovechó el momento para atacar y forzar una renegociación. El sah ganó confianza después de que el feroz ataque lanzado contra Dara consiguiera dejar fuera de combate un punto vital del sistema de defensa romano en el norte de Mesopotamia, y siguió haciéndolo ante las dificultades de Focas para imponer su autoridad en el imperio. Cuando llegó la noticia de que los nómadas volvían a asolar los Balcanes con una nueva oleada de ataques, las ambiciones del sah se dispararon. El tradicional sistema clientelar utilizado para gobernar a los pueblos sometidos en el norte de la península arábiga se desmanteló de forma precipitada para adelantarse a la gran reorganización de la frontera que habría de seguir a la expansión persa.[22]

La población cristiana fue tratada con cuidado. La experiencia había enseñado a los obispos a temer la perspectiva de la guerra, pues las hostilidades con los romanos solían venir acompañadas de acusaciones de colaboración. En 605 el sah presidió en persona la elección del nuevo patriarca, tras invitar a la cúpula del clero a reunirse y escoger a un nuevo titular, una decisión deliberada con la que esperaba infundir confianza y demostrar a la minoría cristiana que el trono era comprensivo y se preocupaba por sus asuntos. El paso resultó eficaz y la comunidad cristiana lo interpretó como una señal de protección y benevolencia: los obispos agradecieron con efusividad a Cosroes, al que juntos alabaron como «el poderoso, el generoso, el bueno y munificente rey de reyes».[23]

Con el Imperio Romano derrumbándose en medio de una sucesión de revueltas internas, las fuerzas de Persia apretaron las tuercas: las ciudades de Mesopotamia cayeron como fichas de dominó hasta la capitulación de Edesa en 609. La atención se dirigió entonces hacia Siria. Antioquía, la gran ciudad sobre el Orontes, la primera sede de San Pedro y la mayor metrópolis de la Siria romana, cayó en 610, y Emesa lo haría al año siguiente. Con la caída de Damasco en 613, Roma perdía otro de los grandes centros de la región.

Las cosas solo podían empeorar. En Constantinopla, el impopular y arrogante Focas fue asesinado y luego se arrastró su cadáver, desnudo y desmembrado, por las calles de la ciudad. Sin embargo, el nuevo emperador, Heraclio, se reveló igual de ineficaz a la hora de contener a los persas, cuyos avances habían adquirido para entonces un impulso devastador. Después de vencer el contraataque romano en Asia Menor, los ejércitos del sah giraron hacia el sur, en dirección a Jerusalén. El objetivo era evidente: capturar la ciudad santa de la cristiandad y, al hacerlo, afirmar el triunfo cultural y religioso de Persia.

En mayo de 614, cuando la ciudad cayó después de un breve asedio, la reacción en el mundo romano rozó la histeria. Se acusó a los judíos no solo de colaborar con los persas, sino de apoyarlos de forma deliberada. Según una fuente, eran «como bestias maléficas» que ayudaron al ejército invasor, a cuyos miembros también se comparaba con animales feroces y serpientes. Se les acusaba de participar de manera activa en la masacre de la población local —que, por lo demás, murió piadosamente—, y regocijándose por ello, «pues los estaban asesinando por Cristo y derramaban su sangre por Su sangre». Se difundieron relatos de iglesias destruidas, cruces pisoteadas e iconos mancillados a escupitajos. La Vera Cruz, la cruz sobre la que, según la tradición, Jesús había sido crucificado, fue capturada y enviada a la capital persa como el trofeo de guerra por excelencia para Cosroes. Ese era un giro de los acontecimientos en verdad desastroso para Roma, y por ello los propagandistas del emperador de inmediato concentraron su atención en él en un intento de contener los daños.[24]

Ante tales reveses, Heraclio consideró la posibilidad de abdicar, pero finalmente optó por una medida desesperada: enviar embajadores a Cosroes con el fin de buscar la paz fueran cuales fueren las condiciones. A través de sus enviados, Heraclio rogó el perdón del sah y culpó a su predecesor, Focas, de los recientes actos de agresión de Roma. Presentándose como sumiso e inferior, el dirigente romano aclamaba al sah como «emperador supremo». Cosroes escuchó con atención lo que los enviados tenían que decir y a continuación mandó ejecutarlos.[25]

Cuando la noticia de lo ocurrido llegó a Constantinopla, el pánico se apoderó de la capital, lo que permitió la aprobación de una serie de reformas radicales sin apenas oposición. El salario de los funcionarios imperiales se redujo en un 50 por ciento, y lo mismo ocurrió con la paga de los militares. La distribución de pan gratuito, una herramienta política tradicional para granjearse el apoyo de los habitantes de la capital, se suspendió.[26] Se requisaron los metales preciosos de las iglesias en un esfuerzo frenético por incrementar la hacienda pública. Con el fin de subrayar las dimensiones de la batalla que se avecinaba y expiar los pecados que habían llevado a Dios a reprender y castigar a los romanos, Heraclio modificó el diseño de las monedas. Aunque el busto del emperador en el anverso se mantuvo igual, en el reverso de las nuevas monedas, acuñadas en grandes cantidades y con nuevas denominaciones, se puso la imagen de una cruz al final de unos escalones: la guerra contra los persas era nada más y nada menos que una lucha por la defensa de la fe cristiana.[27]

A corto plazo, fue muy poco lo que se consiguió con esas medidas. Después de asegurarse el control de Palestina, los persas se dirigieron al delta del Nilo, donde tomaron Alejandría en 619.[28] En menos de dos años, Egipto, el granero del Mediterráneo y el cimiento de la economía agraria romana durante seis siglos, había caído. Luego le tocó el turno a Asia Menor, que fue atacada en 622. Aunque se consiguió contener el avance persa durante algún tiempo, en 626 el ejército invasor acampaba con las murallas de Constantinopla a la vista. Y como si eso no fuera suficientemente malo para los romanos, el sah hizo una alianza con los nómadas ávaros que habían superado los Balcanes y marchado sobre la ciudad desde el norte. Todo lo que ahora separaba los restos de la Roma imperial de la aniquilación completa era el grosor de las murallas de la ciudad del gran Constantino, Constantinopla, la Nueva Roma. El fin estaba cerca y parecía absolutamente inevitable.

La suerte, no obstante, estuvo de parte de Heraclio. Los esfuerzos iniciales para tomar la ciudad fracasaron, y los asaltos posteriores fueron vencidos con facilidad. La determinación de los enemigos comenzó a debilitarse. Los primeros en darse por vencidos fueron los ávaros. Habiendo tenido dificultades para alimentar a los caballos, los nómadas se retiraron cuando las diferencias tribales amenazaron con socavar la autoridad de su líder. Los persas retrocedieron también poco después, en parte debido a que habían recibido informes sobre ataques turcos en el Cáucaso a los que era necesario atender: la impresionante expansión territorial había llevado al límite los recursos del reino y dejado las tierras recién conquistadas peligrosamente expuestas, y los turcos lo sabían. Constantinopla se había salvado por muy poco.[29]

En un contraataque extraordinario, Heraclio, que durante el asedio de la capital había estado dirigiendo al ejército imperial en Asia Menor, se lanzó a perseguir al enemigo en retirada. El emperador comenzó dirigiéndose al Cáucaso, donde se reunió con el kan turco, al que colmó de honores y obsequios y con quien acordó formar una alianza; para formalizar los lazos de amistad entre ambos, le ofreció a su hija Eudocia como esposa.[30] Después de eso, abandonó la prudencia y se encaminó al sur. Cerca de Nínive, en lo que hoy es el norte de Irak, derrotó a un gran ejército persa en el otoño de 627, y después, con la oposición desvaneciéndose, avanzó sobre Ctesifonte.

La presión hizo crujir a la cúpula persa. Cosroes fue asesinado, y su hijo y sucesor, Kavad, suplicó a Heraclio un acuerdo de paz inmediato.[31] La promesa de territorios y prestigio satisfizo al emperador, que se retiró a Constantinopla y dejó a su embajador la tarea de acordar los términos, que incluyeron la devolución del territorio romano capturado por los persas durante la confrontación y, también, la devolución de las partes de la Vera Cruz que se habían llevado de Jerusalén en 614.[32] Para los romanos, fue una victoria espectacular y aplastante.

Sin embargo, el conflicto no terminó allí, pues entre tanto se había estado incubando una tormenta que iba a poner a Persia al borde del colapso. El general Shahrbarāz, el militar de mayor rango en el campo de batalla y el cerebro del reciente ataque relámpago en Egipto, reaccionó al giro de los acontecimientos organizando un golpe que lo llevara al trono. Con los ánimos de Persia en su peor momento y la frontera oriental vulnerable a los ataques oportunistas de los asaltantes turcos, la apuesta por un hombre de acción parecía casi irresistible. A medida que el golpe ganaba impulso, el general negoció directamente con Heraclio para que Roma respaldara el levantamiento, se retiró de Egipto y avanzó sobre Ctesifonte con el apoyo del emperador.

Con la situación en Persia a punto de resolverse, Heraclio celebró con deleite el asombroso giro de los acontecimientos y aprovechó la ocasión para afianzar su popularidad. Durante los peores momentos del imperio, había jugado con insistencia la carta de la religión para conseguir el respaldo y fortalecer la determinación de su gente. El ataque de Cosroes se había explicado como un ataque directo contra el cristianismo, algo subrayado de forma enérgica en una obra de teatro que se representó ante los soldados imperiales y en la que se leyó en voz alta una carta que, según se decía, era de puño y letra del sah: la misiva no solo ridiculizaba a la persona de Heraclio, sino que se burlaba de la impotencia del Dios de los cristianos.[33] A los romanos se les había desafiado a luchar por aquello en lo que creían: la guerra que habían librado era una guerra de religión.

Así las cosas, quizá no sea sorprendente que el triunfalismo romano produjera algunas escenas desagradables. Después de que Heraclio hubiera encabezado la entrada ceremonial en Jerusalén en marzo de 630 y devuelto los fragmentos de la Vera Cruz a la iglesia del Santo Sepulcro, se bautizó a los judíos por la fuerza, como castigo por su supuesta participación en la caída de la ciudad dieciséis años antes, y a los que huyeron se les prohibió acercarse a cinco kilómetros de distancia de Jerusalén.[34] Los agentes imperiales también acosaron a los cristianos orientales, cuyas creencias no se ajustaban al dogma y fueron obligados a abandonar sus posiciones doctrinales tradicionales y a aceptar, en su lugar, las enseñanzas normalizadas del cristianismo ortodoxo que ahora contaba con pruebas poderosas de que era el único que de verdad gozaba de la bendición de Dios.[35]

Eso resultó muy problemático para la Iglesia persa, que llevaba más de un siglo sin ponerse de acuerdo con sus pares occidentales y cuyos jerarcas estaban cada vez más convencidos de ser quienes transmitían la fe verdadera, en comparación con la Iglesia occidental, corrompida sistemáticamente por enseñanzas desviadas. Como señalaron los obispos de Persia cuando se reunieron en 612, todas las grandes herejías habían surgido en el Imperio Romano; todo lo contrario de lo que había ocurrido en Persia, donde «nunca ha nacido ninguna herejía».[36] De modo que cuando Heraclio «devolvió la iglesia a los ortodoxos» en Edesa y dio instrucciones para echar a los cristianos orientales que antes oraban allí, se interpretó que su plan era convertir a la totalidad de Persia (una idea que al parecer el emperador había estado considerando con entusiasmo desde el espectacular giro de los acontecimientos). Y convertirla, por supuesto, al cristianismo romano, occidental.[37]

La religión renaciente y dominante abanderada por Constantinopla había arrasado con toda oposición. La extraordinaria serie de acontecimientos había convertido en añicos muchas de las viejas ideas. Y cuando la peste llegó a Ctesifonte y se cobró la vida del sah Kavad, pareció obvio que el zoroastrismo era poco más que una ilusión: el cristianismo era la fe verdadera y sus seguidores habían sido recompensados.[38] En este clima de enorme tensión, empezó a escucharse un nuevo estruendo. Procedía del sur, de lo profundo de la península arábiga. Esa región había vivido prácticamente indemne la reciente lucha entre romanos y persas, lo que no significaba que no se viera afectada por los monumentales enfrentamientos que estaban teniendo lugar a cientos de kilómetros de distancia. De hecho, el suroeste de la península era desde hacía mucho tiempo un escenario de la confrontación entre los dos imperios, donde menos de un siglo atrás el reino de Ḥimyar y las ciudades de La Meca y Medina se habían jugado su suerte con los persas contra una coalición de fuerzas cristianas en la que participaron Constantinopla y Etiopía, el enemigo mortal de Ḥimyar en el mar Rojo.[39]

En esta región las creencias habían estado cambiando, adaptándose y compitiendo durante la mayor parte de los últimos cien años. Lo que había sido un mundo politeísta de deidades, ídolos y credos muy diversos había cedido el paso al monoteísmo y abrazado la idea de una entidad única y todopoderosa. Los santuarios dedicados a múltiples dioses habían quedado tan marginados que un historiador ha declarado que ya la víspera del surgimiento del islam el politeísmo tradicional estaba «moribundo». Su lugar lo ocuparon las nociones cristianas y judías de un Dios único y todopoderoso, así como las de los ángeles, el paraíso, la oración y la caridad que es posible hallar en las inscripciones que empezaron a proliferar por toda la península arábiga a finales del siglo VI y comienzos del VII.[40]

Fue en esta región, mientras la guerra se libraba en el norte, donde un mercader llamado Mahoma, un miembro del clan Banū Hāshim de la tribu quraysh, se retiró a meditar a una cueva, cerca de la ciudad de La Meca. Según la tradición islámica, en 610 empezó a recibir una serie de revelaciones de Dios. Mahoma escuchó una voz que le ordenaba recitar versos «en el nombre de tu Señor».[41] Asustado y confundido, abandonó la cueva, pero vio a un hombre «con un pie a cada lado del horizonte» y oyó una voz atronadora: «Oh, Mahoma, tú eres el profeta de Dios y yo soy Jibrīl».[42] A lo largo de los siguientes años recibió una colección de recitaciones que se pusieron por escrito por primera vez hacia mediados del siglo VII en un texto único conocido como el Corán.[43]

Dios envía a los apóstoles, le explicó Jibrīl (Gabriel) a Mahoma, para transmitir la buena nueva o hacer advertencias.[44] Él había sido elegido como mensajero por el Todopoderoso. Había mucha oscuridad en el mundo, se le dijo, muchas cosas a las que temer, y el peligro del apocalipsis acechaba en cada rincón. Recita los mensajes divinos, se le recomendó, pues al hacerlo buscas «refugio en Dios del maldito Satanás. Él no puede hacer nada contra los que creen y confían en su Señor».[45] Dios es compasivo y misericordioso, se le dijo a Mahoma en repetidas ocasiones, pero también severo a la hora de castigar a quienes se niegan a obedecerle.[46]

Las fuentes relativas a los primeros tiempos del islam son complejas y platean serios problemas de interpretación.[47] No es fácil determinar el modo en que las preocupaciones contemporáneas y, más tarde, las motivaciones políticas dieron forma al relato de Mahoma y los mensajes que recibía (de hecho, la cuestión sigue siendo intensamente debatida entre los estudiosos modernos). Resulta difícil, por ejemplo, entender con claridad en qué medida las creencias moldearon las actitudes y los acontecimientos, entre otras cosas porque ya a mediados del siglo VII se hizo una distinción entre los creyentes (*mu'minūn*) y quienes se unían a ellos y se sometían a su autoridad (*muslimūn*). Los autores posteriores prestaron mucha atención a la función de la religión e hicieron hincapié no solo en el poder de la revelación espiritual, sino también en la solidaridad de los árabes que llevaron a cabo la revolución, con lo que es tan insatisfactorio calificar las conquistas del periodo de «musulmanas» como de «árabes». Además, las identidades no solo sufrieron un cambio después de esta época, sino también durante el desarrollo de la misma, y para tales etiquetas dependemos inicialmente de la mirada de los observadores de la época.

No obstante, aunque establecer con certeza la secuencia de los acontecimientos resulta problemático, existe un consenso bastante amplio acerca de que a comienzos del siglo VII Mahoma no era la única figura que en la península arábiga hablaba de un único Dios, pues hubo otros «profetas copiones» que adquirieron prominencia precisamente en el periodo de las guerras entre Roma y Persia. Los más notables ofrecían visiones mesiánicas y proféticas sorprendentemente similares a las de Mahoma, visiones que aseguraban ser revelaciones del ángel Gabriel, señalaban el camino a la salvación y, en algunos casos, aducían escrituras sagradas para respaldar sus asertos.[48] Por esta época habían empezado a aparecer iglesias y santuarios cristianos en La Meca y sus alrededores, como evidencia el registro arqueológico, que también da cuenta de los iconos y los cementerios de las nuevas poblaciones convertidas. La competencia por los corazones, las mentes y las almas fue feroz en la región durante este periodo.[49]

Asimismo, hay un consenso creciente en que Mahoma predicaba a una sociedad que estaba experimentando una contracción económica pronunciada como consecuencia de las guerras romano-sasánidas.[50] La confrontación y la militarización efectiva de Roma y Persia tuvieron un impacto importante sobre el comercio que se originaba en el Hiyaz o tenía que atravesarlo. Con el gasto gubernamental canalizado hacia el ejército y las economías domésticas sometidas a una presión crónica para apoyar el esfuerzo bélico, la demanda de artículos de lujo debió de caer de forma considerable. El hecho de que los mercados tradicionales, sobre todo en las ciudades del Levante y en Persia, quedaran atrapados en la contienda solo pudo haber contribuido a deprimir aún más la economía de Arabia meridional.[51]

Es posible que pocos grupos notaran tanto el impacto como los quraysh de La Meca, cuyas caravanas cargadas de oro y objetos valiosos habían sido legendarias y que además perdieron el lucrativo contrato para proveer al ejército romano del cuero necesario para las monturas, las correas de las botas y los escudos, los cinturones, etc.[52] Es probable que el sustento de la tribu también se viera afectado por la reducción del número de peregrinos que visitaban el *haram*, un importante santuario dedicado a los dioses paganos de La Meca. El sitio giraba alrededor de una serie de ídolos (se dice, por ejemplo, que incluía uno «de Abraham en su ancianidad»), pero el más importante de todos era una estatua de ágata roja de un hombre con la mano derecha de oro y siete flechas adivinatorias a su alrededor.[53] Como guardianes de La Meca, a los quraysh les iba muy bien vendiendo comida y agua a los visitantes y llevando a cabo rituales para los peregrinos. Sin embargo, las convulsiones que estaban sufriendo Siria y Mesopotamia tuvieron repercusiones mucho más lejos, y ante la perturbación de tantísimos aspectos diferentes de la vida cotidiana, no es de sorprender que las advertencias de Mahoma sobre el cataclismo inminente tuvieran un eco potente entre la población.

La predicación de Mahoma sin duda cayó en terreno fértil. Ofrecía una explicación enérgica y coherente a los trastornos traumáticos que la gente estaba viviendo y lo hacía con una pasión y una convicción inmensas. Y las advertencias que lanzaba eran tan potentes como las epifanías que había recibido. Quienes siguieran sus enseñanzas verían la tierra fructificar y producir grano en abundancia; quienes no lo hicieran, verían fracasar la cosecha.[54] La salvación espiritual traería consigo recompensas económicas. Había mucho que ganar: a los creyentes les esperaba nada más y nada menos que el Paraíso, donde el agua fresca y pura baña los jardines y hay «arroyos de vino, delicia de los bebedores, y arroyos de depurada miel». Los fieles serían recompensados con toda clase de frutas y recibirían al mismo tiempo el perdón del Señor.[55]

En cambio, quienes rechazaran las doctrinas divinas no solo conocerían la ruina y el desastre, sino que se condenarían. Cualquiera que hiciera la guerra a los seguidores del Profeta sufriría terriblemente y no habría misericordia para él; se le ejecutaría o se le crucificaría, se le amputarían miembros o se le enviaría al exilio. Los enemigos de Mahoma eran los enemigos de Dios; su destino sería de verdad espantoso.[56] Entre los castigos que aguardaban en la otra vida estaba un fuego que les consumiría la piel, la cual se regeneraría constantemente para que el castigo pudiera continuar, de modo que el dolor y la tortura nunca tuvieran fin.[57] Quienes se negaran a creer morarían en el infierno «por toda la eternidad» y allí se les daría a beber «agua muy caliente que les roe las entrañas».[58]

Este mensaje radical y apasionado se topó con la oposición encarnizada de la élite conservadora de La Meca, que reaccionó con furia a las críticas de las prácticas y creencias politeístas tradicionales.[59] En 622 Mahoma se vio obligado a huir a Yatrib (que más tarde sería rebautizada como Medina) para escapar de sus perseguidores; esta fuga, conocida como «hégira», se convirtió en el momento seminal de la historia islámica, el año cero del calendario musulmán. Como dejan claro algunos papiros descubiertos recientemente, ese fue el punto en el que la predicación de Mahoma dio origen a una nueva religión y una nueva identidad.[60]

Un aspecto central de esa nueva identidad era una concepción fuerte de la unidad. Mahoma buscó de forma deliberada unir a las muchas tribus de Arabia meridional en un único bloque. Durante mucho tiempo los bizantinos y los persas habían manipulado las rivalidades locales y enfrentado a unos líderes contra otros. El patrocinio y la financiación económica contribuyeron a crear una serie de clientes y élites dependientes que Roma y Ctesifonte controlaban y a los que recompensaban con pagos en metálico. La intensa confrontación entre ambos imperios dejó hecho añicos ese sistema. Las hostilidades se prolongaron durante demasiado tiempo, lo que hizo que algunas tribus se vieran privadas de «las treinta libras de oro que normalmente recibían como beneficio comercial de las interacciones con el Imperio Romano». Y cuando solicitaron que el imperio cumpliera sus compromisos, la petición se manejó con torpeza, lo que empeoró aún más la situación. «El emperador apenas puede pagar el salario a los soldados», declaró un representante, «mucho menos a [ustedes] perros». Cuando otro enviado comunicó a los miembros de una tribu que las perspectivas de comercio futuro eran ahora limitadas, los hombres lo mataron y metieron el cadáver en la panza de un camello. Las tribus no tardaron en decidir que debían resolver la cuestión por sí mismas. La respuesta fue «asolar las tierras romanas» en venganza.[61]

En este sentido, no fue ninguna casualidad que la nueva fe se predicara en el idioma local. Contemplad, dice uno de los versos del Corán: he aquí las palabras de lo alto, en árabe.[62] Mahoma presentó a los árabes una religión propia, una que creaba una nueva identidad. Era una fe diseñada para las poblaciones locales, fueran nómadas o urbanas, fueran miembros de esta tribu o de la otra, e independientemente de sus orígenes étnicos o lingüísticos. El gran número de préstamos griegos, arameos, siriacos, hebreos y persas presentes en el Corán, el texto que recoge las revelaciones transmitidas a Mahoma, apunta a un entorno políglota en el que era importante hacer hincapié en la similitud antes que en la diferencia.[63] La unidad era un principio nuclear, y fue una razón fundamental para el inminente éxito del islam. «Que no haya dos religiones en Arabia», fueron las últimas palabras de Mahoma según la investigación de un respetado erudito islámico del siglo VIII.[64]

Las perspectivas no eran muy prometedoras para Mahoma cuando se refugió en Yatrib con el pequeño grupo formado por sus primeros seguidores. Los esfuerzos por evangelizar y sumar fieles a la *umma* (comunidad de los creyentes) avanzaban con lentitud, y la situación era precaria, pues le pisaban los talones las fuerzas enviadas desde La Meca para castigar al predicador renegado. Mahoma y sus seguidores optaron por la resistencia armada y eligieron como objetivo las caravanas en una serie de incursiones cada vez más ambiciosas. Pronto empezaron a cobrar ímpetu y el triunfo ante fuerzas superiores en número, y contra toda probabilidad, como en la batalla de Badr, en 624, se convirtió en una prueba convincente de que Mahoma y sus hombres disfrutaban de la protección divina; al mismo tiempo, los lucrativos botines también les ayudaron a llamar la atención de las gentes. Una intensa ronda de negociaciones con los principales miembros de la tribu quraysh tuvo como resultado final un entendimiento, conocido desde entonces como el tratado de Hudaybiya, que estipuló una tregua de diez años entre La Meca y Yatrib y levantó las restricciones impuestas previamente a los discípulos de Mahoma. A partir de entonces, las conversiones se multiplicaron.

A medida que el número de seguidores aumentaba, fueron creciendo también sus aspiraciones y ambiciones. Un elemento crucial en este proceso fue la designación de un centro religioso claro. A los fieles se les había dicho inicialmente que miraran hacia Jerusalén al orar. Sin embargo, hacia 628, tras una nueva revelación, se anunció que ese mandato había sido una prueba y que debía ser corregido: la dirección o alquibla hacia donde los fieles debían volver sus rostros durante la oración estaba nada menos que en La Meca.[65]

Ese no fue el único cambio. Además se identificó la Kaaba, el antiguo foco de la religión pagana, politeísta, en la península arábiga, como la piedra angular del culto y la peregrinación dentro de la ciudad. Se reveló que había sido instalada allí por Ismael, el hijo de Abraham y ancestro putativo de las doce tribus árabes. A los visitantes de la ciudad se les indicó que debían dar vueltas alrededor del lugar sagrado cantando el nombre de Dios. Al hacerlo, estarían cumpliendo con la orden dada a Ismael para que los hombres de toda Arabia y las tierras lejanas acudieran, en camello o a pie, a peregrinar al lugar donde se encontraba la piedra negra que constituía el corazón del monumento y que un ángel había traído del cielo.[66] Confirmar el carácter sagrado de la Kaaba era establecer un vínculo de continuidad con el pasado, lo que generaba un poderoso sentido de familiaridad cultural. Además de los beneficios espirituales que ofrecía la nueva fe, convertir La Meca en el centro religioso por excelencia tenía ventajas obvias desde una perspectiva política, económica y cultural. Desactivó el antagonismo con los quraysh hasta el punto de que ciertos miembros principales de la tribu juraron lealtad a Mahoma y, por supuesto, al islam.

El genio de Mahoma como líder no terminó aquí. Desvanecidas las barreras y la oposición que había encontrado en Arabia, envió fuerzas expedicionarias para aprovechar las oportunidades que estaban surgiendo en otros lugares, oportunidades demasiado buenas para dejarlas pasar. El momento tampoco habría podido ser más conveniente: entre 628 y 632, el espectacular derrumbe de Persia empeoró y la anarquía se afianzó en el imperio. Durante este breve periodo, hubo por lo menos seis reyes que reclamaron la autoridad del trono; un historiador árabe bien informado escribiría más tarde que fueron en total ocho, además de dos reinas.[67]

El éxito atrajo a nuevos simpatizantes, y su número fue creciendo a medida que las fuerzas árabes engullían ciudades, pueblos y aldeas de la frontera meridional de Persia. Estos lugares no estaban acostumbrados a defenderse y, por ende, cedieron a la primera señal de presión. Un caso típico fue el de la ciudad de al-Ḥīra (situada en lo que hoy es el centro-sur de Irak), que capituló de inmediato y acordó pagar a los atacantes a cambio de que se garantizara la paz.[68] Completamente desmoralizados, los jefes persas aconsejaron también dar dinero a la columna árabe «con la condición de que luego se irían».[69]

Obtener mayores recursos era importante, pues lo que convencía a la gente para seguir las enseñanzas islámicas no eran solo las recompensas espirituales. Desde la aparición de Mahoma, se cuenta que le dijo un general a su homólogo sasánida, «ya no buscamos ganancias mundanas»; las expediciones se proponían ahora difundir la palabra de Dios.[70] Aunque resulta claro que el celo evangelizador fue vital para el éxito del islam temprano, lo cierto es que también lo fue la forma innovadora de compartir el botín y las finanzas que promovió. Dispuesto a aprobar el beneficio material a cambio de lealtad y obediencia, Mahoma declaró que los creyentes podían conservar los bienes capturados a los infieles.[71] De esta forma, los intereses económicos y religiosos quedaban estrechamente alineados.[72]

A aquellos que se habían convertido al islam se les recompensaba primero con una parte proporcionalmente mayor de las ganancias, en lo que era, de hecho, un sistema piramidal. Esto se formalizó a comienzos de la década de 630 con la creación de un *dīwān*, una oficina formal encargada de supervisar la distribución del botín. Aunque el líder de los fieles, el califa, recibía el 20 por ciento de lo conseguido, el grueso de las ganancias se repartía entre sus seguidores y quienes habían participado con éxito en los ataques.[73] Los que se habían convertido antes eran los que más se beneficiaban de las nuevas conquistas, pero la posibilidad de disfrutar de los frutos de la empresa seguía atrayendo a nuevos creyentes. El resultado fue un motor muy eficaz para impulsar la expansión.

A medida que los ejércitos recién formados continuaban imponiendo la autoridad política y religiosa sobre los miembros de las tribus nómadas a los que se conocía colectivamente como «la gente del desierto», o beduinos, se hicieron avances enormes que pusieron bajo control directo extensiones de territorio inmensas con gran rapidez. Aunque es difícil establecer con certeza la cronología de los acontecimientos, las investigaciones más recientes han mostrado de forma convincente que la expansión en Persia tuvo lugar varios años antes de lo que se pensaba anteriormente: entre 628 y 632, en el momento justo en que la sociedad sasánida se estaba derrumbando, no después, cuando el colapso se había consumado.[74] Este cambio de fecha es significativo porque ayuda a contextualizar el veloz avance llevado a cabo en Palestina, donde todas las ciudades (incluida Jerusalén, que los romanos habían recuperado hacía muy poco tiempo) se sometieron a mediados de la década de 630.[75]

Tanto Roma como Persia respondieron a la amenaza demasiado tarde. En el caso de la última, la aplastante victoria musulmana en la batalla de Qādisiya en 636 supuso un impulso enorme para los ejércitos árabes, que no paraban de crecer, y la confianza del islam. El hecho de que una gran cantidad de nobles persas cayeran en el curso de la contienda comprometió gravemente el futuro de la resistencia y sirvió para tumbar a un estado ya tambaleante.[76] La respuesta romana no fue más eficaz. También en 636 el ejército a las órdenes de Teodoro, el hermano del emperador, sufrió una dura derrota en el río Yarmuk, al sur del mar de Galilea, después de que el general hubiera subestimado gravemente las dimensiones, la capacidad y la determinación de las fuerzas árabes.[77]

El corazón del mundo se abrió ahora de par en par. Las ciudades se rindieron una detrás de otra, mientras las fuerzas atacantes avanzaban sobre la mismísima Ctesifonte. Después de un sitio prolongado, la capital finalmente cayó y los árabes capturaron el tesoro. Los romanos habían conseguido quebrantar Persia con una acción espectacular de la retaguardia, pero fueron los seguidores de Mahoma los que finalmente engulleron el imperio. El dispar grupo de creyentes que había aceptado las enseñanzas del Profeta, al que se habían sumado oportunistas y buscavidas con las esperanzas puestas en las recompensas por venir, estaba ganando empuje con rapidez. Con los intereses alineados y los triunfos llegando uno tras otro, la única pregunta era ahora cuán lejos podía propagarse el islam.

# Capítulo 5

# LA RUTA DE LA CONCORDIA

El genio estratégico y la agudeza táctica en el campo de batalla permitieron a Mahoma y sus seguidores conseguir una serie de victorias increíbles. El respaldo de la tribu quraysh y de la élite política dominante en La Meca también había sido crucial, pues proporcionó una plataforma desde la cual convencer a las tribus del sur de la península arábiga de que escucharan y aceptaran el mensaje de la nueva fe. De igual forma, las oportunidades que surgieron con el colapso del imperio persa llegaron en el momento justo. Con todo, hay otros dos factores importantes que también contribuyen a explicar el triunfo del islam en la primera mitad del siglo VII: el apoyo proporcionado por los cristianos y, sobre todo, el que le dieron los judíos.

En un mundo en el que la religión parece ser causa de conflicto y derramamiento de sangre, es fácil pasar por alto las distintas formas en que las grandes religiones aprendían y tomaban ideas prestadas unas de otras. Para el observador moderno, el cristianismo y el islam parecen ser diametralmente opuestos, pero en los primeros años de la coexistencia entre ambos credos las relaciones eran tan pacíficas como cordiales y alentadoras. Y la relación entre el islam y el judaísmo era, si cabe, todavía más notable debido a la compatibilidad mutua de la que daban muestras. El apoyo de los judíos en Oriente Próximo fue vital para la propagación y difusión de la palabra de Mahoma.

Aunque los materiales con los que cuenta el historiador para reconstruir la historia del islam temprano son complicados, hay un tema inconfundible y llamativo que es posible rastrear tanto en la literatura de este periodo —ya sea árabe, armenia, siriaca, griega o hebrea— como en los testimonios arqueológicos: Mahoma y sus seguidores dedicaron grandes esfuerzos a aplacar los temores de judíos y cristianos a medida que los musulmanes expandían su control.

En la década de 620, cuando Mahoma estaba acorralado en Yatrib, en la Arabia meridional, una de sus estrategias clave fue solicitar la ayuda de los judíos. La ciudad (y la región) tenía una larga relación con el judaísmo y la historia judía. Apenas un siglo antes, el fanático rey judío de Ḥimyar había estado al frente de la persecución sistemática de la minoría cristiana, lo que materializó una pauta amplia de alianzas que todavía se mantenía firme: Persia había acudido en ayuda de los ḥimyaritas contra la alianza de Roma y Etiopía. Mahoma estaba ansioso por llegar a un acuerdo con los judíos del sur de la península arábiga, empezando por los ancianos de Yatrib.

Las personalidades judías de la ciudad, que más tarde sería rebautizada como Medina, prometieron ayudar a Mahoma a cambio de garantías de defensa mutua. Estas quedaron consignadas en un documento en el que se declaraba que los musulmanes respetarían ahora y en el futuro el credo y las propiedades de los judíos. El texto presentaba igualmente un entendimiento mutuo entre el judaísmo y el islam: los seguidores de ambas religiones se comprometían a defenderse unos a otros en caso de que cualquiera de ellos fuera atacado por un tercero; no se haría daño alguno a los judíos y no se proporcionaría ayuda de ningún tipo a sus enemigos. Los musulmanes y los judíos cooperarían entre sí, prestándose «consejo y orientación sinceros».[1] Algo que sin duda contribuyó a ese momento fue el hecho de que las revelaciones de Mahoma no solo parecieran conciliadoras, sino también familiares: tenían, por ejemplo, muchos elementos en común con el Antiguo Testamento, entre los que destaca la veneración de los profetas y de Abraham en particular, y ofrecían un terreno afín para quienes rechazaban que Jesús fuera el Mesías. El islam no solo no representaba una amenaza para el judaísmo, sino que en algunos aspectos parecía coincidir a la perfección con él.[2]

Entre las comunidades judías pronto se difundió la noticia de que Mahoma y sus seguidores eran aliados. Un texto extraordinario escrito en el norte de África a finales de la década de 630 recoge la alegría con que los judíos de Palestina acogían las noticias del avance árabe, pues implicaba que los romanos (y los cristianos) estaban viendo reducido su control sobre la región. Se especulaba de forma acalorada sobre la posibilidad de que lo que estaba ocurriendo fuera el cumplimiento de las antiguas profecías: «Decían que el profeta había aparecido y llegado con los sarracenos y que estaba proclamando el advenimiento del ungido, el Cristo que había de venir».[3] Se trataba, concluyeron algunos judíos, de la llegada del Mesías, y se producía justo en el momento indicado para demostrar que Jesucristo era un fraude y que el fin de los días se acercaba.[4] Sin embargo, no todos estaban convencidos de que fuera así. Como anotó un docto rabino, Mahoma tenía que ser un falso profeta, «pues los profetas no llegan armados con la espada».[5]

La existencia de otros textos en los que se afirma que los judíos recibían con los brazos abiertos a los árabes porque los liberaban del dominio romano corrobora la reacción positiva de la población local al ascenso del islam. Un texto acerca de este periodo escrito un siglo después relata que un ángel se apareció al rabino Shim'on b. Yoḥai, que vivía momentos de angustia debido al sufrimiento infligido a los judíos por Heraclio tras la recuperación de Jerusalén y el bautismo forzoso y las persecuciones que estos habían tenido que padecer a continuación. «¿Cómo sabemos que [los musulmanes] son la salvación?», se dice que preguntó. «No tengas miedo», le tranquilizó el ángel, pues Dios ha traído «el reino de [los árabes] solo con el fin de libraros de la malvada [Roma]. De acuerdo con Su voluntad, se levantará entre ellos un profeta. Y él conquistará la tierra para ellos y ellos vendrán y la restaurarán con esplendor». Se veía a Mahoma como el medio a través del cual se cumplían las esperanzas mesiánicas judías. Esas tierras pertenecían a los descendientes de Abraham, lo que significaba que debía haber solidaridad entre árabes y judíos.[6]

Había otras razones, de carácter táctico, para cooperar con el avance de los ejércitos. En Hebrón, por ejemplo, los judíos propusieron un trato a los jefes árabes: «Dadnos la seguridad de que tendremos un estatus similar entre vosotros» y otorgadnos «el derecho de construir una sinagoga delante de la entrada de la cueva de Macpela», donde está enterrado Abraham; a cambio, declararon los líderes judíos, «os mostraremos dónde hacer una entrada» para poder superar las formidables defensas de la ciudad.[7]

El apoyo de la población local fue un factor crucial en los triunfos de los árabes en Palestina y Siria a comienzos de la década de 630. Estudios recientes de las fuentes griegas, siriacas y árabes han mostrado que, en los testimonios más antiguos, los judíos recibían con alegría la llegada de los ejércitos atacantes. Esto no resulta sorprendente: si prescindimos de las pintorescas adiciones posteriores y las interpretaciones venenosas (como la afirmación de que los musulmanes adolecían de «hipocresía satánica»), leemos que el jefe militar que condujo al ejército hasta Jerusalén entró a la Ciudad Santa con la vestimenta humilde del peregrino, encantado de rezar junto a aquellos cuyas opiniones religiosas evidentemente considera-ba si no compatibles, por lo menos no del todo distintas a las suyas.[8]

Hubo otros grupos en Oriente Próximo a los que el ascenso del islam tampoco desilusionó. En cuestiones de religión, la región en su totalidad estaba repleta de inconformes con el credo oficial. Había una plétora de sectas cristianas que discrepaban de las decisiones tomadas en los concilios eclesiásticos o que se oponían a doctrinas que, desde su punto de vista, eran heréticas. Esto era particularmente cierto en Palestina y en el Sinaí, donde muchas comunidades cristianas se opusieron con violencia a las conclusiones alcanzadas en el concilio de Calcedonia de 451 sobre el significado preciso de la naturaleza divina de Jesucristo y, en consecuencia, se convirtieron en objetivo de persecuciones formales.[9] La situación de esos grupos cristianos no mejoró en absoluto tras la espectacular recuperación de Heraclio en la guerra contra los persas debido a la actitud autoritaria en materia de ortodoxia religiosa que acompañó las reconquistas del emperador.

En ese sentido, algunos vieron en el triunfo de los árabes un medio para alcanzar fines particulares, lo que no significa que no hubiera también cierta empatía religiosa. Un astuto jefe árabe que quería imponerse en Nísibis le dijo a Juan de Dasen, el metropolitano de la ciudad, que si le daba su apoyo, él no solo le ayudaría a deponer a la principal figura de la Iglesia cristiana en Oriente, sino que le instalaría en su palacio.[10] Una carta escrita en la década de 640 por un clérigo eminente refiere que los nuevos gobernantes no solo no combatían a los cristianos, «sino que incluso alaban nuestra religión, muestran respeto por los sacerdotes y los monasterios y los santos de nuestro Señor» y, además, hacían donaciones y obsequios a las instituciones religiosas.[11]

En este contexto, el mensaje de Mahoma y sus seguidores se granjeó la solidaridad de las poblaciones cristianas locales. Para empezar, las severas advertencias del islam acerca del politeísmo y la adoración de ídolos tenían un eco obvio entre los cristianos, que en lo concerniente a ambos temas defendían precisamente la misma doctrina. Un elenco de personajes familiares también contribuía a reforzar el sentido de camaradería: Moisés, Noé, Job y Zacarías aparecen en el Corán, que incluye asimismo declaraciones explícitas de que el Dios que entregó a Moisés las Escrituras, y que envió otros apóstoles después de él, era el que ahora enviaba un nuevo profeta a difundir la palabra.[12]

La conciencia del terreno común que existía con cristianos y judíos se fortaleció mediante la utilización de puntos de referencia conocidos y haciendo hincapié en las similitudes en materia de costumbres y doctrina religiosa. Dios no había elegido revelar su mensaje solo a Mahoma: «Él ha revelado la Torá y el Evangelio antes, como dirección para los hombres», reza un versículo del Corán.[13] Recuerda las palabras que los ángeles dijeron a María, la madre de Jesús, dice otro verso. Haciéndose eco del avemaría, el libro sagrado del islam enseña las siguientes palabras: «¡María! Dios te ha escogido y purificado. Te ha escogido sobre las mujeres del universo. ¡María! ¡Ten devoción a tu Señor, prostérnate e inclínate con los que se inclinan!».[14]

Es posible que para los cristianos, que vivían enredados en discusiones acerca de la naturaleza de Jesús y de la Trinidad, lo más llamativo de las revelaciones de Mahoma fuera el hecho de que contenían un mensaje central al mismo tiempo poderoso y sencillo: hay un único Dios; y Mahoma es su mensajero.[15] Resultaba fácil de entender y casaba con las creencias básicas de la fe cristiana, para la que Dios era todopoderoso y de cuando en cuando enviaba apóstoles a transmitir el mensaje de las alturas.

Los cristianos y los judíos, que discutían unos con otros por cuestiones de religión, estaban locos, dice otro versículo del Corán: «¿Es que no razonáis?».[16] La división era obra de Satanás, advertía el texto de Mahoma; no se debía permitir que los desacuerdos arraigaran, sino todo lo contrario: todos tenían que aferrarse juntos a Dios y no separarse nunca.[17] El de Mahoma era un mensaje de conciliación. Los creyentes judíos o cristianos que vivían la vida con rectitud «no tienen que temer y no estarán tristes», dice el Corán en más de una ocasión.[18] Todos los que creían en el único Dios serían honrados y tratados con respeto.

Por otro lado, ciertas costumbres y normas a las que más tarde se asociaría con el islam, en realidad, eran anteriores a Mahoma; el Profeta sencillamente las adoptó. La amputación como castigo para el robo y la pena de muerte para quienes renunciaran a la fe, por ejemplo, eran prácticas comunes de las que los musulmanes se apropiaron. La limosna, el ayuno, la peregrinación y la oración pasaron a convertirse en componentes centrales el islam, algo que contribuyó a reforzar el sentido de continuidad y familiaridad con las creencias del pasado.[19] Las similitudes con el cristianismo y el judaísmo se convertirían después en una cuestión delicada, lo que en parte se resolvió mediante el dogma de que Mahoma era analfabeto. Con ello, sus enseñanzas quedaron protegidas de la afirmación de que estaba familiarizado con las enseñanzas de la Torá y la Biblia, a pesar de que hay fuentes casi contemporáneas que comentan que era «docto» y conocía tanto el Antiguo como el Nuevo Testamento.[20] Algunos han ido incluso más lejos y sostenido que la base del Corán fue un leccionario cristiano escrito en un dialecto derivado del arameo que habría sido adaptado y remodelado. Este argumento (como muchas tesis que cuestionan o desestiman la tradición islámica) ha adquirido mala fama, pero cuenta con un respaldo limitado entre los historiadores modernos.[21]

El hecho de que los cristianos y los judíos fueran grupos de apoyo clave durante la primera fase de la expansión islámica explica por qué uno de los pocos versículos del Corán que hace referencia a los acontecimientos contemporáneos a la vida de Mahoma habla en términos positivos acerca de los romanos. Los romanos han sido derrotados, dice el Corán en alusión a cualquiera de los numerosos reveses crónicos sufridos durante las guerras antes de la segunda mitad de la década de 620. «Pero, después de su derrota, vencerán dentro de varios años. Todo está en manos de Dios, tanto el pasado como el futuro.»[22] El resultado estaba garantizado: Dios cumplía sus promesas.[23] El mensaje era incluyente y resultaba familiar y parecía querer aliviar las discusiones y pendencias que habían llevado a los cristianos al límite. Desde su perspectiva, el islam era incluyente y conciliador y ofrecía la esperanza de calmar las tensiones.

De hecho, las fuentes están repletas de ejemplos de cristianos que se admiraban por lo que veían entre los musulmanes y sus ejércitos. Un texto del siglo VIII relata que un asceta cristiano fue enviado a observar al enemigo y regresó impresionado por la experiencia. «Vengo a vosotros de un pueblo que permanece despierto toda la noche rezando», se cuenta que le dijo a sus correligionarios, «y se mantiene abstinente durante el día, imponiendo lo bueno y prohibiendo lo malo: monjes de noche, leones de día». Esto parecía absolutamente admirable, y servía para difuminar los límites entre el cristianismo y el islam. El hecho de que otros testimonios de este periodo hablen de monjes cristianos que adoptaban las enseñanzas de Mahoma constituye un indicio adicional de que las diferencias doctrinales no eran del todo nítidas.[24] El ascetismo que abrazaban los primeros musulmanes, también reconocible y loable, proporcionaba otro punto de referencia que, desde un punto de vista cultural, resultaba familiar para el mundo grecorromano.[25]

Los esfuerzos por conciliarse con los cristianos se complementaron mediante la política de proteger y respetar a la «gente del libro», es decir, a los judíos y los cristianos. El Corán deja claro que los primeros musulmanes no se veían a sí mismos como rivales de esas dos religiones, sino como herederos del mismo legado: las revelaciones que Mahoma había recibido no eran distintas de las que previamente se habían «revelado a

Abraham, Isaac, Jacob y las tribus»; Dios también había confiado los mismos mensajes a Moisés y Jesús. «No hacemos distinción entre ninguno de ellos», dice el Corán. En otras palabras: los profetas del judaísmo y el cristianismo eran los mismos del islam.[26]

No es una coincidencia entonces que el Corán incluya más de sesenta referencias a la palabra *umma*, que utiliza no como etiqueta étnica, sino para designar a la comunidad de los creyentes. En varias ocasiones, el texto anota con tristeza que la humanidad otrora formaba una única *umma*, antes de que las discrepancias separaran a los pueblos.[27] El mensaje implícito era que Dios quería que las diferencias se hicieran a un lado. En el Corán y los hadices (colecciones de comentarios, dichos y hechos del profeta Mahoma) las similitudes entre las grandes religiones monoteístas se resaltan al tiempo que se resta importancia a las diferencias. El énfasis puesto en tratar a los judíos y cristianos por igual con respeto y tolerancia es inequívoco.

Las fuentes para la historia de este periodo con las que contamos son tristemente célebres por las dificultades de interpretación que plantean, pues son complicadas y contradictorias, pero también porque muchas fueron escritas mucho tiempo después de los acontecimientos que narran. No obstante, los avances recientes en el campo de la paleografía, el descubrimiento de rollos de textos previamente desconocidos y las formas, cada vez más sofisticadas, de entender los materiales escritos están transformando la imagen tradicional de este periodo épico de la historia. Así, mientras que la tradición islámica ha sostenido durante mucho tiempo que Mahoma murió en 632, investigaciones recientes proponen que es posible que el Profeta siguiera vivo después de esa fecha. Numerosas fuentes de los siglos VII y VIII dan testimonio de un predicador carismático que dirigía a las fuerzas árabes y las espoleó a las puertas de Jerusalén, y estudios recientes consideran que esa figura podría ser Mahoma.[28]

Al progreso extraordinario de los seguidores de Mahoma en Palestina le correspondió una respuesta impotente e inepta por parte de las autoridades. En un esfuerzo desesperado y condenado al fracaso, algunos miembros del clero cristiano pintaron a los árabes en la peor luz posible para intentar convencer a la población local de que estaba siendo engañada y evitar que diera su apoyo a un mensaje que parecía sencillo y familiar. Los «sarracenos» son vengativos y odian a Dios, advertía el patriarca de Jerusalén, poco después de la conquista de la ciudad. Saquean los centros urbanos, devastan los sembrados en el campo, prenden fuego a las iglesias y destruyen los monasterios. El mal que cometen contra Cristo y contra la Iglesia es espantoso, como lo son también las «hediondas blasfemias que pronuncian acerca de Dios».[29]

De hecho, parece ser que las conquistas árabes no fueron ni tan brutales ni tan traumáticas como los cronistas las presentan. En Siria y Palestina, por ejemplo, hay pocas pruebas arqueológicas de una conquista violenta.[30] Damasco, en particular, la ciudad más importante del norte de Siria, se rindió con rapidez después de que el obispo local y el jefe árabe al mando del ejército atacante acordaran los términos. El compromiso fue a la vez razonable y realista, si bien se permitía alguna licencia poética: a cambio de dejar que las iglesias cristianas permanecieran abiertas e intactas y de que la población cristiana no fuera molestada, los habitantes de la ciudad acordaron reconocer el dominio de los nuevos señores. En la práctica, eso significaba que los impuestos se pagarían no a Constantinopla y las autoridades imperiales, sino a los representantes de «el profeta, los califas y los creyentes».[31]

El proceso se replicó una y otra vez a medida que los árabes empezaron a desplegarse en todas direcciones a través de las rutas de comercio y las redes de comunicación. Los ejércitos avanzaron en tropel hacia el suroeste de Irán, antes de que su atención se concentrara en dar caza a Yezdegard III, el último soberano sasánida, que había huido hacia el este. Las fuerzas expedicionarias enviadas contra Egipto causaron el caos operando conjuntamente; la resistencia militar, limitada e ineficaz, se vio entorpecida aún más por los enfrentamientos internos entre la población local o bien la disposición de esta a negociar los términos de la rendición, llevada por el miedo y la incertidumbre. Alejandría, una de las joyas del Mediterráneo oriental, fue desmilitarizada y obligada a comprometerse con el pago de un tributo enorme a cambio de la promesa de que las iglesias locales no sufrirían daño alguno y se dejaría en paz a la población cristiana. La noticia del acuerdo se recibió en la ciudad con lágrimas y lamentos, e incluso con llamadas a lapidar por traición al hombre que lo había negociado, el patriarca Ciro. «He hecho este tratado», declaró en su defensa, «con el fin de salvaros a vosotros y a vuestros hijos». Y así, escribía un autor aproximadamente un siglo después, «los musulmanes tomaron el control de todo Egipto, el sur y el norte, y al hacerlo triplicaron las rentas que derivaban de los impuestos».[32] Dios estaba castigando a los cristianos por sus pecados, escribe otro autor de la época.[33]

En un modelo de expansión casi perfecto, la amenaza de la fuerza militar conducía a acuerdos negociados a medida que una provincia tras otra se sometía a las nuevas autoridades. Para empezar, el dominio impuesto en los territorios conquistados era leve e incluso discreto. Por lo general, a la mayoría de los lugareños se les permitió seguir con sus asuntos sin ser molestados, y los nuevos señores establecieron cuarteles y residencias fuera de los centros urbanos.[34] En algunos casos, se fundaron ciudades nuevas para los musulmanes, como Fusṭāṭ, en Egipto, Kūfa, sobre el Éufrates, Ramla, en Palestina, y Ayla, en la actual Jordania, donde era posible elegir los lugares de las mezquitas y los palacios gubernamentales y construirlos desde cero.[35]

El hecho de que al mismo tiempo se construyeran nuevas iglesias en el norte de África, Egipto y Palestina sugiere que pronto surgió un *modus vivendi* en el que la norma era la tolerancia religiosa.[36] Esto parece haberse repetido en los territorios arrebatados a los sasánidas, donde al menos en un comienzo a los seguidores de Zoroastro no se les prestó atención y se les dejó en paz.[37] En el caso de los judíos y los cristianos, existe la posibilidad de que esa situación incluso se formalizara. Un texto complejo y polémico conocido como el «pacto de ʿUmar» pretende establecer los derechos de los que disfrutaría la denominada «gente del libro» con los nuevos señores y, asimismo, las bases para las interacciones con el islam: no debían marcarse cruces en las mezquitas; el Corán no se enseñaría a los niños que no fueran musulmanes, pero a nadie se le impediría convertirse al islam; los musulmanes habían de ser respetados todo el tiempo y debía orientárseles si solicitaban ayuda. La cohabitación de las distintas creencias fue una característica importante de la primera expansión islámica y un componente fundamental de su éxito.[38]

En respuesta a ello, algunos decidieron apostar sobre seguro, como demuestran los hornos de cerámica de Gerasa, en el norte de Jordania. En el siglo VII se producían allí lámparas que por un lado tenían una inscripción cristiana, en latín, y por otro una inscripción islámica, en árabe.[39] Esto era en parte una respuesta pragmática a la experiencia reciente: la ocupación persa de la región había durado solo veinticinco años. Tampoco había ninguna garantía de que los señores árabes fueran a durar, algo que deja muy claro un texto griego del siglo VII: «El cuerpo se renovará él mismo», asegura el autor a los lectores; existía la esperanza de que las conquistas musulmanas fueran flor de un día.[40]

La sutileza del nuevo régimen también se evidenció en los asuntos administrativos. Las monedas romanas siguieron usándose durante varias décadas después de las conquistas junto con las monedas nuevas, acuñadas con la imaginería arraigada y las denominaciones tradicionales; asimismo, los sistemas legales vigentes se dejaron, por lo general, intactos. Los conquistadores adoptaron las normas existentes para muchas prácticas sociales, incluidas las relacionadas con las herencias, las dotes, los juramentos y el matrimonio, así como las relativas al ayuno. En muchos casos los gobernadores y los burócratas conservaron sus puestos en los antiguos territorios sasánidas y romanos.[41] La razón para ello era en parte cuestión de simple aritmética. Los conquistadores, fueran árabes o no árabes, creyentes verdaderos (*mu'minūn*) o quienes se habían sumado a ellos y sometido a su autoridad (*muslimūn*), estaban crónicamente en minoría, lo que implicaba que trabajar con la comunidad local no era tanto una elección como una necesidad.

Esto también ocurrió así porque en el gran esquema de las cosas había mayores batallas que librar tras los triunfos en Persia, Palestina, Siria y Egipto. Una era el conflicto inacabado con los restos del desmenuzado Imperio Romano. La propia Constantinopla tuvo que soportar una presión constante, pues la jefatura árabe se había propuesto acabar con los romanos de una vez por todas. No obstante, una confrontación incluso más importante que esa fue la batalla por el alma del islam.

De forma similar a las disputas internas del cristianismo primitivo, determinar con precisión cuál era el mensaje que Mahoma había recibido y cómo debía registrarse y difundirse (y, por supuesto, a quién) se convirtió en una fuente de grandes preocupaciones tras la muerte del Profeta. Las luchas fueron feroces: de los primeros cuatros hombres nombrados para heredar el liderazgo de Mahoma como sus representantes, sucesores o califas, tres fueron asesinados. Hubo discusiones encarnizadas acerca de cómo debían interpretase las enseñanzas del Profeta y esfuerzos desesperados por apropiarse de su legado, incluso distorsionándolo. Para intentar estandarizar de manera precisa cuál había sido el mensaje de Mahoma se dio la orden, muy probablemente en el último cuarto del siglo VII, de ponerlo por escrito en un único texto: el Corán.[42]

El antagonismo entre las facciones rivales tuvo como consecuencia un endurecimiento de las actitudes hacia los no musulmanes. Con cada grupo asegurando ser el guardián más fiel de las palabras del Profeta, y por tanto de la voluntad de Dios, quizá no fuera sorprendente que la atención terminara pronto desviándose hacia los *kāfir*, los que no eran creyentes.

Los líderes musulmanes habían sido tolerantes e incluso corteses con los cristianos, como cuando reconstruyeron la iglesia de Edesa después de que resultara dañada durante un terremoto en 679.[43] Sin embargo, a finales del siglo VII la situación empezó a cambiar. La atención viró hacia el proselitismo, la evangelización y la conversión al islam de las poblaciones locales, y la actitud hacia ellas se tornó cada vez más hostil.

Una manifestación de esto se produjo durante lo que los analistas modernos denominan en ocasiones las «guerras de las monedas», debido al intercambio de golpes propagandísticos en las piezas acuñadas. Después de que el califa empezara a producir monedas con la leyenda «No hay otro Dios que el único Dios; Mahoma es el mensajero de Dios» a principios de la década de 690, Constantinopla tomó represalias. Las monedas acuñadas dejaron de tener en la cara (el anverso) la imagen del emperador, que pasó al reverso. El lugar del emperador pasó a ocuparlo una imagen nueva, dramática: Jesucristo. La intención era reforzar la identidad cristiana y demostrar que el imperio gozaba de la protección divina.[44]

En un giro extraordinario, el mundo islámico respondió a los cristianos con una jugada similar. La sorprendente reacción inicial a la acuñación de las monedas con las imágenes de Jesús y del emperador fue acuñar, durante unos pocos años, monedas con la imagen de un hombre en una función paralela a la que Jesús tenía en las monedas romanas, a saber, la de protector de las tierras de los fieles. Aunque se suele dar por sentado que la imagen representa al califa ʿAbd al-Malik, es del todo posible que el hombre que aparece en ellas fuera el propio Mahoma. La figura aparece vestida con una túnica suelta, ostenta una barba espléndida y lleva una espada en una funda. Si se trata del Profeta, esta sería la imagen más antigua que se conoce de él y, lo más notable, una que tuvieron en sus manos quienes le conocieron y le vieron en vida. Al-Balādhurī, que escribe más de un siglo después, anota que en Medina algunos de los compañeros supervivientes de Mahoma, personas que le habían conocido bien, vieron esas monedas. Otro escritor posterior, que tuvo acceso a materiales de comienzos del islam, sostuvo lo mismo y señaló que los propios amigos del Profeta se sentían incómodos ante semejante uso de su imagen. Las monedas no permanecieron en circulación durante mucho tiempo, y para finales de la década de 690 el dinero circulante en el mundo islámico se había rediseñado por completo: las imágenes desaparecieron de las monedas y fueron reemplazadas, en ambos lados, por versículos del Corán.[45]

Con todo, a finales del siglo VII, convertir a los cristianos no era la meta más importante, pues el campo de batalla clave seguía siendo el que enfrentaba a las facciones musulmanas rivales. Entre quienes afirmaban ser los herederos legítimos de Mahoma estalló un debate feroz, durante el cual la mejor carta era saber lo máximo posible acerca de la vida temprana del Profeta. La competencia se tornó tan intensa que se hicieron esfuerzos serios y coordinados por trasladar el centro de la fe lejos de La Meca y reubicarlo en Jerusalén debido al surgimiento en Oriente Próximo de una facción poderosa que se volvió contra los tradicionalistas de la Arabia meridional. La mezquita de la Cúpula de la Roca, el primer gran edificio sagrado del islam, se construyó a comienzos de la década de 690, en parte con la intención de desviar la atención de los fieles de La Meca.[46] Como apunta un historiador moderno, los edificios y la cultura material se usaron «como un arma en el conflicto ideológico» durante un periodo inestable de guerra civil, un momento en el que el califa estaba tomando las armas contra los descendientes directos del profeta Mahoma.[47]

El conflicto dentro del mundo musulmán explica las inscripciones que se pusieron en los mosaicos tanto del interior como del exterior de la mezquita de la Cúpula de la Roca, los cuales tenían como objetivo apaciguar a los cristianos. Alaba a Dios, el compasivo y misericordioso, y honra y bendice a su profeta Mahoma, dicen. Pero también proclaman que Jesús era el Mesías. «Por tanto, cree en Dios y en sus enviados [...] bendice a tu enviado y tu sirviente Jesús, hijo de María, y la paz sea con él en el día del nacimiento y en el día de la muerte y en el día que se levante de entre los muertos.»[48] En otras palabras: incluso en la década de 690 las fronteras religiosas eran borrosas. De hecho, tan cercano parecía el islam que algunos eruditos cristianos pensaban que sus enseñanzas no eran tanto una nueva fe como una interpretación divergente del cristianismo. De acuerdo con Juan Damasceno, uno de los principales comentaristas de la época, el islam era una herejía cristiana, no una religión diferente. Mahoma, escribió, había llegado a sus ideas a partir de la lectura del Antiguo y el Nuevo Testamento y de una conversación con un monje errante.[49]

A pesar de la lucha incesante por ganar posiciones y autoridad que tenía lugar en el centro del mundo musulmán, o tal vez debido precisamente a ello, las periferias continuaron conociendo una expansión asombrosa. Los jefes militares que disfrutaban más en el campo de batalla que librando guerras políticas y teológicas condujeron a los ejércitos a las entrañas de Asia Central, el Cáucaso y el norte de África. En el caso de esta última región, el avance parecía implacable. Después de cruzar el estrecho de Gibraltar, los ejércitos inundaron España y entraron en Francia, donde en 732 encontraron una resistencia decidida en algún lugar entre Poitiers y Tours, a poco más de trescientos kilómetros de París. En una batalla que posteriormente adquiriría un estatus casi mítico como el momento en que por fin se logró detener la avalancha islámica, Carlos Martel dirigió a las fuerzas que infligieron a los musulmanes la derrota crucial. El destino de la Europa cristiana pendía de un hilo, argumentarían después los historiadores, y de no haber sido por el heroísmo y la destreza de los defensores, el continente entero seguramente habría sido conquistado.[50] Lo cierto es que si bien la derrota fue sin duda un revés para los ejércitos del islam, la victoria cristiana no garantizaba en absoluto que no fuera a haber nuevos ataques en el futuro, es decir, en caso de que hubiera una recompensa por la que valiera la pena pelear. Y en lo que respecta a Europa occidental en este periodo, los estímulos que prometía eran escasos: la riqueza y las recompensas de verdad se encontraban en otras partes.

Las conquistas musulmanas completaron la caída de Europa en la oscuridad que había empezado dos siglos antes con las invasiones de los godos, los hunos y otros pueblos. Lo que quedaba del Imperio Romano, ahora poco más que Constantinopla y su provincia, se marchitaba, balanceándose en el borde del colapso total. El comercio en el Mediterráneo cristiano, ya menguante en la víspera de las guerras con Persia, se hundió. Ciudades otrora prósperas y llenas de vida como Atenas y Corinto sufrieron una contracción pronunciada, la población se redujo y los centros prácticamente fueron abandonados. Los naufragios, un buen indicador del volumen de los intercambios comerciales en marcha, desaparecen casi por completo desde el siglo VII en adelante. Más allá del ámbito local, el comercio sencillamente cesó.[51]

El contraste con el mundo musulmán no podría haber sido más radical. Los centros económicos del Imperio Romano y de Persia no solo habían sido conquistados, sino unidos. Los árabes habían conectado Egipto y Mesopotamia para formar el núcleo de un nuevo gigante económico y político que se extendía desde la cordillera del Himalaya hasta el Atlántico. A pesar de las contiendas ideológicas, las rivalidades y los brotes ocasionales de inestabilidad del mundo islámico (como el derrocamiento del califato existente por la dinastía abasí en 750), el nuevo imperio nadaba en ideas, bienes y dinero. De hecho, lo que había detrás de la revolución abasí era precisamente eso: ideas y riquezas. Y fueron las ciudades de Asia Central las que allanaron el camino para el cambio de régimen. Esos centros eran los semilleros en los que los argumentos intelectuales se refinaban y donde las rebeliones encontraban financiación. Y fue allí donde se tomaron las decisiones clave en la batalla por el alma del islam.[52]

Los musulmanes habían quedado a cargo de un mundo bien ordenado que abarcaba centenares de ciudades habitadas por consumidores (o, en otras palabras, contribuyentes potenciales). A medida que esas ciudades fueron cayendo en manos del califato, más recursos pasaron a estar bajo el control del centro. Las rutas comerciales, las ciudades oasis y los recursos naturales se convirtieron en objetivos y fueron incorporados al califato. Los musulmanes se anexionaron los puertos que conectaban el comercio entre el golfo Pérsico y China y, también, las rutas del comercio transahariano ya desarrolladas, lo que permitió que Fez (en el Marruecos moderno) se convirtiera en una ciudad «inmensamente próspera» y sede de un mercado que, en palabras de un observador contemporáneo, producía «beneficios enormes». La subyugación de nuevas regiones y pueblos reportó sumas de dinero increíbles al imperio musulmán: un historiador árabe calculaba que la conquista de Sind (en el actual Pakistán) supuso una ganancia de sesenta millones de dinares, eso sin mencionar los beneficios futuros derivados de impuestos, tributos y otros gravámenes.[53] En términos actuales, equivaldría a miles de millones de dólares.

Durante el avance de las fuerzas hacia el este, el proceso de cobro de tributos resultó tan lucrativo y exitoso como lo había sido en Palestina, Egipto y otras partes. Las ciudades de Asia Central fueron tomadas una por una; la ausencia de vínculos sólidos entre ellas selló su perdición: careciendo de una estructura organizativa para coordinar la defensa, lo único que podía hacer cada una era esperar a que le llegara el turno.[54] A los habitantes de Samarcanda se los presionó para que pagaran una suma de dinero inmensa al jefe del ejército musulmán y conseguir que este se retirara, si bien llegado el momento también tuvieron que rendirse. Al menos, el gobernador de la ciudad no sufrió el destino de Dewashtich, el gobernante de Panjikent (en el moderno Tayikistán), que se había dado a sí mismo el título de rey de los sogdianos y a quien los musulmanes engañaron, atraparon y crucificaron delante de su propio pueblo. El gobernador de Balj (en el norte de Afganistán) conoció una suerte similar.[55]

El caos que había empezado a apoderarse de las estepas por la época en que Persia se derrumbó facilitó en gran medida los progresos del islam en Asia Central. El devastador invierno de 627-628 se tradujo en hambre, provocó la muerte de una gran cantidad de cabezas de ganado y precipitó un importante cambio de poder en la región. En su avance hacia el este, las fuerzas musulmanas se enfrentaron a las tribus nómadas que también se habían beneficiado del colapso de Persia. En la década de 730, los nómadas turcos sufrieron una derrota aplastante, cuyas ramificaciones resultaron todavía más graves cuando Sulu, la figura dominante en las estepas, resultó muerto tras una áspera partida de *backgammon*.[56]

Al tiempo que el parachoques tribal se desintegraba, los musulmanes avanzaban lenta pero inexorablemente hacia el este tomando ciudades, oasis y nudos de comunicación, hasta llegar a los límites occidentales de China a comienzos del siglo VIII.[57] En 751, los conquistadores árabes se vieron cara a cara con los chinos, a los que derrotaron de forma decisiva en una confrontación en el río Talas, en Asia Central. Esto llevó a los musulmanes hasta una frontera natural, más allá de la cual tenía poco sentido continuar la expansión, al menos a corto plazo. En China, entre tanto, la derrota trajo consigo repercusiones y agitación y desencadenó una gran revuelta contra los Tang, la dinastía reinante, liderada por el general sogdiano An Lushan, lo que condujo a un periodo prolongado de malestar e inestabilidad que creó un vacío que otros podían aprovechar.[58]

Los que se apresuraron a hacerlo fueron los uigures, un pueblo tribal que había apoyado a los Tang y que se beneficiaron de forma considerable cuando sus antiguos señores se retiraron a lamerse las heridas en la seguridad de las provincias interiores de China. Para controlar los crecientes territorios bajo su dominio, los uigures construyeron asentamientos permanentes, el más importante de los cuales, Balāsāgūn o Quz Ordu (en el actual Kirguistán), se convirtió en la sede del gobernante, el kan. El sitio era una curiosa mezcla de ciudad y campamento, en la que el líder tenía una tienda con una cúpula dorada y un trono dentro. La ciudad tenía doce puertas de entrada y estaba protegida por murallas y torres. A juzgar por testimonios posteriores, esta fue solo una de las muchas ciudades uigures que surgieron a partir del siglo VIII.[59]

Los uigures se convirtieron con rapidez en la fuerza preeminente en la frontera oriental del islam. En el proceso, primero incorporaron y luego reemplazaron a los sogdianos como las principales figuras del comercio a larga distancia, en especial el de la seda. La colección de impresionantes complejos palaciegos construidos entonces es un testimonio de las riquezas generadas durante este periodo.[60] Khukh Ordung, por ejemplo, era una ciudad fortificada que albergaba tanto campamentos de tiendas como edificios permanentes, entre los que se encontraba el pabellón que el kan utilizaba para recibir a visitantes de relieve y para las ceremonias religiosas.[61] Enfrentados a la rivalidad con los musulmanes, los uigures intentaron mantener una identidad propia y decidieron convertirse al maniqueísmo, en el que quizá veían un terreno intermedio entre el mundo islámico del oeste y la China imperial en el este.

Las conquistas de los musulmanes les habían dado el control de una vasta red de rutas comerciales y de comunicación que conectaban los oasis de Afganistán y el valle de Ferganá con el norte de África y el océano Atlántico bajo su dominio. La riqueza concentrada en el centro de Asia era asombrosa. Las excavaciones llevadas a cabo en Panjikent y en Balalik-tepe, entre otros lugares del moderno Uzbekistán, dan testimonio del patrocinio que recibieron las artes más elevadas (y evidencian con claridad el dinero que las sustentaba). En las paredes de las residencias privadas se recreaban con gran maestría escenas de la vida cortesana y de la literatura épica persa. En un palacio de Samarcanda se conserva un conjunto de imágenes que muestra el mundo cosmopolita al que habían ingresado los musulmanes: al gobernante local se lo representa recibiendo los obsequios enviados por dignatarios extranjeros, regalos procedentes de China, Persia, la India y quizá incluso Corea. Esta clase de ciudades, provincias y palacios cayeron en manos de los ejércitos del islam que llegaron en masa siguiendo las rutas del comercio.[62]

Con toda esta nueva riqueza fluyendo hacia los cofres del gobierno central, se comenzaron a hacer inversiones considerables en lugares como Siria, donde en el siglo VIII se construyeron plazas de mercado y tiendas a gran escala en las ciudades de Gerasa, Escitópolis y Palmira.[63] Sin embargo, el proyecto más notable de todos fue la construcción de una nueva y gran ciudad. Esa ciudad había de convertirse en la más rica y poblada del mundo, y seguiría siéndolo durante siglos (y ello incluso descartando las posibles exageraciones de algunos de los cálculos realizados en el siglo X). A partir del número de casas de baños, la cantidad de empleados necesarios para atenderlas y la distribución probable de los baños en relación a las viviendas particulares, un autor calculaba que la población de la ciudad estaba justo por debajo del millón de habitantes.[64] Entonces se la conocía como Madīnat al-Salām, la ciudad de la paz. Nosotros la conocemos como Bagdad.

La ciudad era el símbolo perfecto de la opulencia y el corazón del poder, del patrocinio y del prestigio del mundo islámico. Se convirtió en un nuevo centro de gravedad para los sucesores de Mahoma, el eje político y económico que conectaba las tierras del islam en todas las direcciones. Y en un escenario para la pompa y la ostentación en una escala grandiosa, como ocurrió con ocasión del matrimonio de Hārūn al-Rashīd, el hijo del califa, en 781. Además de ofrecer a la novia una colección de perlas de tamaños nunca vistos, túnicas decoradas con rubíes y un banquete «como nunca antes se había preparado para ninguna mujer», el novio demostró su generosidad con la gente de todo el país. Se distribuyeron cuencos de oro llenos de plata y cuencos de plata llenos de oro para que fueran repartidos, y también perfumes costosos en recipientes de vidrio. A las mujeres que asistieron a la boda se les regalaron carteras con monedas de oro y plata «y una gran bandeja de plata con perfumes, y a cada una de ellas se les dio un vestido de honor de rico colorido y gran cantidad de incrustaciones. Nada comparable se había visto nunca antes» (o al menos no en tiempos islámicos).[65]

Lo que hacía posible todo eso eran los ingresos fiscales extraordinariamente grandes que proporcionaba al califato un imperio vasto, productivo y monetizado. Cuando Hārūn al-Rashīd murió en 809, su tesoro incluía cuatro mil turbantes, mil vasijas preciosas de porcelana, muchas clases de perfumes, amplias cantidades de joyas, plata y oro, ciento cincuenta mil lanzas e igual número de escudos, y un millar de pares de botas, muchas de ellas forradas con marta, visón y otros tipos de pieles.[66] «El menor de los territorios gobernados por el menor de mis súbditos produce una renta más grande que la totalidad de vuestros dominios», se dice que le escribió el califa al emperador de Constantinopla a mediados del siglo IX.[67] La riqueza alimentó un periodo de prosperidad increíble y una revolución intelectual.

La empresa privada se disparó debido al aumento espectacular de los niveles de renta disponible. En el golfo Pérsico, Basora adquirió fama de ser un mercado en el que era posible encontrar cualquier cosa, lo que incluía sedas y linos, perlas y piedras preciosas, así como jena y agua de rosas. Según un cronista del siglo X, el mercado de Mosul, una ciudad de casas magníficas y baños públicos espléndidos, se convirtió en un lugar excelente para comprar flechas, estribos y monturas. Por otro lado, anota la misma fuente, Nīshāpūr era el lugar más indicado para encontrar los mejores pistachos, aceite de sésamo, granadas y dátiles.[68]

Había una sed insaciable de ingredientes deliciosos, artesanías excelentes y productos agrarios de primera calidad. A medida que los gustos se hicieron más sofisticados, el apetito de información sufrió una transformación similar. Y aunque el relato tradicional acerca de los prisioneros chinos que introdujeron el secreto de la fabricación de papel en el mundo islámico, tras ser capturados en la batalla de Talas en 751, es exageradamente romántico, resulta indudable que desde la última parte del siglo VIII la disponibilidad de papel permitió registrar, compartir y diseminar el conocimiento con mayor facilidad y más rapidez. La literatura resultante, una auténtica explosión, abarcaba todas las áreas de la ciencia, las matemáticas, la geografía y los viajes.[69]

Un escritor refiere que los mejores membrillos eran los de Jerusalén y que las pastas más excelentes eran las egipcias; los higos sirios rebosaban sabor, mientras que las ciruelas de Shiraz eran deliciosas. Y una vez que era posible costear gustos más refinados, se hicieron importantes las reseñas críticas rigurosas. Había que evitar la fruta de Damasco, advertía el mismo autor, que era insípida (y, además, a los lugareños les gustaba demasiado discutir). Con todo, la ciudad no era tan mala como Jerusalén, «un tazón repleto de escorpiones» en el que los baños eran hediondos, los víveres carísimos y el coste de la vida lo bastante alto como para desaconsejar incluso una corta visita.[70] Los comerciantes y los viajeros regresaban con historias acerca de los lugares que visitaban: qué ofrecían los mercados y cómo eran las gentes más allá de las tierras del islam. Los chinos de todas las edades «visten de seda tanto en el invierno como en el verano», anota un autor que recopilaba testimonios sobre el extranjero, y algunos lucen el material más excelente que alguien pueda imaginarse. Esa elegancia, sin embargo, no se extendía a todos los hábitos: «Los chinos son antihigiénicos, y después de defecar no se lavan el trasero con agua, sino que simplemente se lo limpian con papel chino».[71]

Pero al menos disfrutaban de los entretenimientos musicales, algo que no podía decirse de los indios, que consideraban «vergonzosos» tales espectáculos. A lo largo y ancho de la India los gobernantes también evitaban el alcohol. No por razones religiosas, sino porque eran de la opinión, completamente razonable, de que si estaban ebrios, «¿cómo iban a poder gobernar el reino de forma apropiada?». Aunque la India «es la tierra de la medicina y de los filósofos», concluye el autor, China «es un país más saludable, con menos enfermedades y un mejor aire». Era raro ver allí «ciegos, tuertos y personas deformes», mientras que «en la India los hay en abundancia».[72]

Los artículos de lujo llegaban a raudales procedentes del extranjero. De China se importaban porcelanas y cerámicas de gres en volúmenes considerables, lo que moldeó las tendencias, el diseño y las técnicas de la cerámica local (el vidriado blanco característico de los cuencos de la dinastía Tang se hizo extremadamente popular). Los avances en la tecnología de horneado ayudaron a que la producción se mantuviera al ritmo de la demanda, algo a lo que también contribuyó el aumento de las dimensiones de los hornos: se calcula que los hornos chinos más grandes tenían una capacidad de entre doce mil y quince mil piezas. Un único naufragio nos permite estimar el creciente nivel de los intercambios que se realizaban a través de lo que un destacado estudioso ha denominado el «mayor sistema de comercio marítimo del mundo»: el buque, hundido frente a la costa de Indonesia en el siglo IX, llevaba en el momento de irse a pique setenta mil piezas de cerámica, además de cajas ornamentales, cubertería de plata y lingotes de oro y plomo.[73] Este es solo un ejemplo de la cantidad de cerámicas, sedas, maderas nobles tropicales y animales exóticos que, de acuerdo con las fuentes, importaba en este periodo el mundo abasí.[74] Era tal la cantidad de mercancías que inundaban los puertos del golfo Pérsico que se contrataban buceadores profesionales para rescatar en los alrededores de los muelles los objetos que se desechaban o caían al agua desde los buques mercantes.[75]

Era posible labrarse una fortuna inmensa como proveedor de artículos deseables. En el puerto de Sīrāf, por el que pasaba buena parte del tráfico marítimo procedente de Oriente, había residencias palaciegas con precios inalcanzables. «No he visto en el reino del islam edificios más extraordinarios, o más hermosos», escribió un autor del siglo X.[76] Diversas fuentes atestiguan la gran escala del comercio que entraba y salía del Golfo, así como el volumen de las mercancías que circulaban por las rutas terrestres que se entrecruzaban en Asia Central.[77] El aumento de la demanda sirvió para inspirar e impulsar la producción local de cerámica y porcelana, cuyos compradores, es de suponer, eran quienes no podían permitirse comprar las piezas chinas, muy superiores, pero también mucho más costosas. No sorprende, por tanto, que los ceramistas de Mesopotamia y el golfo Pérsico imitaran el vidriado blanco de las importaciones, experimentando con sustancias alcalinas, estaño y finalmente cuarzo, para conseguir el aspecto de la porcelana translúcida (y de mejor calidad) hecha en China. En Basora y Samarra se desarrollaron técnicas utilizando cobalto para crear la característica «porcelana azul y blanca» que siglos más tarde no solo se popularizaría en el Lejano Oriente, sino que se convertiría en el sello distintivo de la cerámica china de comienzos de la era moderna.[78]

Sin embargo, en los siglos VIII y IX no cabía duda de dónde estaban los mercados más importantes. Un viajero chino que visitó el imperio árabe en este periodo se maravillaba de la riqueza: «Todo lo que produce la tierra está allí. Las carretas llevan incontables mercancías a los mercados, donde es posible encontrar de todo y barato: brocados, sedas bordadas, perlas y otras gemas se exhiben en los mercados y las tiendas».[79]

La sofisticación cada vez mayor del gusto estuvo acompañada de un refinamiento creciente de las ideas en torno de las ocupaciones y pasatiempos que resultaban apropiados. Textos como *El libro de la corona*, escrito en el siglo X, exponían la etiqueta correcta para las interacciones entre el gobernante y los miembros de la corte, al tiempo que recomendaban a los nobles la práctica de la caza, el tiro con arco, el ajedrez y «otras actividades similares».[80] Todo ello era un préstamo directo de los ideales sasánidas, cuya influencia resulta todavía más visible en los decorados interiores de la época; las escenas de caza, en particular, gozaron de una inmensa popularidad en los palacios privados de las élites.[81]

Los mecenas privados también empezaron a financiar uno de los periodos más extraordinarios para la erudición y el estudio de la historia. La corte en Bagdad y los centros de excelencia académica repartidos por Asia Central como Bujará, Merv, Gundesapor y Gazni, así como en lugares todavía más lejanos en la España islámica y en Egipto, atrajeron a figuras brillantes (muchas de ellas no musulmanas) para trabajar en una gran variedad de materias, incluidas las matemáticas, la filosofía, la física y la geografía.

Se reunieron grandes cantidades de textos griegos, persas y siriacos y se tradujeron al árabe, desde manuales sobre el cuidado médico de los caballos y las ciencias veterinarias en general hasta las obras filosóficas de la Grecia antigua.[82] Los eruditos devoraban esos trabajos y los utilizaban para investigaciones futuras. La educación y el aprendizaje se convirtieron en un ideal cultural. Hubo familias que destacaron por su apoyo a la empresa del conocimiento, como los Barmakidas, originalmente budistas oriundos de Balj, que adquirieron influencia y poder en el Bagdad del siglo IX, promovieron de forma enérgica la traducción al árabe de una amplia colección de textos sánscritos y llegaron a fundar una fábrica de papel para producir copias y contribuir a la difusión de las obras.[83]

Es también el caso de la familia Bukhtīshū, cristianos de Gundesapor, que produjo varias generaciones de intelectuales que escribieron tratados de medicina e incluso sobre el mal de amores, al mismo tiempo que ejercían como médicos (algunos, de hecho, llegaron a atender al califa en persona).[84] Los textos médicos escritos en este periodo fueron los cimientos de la medicina islámica durante siglos. «¿Cómo es el pulso de alguien que sufre de ansiedad?», rezaba la decimosexta pregunta de un texto de preguntas y respuestas escrito en el Egipto medieval; la respuesta —«leve, débil e irregular», anotaba el autor— se encontraba en una enciclopedia escrita en el siglo X.[85]

Las farmacopeas (textos sobre la mezcla y preparación de medicamentos) listaban experimentos realizados con sustancias como la limonaria, las semillas de mirto, el comino, el vinagre de vino, las semillas de apio y el nardo.[86] Otros se dedicaron a la óptica, como Ibn al-Haytham, conocido como Alhacén, que escribió un tratado pionero en el que no solo llegaba a conclusiones sobre los vínculos entre la visión y el cerebro, sino también sobre las diferencias entre la percepción y el conocimiento.[87]

Otras figuras destacadas fueron Abū Rayḥān al-Bīrūnī, que estableció que el mundo giraba alrededor del Sol y rotaba sobre un eje, y Abū ʿAlī Ḥusayn ibn Sīnā, conocido en Occidente como Avicena, un polímata que escribió sobre lógica, teología, matemáticas, medicina y filosofía, y siempre con inteligencia, lucidez y honestidad verdaderamente impresionantes. «Leí la *Metafísica* de Aristóteles», escribió, «pero no pude comprender el contenido [...] incluso después de haberlo vuelto a leer cuarenta veces y llegar al punto de sabérmelo de memoria». Se trata de un libro «que no hay modo de entender», añadió en una nota que quizá sirva de consuelo a muchos de los estudiantes que se han enfrentado a ese complejo texto. Esa impresión, sin embargo, no fue definitiva. Un día, Ibn Sīnā encontró en el mercado un puesto en el que vendían libros y compró una copia de un análisis de la obra de Aristóteles escrito por Abū Naṣr al-Fārābī, otro de los grandes pensadores de la época. Y al leerlo, todo cobró sentido de repente. «Eso me llenó de gozo», escribió, «y al siguiente día di muchas limosnas a los pobres para agradecer a Dios, que es glorioso».[88]

Había también materiales que llegaban de la India, entre los que se encontraban textos de ciencias, matemáticas y astrología escritos en sánscrito que eran leídos atentamente por hombres brillantes como Muḥammad ibn Mūsā al-Juārizmī, que advirtió con deleite la simplicidad de un sistema numérico que tenía en cuenta el concepto matemático de cero. Ello proporcionó la base para grandes avances en el ámbito del álgebra, las matemáticas aplicadas, la trigonometría y la astronomía (en este último caso impulsados, en parte, por la necesidad práctica de conocer en qué dirección se encontraba La Meca para que los fieles pudieran ofrecer sus oraciones correctamente).

Los estudiosos se sentían orgullosos no solo de coleccionar y estudiar materiales procedentes de todos los rincones del mundo, sino también de traducirlos. «Las obras de los indios se vierten [al árabe], la sabiduría de los griegos se traduce y la literatura de los persas se [nos] transfiere», escribió un autor, «y el resultado es que la belleza de algunas obras se ha incrementado». Qué pena, opinaba, que el árabe sea una lengua tan elegante que sea casi imposible de traducir.[89]

Fue una edad de oro, una época en la que mentes brillantes como al-Kindī ampliaron las fronteras de la filosofía y de la ciencia. Y hubo también mujeres brillantes que dieron un paso al frente, como la poeta del siglo X conocida como Rabīʿa Baljī, que nació en lo que hoy es Afganistán y en cuyo honor se bautizó el hospital materno de Kabul; o Mahsatī Ganjavī, que al igual que ella escribió en persa con elocuencia y perfección (y bastante atrevimiento).[90]

Mientras el mundo musulmán se complacía en las innovaciones, el progreso y las nuevas ideas, gran parte de la Europa cristiana se marchitaba en la oscuridad, paralizada por la ausencia de recursos y la falta de curiosidad. San Agustín se había pronunciado con suma hostilidad contras las ideas de la investigación y de la búsqueda intelectual. «Los hombres quieren conocer por conocer», escribió desdeñoso, «aunque el conocimiento carezca de utilidad para ellos». La curiosidad, desde su punto de vista, no era más que una enfermedad.[91]

Este desdén por la ciencia y el estudio desconcertaba a los cronistas musulmanes, que sentían un gran respeto por Ptolomeo y Euclides, por Homero y Aristóteles. Para algunos, había pocas dudas acerca de quién era responsable. Otrora, escribió el historiador al-Masʿūdī, los antiguos griegos y los romanos permitían que las ciencias florecieran; luego, adoptaron el cristianismo. Cuando lo hicieron, «eliminaron los signos del [conocimiento], eliminaron sus huellas y destruyeron sus caminos».[92] La fe derrotó a la ciencia. La situación era casi exactamente opuesta a la del mundo que hoy conocemos: los fundamentalistas no eran los musulmanes, sino los cristianos; quienes tenían mentes abiertas, curiosas y generosas estaban en Oriente, no en Europa. Como anotó un autor, en lo que respecta a las tierras no islámicas «no las hemos incluido [en nuestro libro] porque no vemos provecho alguno en su descripción». Eran yermos intelectuales.[93]

La ilustración y sofisticación cultural del islam también se reflejaban en el trato dado a las religiones y culturas minoritarias. En la España musulmana, las influencias visigodas se incorporaron a un estilo arquitectónico que la población sometida podía leer como una continuación del pasado inmediato, y por tanto no como algo agresivo o triunfalista.[94] Asimismo, podemos leer las cartas que desde Bagdad escribía Timoteo, el jefe de la Iglesia oriental a finales del siglo VIII y comienzos del IX, describiendo un mundo en el que los miembros de la jerarquía eclesiástica disfrutaban de una relación personal con el califa, que se mostraba receptivo a sus inquietudes, y donde el cristianismo había conseguido mantener una base desde la cual enviar misiones evangelizadoras a la India, China, el Tíbet y las estepas (misiones que evidentemente tuvieron un considerable éxito).[95] La misma pauta se reprodujo en el norte de África, donde las comunidades cristianas y judías sobrevivieron, y probablemente incluso prosperaron, mucho tiempo después de las conquistas musulmanas.[96]

Con todo, también es fácil dejarse llevar. Por un lado, a pesar de la evidente unidad que confería el manto de la religión, aún existían divisiones encarnizadas dentro del mundo islámico. Para comienzos de la década de 900 habían evolucionado tres grandes centros políticos: uno controlaba Córdoba y el resto de España; otro, Egipto y el alto Nilo; y el tercero, Mesopotamia y la mayor parte de la península arábiga; y los tres se enfrentaban unos con otros por cuestiones de teología y para ganar influencia y autoridad. Una generación después de la muerte de Mahoma había surgido un grave cisma dentro del islam, con argumentos rivales para justificar cuál era el sucesor correcto del Profeta. Estos pronto se consolidaron en dos facciones enfrentadas, las interpretaciones suní y chií; la última defendía de forma apasionada que el descendiente de Alí, primo y yerno de Mahoma, era el único autorizado a gobernar como califa, mientras que la primera abogaba por una comprensión más amplia.

Por tanto, en teoría había una unidad religiosa dominante que conectaba el Hindú Kush con los Pirineos a través de Mesopotamia y el norte de África, pero hallar un consenso era otra cuestión. De forma similar, la actitud distendida hacia creencias diferentes del islam no era uniforme ni consistente. Aunque hubo periodos en los que las demás religiones eran aceptadas, también hubo fases de persecución y proselitismo brutal. Si bien durante los primeros cien años posteriores a la muerte de Mahoma se conocieron intentos muy limitados por convertir a las poblaciones locales, pronto surgieron esfuerzos más coordinados para convencer a quienes vivían bajo domino musulmán de que abrazaran el islam. Esos intentos no estuvieron limitados a la enseñanza religiosa y la evangelización; en el caso de Bujará en el siglo VIII, por ejemplo, el gobernador anunció que todos los que asistieran a la oración del viernes recibirían la magnífica suma de dos dinares, un incentivo que atrajo a los pobres y los convenció de aceptar la nueva fe, si bien en términos muy básicos: no podían leer el Corán en árabe y hubo que decirles lo que tenían que hacer mientras se decían las oraciones.[97]

La cadena de acontecimientos iniciada con la intensa rivalidad entre el Imperio Romano y Persia tuvo consecuencias extraordinarias. Mientras las dos grandes potencias de la Antigüedad tardía hacían demostraciones de fuerza y se preparaban para la confrontación final, pocos podrían haber predicho que sería una facción de los confines de la península arábiga la que se alzaría para suplantar a las dos. Los hombres inspirados por Mahoma de verdad habían heredado la tierra y fundado el que quizá sea el mayor imperio que el mundo ha conocido, uno que introduciría técnicas de irrigación y nuevos cultivos desde el Tigris y el Éufrates hasta la península Ibérica y que desencadenaría una revolución agraria a lo largo de miles de kilómetros.[98]

Las conquistas islámicas crearon un nuevo orden mundial, un gigante económico fortalecido por la confianza en sí mismo, una mentalidad amplia y tolerante y un fervor apasionado por el progreso. Inmensamente rico y con pocos rivales naturales políticos e incluso religiosos, el nuevo imperio era un lugar en el que prevalecía el orden, en el que los comerciantes podían hacerse ricos, en el que los intelectuales gozaban de respeto y en el que era posible analizar y debatir las opiniones discrepantes. Un comienzo poco prometedor en una cueva cerca de La Meca había alumbrado una especie de utopía cosmopolita.

Eso no pasó desapercibido. Hombres ambiciosos nacidos en la periferia de la *umma* musulmana, o incluso más allá, llegaron atraídos como las abejas a la miel. Las perspectivas en los pantanos de Italia, en Europa Central y Escandinavia no eran demasiado prometedoras para los varones jóvenes deseosos de forjarse un nombre (y ganar algo de dinero). En el siglo XIX, esa clase de individuos mirarían hacía Occidente y Estados Unidos buscando fama y fortuna; una milenio antes, miraban hacia Oriente. Mejor aún, para quienes estuvieran dispuestos a apostar con determinación, había una mercancía que era abundante y contaba ya con un mercado.

# Capítulo 6

# LA RUTA DE LAS PIELES

En su cenit, Bagdad era una ciudad magnífica. Con sus parques, mercados, mezquitas y casas de baños, y también con sus escuelas, hospitales e instituciones de caridad. La capital acogía mansiones «engalanadas y decoradas con esplendor, con las paredes cubiertas de tapices hermosos y colgaduras de brocado y seda», y los salones «amueblados con delicadeza y buen gusto con divanes lujosos, mesas inasequibles, jarrones de porcelana china excepcionales e innumerables chucherías de oro y plata». En los alrededores del río Tigris había palacios, quioscos y jardines que utilizaba la élite; «miles de góndolas, adornadas con banderas, animan el paisaje del río, donde bailan como rayos de sol sobre el agua, llevando a los hedonistas habitantes de la ciudad de una parte a otra de Bagdad».[1]

La vitalidad de los mercados y el poder adquisitivo de la corte, las clases acaudaladas y la población en general resultaban magnéticos. El impacto del auge económico se extendía mucho más allá de las fronteras del mundo islámico, donde las conquistas musulmanas crearon nuevas rutas que serpenteaban en todas direcciones uniendo comercios, ideas y pueblos. Para algunos, la extensión de estas redes era un motivo de inquietud. En la década de 840, el califa al-Wāthiq organizó una expedición con el fin de investigar un sueño que había tenido en el que unos caníbales conseguían penetrar una muralla legendaria que, según la creencia popular, el Todopoderoso había levantado para contener a los salvajes que vivían al otro lado. El grupo de reconocimiento, encabezado por un consejero de confianza llamado Sallām, tardó casi año y medio en regresar e informar acerca del estado de la muralla: la fortificación se mantenía firme. Su cuidado y vigilancia era un asunto muy serio. Se había confiado a una familia la responsabilidad de llevar a cabo revisiones rutinarias. Dos veces por semana se golpeaba la muralla con un martillo tres veces para comprobar su seguridad. Cada vez, los inspectores escuchaban atentos para detectar cualquier desviación de la norma: «Si se pone la oreja en la puerta, se oye un ruido sordo, como una colmena de avispas», recoge un testimonio; «luego, todo queda en silencio de nuevo». El propósito era hacer saber a los salvajes que podían traer consigo el apocalipsis que la muralla estaba vigilada y que no se les permitiría pasar.[2]

El relato sobre la inspección de la muralla es tan vívido y convincente que algunos historiadores han sostenido que se refiere a una expedición real y a una muralla autentica, quizá la Puerta de Jade, al oeste de Dunghuang, que marcaba la entrada a China.[3] De hecho, el miedo a unos destructores del mundo que aguardan contenidos detrás de las montañas de Oriente era un tema que ligaba al mundo antiguo tanto con el Antiguo y el Nuevo Testamento como con el Corán.[4] En cualquier caso, haya tenido o no lugar realmente el viaje de Sallām, el terror que existía más allá de las fronteras era muy real. El mundo estaba dividido en dos: la tierra de *Irán*, donde prevalecían el orden y la civilización, y la de *Turán*, que era caótica, anárquica y peligrosa. Una plétora de testimonios escritos por viajeros y geógrafos que visitaron las estepas del norte deja claro que quienes vivían fuera del mundo musulmán eran extraños, y si bien en ciertos aspectos resultaban curiosos y extraordinarios, en su mayoría eran básicamente aterradores.

Uno de los corresponsales más famosos fue Ibn Faḍlān, a quien se envió a las estepas a comienzos del siglo X en respuesta a una solicitud del cabecilla de los búlgaros del Volga, que deseaba que sabios eruditos fueran al país y explicaran las enseñanzas del islam. Como aclara Ibn Faḍlān en su testimonio, los líderes de esta tribu (cuyas tierras estaban a orillas del Volga, al norte del mar Caspio, donde el gran río confluye con el Kama) ya se habían hecho musulmanes, pero su conocimiento de los artículos de la fe era rudimentario. Aunque el jefe de los búlgaros del Volga pidió que se le ayudara a construir una mezquita y aprender más acerca de las revelaciones de Mahoma, pronto fue evidente que lo que realmente quería era reunir apoyos para hacer frente a la competencia que suponían otras tribus de las estepas.

Ibn Faḍlān se sintió sucesivamente perplejo, sorprendido y horrorizado durante su viaje al norte. La vida de los nómadas, siempre en movimiento, contrastaba radicalmente con la cultura urbana, sedentaria y sofisticada de Bagdad y otras ciudades. La tribu de los g̱huzz fue uno de los primeros pueblos que Ibn Faḍlān encontró en su camino. «Viven», escribió, «en tiendas de fieltro, que arman en un lugar y luego en otro [...] Viven en la pobreza, como asnos errantes. No veneran a Dios, ni recurren a la razón». Más adelante continúa: «No se lavan tras ensuciarse con excrementos u orina [y de hecho] no tienen ningún contacto con el agua, en especial en el invierno». El que las mujeres no llevaran velo era lo de menos. Una noche su grupo se reunió con un hombre estando presente la mujer de este. «Mientras hablábamos, ella descubrió sus partes íntimas y se rascó al tiempo que la mirábamos boquiabiertos. Nosotros nos cubrimos las caras con las manos y cada uno dijo: "Imploro el perdón de Dios".» El marido sencillamente se rio de la mojigatería de los visitantes.[5]

Las costumbres y creencias de otros pueblos de las estepas resultaron no menos sorprendentes. Había tribus que veneraban las serpientes, otras que veneraban los peces y otra más que veneraba las aves tras quedar convencida de que había triunfado en una batalla gracias a la intervención de una bandada de grullas. Luego estaban los que llevaban un falo de madera colgado del cuello y lo besaban para tener buena suerte antes de emprender un viaje. Estos eran miembros de la tribu de los baskires, un pueblo cuya brutalidad era legendaria (llevaban las cabezas de sus enemigos de un lado para otro como trofeo). Tenían hábitos espantosos, entre ellos comer piojos y pulgas: Ibn Faḍlān vio en una ocasión a un hombre que encontró una pulga entre sus ropas «y habiéndola aplastado con la uña, la devoró y al advertir mi presencia, dijo: ¡Deliciosa!».[6]

Aunque la vida en las estepas resultaba difícil de entender para visitantes como Ibn Faḍlān, lo cierto es que había un considerable nivel de interacción entre los nómadas y el mundo sedentario del sur. La difusión del islam entre las tribus, si bien algo errática, era una prueba de ello. Los g͟huzz, por ejemplo, afirmaban ser musulmanes y pronunciaban frases devotas apropiadas «para producir una buena impresión en los musulmanes que se alojaban con ellos». Sin embargo, según Ibn Faḍlān, su fe tenía escasa sustancia, pues «si uno de ellos sufre una injusticia o le ocurre algo malo, levanta la cabeza hacia el cielo y dice *bir Tengri*» (en otras palabras: en lugar de invocar a Alá, invocaba a Tengri, la deidad celestial suprema de los nómadas).[7]

De hecho, en las estepas las creencias religiosas eran complejas y rara vez uniformes, con influencias del cristianismo, el islam, el judaísmo, el zoroastrismo y el paganismo mezcladas para crear visiones del mundo compuestas que resulta difícil desenredar.[8] La difusión de estas concepciones espirituales cambiantes y flexibles la llevó a cabo, en parte, un nuevo tipo de santón musulmán que hacía las veces de misionero; esos místicos, conocidos como «sufís», vagaban por las estepas, en ocasiones desnudos, salvo por un par de cuernos de animal, atendiendo a los animales enfermos e impresionando a quienes se encontraban por su conducta excéntrica y su discurso acerca de la devoción y la piedad. Los sufís parecen haber sido cruciales para la conversión de muchos al islam, gracias a la fusión que hicieron entre los principios básicos del islam y las creencias chamánicas y animistas que estaban extendidas por toda Asia Central.[9]

Los sufís no fueron los únicos que dejaron una huella en la región. Otros visitantes hicieron intervenciones que fueron decisivas para la propagación de las ideas acerca de la religión. Un testimonio posterior sobre la conversión de los búlgaros del Volga cuenta que un mercader musulmán que estaba de paso curó al jefe de la tribu y su esposa de una enfermedad grave después de que todos los demás intentos de aliviar la dolencia hubieran fracasado. Tras hacerles prometer que adoptarían su fe si los sanaba, les dio medicamentos «y los curó y ellos y toda su gente abrazaron el islam».[10] La historia es un relato de conversión clásico: la aceptación de la nueva fe por parte del líder o por personas cercanas a él es el momento decisivo en la adopción a gran escala de un conjunto de prácticas y creencias.[11]

No cabe duda de que la expansión de la fe hacia nuevas regiones se convirtió en una señal de prestigio para los gobernadores y las dinastías locales, lo que les ayudaba a lograr la atención de los califas y les daba renombre entre sus propias comunidades. Los samánidas, por ejemplo, radicados en Bujará, se dedicaron con pasión a promover el islam. Una de las formas en que lo hicieron fue creando un sistema de madrasas o escuelas, inspirado en la idea de los monasterios budistas, para la enseñanza apropiada del Corán, al mismo tiempo que patrocinaban el estudio de la tradición de los hadices, los dichos y acciones atribuidos a Mahoma. Regalar dinero con liberalidad a todos los asistentes también era un modo de garantizar que las mezquitas estuvieran llenas de fieles.[12]

Sin embargo, las estepas eran mucho más que el «norte salvaje», una zona de frontera repleta de pueblos bárbaros con costumbres extrañas, un vacío en el que el islam podía expandirse y educar a unas poblaciones que no habían tenido contacto alguno con la civilización. Pues aunque los testimonios de viajeros como Ibn Faḍlān pintan un cuadro de barbarie, la verdad es que el estilo de vida nómada era regulado y ordenado. Los desplazamientos de un lugar a otro no eran consecuencia de un mero errar sin propósito, sino un reflejo de las realidades de la crianza de animales: con grandes rebaños y manadas de las que ocuparse, encontrar buenos pastos resultaba fundamental y hacerlo de forma estructurada era vital no solo para el éxito de la tribu, sino para su propia supervivencia. Lo que desde el exterior parecía caótico, desde dentro era todo excepto eso.

De esto da cuenta a la perfección un texto extraordinario recopilado en Constantinopla en el siglo X que expone el modo en que uno de los principales grupos que vivían al norte del mar Negro se organizaba para tener las mejores probabilidades de éxito. Los pechenegos se subdividían en ocho tribus que a su vez se dividían en un total de cuarenta unidades más pequeñas, a cada una de las cuales les correspondían determinadas zonas de explotación demarcadas con claridad. Moverse de un lado a otro no implicaba que la vida de las sociedades tribales fuera desordenada.[13]

Aunque los comentaristas, viajeros, geógrafos e historiadores contemporáneos que se interesaron por el mundo de las estepas quedaron fascinados por los hábitos y los estilos de vida que observaron, otro factor que espoleaba su interés eran las contribuciones económicas de los nómadas, en especial en relación a la producción agraria. Las estepas proporcionaban a las sociedades sedentarias servicios y productos que les resultaban muy valiosos. Había miembros de la tribu g̱huzz que, de acuerdo con los cálculos de Ibn Faḍlān, poseían diez mil caballos y diez veces ese número de ovejas. Si bien las cifras específicas no son algo a lo que debemos atribuir demasiada importancia, es evidente que las dimensiones del negocio eran considerables.[14]

Los caballos eran un componente vital de la economía, algo que resulta claro en las referencias que encontramos en diversas fuentes acerca de la gran cantidad de animales con que contaban algunas de las tribus más importantes de las estepas. La crianza era una actividad comercial, según se desprende del testimonio de la destrucción de una granja de sementales por una fuerza de asalto árabe en el siglo VIII y de los huesos hallados por los arqueólogos al norte del mar Negro.[15] La agricultura también se convirtió en un aspecto cada vez más importante de la economía de las estepas; los cultivos se plantaban a lo largo de la región del bajo Volga, donde había «muchos campos labrados y huertos».[16] Las pruebas arqueológicas de este periodo halladas en la península de Crimea demuestran que se cultivaba trigo, mijo y centeno a una escala sustancial.[17] Entre los productos que se vendían a los mercados del sur estaban las avellanas, los halcones y las espadas.[18] Y también la cera y la miel, de la cual se pensaba que otorgaba resistencia frente a los resfriados.[19] El ámbar llegaba a los mercados en tales cantidades, no solo a través de las estepas, sino también de Europa occidental, que un destacado historiador ha acuñado la expresión «el camino del ámbar» para describir las rutas por las que se transportaba esa resina endurecida hasta sus ansiosos compradores en Oriente.[20]

Sin embargo, el comercio de pieles superaba a todos los demás. Las pieles eran muy apreciadas debido al calor y el estatus que proporcionaban a quien las portaba.[21] Un califa del siglo VIII llegó al punto de realizar una serie de experimentos de congelación con diversas clases de piel para comprobar cuál ofrecía la mejor protección en condiciones extremas. Según un escritor árabe, llenó una serie de contenedores con agua y los dejó durante la noche expuestos a temperaturas gélidas. «En la mañana, mandó que le trajeran [los recipientes]. Todos se habían congelado salvo el que tenía una piel de zorro negro. De este modo aprendió cuál era la piel más cálida y más seca.»[22]

Los comerciantes musulmanes distinguían entre las distintas pieles y establecían los precios en consecuencia. Un autor del siglo X menciona la importación desde las estepas de pieles de marta cibelina, ardilla gris, armiño, visón, zorro, marta, castor y liebre moteada entre las variedades que luego serían vendidas en otras partes por comerciantes que esperaban obtener una buena ganancia con el incremento del precio.[23] De hecho, en algunas partes de las estepas las pieles se usaban de manera intercambiable con el dinero en metálico, y existían tasas de cambio fijas. Dieciocho pieles de ardilla vieja equivalían a una moneda de plata, mientras que una única piel era el precio de «una gran hogaza de un pan espléndido, suficiente para alimentar a un hombre grande». Esto resultaba incomprensible para un observador: «En cualquier otro país, con un millar de pieles como esas no te compras ni una judía».[24] Y no obstante, había una lógica evidente en lo que, de hecho, era una forma de moneda: tener un medio de cambio era importante para sociedades que interactuaban entre sí pero que carecían de los tesoros centrales que permitían acuñar moneda en gran escala. Por tanto, el cuero y las pieles cumplían con un propósito obvio en una economía no monetizada.

Según un historiador, es posible que cada año se exportaran desde las estepas hasta medio millón de pieles. La emergencia de un imperio islámico que crecía con rapidez creó nuevos canales de comunicación y nuevas rutas comerciales. La creación de una «ruta de las pieles» que penetraba en las estepas y los cinturones forestales del norte fue consecuencia directa del aumento de la riqueza disponible en los siglos posteriores a las grandes conquistas de los siglos VII y VIII.[25]

Como era de esperar, la proximidad lo era todo: estar en condiciones de llevar al mercado animales, pieles y otros productos con facilidad era crucial. Las tribus nómadas más ricas eran, inevitablemente, aquellas que estaban mejor situadas y podían comerciar de forma activa y fiable con el mundo sedentario. De forma similar, las ciudades más cercanas a las estepas experimentaron un aumento pronunciado de su riqueza. Merv fue una de las principales beneficiarias: su expansión fue tal que un contemporáneo llegó a describirla como la «madre del mundo». Situada en el límite meridional de la estepa, se encontraba perfectamente ubicada para tratar con el mundo nómada y, al mismo tiempo, servir como punto de encuentro clave en el eje Oriente-Occidente que formaba la columna vertebral de Eurasia. En palabras de un autor, era una «ciudad encantadora, hermosa, elegante, brillante, amplia y agradable».[26] Por su parte, Rayy, situada al oeste, era conocida como la «puerta del comercio», la «novia de la tierra» y la «creación más hermosa» del mundo.[27] Y también estaba Balj, capaz de rivalizar con cualquier otra ciudad del mundo musulmán; podía alardear de contar con calles espléndidas, edificios magníficos y agua corriente limpia, así como de precios bajos para el consumidor gracias al ajetreado comercio y la competencia que había en ella.[28]

Como las ondas creadas al arrojar una piedra al agua, los efectos se sintieron con mayor intensidad en los centros más cercanos a estos mercados. Inevitablemente, estar en condiciones de tener accesos a los mercados y beneficiarse de ellos suponía una importante ventaja. Las dimensiones de la riqueza en juego eran tales que surgieron presiones entre las agrupaciones tribales de las estepas. La competición por los mejores pastos y recursos hídricos se intensificó, alimentada por la rivalidad en torno al acceso a las ciudades y los emporios comerciales más relevantes. La situación estaba destinada a producir una de las dos reacciones posibles: o las tensiones escalaban y conducían a una fragmentación violenta o surgía una consolidación tanto dentro de cada tribu como entre ellas. La elección era entre luchar o cooperar.

Con el tiempo, emergió un *statu quo*, un equilibrio preciso que trajo estabilidad y una prosperidad considerable a las estepas occidentales. El eje aglutinante formaba parte de la agrupación de tribus turcas que habían terminado dominando la zona al norte de los mares Negro y Caspio. Los jázaros, como se les conocía, gobernaban las estepas al norte del mar Negro y se hicieron cada vez más prominentes debido a la resistencia militar que desplegaron durante el periodo de las grandes conquistas, en las décadas que siguieron a la muerte de Mahoma.[29] Su eficacia contra los ejércitos musulmanes les granjeó el respaldo de una constelación de otras tribus, que se unieron bajo su liderazgo. Y llamó también la atención de los emperadores romanos en Constantinopla, que comprendieron que una alianza con la fuerza dominante en las estepas podía reportarles beneficios mutuos. Tan importante eran los jázaros como aliados que a comienzos del siglo VIII se pactaron dos alianzas matrimoniales entre las casas gobernantes de Jazaria y Bizancio (el nombre que normalmente recibía lo que quedaba del Imperio Romano en este periodo).[30]

Desde el punto de vista de Constantinopla, la capital de Bizancio, los matrimonios imperiales con extranjeros eran inusuales; las alianzas con los nómadas de las estepas no tenían precedentes.[31] Ese desarrollo es un indicio claro de cuán importantes se habían vuelto los jázaros en la estrategia diplomática y militar bizantina en un momento en el que la presión de los musulmanes en la frontera oriental del imperio, en Asia Menor, era intensa. Las recompensas y el prestigio otorgados al líder jázaro, el kan, tuvieron un impacto significativo en la sociedad jázara, pues fortalecieron la posición del jefe supremo y allanaron el camino a la estratificación de la tribu a medida que los obsequios y el estatus se legaban a las élites escogidas dentro de ella. Un efecto adicional fue que otras tribus se sintieron animadas a convertirse en tributarias y pagar a cambio de protección y recompensas. Según Ibn Faḍlān, el kan tenía veinticinco esposas, cada una de las cuales era la hija del jefe de una tribu diferente.[32] Una fuente escrita en hebreo en el siglo IX habla igualmente de las tribus que estaban sometidas a los jázaros, si bien el autor no está seguro de si los tributarios eran veinticinco o veintiocho.[33] Entre los pueblos que reconocían el señorío de los jázaros estaban los polianos, los radmiches y los severianos, lo que les permitió fortalecer su posición y convertirse en la fuerza dominante en la estepa occidental, en lo que hoy es Ucrania y el sur de Rusia.[34]

El aumento creciente de los niveles de comercio y los prolongados periodos de estabilidad y paz desencadenaron una transformación profunda de la sociedad jázara. La forma en que funcionaba la jefatura de la tribu sufrió un cambio, el kan se fue alejando cada vez más de los asuntos cotidianos y la posición evolucionó hacia una especie de majestad sacra.[35] Los estilos de vida también cambiaron. Debido a la fuerte demanda en las regiones vecinas de los productos cultivados, gestionados o elaborados por los jázaros y sus tributarios, así como de los frutos del comercio a larga distancia, comenzaron a brotar asentamientos que con el tiempo se convirtieron en ciudades.[36]

Para comienzos del siglo x, la animada ciudad de Atil servía como capital y sede permanente del kan. Situada a orillas del bajo Volga, era hogar de una población cosmopolita. Tan sofisticada era la ciudad que había tribunales separados para resolver las disputas de acuerdo a derechos consuetudinarios diferentes, presididos por jueces que dictaban sentencia en los litigios entre musulmanes, entre cristianos o entre paganos, al tiempo que existía un mecanismo previsto para resolver cualquier cuestión si el juez era incapaz de alcanzar un veredicto.[37]

Atil, con sus viviendas de fieltro, sus almacenes y su palacio real, fue solo uno de los asentamientos que cambiaron la manera en que vivían los nómadas.[38] Otras ciudades surgieron en territorio jázaro como resultado del aumento de la actividad comercial, por ejemplo Samandar, cuyos edificios de madera se caracterizaban por tener techos abovedados, probablemente según el modelo de la *yurta* tradicional. Para comienzos del siglo IX, había en Jazaria una cantidad suficiente de cristianos como para ameritar el nombramiento no solo de un obispo, sino de un metropolitano (un arzobispo, de hecho) para atender a los fieles.[39] Evidentemente, también había una cantidad considerable de musulmanes en Samandar y Atil, al igual que en otros lugares, algo que se desprende con claridad de las fuentes árabes, en las que se menciona la construcción de un gran número de mezquitas por toda la región.[40]

Aunque los jázaros no adoptaron el islam, sí aceptaron unas nuevas creencias religiosas: a mediados del siglo IX, decidieron convertirse al judaísmo. Hacia 860 llegaron a Constantinopla unos embajadores de Jazaria que querían invitar al país a predicadores que les explicaran los principios fundamentales del cristianismo. «Desde tiempos inmemoriales», dijeron, «hemos conocido un único dios [es decir, Tengri], que lo gobierna todo [...] Ahora, los judíos nos instan a aceptar su religión y sus costumbres, mientras que, por otro lado, los árabes nos atraen a su fe prometiéndonos la paz y gran cantidad de regalos».[41]

En consecuencia, Bizancio envió una delegación con el objetivo de convertir a los jázaros. El grupo estaba encabezado por Constantino, más conocido por su nombre eslavo, Cirilo, y famoso por la creación del alfabeto epónimo que concibió para los eslavos, el cirílico. De camino a Oriente, Constantino, que como su hermano Metodio era un erudito formidable, hizo una pausa y dedicó el invierno a aprender hebreo y familiarizarse con la Torá con el fin de estar en condiciones de debatir con los maestros judíos que también se dirigían a la corte del kan.[42] Cuando llegaron a la capital jázara, los enviados participaron en una serie de debates muy tensos con los rivales a los que se había invitado a presentar el islam y el judaísmo. La erudición de Constantino se impuso a la del resto, o eso se desprende del relato de su vida, una fuente que se apoya sobre todo en sus escritos.[43] Sin embargo, y a pesar de la brillantez de Constantino (el kan llegó a decirle que sus comentarios acerca de la escritura eran tan «dulces como la miel»), la embajada no tuvo el efecto deseado, pues el jefe supremo de los jázaros decidió que el judaísmo era la religión adecuada para su pueblo.[44]

Una versión similar de esta historia seguía contándose un siglo después. La noticia de la conversión de los jázaros había sido recibida con asombro a miles de kilómetros de distancia por las comunidades judías de Occidente, que, con avidez, intentaron averiguar más acerca de quiénes eran esos jázaros y por qué se habían hecho judíos. Se especuló con que podría ser una de las tribus perdidas del antiguo Israel. El polímata Ḥasdai b. Shaprūṭ, que vivía en la ciudad de Córdoba, en al-Ándalus (la España musulmana), finalmente logró contactar con la tribu. Hasta entonces sus esfuerzos por establecer si los jázaros eran realmente judíos, o si eso era solo un cuento propagado por quienes querían ganarse su favor, habían resultado infructuosos. Cuando por fin recibió confirmación de que los jázaros eran de verdad judíos y se enteró de que, además, eran ricos y «muy poderosos y mantienen numerosos ejércitos», se sintió obligado a arrodillarse y adorar al Dios de los cielos. «Ruego por la salud de mi señor, el rey», escribió al kan, «de su familia y de su casa, para que su trono permanezca por siempre. ¡Que sus días y los días de sus hijos se prolonguen en medio de Israel!».[45]

Increíblemente, una copia de la respuesta del kan a esa carta se ha conservado hasta nuestros días. En ella, el rey de los jázaros explica la conversión de la tribu al judaísmo. La decisión de convertirse, escribió el kan, fue el resultado de la gran sabiduría de uno de sus predecesores, que había invitado a la corte a delegaciones de representantes de las diferentes creencias para que expusieran los argumentos en favor de cada una. Habiendo reflexionado acerca de cuál era la mejor forma de llegar a una conclusión certera, el gobernante preguntó a los cristianos cuál era para ellos la mejor fe entre el islam y el judaísmo; cuando le respondieron que la primera era sin duda peor que la última, procedió a preguntar a los mu-

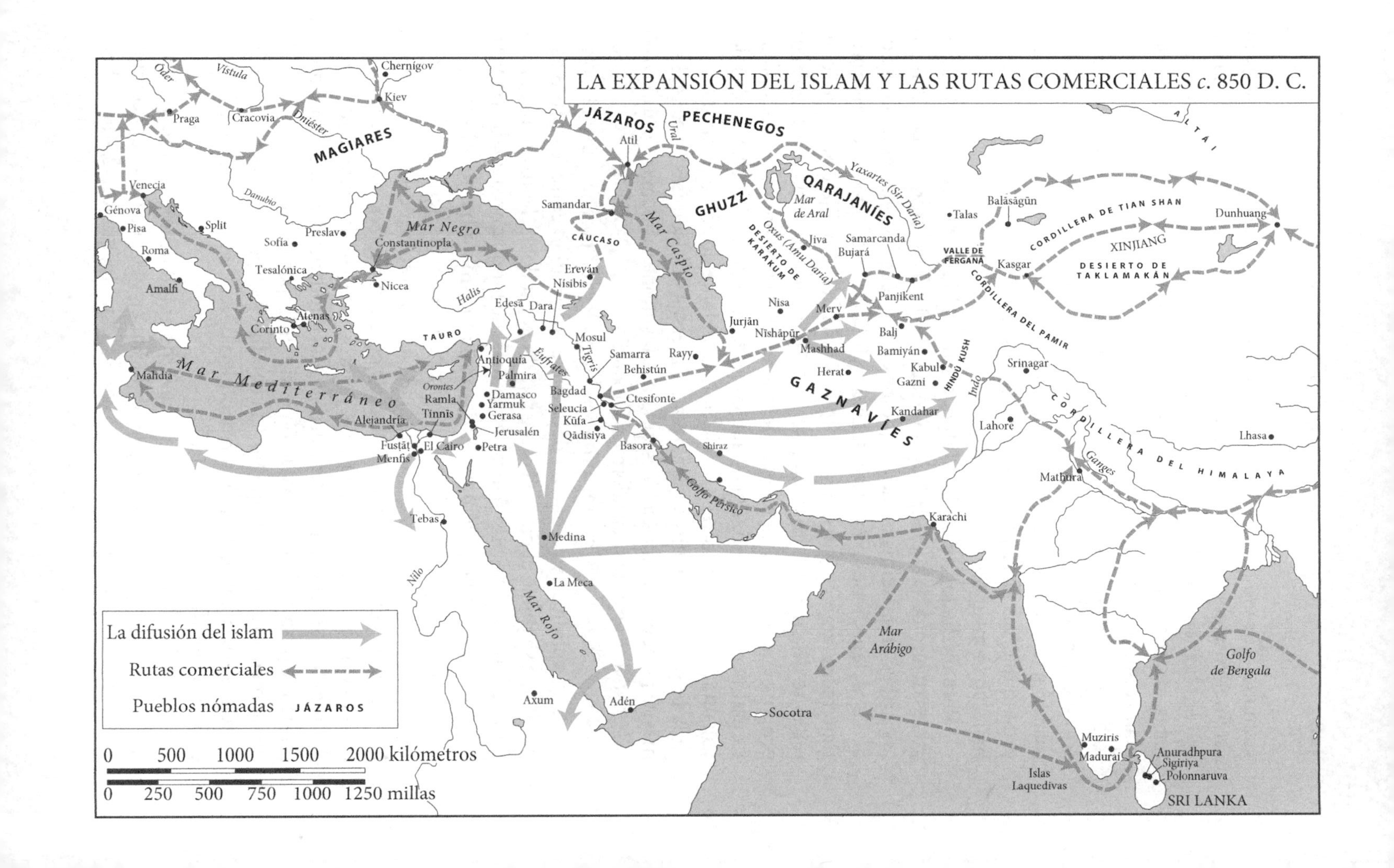
LA EXPANSIÓN DEL ISLAM Y LAS RUTAS COMERCIALES *c.* 850 D. C.
Óder
Vístula
Chernígov
Kiev
Praga
Cracovia
Dniéster
MAGIARES
JÁZAROS
PECHENEGOS
Ural
Atil
A L T A I
Venecia
Génova
Pisa
Split
Roma
Amalfi
Danubio
Sofía
Preslav
Tesalónica
Mar Negro
Constantinopla
Nicea
Samandar
CÁUCASO
Mar Caspio
GHUZZ
QARAJANÍES
Mar de Aral
Yaxartes (Sir Daria)
Oxus (Amu Daria)
DESIERTO DE KARAKUM
Jiva
Samarcanda
Bujará
Panjikent
Talas
Balāsāgūn
VALLE DE FERGANÁ
Kasgar
CORDILLERA DE TIAN SHAN
CORDILLERA DEL PAMIR
XINJIANG
DESIERTO DE TAKLAMAKÁN
Dunhuang
Atenas
Corinto
TAURO
Halis
Edesa
Dara
Ereván
Nísibis
Mosul
Jurjān
Nīshāpūr
Nisa
Merv
Mashhad
Balj
Bamiyán
Herat
Kabul
Gazni
HINDU KUSH
Mar Mediterráneo
Mahdia
Antioquía
Orontes
Palmira
Éufrates
Tigris
Samarra
Rayy
Behistún
Bagdad
Ctesifonte
Seleucia
Kūfa
Qādisiya
Damasco
Yarmuk
Gerasa
Ramla
Tinnīs
Jerusalén
Alejandría
Fusṭāṭ
El Cairo
Menfis
Petra
Basora
Shiraz
GAZNAVÍES
Kandahar
Srinagar
Indo
Lahore
CORDILLERA DEL HIMALAYA
Lhasa
Ganges
Mathura
Golfo Pérsico
Tebas
Nilo
Medina
La Meca
Mar Rojo
Karachi
Mar Arábigo
Golfo de Bengala
Axum
Adén
Socotra
Muziris
Madurai
Islas Laquedivas
Anuradhpura
Sigiriya
Polonnaruva
SRI LANKA
La difusión del islam
Rutas comerciales
Pueblos nómadas JÁZAROS
0 500 1000 1500 2000 kilómetros
0 250 500 750 1000 1250 millas

sulmanes qué era preferible: el judaísmo o el cristianismo. Cuando estos arremetieron contra el cristianismo y respondieron también que el judaísmo era la menos mala de las dos alternativas, el líder jázaro anunció que había tomado una decisión: tanto los cristianos como los musulmanes habían admitido que «la religión de los israelitas es la mejor», declaró, por lo que «confiando en la misericordia de Dios y el poder del Todopoderoso, elijo la religión de Israel, esto es, la religión de Abraham». Dicho esto, mandó a las delegaciones de regreso a sus países, se circuncidó y luego ordenó que sus sirvientes, sus acompañantes y la totalidad de su pueblo hicieran lo mismo.[46]

Para mediados del siglo IX el judaísmo había hecho avances considerables dentro de la sociedad jázara. Además de las referencias en las fuentes árabes al proselitismo de los judíos en las décadas previas a la llegada de las delegaciones a la corte del kan, y el hecho de que las costumbres funerarias también sufrieran una transformación durante este periodo, el reciente descubrimiento de una serie de monedas acuñadas en Jazaria ha proporcionado pruebas sólidas de que el judaísmo había sido adoptado formalmente como religión estatal en la década de 830. Las monedas llevan una leyenda que ofrece un ejemplo excelente de cómo podía adornarse la fe para que resultara atractiva a diversas poblaciones. Apelando al mayor profeta del Antiguo Testamento, las monedas decían: *Mūsā rasūl allāh*, «Moisés es el mensajero de Dios».[47]

Esto quizá fuera menos provocador de lo que parece, pues el Corán enseña explícitamente que no debe haber distinción entre los profetas y que ha de seguirse el mensaje transmitido por todos.[48] Moisés era aceptado y venerado en las enseñanzas islámicas, de modo que su alabanza tampoco tenía nada de polémica. Por otro lado, sin embargo, el reconocimiento del estatus especial de Mahoma como el mensajero de Dios era un elemento central del *adhān*, la llamada a la oración que se realiza desde las mezquitas cinco veces al día. Desde esta perspectiva, al poner el nombre de Moisés en las monedas, los jázaros estaban declarando de forma desafiante que tenían una identidad propia e independiente del mundo islámico. Como en la confrontación entre el Imperio Romano y el mundo musulmán a finales del siglo VII, las batallas se libraban no solo entre los ejércitos, sino también en el terreno ideológico, en el lenguaje e incluso en la iconografía de las monedas.

De hecho, la conversión de los jázaros al judaísmo se había producido a través de dos fuentes. En primer lugar, en el Cáucaso había comunidades judías tradicionales, que se habían establecido allí desde la Antigüedad y a las que el desarrollo económico de la estepa seguramente contribuyó a estimular.[49] Además, según un escritor del siglo X, muchos judíos se animaron a emigrar a Jazaria «desde ciudades musulmanas y cristianas» cuando se difundió la noticia de que allí su religión no solo era tolerada y aprobada oficialmente, sino que buena parte de la élite la practicaba.[50] La correspondencia entre el rey jázaro y Ḥasdai b. Shaprūṭ, también del siglo X, revela que el país reclutaba rabinos de forma activa, al tiempo que se construían escuelas y sinagogas para garantizar la correcta enseñanza del judaísmo; de hecho, muchos cronistas mencionan los edificios religiosos esparcidos por las ciudades de Jazaria, así como tribunales en los que las decisiones se alcanzaban después de consultar la Torá.[51]

El segundo desencadenante del aumento del interés por el judaísmo provino de los comerciantes que llegaban allí desde muy lejos, atraídos por la emergencia de Jazaria como gran emporio comercial internacional, no solo entre la estepa y el mundo islámico, sino entre Oriente y Occidente. Como atestiguan numerosas fuentes, los judíos eran una comunidad muy activa en el comercio a larga distancia y desempeñaban una función muy similar a la que tenían los sogdianos como vínculo entre China y Persia por la época en que se produjo el ascenso del islam.

Los comerciantes judíos eran expertos políglotas; según una fuente contemporánea, hablaban con fluidez «árabe, persa, latín, franco, andaluz y eslavo».[52] Desde el Mediterráneo, donde residían, viajaban con regularidad a la India y China, de donde regresaban con almizcle, palo de áloe, alcanfor, canela «y otros productos orientales» con los que comerciaban a lo largo de la cadena de puertos y poblaciones que atendían los mercados de La Meca, Medina y Constantinopla, así como las ciudades del Tigris y el Éufrates.[53] Asimismo, utilizaban las rutas terrestres que atravesaban Asia Central rumbo a China, ya fuera vía Bagdad y Persia o pasando por territorio jázaro de camino a Balj y la ribera oriental del río Oxus.[54] Uno de los puntos más importantes de este eje era Rayy, justo al sur del mar Caspio (en el moderno Irán), una ciudad en la que se vendían mercancías procedentes del Cáucaso, del Oriente, de Jazaria y otros lugares de las estepas. Al parecer, antes de llegar a Rayy, los artículos debían pasar por la ciudad de Jurjān (Gorgán, en el norte de Irán), donde presumiblemente se cobraban los impuestos de aduana. «Lo más asombroso», escribió un autor árabe en el siglo X, «es que este es el emporio del mundo».[55]

También de Escandinavia llegaron comerciantes atraídos por las oportunidades en oferta. Cuando pensamos en los vikingos, invariablemente evocamos imágenes de los ataques en Gran Bretaña e Irlanda a través del mar del Norte y de los *drakkares*, esos barcos largos con proas en forma de dragón, surgiendo de entre la niebla repletos de hombres armados, listos para la violación y el pillaje. O quizá pensemos en la cuestión de si los vikingos consiguieron llegar a Norteamérica siglos antes de expediciones como la de Cristóbal Colón. No obstante, en la era de los vikingos los hombres más valientes y tenaces no se encaminaban hacia el oeste, sino hacia el este y el sur. Muchos hicieron fortuna y adquirieron fama no solo en su territorio, sino en las nuevas tierras que conquistaron. Además, la marca que dejaron no fue mínima y transitoria, como lo fue en Norteamérica. En el este fundarían un nuevo estado, al que dieron nombre los comerciantes, viajeros y saqueadores que se adentraron por las grandes redes hídricas que unían el Báltico con el mar Caspio y el mar Negro. A estos hombres se los conocía como los rus', o *rhos*, quizá por el llamativo color rojo de su pelo o, lo que es más probable, por su destreza con los remos. Ellos se convertirían en los padres de Rusia.[56]

Lo que inicialmente espoleó a los vikingos a zarpar rumbo al sur fue el atractivo del comercio y las riquezas del mundo islámico. Desde el comienzo del siglo IX, los escandinavos empezaron a entrar en contacto tanto con el mundo de la estepa como con el califato de Bagdad. Entonces comenzaban a proliferar los asentamientos a lo largo de los ríos Óder, Nevá, Volga y Dniéper, y nuevos centros brotaban con rapidez como mercados por derecho propio y como estaciones comerciales para los mercaderes que llevaban y traían productos desde y hacia el sur. Stáraya Ládoga, Rúrikovo Gorodische, Belozersk y Nóvgorod (literalmente, «ciudad nueva») fueron los nuevos puntos que extendieron las grandes rutas comerciales de Eurasia hacia los confines de la Europa septentrional.[57]

Los vikingos rus' adaptaron y redujeron los *drakkares*, tan celebrados en la imaginación popular, para que fuera posible cargarlos a lo largo de distancias cortas, de un río o lago a otro. Un texto compilado en Constantinopla a mediados del siglo X, y basado en la información recabada por los agentes bizantinos, relata los peligros que era necesario sortear en el viaje hacia el sur. En el Dniéster, por ejemplo, había unos rápidos que eran particularmente traicioneros: un canal estrecho tenía en medio una serie de rocas letales «que sobresalen como islas. Contra estas el agua golpea y se alza y va a estrellarse al otro lado, produciendo un potente y terrorífico estruendo». Este obstáculo había sido apodado con mordacidad: «No te quedes dormido».[58]

Como el mismo texto señala, los rus' eran sumamente vulnerables, pues agotados tras atravesar los rápidos eran víctimas fáciles para grupos de asaltantes agresivos. Los nómadas pechenegos aguardaban al acecho mientras los viajeros sacaban los botes del agua y entonces atacaban, se apoderaban de la mercancía y desaparecían en el paisaje. Los guardias tenían órdenes de mantenerse en el máximo estado de alerta ante la posibilidad de un ataque repentino. Tan aliviados se sentían los escandinavos cuando conseguían superar estos peligros que se reunían luego en una isla y sacrificaban gallos jóvenes o clavaban flechas en los árboles sagrados como señal de gratitud a los dioses paganos.[59]

Los hombres que lograban llegar sanos y salvos a los mercados alrededor de los mares Caspio y Negro tenían, como mínimo, que ser fuertes. «Tienen un gran vigor y resistencia», anota con admiración un cronista musulmán.[60] Los rus', escribió Ibn Faḍlān, era altos «como palmeras», pero aún más importante era el hecho de que siempre iban armados y eran peligrosos. «Cada uno de ellos porta un hacha, una espada y un cuchillo.»[61]

Se comportaban como una banda de delincuentes curtidos. Para empezar, si bien peleaban juntos contra los enemigos, recelaban muchísimo unos de otros. «Nunca van a aliviarse solos», observa un escritor, «sino que siempre [van] con tres compañeros que los vigilen, espada en mano, pues tienen poca confianza los unos en los otros». Ninguno vacilaría en robar a un colega, incluso aunque eso implicara tener que matarlo.[62] De forma regular participaban en orgías, en las que tenían sexo unos frente a otros con desenfreno. Si alguno caía enfermo, se le dejaba atrás. Y su aspecto inducía al engaño: «Desde la punta de los pies hasta el cuello, todo hombre va tatuado de verde oscuro, con diseños y demás».[63] Eran hombres duros para tiempos duros.

Participaban activamente en el comercio de cera, ámbar y miel, así como en el de espadas, que eran excelentes y gozaban de gran admiración en el mundo de lengua árabe. Sin embargo, era otra línea de negocio la que resultaba más lucrativa, la fuente de las vastas cantidades de dinero que fluyeron hacia el norte, remontando el sistema fluvial de Rusia rumbo a Escandinavia. Eso ha quedado demostrado con el descubrimiento de gran cantidad de sedas de primera calidad procedentes de Siria, Bizancio e incluso China en tumbas de Suecia, Dinamarca, Finlandia y Noruega, seguramente una fracción minúscula de los textiles que en su momento llegaron hasta allí.[64]

Sin embargo, son los testimonios monetarios los que hablan con más claridad acerca de las dimensiones de los negocios realizados con estas regiones distantes. Hallazgos de monedas, asombrosamente ricos, bordean los grandes ríos que fluyen hacia el norte y se han recuperado también a lo largo y ancho de Rusia septentrional, Finlandia, Suecia y, sobre todo, en Gotland (la isla más grande de Suecia), lo que demuestra que los vikingos rus' ganaron enormes sumas de dinero a través del comercio con los musulmanes y la periferia del califato de Bagdad.[65] Un destacado especialista en la historia del dinero calcula que la cantidad de monedas de plata producto del comercio con las tierras del islam que llevaron de regreso se contaban por decenas y acaso incluso cientos de millones (en términos modernos, equivaldría a una industria de muchos miles de millones de dólares).[66]

De hecho, las recompensas tenían que ser considerables para justificar la distancia y los peligros que conllevaba viajar a un lugar tan lejano de Escandinavia como el mar Caspio: un recorrido de casi cinco mil kilómetros. Para generar beneficios sustanciales era necesario vender en gran volumen, lo que probablemente no tiene nada de sorprendente. Eran varias las mercancías que se enviaban al sur, pero la más importante de todas eran los esclavos. Había mucho dinero que ganar traficando con seres humanos.

## Capítulo 7

# LA RUTA DE LOS ESCLAVOS

Los rus' eran implacables cuando se trataba de esclavizar a las poblaciones locales y transportarlas al sur. Famosos por «su tamaño, su físico y su valentía», los vikingos rus' carecían de «campos de cultivo y viven del pillaje», de acuerdo con un escritor árabe.[1] Era la población local la que llevaba la peor parte. Tantos y tantos fueron hechos prisioneros que el nombre de los cautivos, eslavos, terminó usándose para designar a todos aquellos a los que se les arrebataba la libertad: esclavos.

Los rus' eran cuidadosos con los prisioneros: «Tratan bien a los esclavos y los visten de forma apropiada porque para ellos son un artículo de comercio», señala un contemporáneo.[2] A los esclavos se los transportaba a lo largo de los sistemas fluviales y permanecían encadenados mientras se sorteaban los rápidos.[3] Las mujeres bellas, en particular, eran muy apreciadas; se las vendía en Jazaria y Bulgaria del Volga a comerciantes que se encargarían de llevarlas más al sur (aunque no antes de que sus captores hubieran tenido relaciones sexuales con ellas una última vez).[4]

La esclavitud era un componente vital de la sociedad vikinga y un importante renglón de su economía, y no solo tuvo lugar en el este. Un número considerable de testimonios literarios y materiales de las islas británicas evidencia que uno de los propósitos más comunes de los ataques de los *drakkares* no eran las violaciones y pillajes indiscriminados de la imaginación popular, sino hacer cautivos.[5] «Sálvanos, oh Señor», implora en una plegaria un creyente del siglo IX oriundo de Francia, «de los salvajes nórdicos que destruyen nuestro país; se llevan [...] a nuestros chicos jóvenes y vírgenes. Os rogamos que nos libres de este mal».[6] A lo largo de las rutas utilizadas por los esclavistas se han encontrado grilletes, esposas y candados, en especial en Europa septentrional y oriental, y nuevas investigaciones han propuesto que los corrales que previamente se pensaba que eran para el ganado, en realidad, estaban diseñados para encerrar a las personas que iban a ser vendidas en lugares como Nóvgorod, donde el mercado se encontraba en la intersección de la calle principal y la calle de los Esclavos.[7]

Tan desenfrenado era el deseo de beneficiarse del comercio de esclavos que, aunque algunos escandinavos obtenían licencias de los gobernantes locales para saquear nuevas regiones y tomar prisioneros, otros estaban más que dispuestos a ponerse cadenas los unos a los otros: «Tan pronto como el uno atrapa al otro», según escribe en el siglo XI un clérigo de Europa septentrional que estaba bien informado. Y que no tenía dudas acerca de lo que ocurría a continuación: a la primera oportunidad «lo venderá como esclavo bien sea a uno de sus coterráneos o a un bárbaro».[8]

Muchos esclavos se destinaban a Escandinavia. Como se recoge en «La canción de Rig» (*Rígsþula*), un famoso poema en nórdico antiguo, la sociedad estaba dividida en tres categorías sencillas: aristocracia (*jarlar*), hombres libres (*karlar*) y esclavos (*ðrælar*).[9] Pero muchos otros eran enviados a donde se pagaban bonitas sumas por buenos especímenes, y en ningún lugar la demanda era mayor o más grande el poder adquisitivo que en los boyantes y ricos mercados de Atil, que eran los que surtían a Bagdad y demás ciudades de Asia, así como al resto del mundo musulmán, incluidos el norte de África y España.

La capacidad del mundo musulmán para pagar precios altos y la disposición a hacerlo proporcionaron grandes recompensas y sentaron la base que estimuló la economía de Europa septentrional. A juzgar por los hallazgos numismáticos, se produjo un aumento repentino del comercio en la última parte del siglo IX, una época de gran crecimiento en el Báltico, el sur de Suecia y Dinamarca, en la que ciudades como Hedeby, Birka, Wolin y Lund se expandieron con rapidez. La proliferación de yacimientos por un área cada vez más amplia a lo largo de los ríos de Rusia muestra una intensificación pronunciada de los niveles de intercambio, con un aumento marcado del número de monedas acuñadas en Asia Central, sobre todo en Samarcanda, Taskent (al-Shāsh), Balj y otros lugares situados a lo largo de las rutas tradicionales del comercio, el transporte y las comunicaciones en lo que en la actualidad es Afganistán.[10]

En estos centros, donde había efectivo en abundancia, la demanda de esclavos era enorme, y no solo de los procedentes del norte. Una gran cantidad se importaba del África subsahariana: un único traficante alardeaba de haber vendido más de doce mil esclavos negros en los mercados de Persia.[11] También se capturaban esclavos entre las tribus turcas de Asia Central, los cuales, según anota un autor de este periodo, eran muy apreciados debido a su coraje e ingenio. Cuando se trataba de elegir «los esclavos más preciosos», señalaba otro cronista, los mejores eran los «oriundos de la tierra de los turcos. No hay nada que iguale a los esclavos turcos entre todos los esclavos de la tierra».[12]

La comparación con la esclavitud en el Imperio Romano, un área que ha sido estudiada con mayor detalle, permite hacernos una idea del tamaño probable del comercio de esclavos. Las investigaciones recientes sostienen que en el apogeo de su poder el imperio necesitaba entre doscientos cincuenta mil y cuatrocientos mil esclavos nuevos cada año para mantener constante la población esclava.[13] Asumiendo que la demanda de esclavos fuera análoga, el hecho de que las dimensiones del mercado formado por los territorios de lengua árabe, desde España hasta Afganistán, fueran considerablemente mayores sugiere que el número de esclavos que se vendían allí debía de superar con creces las cifras romanas. Aunque las limitaciones de las fuentes con que contamos resultan frustrantes, los hechos que refieren permiten hacernos una idea aproximada del fenómeno. Un testimonio, por ejemplo, habla de un califa y su esposa, cada uno de los cuales tenía mil esclavas; mientras que de otro potentado dice que poseía no menos de cuatro mil. Los esclavos en el mundo musulmán eran tan ubicuos (y silenciosos) como en Roma.[14]

Roma también constituye una comparación útil en lo relativo a la forma en la que los esclavos eran comprados y vendidos. En el mundo romano, existía entre los ricos una competencia intensa por hacerse con los valiosos cautivos traídos desde más allá de las fronteras del imperio (una curiosidad apreciada por su aspecto inusual y como tema de conversación). Las preferencias personales también eran un factor importante; así, por ejemplo, un aristócrata acaudalado insistía en tener esclavos a juego, todos igual de atractivos y todos de la misma edad.[15] Entre los musulmanes ricos abrigaban ideas similares, como se desprende con claridad de las guías que se escribían para ayudar en el proceso de compra. «De todas las [esclavas] negras», escribe un autor del siglo XI, «las nubias son las más simpáticas, amables y corteses. Tienen el cuerpo delgado y la piel suave y están bien proporcionadas [...] respetan a sus amos como si hubieran sido creadas para servir». Las mujeres del pueblo beja, cuyas tierras estaban en los actuales territorios de Sudán, Eritrea y Egipto, «tienen una tez dorada, rostros hermosos, cuerpos delicados y pieles tersas; si se las saca de su país mientras todavía son jóvenes, pueden convertirse en agradables compañeras de cama». Hace mil años, el dinero no podía comprar el amor, pero sí ayudar a tener lo que se quería.[16]

Otras guías ofrecían indicaciones igualmente útiles. «Cuando desee comprar esclavos, sea cauto», escribe el autor del *Qābūs-nāma*, otro texto persa del siglo XI. «La compra de varones es un arte difícil porque muchos esclavos parecen ser buenos», pero luego resultan ser todo lo contrario. «La mayoría de las personas imagina que comprar esclavos es igual a cualquier otra forma de comercio», añade el auto; de hecho, la habilidad de comprar esclavos «es una rama de la filosofía».[17] Guardaos de los rostros amarillentos, una señal segura de hemorroides; cuidaos también de los hombres bendecidos con un buen aspecto, pelo lacio y ojos bellos: «El hombre que posee tales cualidades o bien es demasiado aficionado a las mujeres o propenso a actuar como alcahuete». Ante una posible compra, haced que se eche, luego debéis «presionar en ambos costados y observar con atención» en busca de cualquier señal de inflamación o dolor; y aseguraos bien de que carece de «defectos ocultos» como el mal aliento, la sordera, la tartamudez o durezas en la base de los dientes. Seguid todas estas instrucciones (junta a muchas otras más), declaraba el autor, y no os decepcionaréis.[18]

A lo largo y ancho de Europa central prosperaron los mercados de esclavos, surtidos con hombres, mujeres y niños a la espera de un traficante que los llevara a Oriente o, también, a la corte de Córdoba, donde en 961 había más de trece mil esclavos eslavos.[19] Para mediados del siglo X, Praga se había convertido en un importante centro comercial que atraía a los comerciantes, tanto vikingos rus' como musulmanes, interesados en la compra y venta de estaño, pieles y personas. Otras ciudades de Bohemia también eran buenos lugares para comprar harina, cebada, gallinas y, por supuesto, esclavos, todo a precios muy razonables, según un viajero judío.[20]

El envío de esclavos como regalo a los gobernantes musulmanes era frecuente. A comienzos del siglo X, por ejemplo, una embajada de la Toscana llegó a la corte del califa abasí al-Muktafī, en Bagdad, con una selección de obsequios de gran valor que incluía espadas, escudos, perros de caza y aves de presa. Entre los demás regalos ofrecidos como muestra de amistad había veinte eunucos eslavos y veinte jovencitas eslavas particularmente hermosas. La flor de la juventud de una parte del mundo se exportaba para satisfacer a quienes vivían en la otra.[21]

La participación en el comercio a larga distancia estaba tan extendida que cuando Ibrāhīm ibn Yaʿqūb pasó por Maguncia, quedó asombrado con lo que encontró en los mercados de la ciudad: «Es extraordinario», escribió, «que uno pueda hallar, en regiones tan lejanas del oeste, plantas aromáticas y especies que solo se cultivan en el Lejano Oriente, como la pimienta, el jengibre, el clavo, el nardo y la galanga. Estas plantas se importan todas de la India, donde crecen en abundancia». Pero eso no fue lo único que le sorprendió: también lo hizo el hecho de que se usaran como moneda dinares de plata, algunos de ellos acuñados en Samarcanda.[22]

De hecho, el impacto e influencia de las monedas del mundo islámico se habían percibido incluso más lejos, y continuaría siendo así durante algún tiempo. Hacia el año 800, en Inglaterra, el rey Offa de Mercia, constructor del famoso dique que protegía sus tierras de las incursiones de los galeses, copió el diseño de las monedas de oro musulmanas en sus propias monedas. Las que acuñó llevaban en una cara la leyenda «Offa rex» (rey Offa) y en la otra una copia imperfecta del texto árabe, que probablemente muy pocos en su reino entendían.[23] Un gran tesoro hallado en Cuerdale, en Lancashire, y conservado hoy en el Museo Ashmolean de Oxford, contiene también muchas monedas abasíes acuñadas en el siglo IX. El hecho de que la divisa hubiera alcanzado el páramo de atraso que eran entonces las islas británicas es un indicio de cuán lejos se habían expandido los mercados del mundo islámico.

La venta de esclavos era lo que se pagaba por las importaciones que empezaron a inundar Europa en el siglo IX. Las especias y los medicamentos que en las fuentes se tornan cada vez más visibles como objetos de lujo sumamente deseables o productos médicos de primera necesidad se financiaban mediante el tráfico de seres humanos a gran escala.[24] Y los vikingos rus' no eran los únicos que se beneficiaban de la demanda casi insaciable de esclavos: los mercaderes de Verdún, por ejemplo, obtuvieron ganancias inmensas vendiendo eunucos, por lo general a compradores musulmanes en España; los judíos dedicados al comercio a larga distancia también estaban muy involucrados en la venta tanto de eunucos como de «chicas y chicos jóvenes», según parecen indicar algunas fuentes árabes de este periodo.[25]

Asimismo, otras fuentes mencionan la función desempeñada por los mercaderes judíos en el transporte de «esclavos [y] chicos y chicas» desde Europa, y la castración de los varones jóvenes, una operación que llevaban a cabo al llegar a su destino (una especie de horripilante procedimiento de certificación).[26] El tráfico de esclavos prometía buenos rendimientos, y esa fue una de las razones por las que a Oriente no solo llegaron esclavos europeos: según se cuenta, los empresarios musulmanes también decidieron entrar en el negocio y hacer incursiones en tierras eslavas desde el oriente de Irán, aunque, se señala explícitamente, a los cautivos «se les dejaba la virilidad intacta, los cuerpos inmaculados».[27]

Con todo, esos cautivos también podían terminar convertidos en eunucos, pues estos eran muy apreciados. Si se toma a un par de gemelos eslavos, escribió un autor árabe del periodo, y se castra a uno, este sin duda se hará más habilidoso y tendrá «una inteligencia y una conversación más animadas» que el hermano, el cual seguirá siendo ignorante y necio y exhibirá la ingenuidad innata de los eslavos. La castración, se pensaba, purificaba y mejoraba la mente eslava.[28] Ahora bien, explicaba la misma fuente, esto no funcionaba con «los negros», cuyas «aptitudes naturales» se veían afectadas de forma negativa por la operación.[29] Tan grandes fueron las dimensiones del tráfico de esclavos eslavos que este dejó su impronta en la lengua árabe: la palabra «eunuco» (*ṣiqlabī*) proviene del término étnico empleado para designar a los eslavos (*ṣaqālibī*).

Los comerciantes musulmanes eran sumamente activos en el Mediterráneo. Hombres, mujeres y niños capturados en todas partes de Europa septentrional llegaban a Marsella, donde había un mercado de compra y venta de esclavos con mucho movimiento, a menudo tras pasar por algún mercado secundario, como el de Ruan, donde esclavos irlandeses y flamencos eran vendidos a terceros.[30] Roma era otro centro clave del tráfico de esclavos, si bien algunos encontraban repugnante esa actividad. En 776, el papa Adriano I censuró el comercio de seres humanos como ganado y condenó la venta de hombres y mujeres a «la atroz raza de los sarracenos». Algunos, afirmaba, abordaban voluntariamente los barcos que se dirigían a Oriente, pues debido al hambre y la pobreza agobiante que padecían «no tenían otra esperanza de seguir con vida». No obstante, escribió, «nosotros nunca nos hemos rebajado a un acción tan oprobiosa» como la venta de hermanos cristianos, «y Dios no permita que lo hagamos».[31] La esclavitud estaba tan generalizada en el Mediterráneo y en el mundo árabe que aún hoy existen formas normales de saludar que contienen referencias al tráfico de seres humanos. En toda Italia las personas se saludan unas a otras diciéndose *schiavo*, una palabra procedente del dialecto veneciano. *Ciao*, la forma más común de escribirla y pronunciarla, no significa «hola», sino «soy tu esclavo».[32]

Hubo otros que opinaron que el cautiverio de cristianos y su venta a amos musulmanes era imposible de defender. Uno de ellos fue Remberto, obispo de Bremen, que a finales del siglo IX solía recorrer los mercados de Hedeby (un asentamiento en lo que hoy sería la frontera entre Alemania y

Dinamarca) redimiendo a los cautivos que profesaban la fe cristiana (pero no a los que no lo hacían).[33] No todos compartían esa sensibilidad. Entre quienes no tenían escrúpulos en lo referente al tráfico de seres humanos estaban los habitantes de una laguna poco prometedora situada en el extremo septentrional del Adriático. La riqueza acumulada gracias al comercio de esclavos y el sufrimiento humanos sentaría las bases para la transformación del lugar en una de las joyas de la corona del Mediterráneo medieval: Venecia.

Los venecianos resultaron ser excepcionalmente buenos a la hora de hacer negocios. De los pantanos surgió una ciudad deslumbrante, adornada con iglesias espléndidas y hermosos *palazzi* construidos con las lucrativas ganancias del fecundo comercio con Oriente. Aunque la ciudad representa hoy una visión gloriosa del pasado, la chispa que desencadenó el crecimiento de Venecia surgió de la voluntad de vender como cautivas a las generaciones futuras. Los mercaderes habían empezado a participar en el tráfico de esclavos ya en la segunda mitad del siglo VIII, en los albores mismos del nuevo asentamiento de Venecia, pero pasó algún tiempo antes de que los beneficios y las utilidades comenzaran a fluir en volúmenes significativos. Que finalmente lo hicieran lo indica una serie de tratados redactados un siglo más tarde con la que los venecianos acordaban cumplir ciertas restricciones relacionadas con la venta de esclavos, lo que incluía devolver a otras ciudades de Italia a aquellos esclavos que hubieran sido llevados a Venecia ilegalmente. Estas negociaciones fueron en parte una reacción al éxito creciente de la ciudad, un intento de cortar las alas de quienes se sentían amenazados por su opulencia.[34]

A corto plazo, las restricciones se sortearon realizando incursiones en Bohemia y Dalmacia para capturar a no cristianos y luego venderlos con una buena ganancia.[35] A largo plazo, sin embargo, el negocio volvió a la normalidad. Los tratados de finales del siglo IX sugieren que Venecia sencillamente engatusó a los gobernantes locales, a los que les preocupaba que en la ciudad no solo estuvieran vendiéndose esclavos, sino también hombres libres. A los venecianos se les acusaba de vender a sabiendas a los súbditos de las tierras vecinas, sin importar si eran o no cristianos.[36]

Con el tiempo, el comercio de esclavos empezó a menguar, al menos desde Europa oriental y central. Una razón para ello fue que los vikingos rus' cambiaron el tráfico a larga distancia por el negocio de la extorsión. Su atención se concentró en los beneficios que reportaba a los jázaros el comercio que pasaba por ciudades como Atil, gracias a los impuestos que se cobraban a todas las mercancías que transitaban por territorio jázaro. El

*Hudūd al-ʿĀlam*, un famoso tratado de geografía persa, afirma que los ingresos fiscales eran la base de la economía jázara: «El bienestar y la riqueza del rey de los jázaros se deben en su mayoría a los impuestos marítimos».[37] Otros cronistas musulmanes señalan en repetidas ocasiones las considerables cantidades que las autoridades jázaras recaudaban a través de los impuestos a las actividades comerciales (lo que incluía los gravámenes cobrados a los habitantes de la capital).[38]

Como quizá era inevitable, eso llamó la atención de los vikingos rus', que se fijaron también en el tributo que pagaban al kan las distintas tribus sometidas a su mandato. Los rus' las vencieron una a una y estas redirigieron su lealtad (y sus pagos) a sus nuevos y violentos señores. Para la segunda mitad del siglo IX, las tribus eslavas del centro y sur de Rusia no solo pagaban tributo a los escandinavos, sino que tenían prohibido hacer cualquier desembolso adicional «a los jázaros, con el argumento de que no había razón para pagarles». En su lugar, el pago debía hacerse al jefe rus'.[39] Esto reproducía lo ocurrido en otros lugares, como Irlanda, donde la extorsión reemplazó gradualmente al tráfico de seres humanos: según se recoge en los *Annales Bertiniani*, después de haber sido atacados año tras año, los irlandeses aceptaron hacer contribuciones anuales a cambio de paz.[40]

En el este, no pasó mucho tiempo antes de que la presencia cada vez más fuerte de los rus' se tradujera en una confrontación abierta con los jázaros. Después de lanzar una serie de asaltos contra las comunidades de comerciantes musulmanes del mar Caspio que «derramaron ríos de sangre» y continuaron hasta que los rus' «se atiborraron con los botines y se cansaron de saquear», los propios jázaros se convirtieron en objetivo de los ataques.[41] En 965 Atil fue saqueada y destruida por completo. «Si quedó una hoja en una rama, uno de los rus' la arrancó», escribió un cronista; en Jazaria «no queda ni una uva, no queda ni una pasa».[42] Los jázaros, de hecho, fueron eliminados de la ecuación, y los beneficios del comercio con el mundo musulmán fluyeron en cantidades todavía mayores hacia Europa septentrional, como demuestran la gran cantidad de tesoros numismáticos hallados a lo largo de los ríos navegables de Rusia.[43]

Para finales del siglo X, los rus' se habían convertido en la fuerza dominante en las estepas occidentales, controlando un territorio que se extendía desde el Caspio, abarcaba el norte del mar Negro y llegaba hasta el Danubio. Una fuente menciona la vitalidad de los mercados que ahora ellos supervisaban, en los que era posible comprar «oro, seda, vino y diversas frutas de Grecia, plata y caballos de Hungría y Bohemia, y pieles, cera, miel y esclavos de los rus'».[44] Sin embargo, la autoridad que ejercían sobre estas tierras no era absoluta. Las relaciones con los pueblos nómadas eran con frecuencia explosivas debido a la competencia por los recursos, como evidencia la ejecución ritual de un destacado líder rus' por parte de los nómadas pechenegos: la captura del príncipe se celebró con regocijo y el cráneo, forrado de oro, se conservó como trofeo de la victoria y se usaba para realizar brindis ceremoniales.[45]

No obstante, a lo largo del siglo X el control que los rus' tenían de los ríos navegables y las estepas se fortaleció, y las rutas de comunicación hacia el sur se hicieron cada vez más seguras. Este proceso estuvo acompañado por una transformación gradual de la orientación comercial, religiosa y política. Una razón para esto fue que después de casi trescientos años de estabilidad y opulencia, el califato de Bagdad sufrió una serie de trastornos. La prosperidad había servido para debilitar los lazos entre el centro y las regiones de la periferia, lo que a su vez creó posibilidades de fricción a medida que los potentados locales acumulaban poder y entraban en conflicto unos con otros. Los peligros potenciales que esto planteaba se hicieron reales cuando la insurgencia chií saqueó Basora en 923, siete años antes de que La Meca fuera atacada y la Piedra Negra sagrada robada de la Kaaba.[46]

Una serie de inviernos inusualmente severos entre las décadas de 920 y 960 contribuyó a empeorar la situación. Las condiciones eran tan graves que la escasez de comida empezó a ser cada vez más habitual. No era excepcional que la gente se viera obligada a «recoger los granos de cebada del estiércol de los caballos y los asnos para comérselos», escribió un autor; con frecuencia estallaban disturbios y desórdenes civiles.[47] Como cuenta un cronista armenio, después de siete años seguidos de cosechas fallidas en la década de 950, «muchos enloquecieron» y se atacaron unos a otros de forma insensata.[48]

El malestar interno permitió que una nueva dinastía, los búyidas, se hicieran con el control político en gran parte del territorio nuclear del califato en Irán e Irak, al tiempo que mantenían como hombre de paja al califa, cuyos poderes se vieron reducidos enormemente. Por otro lado, en Egipto el régimen se derrumbó por completo. En una «primavera árabe» —en versión del siglo X—, los musulmanes chiíes que previamente habían logrado establecer en el norte de África un emirato más o menos independiente de los califatos suníes de Bagdad y Córdoba avanzaron hacia la capital egipcia, Fusṭāṭ. En 969, aprovechándose de la mortandad y el hambre causadas por el catastrófico fracaso de las inundaciones anuales del Nilo, la revolución se propagó por el norte de África.[49] Los nuevos señores, los fatimíes, eran musulmanes chiíes y, por ende, tenían una visión muy diferente acerca de la legitimidad y la autoridad y acerca del verdadero legado de Mahoma. Su ascenso tenía implicaciones graves para la unidad del mundo musulmán: empezaban a abrirse grietas y plantearse preguntas clave acerca del pasado, el presente y el futuro del islam.

El levantamiento, y la disminución resultante de las oportunidades comerciales, fue una de las razones que hicieron que los vikingos rus' dirigieran cada vez más atención a los ríos Dniéper y Dniéster, que fluyen hacia el mar Negro, en lugar de seguir el curso del Volga hasta el Caspio, desinteresándose progresivamente del mundo musulmán para concentrarse en el imperio bizantino y la gran ciudad de Constantinopla, fabulada en el folclor nórdico como Mikli-garðr (o Miklagard), esto es, literalmente, «la gran ciudad». Los bizantinos miraban con recelo la atención que les prestaban los rus', por lo menos desde 860, cuando un asalto temerario había tomado completamente por sorpresa a la población (y a las defensas) de la ciudad. ¿Quiénes son estos guerreros «feroces y salvajes», se lamentaba el patriarca de Constantinopla, que «asolan la periferia destruyéndolo todo, atravesándolo todo con la espada, sin apiadarse de nada, sin perdonar a nadie»? Los primeros en morir, continuaba, fueron en realidad afortunados, pues al menos se salvaron de conocer las calamidades que llegaron a continuación.[50]

El acceso de los rus' a los mercados de Constantinopla estaba estrictamente regulado por las autoridades. Un tratado del siglo X señala que a la ciudad solo podían entrar a la vez un máximo de cincuenta rus' y tenían que hacerlo por una puerta determinada; al entrar, se registraban los nombres y luego se vigilaban las actividades que realizaban en la ciudad; había restricciones sobre lo que podían y no podían comprar.[51] Se reconocía que eran hombres peligrosos a los que era necesario tratar con precaución. No obstante, las relaciones empezaron a normalizarse finalmente a medida que ciudades como Nóvgorod, Chernígov y sobre todo Kiev fueron evolucionando de estaciones comerciales a centros fortificados y residencias permanentes.[52] La adopción del cristianismo por el príncipe rus' Vladimiro en 988 también fue un acontecimiento importante, porque condujo a la creación de una red eclesiástica atendida en un comienzo por clérigos enviados desde Constantinopla y, también, debido a los inevitables préstamos culturales que fluyeron hacia el norte desde la capital imperial. Los efectos de esas influencias se hicieron omnipresentes, desde los iconos y los artefactos religiosos hasta el diseño de las iglesias y la forma de vestir de la población rus'.[53] A medida que la economía se hizo más mercantil, la belicosa sociedad rus' se fue tornando más urbana y cosmopolita.[54] Desde Bizancio se exportaban artículos suntuosos como vino, aceite y seda, y los comerciantes redactaban las facturas y los recibos en trozos de corteza de abedul.[55]

El que los rus' redirigieran su mirada del mundo musulmán a Constantinopla fue el resultado de un cambio pronunciado en Asia occidental. Por un lado, varios emperadores sucesivos habían sabido aprovechar el malestar y la incertidumbre que existían en el califato abasí. Durante las conquistas musulmanas, Bizancio había perdido muchas de sus provincias orientales y eso condujo a una reorganización esencial de la administración provincial del imperio. En la primera mitad del siglo X, la corriente empezó a cambiar. Una por una, las bases de Anatolia que habían sido utilizadas para lanzar ataques contra el territorio imperial fueron recuperadas. Se reconquistaron Creta y Chipre, lo que devolvió la estabilidad al Mediterráneo oriental y el Egeo, que durante décadas habían estado a merced de los piratas árabes. Luego, en 969, se consiguió tomar la gran ciudad de Antioquía, un importantísimo emporio comercial y centro de producción textil.[56]

Este cambio de suerte creó en el mundo cristiano una sensación de resurgimiento. Asimismo, supuso una redirección significativa de los recursos y las rentas hacia Constantinopla; los impuestos y aduanas que previamente fluían hacia el califato en Bagdad ahora llenaban las arcas imperiales. Esto marcó el comienzo de una edad de oro para Bizancio, un periodo de renacimiento artístico e intelectual entre filósofos, eruditos e historiadores, de construcción a gran escala de iglesias y monasterios y de financiación de instituciones como la escuela de derecho para formar a los jueces que habían de supervisar la gestión de un imperio expandido. Bizancio se convirtió también en el principal beneficiario de la ruptura de las relaciones entre Bagdad y Egipto a finales del siglo X. Al terminar la década de 980, el emperador Basilio II llegó a un acuerdo para establecer vínculos comerciales formales con el recién proclamado califa fatimí, a quien prometió que en las oraciones diarias de la mezquita de Constantinopla se proclamaría su nombre en lugar del de su rival, el califa abasí de Bagdad.[57]

A los boyantes mercados de la capital imperial, alimentados por el crecimiento económico y demográfico, el califato abasí replicaba con introspección e incertidumbre. El resultado fue la reorientación de las rutas comerciales desde Oriente, que ahora tendían a evitar el interior del continente, y llegaban al mar Rojo a través de Jazaria y el Cáucaso. Las rutas terrestres que habían hecho florecer a Merv, Rayy y Bagdad fueron reemplazadas por el transporte a través de las rutas marítimas. El impulso que recibieron Fusṭāṭ, El Cairo y sobre todo Alejandría fue inconfundible, con las clases medias creciendo con rapidez a medida que aumentaba la prosperidad de estas ciudades.[58] Bizancio estaba bien situado, y pronto comenzó a disfrutar de los frutos de sus nuevas relaciones con los fatimíes: desde finales del siglo X, como dejan claro los testimonios árabes y hebreos, los buques mercantes estaban constantemente entrando y saliendo de los puertos egipcios rumbo a Constantinopla.[59]

Los textiles egipcios se convirtieron en un artículo muy apreciado a lo largo y ancho del Mediterráneo oriental. El lino producido en Tinnīs era tan solicitado que Nāṣir-i Jusraw, uno de los grandes escritores y viajeros persas de este periodo, escribió: «He oído que el emperador de Bizancio en una ocasión mandó un mensaje al sultán de Egipto diciéndole que cambiaría un centenar de ciudades de su reino solo por Tinnīs».[60] La aparición en Egipto de comerciantes amalfitanos y venecianos desde la década de 1030 —los genoveses llegarían tres décadas después— evidencia que más allá de Constantinopla otros estaban atentos a la apertura de nuevas fuentes de mercancías.[61]

Desde el punto de vista de los rus' y de las nuevas redes comerciales del norte, los cambios que sufrieron las principales rutas para la comercialización de las especies, la seda, la pimienta, las maderas nobles y otras mercancías procedentes de Oriente no tuvieron un impacto significativo: no había necesidad de elegir entre la Constantinopla cristiana y la Bagdad musulmana. Por el contrario, contar con dos mercados potenciales en los cuales comprar y vender era, si acaso, mejor que tener solo uno. La seda llegaba a Escandinavia en cantidades considerables, como atestigua la recuperación de más de un centenar de fragmentos de seda en el extraordinario barco desenterrado en Oseberg (Noruega) y también en tumbas vikingas, donde las sedas procedentes del mundo bizantino y Persia se sepultaban junto a los hombres que las habían poseído como objetos de prestigio.[62]

A mediados del siglo XI todavía había quienes pensaban que podían labrarse una fortuna en los territorios islámicos del este, como lo habían hecho sus antepasados. Un ejemplo de ello nos lo proporciona la piedra rúnica que, por esa época, una mujer llamada Tóla instaló en los alrededores del lago Mälar, cerca de Estocolmo (Suecia), para honrar a su hijo Haraldr y sus compañeros de armas. «Como hombres, recorrieron un largo camino en busca de oro», declara; tuvieron éxitos, pero luego murieron «en el sur, en Serkland», es decir, en la tierra de los sarracenos, los musulmanes.[63] Otro ejemplo es la piedra dejada por Gudleif en memoria de su hijo, Slagve, que «encontró el fin en el este, en Jorasmia».[64] Asimismo, textos como la saga de Ingvar el Caminante, hermano de Haraldr, conmemoran las ambiciosas andanzas que llevaban a los escandinavos a aventurarse en el mar Caspio y aún más lejos. De hecho, investigaciones recientes sugieren que es posible que en este periodo se estableciera una colonia vikinga permanente en el golfo Pérsico.[65]

Con todo, la atención se concentraba cada vez más en el oriente cristiano y en Bizancio. A medida que los horizontes de Europa occidental se expandían, crecía el interés por visitar la tierra en la que Jesucristo había vivido y resucitado de entre los muertos. Peregrinar a Jerusalén se convirtió en una fuente de renombre comprensible.[66] El contacto con la Ciudad Santa también sirvió para subrayar el escaso patrimonio cristiano de Europa occidental, en particular cuando se lo comparaba con el del imperio bizantino. El traslado de reliquias a Constantinopla fue un proceso que empezó en el siglo IV con Helena, la madre del emperador Constantino. Para el siglo XI, la ciudad albergaba colecciones extraordinarias que, era la creencia generalizada, incluían reliquias como los clavos usados para crucificar a Jesús, la corona de espinas, la túnica que los soldados se habían echado suertes y partes de la Vera Cruz, además de pelo de la Virgen María y la cabeza de Juan el Bautista, entre otras muchas cosas.[67] En comparación, era muy poco lo que había digno de mención en los relicarios de Europa: aunque los reyes, las ciudades y las fundaciones eclesiásticas se habían hecho más ricos, apenas tenían conexión material con la historia de Jesucristo y los discípulos.

Jerusalén y Constantinopla, la patria y la salvaguardia del cristianismo, atraían a un número creciente de hombres al oriente cristiano, y en particular a la capital imperial, a donde llegaban para comerciar, prestar servicio o, sencillamente, de paso en su camino hacia Tierra Santa. Los hombres procedentes de Escandinavia y las islas británicas eran bienvenidos en la guardia varega, el cuerpo de élite que tenía a su cargo la seguridad del emperador. Servir en esta brigada se convirtió en un rito de paso; ese fue el caso, por ejemplo, de Haraldr Sigurðarson, más tarde rey de

Noruega (y mejor conocido como Harald Hardrada), que formó parte de la guardia antes de regresar a su país.[68] En el siglo XI la llamada de Constantinopla resonaba con fuerza por toda Europa. Los documentos demuestran que en ese periodo vivían en ella hombres llegados de Gran Bretaña, Italia, Francia y Alemania, así como de Kiev, Escandinavia e Islandia. Comerciantes procedentes de Venecia, Pisa, Amalfi y Génova establecieron colonias en la ciudad con el fin de comprar mercancías y exportarlas a sus ciudades.[69]

Los lugares que entonces importaban no estaban en París o Londres, en Alemania o Italia, sino en el este. Las ciudades que conectaban con Oriente eran relevantes, como Jersón, en Crimea, o Nóvgorod, poblaciones que estaban unidas a las «rutas de la seda» que recorrían la columna vertebral de Asia. Kiev se convirtió en uno de los centros clave del mundo medieval, algo que resulta evidente en los enlaces matrimoniales de la casa gobernante en la segunda mitad del siglo XI. Las hijas de Yaroslav el Sabio, que reinó como gran príncipe de Kiev hasta 1054, se casaron con el rey de Noruega, el rey de Hungría, el rey de Suecia y el rey de Francia. Uno de sus hijos contrajo matrimonio con la hija del rey de Polonia, mientras que otro tomó por esposa a un miembro de la familia imperial de Bizancio. Los matrimonios celebrados en la siguiente generación fueron incluso más impresionantes. Las princesas rus' desposaron al rey de Hungría, al rey de Polonia y al poderoso emperador alemán Enrique IV. Entre otras parejas ilustres destaca la formada por Gytha y Vladímir II Monómaco, el gran príncipe de Kiev: ella era hija de Haroldo II, rey de Inglaterra, que murió en la batalla de Hastings en 1066. La familia reinante en Kiev era la dinastía mejor relacionada de Europa.

Un conjunto de ciudades y asentamientos en constante crecimiento se desplegaron en todas direcciones a lo largo y ancho de Rusia, cada uno como una nueva perla que se añadía a la cadena. Ciudades como Liúbech, Smolensk, Minsk y Pólatsk ascendieron como antes lo habían hecho Kiev, Chernígov y Nóvgorod. El proceso era exactamente el mismo que ya habían conocido Venecia, Génova, Pisa y Amalfi, centros cuya riqueza y poder seguían aumentando: la clave para el crecimiento eran los negocios con el este.

Lo mismo puede decirse de Italia meridional. En uno de los logros más llamativos de la alta Edad Media, los mercenarios normandos que habían llegado a comienzos del siglo XI atraídos por Apulia y Calabria se convirtieron en una fuerza destacada en el Mediterráneo. En el lapso de una generación, derrocaron a los bizantinos que les pagaban y luego dirigieron su atención a Sicilia, entonces mayoritariamente musulmana, una lucrativa escala comercial y, desde un punto de vista estratégico, una posición vital que unía el norte de África con Europa y permitía controlar el Mediterráneo.[70]

En cada caso lo que impulsó el ascenso al poder fue el comercio y el acceso a mercancías deseables. Y en este sentido, en última instancia importaba poco dónde se encontraba la línea divisoria entre el cristianismo y el islam, o si los mejores mercados estaban en Constantinopla, Atil, Bagdad o Bujará (o, para el siglo XI en Mahdia, Alejandría o El Cairo). A pesar de la insistencia de muchas fuentes en que la política de alto nivel y la religión eran muy importantes, para la mayoría de mercaderes y comerciantes semejantes cuestiones no pasaban de ser complicaciones que era mejor evitar por completo. De hecho, el problema no era dónde comerciar o con quién hacerlo, sino cómo pagar por los artículos de lujo con los que podía obtenerse un beneficio sustancial. Entre los siglos VIII y X, la mercancía fundamental había sido la de los esclavos. Pero cuando la mayoría de las economías de Europa occidental y oriental se hicieron más robustas, galvanizadas por el flujo de cantidades enormes de las monedas de plata acuñadas en el mundo islámico, las ciudades crecieron y la población aumentó. Y al ocurrir eso, los niveles de interacción se intensificaron, lo que a su vez condujo a la necesidad de monetizar el comercio, es decir, basar los intercambios en dinero en lugar de, por decir algo, pieles. A medida que se producía esta transición y las sociedades locales se tornaban más complejas y sofisticadas, surgió una nueva estratificación y emergieron las clases medias urbanas. El dinero, en lugar de los seres humanos, empezó a ser la moneda de cambio para el comercio con Oriente.

En una nítida imagen especular, las fuerzas magnéticas que movían a los hombres desde Europa se estaban sintiendo también en Oriente. Las fronteras establecidas por las conquistas musulmanas y la expansión en Asia Central comenzaron a disolverse en el siglo XI. Durante mucho tiempo, las distintas dinastías musulmanas de Asia Central habían empleado hombres de las estepas en sus ejércitos, tal y como lo había hecho el califato en Bagdad (y de la misma forma en que, justo en esa época, lo hacían los emperadores bizantinos con los hombres procedentes de Europa septentrional y occidental). Dinastías como los samánidas habían reclutado activamente soldados de las tribus turcas, por lo general como *ghulām*, o soldados esclavos. Pero a medida que se empezó a depender de ellos cada vez más, dejaron de ser solo miembros de la tropa para asumir posiciones de mando y no pasó mucho tiempo antes de que los oficiales de mayor rango comenzaran a considerar la posibilidad de hacerse con el poder ellos mismos. Se daba por hecho que el servicio militar ofrecía oportunidades a los ambiciosos; lo que no se había previsto era que además pudiera entregar las llaves del reino.

Los resultados fueron impresionantes. Para comienzos del siglo XI, los descendientes de un general-eslavo turco establecieron un nuevo imperio alrededor de la ciudad de Gazni (en lo que hoy es el este de Afganistán) con capacidad para llevar al campo de batalla un ejército tan grande que un contemporáneo comparó a las tropas con una miríada de «langostas u hormigas, innumerables e inconmensurables como las arenas del desierto».[71] Los gaznavíes conquistaron un territorio que se extendía desde el este de Irán hasta el norte de la India y se convirtieron en grandes mecenas de las artes visuales y la literatura. Apoyaron la obra de escritores excepcionales como Firdawsī, autor de la espléndida epopeya *Shāhnāma*, una de las joyas de la poesía persa durante la alta Edad Media, si bien las investigaciones más recientes sugieren que el gran poeta probablemente no viajó a Afganistán para presentar su obra en persona a la corte, como durante mucho tiempo se ha dado por sentado.[72]

Los turcos qarajaníes fueron otros de los beneficiarios del debilitamiento del centro imperial en Bagdad. En su caso, se hicieron con el control de Transoxiana, al establecer su reino al norte de Amu Daria (el gran río Oxus, que fluye a lo largo de la frontera de los modernos Uzbekistán y Turkmenistán) y acordar con los gaznavíes que el río había de marcar el límite entre sus respectivos territorios.[73] Como sus vecinos, los qarajaníes apoyaron a una escuela de eruditos floreciente. El texto conservado más famoso quizá sea el *Dīwān lughāt al-turk* [Colección de los dialectos turcos] de Maḥmūd al-Kāshgharī, que asume que el centro del mundo se encuentra en Balāsāgūn, la capital qarajaní en Asia Central, y lo representa en un hermoso mapa que dice mucho acerca de cómo veía el mundo este brillante polímata.[74]

En este periodo se produjeron muchos otros textos de una riqueza fabulosa, obras que permiten hacernos una idea del refinamiento (y las inquietudes) de una sociedad vibrante y opulenta. Un texto que destaca especialmente es el *Kutadgu Bilig* [El libro de la sabiduría que trae la felicidad eterna], escrito a finales del siglo XI en túrquico qarajaní por Yūsuf Khāṣṣ Ḥājib. El volumen está lleno de consejos que van desde la insistencia en cuánto más sensato es que un gobernante responda a los problemas con calma que con furia hasta las recomendaciones que debe tener en cuenta un magnate para celebrar un buen banquete. Mientras que los libros modernos de etiqueta resultan exasperantes con sus frívolas afirmaciones acerca de cuestiones obvias, es difícil no dejarse cautivar por un autor que, hace mil años, instaba a los gobernantes a prepararse adecuadamente para ofrecer una buena velada: «Mandad limpiar las tazas y las servilletas. Purificad la casa y el salón, y disponed el mobiliario. Escoged viandas y bebidas que sean saludables, apetitosas y limpias de modo que vuestros invitados puedan comerlas para deleite de sus corazones». Aseguraos de mantener los vasos llenos, continúa el consejo, y atended a cualquiera que llegue tarde con gentileza y generosidad: nadie debe salir nunca de un festín hambriento o renegando.[75]

Los potentados arribistas tenían necesidad de tales consejos, pues probablemente se sentían tan incómodos en su pellejo como los nuevos ricos de nuestros días, ansiosos por tener el diseño de interiores adecuado y los platos y bebidas correctos en la mesa cuando lleguen los invitados (con agua aderezada con confitura de rosa, asegura el autor del *Kutadgu Bilig*, era imposible equivocarse). Sin embargo, algunos de los más decididos renunciaron a la idea de organizar una corte propia y disfrutar de platos sofisticados, y en lugar de ello centraron su mente en el mayor de todos los premios: Bagdad. Desde finales del siglo X, los selyúcidas, descendientes de un líder originario de la constelación de tribus g̱uzz (cuyo territorio se encontraba principalmente en el actual Kazajstán), empezaron a ganar fuerza. Expertos en cambiar de bando en el momento oportuno, ofrecían sus servicios a los gobernantes locales a cambio de las recompensas apropiadas, lo que pronto comenzó a traducirse en poder real. Entre finales de la década de 1020 y finales de la de 1030, los selyúcidas consiguieron con gran habilidad poner una ciudad tras otra bajo su control, con Merv, Nīshāpūr y Balj rindiéndose sucesivamente. Luego, en 1040, vencieron a los gaznavíes en el campo de batalla al infligir una derrota aplastante a un ejército enemigo numéricamente superior en Dandanakan.[76]

El ascenso meteórico de los selyúcidas de soldados esclavos a dinastía con una influencia y un poder extraordinarios se confirmó en 1055 cuando entraron en Bagdad por invitación del califa y expulsaron a los impopulares e ineficaces búyidas. Se acuñaron monedas inspiradas en su líder, Ṭughrıl Beg, y se dio la orden de pronunciar la *ḫuṭba* en su nombre, es decir, pedir la bendición para su gobierno durante las oraciones diarias. En una demostración adicional del dominio derivado de su posición en

Bagdad y la totalidad del califato, se le otorgaron dos nuevos títulos: *al-Sulṭān Rukn al-Dawla* y *Yamīn Amīr al-Muʾminīn*, es decir, Pilar del Estado y Elegido del Príncipe de los Creyentes.[77]

Eso no estuvo exento de ironía. Los nombres de los hijos del fundador epónimo de la dinastía sugieren que los selyúcidas eran originalmente cristianos o, quizá, incluso judíos. Con nombres como Miguel, Israel, Moisés y Jonás, es probable que se contaran entre la población de las estepas que había sido evangelizada ya fuera por los misioneros mencionados por el patriarca Timoteo o bien por los comerciantes que introdujeron a los jázaros en el judaísmo.[78] Aunque el momento y las circunstancias de su conversión al islam no son claras, es evidente que, dada la velocidad de su avance, resultaba difícil aferrarse a unas creencias religiosas minoritarias entre las multitudes musulmanas sin perder legitimidad. Es posible que si su triunfo hubiera sido más pausado, el mundo hubiera empezado a cambiar, con un estado emergente en Oriente gobernado por una dinastía cristiana o judía. Siendo la situación la que era, los selyúcidas optaron por convertirse. Y fue así como unos advenedizos no musulmanes de los márgenes del califato se encontraron convertidos en guardianes del legado de Mahoma, paladines del islam y señores de uno de los imperios más poderosos de la historia.

Los bizantinos habían empezado a preocuparse por el auge de los selyúcidas incluso antes de que se hicieran con el poder en la capital abasí. Su inexorable ascenso había incitado a otros nómadas de la periferia a lanzar asaltos cada vez más osados en el interior de los Balcanes, el Cáucaso y Asia Menor, donde las poblaciones locales quedaban atónitas ante la velocidad de los ataques. Sus caballos, señala un cronista, eran «veloces como águilas, con pezuñas sólidas como rocas». Se abalanzaban sobre las ciudades «con la insaciabilidad con que los lobos hambrientos devoran la comida».[79]

En un intento equivocado de apuntalar las defensas en el este, el emperador Romano IV Diógenes partió de Constantinopla con un gran ejército para conocer el desastre en 1071, en Manzikert, donde las fuerzas bizantinas fueron tomadas por sorpresa y humilladas. En una batalla famosa que sigue celebrándose en nuestros días como el momento en que nació el estado de Turquía, el ejército imperial fue rodeado y aplastado y el emperador fue hecho prisionero. El sultán selyúcida, Alp Arslan, obligó al líder bizantino a echarse en el suelo y le puso el pie en el cuello.[80]

Lo cierto era que los selyúcidas y el régimen de Bagdad estaban mucho menos preocupados por el imperio bizantino que por el califato fatimí en el Egipto chií. Las dos fuerzas pronto entraron en conflicto, enfrentadas por el control de Jerusalén. Entre tanto, se establecieron con Constantinopla unas relaciones no tanto cordiales como de verdadero apoyo, gracias al solapamiento del interés mutuo que unos y otros tenían en acabar con las bandas que rondaban por Asia Menor, las cuales estaban empleando la clásica estrategia esteparia de lanzar ataques y buscar luego que se les pagara a cambio de la paz. Para los bizantinos, esto amenazaba con trastocar la frágil economía de las provincias; para los selyúcidas, representaba un desafío a la autoridad del jefe supremo que advertía que estaban surgiendo caudillos con ideas muy por encima de su posición. Durante casi dos décadas, el emperador y el sultán cooperaron, con conversaciones de alto nivel en las que se llegó incluso a plantear la posibilidad de un enlace matrimonial que uniera a las dos casas en el poder. Sin embargo, hacia la década de 1090 el equilibrio se derrumbó cuando el mundo selyúcida se precipitó en una serie de crisis sucesivas que permitieron que los ambiciosos jefes de Asia Menor subieran la apuesta y se crearan feudos que los hacían prácticamente independientes de Bagdad (y una espina clavada en el costado de Bizancio).[81]

Una calamidad tras otra terminaron por poner de rodillas al imperio bizantino con rapidez. Teniendo pocas cartas que jugar, el emperador tomó una decisión drástica y envió solicitudes de ayuda a potentados de toda Europa, incluido el papa, Urbano II. Apelar al papado era un intento desesperado de evitar que Bizancio siguiera balanceándose al borde del abismo, y no estaba exento de riesgos: cuarenta años antes, una escalada en las tensiones entre las iglesias de Roma y Constantinopla había resultado en un cisma que terminó con los patriarcas y emperadores excomulgados y los sacerdotes amenazándose mutuamente con el fuego ardiente del infierno. Aunque parte de la discusión giraba alrededor de cuestiones doctrinarias, en particular la de si el Espíritu Santo procede del Hijo al igual que del Padre, en el fondo se trataba de un enfrentamiento más amplio por el control de los fieles cristianos. Contactar con el papa implicaba restar importancia a las divisiones a la vez que buscar el modo de reconstruir las relaciones, dos cosas que eran difíciles de hacer.[82]

En marzo de 1095, los enviados del emperador hallaron al papa Urbano II en Piacenza, donde «imploraron a su señoría y a todos los fieles en Cristo ayuda contra los paganos por la defensa de esta santa iglesia, que para entonces había sido casi aniquilada en esa región por los infieles que la habían conquistado hasta llegar a las murallas de Constantinopla».[83] El papa comprendió en el acto lo que estaba en juego y adoptó medidas. Se encaminó al norte de los Alpes y celebró un concilio eclesiástico en Clermont, donde anunció que era el deber de los caballeros cristianos marchar en socorro de sus hermanos en Oriente. A continuación, Urbano inició una gira agotadora para recabar el apoyo de los principales magnates europeos, sobre todo en Francia, y conseguir, persuadiéndolos con halagos y promesas, que participaran en una gran expedición que terminaría en la Ciudad Santa de Jerusalén. El momento trágico que vivía Oriente parecía ser la oportunidad para unir de nuevo a la Iglesia.[84]

La llamada a las armas cayó en terreno abonado. En las décadas previas a la petición de ayuda del papa, un número cada vez mayor de peregrinos cristianos habían ido a visitar los Santos Lugares. Las noticias viajaban con rapidez en un mundo en el que existían amplios vínculos entre Europa occidental y Constantinopla. Con las rutas de peregrinación prácticamente cerradas debido a los trastornos en Asia Menor y Oriente Próximo, y los informes alarmantes que circulaban acerca del avance de los turcos en Anatolia y el sufrimiento de los cristianos en el este, sobre el que ofrecían testimonios vívidos, muchos quedaron convencidos de que el apocalipsis era inminente. La llamada a las armas de Urbano tuvo una respuesta masiva: en 1096 decenas de miles de hombres partieron rumbo a Jerusalén.[85]

Como evidencian las fuentes, en este caso abundantes, la mayoría de quienes se encaminaron hacia el este lo hicieron motivados por la fe y los relatos de horrores y atrocidades, que para ellos tenían fundamento. Sin embargo, aunque la cruzada se recuerda principalmente como una guerra de religión, sus implicaciones más importantes eran mundanas. Estaba a punto de empezar la primera gran lucha entre las potencias de Europa por estatus, riquezas y prestigio en tierras lejanas, un conflicto desencadenado por la comprensión de las recompensas que estaban en juego. Tanto habían cambiado las cosas que, de repente, Occidente se disponía a plantarse más cerca del corazón del mundo.

# Capítulo 8

# LA RUTA DEL CIELO

El 15 de julio de 1099 Jerusalén cayó en manos de los caballeros de la primera cruzada. El viaje a Oriente había sido casi insoportablemente difícil. Muchos de los que partieron nunca llegaron a la Ciudad Santa: murieron en la batalla o víctimas de las enfermedades o el hambre o bien fueron hechos prisioneros. Cuando los cruzados por fin llegaron a Jerusalén, derramaron lágrimas de felicidad y alivio al acercarse a las murallas de la ciudad.[1] Y cuando tras un asedio de seis semanas finalmente cedieron, los atacantes estaban prestos para derramar sangre. Como refiere un testigo presencial de la carnicería que siguió a continuación, Jerusalén pronto se llenó de cuerpos sin vida; los cadáveres se apilaban «en montículos tan grandes como casas afuera de las puertas de la ciudad. Nadie había oído nunca de una matanza semejante».[2] «Si hubieras estado allí», escribe otro autor unos pocos años después, «los pies se te habrían manchado hasta el tobillo con la sangre de los caídos. ¿Qué diré? No se dejó a nadie con vida. Ni las mujeres ni los niños se salvaron».[3]

La noticia de la captura de la Ciudad Santa se propagó como un reguero de pólvora. Los jefes de la expedición se convirtieron en personas populares de la noche a la mañana. Hubo uno, sobre todo, que cautivó la imaginación del público: Bohemundo, el hijo de una leyenda normanda que se había forjado un nombre en el sur de Italia y Sicilia, fue la estrella de los primeros relatos de la cruzada. Guapo —lo que suele ser conveniente—, ojos azules, mentón fuerte y liso, pelo corto y muy bien cuidado, Bohemundo demostró su valor y astucia en acciones que le pusieron en boca de toda Europa occidental. Cuando regresó del Levante a comienzos del siglo XII se le agasajó como a un héroe, las multitudes lo rodeaban allí donde iba y en todas partes le plantaban delante novias potenciales para que eligiera.[4]

Bohemundo parecía la encarnación de todo lo que representaba el nuevo mundo que estaba surgiendo. Desde la perspectiva de los cronistas latinos de la época, era el talismán perfecto para la definitiva transferencia del poder de Oriente a Occidente. Los valientes caballeros que habían marchado miles de kilómetros hasta Jerusalén habían salvado a la cristiandad. La Ciudad Santa había sido liberada por los cristianos, no por los cristianos ortodoxos del imperio bizantino, sino por los de Normandía, Francia y Flandes, que eran los que formaban la abrumadora mayoría de la expedición. Ellos fueron los que expulsaron a los musulmanes de una ciudad que llevaban siglos controlando. Las predicciones desoladoras sobre el apocalipsis inminente que se oían por doquier la víspera de la cruzada fueron ahora reemplazadas por el optimismo, la confianza estridente y la ambición. En un lapso de cinco años, se pasó de temer el fin del mundo a dar la bienvenida al nacimiento de una nueva era: una era dominada por Europa occidental.[5]

Se fundaron nuevas colonias en ultramar (literalmente, al otro lado del mar) gobernadas por nuevos señores cristianos. La expansión del poder europeo era bien visible: Jerusalén, Trípoli, Tiro y Antioquía, todas ahora bajo control de los europeos, comenzaron a regirse mediante leyes consuetudinarias importadas del Occidente feudal que tenían efecto sobre todos los ámbitos, desde los derechos de propiedad de los recién llegados hasta la recaudación de impuestos y los poderes del rey de Jerusalén. Oriente Próximo estaba siendo remodelado para que funcionara como Europa occidental.

A lo largo de los dos siglos siguientes, se dedicó un enorme esfuerzo a conservar los territorios conquistados durante la primera cruzada y el periodo posterior. El papado buscó una y otra vez infundir en los caballeros de Europa la idea de que tenían la obligación de defender Tierra Santa. Servir al rey de Jerusalén era servir a Dios. Este mensaje, transmitido siempre con elocuencia, tuvo una amplia circulación y resultó convincente: muchos hombres marcharon a Oriente en este periodo, y algunos de ellos se convirtieron en caballeros templarios, una orden nueva particularmente popular cuya mezcla fervorosa de servicio militar, devoción y beatería poseía un glamur embriagador.

La ruta a Jerusalén se convirtió en la ruta al mismísimo cielo. En 1095, justo en el comienzo de la primera cruzada, el papa Urbano II había declarado que quienes tomaran la cruz y se unieran a la expedición a Tierra

Santa recibirían la absolución por sus pecados. Esa promesa evolucionó durante el curso de la campaña, donde surgió la idea de que aquellos que perdían la vida en la batalla contra los infieles estaban en el camino hacia la salvación. Ir a Oriente era hacer un viaje en esta vida y el modo de alcanzar el paraíso en la siguiente.

Mientras en el Occidente cristiano los relatos sobre el triunfo del cristianismo, el papado y los caballeros resonaban de púlpito en púlpito y de taberna en taberna, en sermones, canciones y versos, en el mundo musulmán la reacción fue en su mayoría de apatía. Aunque hubo algunos esfuerzos conjuntos para lidiar con los cruzados antes de la captura de Jerusalén e inmediatamente después, la resistencia fue local y limitada. Algunos quedaron perplejos ante esa actitud de no intervención. Se cuenta que un juez de Bagdad irrumpió furioso en la corte del califa para censurar la falta de reacción ante la llegada de los ejércitos europeos: «¿Cómo osáis amodorraros a la sombra de una seguridad complaciente», dijo a quienes se encontraban presentes, «llevando vidas frívolas como jardines de flores, mientras vuestros hermanos en Siria no tienen otro lugar en el que morar salvo las monturas de los camellos y el vientre de los buitres?». Tanto en Bagdad como en El Cairo había una conformidad tácita con lo ocurrido, una actitud basada en la sensación de que quizá la ocupación cristiana fuera preferible al control de la ciudad por sus rivales, chiíes o suníes, respectivamente. Aunque el discurso del juez hizo llorar a algunos de los que rodeaban al califa, la mayoría se mantuvo impasible, y no hizo nada.[6]

El éxito de la primera cruzada no trajo ningún consuelo a los judíos de Europa o Palestina, que fueron testigos de actos de violencia atroces perpetrados por los cruzados, en teoría tan nobles. En Renania se masacró a mujeres, niños y ancianos en una repentina escalada antisemita. Los judíos estaban pagando el precio del cambio de enfoque de Europa, que dirigía ahora su atención y sus fuerzas hacia Oriente.[7] La sed de sangre estaba directamente relacionada con la idea de que los judíos eran los culpables de la crucifixión de Jesús y de que los cristianos de Europa debían mantener las tierras de Israel. Nada iba a entorpecer las nuevas posiciones que se estaban estableciendo en el Levante.

La cruzada tampoco fue una historia triunfal en lo que respecta a los bizantinos, pues difícilmente podía serlo. Detrás del éxito militar de la cruzada y su icono, Bohemundo, había una historia menos heroica: un relato no de logros gloriosos y triunfos espectaculares, sino de la traición artera que sufrió el imperio. Todos los jefes de la expedición habían conocido en persona al emperador Alejo I cuando pasaron por la capital imperial en 1096-1097 y juraron, sobre las reliquias de la Santa Cruz, que devolverían a Bizancio todas las ciudades y territorios que conquistaran y que previamente le hubieran pertenecido.[8] Cuando la expedición empezó a hacerse eterna, Bohemundo se obsesionó por encontrar el modo de escabullirse de ese compromiso y quedarse con las recompensas, la mayor de las cuales era la gran ciudad de Antioquía.

Aprovechó la oportunidad cuando se consiguió tomar la ciudad tras un sitio desgastador. En uno de los puntos muertos más dramáticos de la época, se le confrontó en la basílica de San Pedro en Antioquía y se le retó a defender su negativa a entregar la ciudad al emperador bizantino tal y como se le había prometido. Como le recordó solemnemente Raimundo de Tolosa, el más poderoso de todos los jefes cruzados: «Juramos por la Cruz del Señor, la corona de espinas y muchas otras reliquias santas que no conservaríamos sin el consentimiento del emperador ninguna ciudad o castillo dentro de sus dominios». Bohemundo se limitó a declarar que los juramentos habían quedado sin efecto porque Alejo no había cumplido con su parte del trato; y dicho eso, sencillamente se negó a seguir adelante con la expedición.[9]

Una prueba de la genialidad de la campaña de propaganda organizada a comienzos del siglo XII para situar a Bohemundo justo en el centro del triunfo de la cruzada es el hecho de que no se mencionara que el supuesto héroe no estaba ni remotamente cerca de la Ciudad Santa cuando esta cayó. Después de un retraso de casi un año, el tiempo dedicado a intentar resolver en vano el callejón sin salida de Antioquía, el ejército cruzado finalmente partió sin él. De modo que cuando los caballeros desfilaron en procesión alrededor de Jerusalén para dar gracias a Dios antes de empezar el asedio de la ciudad, algunos de ellos descalzos como muestra de humildad, Bohemundo se encontraba a centenares de kilómetros de distancia, mandando sobre su nueva presa, que se había asegurado gracias a la obstinación e impiedad más puras.[10]

Lo que animó a Bohemundo a plantarse en Antioquía y la región circundante fue la constatación de que el Mediterráneo oriental ofrecía oportunidades excepcionales. En este sentido, la captura de la ciudad fue apenas una nueva manifestación de la fuerza magnética que, durante décadas y siglos, había estado arrastrando hasta allí a los hombres ambiciosos y capaces de Europa septentrional y occidental. Es posible que la cruzada se recuerde sobre todo como una guerra de religión, pero lo cierto es que también fue un trampolín para la acumulación de riqueza y poder en grandes cantidades.

La negativa de Bohemundo a entregar Antioquía y su comportamiento agresivo y mezquino (quienes le apoyaban, por ejemplo, hicieron circular por toda Europa historias odiosas acerca de Alejo) no tomó precisamente por sorpresa a los bizantinos. Y no fueron los únicos a los que les ocurrió eso. Hubo otros que no mostraron ninguna clase de entusiasmo por la cruzada desde el principio, en particular Roger de Sicilia, que formaba parte de una generación mayor que había hecho fortuna y no quería ver comprometida su posición. Según un historiador árabe, Roger desdeñó el plan de atacar Jerusalén e intentó enfriar los ánimos de aquellos a los que entusiasmaban las perspectivas de nuevas colonias cristianas en el Mediterráneo. Tras escuchar el plan para tomar Jerusalén, «Roger levantó una pierna y soltó un sonoro pedo. "Por la verdad de mi religión", dijo "hay más utilidad en esto que en lo que tenéis que decir"». Cualquier avance contra los musulmanes pondría en peligro su relación con figuras destacas en el norte de África, ya que causaría fricciones e interrumpiría el comercio, por no mencionar los problemas que el ataque crearía en Sicilia, donde la población musulmana era significativa. A la pérdida de beneficios resultante, dijo, sería necesario sumar el descenso de los ingresos derivados de la producción agraria, pues las exportaciones inevitablemente se resentirían. «Si estáis decididos a librar la guerra santa contra los musulmanes», dijo, hacedlo. Pero dejad a Sicilia bien fuera de ella.[11]

Había razones para la inquietud que manifestaban personajes como Roger de Sicilia. Los mercados del Mediterráneo habían experimentado cierta volatilidad en las décadas previas a la cruzada. El poder adquisitivo de Constantinopla se había reducido con rapidez debido a la grave crisis financiera. Solo en 1094, por ejemplo, el precio del añil vendido en Alejandría cayó más de un 30 por ciento y es razonable dar por hecho que aunque las fuentes no lo digan explícitamente, el comercio de la pimienta, la canela y el jengibre sufrieron un impacto similar.[12] El lucrativo comercio entre el norte de África y Europa a través de Palestina, que en 1085, por ejemplo, permitía vender palo brasil con un beneficio del 150 por ciento, también debió de sufrir una contracción.[13] Perturbaciones repentinas de la oferta o la demanda podían traducirse en oscilaciones descabelladas en los precios, como cuando el coste del trigo se disparó tras la conquista normanda de Sicilia, o cuando el valor del lino en el Mediterráneo se redujo en casi un 50 por ciento debido al exceso de oferta a mediados del siglo XI.[14]

Semejantes fluctuaciones en los precios y en la riqueza resultan insignificantes cuando se las compara con la transformación que se desencadenó en el Mediterráneo como consecuencia de la cruzada. En los siglos X y XI, escribió el historiador norafricano Ibn Jaldūn, las flotas musulmanas tenían un dominio tan completo de los mares que los cristianos ni siquiera podían hacer flotar en ellos una tabla.[15] Sin embargo, a pesar de haber dominado el Mediterráneo durante tanto tiempo, los musulmanes estaban a punto de perder el control de las olas frente a un nuevo conjunto de rivales: las ciudades-estado de Italia eran la adición más reciente a las grandes redes comerciales de Oriente.

Lo cierto era que Amalfi, Génova, Pisa y Venecia habían empezado a demostrar su fuerza mucho antes de la década de 1090. En el caso de la última, el tráfico de esclavos y otras mercancías les había llevado a establecer vínculos sólidos con ciudades de la costa de Dalmacia como Zara, Trogir, Split y Dubrovnik, una serie de peldaños a lo largo de la costa del Adriático y más allá. Estas estaciones comerciales representaban mercados locales y proporcionaban lugares seguros en los que era posible interrumpir un largo viaje. El hecho de que las comunas italianas tuvieran colonias permanentes de comerciantes en Constantinopla, así como en otras ciudades bizantinas, revela el creciente interés que tenían en el comercio con el Mediterráneo oriental.[16] Esto alimentó el crecimiento económico de Italia, donde las fortunas generadas alcanzaron tales dimensiones que, por ejemplo, a finales del siglo XI el obispo y los ciudadanos de Pisa tuvieron que imponer límites a la altura de las torres que levantaban los nobles ansiosos de alardear de su riqueza.[17]

Las ciudades-estado italianas se dieron cuenta con rapidez de que la captura de Jerusalén crearía posibilidades comerciales fascinantes. Incluso antes de que los cruzados hubieran llegado a la Ciudad Santa, Génova, Pisa y Venecia tenían flotas camino de Siria y Palestina. En cada caso, la iniciativa de hacerse al mar fue resultado directo de la llamada del papa a participar en la cruzada o bien del impulso de defender a los cristianos de las espantosas atrocidades que relataban los testigos presenciales y los emisarios de Bizancio.[18] Pero si bien no cabe duda de que los motivos espirituales fueron un factor importante, pronto resultó evidente que la empresa también ofrecía significativas recompensas materiales. Después de la captura de Jerusalén los cruzados se encontraban en una posición precaria, necesitaban con urgencia provisiones y estaban desesperados por establecer vínculos con Europa. Gracias a sus flotas, las ciudades-estado se encontraban en una posición privilegiada cuando llegó la hora de negociar con los nuevos señores de Tierra Santa. El hecho de que los cruzados necesitaran asegurar el litoral y conquistar puertos como Haifa, Jafa, Acre y Trípoli, en los que el poder naval era esencial para organizar un asedio exitoso, fortalecía todavía más la mano de los italianos.

Los términos de los acuerdos alcanzados les otorgaban beneficios potenciales fabulosos a cambio de su ayuda. Por ejemplo, como recompensa por participar en el sitio de Acre en 1100 se prometió a los venecianos recién llegados una iglesia y una plaza de mercado en cada una de las ciudades conquistadas por los cruzados, así como un tercio de todo el botín arrebatado al enemigo e inmunidad fiscal absoluta. He aquí un ejemplo perfecto de lo que un estudioso ha calificado como la clásica mezcla veneciana de «piedad y codicia».[19]

Cuando se sitió Cesarea, en 1101, eran los genoveses los que se encontraban en una posición ideal para asegurarse tanto una parte impresionante del botín como unas condiciones comerciales favorables. Su situación mejoraría aún más tres años después, cuando Balduino I, rey de Jerusalén, les concedió una amplísima colección de exenciones fiscales, entre otros derechos jurídicos y comerciales, como el de estar fuera de la jurisdicción real en aquellos casos que implicaran la pena capital. Asimismo, se les otorgó un tercio de la ciudad de Cesarea, un tercio de la ciudad de Arsuf y un tercio de Acre (además de una proporción generosa de los ingresos fiscales de esta última). El rey también se comprometió a pagar un anticipo a Génova y a otorgar una tercera parte de todas las conquistas futuras con la condición de que, a cambio, se le proporcionara un apoyo militar acorde.[20] Acuerdos como este eran una prueba de la debilidad de la posición de los cruzados en Oriente; pero para las ciudades-estado fueron la base que les permitió amasar las fortunas que las transformaron de centros regionales en potencias internacionales.[21]

No sorprende que unas recompensas tan importantes desataran una competencia intensa entre Pisa, Génova y Venecia. Amalfi, que se había demorado en enviar barcos al este, no estaba en condiciones de competir y quedó excluida del «gran juego» que arrancó entonces, con las otras ciudades rivales luchando entre sí por oportunidades de acceso, concesiones y condiciones lucrativas para el comercio. Los venecianos y los pisanos se enfrentaron muy pronto, en 1099, cuando los primeros hundieron veintiocho buques pisanos, de una escuadra de cincuenta, frente a la costa de Rodas. Los rehenes y las embarcaciones capturadas en el combate fueron liberados luego en una muestra de magnanimidad porque, de acuerdo con una fuente posterior, los venecianos no solo llevaban la cruz del Señor cosida en sus túnicas —como el papa había mandado hacer a los cruzados— sino también impresa en el alma.[22]

Los orígenes de esta reyerta en particular se remontaban a 1092, cuando el emperador Alejo otorgó a Venecia amplísimas concesiones comerciales en todo el imperio bizantino como parte de una gran estrategia para estimular la economía. Los venecianos obtuvieron entonces muelles en el puerto de Constantinopla y quedaron exentos de pagar impuestos tanto sobre las importaciones como sobre las exportaciones.[23] Por tanto, siete años después, su principal motivación era mantener a Pisa fuera de ese mercado y proteger así las condiciones, enormemente atractivas, que habían negociado con el emperador. Como parte del acuerdo que selló la paz con Venccia, los pisanos se vieron obligados a prometer que nunca volverían a entrar en Bizancio «por razones de comercio, ni luchar contra los cristianos de ninguna forma en absoluto, a no ser por motivo de la devoción al Santo Sepulcro». O así, al menos, fue como los venecianos dieron cuenta de lo ocurrido.[24]

Hacer cumplir esos tratados resultaba más fácil en el papel que en la realidad, y de hecho, para comienzos del siglo XII el emperador bizantino había otorgado a Pisa unos privilegios que no eran muy distintos a los que había otorgado a Venecia, si bien no tan generosos. Aunque también se les concedió un muelle y un lugar donde fondear en la capital imperial, a los comerciantes pisanos solo se les ofreció un descuento en los impuestos de aduana, en lugar de eximirlos por completo de ellos.[25] En este caso, lo que se intentaba era diluir un monopolio que amenazaba con dar a los venecianos una ventaja excesiva sobre sus competidores.[26]

La pugna entre las ciudades-estado italianas por el dominio comercial en el Mediterráneo oriental fue frenético e implacable. Pero no pasó mucho tiempo antes de que Venecia emergiera con claridad como vencedora. Esa victoria debía mucho a la posición geográfica de la ciudad en el Adriático, lo que implicaba que los tiempos de navegación hasta allí fueran menores que los del trayecto hasta Pisa o Génova; el hecho de que los fondeaderos en esta ruta fueran mejores también contribuyó a ello: hacía que el viaje fuera también menos peligroso, al menos una vez sorteada la traicionera península del Peloponeso. Asimismo, el que la economía de Venecia fuera más fuerte y estuviera más desarrollada fue un factor importante, al igual que el hecho de que la ciudad no tuviera un competidor local que lastrara su ascenso, a diferencia de Pisa y Génova, cuya intensa rivalidad las sacó del Levante en momentos cruciales, mientras estaban ocupadas compitiendo por el control de su litoral y, sobre todo, del de Córcega.[27]

Esto jugó a favor de Venecia en 1119, cuando un gran ejército de caballeros occidentales fue vencido de forma aplastante en la que se conoce como la batalla del Campo de Sangre, una derrota que propinó un golpe demoledor a la viabilidad de Antioquía como estado cruzado independiente.[28] Con Pisa y Génova atrapadas en sus propias pendencias, desde Antioquía se lanzó una llamada desesperada al dux de Venecia rogándole ayuda en nombre de Jesucristo. Los venecianos reunieron una fuerza potente, pues de acuerdo con el generoso comentario de un contemporáneo, querían «con la ayuda de Dios ampliar Jerusalén y el área adyacente, todo para provecho y gloria de la cristiandad».[29] No obstante, era imposible pasar por alto que la petición de socorro del rey Balduino II llegó acompañada de la promesa de privilegios nuevos y adicionales a cambio de la ayuda prestada.[30]

Los venecianos utilizaron esa oportunidad para dar una lección a los bizantinos. El nuevo emperador, Juan II, quien sucedió a su padre Alejo en 1118, había llegado a la conclusión de que la economía doméstica estaba lo suficientemente recuperada como para justificar la no renovación de las concesiones hechas a los venecianos más de dos décadas atrás. El resultado fue que de camino a Antioquía, la flota veneciana sitió Corfú y amenazó con tomar medidas adicionales si el emperador se negaba a renovar el acuerdo. El punto muerto que siguió se mantuvo hasta que Juan dio marcha atrás y confirmó los privilegios otorgados a los venecianos por su padre.[31]

Las ganancias obtenidas cuando los barcos del dux finalmente llegaron a Tierra Santa superaron con creces este triunfo. Habiendo calibrado la situación con perspicacia, los venecianos hicieron un préstamo a los jefes occidentales en Jerusalén para que pudieran financiar sus propias fuerzas y lanzar un ataque contra los puertos que se encontraban bajo control musulmán. A cambio, obtuvieron una prima considerable. Venecia recibiría una iglesia, una calle y una plaza de buen tamaño en cada una de las ciudades del reino de Jerusalén. Asimismo, los venecianos recibirían un pago anual, garantizado por los futuros ingresos fiscales de Tiro, que eran considerables dada su condición de principal emporio comercial de la región. En 1124, cuando la ciudad cayó después de un asedio, el estatus de Venecia en la región se transformó gracias al otorgamiento de amplias concesiones válidas en todo el reino de Jerusalén. De tener un mero asidero en el Levante, la ciudad italiana había pasado a ocupar una posición de tal fortaleza que algunos advirtieron que amenazaba con poner en peligro la autoridad de la corona y de inmediato intentaron suavizar las condiciones acordadas.[32]

Esta era, en apariencia, una época de fe y convicciones religiosas intensas, un periodo marcado por el sacrificio y la abnegación en nombre del cristianismo. Pero la religión tenía que abrirse paso a empujones entre la *realpolitik* y las preocupaciones financieras, y la jerarquía eclesiástica era consciente de ello. Cuando el emperador bizantino Juan II intentó afirmar su derecho sobre Antioquía, el papa emitió una declaración dirigida a todos los fieles para decirles que quienquiera que ayudara a los bizantinos se condenaría para toda la eternidad.[33] Esto tenía poco que ver con cuestiones teológicas o doctrinarias, y sí mucho que ver con mantener contentos a los aliados de Roma.

Pero el mejor ejemplo de la mezcla de lo espiritual y lo material llegó en 1144, después de la caída de Edesa en manos de los musulmanes, otro gran revés para los cruzados. La llamada pidiendo refuerzos que participaran en la expedición que terminaría convirtiéndose en la segunda cruzada recorrió toda Europa. La animación de las masas estuvo liderada por Bernardo de Claraval, una figura carismática y enérgica, que era lo bastante realista como para entender que no era posible convencer a todos de embarcarse hacia el este con el argumento de la remisión de los pecados y la posibilidad de alcanzar la salvación a través del martirio. «A aquellos de vosotros que sois comerciantes, hombres prestos a buscar negocio», escribió en una carta que tuvo una circulación amplia, «dejadme señalar las ventajas de esta gran oportunidad. ¡No os la perdáis!».[34]

Para mediados del siglo XII, las ciudades-estado italianas se lucraban explotando las codiciables posiciones que de forma tan brillante se habían forjado en Oriente. Con acceso preferencial a Constantinopla, así como a las principales ciudades del litoral tanto en el imperio bizantino como en Palestina, los peldaños a disposición de la flota veneciana se extendían ahora a lo largo de todo el Mediterráneo oriental hasta el Levante y, en breve, también hasta Egipto. Algunos observaban esto con envidia, como Caffaro, el más famoso historiador genovés de la Edad Media. Génova «estaba dormida y sufría de indiferencia», escribió con tristeza acerca de la década de 1150; era como «un barco navegando a través del mar sin piloto».[35]

Esto, de algún modo, era una exageración y revelaba un poco la disconformidad del autor con las familias poderosas que dominaban la política genovesa. De hecho, Génova también prosperó en este periodo. Además de asegurarse con regularidad de que sus privilegios en los estados cruzados eran ratificados, la ciudad estableció vínculos en el Mediterráneo occidental. En 1161 se acordó una tregua con el califa almohade en

Marruecos, lo que proporcionó a los genoveses acceso a los mercados y protección ante posibles ataques. Para la década de 1180, el comercio con el norte de África representaba más de un tercio de la actividad comercial de Génova, y a lo largo del litoral había surgido una amplia infraestructura de almacenes y pensiones para apoyar a los mercaderes y permitir que los negocios marcharan sin contratiempos.[36]

Génova, Pisa y Venecia propiciaron el crecimiento de otras ciudades alrededor de ellas, del mismo modo que lo había hecho Kiev en Rusia. Ciudades como Nápoles, Perugia, Padua y Verona se ampliaron con rapidez; tal era el ritmo de crecimiento de los nuevos barrios, que las murallas de la ciudad tuvieron que reconstruirse repetidas veces y cada vez más alejadas del centro. Aunque resulta difícil calcular las dimensiones de la población debido a la ausencia de datos empíricos, no cabe duda de que el siglo XII fue testigo de una gran explosión urbanística en Italia a medida que los mercados prosperaban, se formaban las clases medias y los ingresos aumentaban.[37]

Tratándose de la era de las cruzadas, resulta irónico que la base de ese crecimiento residiera en la estabilidad y las buenas relaciones entre el mundo musulmán y los cristianos, tanto en Tierra Santa como en otras partes. Aunque en las décadas que siguieron a la conquista de Jerusalén en 1099 hubo enfrentamientos con cierta regularidad, fue solo a finales de la década de 1170 cuando se produjo una escalada drástica de las tensiones. En su conjunto, los cruzados aprendieron a lidiar con la población musulmana bajo su dominio, que era mayoritaria, y también con quienes estaban más lejos. De hecho, el rey de Jerusalén regularmente metía en cintura a sus propios barones y les impedía lanzar incursiones imprudentes contra caravanas o ciudades vecinas, todo ello con el fin de no contrariar a los líderes locales o suscitar una reacción importante en Bagdad o El Cairo.

Algunos recién llegados a Tierra Santa encontraban esto difícil de entender y, en consecuencia, se convertían en una fuente de problemas constante, como reconocían los observadores locales. Se negaban a creer que se pudiera estar comerciando con los «infieles» de forma cotidiana, y tardaban un tiempo en darse cuenta de que en la práctica las cosas no eran tan esquemáticas como se pensaba en Europa. Con el tiempo, los prejuicios se desvanecían: los occidentales que habían permanecido una temporada en Levante «son mucho mejores que los que llegaron recientemente», escribió un autor árabe al que horrorizaban los hábitos vulgares y zafios de los recién llegados, así como sus actitudes hacia cualquiera que no fuera cristiano.[38]

Esta forma de pensar también tenía equivalentes en el mundo musulmán. Una fetua, o decisión, emitida en la década de 1140 instaba a los musulmanes a no viajar a Occidente ni comerciar con los cristianos. «Si viajamos a su país el precio de las mercancías aumentará, y obtendrán de nosotros sumas de dinero enormes que luego usarán para combatir contra los musulmanes y asolar sus tierras.»[39] En general, sin embargo, pese a toda esa retórica feroz en ambos bandos, las relaciones fueron extraordinariamente tranquilas y consideradas. De hecho, en Europa occidental había una gran curiosidad acerca del islam. Incluso en tiempos de la primera cruzada algunos no tardaron en formarse una opinión positiva de los turcos musulmanes. «Solo con que los turcos se hubieran mantenido firmes en la fe en Cristo y la cristiandad», escribía con melancolía el autor de una de las historias más populares acerca de la expedición a Jerusalén, haciendo quizá alusión a los antecedentes religiosos de los selyúcidas antes de su conversión al islam; «es imposible hallar soldados más fuertes, más valientes y más diestros».[40]

Los eruditos occidentales no tardaron mucho tiempo en dedicarse con energía a explorar y devorar los logros científicos e intelectuales del mundo musulmán. Un ejemplo de ello fue Adelardo de Bath.[41] Fue él quien recorrió las bibliotecas de Antioquía y Damasco y regresó con copias de las tablas algorítmicas que sirvieron de base para el estudio de las matemáticas en el mundo cristiano. Viajar por esta región abría los ojos. Cuando Abelardo volvió a casa, le impresionó encontrar que «los príncipes eran bárbaros; los obispos, borrachines; los jueces, sobornables; los patronos, poco fiables; los clientes, aduladores; los que hacían promesas, mentirosos; los amigos, envidiosos; y casi todas las personas, ambiciosas en exceso».[42] Estas opiniones derivaban del reconocimiento entusiasta de la sofisticación de Oriente en comparación con las limitaciones culturales del Occidente cristiano. Y había otros que compartían el mismo punto de vista, como Daniel de Morley, que en la última parte del siglo XII se trasladó de Inglaterra a París para estudiar. Los supuestos intelectuales de esa ciudad le parecieron decepcionantes; solemnes, se limitaban a sentarse «quietos como estatuas, fingiendo que demostraban sabiduría por permanecer en silencio». Tras comprender que no había nada que pudiera aprender de semejantes hombres, Daniel se mudó a la Toledo musulmana «tan rápido como pudo, para poder escuchar a los filósofos más sabios del mundo».[43]

La adopción de las ideas procedentes de Oriente fue entusiasta, si bien desigual. Pedro el Venerable, el abad de Cluny, el centro neurálgico del pensamiento teológico y filosófico en la Francia medieval, mandó traducir el Corán con el fin de que tanto él como otros estudiosos cristianos pudieran entenderlo mejor (y, ciertamente, usarlo para reforzar las opiniones preexistentes acerca del islam como aberrante, escandaloso y peligroso).[44] Y las tierras musulmanas no fueron el único lugar al que los europeos occidentales dirigieron la mirada en busca de inspiración. También se tradujeron al latín textos producidos en Constantinopla, como los comentarios a la *Ética nicomáquea* de Aristóteles encargados por Ana Comneno, la hija de Alejo I, que finalmente llegarían hasta Tomás de Aquino y, a través de él, a la corriente dominante de la filosofía cristiana.[45]

Del mismo modo, el florecimiento económico y social que experimentó Europa en el siglo XII no solo estuvo impulsado por el comercio con los musulmanes; también Constantinopla y el imperio bizantino fueron un importante motor de los intercambios en el Mediterráneo cristiano; a juzgar por los documentos del periodo que se conservan, por ejemplo, representaban la mitad del comercio internacional de Venecia.[46] Con todo, a pesar de que Bizancio exportaba vidrio, artesanía en metal, aceite, vino y sal a los mercados de Italia, Alemania y Francia, los productos más apreciados, buscados y rentables eran los traídos desde lugares todavía más lejanos.

La demanda de seda, algodón, lino y textiles producidos en el Mediterráneo oriental, en medio de Asia o en China era enorme, como dejan claro los inventarios, los listados de ventas y los tesoros de las iglesias en Europa occidental.[47] Las ciudades de Levante sacaron el máximo rendimiento a los mercados emergentes; Antioquía, por ejemplo, se consolidó como un centro de intercambio desde el que era posible enviar materiales a Occidente, pero también como centro de producción por derecho propio. Los textiles elaborados en la ciudad, como el llamado «paño de Antioquía», tuvieron tanto éxito y se convirtieron en una mercancía tan deseable que el rey Enrique III de Inglaterra (que gobernó de 1216 a 1272) tenía «aposentos de Antioquía» en cada una de sus residencias principales: la Torre de Londres, los palacios de Clarendon y Winchester y Westminster.[48]

Las especias también comenzaron a fluir hacia Europa desde Oriente en volúmenes cada vez más grandes. Estas llegaban inicialmente a tres centros clave —Constantinopla, Jerusalén y Alejandría—, desde donde se las enviaba a las comunas urbanas italianas y a mercados de Alemania,

Francia, Flandes y Gran Bretaña, lugares en los que la venta de productos exóticos podía reportar jugosos beneficios. En cierto sentido, el deseo europeo de adquirir artículos de lujo originarios de Oriente era similar a la demanda de rollos de seda de la corte china entre los nómadas de las estepas: en el mundo medieval, al igual que en nuestros días, los ricos necesitaban diferenciarse de los demás mortales haciendo resaltar su estatus. Aunque el comercio de objetos y productos costosos implicaba a solo una pequeña proporción de la población, resultaba importante porque permitía la diferenciación y, por tanto, ponía de manifiesto la movilidad social y las aspiraciones crecientes de la gente.

Al tiempo que tenía una función totémica como foco de la cristiandad, Jerusalén también desempeñaba un papel como emporio por derecho propio, si bien la ciudad de Acre la superaba como centro comercial. Una lista de los impuestos que debían cobrarse en el reino a finales del siglo XII permite hacernos una idea detallada de lo que podía comprarse allí en la época, y revela la detenida atención que prestaba a estas cuestiones una cancillería refinada y a la vez ansiosa por no desaprovechar rentas valiosas. Se aplicaban cargos a la venta de pimienta, canela, alumbre, laca, nuez moscada, lino, clavo, palo áloe, azúcar, pescado en salazón, incienso, cardamomo, amoniaco y marfil, entre otras muchas mercancías.[49] La gran mayoría de estos artículos no eran originarios de Tierra Santa, sino que llegaban hasta allí a través de las rutas comerciales controladas por los musulmanes, incluidos los puertos de Egipto, que de acuerdo con un tratado fiscal árabe de la época exportaban un catálogo impresionante de especias, textiles y objetos de lujo.[50]

Por tanto, irónicamente las cruzadas no solo sirvieron para estimular las economías y las sociedades de Europa occidental, sino que también enriquecieron a los intermediarios musulmanes que advirtieron que los nuevos mercados podían reportarles suculentas recompensas. Uno de los más astutos fue Rāmisht, de Sīrāf, en el golfo Pérsico, que amasó una fortuna a comienzos del siglo XII. Su genialidad consistió en haber sabido satisfacer una demanda creciente actuando como intermediario de artículos procedentes de China y de la India; solo en un año uno de sus agentes envió mercancías valoradas en más de medio millón de dinares. La riqueza de Rāmisht era legendaria, como lo era también su generosidad. Pagó la sustitución de un surtidor de agua hecho en plata que había en la Kaaba, en La Meca, por uno de oro; y después de que la tela utilizada para cubrir el santuario se estropeara financió personalmente una nueva (un paño chino de «valor incalculable», según un testimonio de la época). Sus buenas obras le hicieron merecedor de la inusual distinción de ser sepultado en La Meca; el texto escrito en su tumba reza: «Aquí yace el naviero Abuʾl-Qāsim Rāmisht; "Que Dios tenga piedad de él y de quienquiera que pida piedad para él"».[51]

Las riquezas en juego inevitablemente condujeron a una intensificación de las rivalidades y a un nuevo capítulo del «gran juego» medieval: la búsqueda de la primacía en el Mediterráneo oriental a toda costa. Para la década de 1160, la competencia entre las ciudades-estado italianas era tan intensa que se producían enfrentamientos constantes entre venecianos, genoveses y pisanos en las calles de Constantinopla. A pesar de los intentos de intervenir del emperador bizantino, las erupciones de violencia se convirtieron en incidentes regulares. Esto, presumiblemente, era consecuencia de la creciente competencia y la caída de precios resultante: las posiciones comerciales tenían que protegerse, incluso por la fuerza si era necesario.

El egoísmo de las ciudades-estado volvió en su contra a los habitantes de la capital imperial, tanto por los daños materiales causados como por el hecho de que las demostraciones de fuerza de los occidentales resultaban cada vez más evidentes en todas partes. En 1171 el emperador bizantino, Manuel I, respondió a la desilusión creciente encarcelando a miles de venecianos y no solo ignoró las peticiones de que rectificara, sino que tampoco se disculpó por haber tomado medidas unilaterales sin previo aviso. Cuando el dux Vitale Michiel fue incapaz de resolver el problema después de haberse desplazado personalmente a Constantinopla, la situación en Venecia se tornó explosiva. La multitud se había congregado con la esperanza de oír noticias positivas, y la decepción dio paso a la ira que a continuación se tradujo en violencia. Huyendo de su propio pueblo, el dux se dirigió al convento de San Zacarías, pero antes de que pudiera llegar allí, la turba lo atrapó y lo linchó.[52]

Los bizantinos no eran ya los aliados y benefactores de Venecia, sino sus rivales y competidores por derecho propio. En 1182, los habitantes de Constantinopla atacaron a los habitantes de las ciudades-estado italianas que vivían en la capital imperial. Muchos fueron asesinados, incluido el representante de la Iglesia latina, cuya cabeza se arrastró por las calles de la ciudad detrás de un perro.[53] Esto fue solo el comienzo de una creciente animosidad entre los cristianos de las dos mitades de Europa. En 1185, Tesalónica, una de las ciudades más importantes del imperio bizantino, fue saqueada por una fuerza occidental procedente de Italia meridional. Con la primera cruzada Occidente había clavado un arpón en el Mediterráneo oriental; ahora empezaba a sacar a su presa del agua.

Para algunos, sin embargo, esas tensiones eran una oportunidad. La estrella de un general brillante llamado Ṣalāḥ al-Dīn al-Ayyubī había estado ascendiendo en Egipto desde hacía algún tiempo. Con buenas conexiones, una mente astuta y no poco encanto, el hombre más conocido como Saladino comprendió que el conflicto en Constantinopla podía ser provechoso para él, de modo que actuó con rapidez para conciliarse con los bizantinos. Así, por ejemplo, invitó al patriarca griego de Jerusalén a visitarle en Damasco, donde le trató con gran generosidad con el fin de demostrarle que el aliado natural del imperio era él, no los cristianos de Occidente.[54]

A finales de la década de 1180, la disposición del emperador bizantino Isaac II hacia él era tan buena que le escribía, «a [mi] hermano el sultán de Egipto», para compartir los informes de sus espías, advertirle de que los rumores acerca de las intenciones del imperio difundidos por sus enemigos carecían de fundamento y pedirle que considerara la posibilidad de enviarle apoyo militar contra los occidentales.[55] El sentimiento antioccidental había estado cociéndose en Constantinopla durante décadas. Un escritor de mediados del siglo XII afirmaba que no se podía confiar en los hombres de Europa occidental, los cuales eran rapaces y, por dinero, eran capaces de vender incluso a miembros de la propia familia. Constantemente planeaban apoderarse de la capital imperial, destruir la reputación del imperio o hacer daño a sus correligionarios cristianos.[56] Este relato se ampliaría y consolidaría en la conciencia bizantina a finales del siglo XII y, sobre todo, después de 1204.

Se trataba de una opinión que halló eco en Tierra Santa, donde los caballeros eran tan violentos e irresponsables que era casi como si tuvieran un impulso suicida. A finales del siglo XII ocurrió una y otra vez que figuras destacadas tomaban decisiones idiotas y provocaban peleas fatuas entre sí en lugar de prepararse para el maremoto que se avecinaba, y ello a pesar de las evidentes señales de advertencia. Su conducta en este periodo dejó perplejo a un visitante musulmán procedente de España. Es sorprendente ver, escribió Ibn Jubayr, que «los fuegos de la discordia arden» entre los cristianos y los musulmanes cuando se trata de la política y el combate; pero cuando se trata de comerciar, los viajeros «van y viene sin interferencia».[57]

Los comerciantes podían tener la seguridad de que estarían a salvo allí a donde fueran, independientemente de su fe y de si había paz o guerra. Esto era el resultado, escribió el autor, de una buena relación en la que la cooperación estaba garantizada gracias a los convenios fiscales y, también, los castigos severos. A los comerciantes latinos que no respetaban los acuerdos y traspasaban las fronteras acordadas, aunque solo fuera por «el largo de los brazos», sus correligionarios les rebanaban el cuello por temor a enfadar a los musulmanes o arruinar vínculos comerciales duraderos. Ibn Jubayr estaba a la vez desconcertado e impresionado. Se trata, escribió, «de una de las convenciones más gratas y singulares [de los occidentales]».[58]

A medida que en Jerusalén la corte fue encerrándose en sí misma, las luchas intestinas entre las facciones se hicieron endémicas, lo que creó las condiciones perfectas para el ascenso de figuras obstinadas y ambiciosas que prometían triunfos que luego no se materializaban y que causaron un daño indecible a las relaciones entre cristianos y musulmanes. El principal de esos personajes fue Reinaldo de Châtillon, que debido a su insensatez causó, prácticamente sin ayuda, la caída del reino de Jerusalén.

Veterano de Tierra Santa, Reinaldo advirtió que la presión iba en aumento debido al fortalecimiento de la posición de Saladino en Egipto, en especial después de que este consiguiera hacerse con el control de grandes partes de Siria y, por tanto, rodear el reino cristiano. Sus intentos de mitigar esa amenaza fracasaron de forma espectacular. La decisión impulsiva de atacar el puerto de Áqaba, en el mar Rojo, suscitó reacciones casi histéricas entre los cronistas árabes, que indicaron que Medina y La Meca estaban en peligro y que el apocalipsis y el fin de los tiempos eran inminentes.[59]

Tales movimientos no solo fomentaban los antagonismos, sino que multiplicaban el prestigio y la popularidad que Saladino podría ganar si conseguía infligir un golpe demoledor al estado cruzado. De todos los cristianos en Levante, escribió un autor musulmán contemporáneo, Reinaldo era «el más pérfido y malvado [...] el más deseoso de causar daño y hacer el mal, de romper las promesas firmes y los juramentos solemnes, de violar su palabra y cometer perjurio». Saladino juró «que le quitaría la vida».[60]

Pronto tuvo la oportunidad. En julio de 1187, los caballeros del reino cruzado de Jerusalén fueron atrapados en los Cuernos de Hattin, donde Saladino los superó por completo en astucia, inteligencia y combate durante una batalla devastadora en la que prácticamente todos los participantes occidentales terminaron muertos o capturados. Tras la victoria, se procedió a la ejecución sumaria de los miembros de las órdenes militares que habían sido hechos prisioneros, en particular los hospitalarios y los templarios, fanáticos que carecían de voluntad para transigir al tratar con las comunidades no cristianas. Saladino, por su parte, buscó personalmente a Reinaldo de Châtillon y le cortó la cabeza. El que Reinaldo fuera o no el artífice de la ruina de los cruzados es una cuestión debatible, pero sin duda fue una conveniente cabeza de turco tanto para los latinos derrotados como para los musulmanes vencedores. Sea cual fuere la verdad, apenas dos meses después de la batalla Jerusalén se rendía pacíficamente a los musulmanes y les abría las puertas de par en par tras haber acordado que se respetaría la vida a la población.[61]

La caída de la ciudad fue un golpe humillante para el mundo cristiano y un revés enorme para los vínculos de Europa con Oriente. El papado recibió la noticia con tremendo malestar: se dice que el papa Urbano III cayó muerto al enterarse de la derrota en Hattin. Su sucesor, Gregorio VIII, encabezó el examen de conciencia. La Ciudad Santa había caído, anunció a los fieles, no solo debido a «los pecados de sus habitantes sino también [por causa] de los nuestros y los de todo el pueblo cristiano». El poder de los musulmanes estaba creciendo, advirtió, y continuaría avanzando a menos que se les contuviera. El pontífice instó a reyes, príncipes, barones y ciudades a que dejaran de discutir entre sí, pusieran a un lado sus diferencias y respondieran a lo ocurrido. Esto era una admisión franca de que, pese a toda la retórica acerca de la fe y la piedad como motivaciones de la caballería, lo cierto era que el egoísmo, las rivalidades locales y los pleitos estaban a la orden del día. Jerusalén había caído, dijo el papa, porque los cristianos habían sido incapaces de defender aquello en lo que creían. El pecado y el mal los habían sobrepasado.[62]

Este mensaje provocador y estridente tuvo un efecto inmediato, y al poco tiempo los tres hombres más poderosos de Occidente empezaron a hacer los preparativos para lanzar una expedición de represalia. Con Ricardo I de Inglaterra, Felipe II de Francia y el poderoso Federico Barbarroja, el emperador del Sacro Imperio Romano Germánico, jurando recuperar la Ciudad Santa, parecía razonable pensar que esta era la ocasión no solo para conquistar Jerusalén, sino para que los cristianos volvieran a introducirse en Oriente Próximo. Sin embargo, los esfuerzos de 1189-1192 fueron un fiasco. Federico se ahogó cruzando un río en Asia Menor, a kilómetros del escenario del conflicto. Entre los jefes de la expedición hubo discusiones feroces acerca de objetivos estratégicos; los desacuerdos eran tales que prácticamente detuvieron el avance de los ejércitos. Eso quedó simbolizado en el intento de Ricardo Corazón de León de desviar la expedición y concentrarse en la ocupación de Egipto, una presa más rica y jugosa. Así las cosas, la campaña realizó pocas conquistas permanentes y no consiguió poner en aprietos a Jerusalén. De hecho, es llamativo que antes de volver a casa los jefes de la expedición hubieran dirigido su atención a Acre, el principal emporio del Levante, una ciudad que carecía de valor desde una perspectiva bíblica o religiosa.[63]

Apenas una década después, hubo un nuevo intento de recuperar Tierra Santa. Esta vez la piedra angular del ataque sería Venecia, que transportaría en barco a los hombres hasta el Levante. Al dux, que inicialmente se había mostrado reacio a colaborar, se le convenció de apoyar la iniciativa después de recibir la promesa de que los participantes pagarían la construcción de la flota necesaria para transportar a la enorme cantidad de soldados que requería la expedición. Los venecianos también insistieron en determinar la dirección de la campaña y exigieron que la flota se encaminara a Egipto, en lugar de a los puertos que conectaban con Jerusalén. De acuerdo con una fuente estrechamente involucrada en la elaboración de estos planes, la decisión «se mantuvo en secreto guardada con gran celo; a la gente en general se le anunció que íbamos a ultramar».[64]

La expedición prometía a quienes participaran en ella una combinación ideal: la salvación espiritual y abundantes recompensas materiales. La riqueza de Egipto era entonces legendaria. Allí, escribió un autor de este periodo, la gente «se entregaba a una vida de lujo», y era fabulosamente rica debido a «los impuestos que recaudan las ciudades tanto de la costa como del interior». Estas, anotaba con un suspiro, producían una «enorme cantidad de rentas anuales».[65]

Los venecianos eran en extremo conscientes de lo que estaba en juego, pues los trastornos y la incertidumbre habían afectado a las arterias tradicionales que conectaban a la ciudad con Oriente. La turbulencia causada por los triunfos de Saladino estuvo acompañada por un periodo de inestabilidad en Bizancio, de modo que Venecia estaba desesperada por conseguir acceder a Alejandría y los puertos de la desembocadura del Nilo, lugares con los que tradicionalmente había tenido poco contacto: es posible que antes de 1200 el comercio con Egipto representara apenas un 10 por ciento o menos de las transacciones venecianas.[66] Previamente, la ciudad había salido perdiendo frente a Pisa y Génova, que tenían ventajas decisivas sobre su rival italiano tanto en términos del volumen de mercancía como en los vínculos que habían establecido con el comercio que llegaba a través del mar Rojo (en lugar de por vía terrestre a Constantinopla y Jerusalén).[67] Las recompensas potenciales justificaban de lejos los riesgos que Venecia asumía al aceptar construir una flota inmensa, un proyecto que implicaba suspender todas las demás operaciones de la ciudad durante casi dos años.

Sin embargo, pronto resultó evidente que el número de hombres dispuestos a participar en la expedición era mucho menor de lo previsto, lo que agravaba peligrosamente la situación financiera de Venecia. A partir de ese momento, los acontecimientos superaron a los cruzados, que empezaron a improvisar decisiones sobre la marcha. En 1202 la flota llegó a Zara, en la costa dálmata, una ciudad que había estado en el centro de un prolongado conflicto entre Venecia y Hungría. Cuando resultó claro que el ataque era inminente, los confundidos ciudadanos izaron encima de las murallas banderas marcadas con la cruz, dando por sentado que había habido un malentendido horrible, pues se negaban a creer que un ejército cristiano fuera a atacar una ciudad cristiana sin provocación y contraviniendo la orden expresa del papa Inocencio III. La flota no perdonó a la ciudad; Venecia había empezado a cobrarse con creces su apoyo a los caballeros cruzados.[68]

Mientras consideraban cómo iban a justificar semejantes acciones y discutían acerca del siguiente paso, se les presentó una oportunidad de oro cuando uno de los aspirantes al trono de Bizancio se ofreció a recompensar al ejército con generosidad si le ayudaban a hacerse con el poder en Constantinopla. Las fuerzas que originalmente habían zarpado rumbo a Egipto, creyendo que se dirigían a Jerusalén, se encontraron frente a las murallas de la capital bizantina sopesando sus opciones. Cuando las negociaciones con las facciones dentro de la ciudad comenzaron a hacerse eternas, el debate entre los cruzados se centró en cómo podían tomar la ciudad y, sobre todo, en cómo iban a repartirse entre ellos la capital y el resto del imperio.[69]

Venecia ya había aprendido a proteger con celo sus intereses en el Adriático y el Mediterráneo; y su posición había resultado fortalecida tras hacerse con el control directo de Zara. Ahora tenía la oportunidad de hacerse con el mayor premio de todos, y con ello asegurarse un acceso directo a Oriente. A finales de marzo de 1204, los hombres empezaron a tomar posiciones para sitiar la Nueva Roma. El ataque sin cuartel se lanzó en la segunda semana de abril. Las escaleras, arietes y catapultas con las que supuestamente se iba a arrebatar a los musulmanes el control de las ciudades de Oriente Próximo terminaron empleándose contra la que aún seguía siendo, de lejos, la ciudad cristiana más grande del mundo. Los barcos diseñados y construidos para bloquear los puertos de Egipto y Levante se usaron para cortar el acceso al famoso Cuerno de Oro, a la vista de la gran catedral de Santa Sofía. La víspera de la batalla, los obispos tranquilizaron a los occidentales asegurándoles que la guerra «era justa y que ciertamente debían atacar [a los bizantinos]». Refiriéndose a las disputas doctrinarias que volvían a la superficie con conveniente regularidad cada vez que había en juego otras cuestiones más mundanas, los sacerdotes dijeron que era posible atacar a los habitantes de Constantinopla con el argumento de que ellos habían declarado «que la ley de Roma era nula y llamado perros a todos los que creían en ella». Los bizantinos, se dijo a los cruzados, eran peores que los judíos, porque «son los enemigos de Dios».[70]

Una vez que consiguieron cruzar las murallas, los occidentales sembraron el caos por toda la ciudad. Contagiados por el frenesí religioso provocado por los venenosos sermones con los que se les había adoctrinado, saquearon y profanaron las iglesias de la ciudad con particular minuciosidad. Asaltaron los tesoros de Santa Sofía, de donde robaron los estuches preciosos que contenían las reliquias de los santos, y jugaron con la lanza que había atravesado el costado de Jesús cuando estaba en la cruz. Los objetos de plata y otros metales preciosos empleados para celebrar la eucaristía fueron incautados. Para poder cargar el botín se introdujeron caballos y asnos en el interior del templo, donde algunos resbalaron en los pulidos suelos de mármol, para entonces cubiertos de «sangre y porquería». Para echar sal en la herida, una prostituta revoltosa se sentó en la silla del patriarca cantando canciones obscenas. Para un bizantino testigo de los hechos, los cruzados no eran otra cosa que los precursores del Anticristo.[71]

Las fuentes conservadas son más que suficientes para afirmar que tales testimonios no son exagerados. Un abad occidental acudió directamente a la iglesia de Cristo Pantocrátor (Todopoderoso), fundada en el siglo XII por la familia imperial. «Enseñadme las reliquias más potentes que tenéis», le ordenó a un sacerdote, «o moriréis en el acto». El hombre halló un cofre repleto de tesoros eclesiásticos, en el que «hundió las manos con avidez». Cuando otros le preguntaron dónde había estado y si había robado algo, todo lo que dijo al tiempo que asentía sonriendo fue que «nos ha ido bien».[72]

No es de extrañar que al marcharse de la ciudad un bizantino que vivía en ella se arrojara al suelo y, llorando, reprochara a las murallas por estar allí «impasibles; en lugar de derramar lágrimas o yacer destruidas en el suelo, permanecían de pie, erguidas del todo». Era como si se burlaran de él: ¿por qué no habían protegido la ciudad? En 1204 las tropas desbocadas de la cuarta cruzada le arrancaron el alma a la capital imperial.[73]

Las riquezas materiales de Constantinopla desaparecieron con destino a iglesias, catedrales, monasterios y colecciones privadas de toda Europa occidental. Los caballos de bronce que decoraban con orgullo el hipódromo se embarcaron con destino a Venecia, donde fueron puestos encima de la entrada de la catedral de San Marcos; una cantidad innumerable de reliquias y objetos preciosos también acabó en esa ciudad, donde aún se conservan, para admiración de los turistas que ven en ellos ejemplos de la artesanía cristiana más excelente en lugar de un botín de guerra.[74]

Como si eso no fuera lo bastante terrible, cuando al año siguiente murió Enrico Dandolo, el dux anciano y ciego que había viajado desde Venecia para ser testigo del ataque a Constantinopla, se decidió que debía ser enterrado en Santa Sofía. Era la primera vez en la historia que se sepultada a alguien en la gran catedral.[75] El entierro del dux fue un acto en extremo simbólico, una declaración que decía todo lo que había que decir sobre el ascenso de Europa. Durante siglos los hombres habían mirado hacia el este en busca de fortuna: Oriente era el lugar en el que podían hacer realidad sus ambiciones, ya fueran estas espirituales o materiales. La conquista y el saqueo de la ciudad más grande y más importante de la cristiandad demostraban que los europeos no se detendrían ante nada para conseguir lo que querían (y necesitaban) con el fin de acercarse al centro en el que residían la riqueza y el poder del mundo.

Aunque parecían seres humanos, los occidentales se comportaban como animales, escribió un prominente clérigo griego con tristeza; los bizantinos, añadía, fueron tratados con una crueldad incomprensible, los hombres violaron a las doncellas y empalaron a toda clase de víctimas inocentes. El saqueo de la ciudad fue tan salvaje que un estudioso moderno ha hablado de una «generación perdida» en relación a los años que siguieron a la cuarta cruzada, en los que el aparato imperial bizantino se vio obligado a reagruparse en Nicea, en Asia Menor.[76]

Entre tanto, los occidentales procedieron a dividirse el imperio entre ellos. Después de consultar los archivos fiscales en Constantinopla, se elaboró un nuevo documento titulado *Partitio terrarum imperii Romaniae* (Partición de las tierras del Imperio Romano) que establecía el reparto. El proceso no tuvo nada de azaroso o casual, sino que fue un desmembramiento frío y calculador.[77] Lo que animaba las cruzadas era, en teoría, el deseo de defender la cristiandad y hacer la obra de Dios y la promesa de que, de esa forma, todos los que tomaban la cruz alcanzarían la salvación;

sin embargo, desde el comienzo hombres como Bohemundo demostraron que era posible desviar estas expediciones para otros propósitos. El saco de Constantinopla fue la culminación obvia del deseo de Europa de conectar con Oriente y permanecer en él.

Mientras el imperio bizantino se desmantelaba, los europeos, encabezados por las ciudades-estado italianas, Pisa, Génova y Venecia, se apresuraron a tomar posiciones en regiones, ciudades e islas clave desde un punto de vista estratégico y económico, lo que, por supuesto, les enfrentó a unos con otros. En la competencia por hacerse con el control de las mejores bases y conseguir un mejor acceso a los mercados, las flotas chocaban con regularidad frente a las costas de Creta y Corfú.[78] Y también en tierra hubo enfrentamientos: la lucha por territorio y estatus fue particularmente feroz en las fértiles llanuras de Tracia, el granero de Constantinopla.[79]

La atención pronto volvió a girar hacia Egipto, que en 1218 se convirtió en el objetivo de otra expedición a gran escala que tenía como finalidad abrirse paso desde el delta del Nilo hasta Jerusalén. Francisco de Asís se unió a los ejércitos que zarparon hacia el sur con la esperanza de convencer al sultán al-Kāmil de que renunciara al islam y se convirtiera al cristianismo (algo que ni siquiera alguien tan carismático como Francisco pudo conseguir, y ello a pesar de que se le dio la oportunidad de intentarlo en persona).[80] Después de tomar Damieta en 1219, los cruzados trataron de marchar sobre El Cairo, pero terminaron sufriendo un descalabro desastroso y humillante a manos de al-Kāmil, lo que detuvo por completo el avance de la expedición. Mientras los líderes occidentales consideraban una oferta de acuerdo de paz y discutían entre sí acerca de las medidas que debían adoptar ante la tremenda derrota, se enteraron de lo que parecía ser nada más y nada menos que un milagro.

La noticia que recibieron era que un gran ejército marchaba desde las entrañas de Asia para ayudar a los caballeros occidentales contra Egipto. Aplastando todo lo que se oponía a su avance, acudían en ayuda de los cruzados. La identidad de la fuerza de socorro de inmediato resultó obvia: tenían que ser los hombres del Preste Juan, el gobernante de un reino extraordinariamente vasto y rico en el que habitaban, entre otros, las amazonas, los brahmanes, las tribus perdidas de Israel y una colección de criaturas míticas y fantásticas. El Preste Juan aparentemente gobernaba un reino que no solo era cristiano, sino que estaba lo más cerca del cielo que era posible estar en la tierra. En el siglo XII habían empezado a aparecer cartas que dejaban pocas dudas acerca de la magnificencia y la gloria del lugar: «Yo, el Preste Juan, soy el señor de los señores, y supero a todos los reyes del mundo entero en riqueza, virtud y poder [...] La leche y la miel fluyen libremente en nuestras tierras; aquí los venenos no causan daño y no molestan las ranas croando. Aquí no hay escorpiones ni serpientes arrastrándose entre la hierba». En el reino abundaban las esmeraldas, los diamantes, las amatistas y otras piedras preciosas, así como la pimienta y los elixires capaces de mantener a raya todas las enfermedades.[81] Los rumores de la llegada del Preste Juan afectaron de inmediato a las decisiones tomadas en Egipto, pues a los cruzados les bastó conocerlos para concluir que todo lo que necesitaban hacer era mantener la calma: la victoria estaba asegurada.[82]

Esta fue una temprana lección para la experiencia europea en Asia. Poco familiarizados con el entorno y sin saber muy bien qué creer, los cruzados dieron demasiado crédito a unos rumores que evocaban las historias que habían circulado durante decenios después de la derrota del sultán Aḥmad Sanjar en Asia Central en la década de 1140. Este incidente había dado origen a unas ideas increíblemente enrevesadas y optimistas acerca de lo que había más allá del imperio selyúcida. Cuando empezó a propagarse por el Cáucaso la noticia de unas fuerzas que avanzaban como el viento, los rumores se transformaron con rapidez en hechos: se decía que los «reyes magos» se dirigían al oeste llevando cruces y tiendas portátiles que podían convertirse en iglesias. La liberación de la cristiandad parecía estar al alcance de la mano.[83] En Damieta un destacado clérigo explicó lo que ocurría en términos muy claros cuando predicó que «David, el rey de las dos Indias, se apresuraba a ayudar a los cristianos trayendo consigo a los pueblos más feroces, los cuales devorarán como bestias a los sacrílegos sarracenos».[84]

Pronto resultó evidente cuán equivocados estaban esos informes. El estruendo que podía oírse procedente de Oriente no era el del Preste Juan, su hijo «el rey David» o un ejército cristiano que corría para socorrer a sus correligionarios. Era el ruido que precedía a la llegada de algo por completo diferente. Lo que se encaminaba hacia los cruzados (y hacia Europa) no avanzaba por la ruta del cielo, sino por un sendero que parecía conducir directamente al infierno. Galopando por él llegaban los mongoles.[85]

## Capítulo 9

# LA RUTA DEL INFIERNO

Los temblores que se sentían en Egipto procedían del otro lado del mundo. A finales del siglo XI, los mongoles eran una de las muchas tribus que vivían en los márgenes septentrionales de la frontera entre China y el mundo de la estepa. Un contemporáneo los describía así: «Viven como bestias, sin guiarse ni por la fe ni por la ley, vagan sencillamente de un lugar a otro, como animales salvajes en busca de pastos».[1] Según otro autor, «consideraban que el robo y la violencia, la inmoralidad y el desenfreno eran actos que demostraban la virilidad y la excelencia». Su aspecto despertaba una repugnancia similar: como los hunos del siglo IV, se vestían con «pieles de perro y ratón».[2] Se trataba de las descripciones típicas de la conducta y las costumbres de los nómadas desde el punto de vista de observadores externos.

Aunque los mongoles parecían caóticos, sanguinarios y poco fiables, su ascenso no fue el resultado de una ausencia de orden, sino precisamente de lo contrario: las claves para establecer el imperio terrestre más extenso de la historia fueron una planificación implacable, una organización eficaz y un conjunto claro de objetivos estratégicos. El inspirador de la transformación mongola fue un líder llamado Temüjin («herrero»). Nosotros le conocemos por su título y el apodo de «gobernante universal» o quizá «gobernante fiero»: Čінggis o Gengis Kan.[3]

Gengis Kan procedía de una importante familia dentro de la unión tribal, y su destino estaba predicho desde el momento en que nació «apretando en la mano derecha un coágulo de sangre del tamaño de un nudillo»; eso se interpretó como un signo propicio de las glorias que le aguardaban en el futuro.[4] A pesar de la reputación temible que adquirió en la Edad Media y que aún perdura, Gengis Kan construyó su posición y poderío con lentitud, forjando pactos con otros líderes tribales y escogiendo a sus aliados de manera astuta. También sabía escoger bien a sus enemigos y, sobre todo, elegir el momento indicado para enfrentarse a ellos. Organizó a su alrededor a los seguidores más devotos para crear tanto una guardia personal como un círculo íntimo férreo, formado por guerreros (*nökürs*) en los que podía confiar ciegamente. Este era un sistema meritocrático en el que la destreza y la lealtad eran más importantes que los orígenes tribales o el parentesco con el líder. A cambio de respaldo ilimitado, el líder ofrecía bienes, botines y prestigio. El genio de Gengis Kan consistió en ser capaz de proveer esos beneficios en cantidades prodigiosas para garantizarse la lealtad de sus hombres, y hacerlo con la regularidad de un metrónomo.[5]

Esto fue posible gracias a un programa de conquista casi constante. Sojuzgó a una tribu tras otra por la fuerza o mediante amenazas hasta consolidarse como el señor indiscutible de las estepas mongolas hacia 1206. La atención giró entonces hacia otros pueblos, como los kirguís, los oirates y los uigures, situados al oeste de China, en Asia Central, los cuales se sometieron y le juraron formalmente lealtad. La incorporación de los últimos en 1211 fue particularmente importante, como se desprende con claridad del hecho de que Barchuq, el gobernante uigur, recibiera como obsequio una novia gengisida después de que declarara que estaba preparado para convertirse en el «quinto hijo» de Gengis Kan.[6] Esto reflejaba en parte la importancia de las tierras ocupadas por los uigures en la cuenca del Tarim, pero también era consecuencia de la relevancia, cada vez mayor, que habían adquirido en Mongolia la lengua, el alfabeto y lo que un historiador moderno llama los «literatos» uigures. El elevado estatus cultural de los uigures fue una de las razones para el reclutamiento en masa de sus escribas y burócratas, incluido Tatar Tonga, que se convirtió en tutor de los hijos de Gengis Kan.[7]

Los mongoles pasaron a interesarse entonces por objetivos más ambiciosos. En una serie de ataques iniciados en 1211 las fuerzas mongolas se abrieron paso en la China de la dinastía Jin, saquearon la capital, Zhongdu, y en numerosas ocasiones obligaron a los gobernantes a evacuar y trasladar el centro del poder más al sur. Esos ataques reportaron a los invasores botines bastante considerables, pero la expansión mongola era incluso más impresionante en otras partes. El momento no podría haber sido mejor. A lo largo del siglo XII, la autoridad central del mundo musulmán se había debilitado debido al surgimiento de un mosaico de estados de diferentes tamaños, potenciales y grados de estabilidad que desafiaron la primacía de Bagdad. Y dio la casualidad de que el gobernante de Jorasmia, que tenía un ojo puesto en la expansión hacia el este, en territorio chino, se dedicó a liquidar a los rivales locales. La consolidación resultante tuvo una consecuencia sencilla: si los mongoles le derrotaban, como hicieron a su debido tiempo (llegaron a perseguirle hasta una isla del mar Caspio, en la que murió no mucho después), la puerta de Asia Central quedaba abierta de par en par, pues el camino había sido despejado con antelación.[8]

Las fuentes pintan imágenes vívidas del salvajismo abominable que acompañó el ataque contra Jorasmia, que empezó en 1219. Los invasores, escribió un historiador, «llegaron, minaron, quemaron, mataron, saquearon y se fueron».[9] Desearía nunca haber nacido, escribió otro, así no habría tenido que soportar semejante trauma. El Anticristo musulmán por lo menos solo destruía a sus enemigos, proseguía; con los mongoles, en cambio, «nadie estaba a salvo. Mataban a las mujeres, a los hombres, a los niños, rasgaban las panzas de las embarazadas y asesinaban con brutalidad a los nonatos».[10]

Los mongoles cultivaban esos temores con esmero, y no cabe duda de que Gengis Kan usaba la violencia de forma selectiva y deliberada. El saqueo de una ciudad era una acción premeditada, calculada para animar a otras a someterse pacíficamente y rápido; las muertes espantosas, teatrales, se utilizaban para convencer a otros gobernantes de que era mejor negociar que oponer resistencia. Nīshāpūr fue uno de los centros que sufrió una devastación total. Se masacró a cuanto ser vivo había en la ciudad, desde las mujeres, los niños y los ancianos hasta el ganado y los animales domésticos: la orden había sido que ni siquiera los perros y los gatos debían quedar con vida. Los cadáveres fueron apilados en una serie de pirámides enormes como advertencia horripilante de las consecuencias de enfrentarse a los mongoles. Eso bastó para convencer a otras ciudades de bajar las armas y negociar: se trataba de elegir entre la vida y la muerte.[11]

Las noticias acerca de la brutalidad a la que se enfrentaban quienes se tomaban tiempo para sopesar las opciones viajaban con rapidez. Historias como la del oficial de alto rango al que ordenaron presentarse ante un caudillo mongol recién llegado y le echaron oro fundido en los ojos y las orejas se difundieron por todas partes, así como el hecho de que esa muerte había estado acompañada del anuncio de que era el castigo apropiado para un hombre «cuya conducta vergonzosa, actos de barbarie y crueldades previas merecían ser condenadas por todos».[12] El relato era una advertencia para todo aquel que pensara interponerse en el camino de los mongoles. La sumisión pacífica se recompensaba; la resistencia se castigaba con brutalidad.

El uso de la fuerza por parte de Gengis Kan era avanzado, desde un punto de vista técnico, y astuto en términos estratégicos. Sitiar durante un periodo prolongado un lugar fortificado era difícil y costoso debido a los problemas que planteaba el mantenimiento de un ejército montado de grandes dimensiones (solo la necesidad de pastos agotaría los recursos de la región circundante con rapidez). Por esta razón, se tenía en gran estima a los técnicos militares que eran capaces de conseguir victorias veloces. Sabemos, por ejemplo, que en 1221 en Nīshāpūr se utilizaron tres mil ballestas gigantes, tres mil máquinas para lanzar piedras y setecientos aparatos para disparar material incendiario. Más tarde, los mongoles se interesarían muchísimo por las técnicas pioneras de los europeos occidentales; a finales del siglo XIII copiarían los diseños de las catapultas y las máquinas de asedio creadas por los cruzados en Tierra Santa y los utilizarían en Asia oriental. El control de las «rutas de la seda» daba a quien lo tenía acceso a información e ideas que podían replicarse y usarse a miles de kilómetros de distancia.[13]

Dada su reputación, resulta curioso que una explicación para el asombroso triunfo de los mongoles a comienzos del siglo XIII en China, Asia Central y más allá es el hecho de que no siempre se los veía como opresores. Y con razón: en el caso de Jorasán, por ejemplo, a la población local se le había mandado pagar un año de impuestos por adelantado para financiar la construcción de nuevas fortificaciones alrededor de Samarcanda y costear los escuadrones de arqueros que debían defenderlas del inminente ataque mongol. Imponer semejante carga a los hogares difícilmente era un modo de ganarse su buena voluntad. Los mongoles, en cambio, invertían con prodigalidad en las infraestructuras de las ciudades que conquistaban. Un monje chino que visitó Samarcanda poco después de que fuera capturada se sorprendió al ver la cantidad de artesanos procedentes de China que había allí y el enorme número de personas de la región circundante y aún más lejos a las que se había contratado para ayudar a cuidar los campos y los huertos que previamente habían sido abandonados.[14]

Esta era una pauta que se repetía una y otra vez: se invertía dinero a raudales en las ciudades, que se reconstruían y revigorizaban, prestando particular atención al fomento de las artes, los oficios y la producción. Las imágenes demasiado generales que pintan a los mongoles como destructores salvajes son incorrectas y constituyen el legado engañoso de historias escritas posteriormente, que insisten en la ruina y la devastación por encima de cualquier otra cosa. Esta visión sesgada del pasado ofrece una lección notable acerca de lo útil que resulta a los líderes que aspiran a la posteridad patrocinar a historiadores que escriban con comprensión sobre sus imperios, algo que, es evidente, los mongoles no supieron hacer.[15]

No obstante, también es evidente que el uso de la fuerza por parte de los mongoles helaba la sangre de todo el que se enteraba de la inminencia de su llegada. A medida que marchaban en tropel hacia el oeste, dando caza a quienes se les habían resistido o huían con la esperanza de escapar, los mongoles sembraron el terror en los corazones y las mentes. En 1221, los ejércitos al mando de dos de los hijos de Gengis Kan avanzaron como un relámpago a través de Afganistán y Persia y arrasaron todo lo que encontraron a su paso. Nīshāpūr, Herat y Balj fueron conquistadas, mientras que en Merv no se dejó piedra sobre piedra y, según un historiador persa, se masacró a toda la población, salvo a un grupo de cuatrocientos artesanos que fueron trasladados al este para trabajar en la corte mongola. La tierra se tiñó de rojo con la sangre de los caídos; al parecer, un pequeño grupo de supervivientes contó los cadáveres y puso una cifra a la masacre: los muertos eran más de un millón trescientos mil.[16] Otros testimonios impactantes refieren números de víctimas similares, lo que ha convencido a los analistas modernos de la necesidad de hablar en términos de genocidio, asesinato masivo y masacre del 90 por ciento de la población.[17]

No obstante, si bien es difícil precisar las dimensiones de la mortandad causada por los ataques, es importante señalar que aparentemente muchas de las ciudades arrasadas por oleadas sucesivas de asaltos (aunque no todas) se recuperaron luego con rapidez, lo que sugiere que tal vez los historiadores persas posteriores de los que dependemos estaban demasiado dispuestos a exagerar los efectos devastadores de los ataques mongoles. Con todo, incluso si esos autores magnificaron el sufrimiento de la población, es indudable que los vientos que traían la violencia desde el este soplaban con una fuerza tremenda.

E implacable, también. Tan pronto como se hubo reducido a las principales ciudades de Asia Central, empezó el saqueo del Cáucaso, antes de que los invasores aparecieran en Rusia. Estaban persiguiendo a tribus rivales, los kupchacos o cumanos, para darles una lección por haber osado negarse a someterse. Gengis Kan tal vez murió en 1227, pero sus herederos se revelaron igual de capaces y espectacularmente exitosos.

A finales de la década de 1230, después de los extraordinarios triunfos en Asia Central bajo la dirección de Ögödei, que se convirtió en gran kan (líder supremo) poco después de la muerte de su padre, los mongoles lanzaron uno de los ataques más impresionantes de la historia bélica, en una campaña que superó en velocidad y escala incluso a las de Alejandro Magno. Las fuerzas mongolas ya habían entrado en territorio ruso desde las estepas en una ocasión anterior, cuando aparecieron en «incontables cantidades, como langostas», según un monje de Nóvgorod. «No sabemos de dónde vinieron ni a dónde fueron», escribió, «solo Dios lo sabe, pues él los envió para castigarnos por nuestros pecados».[18] En una acción de manual, cuando los mongoles regresaron exigieron el pago de un tributo y amenazaron con destruir a aquellos que se negaran a hacerlo. Las ciudades fueron atacadas una detrás de otra, y Riazán, Tver' y finalmente Kiev sufrieron un saqueo exhaustivo. En Vladímir, la familia del príncipe, junto con el obispo y otros dignatarios, se refugiaron en la iglesia de la Santa Madre de Dios. Los mongoles prendieron fuego al templo y quemaron vivos a los ocupantes.[19] Destruyeron las iglesias, escribió uno de los sucesores del obispo, «profanaron los cálices santos, pisotearon en el suelo los objetos sagrados y el clero fue pasto de su espada».[20] Eran como bestias salvajes que hubieran sido desatadas para devorar la carne de los fuertes y beber la sangre de los nobles. No eran el Preste Juan y la salvación lo que llegaba de Oriente, sino los mongoles trayendo el apocalipsis.

El terror que despertaban los mongoles se refleja en el nombre por el que pronto empezaron a ser conocidos: tártaros, una referencia a Tártaro, el abismo de tormento de la mitología clásica.[21] Las noticias de su avance llegaron hasta Escocia; y según una fuente, en la costa este de Gran Bretaña dejaron de venderse arenques, pues los comerciantes del Báltico que normalmente los compraban no se atrevían a dejar sus casas.[22] En 1241, los mongoles golpearon el corazón de Europa. Tras dividir sus fuerzas en dos, una espuela atacó Polonia y la otra se encaminó a las llanuras de Hungría. El pánico se propagó por todo el continente, en especial después de que un gran ejército dirigido por el rey de Polonia y el duque de Silesia fuera destruido y los vencedores desfilaran con la cabeza del segundo clavada en la punta de una lanza y nueve sacos llenos con «las orejas de los muertos». Las fuerzas mongolas marcharon entonces hacia el oeste. Cuando el rey Bela IV de Hungría huyó a Dalmacia y se refugió en Trogir, los sacerdotes entendieron que había llegado el momento de celebrar misas, rezar pidiendo protección ante el mal y encabezar procesiones para implorar el auxilio divino. El papa, Gregorio IX, tomó la decisión de anunciar que todo aquel que ayudara a la defensa de Hungría recibiría las mismas indulgencias que se otorgaban a los cruzados. Su oferta no suscitó mucho entusiasmo: el emperador alemán y el dux de Venecia eran muy conscientes de cuáles serían las consecuencias si intentaban ayudar y terminaban en el bando perdedor. Si en ese momento los mongoles hubieran decidido continuar avanzando hacia el oeste, sostiene un estudioso moderno, «es improbable que hubieran encontrado una oposición coordinada de cualquier tipo».[23] Había llegado la hora de la verdad para Europa.

Con un descaro casi digno de admiración, algunos historiadores contemporáneos empezaron entonces a afirmar que una valiente resistencia había detenido a los mongoles o, incluso, que se los había derrotado en batallas imaginarias que con el paso del tiempo fueron pareciendo más reales. Sin embargo, la verdad es que los mongoles sencillamente no estaban interesados en lo que Europa occidental tenía que ofrecer, al menos no por el momento. La prioridad era reprender a Bela por haber dado refugio a los cumanos y, lo que acaso era peor, haber hecho caso omiso de las repetidas exigencias de entregarlos: semejante oposición tenía que ser castigada a toda costa.[24]

«Estoy enterado de que sois un monarca rico y poderoso», decía una carta enviada al rey Bela por el jefe mongol, «de que tenéis muchos soldados bajo vuestro mando y de que vos solo gobernáis un gran reino». En palabras que cualquier mafioso profesional encontraría familiares, la situación se exponía sin rodeos. «Es difícil para vos someteros a mí por vuestra propia voluntad», seguía diciendo el texto, «y sin embargo para vuestras perspectivas futuras sería mejor que lo hicierais».[25] En el mundo de las estepas, desairar a un rival poderoso era casi tan malo como enfrentarse a él directamente. Bela necesitaba aprender una lección. Por tanto, a pesar de que existían oportunidades mucho mejores en otros lugares, los mongoles le persiguieron con determinación a lo largo y ancho de Dalmacia arrasando todo a su paso; una ciudad sufrió un asalto tan salvaje que un cronista local señaló que al final no quedaba en ella «nadie que meara contra la pared», es decir, ni un solo varón vivo.[26]

En ese punto, Bela (y Europa con él) se salvó gracias a un tremendo golpe de suerte, a saber, la muerte repentina de Ögödei, el gran kan. Para los cristianos devotos, el significado de lo ocurrido era evidente: sus plegarias habían sido atendidas. Para los mongoles de mayor rango, en cambio, las implicaciones eran muy diferentes; para ellos era vital estar presentes y participar en la selección del hombre que había de asumir el liderazgo. Entre ellos no había nada parecido a la primogenitura. En lugar de eso, la elección de quién debía ocupar la posición de mayor autoridad dependía de quien defendiera sus argumentos mejor, y más alto, en un cónclave de figuras principales. La decisión de a quién se respaldaba podía encumbrar o arruinar las vidas y carreras de los mandos: si se apoyaba al jefe indicado y este llegaba a lo más alto, la participación en las recompensas podía ser desproporcionadamente elevada. No era el momento de estar persiguiendo a un monarca fastidioso en los Balcanes. Era el momento de estar en casa, prestando atención al desarrollo de los acontecimientos. Y fue así como los mongoles levantaron el pie de la garganta de la Europa cristiana.

Aunque el nombre de Gengis Kan es sinónimo de las grandes conquistas en Asia y los ataques en tierras aún más lejanas, el líder mongol murió en 1227 después de que se hubiera completado la fase inicial de la construcción del imperio en China y Asia Central, pero antes de los espectaculares ataques contra Rusia y Oriente Próximo y la invasión que puso a Europa de rodillas. Fue su hijo, Ögödei, quien supervisó y planeó la expansión que aumentó las dimensiones del señorío mongol de forma tan notable, con campañas que llegaron a la península coreana, el Tíbet, Pakistán y el norte de la India, así como al oeste. Ögödei merece gran parte del crédito por los logros de los mongoles y, asimismo, tiene parte de la responsabilidad por la interrupción temporal del avance, pues su muerte en 1241 dio a los europeos un respiro en un momento crucial.

Mientras el mundo hacía una pausa para ver quién asumía el mando, una sarta de enviados partió de Europa y el Cáucaso rumbo a Asia para averiguar quiénes eran esos merodeadores, de dónde venían, cuáles eran sus costumbres y, por supuesto, si era posible llegar a un acuerdo con ellos. Dos grupos de embajadores llevaban cartas en las que, en nombre de Dios, se pedía a los mongoles que no atacaran a los cristianos y que consideraran adoptar la fe verdadera.[27] Entre 1243 y 1253 el papa Inocencio IV envió cuatro embajadas separadas, mientras que el rey Luis IX de Francia también despachó una misión liderada por Guillermo de Rubruquis, un monje flamenco.[28]

Los testimonios que produjeron esos viajes fueron tan detallados y singulares como los elaborados por los viajeros musulmanes que se adentraron en las estepas en los siglos IX y X. Los visitantes europeos reaccionaron con fascinación y horror en igual medida. Pese a ser inmensamente poderosos, escribió Guillermo de Rubruquis, los nuevos señores de Asia no vivían en ciudades, excepto en la capital, Karakórum, donde conoció al gran kan en una tienda enorme que estaba «por dentro completamente cubierta con tela de oro».[29] Era un pueblo cuya conducta y hábitos resultaban exóticos e irreconocibles. No comían verduras, bebían leche de yegua fermentada y vaciaban sus entrañas sin consideración hacia aquellos con los que estaban hablando, y en público, a apenas «un tiro de alubia» de su interlocutor.[30]

El relato de otro enviado, Juan de Plano Carpini, se hizo muy famoso en toda Europa en este periodo; pintaba un cuadro similar de suciedad, decadencia y desconocimiento, un mundo en el que los perros, los lobos, los zorros y los piojos eran considerados comida. Asimismo, daba cuenta de los rumores que había oído acerca de las criaturas que residían más allá de las tierras mongolas, donde había gentes con pezuñas y otros que tenían cabezas de perro.[31] Juan también regresó con información que no presagiaba nada bueno a propósito de las escenas que acompañaron la entronización del siguiente gran kan, Güyüg. La lista de dignatarios de las regiones, tribus y reinos que reconocían el señorío de los mongoles permitía hacerse una idea de las extraordinarias dimensiones del imperio: líderes de Rusia, Georgia, Armenia, las estepas, China y Corea estaban entre los asistentes, así como no menos de diez sultanes y miles de enviados del califa.[32]

El gran kan entregó una carta a Juan para que la llevara de regreso a Roma. Los mongoles, decía la misiva, habían conquistado todas las tierras del mundo. Y tenían una orden para el papa: «Debéis venir en persona, con todos los príncipes, y servirnos». Si no lo hacéis, advertía, «os convertiré en mi enemigo». El texto incluía además una respuesta inflexible a los ruegos papales para que el jefe mongol se convirtiera al cristianismo: ¿cómo sabéis a quién absuelve Dios y a quién le muestra su piedad?, escribió el kan con enfado. Todas las tierras desde el naciente hasta el poniente se han sometido a mí, proseguía, lo que no es ninguna recomendación para el Dios del papa. La carta llevaba un sello que unía el poder del gran kan con el de «el eterno Tengri», la deidad suprema tradicional de los nómadas de las estepas. Eso no era en absoluto prometedor.[33]

Tampoco resultaba tranquilizador que se estuvieran haciendo planes para lanzar nuevos ataques en Europa central y, mucho menos, que se estuviera considerando seriamente emprender también un asalto contra el norte del continente.[34] Los mongoles tenían una visión del mundo que no se detenía ante nada en pos de la dominación global: la conquista de Europa era sencillamente el siguiente paso lógico en el plan de los herederos de Gengis Kan para someter aún más territorios.[35]

El miedo a los mongoles desencadenó en Europa un juego de dominó religioso. La Iglesia armenia entró en conversaciones con el patriarcado de la Iglesia ortodoxa griega con el fin de forjar una alianza y obtener protección en caso de que en el futuro se produjera un ataque. Asimismo, los armenios entablaron negociaciones con Roma, subrayando su disposición a declarar que estaban de acuerdo con la interpretación que hacía el papado de la cuestión del Espíritu Santo, que en el pasado había causado grandes fricciones.[36] Los bizantinos procedieron de igual forma y enviaron a Roma una misión con una propuesta para acabar con el cisma que había partido en dos a la Iglesia cristiana desde el siglo XI, una división que las cruzadas en lugar de resolver habían agravado.[37] Durante mucho tiempo, clérigos y príncipes de Europa habían intentado sin éxito reunir a papas y patriarcas, pero allí donde ellos habían fracasado, los mongoles triunfaron: los ataques desde el este, y la amenaza muy real de que se repitieran, habían conseguido poner a la Iglesia en el camino hacia la unión total.

Sin embargo, justo cuando la armonía religiosa parecía una certeza, la situación cambió. Tras la inesperada muerte del gran kan Güyüg en 1248, hubo un conflicto sucesorio dentro de la jefatura mongola que tardó algún tiempo en resolverse. Mientras eso ocurría, los gobernantes de Armenia y Bizancio recibieron garantías de que no se produciría ningún ataque. Según Guillermo de Rubruquis, en el caso del segundo lo que impidió el asalto fue la intervención del embajador enviado por los mongoles a Constantinopla, a quien se había pagado un soborno considerable.[38] Que los bizantinos estaban desesperados por desviar la atención de los mongoles e hicieron cuanto estuvo en sus manos para evitar el ataque es un hecho sobre el que no cabe duda. En la década de 1250, por ejemplo, los encargados de guiar a través de Asia Menor a otra delegación procedente de Karakórum condujeron a los enviados deliberadamente por terreno difícil; y cuando los embajadores por fin llegaron a su encuentro con el emperador, tuvieron que presenciar un desfile del ejército imperial. Todo ello era un intento desesperado por convencer a los mongoles de que no valía la pena atacar al imperio, y de que si en todo caso lo hacían, los soldados estarían esperándoles.[39]

Con todo, la verdad es que los mongoles desistieron de atacar por razones diferentes: ni Anatolia ni Europa eran su interés primordial, sencillamente porque había objetivos más jugosos y mejores en otras partes. Para empezar, en Oriente. Los mongoles enviaron expediciones a lo que quedaba de China hasta que consiguieron hacerla capitular por completo a finales del siglo XIII, momento en el cual la dinastía mongola reinante adoptó el título imperial de Yuan y fundó una nueva ciudad en el lugar en el que se alzaba la antigua Zhongdu. Concebida como coronación del logro que entrañaba haberse hecho con el control de toda la región entre el Pacífico y el Mediterráneo, la nueva metrópolis se convirtió en la capital mongola y ha mantenido su importancia prácticamente desde entonces: Beijing.

Entre tanto, otras grandes ciudades también recibieron una atención considerable. El nuevo kan, Möngke, concentró los ejércitos mongoles en las perlas del mundo islámico. Las ciudades fueron cayendo una tras otra a medida que las fuerzas atacantes avanzaban hacia el oeste. En 1258 llegaron a las murallas de Bagdad y, después de un breve asedio, sembraron el caos. Arrasaron la ciudad «como halcones hambrientos lanzados contra una bandada de palomas, o como lobos furiosos contra las ovejas», escribió un autor no mucho después. Los habitantes de la ciudad fueron arrastrados por las calles y los callejones como muñecos, «cada uno convertido en un juguete». Cuando capturaron al califa al-Mustaʿṣim, lo envolvieron en una tela y lo pisotearon con los caballos hasta matarlo.[40] Este fue sin duda un momento muy simbólico, el de la demostración de quién tenía de verdad el poder en el mundo.

Durante esas conquistas se incautaron botines y riquezas inmensos. Según un relato escrito en el Cáucaso por aliados de los mongoles, los vencedores «se hundían bajo el peso del oro, la plata, las gemas y las perlas, los textiles y los vestidos preciosos, los platos y las copas de oro y plata, pues solo tomaban esos dos metales, las gemas, las perlas, los textiles y los vestidos». La incautación de textiles era particularmente significativa: al igual que los xiongnu en la cumbre de su poderío, la seda y los materiales lujosos desempeñaban una función crucial como marcas de distinción de los miembros de la élite dentro del sistema tribal y, por ende, se los apreciaba muchísimo. Los mongoles a menudo exigieron que el tributo se pagara específicamente en forma de paño de oro, gasa púrpura, vestidos preciosos o sedas; en ciertas ocasiones se estipulaba que tales pagos tenían que hacerse en forma de cabezas de ganado adornadas con damasco, tela de oro y joyas preciosas. Las «telas de seda y oro y algodón» se solicitaban en cantidades y calidades tan específicas que el mayor especialista en este campo ha hablado a propósito de una lista de la compra detallada, una «al mismo tiempo exigente y extraordinariamente bien informada».[41]

Apenas hubo tiempo de digerir las noticias sobre el saqueo de Bagdad cuando los mongoles reaparecieron en Europa. En 1259 invadieron Polonia y tomaron Cracovia, antes de enviar una delegación a París para exigir el sometimiento de Francia.[42] Al mismo tiempo, un ejército separado se desplazó al oeste desde Bagdad para atacar Siria y Palestina. El avance hizo cundir el pánico entre los latinos que vivían en Levante, donde la posición cristiana en Tierra Santa se había visto reforzada tras recibir una inyección fresca de energía cruzada a mediados del siglo XIII. Aunque las expediciones a gran escala de Federico II, el emperador del Sacro Imperio Romano Germánico, y Luis IX de Francia devolvieron brevemente Jerusalén a manos cristianas, pocos se hacían ilusiones respecto al precario control que tenían sobre Antioquía, Acre y el resto de ciudades.

Hasta la aparición de los mongoles, la amenaza parecía proceder de Egipto y el régimen nuevo y en extremo hostil que se había hecho con el poder allí. En un giro extraordinariamente irónico de la historia, los nuevos señores de Egipto eran hombres de una estirpe similar a los mongoles, nómadas de las estepas. Así como el califato abasí de Bagdad había sido tomado por los soldados esclavos reclutados entre las tribus turcas de las estepas, el sultanato de El Cairo corrió la misma suerte en 1250. En el caso de Egipto, a los nuevos amos se los conocía como «mamelucos» debido a que eran en su mayoría descendientes de los esclavos (*mamalik*) capturados en las constelaciones tribales del norte del mar Negro y vendidos en los puertos de Crimea y del Cáucaso para servir en el ejército egipcio. Entre ellos había algunos miembros de tribus mongolas que se habían visto atrapados en el comercio de esclavos o bien eran *wāfidīyah*, «recién llegados» que habían encontrado refugio en El Cairo tras huir de la opresión de las facciones dominantes en las refriegas internas que eran típicas de los pueblos de las estepas.[43]

La Edad Media europea se ha considerado tradicionalmente como la época de las cruzadas, la caballería y el creciente poder del papado, pero todo ello fue poco más que una atracción secundaria ante las luchas titánicas que estaban teniendo lugar más al este. El sistema tribal había llevado a los mongoles al borde de la dominación mundial tras haber conquistado casi la totalidad de Asia continental. Las puertas de Europa y el norte de África estaban igualmente abiertas; y, por tanto, resulta llamativo que la jefatura mongola decidiera concentrarse no en la primera, sino en la última. En palabras sencillas: Europa no era el mejor trofeo en juego. En el camino hacia el control del Nilo, la rica producción agraria de Egipto y su posición estratégica en la intersección de las rutas comerciales, lo único que se oponía a los mongoles era un ejército comandado por hombres originarios de las mismas estepas: esta no era solo una lucha por la supremacía, era el triunfo de un sistema político, cultural y social. La batalla por el mundo medieval se libró entre los nómadas de Asia Central y oriental.

Los cristianos de Tierra Santa reaccionaron al avance mongol cegados por el pánico. Antioquía, una de las joyas controladas por los cruzados, se rindió; mientras que Acre, otro de los centros importantes, llegó a un acuerdo con los invasores tras decidir que eran el menor de dos males. Entre tanto, se hicieron llamadas desesperadas a los reyes de Inglaterra y Francia rogándoles que enviaran ayuda militar. No obstante, lo que salvó a los occidentales fue la intervención de sus enemigos declarados, los mamelucos de Egipto, que marcharon hacia el norte para enfrentarse al ejército que estaba arrasando Palestina.[44]

Tras haber sometido a todos los que se les habían enfrentado durante casi seis décadas enteras, los mongoles sufrieron su primer revés importante y fueron derrotados en la batalla de ʿAin Yālūt, en el norte de Palestina, en septiembre de 1260. A pesar del asesinato del general vencedor, el sultán Quṭuz, en una lucha de poder interna, los mamelucos continuaron abriéndose camino con regocijo. Y mientras lo hacían, descubrieron que gran parte del trabajo estaba hecho: al doblegar la resistencia de la población local, los mongoles habían unido ciudades y regiones en una sola entidad. Del mismo modo que Gengis Kan se había beneficiado de la consolidación de Asia Central antes de su invasión a comienzos del siglo XIII, los mongoles, sin proponérselo, regalaron a sus rivales Siria y las importantes ciudades de Alepo y Damasco. Los mamelucos entraron prácticamente sin encontrar oposición.[45]

Los cristianos, tanto en Tierra Santa como en Europa, observaban los acontecimientos con horror, inseguros de qué podía ocurrir a continuación o qué suerte les aguardaba. No obstante, la actitud hacia los mongoles pronto experimentó una remodelación total. La Europa cristiana comenzó a darse cuenta de que a pesar de los encuentros traumáticos que habían tenido con las terroríficas hordas de jinetes que llegaban al galope por la ribera septentrional del mar Negro a las llanuras de Hungría, los mongoles quizá sí podían ser los salvadores por los que erróneamente habían sido tomados cuando aparecieron por primera vez.

En las décadas posteriores a 1260, repetidas misiones partieron desde Europa y Tierra Santa para intentar forjar una alianza con los mongoles frente a los mamelucos. Las embajadas también viajaron con frecuencia en la otra dirección, enviadas por Hülegü, el caudillo militar mongol do-

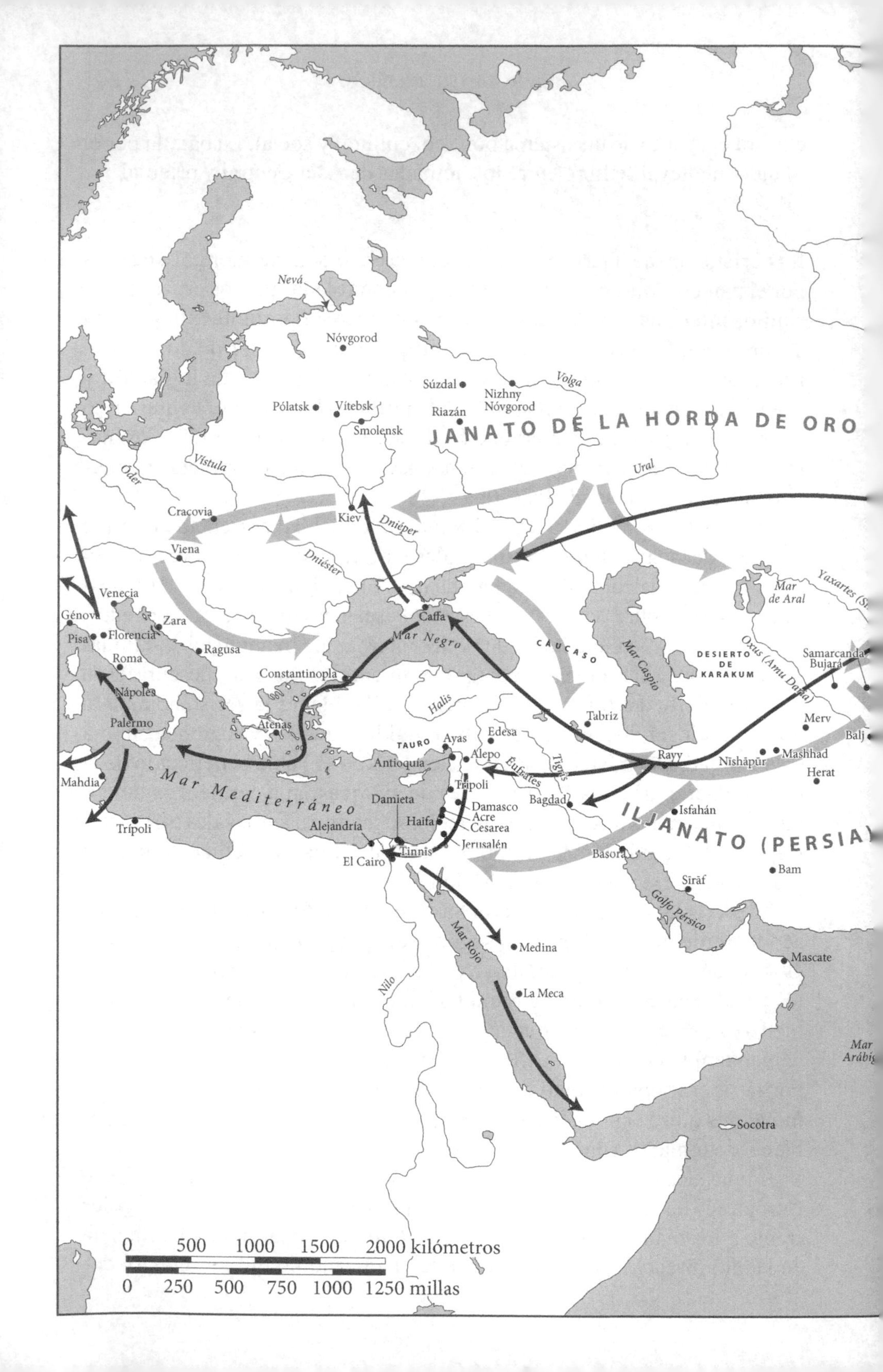

Nevá
Nóvgorod
Súzdal
Nizhny Nóvgorod
Volga
Pólatsk
Vítebsk
Riazán
Smolensk
JANATO DE LA HORDA DE ORO
Vístula
Óder
Ural
Cracovia
Kiev
Dniéper
Viena
Dniéster
Yaxartes
Mar de Aral
Venecia
Génova
Zara
Pisa
Florencia
Caffa
Mar Negro
Ragusa
Roma
CÁUCASO
Mar Caspio
DESIERTO DE KARAKUM
Oxus (Amu Daria)
Samarcanda
Bujará
Constantinopla
Nápoles
Halis
Palermo
Atenas
Tabriz
Merv
TAURO
Ayas
Edesa
Antioquía
Alepo
Rayy
Nīshāpūr
Mashhad
Balj
Herat
Eufrates
Tigris
Mahdia
Mar Mediterráneo
Trípoli
Damasco
Bagdad
Damieta
Acre
Haifa
Cesarea
Isfahán
Alejandría
Jerusalén
ILJANATO (PERSIA)
Tinnis
El Cairo
Basora
Bam
Sīrāf
Golfo Pérsico
Medina
Mar Rojo
Mascate
Nilo
La Meca
Mar Arábig
Socotra
0 500 1000 1500 2000 kilómetros
0 250 500 750 1000 1250 millas

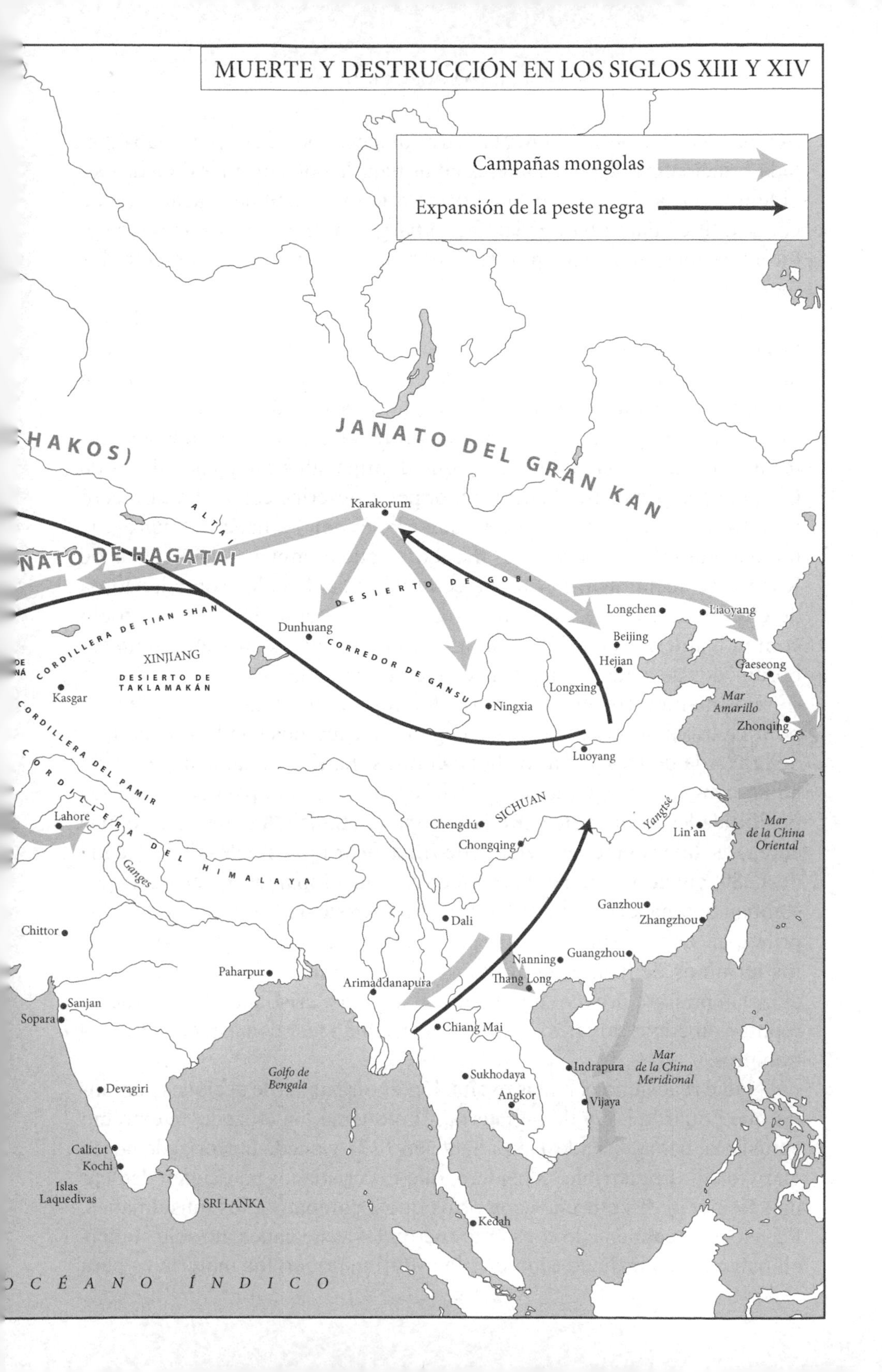

MUERTE Y DESTRUCCIÓN EN LOS SIGLOS XIII Y XIV
Campañas mongolas
Expansión de la peste negra
JANATO DEL GRAN KAN
NATO DE HAGATAI
HAKOS)
ALTAI
Karakorum
DESIERTO DE GOBI
Longchen
Liaoyang
Beijing
Hejian
Gaeseong
Mar Amarillo
Zhonqing
Dunhuang
CORREDOR DE GANSU
CORDILLERA DE TIAN SHAN
XINJIANG
DESIERTO DE TAKLAMAKÁN
Kasgar
Ningxia
Longxing
Luoyang
CORDILLERA DEL PAMIR
CORDILLERA DEL HIMALAYA
Lahore
Ganges
Chengdú
SICHUAN
Chongqing
Yangtsé
Lin'an
Mar de la China Oriental
Ganzhou
Zhangzhou
Chittor
Dali
Nanning
Guangzhou
Paharpur
Arimaddanapura
Thang Long
Sanjan
Sopara
Chiang Mai
Mar de la China Meridional
Indrapura
Golfo de Bengala
Sukhodaya
Devagiri
Angkor
Vijaya
Calicut
Kochi
Islas Laquedivas
SRI LANKA
Kedah
OCÉANO ÍNDICO

minante en Asia, y su hijo Aqaba, cuya disposición a negociar estaba dictada principalmente por su interés en utilizar la potencia marítima de Occidente contra Egipto y los territorios que los mamelucos acababan de conquistar en Palestina y Siria. Sin embargo, la situación se complicó debido a la aparición de los primeros signos de auténtica fricción entre los mongoles.

Para la última parte del siglo XIII, el mundo mongol se había hecho tan vasto (abarcaba desde el Pacífico hasta el mar Negro, y desde las estepas hasta el norte de la India y el golfo Pérsico) que las tensiones comenzaron a manifestarse y aparecieron grietas. El imperio se dividió en cuatro ramas principales, cada vez más hostiles entre sí. La línea principal se centró en China; en Asia Central, los que dominaban eran los herederos de Chagatai, un personaje al que un autor persa describe como «un carnicero y un tirano», un hombre maldito que era «cruel y amaba la sangre»: la maldad pura.[46] En el oeste, los mongoles que dominaban las estepas de Rusia y se adentraban en Europa central eran conocidos como la Horda de Oro, mientras que en el Gran Irán a los gobernantes se les conoció como «iljaníes» en alusión al título, *il-jan*, que los identificaba como subordinados de la rama principal de la jefatura mongola.

Los mamelucos procedieron entonces a manipular con destreza la política tribal de sus enemigos y llegaron a acuerdos con Berke, el líder de la Horda de Oro, cuya rivalidad con los iljaníes ya había degenerado en un conflicto declarado. Eso sirvió en su momento para aumentar las posibilidades de acuerdo entre la Europa cristiana y los iljaníes. Lo más cerca que tales planes estuvieron de fructificar fue a finales de la década de 1280, cuando el monarca iljaní envió una embajada encabezada por Rabban Sauma, el obispo de Uiguria, en el oeste de China, a visitar a los principales gobernantes de Europa occidental con el propósito de cerrar los términos de la alianza militar. Rabban Sauma era una buena elección: un hombre urbano, inteligente y, además, cristiano. A pesar de su reputación como salvajes, los mongoles sabían leer con astucia a los extranjeros.

Nadie reaccionó con más excitación al oír hablar de acciones conjuntas que Eduardo I, rey de Inglaterra. El monarca, un cruzado en extremo entusiasta, había visitado Tierra Santa en 1271 y quedó horrorizado por lo que vio allí. Era terrible, consideró, que los cristianos parecieran dedicar más tiempo a discutir unos con otros que a combatir a los musulmanes. Pero lo que realmente lo consternó fueron los venecianos: no solo comerciaban con los infieles, sino que les suministraban los materiales para construir las máquinas de asedio que empleaban contra las ciudades y fuertes cristianos.[47]

El rey recibió encantado al obispo llegado del este y le dejó claro que su prioridad era la recuperación de Jerusalén. «No pensamos en otra cosa salvo en esta cuestión», le dijo el monarca inglés al obispo antes de pedirle que celebrara la eucaristía para él y su séquito. Trató al enviado con honor y respeto, y tras dar un banquete para celebrar las grandes cosas que estaban por venir, le cubrió con obsequios y dinero.[48] Se hicieron planes de colaboración con el objetivo de asegurar Tierra Santa para la cristiandad de una vez por todas. Eran tales las expectativas del triunfo inminente del cristianismo que en Roma se llevaron a cabo procesiones para celebrar la derrota segura del islam. En apenas unas pocas décadas, en la imaginación europea los mongoles habían pasado de salvadores a demonios y viceversa. La idea de que el fin del mundo estaba cerca había cedido paso a la creencia de que se aproximaba un nuevo comienzo.

Los grandiosos planes, sin embargo, quedaron en nada. Del mismo modo en que una cruzada tras otra las expediciones cristianas habían reportado menos de lo prometido, todas las buenas palabras sobre la alianza que abarcaría miles de kilómetros y decidiría el destino de las religiones mundiales no produjeron ningún resultado significativo. En el caso de Eduardo I, resultó que tenía problemas más importantes cerca de casa; de modo que en lugar de formar una gran alianza con los mongoles contra el Egipto musulmán, el rey inglés se vio obligado a partir hacia Escocia para sofocar la rebelión de William Wallace. Con los demás monarcas europeos atendiendo preocupaciones similares, la presencia cristiana en Tierra Santa llegó a su fin: dos siglos después de que los caballeros de la primera cruzada hubieran tomado Jerusalén, las últimas bases cayeron. Sidón, Tiro, Beirut y Acre se rindieron a los mamelucos en 1291. Para salvar o mantener unas posesiones que estaban en el corazón de la fe cristiana no bastaban solo la buena voluntad y el entusiasmo.

Durante un tiempo, ciertos acontecimientos fomentaron falsas esperanzas entre los europeos. En el invierno de 1299, los mongoles por fin consiguieron lo que habían estado intentando hacer durante más de una generación: infligir una derrota aplastante al ejército mameluco. La victoria fue tan rotunda que en Europa circularon rumores de que Jerusalén había sido recuperada por cristianos de Oriente que habían peleado junto a sus aliados mongoles. Además, se propagó el rumor de que el monarca iljaní se había convertido al cristianismo y era ahora el nuevo protector de Tierra Santa. Algunos informes anunciaban con excitación noticias incluso mejores: no contentos con haber expulsado a los mamelucos de Siria y Palestina, los mongoles al parecer habían desbaratado las defensas y tomado también Egipto.[49] Todo parecía demasiado bueno para ser cierto. Era verdad que los mongoles habían obtenido una victoria importante en el campo de batalla, pero los relatos entusiastas que circularon por Europa no eran más que malentendidos, rumores e ilusiones. La Tierra Santa cristiana se había ido para siempre.[50]

Las cruzadas desempeñaron un papel vital en la conformación del Occidente medieval. El poder del papado se transformó: el papa no era ya solo un clérigo con una gran autoridad, sino una figura con capacidades militares y políticas propias; las ideas acerca del servicio, la devoción y la piedad caballerescas ofrecieron una estructura para definir las cualidades y la conducta de la élite; y la idea del cristianismo como denominador común del continente europeo echó raíces. Sin embargo, en última instancia la experiencia había dejado claro que si bien el objetivo de conquistar y mantener Jerusalén era maravilloso en teoría, en la práctica era difícil, costoso y peligroso. Y así, tras haber ocupado el centro de la conciencia europea durante dos siglos, Tierra Santa desapareció discretamente del panorama. Como escribió William Blake en el siglo XIX, sería infinitamente preferible construir Jerusalén en un lugar menos complicado y más conveniente, como «las tierras verdes y gratas de Inglaterra».[51]

Al final, las cruzadas fueron un fracaso: los intentos de colonizar los lugares más importantes de la cristiandad no habían funcionado. Sin embargo, no puede decirse lo mismo de las ciudades-estado italianas, que triunfaron allí donde los caballeros cristianos fallaron. Mientras que a los guerreros devotos se los echó por la fuerza, los estados marítimos sencillamente se reajustaron y penetraron todavía más en Asia. No existía la menor posibilidad de que renunciaran a su posición. Todo lo contrario: después de la pérdida de Tierra Santa, la cuestión para ellos no era reducir su alcance, sino ampliarlo.

## Capítulo 10

# LA RUTA DE LA MUERTE Y LA DESTRUCCIÓN

Incluso antes de la caída de las ciudades y los puertos del Levante, tanto Génova como Venecia habían tomado medidas para encontrar nuevas rutas en las cuales comerciar, nuevos sitios dónde comprar y vender mercancías y nuevas formas de asegurarse de que no perderían su posición. En el siglo XIII, con el comercio a través de Tierra Santa cada vez más estrangulado debido al aumento de las tensiones militares, ambas comunas fundaron nuevas colonias en la costa norte del mar Negro, en la península de Crimea, en la boca del mar de Azov y en la Cilicia armenia, donde la ciudad de Ayas se convirtió en una nueva puerta a las mercancías y artículos de lujo procedentes de Oriente.

Era muchísimo el dinero que se podía ganar allí. La diferencia entre el precio del grano en las costas norte y sur del mar Negro ofrecía una oportunidad perfecta para que las ciudades-estado sacaran provecho de sus enormes buques de carga, que estaban en condiciones de transportar alimentos en volúmenes considerables.[1] Estos barcos también demostraron ser útiles para el transporte de otra clase de mercancías, como los seres humanos. Tanto los genoveses como los venecianos volvieron al tráfico de esclavos a gran escala, y haciendo caso omiso de los esfuerzos del papado por prohibir el tráfico de hombres, mujeres y niños con destino a compradores musulmanes, empezaron a comprar cautivos para su venta en el Egipto mameluco.[2]

Hacer a un lado las viejas rivalidades era difícil. Génova ya había demostrado hasta dónde estaba dispuesta a llegar con tal de aplastar a sus rivales destruyendo a la casi totalidad de la flota pisana en 1282 y negándose luego a pedir rescate por los hombres que había hecho prisioneros. Pisa nunca se recuperó del todo del golpe sufrido entonces. Entre los capturados se encontraba un tal Rustichello, que llevaba más de una década en la cárcel cuando conoció a un nuevo compañero de infortunio, capturado también durante una victoria naval genovesa, en esta ocasión contra los venecianos, en el Adriático. Tras trabar amistad con él, Rustichello decidió poner por escrito las memorias de quien resultó ser un viajero extraordinario: hemos de agradecer a la brutalidad de Génova y su incansable dedicación a la lucha por el poder el registro de los viajes de Marco Polo.

Los duelos implacables por la supremacía comercial estallaban en cuanto Venecia y Génova entraban en contacto: hubo enfrentamientos violentos en Constantinopla, confrontaciones en el Egeo y en Chipre y batallas vigorosas en el Adriático. Para 1299, cuando el papa Bonifacio VIII consiguió negociar una tregua entre las dos potencias, ambas se habían combatido la una a la otra hasta llegar a un punto muerto. Pero la energía, el esfuerzo y el dinero invertidos en ponerse en primer lugar demostraban cuánto estaba en juego en el intento de establecer conexiones con Asia.

Con todo, la lucha había valido la pena. Para 1301, el salón del Gran Consejo de Venecia se amplió después de que se resolviera por unanimidad que no era lo bastante grande para acoger a todos los poderosos miembros, cuyo número había aumentado en paralelo al crecimiento de la riqueza de la ciudad.[3] En el caso de Génova, por otro lado, un poema escrito hacia finales del siglo XIII ensalza la belleza de la ciudad, «llena de palacios de la cabeza a los pies» y cuyo perfil adornaban una gran cantidad de torres. La fuente de las riquezas de la ciudad era la provisión abundante de mercancías de Oriente, entre las que se encontraban pieles de armiño, ardilla y otros animales procedentes de las estepas, así como pimienta, jengibre, almizcle, especias, brocado, terciopelo, paño de oro, perlas, joyas y piedras preciosas. Génova era rica, prosigue el autor, gracias a la red que había creado, atendida por sus galeras y buques: los genoveses estaban repartidos por todo el mundo, alardeaba con orgullo, y creaban nuevas Génovas allí donde iban. En verdad, escribe el autor anónimo, Dios había bendecido a la ciudad y quería verla florecer.[4]

Una razón clave para el auge de Venecia y Génova fue la destreza y previsión de las que dieron muestras al satisfacer los deseos de los consumidores, y los de los comerciantes que acudían desde otras ciudades de Europa para comprar las mercancías que llegaban allí. Una vez que Egipto y Tierra Santa se revelaron demasiado volátiles y peligrosos, el mar Negro se convirtió con rapidez en una zona comercial de la mayor importancia.

Sin embargo, detrás del ascenso de las ciudades-estado italianas estaba la sofisticación y contención fiscales de los mongoles a la hora de imponer gravámenes al comercio. Diversas fuentes indican que los impuestos a las exportaciones que pasaban por los puertos del mar Negro nunca superaban entre el 3 y el 5 por ciento del valor total de las mercancías; esto las hacía muy competitivas cuando se compara con los peajes y exacciones que se obtenían de los productos que pasaban a través de Alejandría, donde las fuentes hablan de impuestos de entre el 10 y el 30 por ciento.[5] Como sabe cualquier comerciante, los márgenes lo son todo. Por tanto, existía un incentivo potente para comerciar a través del mar Negro, lo que, obviamente, hacía todavía más importante la ruta hacia el este.

La inteligencia burocrática del imperio mongol pasa desapercibida con facilidad entre las imágenes de violencia y destrucción gratuita con las que solemos asociarlo, pero se manifiesta con claridad en una fijación de precios sensata y en la política deliberada de mantener los impuestos bajos. De hecho, el éxito de los mongoles no fue consecuencia de la brutalidad deliberada, sino de la voluntad de llegar a acuerdos y cooperar, gracias al esfuerzo implacable de mantener un sistema que renovaba el control central. Aunque los historiadores persas posteriores insisten en afirmar que los mongoles estaban desvinculados del proceso de gestión del imperio y preferían dejar a otros las tareas mundanas que conllevaba, investigaciones recientes revelan precisamente cuán implicados estaban en los pormenores de la vida cotidiana.[6] El gran logro de Gengis Kan y sus sucesores no estuvo en los saqueos de la imaginación popular, sino en los meticulosos controles implementados para permitir el florecimiento durante los siglos posteriores de uno de los mayores imperios de la historia. No es una coincidencia que la lengua rusa se apropiara de una amplia gama de términos que tomó prestados directamente del vocabulario de la administración mongola y, en particular, los relacionados con el comercio y la comunicación: las palabras empleadas para «beneficio» (*barysh*), «dinero» (*dengi*) y «tesoro» (*kazna*) proceden todas del contacto con los nuevos señores de Oriente. Lo mismo ocurrió con el sistema postal ruso, basado en el método mongol para transmitir mensajes con rapidez y eficacia de un lado al otro del imperio mediante una red de postas.[7]

Tal era la genialidad de los mongoles, de hecho, que la plataforma para el éxito a largo plazo quedó establecida desde el mismísimo comienzo. A medida que Gengis Kan y sus sucesores expandieron sus dominios, tuvieron que incorporar a nuevos pueblos dentro de un sistema coherente. De forma deliberada se buscó disolver las tribus para redirigir los vínculos de lealtad hacia la unidad militar y, por encima de todo, la jefatura mongola. Las características tribales distintivas, como la forma de llevar el pelo de cada pueblo, fueron erradicadas y en su lugar se impusieron modas estandarizadas. El procedimiento habitual con los pueblos que se sometían o eran conquistados consistía en dispersarlos a través del territorio bajo control mongol con el fin de debilitar los lazos lingüísticos, familiares e identitarios y contribuir al proceso de asimilación. Se introdujeron nuevos nombres para sustituir las etiquetas éticas con el propósito de subrayar la nueva forma de hacer las cosas. Todo esto resultaba a su vez reforzado por un sistema de recompensa centralizado para la redistribución de botines y tributos: la proximidad a la dinastía gobernante era fundamental, y eso fomentaba una meritocracia amplia, aunque brutal, que recompensaba en abundancia a los generales que triunfaban y extirpaba con rapidez a quienes fallaban.[8]

Al tiempo que se buscaba anular las identidades tribales, en cuestiones de fe existía una tolerancia consistente y extraordinaria. Los mongoles eran relajados y abiertos en materia religiosa. Prácticamente desde la época de Gengis Kan, se permitía a quienes formaban el séquito del líder practicar las creencias que quisieran. El mismo Gengis «miraba a los musulmanes con ojos de respeto, y también tenía a los cristianos y los "idólatras" [es decir, los budistas] en alta estima», según un autor persa posterior. En lo que respecta a sus descendientes, se dejó que cada uno decidiera qué fe seguir por sí solo, de acuerdo a su propia conciencia. Algunos eligieron adoptar el islam, otros el cristianismo y «otros más se aferraron al antiguo canon de sus padres y ancestros y no se inclinaron en ninguna dirección».[9]

Había algo de verdad en ello, como no tardaron en descubrir los misioneros que acudieron en masa a Oriente en busca de personas a las que convertir.[10] Guillermo de Rubruquis se sorprendió al encontrarse con sacerdotes procedentes de toda Asia en su camino hacia la corte mongola, pero se sorprendió todavía más al descubrir que accedían a bendecir caballos blancos cada primavera, cuando se reunían las manadas cerca de Karakórum; más aún, esas bendiciones se llevaban a cabo de un modo más en consonancia con los rituales paganos que con la doctrina cristiana.[11] No obstante, se consideraba que tomar ciertos atajos valía la pena, un detalle nimio en el gran cuadro de las conversiones. A medida que los contactos entre Europa y Asia Central se incrementaron, las diócesis empezaron a proliferar de nuevo en Oriente, incluso en las entrañas de las estepas, y se fundaron monasterios en el norte de Persia, como el de Tabriz, que se convirtió en una importante comunidad de monjes franciscanos.[12] El que se les permitiera florecer dice mucho acerca de la protección que recibieron y de la actitud tolerante de los mongoles hacia la religión.

De hecho, las cosas fueron considerablemente más lejos. A finales del siglo XIII, el papa envió a Juan de Montecorvino con una carta para el gran kan en la que se le «invitaba a recibir la fe católica de nuestro Señor Jesucristo». Aunque Juan no consiguió cumplir ese cometido, se propuso en todo caso convertir a cuantas personas pudiera; el misionero pagaba rescates para liberar a niños cautivos a los que luego enseñaba latín y griego y para los que escribía salterios a mano. Con el tiempo, incluso el gran kan acudiría para oírlos cantar durante el servicio y quedaría cautivo por la belleza del canto y el misterio de la eucaristía. Tal fue su éxito que a comienzos de la década de 1300 el papa Clemente V envió una embajada para ascenderlo no ya a obispo, sino a una posición más alta que reflejara sus logros y espoleara la creación de una jerarquía eclesiástica a lo largo y ancho del imperio mongol: Juan se convirtió en arzobispo de Beijing. El fracaso de las cruzadas no significó el fracaso del cristianismo en Asia.[13]

Esta tolerancia religiosa era en parte una forma inteligente de hacer política. Los iljaníes parecen haber sido particularmente aficionados a decir a las personalidades religiosas lo que estas querían escuchar. Hülegü, por ejemplo, le dijo a un sacerdote armenio que le habían bautizado cuando era niño, algo que la Iglesia de Occidente tenía tantas ganas de creer que en Europa circularon ilustraciones en las que se lo representaba como un santo cristiano. A otros, sin embargo, se les contó una historia diferente. A los budistas, por ejemplo, se les aseguró que el líder mongol seguía las enseñanzas que conducían a la iluminación. Hubo muchos casos de figuras de alto rango en el mundo mongol que se convirtieron al cristianismo y luego se pasaron al islam, o viceversa, cambiando de religión según les convenía. Fieles flemáticos, en materia religiosa los mongoles eran maestros en satisfacer a todo el mundo.[14]

Ganar los corazones y las mentes era crucial para facilitar la expansión del imperio. Esto recuerda directamente el enfoque que adoptó Alejandro Magno cuando derrotó a los persas, y habría contado con la aprobación de comentaristas como Tácito, que criticó a fondo la cortedad de miras de una política de expolio y devastación indiscriminada. Los mongoles sabían instintivamente cómo ser grandes constructores de imperios:

al poderío militar debían seguirle la tolerancia y una administración cuidadosa.

Cuando se trataba de negociar con aliados potenciales de importancia, las decisiones sagaces daban frutos espléndidos. En Rusia, por ejemplo, se recibió con júbilo la noticia de que se eximía a la Iglesia del servicio militar y del pago de impuestos en general, una demostración de que una gestión sensata podía generar buena voluntad incluso después de una conquista brutal.[15] De forma similar, delegar responsabilidades era un modo muy eficaz de reducir las animosidades y las tensiones. El caso de Rusia, donde se seleccionó a un gobernante local para recaudar los impuestos y pagos y se le otorgó en contraprestación una parte generosa de los ingresos, es de nuevo instructivo. No es por casualidad que a Iván I, el gran príncipe de Moscú, se le conociera como Iván Kalitá (Iván Monedero): era el encargado de recaudar los impuestos y gravámenes destinados a llenar las arcas mongolas, beneficiándose en el proceso, por supuesto. La concentración de riqueza y poder en manos de figuras de confianza como Iván tuvieron como consecuencia el surgimiento de una dinastía preeminente con la que era posible contar y que prosperó a expensas de las familias rivales. Los efectos de ello fueron profundos y también duraderos: algunos historiadores han sostenido que fue el sistema de gobierno mongol el que estableció las bases para la transformación de Rusia en una autocracia plenamente desarrollada al empoderar a un reducido puñado de individuos para que mandaran tanto sobre la población en general como sobre sus pares.[16]

Militarmente dominantes, políticamente astutos y teológicamente tolerantes, la fórmula para el éxito de los mongoles estaba muy alejada de la percepción que solemos tener de ellos. Con todo, es necesario señalar que, más allá de su eficacia, también tuvieron la suerte de aparecer en el momento oportuno. En China, encontraron un mundo que había experimentado el crecimiento de la población, la expansión económica y el desarrollo tecnológico después de un aumento pronunciado de la productividad agraria.[17] En Asia Central, hallaron una serie de estados pequeños desgarrados por las rivalidades y listos para la consolidación. En Oriente Próximo y Europa, entraron en contacto con sociedades a la vez monetizadas y cada vez más estratificadas, es decir, capaces de pagar los tributos en metálico y con poblaciones que tenían poder adquisitivo y un apetito prodigioso por los artículos de lujo. A lo largo de Asia y Europa, Gengis Kan y sus sucesores no solo tropezaron con un mundo que ofrecía ganancias jugosas, sino que ellos mismos ingresaron en una edad de oro.[18]

Del mismo modo que las conquistas islámicas del siglo VII tuvieron un impacto profundo en la economía mundial a medida que los impuestos, los pagos y el dinero en metálico fluían hacia el centro desde todos los rincones del mundo, los triunfos de los mongoles en el siglo XIII remodelaron los sistemas monetarios de Eurasia. En la India, se introdujeron nuevos rituales y pasatiempos originarios del mundo estepario, como las procesiones ceremoniales en las que la montura adornada del gobernante desfila con ostentación delante de él.[19] Entre tanto, en China, las costumbres culinarias cambiaron con la adopción de sabores, ingredientes y estilos de cocina favoritos de los nuevos señores llegados de las estepas. Textos como el *Yinshan zhengyao*, una guía dietética que ofrece un listado de «Cosas apropiadas y esenciales para la comida y bebida del emperador», incluye muchos platos en los que se advierte la influencia de la cocina y los gustos nómadas, como la insistencia del hervido como método de cocción preferido.[20] La utilización de todas las piezas aprovechables de los animales sacrificados (algo instintivo para quienes dependen del ganado para su sustento) entró a formar parte de la cultura dominante. Kublai Kan fue uno de los que se mantuvo fiel a la comida de sus ancestros; según se cuenta, en la corte se servían como exquisiteces leche fermentada, carne de caballo, joroba de camello y sopa de cordero espesada con grano.[21] Todo ello parece más apetitoso que otros platos incluidos en un manual de cocina del siglo XIV, como el bofe de cordero o una pasta elaborada a partir de la grasa de la cola o la cabeza de las ovejas.[22]

Europa también sintió el impacto cultural de las conquistas mongolas. Se importaron modas llamativas y aparecieron otras en las que resultaba evidente la influencia ejercida por emergencia del nuevo imperio. Una vez que amainaron las primeras oleadas de pánico, los estilos mongoles se pusieron en boga. En Inglaterra, se usaron doscientas cincuenta tiras de paño «tártaro» azul oscuro para hacer la insignia de la orden de caballería más antigua y grandiosa del país, la de los Caballeros de la Jarretera. En 1331, en la ceremonia inaugural del torneo de Cheapside, hubo un desfile de hombres ataviados con atuendos tártaros y máscaras para parecer guerreros mongoles. Las influencias orientales están presentes incluso en el accesorio más característico del Renacimiento en toda Europa: el *hennin*. El tocado cónico, que tan habitual resulta en los retratos femeninos a partir del siglo XIV, parece haberse inspirado directamente en los sombreros que se usaban en la corte mongola en este periodo.[23]

No obstante, las conquistas mongolas tuvieron también otros efectos de mayor calado, pues contribuyeron a transformar las economías europeas. Los misioneros y los comerciantes no tardaron en seguir los pasos del flujo interminable de enviados que partían rumbo a la corte de los kanes. De repente, Asia entera ingresó en el campo de visión de Europa. Los relatos que contaban a su regreso los viajeros eran devorados con ansia por quienes querían saber más acerca de ese mundo exótico que súbitamente se había convertido en el centro de atención.

Las historias eran recibidas con expectación. Según Marco Polo, existía más allá de China una isla en la que el soberano local tenía un palacio en el que los techos y las paredes, que tenían varios centímetros de grosor, eran de oro. En la India, contaba el mismo autor, había barrancos profundos llenos de diamantes, pero también infestados de serpientes, en los que los nativos arrojaban trozos de carne con el fin de atraer a las águilas, que descendían volando, recuperaban la carne y, adheridos a ella, los diamantes que luego los hombres se encargaban de recoger. La pimienta, señalaba otro viajero de este periodo, se obtenía en pantanos repletos de cocodrilos a los que había que ahuyentar con fuego. En los relatos de los viajeros contemporáneos, la riqueza de Oriente era legendaria y contrastaba radicalmente con la de Europa.[24]

Esa conclusión no debía de parecer sorprendente ni nueva. Los motivos eran conocidos gracias a los textos clásicos, que volvían a leerse a medida que la sociedad y la economía europeas se desarrollaban y el continente empezaba a recuperar la curiosidad intelectual. Los testimonios de Marco Polo y otros viajeros evocaban las historias que contaban Heródoto, Tácito, Plinio e incluso el Cantar de los Cantares acerca de murciélagos que usaban las garras para guardar las ciénagas donde crecía la casia, serpientes voladoras venenosas que protegían los árboles aromáticos de Arabia o fénix que construían nidos de canela e incienso para luego llenarlos con otras especias.[25]

Como es obvio, la mística de Oriente, y los cuentos sobre los peligros que había que correr para obtener unas mercancías al mismo tiempo raras y muy apreciadas, estaban estrechamente ligados a las expectativas de los precios que alcanzarían estas una vez que llegaran a Europa. Los bienes, productos y especias que eran difíciles de elaborar o cosechar naturalmente serían muy costosos.[26] Con el fin de que los viajeros estuvieran mejor informados, desde 1300 aproximadamente empezaron a aparecer manuales y compendios sobre cómo viajar y comerciar en Asia y, sobre todo, cómo conseguir un precio justo. «En primer lugar, debe dejarse crecer la barba y no afeitarse», escribió Francesco Pegolotti, el autor de la guía más famosa de este periodo; y asegúrese de contratar un guía a lo

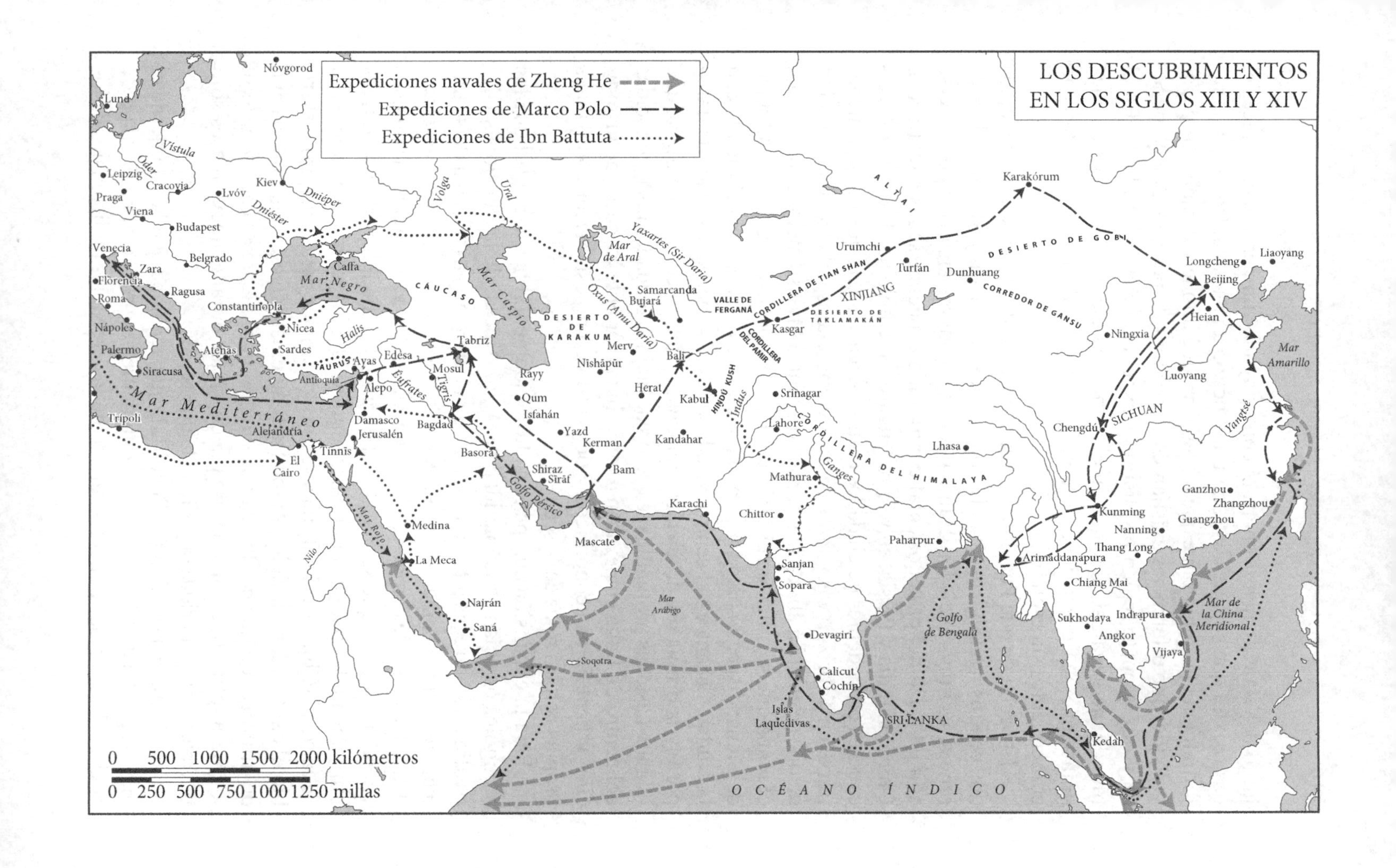
LOS DESCUBRIMIENTOS EN LOS SIGLOS XIII Y XIV
Expediciones navales de Zheng He
Expediciones de Marco Polo
Expediciones de Ibn Battuta
Nóvgorod
Lund
Vístula
Óder
Leipzig
Cracovia
Praga
Viena
Lvóv
Kiev
Dniéper
Dniéster
Budapest
Belgrado
Venecia
Zara
Florencia
Ragusa
Roma
Nápoles
Palermo
Siracusa
Constantinopla
Nicea
Sardes
Atenas
Caffa
Mar Negro
Volga
Ural
CÁUCASO
Mar Caspio
Halis
TAURUS
Ayas
Antioquía
Edesa
Alepo
Eufrates
Tigris
Mosul
Tabriz
Mar Mediterráneo
Trípoli
Alejandría
Damasco
Jerusalén
Bagdad
Tinnis
El Cairo
Nilo
Basora
Mar Rojo
Medina
La Meca
Najrán
Saná
Soqotra
Mar Arábigo
Mascate
Golfo Pérsico
Shiraz
Sīrāf
Bam
Kerman
Yazd
Isfahán
Qum
Rayy
Nishāpūr
Merv
DESIERTO DE KARAKUM
Mar de Aral
Oxus (Amu Daria)
Yaxartes (Sir Daria)
Samarcanda
Bujará
Balj
Herat
Kabul
Kandahar
HINDÚ KUSH
VALLE DE FERGANÁ
CORDILLERA DEL PAMIR
CORDILLERA DE TIAN SHAN
Kasgar
DESIERTO DE TAKLAMAKÁN
XINJIANG
Urumchi
Turfán
ALTAI
Karakórum
DESIERTO DE GOBI
Dunhuang
CORREDOR DE GANSU
Indus
Srinagar
Lahore
CORDILLERA DEL HIMALAYA
Ganges
Mathura
Karachi
Chittor
Sanjan
Sopara
Devagiri
Calicut
Cochín
Islas Laquedivas
SRI LANKA
Golfo de Bengala
Paharpur
Lhasa
OCÉANO ÍNDICO
Longcheng
Liaoyang
Beijing
Heian
Ningxia
Luoyang
Mar Amarillo
Yangtsé
SICHUAN
Chengdú
Kunming
Arimaddanapura
Ganzhou
Zhangzhou
Guangzhou
Nanning
Thang Long
Chiang Mai
Sukhodaya
Indrapura
Angkor
Vijaya
Mar de la China Meridional
Kedah
0 500 1000 1500 2000 kilómetros
0 250 500 750 1000 1250 millas

largo del viaje: lo que se ahorrará con su ayuda compensará con creces el gasto extra que supone contratar uno bueno, aconsejaba. Con todo, la información más importante que recogía era qué impuestos había que pagar y dónde, qué diferencias existían en cuestiones de peso, medida y moneda y qué aspecto tenían las distintas especias (y cuánto valían). En el mundo medieval, al igual que en el mundo moderno, el objetivo de tales guías era evitar decepciones y reducir las posibilidades de ser víctima de comerciantes sin escrúpulos.[27]

El hecho de que Pegolotti no fuera oriundo de Venecia o Génova, los dos centros neurálgicos de la Europa de los siglos XIII y XIV, sino de Florencia, es muy revelador. Había nuevos jugadores ansiosos por hacerse con un trozo del pastel oriental comprando especias, sedas y textiles en China, la India y Persia, entre otros lugares; ejemplo de ello eran los mercaderes procedentes de ciudades como Lucca y Siena que podían encontrarse en Tabriz, Ayas y otros centros comerciales del este. La sensación de que se estaban abriendo nuevos horizontes tuvo su mejor expresión en el mapa que se colgó en el salón del Gran Consejo del Palazzo Pubblico de Siena: diseñado para ser rotado manualmente, mostraba el mundo con la ciudad toscana en el centro, señalaba las distancias, las redes de transporte y la propia red de agentes, contactos e intermediarios de Siena, que llegaba hasta las profundidades de Asia. Incluso ciudades poco conocidas del centro de Italia empezaban a mirar hacia Oriente en busca de inspiración y beneficios económicos y pensando cómo establecer conexiones propias con las rutas de la seda.[28]

Para la expansión europea resulto fundamental la estabilidad que los mongoles ofrecían en la totalidad de Asia. A pesar de las tensiones y las rivalidades entre las diferentes ramas de la dirección tribal, cuando se trataba de asuntos comerciales el estado de derecho se defendía con tenacidad. El sistema de carreteras chino, por ejemplo, era la envidia de quienes visitaban el país, que se maravillaban ante las medidas administrativas implementadas para proporcionar seguridad a los mercaderes a lo largo de la ruta. «China es el país más seguro y el mejor para el viajero», escribió el explorador del siglo XIV Ibn Baṭṭūṭa; existe en este lugar un sistema de información que por lo visto da cuenta diariamente de cada forastero, lo que implica que «un hombre puede viajar durante nueve meses solo llevando una gran riqueza y sin nada que temer».[29]

De la misma opinión era Pegolotti, que señalaba que la ruta desde el mar Negro hasta China era «absolutamente segura, ya fuera de día o de noche». Esto en parte era el resultado de las creencias tradicionales de los nómadas acerca de la hospitalidad que debe mostrarse hacia los extraños, pero también una consecuencia de la idea más amplia de que el comercio era algo que había que fomentar. En este sentido, los competitivos aranceles que debían pagar las mercancías que pasaban por el mar Negro tuvieron una réplica evidente al otro lado de Asia, donde el comercio marítimo que pasaba por los puertos chinos del Pacífico también creció gracias a esfuerzos deliberados por incrementar los ingresos fiscales.[30]

Un área en la que esto demostró ser muy eficaz fue en la exportación de textiles, cuya producción recibió un gran empuje en los siglos XIII y XIV. Las industrias textiles de Nīshāpūr, Herat y Bagdad se reforzaron de forma deliberada, mientras que solo la ciudad de Tabriz cuadruplicó su tamaño a lo largo de apenas cien años con el fin de estar en condiciones de acoger tanto a comerciantes como a artesanos y oficiales diestros, a los que después de las conquistas mongolas se trababa notablemente bien. Aunque existía una demanda casi insaciable de paños y géneros de primera calidad en los mercados de Oriente, desde finales del siglo XIII en adelante las cantidades que se exportaban a Europa no dejaron de crecer.[31]

En todas partes se ampliaban los horizontes. En China, puertos como Guangzhou (Cantón) eran desde hacía mucho tiempo las ventanas al mundo de Asia meridional. Esos grandes núcleos comerciales eran bien conocidos por los mercaderes persas, los geógrafos árabes y los viajeros musulmanes, que dejaron testimonios de la ajetreada vida de las calles de las ciudades, tanto de la costa como del interior, y dieron cuenta de la existencia de una población cosmopolita en constante movimiento. El nivel de interacción e intercambios era tal que muchas palabras y giros todavía comunes en el chino moderno son préstamos del persa y el árabe.[32]

Por otro lado, durante mucho tiempo el conocimiento que China tenía del mundo exterior había sido particularmente incompleto y limitado, como evidencia un texto escrito a comienzos de la década de 1200 por el funcionario imperial a cargo de comercio exterior en Guangzhou, en la china meridional, un lugar que tenía la fortuna de contar con un espectacular puerto natural en el delta del río de las Perlas. El texto, destinado a los mercaderes, marinos y viajeros, realiza un valiente esfuerzo por explicar las prácticas empresariales en el mundo árabe y más allá, ofrece listas de los productos que es posible adquirir y describe lo que los comerciantes chinos pueden esperar encontrar. Pero, como muchos testimonios escritos por los viajeros de este periodo, está plagado de inexactitudes y creencias casi míticas. La Meca, por ejemplo, no era la sede de la casa de Buda ni, por supuesto, el sitio al que los budistas peregrinaban una vez al año; no existía ningún país en el que las mujeres se reprodujeran «exponiéndose desnudas al viento del sur en toda su fuerza». En España, los melones no tenían metro ochenta de diámetro y era imposible alimentar con uno solo de ellos a más de veinte hombres; en Europa, las ovejas no crecían hasta alcanzar la altura de un hombre adulto y era falso que, cada primavera, se las abriera para sacarles decenas de kilos de grasa, después de lo cual se las cocía de nuevo sin que sufrieran ninguna clase de efectos secundarios.[33]

Sin embargo, con la unión de gran parte de Asia bajo dominio mongol, las relaciones comerciales por vía marítima experimentaron una mejoría considerable, en particular en aquellos lugares que tenían una importancia estratégica y comercial (como el golfo Pérsico), a los que se sometió a una supervisión exhaustiva por orden de las nuevas autoridades, deseosas de fomentar los intercambios comerciales a larga distancia y aumentar los ingresos.[34] En consecuencia, durante el siglo XIII, el ambiente cultural de Guangzhou pasó a estar mejor informado y ser menos provinciano.

Para la década de 1270, la ciudad se había convertido en el foco de las importaciones y exportaciones marítimas de China. Por cada barco que zarpaba rumbo a Alejandría cargado de pimienta para las tierras cristianas, informaba Marco Polo a finales del siglo XIII, más de un centenar entraban al puerto chino; es un comentario que prácticamente se repite poco tiempo después en Ibn Baṭṭūṭa, que anota que al llegar a la ciudad vio un centenar de buques entrando en el golfo de Quanzhou, además de innumerables embarcaciones de menor tamaño.[35] Si el comercio en el Mediterráneo era grande, en el Pacífico era inmenso.

Por suerte, para determinar qué importancia tenía una ciudad como centro comercial, no dependemos exclusivamente de fuentes escritas ambiguas o poco fiables.[36] El pecio de un buque que naufragó en la bahía de Guangzhou precisamente en este periodo evidencia que se importaban mercancías de toda Asia meridional y, con toda probabilidad, también del golfo Pérsico y África oriental. Pimienta, incienso, ámbar gris, vidrio y algodón eran solo una parte del valioso cargamento que se hundió frente a las costas de China en 1271 o poco después.[37] Los mercaderes cruzaban el mar de la China Meridional en cada vez mayor número, establecían puestos comerciales en Sumatra, en la península malaya y, sobre todo, en la costa de Malabar, en el sur de la India, sede del mayor proveedor mundial de pimienta, que desde hacía mucho se había consolidado como un producto muy apetecido tanto en Europa como en China y otras partes de

Asia.[38] Para mediados del siglo XIV, eran tantísimos los buques que partían hacia ciudades como Calicut que algunos observadores comentaban que en esta parte del subcontinente indio todos los viajes y el transporte marítimo se realizaban en embarcaciones chinas. Recientemente se ha identificado uno de esos barcos, con su típico fondo plano, hundido frente a la costa de Kerala.[39]

El lubricante de todo este comercio a larga distancia era la plata, que se convirtió en el patrón aceptado en toda Eurasia. Una razón para ello fue la innovación del crédito financiero que se introdujo en China antes de la época de Gengis Kan y que incluyó la aparición de las letras de cambio y el uso del papel moneda.[40] El efecto de este sistema, que los mongoles adoptaron y mejoraron, fue la liberación de cantidades enormes de plata en el sistema monetario a medida que las nuevas formas de crédito se hacían populares. De repente, la cantidad disponible del metal precioso se disparó, lo que causó una corrección importante de su valor en relación al oro. En algunas partes de Europa, el valor de la plata cayó en picado, hasta perder más de un 50 por ciento entre 1250 y 1338.[41] Solo en Londres, el aumento de la oferta de plata permitió a la ceca real multiplicar por más de cuatro la producción entre 1278 y 1279. La producción también creció espectacularmente por toda Asia, e incluso en las estepas, una vez que los gobernantes de la Horda de Oro decidieron empezar a acuñar monedas en grandes cantidades.[42] El estímulo llegó asimismo a nuevas regiones. Japón, que durante mucho tiempo había confiado sobre todo en el trueque o en los pagos en especie con productos como el arroz como mecanismo de intercambio, viró hacia una economía monetaria y participó de forma cada vez más activa en el comercio a larga distancia.[43]

Con todo, el efecto más importante que las conquistas mongolas tuvieron sobre la transformación de Europa no se derivó del comercio o la guerra o la cultura o la moneda. A través de las arterias que conectaban el mundo no solo circulaban guerreros feroces, mercancías, metales preciosos, ideas y modas. De hecho, algo completamente diferente entró en ese torrente sanguíneo y tuvo un impacto todavía más radical: la enfermedad. Un brote de peste se propagó con rapidez por Asia, Europa y África amenazando con aniquilar a millones de personas. Los mongoles no destruyeron el mundo, pero la peste negra pareció muy capaz de hacerlo.

Además de haber sido el hogar del ganado y las tribus nómadas durante miles de años, la estepa euroasiática también constituye uno de las grandes cuencas pestilentes del mundo, con una cadena de focos vinculados que se extiende desde el mar Negro hasta Manchuria. Las condiciones ecológicas del paisaje árido y semidesértico se prestan a la perfección para la propagación de la bacteria *Yersinia pestis*, que se transmite de un huésped a otro principalmente a través de la picadura de pulga. La peste se propagó de forma más rápida y eficaz entre roedores como las ratas, si bien los camellos también pueden infectarse y desempeñan una importante función en la transmisión (algo que demostró una investigación estrechamente vinculada al programa de guerra biológica de la Unión Soviética durante la guerra fría).[44] Aunque la peste puede contagiarse a través del consumo o manipulación de los tejidos del huésped, o incluso inhalando materiales infectados, la forma de transmisión más común a los seres humanos es la que se produce cuando las pulgas vomitan los bacilos en el torrente sanguíneo antes de alimentarse o cuando los bacilos presentes en sus heces contaminan lesiones en la piel. La sangre lleva los bacilos hasta los ganglios linfáticos, como los ubicados en las axilas o en las ingles, donde se multiplican con rapidez y causan las hinchazones o bubones que, según Boccaccio, que vivió durante la peste negra, pueden crecer hasta tener el tamaño de una manzana o un huevo «más o menos».[45] Entonces otros órganos resultan a su vez infectados; la hemorragia interna causa las características bolsas negras de pus y sangre que hacen que la enfermedad sea tan aterradora visualmente como letal.

Las investigaciones modernas acerca de la *Yersinia pestis* y la peste han aclarado la función crucial que tienen los factores medioambientales en el ciclo de la enzootia, pues cambios en apariencia insignificantes pueden transformar un mal localizado y contenido en uno capaz de propagarse a gran escala. Diferencias pequeñas en temperatura y precipitaciones, por ejemplo, pueden modificar de forma espectacular tanto los ciclos reproductivos de las pulgas, fundamentales para el ciclo de desarrollo de la bacteria, como el comportamiento de los roedores que les sirven de huésped.[46] Un estudio reciente calculaba que un incremento de temperatura de apenas un grado podía traducirse en un aumento del 50 por ciento de la prevalencia de la peste en el gran gerbil, el principal roedor huésped en el entorno estepario.[47]

Aunque se desconoce cuál fue el foco originario de la enfermedad de mediados del siglo XIV, una vez que el brote salió de las estepas en la década de 1340 la peste se propagó con rapidez a través de Europa, Irán, Oriente Próximo, Egipto y la península arábiga.[48] El estallido definitivo se produjo en 1346, cuando lo que un italiano de la época describió como «una dolencia misteriosa que causa la muerte repentina» comenzó a propagarse entre la Horda de Oro, en los alrededores del mar Negro. El ejército mongol que había sitiado la colonia genovesa de Caffa debido a una disputa comercial fue aniquilado por una enfermedad que, de acuerdo con un cronista, mataba a «miles y miles cada día». Antes de retirarse, sin embargo, «ordenaron que se cargaran las catapultas con los cadáveres y los arrojaran dentro de la ciudad con la esperanza de que el hedor insoportable matara a todos los habitantes». Lo que cundió, no obstante, no fue tanto el olor abrumador, sino la enfermedad, tremendamente contagiosa. Sin saberlo, los mongoles habían recurrido a la guerra biológica para derrotar al enemigo.[49]

Las rutas comerciales que conectaban Europa con el resto del mundo se convirtieron entonces en autopistas letales para la transmisión de la peste negra. En 1347 la enfermedad llegó a Constantinopla y después a Génova, Venecia y el Mediterráneo de la mano de comerciantes y mercaderes que regresaban a casa precisamente huyendo de ella. Para cuando la población de Mesina, en Sicilia, se dio cuenta de que algo malo pasaba con los genoveses que habían llegado al puerto cubiertos con furúnculos, vomitando sin cesar y tosiendo sangre antes de morir, era demasiado tarde: aunque se expulsó a las galeras genovesas, la enfermedad se propagó por la ciudad con consecuencias devastadoras.[50]

La peste avanzó con rapidez también hacia el norte y a mediados de 1348 alcanzó las ciudades de Francia septentrional y Baviera. Para entonces, los barcos que entraban en los puertos de Gran Bretaña ya llevaban consigo «la primera pestilencia [...] portada por comerciantes y marineros».[51] La mortandad en las ciudades y pueblos de Inglaterra empezó a ser tal que el papa «en su clemencia otorgó indulgencia plenaria para los pecados confesados». Según calculó un contemporáneo, apenas sobrevivió una décima parte de la población; y varias fuentes refieren que eran tantísimos los muertos que no había suficientes personas con vida para enterrarlos a todos.[52]

En lugar de transportar bienes y mercancías valiosas, los barcos que cruzaban el Mediterráneo llevaban la muerte y la devastación. La infección no se propagaba únicamente a través del contacto con las víctimas de la peste o las ratas, que siempre habían sido un rasgo característico del transporte marítimo; incluso las mercancías que iban en las bodegas se convirtieron en una carga letal, pues las pulgas infestaban las pieles y los alimentos destinados a Europa continental o los puertos de Egipto, Levante y Chipre, donde las primeras víctimas tendían a ser los niños y los jóvenes. Pronto la enfermedad empezó a transmitirse a lo largo de las rutas que usaban las caravanas hasta llegar a La Meca, donde mató a decenas de peregrinos y eruditos y suscitó un importante examen de conciencia: se suponía que el profeta Mahoma había prometido que la peste que asoló Mesopotamia en el siglo VII nunca entraría en las ciudades santas del islam.[53]

En Damasco, escribió Ibn al-Wardī, la peste «se sentó cual rey en el trono y dominó con gran poder, matando cada día a un millar o más y diezmando a la población».[54] Las carreteras entre El Cairo y Palestina se llenaron con los cadáveres de las víctimas, mientras que en Bilbais los perros destrozaban los cuerpos que se apilaban contra los muros de las mezquitas. Entre tanto, en la región de Asiut, en el alto Egipto, el número de contribuyentes pasó de seis mil antes de la peste negra a apenas ciento dieciséis: un descenso del 98 por ciento.[55]

Aunque es posible que una contracción poblacional de tales proporciones también se debiera a que muchas personas abandonaban sus hogares, no cabe duda de que el número de muertos fue enorme. «Toda la sabiduría y el ingenio del hombre» no sirvieron de nada para impedir la propagación de la enfermedad, escribió Boccaccio, el erudito y humanista italiano, en la introducción al *Decamerón*; en un lapso de tres meses, anotó, más de cien mil personas perdieron la vida solo en Florencia.[56] Venecia prácticamente quedo despoblada: las fuentes coinciden en que por lo menos tres cuartas partes de sus habitantes murieron durante el brote.[57]

Muchos interpretaron la situación como una señal del fin del mundo. En Irlanda, un monje franciscano concluyó su testimonio acerca de los estragos causados por la peste dejando un espacio en blanco «para continuar [la] obra, en caso de que quede alguien con vida en el futuro».[58] Existía cierta sensación de apocalipsis inminente; en Francia, los cronistas relataban que «llovían ranas, serpientes, sabandijas, escorpiones y muchos otros animales venenosos similares». Del cielo brotaban señales que evidenciaban con claridad el descontento de Dios: piedras de granizo enormes cayeron sobre la tierra, matando a docenas de personas, mientras que hubo ciudades y pueblos que quedaron arrasados después de que les prendieran fuego unos rayos que producían «un humo nauseabundo».[59]

Algunos, como el rey Eduardo III de Inglaterra, se entregaron al ayuno y la oración, y el monarca ordenó además a los obispos que siguieran su ejemplo. Algunos manuales árabes escritos alrededor de 1350 ofrecían a los fieles musulmanes soluciones más o menos similares, aconsejándoles que rezar una oración específica once veces al día sería de gran ayuda y que recitar ciertos versículos relativos a la vida de Mahoma les proporcionaría protección contra los bubones. En Roma, se celebraron procesiones solemnes en las que cristianos penitentes y temerosos marcharon descalzos, llevando cilicios y flagelándose para mostrar contrición por sus pecados.[60]

Con todo, esos figuran entre los esfuerzos menos creativos por apaciguar la ira de Dios. En Suecia, un sacerdote instó a los fieles a evitar el sexo y «toda lujuria carnal con las mujeres» y, ya puestos, a no bañarse y evitar el viento del sur al menos hasta la hora de la comida. Si lo que se trataba era de hacer recomendaciones y esperar que funcionaran, entonces hubo un clérigo en Inglaterra que tuvo al menos la virtud de ser más directo: las mujeres debían ponerse ropa diferente, sostuvo, tanto por su propio bien como por el de todos los demás. Los atuendos extravagantes y reveladores que se habían acostumbrado a llevar sencillamente pedían el castigo divino. El problema comenzó cuando «ellas empezaron a usar capuchas pequeñas e inútiles, atadas y abotonadas de forma tan ajustada en la garganta que lo único que cubrían eran los hombros». Y eso no era todo, pues «además, usaban *paltoks*, vestidos extremadamente cortos [...] que no lograban ocultarles el culo o las partes privadas». Aparte de todo lo demás, «esas prendas deformes y apretadas no les permitían arrodillarse ante Dios o los santos».[61]

En Alemania circulaban rumores enloquecidos de que la enfermedad no tenía causas naturales, sino que era consecuencia del envenenamiento de los pozos y los ríos por parte de los judíos. El resultado fue una serie de pogromos despiadados; un testimonio relata que se juntó «a todos los judíos entre Colonia y Austria» y se los quemó vivos. Los estallidos de violencia antisemita fueron tan atroces que el papa intervino con la publicación de proclamas en las que prohibía cualquier acción violenta contra la población judía en todos los países cristianos y exigía que se respetaran sus bienes y propiedades.[62] Que tales llamadas resultaran eficaces, era otra cuestión. A fin de cuentas, no era la primera ocasión en que el miedo al desastre, las dificultades o las efusiones de religiosidad excesiva degeneraban en matanzas generalizadas de la minoría judía en Alemania: en la época de la primera cruzada, cuando las circunstancias no eran muy diferentes, los judíos sufrieron terriblemente en Renania. En tiempos de crisis era peligroso tener creencias diferentes.

Debido a la peste, Europa perdió al menos a una tercera parte de la población; los cálculos conservadores sitúan el número de fallecidos en unos veinticinco millones de una población total de setenta y cinco millones, pero es probable que los muertos fueran muchos más.[63] Estudios sobre epidemias de peste más recientes han demostrado además que durante brotes prolongados los pueblos pequeños y las áreas rurales presentan niveles de víctimas mortales mucho más altos que las ciudades. Al parecer, el factor determinante de la propagación de la peste no es la densidad de la población humana (como solía pensarse), sino la de las colonias de ratas. La enfermedad no se propaga con mayor rapidez en un entorno urbano a rebosar donde hay más hogares por colonia de roedores infectados que en el campo. De hecho, escapar de las ciudades y pueblos al campo no incrementa las posibilidades de burlar a la muerte.[64] De los campos a las granjas y de las ciudades a los pueblos, la peste negra trajo el infierno a la Tierra: los cuerpos putrefactos, rezumando pus, resaltaban sobre un fondo de miedo, angustia e incredulidad ante las dimensiones del sufrimiento.

Los efectos fueron demoledores. «Hemos enterrado nuestras esperanzas para el futuro junto a nuestros amigos», escribió el poeta italiano Petrarca. Los planes y ambiciones de descubrimientos adicionales en Oriente y fortunas que ganar quedaron eclipsados por pensamientos más sombríos. El único consuelo, continuaba Petrarca, era la certeza «de que habremos de seguir a quienes partieron primero. No sé cuánto tendremos que esperar, pero sé que no puede ser mucho». Todas las riquezas del océano Índico, del Caspio o del mar Negro, escribió, no compensaban todo lo que había sido arrasado.[65]

Y no obstante, a pesar del horror que causó, la peste resultó ser el catalizador de un cambio social y económico tan profundo que, lejos de señalar la muerte de Europa, sirvió para su consagración. La transformación proporcionó un pilar fundamental en el ascenso (y el triunfo) de Occidente. Y lo hizo en varias fases. La primera fue la reconfiguración completa del funcionamiento de las estructuras sociales. La despoblación crónica como consecuencia de la peste negra hizo que los salarios aumentaran radicalmente, pues acentuó el valor de la mano de obra. Fueron tantísimos los que murieron antes de que la peste finalmente empezara a desaparecer a comienzos de la década de 1350 que una fuente señaló que existía una «escasez de sirvientes, artesanos y obreros, y de trabajadores y peones agrarios». Esto dio un poder de negociación considerable a quienes previamente habían ocupado el escalón más bajo del espectro social y económico. Algunos, sencillamente, «miraban con desprecio el empleo y era muy difícil convencerlos de servir a los eminentes sin pagarles al menos el triple del salario».[66] Es improbable que esto fuera una exageración: los datos empíricos muestran que los salarios urbanos aumentaron de forma espectacular después de la peste negra.[67]

El empoderamiento del campesinado, los trabajadores y las mujeres coincidió con un debilitamiento de las clases acaudaladas, pues los propietarios se vieron obligados a aceptar rentas menores por sus parcelas: era mejor recibir algún ingreso que nada en absoluto. La conjunción de rentas más bajas, obligaciones menores y alquileres más largos tuvo el efecto de inclinar el poder y los beneficios hacia el campesinado y los arrendatarios urbanos. La caída de los tipos de interés, que descendieron de forma notable en toda Europa en los siglos XIV y XV, contribuyó a acentuar el proceso.[68]

Los resultados fueron extraordinarios. Con la riqueza distribuida de forma más equitativa en la sociedad, la demanda de artículos de lujo, ya fueran importados o no, se disparó, pues ahora existían más consumidores en condiciones de adquirir aquellos productos que antes estaban fuera de su alcance.[69] Las pautas de gasto se vieron afectadas por otros cambios demográficos producto de la peste, en particular la posición favorable que pasaron a ocupar los jóvenes trabajadores, que se encontraban mejor situados para aprovechar las nuevas oportunidades que surgían ante ellos. Menos inclinada al ahorro tras haberse salvado de la muerte por muy poco, la nueva generación emergente, mejor pagada que la de sus padres y con mejores perspectivas para el futuro, comenzó a gastar el dinero en cosas que le interesaban, entre las que la moda no era la menos importante.[70] Esto a su vez estimuló la inversión y el rápido desarrollo de la industria textil europea, que empezó a producir géneros en tan gran volumen que en Alejandría el comercio se vio gravemente afectado debido al descenso pronunciado de las importaciones. Además, Europa comenzó también a exportar en la dirección opuesta: las telas europeas inundaron los mercados de Oriente Próximo y causaron una contracción dolorosa que contrastaba radicalmente con el vigor económico de Occidente.[71]

Como demuestran investigaciones recientes a partir de restos óseos de los cementerios de Londres, el aumento de la riqueza se tradujo en mejores dietas y en una mejor salud en general. De hecho, los modelos estadísticos elaborados a partir de estos resultados sugieren incluso que uno de los efectos de la peste fue que la esperanza de vida mejoró de forma notable. La población de Londres era, después de la peste, considerablemente más saludable de lo que había sido antes de la llegada del mal, lo que hizo que la esperanza de vida aumentara con claridad.[72]

El desarrollo económico y social no ocurrió de manera uniforme en toda Europa. El cambio se produjo con más rapidez en el norte y noroeste del continente, en parte porque en términos económicos el punto de partida de esta región estaba por debajo del de los países del sur, más desarrollados. Esto implicaba que los intereses de arrendadores y arrendatarios eran allí más cercanos y, por ende, había mayores posibilidades de que terminaran en colaboración y soluciones convenientes para ambas partes.[73] Sin embargo, también fue significativo que las ciudades del norte no tuvieran el mismo bagaje ideológico y político que muchas de las del Mediterráneo. Siglos de comercio regional y a larga distancia habían creado instituciones como los gremios, que controlaban la competencia y estaban diseñados para entregar posiciones monopolísticas a grupos definidos de individuos. Europa septentrional, en cambio, empezó a desarrollarse precisamente porque la competencia no se restringía, lo que hizo que la urbanización y el crecimiento económico se produjeran a un ritmo notablemente más rápido que en el sur.[74]

Asimismo, en diferentes partes de Europa emergieron pautas de comportamiento diferentes. En Italia, por ejemplo, la participación de las mujeres en el mercado laboral siguió siendo reducida; ya fuera porque se sintieran menos atraídas o porque las barreras de entrada fueran mayores, continuaron casándose a la misma edad y teniendo igual número de hijos que antes del estallido de la peste. Esto contrastaba radicalmente con la situación en los países septentrionales, donde la contracción demográfica dio a las mujeres la oportunidad de convertirse en asalariadas. Un efecto de ello fue que la edad a la que tendían a contraer matrimonio aumentó, lo que a su vez incidió a largo plazo en las dimensiones de la familia. «No te arrojes al matrimonio demasiado pronto», aconsejaba Anna Bijns en un poema escrito en los Países Bajos, pues «quien se gana su mesa y ropas no debe apresurarse a sufrir la vara de un hombre [...] Aunque no condeno el casamiento, ¡es mejor estar libre de yugo! ¡Feliz la mujer que no tiene hombre!».[75]

La transformación desencadenada por la peste negra puso unos cimientos que se revelarían cruciales para el ascenso a largo plazo del noroeste de Europa. Aunque los efectos de la divergencia entre las distintas zonas del continente tardarían algún tiempo en evolucionar, la flexibilidad sistémica, la apertura a la competencia y, quizá lo más importante, la consciencia que existía en el norte de que la geografía jugaba en su contra, y por tanto, se necesitaba una ética del trabajo sólida para generar beneficios establecieron las bases para la posterior transformación de las economías europeas a comienzos del periodo moderno. Como resulta cada vez más claro en las investigaciones actuales, las raíces de la revolución industrial del siglo XVIII se encuentran en la revolución industriosa que llegó después de la peste: a medida que la productividad aumentaba, las aspiraciones se dispararon y los niveles de riqueza disponible crecieron paralelos a las oportunidades de gastarla.[76]

Cuando los cadáveres estuvieron por fin sepultados y la peste negra se convirtió en un recuerdo horrible (que brotes secundarios resucitaban periódicamente), Europa meridional también experimentó el cambio. En la década de 1370, los genoveses quisieron aprovecharse del efecto terrible que la peste había tenido en Venecia, donde las consecuencias habían sido particularmente graves, e intentaron hacerse con el control del Adriático. La jugada se volvió en su contra de forma espectacular: incapaces de propinar el golpe decisivo, los genoveses se encontraron de repente exigidos al máximo y en una posición vulnerable. Uno por uno, los apéndices que la ciudad-estado había sumado durante generaciones para conectarse con Oriente Próximo, el mar Negro y el norte de África fueron cayendo en manos de sus rivales. Las pérdidas de Génova fueron una victoria para Venecia.

Libre de las atenciones de su inveterado competidor, Venecia remontó el vuelo una vez que la vida retornó a la normalidad y ejerció un control férreo sobre el comercio de especias. La pimienta, el jengibre, la nuez moscada y el clavo se importaron en cantidades cada vez mayores, sobre todo a través de Alejandría. Por término medio, los buques venecianos llevaban a Europa desde Egipto cerca de cuatrocientas toneladas de pimienta al año, además de transportar un volumen considerable desde Levante. Para finales del siglo XV, más de dos millones de kilos de especias entraban cada año a Europa a través de Venecia para ser vendidas con un beneficio considerable en otras partes, donde se las usaba en la cocina, la medicina y los cosméticos.[77]

Venecia también parece haber sido el principal punto de entrada de los pigmentos utilizados en pintura. Conocidos a menudo con la etiqueta colectiva de «*oltremare* de Venecia» (ultramarinos venecianos), estos incluían cardenillo o verdigrís (literalmente, verde de Grecia), bermellón, fenogreco, amarillo de plomo y estaño, negro marfil y un sucedáneo de oro conocido como purpurina u oro mosaico. No obstante, el más famoso y característico era el azul intenso elaborado a partir del lapislázuli extraído en las minas de Asia Central. La edad de oro del arte europeo, la era de Fra Angélico y Piero della Francesca en el siglo XV, y de artistas posteriores como Miguel Ángel, Leonardo da Vinci, Rafael y Tiziano, debe mucho a su capacidad de usar los colores creados con pigmentos obtenidos gracias a la extensión de los contactos con Asia y al aumento de la riqueza disponible para poder adquirirlos.[78]

Las misiones comerciales a Oriente resultaban tan lucrativas que la república las subastaba por adelantado, garantizándose un beneficio al tiempo que delegaba en el mejor postor los riesgos políticos, de mercado y de transporte. Como escribió con orgullo un veneciano, las galeras partían de la ciudad en todas direcciones: a la costa de África, Beirut y Alejandría, las tierras griegas, el sur de Francia y Flandes. Tanta era la riqueza que inundaba la ciudad que el valor de los *palazzi* se disparó, en especial en los mejores sitios, junto al Rialto y la catedral de San Marcos. Siendo el suelo caro y escaso, se usaron nuevas técnicas en la construcción de los edificios, como la sustitución de las escaleras dobles de los patios, espectaculares, pero excesivas, por escaleras más pequeñas que requirieran menos espacio. No obstante, contaba otro veneciano orgulloso, incluso las casas de los comerciantes normales estaban adornadas de forma espléndida con cielorrasos de oro, escaleras de mármol, balcones y ventanas del vidrio más excelente, el producido en la cercana Murano. Venecia era el punto de distribución por excelencia del comercio europeo, africano y asiático, y tenía las galas para demostrarlo.[79]

Con todo, no fue la única ciudad que floreció en este periodo. También lo hicieron las situadas a lo largo de la costa de Dalmacia que servían como escalas en los viajes de ida y de regreso. Ragusa, la moderna Dubrovnik, conoció niveles de prosperidad extraordinarios en los siglos XIV y XV. La riqueza disponible se cuadruplicó entre 1300 y 1450; la escalada fue tan veloz que tuvo que imponerse un límite a las dotes, que habían aumentado con demasiada rapidez. Tal era la cantidad de dinero que inundaba la ciudad que se tomaron medidas para abolir parcialmente la esclavitud: en tiempos de abundancia semejante, parecía incorrecto tener a otros seres humanos sirviendo como esclavos en lugar de pagarles por su trabajo.[80] Como Venecia, Ragusa se dedicó a levantar su propia red comercial y forjó vínculos amplios con España, Italia, Bulgaria e incluso la India, donde estableció una colonia en Goa, cuyo centro era la iglesia de San Blas, el santo patrono de Ragusa.[81]

Muchas partes de Asia fueron testigos de una explosión similar de crecimiento económico y ambición. Los negocios florecieron en la India meridional gracias al desarrollo del comercio con China, así como con el golfo Pérsico y lugares aún más lejanos. Surgieron gremios para garantizar la seguridad e implementar controles de calidad, pero también para crear monopolios que obstaculizaban la aparición de competidores locales. Estos gremios concentraron el dinero y la influencia en manos de un grupo que mantenía una posición dominante en la costa de Malabar y Sri Lanka.[82] En ese sistema, las relaciones comerciales se formalizaron para garantizar que las transacciones se realizaban de forma eficaz y limpia. Según un testimonio escrito por el viajero chino Ma Huan a comienzos del siglo XV, había un corredor que se encargaba de fijar los precios entre el comprador y el vendedor; para poder liberar y embarcar las mercancías, era necesario calcular y pagar antes todos los impuestos y aranceles correspondientes. Eso se traducía en unas buenas perspectivas comerciales a largo plazo: «Las personas son muy honestas y dignas de confianza», añadía Ma Huan.[83]

O, en cualquier caso, esa era la teoría. Lo cierto era que las ciudades de la costa meridional de la India no operaban en el vacío, sino que competían ferozmente unas con otras. En el siglo XV, Cochín emergió como rival de Calicut después de que tras implementar un régimen fiscal muy competitivo consiguiera atraer un volumen de comercio considerable. Esto creó una especie de círculo virtuoso que despertó el interés de los chinos. El gran almirante Zheng He, un eunuco musulmán, dirigió una serie de importantes expediciones con el propósito de demostrar el poderío naval de China, reivindicar su influencia y obtener acceso a las rutas comerciales del océano Índico, el golfo Pérsico y el mar Rojo, y durante las cuales se prestó especial atención a reforzar los lazos con el soberano de Cochín.[84]

Estas expediciones formaron parte de un conjunto de medidas, cada vez más ambiciosas, adoptadas por la dinastía Ming, que a mediados del siglo XIV reemplazó a la de los Yuan (la dinastía fundada por los invasores mongoles). Los Ming invirtieron con prodigalidad en Beijing, donde se construyeron infraestructuras para el abastecimiento y defensa de la ciudad. En el norte, se dedicaron recursos ingentes a intentar asegurar la frontera esteparia, así como a competir en Manchuria con una renaciente Corea; mientras que en el sur se incrementó la presencia militar, con el resultado de que desde Camboya y Siam empezaron a llegar con regularidad embajadas tributarias cargadas con grandes cantidades de especialidades locales y artículos de lujo a cambio de una promesa de paz. En 1387, por ejemplo, el reino de Siam envió casi siete mil kilos de pimienta y sándalo, y dos años más tarde diez veces esa cantidad de pimienta, sándalo e incienso.[85]

No obstante, ampliar los horizontes de esta manera tenía un coste. En la primera expedición de Zheng He participaron unos sesenta barcos grandes, varios centenares de embarcaciones más pequeñas y cerca de treinta mil marineros, lo que implicaba un gasto enorme en términos de salarios y equipos, además de los generosos regalos que se enviaban con el almirante para su uso como herramienta diplomática. Estas y otras iniciativas se costearon con un aumento brusco de la producción de papel moneda, pero también incrementando las cuotas mineras, lo que hizo que después de 1390 los ingresos derivados de este sector se triplicaran en apenas algo más de una década.[86] Las mejoras introducidas en la economía agraria y la recaudación de impuestos también produjeron un aumento pronunciado de los ingresos del gobierno central y propiciaron lo que un comentarista moderno ha descrito como la creación de una economía dirigida.[87]

A la fortuna de China también contribuyeron los sucesos que estaban teniendo lugar en Asia Central, donde un caudillo de orígenes oscuros ascendió hasta convertirse en la figura individual más famosa de la baja Edad Media: los logros de Timur (conocido en Occidente como Tamerlán) serían celebrados en dramas escritos en Inglaterra y su salvaje invasión forma parte de la conciencia moderna de la India. Habiendo forjado a partir de la década de 1360 un gran imperio a través de los territorios mongoles, desde Asia Menor hasta la cordillera del Himalaya, Timur se embarcó en un programa ambicioso de construcción de mezquitas y edificios reales a lo largo del reino, en ciudades como Samarcanda, Herat y Mashhad. Según un contemporáneo, después del saqueo de Damasco se deportó a carpinteros, pintores, tejedores, sastres, talladores de piedras preciosas, «en resumen: artesanos de todo tipo», para que engalanaran las ciudades de Oriente. El testimonio de un enviado del rey de España a la corte timúrida ofrece un retrato vívido de las dimensiones de la construcción y el nivel de ornamento que se prodigó en los nuevos edificios. En el palacio Aq Saray, cerca de Samarcanda, había una portada «labrada de oro y de azul y de azulejos, hecho de una obra bien hermosa», mientras que la sala principal en la que se recibía a los embajadores tenía «las paredes pintadas de oro y de azul [...] y el cielo era todo dorado». Ni siquiera los afamados artesanos de París habrían sido capaces de producir un trabajo de tanta hermosura.[88] Y eso no era nada en comparación con la propia Samarcanda y la corte de Timur, cuya decoración incluía un árbol de oro con un tronco «tan grueso como podrá ser la pierna de un hombre». Entre las hojas doradas que salían de las ramas estaba «la fruta», que cuando se la veía de cerca resultaba ser «balajes, esmeraldas y turquesas, y rubíes y zafiros, y aljófar muy grueso a maravilla, claros y redondos».[89]

Timur no temía gastar el dinero que extraía a los pueblos que subyugaba. De China compraba paños de seda «que son los mejores del mundo», así como almizcle, rubíes, diamantes, ruibarbo y otras especias. Caravanas de ochocientos camellos llevaban las mercancías hasta Samarcanda. A diferencias de algunas gentes (como los habitantes de Delhi, donde se ejecutó a cien mil personas cuando la ciudad cayó), a los chinos les iba bien con Timur.[90]

No obstante, parece ser que estuvieron a punto de ser los siguientes en sufrir. Según un testimonio, Timur dedicó cierto tiempo a reflexionar sobre su vida previa y concluyó que necesitaba expiar «actos como el pillaje, la toma de cautivos y las masacres». Decidió entonces que la mejor forma de hacerlo era «llevar a cabo una guerra santa contra los infieles, para que esos pecados y crímenes le fueran perdonados de acuerdo con la máxima que dice: "las buenas obras borran las malas"». Timur suspendió las relaciones con la corte Ming y se disponía a atacar China cuando murió en 1405.[91]

Los problemas no tardaron en materializarse. La fragmentación y la rebelión estallaron en las provincias persas a medida que los herederos de Timur competían por hacerse con el control del imperio. A ello se sumaron las dificultades de carácter más estructural desatadas por la crisis financiera mundial que afectó a Europa y Asia en el siglo XV. La causa de la crisis fue una serie de factores que seiscientos años después nos resultan conocidos: mercados sobresaturados, monedas devaluadas y balanzas de pagos desequilibradas que se tuercen. A pesar de la demanda creciente de seda y otros productos de lujo, la cantidad que podía absorberse era limitada. El problema no era que el apetito se hubiera saciado o que los gustos hubieran cambiado, sino que el mecanismo de intercambio falló: Europa en particular tenía poco que ofrecer a cambio de los textiles, las cerámicas y las especias que tanto valían. Y con China produciendo más de lo que podía exportar, cuando se agotó la capacidad para seguir comprando mercancías llegaron las consecuencias predecibles. El resultado se ha descrito a menudo como una *bullion famine* (hambruna de lingotes).[92] Hoy hablaríamos de una contracción del crédito.

En China, los funcionarios estatales no estaban bien pagados, lo que se tradujo con regularidad en escándalos de corrupción y una ineficacia muy considerable. Peor todavía: a pesar de que los impuestos eran adecuados y equitativos, los contribuyentes no estaban en condiciones de sostener la exuberancia irracional de un gobierno aficionado a gastar en planes grandiosos y que daba por sentado que las rentas públicas solo podían seguir aumentando indefinidamente. No fue así. Para la década de 1420 algunas de las partes más ricas de China tenían dificultades para cumplir con sus obligaciones.[93] La burbuja tenía que estallar y en el primer cuarto del siglo XV lo hizo. Los emperadores Ming se apresuraron a hacer recortes: pusieron fin a las obras de mejora de Beijing y suspendieron las costosas expediciones navales, al igual que otros proyectos, como los planes para el Gran Canal, que en su apogeo habían empleado a decenas si no a cientos de miles de trabajadores en la construcción de una ruta fluvial que conectara la capital con la ciudad de Hangzhou.[94] En Europa, donde los datos disponibles son más abundantes, se realizaron esfuerzos deliberados para hacer frente a la contracción mediante la devaluación de la moneda (aunque la relación entre la escasez de metales preciosos, el acaparamiento y la política fiscal es bastante compleja).[95]

No obstante, lo que está claro es que, de Corea a Japón, de Vietnam a Java, de la India al Imperio Otomano y del norte de África a Europa continental, la oferta monetaria mundial se redujo. En la península malaya los comerciantes decidieron arreglárselas por sí solos y acuñaron una moneda nueva y tosca hecha de estaño, un material del que había un abundante suministro local. Más allá de este tipo de esfuerzos, lo que ocurrió fue que la oferta de los metales preciosos que constituía la moneda común que conectaba un lado del mundo conocido con el otro (aunque no siempre en unidades, pesos y calidades estandarizadas) dejó de funcionar: sencillamente, no había dinero suficiente para todos.[96]

Es posible que un periodo de cambio climático hubiera contribuido a hacer aún más graves esas dificultades. El hambre y los ciclos inusuales de sequía, acompañados de inundaciones destructivas ocasionales, que conoció China en esta época cuentan una historia potente acerca del impacto de los factores ambientales en el crecimiento económico. Los depósitos de sulfato hallados en núcleos de hielo, tanto en el hemisferio norte como en el sur, indican que el siglo XV fue un periodo de actividad volcánica generalizada. Esto desencadenó un enfriamiento global que repercutió en el mundo de las estepas, donde la intensa competencia por la comida y las fuentes de agua prefiguró una época de agitación, en especial en la década

Los tejidos de las rutas de la seda eran muy deseados y en ocasiones se llegó a usarlos como moneda. Esta tela de los siglos VIII-IX muestra los famosos caballos de Asia Central.

Las rutas de la seda recorren muchos desafíos, obstáculos y barreras naturales. Entre estos se encuentran la cordillera del Pamir, donde los pasos estaban muy protegidos, como demuestra este fuerte de piedra de Tashkurgan (*arriba*), cerca de Kasgar, y el traicionero desierto de Taklamakán, en Xinjiang, al oeste de China (*abajo*).

Pictures from History / Bridgeman Images

Mujeres preparando una tela de seda recién tejida. Esta imagen se hizo para el emperador chino Huizong, de la dinastía Song, a comienzos del siglo XII.

Pictures from History / David Henley / Bridgeman Images

Escultura en cerámica de un mercader sogdiano montado en un camello bactriano hecha en la época de la dinastía Tang (618-907 d. C.).

Los espléndidos decorados de los palacios sogdianos de Panjikent son un testimonio de las recompensas que suponía comerciar a través de Asia.

Walter Callens / Getty Images

Kaveh Kazemi / Getty Images

Inscripción de Naqs-i Rustām en la que el sumo sacerdote Kirdīr proclama el triunfo del zoroastrismo.

Afghan School / Valley of the Buddhas, Bamyan,

Los budas de Bamiyán, símbolo del avance del budismo en Asia Central.

Pictures from History / Bridgeman Images

Traducción sogdiana de un salterio cristiano usando el alfabeto siriaco. Propagar la fe en los idiomas locales era un factor clave para su difusión.

Escena de la crucifixión en los *Evangelios de Rábula*, un manuscrito ilustrado siriaco del siglo VI.

Photo12 / UIG via Getty Images

La moneda con el «califa de pie», quizá una representación del profeta Mahoma.

Marie-Lan Nguyen / Commons

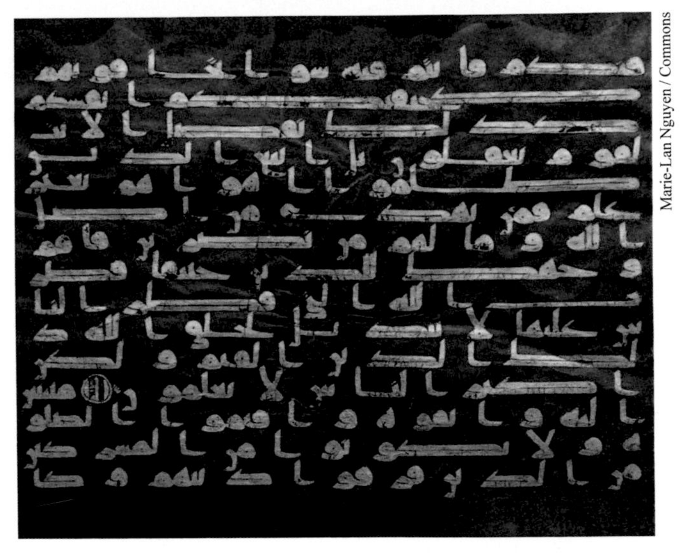

Una página de un ejemplar del Corán en papel teñido con añil, norte de África, siglos IX-X.

Topkapi Palace Museum, Istanbul, Turkey / Bridgeman Images

El nuevo imperio musulmán hizo que la riqueza volviera a fluir al centro. El sultán rodeado de los cortesanos, ilustración de un manuscrito del poema épico persa *Shāhnāma* de Firdawsī.

Los gobernantes musulmanes fueron grandes patrocinadores de las artes y el conocimiento. Eruditos conversan en una biblioteca abasí, ilustración del *Maqāmāt* de al-Ḥarīrī.



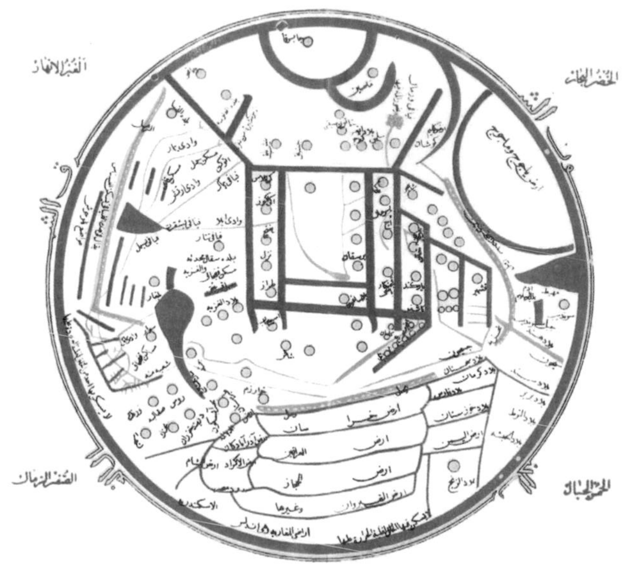

El mapa de Maḥmūd al-Kāshgharī, en el que se presenta a Balāsāgūn como el centro del mundo.

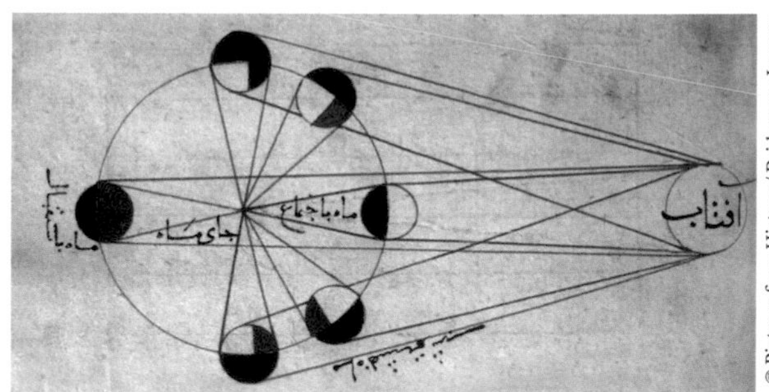

Ilustración de la explicación de las fases de la luna de al-Bīrūnī'.

De Agostini / Getty Images

La guerra y el comercio iban de la mano. Las imponentes murallas defensivas de Bujará.

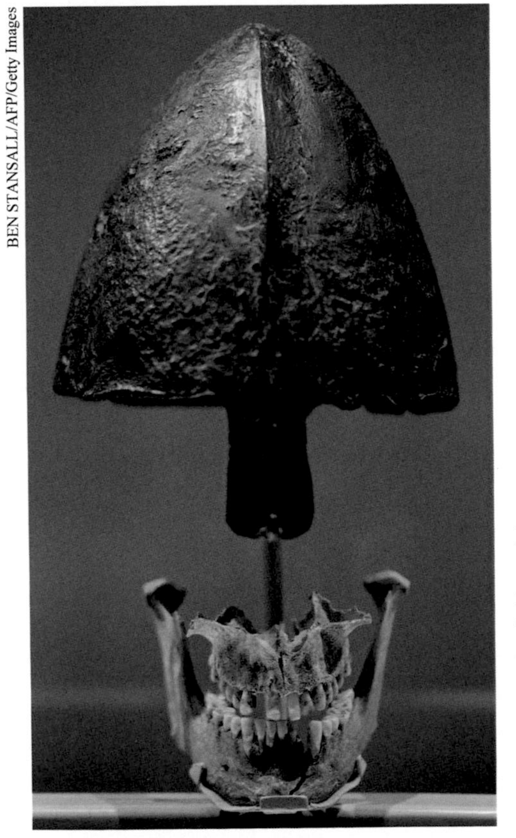
BEN STANSALL/AFP/Getty Images

Detalle de una piedra rúnica de Tilinge (Suecia), en la que se conmemora la muerte de un aventurero escandinavo en Serkland, la tierra de los sarracenos o árabes.

Los vikingos estuvieron muy involucrados en el tráfico de seres humanos. La reputación que tenían por su violencia fue un componente importante de su éxito.

Los mongoles barrieron Asia a una velocidad sorprendente. Aquí, Gengis Kan persigue a un enemigo con el apoyo de sus hombres.

El comercio y la conquista no fueron lo único que viajó a través de las rutas de la seda; también la enfermedad lo hizo. La más devastadora fue la peste negra que causó estragos en Asia y Europa en el siglo XIV. Víctimas de la peste en una ilustración de la Biblia de Toggenburgo con los bubones característicos de la enfermedad, los cuales, según Boccaccio, podían alcanzar el tamaño de una manzana.

de 1440. En términos generales, la historia de este periodo estuvo marcada por el estancamiento, las dificultades y una lucha salvaje por la supervivencia.[97]

Los efectos y las ramificaciones se percibieron desde el Mediterráneo hasta el Pacífico, alimentando una sensación creciente de inquietud acerca de la marcha del mundo. Aunque el surgimiento del imperio de Timur no había causado un miedo generalizado en Europa, el ascenso de los otomanos sin duda fue un motivo de preocupación cada vez mayor para muchos. A finales del siglo XIV los otomanos habían cruzado en masa el Bósforo y, tras propinar derrotas aplastantes a los bizantinos, los búlgaros y los serbios, se habían instalado en Tracia y los Balcanes. Constantinopla pendía de un hilo, una isla cristiana en un mar de musulmanes. Las súplicas apasionadas de ayuda militar enviadas a las cortes reales de Europa no habían obtenido respuesta, y la debilidad de la ciudad quedó al descubierto. Finalmente, en 1453, la capital imperial cayó. La conquista de una de las ciudades más grandes de la cristiandad fue un triunfo para el islam, que una vez más estaba en ascenso. En Roma, cuentan las fuentes, los hombres lloraban y se golpeaban el pecho al enterarse de la caída de Constantinopla, y el papa ofreció oraciones por quienes habían quedado atrapados en la ciudad. Europa, sin embargo, había hecho muy poco cuando se la necesitó; ahora era demasiado tarde.

La suerte de Constantinopla causó una profunda preocupación en Rusia, donde se consideró que era no tanto el anuncio de un resurgimiento musulmán como una señal de la inminencia del fin del mundo. Existían antiguas profecías ortodoxas según las cuales al comienzo del octavo milenio Jesús regresaría para presidir el Juicio Final, y ahora parecían a punto de cumplirse. Las fuerzas del mal se habían desatado e infligido un golpe devastador al mundo cristiano. Tan convencida estaba la cúpula eclesiástica de que el apocalipsis era inminente, que se envió a un sacerdote a Europa occidental con la misión de buscar información específica acerca del momento preciso del día en que tendría lugar. Algunos decidieron que era absurdo calcular las fechas en que caerían en el futuro la Pascua y otras fiestas religiosas movibles cuando el fin de los tiempos estaba a punto de llegar. A partir del calendario bizantino utilizado en Rusia, el momento parecía claro como el agua. Partiendo de que la Creación había sido 5508 años antes de Cristo, se concluyó que el mundo iba a acabar el 1 de septiembre de 1492.[98]

En el extremo opuesto de Europa, había otros que compartían la convicción de que el Armagedón se acercaba con rapidez. En España, en un momento de creciente intolerancia religiosa y cultural, la atención se centró en los musulmanes y los judíos. A los primeros se los expulsó de al-Ándalus mediante las armas; los segundos se toparon con una orden inflexible para que se convirtieran al cristianismo o abandonaran España, pues de lo contrario serían ejecutados. Desesperados por vender sus bienes, procedieron a liquidarlos, ocasión que los inversores aprovecharon para hacerse con viñedos a cambio de paños y comprar haciendas y casas excelentes por sumas ridículas.[99] Y para colmo de males, en apenas una década el valor de esas gangas iba a dispararse.

Muchos judíos eligieron marcharse a Constantinopla, donde los nuevos señores musulmanes de la ciudad los acogieron. «Decís que Fernando es un gobernante sabio», se cuenta que exclamó Bāyezīd II en 1492 al recibir a los judíos que llegaban a la antigua capital imperial, a pesar de que «empobrece su país para enriquecer el mío».[100] Esto no era un simple intento de ganárselos: en escenas que en la actualidad dejarían perplejos a muchos, pero que evocaban los primeros días del islam, a los judíos no solo se les trataba con respeto, sino que se les daba la bienvenida. A los nuevos colonos se les otorgó protección y derechos jurídicos, y en muchos casos recibieron ayudas para que pudieran empezar una nueva vida en un país extraño. La tolerancia era una característica básica de una sociedad segura de sí misma y de su propia identidad, que es mucho más de lo que puede decirse del mundo cristiano, en el que la intolerancia y el fundamentalismo religioso se estaban convirtiendo con rapidez en rasgos definitorios.

Un ejemplo de esas personas a las que les inquietaba el futuro de la fe era Cristóbal Colón. Aunque según sus propios cálculos todavía faltaban ciento cincuenta y cinco años para la Segunda Venida, le indignaba que los «fieles» solo se preocuparan por las cuestiones religiosas de labios para afuera y le horrorizaba, en particular, el escaso interés de Europa por Jerusalén. Con un fervor que bordeaba la obsesión, elaboró planes para lanzar una nueva campaña destinada a liberar la Ciudad Santa mientras que, paralelamente, desarrollaba una segunda fijación hacia los metales preciosos, las especias y las gemas que tan abundantes y baratas eran en Asia.[101] Solo con que fuera posible tener un acceso mejor a ellos, concluyó, se los podría usar para financiar una expedición a gran escala para liberar Jerusalén.[102] El problema era que el hecho de estar en la península ibérica lo situaba en el extremo equivocado del Mediterráneo y convertía su grandiosa idea en poco más una quimera.[103]

Pero quizá, solo quizá, había una esperanza. A fin de cuentas, había astrólogos y cartógrafos, como Paolo Toscanelli en Florencia, que sostenían que era posible encontrar una ruta a Asia navegando hacia el oeste desde el borde de Europa. Después de una lucha titánica para convencer a otros de que compartieran una visión que estaba muy cerca de la temeridad y la insensatez, el plan de Colón por fin empezó a concretarse. Se prepararon cartas de presentación para el gran kan (con un espacio en blanco para rellenar cuando se hubiera establecido con certeza el nombre exacto), de quien se esperaba que fuera un aliado valioso para la recuperación de Jerusalén. Se reclutaron intérpretes para que fuera posible conversar con el líder mongol y sus representantes. Se contrataron especialistas que dominaran el hebreo, el caldeo (emparentado con el arameo que hablaban Jesús y los apóstoles) y árabe, probablemente el idioma más útil para tratar con el kan y la corte, según pensaban. Como señala un estudioso, el aumento del sentimiento antimusulmán en Europa hizo que justo en el momento en que el árabe empezaba a ser mal visto y prohibirse por ley en el Viejo Mundo, también se lo consideraba la mejor forma de comunicarse cuando Europa occidental finalmente consiguiera contactar con el Lejano Oriente.[104]

El 3 de agosto de 1492, menos de un mes antes del fin del mundo según los cálculos de la Iglesia rusa, tres carabelas zarparon del puerto de Palos de la Frontera, en Andalucía. Al desplegar las velas y partir hacia lo desconocido, Colón no podía darse cuenta de que se disponía a hacer algo extraordinario: estaba a punto de cambiar el centro de gravedad de Europa del este al oeste.

Cuando otra flota pequeña al mando de Vasco da Gama partió de Lisboa cinco años después en otro largo viaje de descubrimiento y rodeó el extremo meridional de África para llegar al océano Índico, las últimas piezas necesarias para la transformación de Europa encajaron. De repente, el continente dejó de ser la terminal, el final del recorrido de las rutas de la seda, y estaba a punto de convertirse en el centro del mundo.

## Capítulo 11

# LA RUTA DEL ORO

El mundo cambió a finales del siglo XV. No hubo apocalipsis ni fin de los tiempos, como Colón y otros temían, al menos no en lo que respecta a Europa. Una serie de expediciones a larga distancia salidas de España y Portugal conectaron las Américas con África y Europa, y en última instancia y por primera vez en la historia, con Asia. En el proceso, se crearon nuevas rutas comerciales, que en algunos casos ampliaron las redes existentes y en otros las reemplazaron. Las ideas, las mercancías y las personas empezaron a viajar más lejos y más rápido (y también en mayor número) que en cualquier otro momento de la historia humana.

El nuevo amanecer impulsó a Europa hasta el centro del escenario, envolviéndola en luz dorada y bendiciéndola con una serie de edades de oro. Su ascenso, sin embargo, supuso sufrimientos terribles para los lugares recién descubiertos. Las magníficas catedrales, las obras de arte gloriosas y los niveles de vida más elevados que florecieron a partir del siglo XVI tuvieron un precio que pagaron las poblaciones que vivían al otro lado de los océanos: los europeos no solo consiguieron explorar el mundo, sino también dominarlo. Lo hicieron gracias a los avances implacables de la tecnología militar y naval que les proporcionaron una ventaja incontestable sobre las poblaciones con las que entraban en contacto. La era del imperio y el ascenso de Occidente se construyó sobre la capacidad para infligir violencia a gran escala. La Ilustración y el Siglo de las Luces, la progresión hacia la democracia, las libertades individuales y los derechos humanos no fueron el resultado de una cadena invisible que se remontaba a la Atenas de la Antigüedad clásica o a una situación natural en Europa; fueron los frutos del triunfo político, militar y económico en continentes lejanos.

Esto parecía improbable cuando Colón zarpó hacia lo desconocido en 1492. Leído en el siglo XXI, su diario de a bordo sigue rezumando excitación y miedo, optimismo y ansiedad. Pese a estar convencido de que encontraría al gran kan —y del papel que este desempañaría en la liberación de Jerusalén—, también era consciente de que había muchas posibilidades de que el viaje tuviera un desenlace desastroso y mortal. Se dirigía hacia Oriente, escribió, pero no «por donde se acostumbra de andar, salvo por el camino de Occidente, por donde hasta hoy no sabemos por cierta fe que haya pasado nadie».[1]

Con todo, la ambiciosa expedición no carecía de ciertos precedentes. Colón y su tripulación formaban parte de un periodo prolongado y exitoso de exploración que había abierto a las potencias cristianas de la península Ibérica nuevas zonas del mundo en África y el Atlántico oriental. Esto había sido impulsado parcialmente por el intento de acceder a los mercados del oro de África occidental. La riqueza mineral de esta región era legendaria; de hecho, los escritores musulmanes la conocían desde hacía siglos sencillamente como «la tierra del oro». Algunos sostenían que «el oro crece en la arena como lo hacen las zanahorias y se lo recoge al amanecer». Otros creían que el agua tenía propiedades mágicas que lo hacían brotar en la oscuridad.[2] La producción de oro era prodigiosa y los efectos económicos inmensos: el análisis químico ha demostrado que las monedas del Egipto musulmán, famosas por su excelencia, se hacían con oro de África occidental, transportado a través de las rutas comerciales transaharianas.[3]

Los comerciantes wangara controlaban desde la Antigüedad tardía buena parte de esos intercambios.[4] Malienses por origen, esta tribu desempeñaba en gran medida la misma función que los comerciantes sogdianos en Asia; expertos en recorrer terrenos difíciles, habían establecido escalas a lo largo de las peligrosas rutas que atravesaban el desierto, lo que les permitía realizar intercambios a larga distancia. Con el tiempo, este tráfico condujo al surgimiento de una red de oasis y bases comerciales y, finalmente, al desarrollo de ciudades florecientes como Djenné, Gao y Tombuctú, que se convirtieron en sedes de palacios reales y mezquitas espléndidas, protegidas por murallas magníficas de ladrillo cocido.[5]

Para comienzos del siglo XIV, Tombuctú en particular no solo era una importante capital comercial, sino un centro cultural para eruditos, músicos, artistas y estudiantes, que se reunían alrededor de las mezquitas de Sankore, Djiguereber y Sīdī Yaḥyā, faros del discurso intelectual y hogares de incontables manuscritos que habían llegado desde todas partes de África.[6]

Como era de esperar, la región despertaba la atención a miles de kilómetros de distancia. En El Cairo la gente quedó boquiabierta cuando Mansa Musa (o Musa, el rey de reyes del imperio de Malí), «un hombre devoto y justo» como no se había visto otro igual, pasó por la ciudad en el siglo XIV durante su peregrinación hacia La Meca, acompañado por un séquito enorme y portando cantidades inmensas de oro para dar como obsequio. Fue tantísimo lo que gastó en los mercados de la ciudad durante la visita que, al parecer, desencadenó una pequeña depresión económica en la cuenca del Mediterráneo y Oriente Próximo, pues el precio del oro se desplomó debido a la presión que supuso la entrada en masa de todo ese nuevo capital.[7]

Los escritores y viajeros de países distantes se esmeraban en consignar los linajes reales de los monarcas malíes y en dar cuenta de las ceremonias de la corte en Tombuctú. El gran viajero norteafricano Ibn Baṭṭūṭa, por ejemplo, atravesó el Sahara para ver personalmente la ciudad y al majestuoso Mansa Musa. Precedido por un grupo de músicos que tocaban instrumentos de cuerda hechos de oro y plata, el monarca salía del palacio luciendo un gorro de oro y una túnica hecha del paño rojo más excelente y se sentaba en un pabellón decorado con esplendor (coronado por un pájaro de oro del tamaño de un halcón) para escuchar las noticias del día procedentes de todos los rincones de su imperio. Dada la asombrosa riqueza que el rey tenía a su disposición, Ibn Baṭṭūṭa no pudo ocultar la decepción que le produjo la famosa generosidad de Mansa Musa, al menos para con él: «Es un rey tacaño», escribió, «no un hombre del que se pueda esperar un obsequio espléndido».[8]

Los relatos acerca de las riquezas legendarias también despertaron el interés de la Europa cristiana. Esas historias seguían el camino del oro que se comerciaba en Egipto y a lo largo de la costa norteafricana, en ciudades como Túnez, Ceuta y Bugía, que durante siglos habían sido centro de colonias de los mercaderes de Pisa, Amalfi y, sobre todo, Génova, el principal conducto del oro africano en el Mediterráneo.[9] A pesar de esos contactos mercantiles, era poco lo que se sabía o entendía en Europa acerca de cómo el oro llegaba a las ciudades de la costa, o de las complejas redes que, desde lugares tan lejanos como el río Limpopo, llevaban el marfil, el cristal de roca, las pieles y el carey a lo largo de la costa suajili y desde allí tanto al interior de África como al mar Rojo, el golfo Pérsico y el océano Índico. Desde la perspectiva de Europa, el Sahara era el manto que cubría al resto del continente en el misterio: no había forma de saber qué pasaba más allá de la fértil franja que formaba el litoral del norte de África.[10]

Por otro lado, no cabe duda de que en Europa existía la conciencia de que las tierras ubicadas más allá del desierto poseían riquezas enormes. Eso es algo que se aprecia con claridad en el famoso Atlas catalán, el mapa encargado por Pedro IV de Aragón a finales del siglo XIV en el que aparece un monarca de piel oscura vestido según la moda occidental (Mansa Musa, se suele dar por hecho) que sostiene una pepita de oro enorme al lado de una nota que explica las dimensiones de su riqueza: «Tan abundante es el oro hallado en su país», reza el texto, «que él es el rey más rico y más noble de la Tierra».[11]

Durante mucho tiempo, sin embargo, la búsqueda de un acceso directo al oro y los tesoros de África occidental resultó infructuosa; el árido litoral de lo que en la actualidad es el sur de Marruecos y Mauritania no ofrecía incentivos suficientes, y mucho menos recompensas, y no parecía tener mucho sentido navegar hacia el sur, superando cientos de kilómetros de desierto inhóspito y deshabitado, para adentrarse en lo desconocido. Luego, en el siglo XV, el mundo empezó lentamente a abrirse.

Las expediciones en el Atlántico oriental y hacia el sur, por la costa africana, habían llevado al descubrimiento de una serie de archipiélagos, incluidas las islas Canarias, Madeira y las Azores. Además de plantear la posibilidad de descubrimientos adicionales, estas islas se convirtieron en oasis lucrativos por derecho propio gracias al clima y los suelos fértiles, que las hacían perfectas para la producción de azúcar, por ejemplo, que pronto empezó a exportarse no solo a Bristol y Flandes, sino también a lugares tan lejanos como el mar Negro. En la época en que Colón inició su viaje, Madeira producía casi millón y medio de kilos de azúcar al año, si bien al coste de lo que un estudioso ha descrito como un «ecocidio» de comienzos de la era moderna, pues en el proceso se talaron bosques y ciertas especies no nativas como los conejos y las ratas se multiplicaron en tales cantidades que llegó a vérselas como una forma de castigo divino.[12]

Aunque los ambiciosos reyes de Castilla, que lentamente habían conseguido consolidar el poder en la mayor parte de la península Ibérica, contemplaron la expansión en este Nuevo Mundo, fueron los portugueses los que tuvieron la iniciativa.[13] Desde el siglo XIII, Portugal se había dedicado de forma deliberada a construir vínculos comerciales para conectar el norte y sur de Europa con los mercados de África. Ya durante el reinado del rey Dionisio (que gobernó de 1279 a 1315), se enviaban con regularidad grandes buques de carga a «Flandes, Inglaterra, Normandía, Bretaña y La Rochelle», así como a «Sevilla y otras partes» del Mediterráneo, repletos de mercancías del norte de África musulmán y otros lugares.[14]

Y a medida que las ambiciones de Portugal fueron creciendo, también lo hacía su poderío. Primero eliminó a Génova del comercio de oro; luego, en 1415, después de años de planificación, conquistó Ceuta, una ciudad musulmana del norte de África. Esa conquista era poco más que una declaración de intenciones, pues el lugar tenía un valor estratégico y económico limitado. De hecho, resultó incluso contraproducente, pues se consiguió a un alto precio y desbarató vínculos comerciales arraigados; los portugueses se granjearon además el odio de la población local con gestos torpes como la celebración de una misa en la gran mezquita de la ciudad, que transformaron en una iglesia cristiana.[15]

Esta pose beligerante formaba parte de una hostilidad más amplia hacia el islam que por esa época se estaba propagando por toda la península Ibérica. Cuando Enrique el Navegante, el hijo del rey de Portugal, escribió al papa en 1454 para solicitar el monopolio de la navegación en el Atlántico, afirmó que le motivaba el deseo de llegar hasta «los indios que, se dice, veneran el nombre de Cristo, de modo que podamos [...] convencerlos de que acudan en socorro de los cristianos contra los sarracenos».[16]

Esas ambiciones radicales no eran la historia completa: de lo que se trataba no era solamente de legitimar la expansión portuguesa, sino también de boicotear a los rivales europeos liderando una carga contra el mundo islámico. Y de hecho el golpe de suerte de Portugal no fue consecuencia de crear discordia con los comerciantes musulmanes y trastocar los mercados tradicionales, sino de haber encontrado unos nuevos. Los archipiélagos del Atlántico oriental tuvieron una importancia crucial en este proceso, pues facilitaron muchísimo la exploración; las islas proporcionaron a los portugueses puertos seguros que las naves podían utilizar como bases para abastecerse de provisiones y agua, lo que les permitía alejarse más de la metrópoli con menor riesgo.

Desde mediados del siglo XV, se establecieron colonias como parte de un esfuerzo deliberado por extender los tentáculos de Portugal y hacerse con el control de las rutas marítimas más importantes. En Arguin, frente a la costa oeste de la moderna Mauritania, y San Jorge de la Mina, sobre la costa atlántica de la moderna Ghana, se construyeron como fortalezas dotadas con amplias instalaciones de almacenamiento.[17] Estas se diseñaron de modo que fuera posible la catalogación precisa de las importaciones, algo muy importante para la corona portuguesa, que a mediados del siglo XV empezó a insistir en que el comercio con África era un monopolio real.[18] Desde el comienzo se creó un marco administrativo que establecía formalmente cómo debía gestionarse cada uno de los puntos más recientes de la red marítima portuguesa, entonces en pleno proceso de expansión. Cuando se realizaba un nuevo descubrimiento, como el de las islas de Cabo Verde en la década de 1450, existía una pauta comprobada que implementar.[19]

Los castellanos no permanecieron ociosos mientras esto ocurría; intentaron minar el control de los portugueses sobre las posesiones recién fundadas a lo largo de la ruta hacia el sur atacando directamente los buques de bandera portuguesa. El tratado de Alcáçovas, de 1479, alivió las tensiones; por un lado, dio a Castilla el control de las islas Canarias, y por otro, concedió a Portugal la autoridad sobre los demás archipiélagos, así como el control sobre el comercio con África occidental.[20]

Sin embargo, lo que abrió el continente africano y transformó la suerte de Europa no fue la alta política, las concesiones papales o la competencia por las posesiones territoriales. El verdadero avance se produjo cuando los emprendedores capitanes navales se dieron cuenta de que además de comerciar con aceite y pieles y buscar la ocasión para comprar oro, había oportunidades más fáciles y mejores de hacer fortuna. Como había quedado demostrado varias veces en la historia de Europa, la mejor forma de ganar dinero era traficar con personas.

El comercio de esclavos africanos floreció con rapidez en el siglo XV: desde el principio se reveló como un negocio muy lucrativo. En las granjas y plantaciones portuguesas existía una demanda considerable de mano de obra que los esclavos empezaron a satisfacer; llegaban en tales cantidades que el príncipe heredero que patrocinó las primeras expediciones llegó a ser comparado nada menos que con Alejandro Magno como el forjador de una nueva era imperial. Al poco tiempo ya se decía que las casas de los ricos estaban «llenas a rebosar de hombres y mujeres esclavos», lo que permitía a sus propietarios utilizar el capital en otros lugares y hacerse todavía más ricos.[21]

Pocos manifestaron cualquier clase de reparo moral ante la idea de esclavizar a las personas apresadas en África occidental, si bien algunas fuentes evidencian cierta empatía. Un cronista portugués refiere los quejidos, lamentos y lágrimas de un grupo de africanos capturados durante una incursión en la costa y llevados a Lagos en 1444. Cuando los cautivos se dieron cuenta de que era preciso «separar a los padres de los hijos, los maridos de las esposas, los hermanos de los hermanos», la tristeza se intensificó, incluso entre quienes los miraban: «¿Qué corazón, por más duro que sea, no se sentiría atravesado por un sentimiento de piedad al ver a semejante grupo?», anotó un espectador.[22]

Tales reacciones, sin embargo, eran raras, pues ni compradores ni vendedores solían detenerse a pensar en la suerte de quienes eran vendidos. Mucho menos la corona, que veía en los esclavos no solo mano de obra adicional, sino también una fuente de ingresos a través del «quinto», el impuesto del 20 por ciento de los beneficios derivados del comercio con África: desde su punto de vista, cuantos más esclavos se trajera y vendieran, mejor.[23] E incluso el cronista que aseguraba haberse sentido conmovido por la escena junto al muelle en Lagos no tuvo escrúpulos en participar, dos años más tarde, en una incursión esclavista en la que se capturó a una mujer que recogía mariscos en una playa junto a su hijo de dos años y a una niña de catorce años que luchó con tanta furia que fueron necesarios tres hombres para obligarla a subir al bote. Al menos, declaraba impasible el cronista, «tenía una apariencia agradable para ser guineana».[24] De forma rutinaria se atrapaba a hombres, mujeres y niños en asaltos que parecían cacerías de animales. Algunos rogaron al príncipe heredero que se les otorgara una licencia para equipar múltiples barcos y viajar en convoy; y él no solo estuvo de acuerdo sino que «de inmediato ordenó [...] hacer estandartes con la cruz de la Orden de Jesucristo», uno para cada embarcación. El tráfico de seres humanos se realizaba en connivencia con la corona y con Dios.[25]

La nueva riqueza de los portugueses no impresionaba a todos de la misma forma. A finales del siglo XV un visitante procedente de Polonia quedó sorprendido por la falta de gracia, elegancia y sofisticación de los habitantes del país. Los hombres de Portugal, escribió, eran «burdos, mediocres, carecen de buenas maneras y son ignorantes a pesar de que pretenden pasar por sabios». En cuanto a las mujeres, «pocas son hermosas; casi todas parecen hombres, si bien por lo general tienen unos bonitos ojos negros». Tenían asimismo unos traseros magníficos, añadía, «tan generosos que sinceramente diría que era imposible ver algo mejor en el mundo entero». No obstante, era justo señalar que las mujeres eran también lascivas, codiciosas, volubles, mezquinas y disolutas.[26]

Aunque el tráfico de esclavos tuvo un impacto considerable en la economía interna de Portugal, la función que desempeñó en la exploración y descubrimiento del extenso litoral africano a lo largo del siglo XV fue mucho más importante. Las embarcaciones portuguesas continuaron navegando más y más al sur en busca de presas, y una y otra vez comprobaron que cuanto más lejos iban, menos defendidos estaban los asentamientos. Los ancianos y jefes tribales que salían con curiosidad y decisión al encuentro de los hombres llegados de Europa eran rutinariamente masacrados en el acto, y sus escudos y lanzas capturados como trofeos para el rey o el príncipe heredero.[27]

Espoleados para seguir adelante en pos de ganancias fáciles y abundantes, los exploradores se abrieron paso a lo largo de la costa africana en el último cuarto del siglo XV. Juan II, el monarca portugués, estaba muy interesado en establecer relaciones estrechas con gobernantes locales poderosos con el fin de proteger la posición de su país frente al avance de los españoles, así que además de expediciones esclavistas empezó a enviar barcos con emisarios reales. Uno de esos representantes fue Cristóbal Colón, que no tardó en utilizar sus experiencias para calcular qué podría necesitarse para abastecer otros viajes a larga distancia. Asimismo, intentó emplear la nueva información sobre la longitud de la costa africana para calcular el tamaño de la Tierra, anticipando los ambiciosos viajes que él mismo iba a emprender en el futuro.[28]

Otros exploradores vivían más en el presente. En la década de 1480, Diogo Cão descubrió la desembocadura del río Congo, lo que allanó el camino para el intercambio formal de embajadas con el poderoso rey de la región, que, además, aceptó bautizarse. Eso encantó a los portugueses, que lo usaron para dar lustre a sus credenciales ante el papado, en Roma, en especial cuando el rey de Kongo fue a la guerra contra sus enemigos portando una bandera papal con la señal de la cruz.[29] En 1488, el explorador Bartolomé Díaz alcanzó el extremo meridional del continente, al que dio el nombre de cabo de las Tormentas, antes de regresar a casa después de un viaje en extremo peligroso.

Portugal protegía con celo su expansión, hasta el punto de que hacia finales de 1484, cuando Colón se acercó a Juan II para financiar la expedición con la que se proponía atravesar el Atlántico en dirección oeste, la propuesta cayó en oídos sordos. Aunque despertó el interés del monarca portugués lo suficiente como para que este «con gran brevedad y secreto envió una carabela hacia donde [Colón] decía», el hecho de que ni siquiera se investigaran los descubrimientos espectaculares de Díaz indica que la principal preocupación de Portugal era consolidar su expansión en las partes del nuevo mundo con las que había entrado en contacto recientemente, y no expandirse todavía más.[30]

La situación cambió cuando Colón finalmente encontró el patrocinio que estaba buscando en Fernando e Isabel, los reyes de Aragón y Castilla, y se hizo al mar en 1492. Las noticias de los descubrimientos realizados al otro lado del Atlántico enloquecieron a Europa. En una carta enviada a Fernando e Isabel cuando iba de regreso hacia España se ocupaba con seguridad de las nuevas tierras e islas «de la India halladas poco ha sobre el Ganges». Esas tierras eran «fertilísimas en demasiado grado [...] sin comparación de otros»; las especias crecían en cantidades tan grandes que eran imposibles de calcular; había «grandes minas de oro y de otros metales» esperando ser explotadas, así como ocasiones para el comercio con «la tierra firme de acá como aquella de allá del Gran Can». Algodón, almáciga, lignáloe, ruibarbo, canela, esclavos «y otras mil cosas de sustancia» se encontraban todas en gran abundancia.[31]

Lo cierto fue que el descubrimiento dejó a Colón confundido y desconcertado. En lugar de los pueblos refinados que esperaba encontrar, halló nativos que vivían desnudos y parecían, desde su punto de vista, asombrosamente primitivos. Si bien eran «muy bien hechos, de muy hermosos cuerpos y muy buenas caras», anotó, también eran crédulos y se ponían contentos con solo regalarles un bonete rojo, cuentas o, incluso, pedazos de vidrio y cerámicas rotas. No sabían de armas, y cuando se les enseñaban las espadas, las tomaban por el filo y, en consecuencia, se cortaban «con ignorancia».[32]

En cierto sentido, esto parecía una buena noticia: los nativos eran «muy mansos y [no saben] qué sea mal», señalaba; además, «conocedores que hay Dios en el cielo», y creyendo firmemente que «nosotros habemos venido del cielo, están muy prestos a cualquiera oración que nos les digamos que digan y hacen el señal de la cruz». Era solo cuestión de tiempo que una «multidumbre de pueblos» terminaran convertidos «a nuestra Santa Fe».[33]

De hecho, la carta en la que con tanto alarde relataba sus extraordinarios descubrimientos (de la que se difundieron copias con tanta rapidez que había versiones en Basilea, París, Amberes y Roma prácticamente antes de que Colón y sus marineros hubieran llegado a aguas españolas) era una obra maestra de la propaganda y, en opinión de algunos historiadores, «una urdimbre de exageraciones, ideas equivocadas y mentiras absolutas».[34] Colón no había encontrado minas de oro y las plantas que identificó como canela, ruibarbo y áloe no lo eran. Y tampoco había visto el indicio más remoto del gran kan. La afirmación de que eran tantos los tesoros disponibles que en un plazo de siete años habría fondos suficientes para pagar a cinco mil soldados de caballería y cincuenta mil soldados de a pie para llevar a cabo la conquista de Jerusalén no era otra cosa que un engaño descarado.[35]

La pauta continuó en los siguientes viajes que Colón realizó al otro lado del Atlántico. Una vez más aseguró a sus señores, Fernando e Isabel, que había encontrado minas de oro, atribuyó a las enfermedades y los problemas logísticos su incapacidad para proporcionar pruebas más sólidas y optó por enviar loros, caníbales y machos castrados para intentar ocultar la verdad. Si en la primera expedición estaba seguro de haber llegado cerca de Japón, el hallazgo de unas pepitas de oro inusualmente grandes en la Española le llevó a declarar con igual confianza que se encontraba cerca de las famosas minas de Ofir, de las que había salido el oro para la construcción del Templo de Salomón. Más tarde aseguraría haber descubierto las mismísimas puertas del Paraíso al llegar a lo que, en realidad, era la desembocadura del Orinoco.[36]

Algunos de los hombres de Colón, hartos de la manera obsesiva en que gestionaba cada detalle de las expediciones, la tacañería con la que racionaba las provisiones y la facilidad con la que se enfurecía cuando alguien no estaba de acuerdo con él, regresaron a Europa con información que echó agua fría sobre los informes del almirante, que en cualquier caso ya empezaban a resultar francamente agotadores debido a su optimismo inverosímil. La travesía del Atlántico era una farsa, dijeron a los reyes de España el explorador Pedro de Margarit y el misionero Bernardo Boyl: no había oro; lo único que habían encontrado para traer de vuelta eran indios desnudos, pájaros coloridos y unas cuantas baratijas; los costes de la expedición nunca se recuperarían.[37] El fracaso absoluto de la búsqueda de tesoros fue quizá una de las razones por las que la atención viró de la riqueza material de los nuevos territorios a su erotismo. Los relatos escritos acerca de las tierras recién descubiertas a finales del siglo XV y comienzos del XVI se interesan cada vez más por las prácticas sexuales inusuales, las relaciones en público y la sodomía.[38]

Sin embargo, la suerte cambió. En 1498, mientras exploraba la península de Paria, en lo que hoy es el norte de Venezuela, Colón halló unos nativos que llevaban collares de perlas alrededor del cuello y poco después descubrió un conjunto de islas que poseían lechos de ostras asombrosamente ricos. Los exploradores corrieron a cargar los buques con el botín. Los testimonios contemporáneos refieren la llegada a España de sacos llenos a reventar de perlas, «algunas tan grandes como avellanas, muy claras y hermosas», que enriquecieron a los capitanes y las tripulaciones que los habían traído.[39] Las historias acerca de la cantidad de perlas que aún quedaban por recoger, su tamaño, por lo general enorme, y, sobre todo, el precio al que los nativos las vendían se convertían con rapidez en rumores exagerados que recorrían toda Europa, exacerbando la imaginación de quienes los oían. Un testimonio, supuestamente escrito por Américo Vespucio, pero que o bien era una versión muy adornada o, lo que es más probable, una falsificación, contaba que el explorador italiano había conseguido adquirir «ciento diecinueve marcos de perlas» (unos treinta kilos de peso) a cambio de «nada más que campanas, espejos, cuentas de cristal y hojas de latón. Uno [de los nativos] cambió todas las perlas que tenía por una sola campana».[40]

Algunas perlas eran tan grandes que se hicieron famosas por derecho propio, como es el caso de «La Peregrina», que sigue siendo una de las más grandes jamás halladas, y su parónima, «La Pelegrina», célebre por su calidad sin parangón. Ambas tuvieron el honor de forma parte de tesoros reales e imperiales de Europa durante siglos, aparecer en retratos de soberanos realizados por Velázquez y, en épocas más recientes, convertirse en el atractivo principal de colecciones modernas legendarias, como la de Elizabeth Taylor.

A la bonanza de las perlas seguiría el descubrimiento de oro y plata cuando la exploración del centro y el sur del continente puso a los españoles en contacto con sociedades más refinadas y complejas como los aztecas y, poco tiempo después, los incas. Inevitablemente, la exploración se convirtió en conquista. Ya en su primer viaje Colón había señalado que los europeos gozaban de una gran ventaja tecnológica sobre los pueblos con los que había entrado en contacto. Los indios, como por error los llamó, «no tienen armas, y son todos desnudos y de ningún ingenio en las armas y muy cobardes, que mil no aguardarían tres».[41] Durante un banquete, reaccionaron maravillados cuando Colón les demostró la precisión de un arco turco y aún más cuando a continuación se les enseñó el poder de una lombarda y de una espingarda (una escopeta capaz de perforar una armadura). Los recién llegados acaso admiraran los rasgos idílicos y la inocencia de los pueblos que encontraron, pero también estaban orgullosos de los instrumentos de muerte con los que contaban, el resultado de siglos de combates casi incesantes tanto contra los musulmanes como contra los vecinos reinos cristianos de Europa.[42]

Colón ya había informado de la pasividad e ingenuidad de los nativos que encontró en su primer viaje: «Son buenos para les mandar y les hacer trabajar, sembrar y hacer todo lo otro que fuere menester, y que hagan villas y se enseñen a andar vestidos y a nuestras costumbres», escribió.[43] Desde un primer momento se identificó a los habitantes nativos como esclavos potenciales. La violencia pronto se convirtió en algo normal. En 1513, en la isla de Cuba, los lugareños que llegaron a ofrecer a los españoles comida, pescado y pan «con todo lo que más pudieron» fueron masacrados «sin motivo ni causa que tuviesen», en palabras del consternado observador, el fraile español Bartolomé de las Casas. Esta fue solo una atrocidad entre muchas. «Allí vide tan grandes crueldades que nunca los vivos tal vieron ni pensaron ver», escribió el religioso acerca de sus experiencias en los primeros días de la colonización europea en un testimonio horrorizado destinado a informar a la metrópoli de lo que estaba ocurriendo en el Nuevo Mundo.[44] Y eso que vio era solo el comienzo, como relata en su vívido testimonio acerca del trato dado a los «indios» en su *Historia de las Indias*.

Las poblaciones nativas del Caribe y las Américas fueron arrasadas. En apenas unas pocas décadas después del primer viaje de Colón, el número de indígenas taínos había caído de medio millón a algo más de dos mil. Esto fue en parte consecuencia del feroz trato que recibían a manos de quienes empezaron a autodenominarse «conquistadores», como Hernán Cortés, cuya sanguinaria expedición para explorar y capturar Centroamérica tuvo como resultado la muerte del soberano azteca, Moctezuma, y el derrumbamiento del imperio azteca. Cortés no se detenía ante nada en su deseo de enriquecerse. Para conseguir que se les diera oro, dijo a los aztecas que «tenemos yo y mis compañeros mal de corazón, enfermedad que sana con ello».[45] Confiad, se cuenta que le prometió a Moctezuma, «no temáis. Os amamos enormemente. Hoy nuestros corazones están en paz».[46]

Cortés se aprovechó de la situación por completo, aunque la historia que atribuye su triunfo a que los aztecas creyeron que él era la manifestación del dios Quetzalcóatl es una invención posterior.[47] Tras forjar una alianza con Xicoténcatl, el líder de los tlaxcaltecas, que ansiaba beneficiarse del fin de los aztecas, los españoles se dispusieron a desmantelar un estado altamente desarrollado.[48] Como sería la norma en otros lugares de las Américas, a la población local se la trató con desprecio. Los nativos, escribió un cronista a mediados del siglo XVI, eran «tan cobardes y tímidos que apenas pueden resistir la presencia de nuestros soldados, y muchas veces, miles y miles de ellos se han dispersado huyendo como mujeres delante de muy pocos españoles». En juicio, ingenio y virtud, sostenía la misma fuente, «son tan inferiores a los españoles como los niños a los adultos». De hecho, proseguía, parecían más monos que hombres, es decir: apenas se les podía considerar humanos.[49]

Mediante una combinación de crueldad y astucia comparables a las de las grandes invasiones mongolas a través de Asia, Cortés y sus hombres se apoderaron de los tesoros aztecas, saqueando «como pequeñas bestias [...] cada hombre poseído íntegramente por la codicia», según una historia compilada en el siglo XVI a partir de testimonios de testigos presenciales. Los españoles robaron objetos de gran belleza, incluidos «collares de gemas pesadas, ajorcas para los tobillos de hermosa factura, pulseras, aros tobilleros con pequeñas campañas doradas y la diadema de turquesa que es la insignia del soberano y se reservaba para su uso exclusivo». Se arrancó el oro de los escudos y otros objetos y se lo fundió para hacer lingotes; las esmeraldas y el jade también fueron objeto de pillaje. «Se lo llevaron todo.»[50]

Eso, sin embargo, no fue suficiente. En una de las grandes atrocidades de comienzos de la era moderna, se masacró a la nobleza y los sacerdotes de Tenochtitlán, la capital azteca, durante una fiesta religiosa. El reducido ejército español se desquició: los hombres les cortaron las manos a los tamborileros y luego se lanzaron a atacar a la multitud con lanzas y espadas. «La sangre [...] corría como agua, como agua viscosa; el hedor de la sangre llenó el aire», a medida que los europeos iban de puerta en puerta en busca de nuevas víctimas.[51]

Con todo, el uso de la fuerza y las alianzas afortunadas no fueron lo único que destrozó a la población indígena. Las enfermedades llegadas de Europa también tuvieron un efecto devastador.[52] La viruela, un virus para el que los nativos carecían de defensas, apareció por primera vez hacia 1520, cuando un brote en extremo contagioso acabó con la vida de un número enorme de habitantes de Tenochtitlán.[53] Después vino el hambre. La mortalidad había sido particularmente alta entre las mujeres, que eran las principales responsables de los cultivos, y en consecuencia la producción agraria se desplomó. La situación empeoró a medida que la gente huía para ponerse a salvo de la enfermedad, pues había cada vez menos personas para plantar y recoger las cosechas, así que la cadena de suministro pronto se rompió por completo. Las bajas por causa de la enfermedad y el hambre fueron catastróficas.[54]

Una epidemia terrible de gripe, tal vez, o de viruela, lo que es más probable, acabó con una gran población de los cakchiqueles, un pueblo maya de Guatemala, en la década de 1520; el hedor de los cuerpos en descomposición flotaba en el aire mientras los perros y los buitres los devoraban. Unos pocos años después estalló una nueva pandemia, esta vez de sarampión. Las poblaciones nativas del Nuevo Mundo estaban condenadas.[55]

Las rutas marítimas a Europa se llenaron de buques procedentes de las Américas con las bodegas cargadas. Esta era una nueva red que rivalizaba con las que cruzaban Asia tanto en distancia como en escala, y pronto las superó en valor: cantidades apenas imaginables de plata, oro, piedras preciosas y tesoros fueron transportadas de un lado al otro del Atlántico. Las historias que se contaban sobre las riquezas del Nuevo Mundo estaban llenas de adornos. Una muy popular a comienzos del siglo XVI hablaba de las piedras de oro de gran tamaño que los lugareños recogían con redes en los ríos, a donde el agua las arrastraba desde las laderas de las montañas.[56]

A diferencia de los cuentos referidos en los primeros informes de Colón, muy prometedores, pero en última instancia decepcionantes, ahora los metales preciosos de verdad fluían hacia la metrópoli. La calidad del trabajo de los tesoros aztecas embelesó a Alberto Durero, que tuvo oportunidad de contemplarlos en 1520. «Nada que haya visto en toda la vida me ha regocijado tanto el corazón como estas cosas», escribió a propósito de una colección que incluía «un sol hecho enteramente de oro» y una luna de plata, ambos de más un metro ochenta de diámetro. Los «increíbles objetos artísticos» lo dejaron paralizado, maravillándose del «sutil ingenio de los hombres de esas tierras distantes» que los habían creado.[57] Los niños como Pedro Cieza de León (que crecería para convertirse en uno de los conquistadores de Perú) se detenían junto al muelle en Sevilla para contemplar asombrados cómo descargaban un barco tras otro y se llevaban los tesoros en carros.[58]

Los hombres ambiciosos se apresuraron a cruzar el Atlántico para aprovechar las oportunidades que ofrecía el Nuevo Mundo. Armados con contratos y concesiones de la corona española, personajes endurecidos como Diego de Ordás, que acompañó a Cortés en México y luego dirigió expediciones de exploración en Centroamérica y lo que hoy es Venezuela, consiguieron labrarse fortunas enormes, exprimiendo tributos a la población local. Esto hizo crecer a su vez las arcas reales en España, pues la corona obtenía su parte.[59]

En la metrópoli no tardaron en formularse enfoques sistemáticos para recabar y procesar la información, lo que tuvo como resultado la elaboración de mapas fiables, el registro de nuevos descubrimientos, el adiestramiento de pilotos y, por supuesto, la catalogación de las importaciones y el cobro de los impuestos pertinentes.[60] Era como si se hubiera puesto en marcha un motor muy bien afinado para bombear directamente hacia Europa las riquezas del continente americano.

Además, las casualidades producto del momento, los enlaces matrimoniales, los embarazos fallidos y los compromisos rotos hicieron que hubiera un único heredero para los reinos de Nápoles, Sicilia y Cerdeña, los territorios de Borgoña y los Países Bajos y, también, de España. Con un caudal de fondos en apariencia ilimitado procedente del otro lado del Atlántico, Carlos V, el rey español, no solo era dueño de un nuevo imperio en las Américas sino la figura dominante de la política europea. El monarca recalibró sus ambiciones en consecuencia, y en 1519 procedió a reforzar su posición utilizando su extraordinaria capacidad financiera para asegurarse la elección como emperador del Sacro Imperio Romano Germánico.[61]

La buena suerte de Carlos resultó perturbadora para otros líderes europeos, que se encontraron superados en fuerza, astucia y capacidad de maniobra por un monarca decidido a ampliar su poder aún más. Su riqueza e influencia contrastaban radicalmente con las de figuras como Enrique VIII de Inglaterra, cuyos ingresos resultaban ciertamente vergonzosos cuando se los comparaba con los de la Iglesia en su propio país, por no hablar de los de su homólogo español. Enrique —un hombre muy competitivo que, en palabras del embajador de Venecia en Londres, tenía «pantorrillas extremadamente finas», llevaba el pelo corto y liso «a la moda francesa» y tenía una cara redonda «tan hermosa que podría pasar por una mujer bonita»— no podría haber elegido un peor momento para intentar resolver sus asuntos domésticos.[62]

En una época en la que Carlos V se había convertido en la persona que movía los hilos de gran parte de Europa y el papado, la insistencia de Enrique en que se anulara su matrimonio para poder casarse con Ana Bolena (que si bien no era «una de las mujeres más guapas del mundo», en palabras de un contemporáneo, había sido bendecida con unos ojos «negros y hermosos») era en extremo imprudente teniendo en cuenta que la esposa a la que pretendía abandonar era la tía de Carlos V, Catalina de Aragón.[63] En la agitación que siguió a la negativa del papa a conceder la anulación, el rey de Inglaterra no se enfrentaba solo al papado, sino también al hombre más rico del mundo, un hombre que, además, era el amo de dos continentes.

La creciente importancia de España en Europa y su rápida expansión en el Nuevo Mundo bordeaban lo milagroso. Un cambio extraordinario en términos de riqueza, poder y oportunidades había transformado a España, y la que otrora fuera un erial provinciano en el extremo equivocado del Mediterráneo se había convertido en una potencia mundial. Para un cronista español, el descubrimiento de América (lo que había hecho posible esa transformación) era «la mayor cosa después de la creación del mundo, sacando la encarnación y muerte del que lo crió».[64] Para otro, resultaba claro que era el mismo Dios quien había revelado «las provincias del Perú, de donde gran tesoro de oro y plata estaba escondido»; las generaciones futuras, opinaba Pedro Mexía, no darían crédito a las cantidades encontradas.[65]

Al descubrimiento de las Américas pronto siguió la importación de esclavos, comprados en los mercados de Portugal. Como los portugueses sabían gracias a sus experiencias en los archipiélagos del Atlántico y en África occidental, la colonización europea era una empresa costosa, no siempre rentable desde un punto de vista económico y más fácil en la teoría que en la práctica: convencer a las familias para que dejaran a sus seres queridos era ya bastante complicado, pero las altas tasas de mortalidad y las duras condiciones locales hacían que fuera todavía más difícil. Una solución había consistido en enviar por la fuerza a huérfanos y convictos a lugares como Santo Tomé, en conjunción con un sistema de beneficios e incentivos, como el suministro de «un esclavo macho o hembra para el servicio personal», con el fin de crear una población básica a partir de la cual poder construir un sistema administrativo sostenible.[66]

Menos de tres décadas después de la travesía de Colón, la corona española ya estaba regulando formalmente la exportación y el transporte de esclavos desde África al Nuevo Mundo y otorgando licencias a los comerciantes portugueses, cuyas mentes y corazones se habían endurecido tras dedicarse por generaciones al tráfico de seres humanos.[67] La demanda era casi insaciable en una región en la que la violencia y las enfermedades reducían notablemente la esperanza de vida. Al igual que ocurriera durante el auge del mundo islámico en el siglo VIII, el aumento repentino de la concentración de riqueza en una parte del mundo traía consigo un aumento repentino en la demanda de esclavos procedentes de otra. La riqueza y la servidumbre iban de la mano.

Los gobernantes africanos no tardaron en protestar. El rey de Kongo apeló en repetidas ocasiones al rey de Portugal condenando el impacto de la esclavitud. A plena luz del día, protestaba, se secuestraba a hombres y mujeres jóvenes (incluidos miembros de familias nobles) para venderlos a comerciantes europeos, que luego los marcaban con hierros al rojo vivo.[68] El soberano portugués le replicó que debería dejar de quejarse. Kongo era un país inmenso que bien podía permitirse prescindir de algunos de sus habitantes; en cualquier caso, continuaba la respuesta, él mismo derivaba un beneficio espléndido del comercio, incluido el de esclavos.[69]

Algunos europeos, por lo menos, veían con angustia el sufrimiento de los esclavos y la obsesión aparentemente incansable por extraer riqueza de los territorios recién descubiertos. Aunque el proyecto de recuperar Jerusalén se había desvanecido, la idea de la evangelización como deber cristiano pronto emergió para ocupar su lugar.[70] Los colonos europeos de Sudamérica, escribió airado un destacado sacerdote jesuita en 1559, «no entienden» que el propósito de la colonización «no era tanto obtener oro o plata, o poblar la tierra o construir ingenios, o [...] traer riqueza [a la metrópoli] como glorificar la fe católica y salvar almas».[71] El objetivo era más difundir la palabra de Dios que hacer dinero. Estas críticas recordaban con claridad las protestas de los misioneros cristianos que siglos antes recorrían las pujantes rutas comerciales y asentamientos de las estepas de Rusia meridional y Asia Central, los cuales se quejaban de que la fijación con el comercio distraía de cuestiones de mayor importancia.

En el caso del Nuevo Mundo, existían razones de peso para quejarse acerca del desinterés por los beneficios de las recompensas espirituales. El oro llegaba a España en tal cantidad que para mediados del siglo XVI algunos se atrevían a afirmar que la época superaba los legendarios tiempos del rey Salomón. Tantos eran los tesoros embarcados, se le dijo a Carlos V en 1551, que «le convenía a este tiempo o siglo llamarle Era Dorada».[72]

No obstante, no todas las riquezas obtenidas en las Américas terminaban llegando a España. Casi tan pronto como las flotas empezaron a llevar el tesoro a la metrópoli, aparecieron en los puertos de Francia y el norte de África aventureros y piratas perspicaces que intentaban abordar los buques y quedarse con el botín, ya fuera esperando hasta el acercamiento final al continente o, con el paso del tiempo, aventurándose en el Caribe para interceptar las jugosas presas todavía más lejos.[73]

Los relatos acerca de los botines en juego atrajeron a oportunistas de todas partes. «La fama de la gran riqueza y reputación» que podían ganarse en la costa atlántica del norte de África, escribió un contemporáneo con desesperanza, atraía a los hombres allí «con tan gran codicia como los españoles pasamos a las minas de las Indias».[74] Entre estos estaban los piratas musulmanes, que además de atacar y capturar los buques que llegaban cargados de mercancías dirigieron también su atención a asolar los puertos y ciudades del litoral español, haciendo de paso miles de prisioneros, ya fuera para luego pedir rescate por ellos o, incluso, venderlos como esclavos.

Esas incursiones se disfrazaban con motivos religiosos, pero ese era un modo demasiado idealizado de ver las cosas. Con todo, incluso en el caso de la piratería europea hay argumentos políticos que hay que tener en cuenta. Los ataques contra las embarcaciones ibéricas se convirtieron en una industria regulada con la expedición de licencias, las conocidas como *lettres de marque* o patentes de corso, por parte de los rivales cristianos del rey de España. Este último, a su vez, respondió sin demora publicando contratos con incentivos muy atractivos, llamados «contra corsarios», para llevar ante la justicia a los peores culpables. Quienes tuvieron éxito recibieron ricas recompensas de la corona y, también, adquirieron una fama considerable, como Pedro Menéndez de Avilés, que llevaba la cuenta de sus presas como los pilotos de caza del siglo XX se apuntaban los enemigos derribados.[75]

Se había descubierto un Nuevo Mundo en ultramar, pero al mismo tiempo se estaba creando un nuevo mundo en casa, uno en el que se fomentaban las ideas nuevas y vibrantes, en el que se satisfacían nuevos gustos, en el que los intelectuales y los científicos se enfrentaban unos a otros y competían por patrocinio y financiación. El aumento de la renta disponible de quienes estaban directamente involucrados en la exploración de los continentes y la riqueza que trajeron de vuelta financiaron una transfusión cultural que transformó Europa. En cuestión de décadas surgieron montones de clientes ricos, ansiosos por gastar en productos de lujo. Había un creciente deseo de objetos raros y exóticos.

La nueva riqueza de Europa le infundió arrogancia y seguridad y, además, reforzó la fe en la forma en que se esperaba que lo hiciera la reconquista de Jerusalén. Para muchos era absolutamente obvio que la fortuna en apariencia ilimitada procedente de las Américas confirmaba la bendición de Dios, algo que había ordenado «el Señor de los cielos, que da y quita los reinos a quien quiere, y como quiere».[76] El amanecer de la nueva era, una auténtica edad de oro, hizo olvidar la caída de Constantinopla en manos de los turcos en 1453, un acontecimiento que había causado gemidos, golpes en el pecho y lágrimas en las calles de Roma.

La tarea ahora era reinventar el pasado. El fin de la vieja capital imperial ofrecía una oportunidad inconfundible para que el legado de la antigua Grecia y Roma fuera reclamado por unos nuevos herederos adoptivos, algo que hicieron con entusiasmo. La verdad era que Francia, Alemania, Austria, España, Portugal e Inglaterra no tenían nada que ver con Atenas y el mundo de los antiguos griegos, y que por lo general habían ocupado un lugar periférico en la historia de Roma, desde sus inicios hasta su desaparición. A ese hecho, sin embargo, no se le dio importancia. Artistas, escritores y arquitectos se pusieron manos a la obra y tomaron prestados motivos, ideas y textos de la Antigüedad para construir una lectura selectiva del pasado y crear un relato que, con el paso del tiempo, no solo fue pareciendo cada vez más verosímil, sino que se convirtió en la norma. Por tanto, aunque desde hace mucho los estudiosos conocen ese periodo como el Renacimiento, lo cierto es que nada renació. Por el contrario, lo que hubo fue un nacimiento. Por primera vez en la historia, Europa ocupaba el centro del mundo.

# Capítulo 12

# LA RUTA DE LA PLATA

Incluso antes del descubrimiento de las Américas, las pautas del comercio habían comenzado a mejorar tras las crisis económicas del siglo XV. Algunos estudiosos sostienen que la causa de ello fue el mejor acceso a los mercados del oro en África occidental combinado con el aumento de la producción en las minas de los Balcanes y otros lugares de Europa, gracias quizá a los avances tecnológicos que ayudaron a liberar nuevas reservas de metales preciosos. Parece, por ejemplo, que la producción de plata se quintuplicó en las décadas posteriores a 1460 en Sajonia, Bohemia y Hungría, así como también en Suecia.[1] Otros investigadores señalan el hecho de que la recaudación de impuestos se tornó más eficaz en la segunda mitad del siglo XV. La contracción económica había obligado a aprender ciertas lecciones, como que era necesario un control más vigilante de la base imponible, lo que a su vez condujo a lo que se ha denominado el «resurgimiento de la monarquía», en el que la centralización resultó tan importante desde un punto de vista monetario como en términos sociales y políticos.[2]

A juzgar por el testimonio de un viajero coreano, la velocidad del comercio aumentó a finales del siglo XV. En el puerto de Suzhou, a unos ciento quince kilómetros de Shanghái, los barcos se apiñaban «como nubes», escribió Ch'oe P'u, a la espera de llevar su carga de «sedas finas, gasas, oro, plata, joyas, artesanías» a nuevos mercados. La ciudad estaba repleta de mercaderes ricos y hacía alarde de un nivel de vida impresionante. «La gente vive con lujo», escribió con envidia, señalando que en esta región rica y fértil los «distritos comerciales están dispersos como las estrellas».[3] Aunque esto era prometedor, la clave no estaba en los puertos chinos de la costa del Pacífico, sino a miles de kilómetros de distancia, en la península Ibérica.

La solución llegó en dos partes. El repunte gradual de la economía europea en la última fase del siglo XV ya había estimulado la demanda de productos de lujo entre los consumidores. Una reserva inmensa de recursos se acumuló a medida que las riquezas del Nuevo Mundo llegaban a España. En Sevilla, el oro y la plata se apilaban en montones «como de trigo» en la aduana, lo que motivó la construcción de un nuevo edificio que pudiera recibir el volumen ingente de mercancías importadas de modo que fuera posible gravarlas correctamente.[4] Un observador refirió con asombro la descarga de los botines transportados por las flotas: en un solo día, vio entrar en la Casa de la Contratación «trescientas treinta y dos carretas de plata, oro y perlas de gran valor» para su conteo formal; seis semanas más tarde, vio llegar otras seiscientas ochenta y seis carretas de metales preciosos. Era tal el tesoro, escribió, que no cabía en «las salas [de la Casa de la Contratación] por que fuera en el patio hubo muchas barras y cajones».[5]

La riqueza enorme e inesperada que trajo consigo la travesía del Atlántico de Colón coincidió con el triunfo espectacular de otra expedición marítima no menos ambiciosa. Justo cuando en España se empezaba a temer que los esfuerzos del almirante por encontrar una ruta alternativa a Asia hubieran sido un costoso error, otra flota estaba equipada y lista para zarpar al mando de Vasco da Gama. Manuel I, el rey de Portugal, recibió a las tripulaciones antes de su partida. Omitiendo deliberadamente mencionar los recientes descubrimientos realizados al otro lado del Atlántico, el monarca resumió el objetivo de la expedición de Gama: encontrar «una nueva ruta a la India y los países que se encuentran cerca de ella». Al hacerlo, prosiguió, se proclamaría «la fe de nuestro Señor Jesucristo» a medida que se arrebataran a los infieles, es decir, a los musulmanes, «nuevos reinos y ámbitos». No obstante, el rey no dejaba de tener en mente otras recompensas, más inmediatas. ¿No sería maravilloso, reflexionó, adquirir «las riquezas de Oriente que tanto celebraban los autores antiguos»? Considerad solo, continuó, cuánto se beneficiaron del comercio con el este Venecia, Génova, Florencia y otras grandes ciudades italianas. Los portugueses eran dolorosamente conscientes de que se encontraban no solo en el lugar equivocado del mundo, sino también en el lugar equivocado de Europa.[6]

Todo eso cambió con la arriesgada expedición de Vasco da Gama. La situación no parecía nada prometedora cuando los buques llegaron por primera vez al sur de África. La decepción tuvo menos que ver con los habitantes, que iban vestidos con pieles, se cubrían los genitales con fundas y comían carne de foca y gacela y raíces de hierbas para mascar, que con el hecho de que cuando se les enseñaron muestras de canela, clavo, perlas, oro «y muchas otras cosas» resultó claro que «no tenían ningún conocimiento de ellas».[7]

Tras rodear el cabo de Buena Esperanza y encaminarse hacia el norte, la suerte de Gama cambió. En Malindi, no solo se enteró de cuál era la ruta hacia Oriente, sino que halló un piloto con experiencia dispuesto a ayudarle a lidiar con el monzón y llegar a la India. Después de diez meses de viaje, echó el ancla en el puerto de Calicut.[8] Donde Colón fracasó, él triunfó: había encontrado una ruta marítima a Asia.

En el lugar ya había comunidades de comerciantes procedentes de sitios no muy alejados de la península Ibérica: entre las primeras voces que oyó estaban las de dos mercaderes musulmanes de Túnez que sabían hablar español y genovés. «¡El diablo te lleve!», le gritó uno de ellos: «¿Qué te ha traído aquí?». Después de intercambiar cumplidos, lo que dijeron a continuación fue música para los oídos: «¡Qué buena suerte has tenido, qué buena suerte! ¡Aquí hay tantísimos rubíes, tantísimas esmeraldas! ¡Debéis agradecer mucho a Dios por traerte a una tierra en la que hay tales riquezas!».[9]

No obstante, los portugueses, como le ocurrió a Colón, tuvieron dificultades para entender lo que veían. Al ver los templos hindúes llenos de estatuas de dioses con coronas creyeron que se trataba de iglesias adornadas con imágenes de santos, e interpretaron que el agua arrojada durante los rituales de purificación era agua bendita administrada por sacerdotes cristianos.[10] Los relatos acerca de cómo santo Tomás, uno de los discípulos de Jesús, llegó a la India y convirtió al cristianismo a un gran número de personas habían circulado en Europa durante muchísimo tiempo, y empujaron a Gama a llegar a toda clase de conclusiones erróneas, entre ellas la de que en Oriente había una gran cantidad de reinos cristianos dispuestos a luchar contra el islam. Gran parte de la información que proporcionó la expedición acerca de lo que habían visto en el este resultó ser engañosa o sencillamente equivocada.[11]

Las negociaciones con el zamorín, el gobernante de Calicut, supusieron una prueba adicional para Gama, que se vio obligado a explicar por qué si el rey de Portugal de verdad poseía una riqueza increíble que superaba con creces la de «cualquier rey de estas partes», según le dijo el almirante, él no estaba en condiciones de ofrecer prueba alguna de esa riqueza. De hecho, cuando presentó una selección de sombreros y jofainas, junto con algunas sartas de coral, azúcar y miel, los cortesanos del zamo-

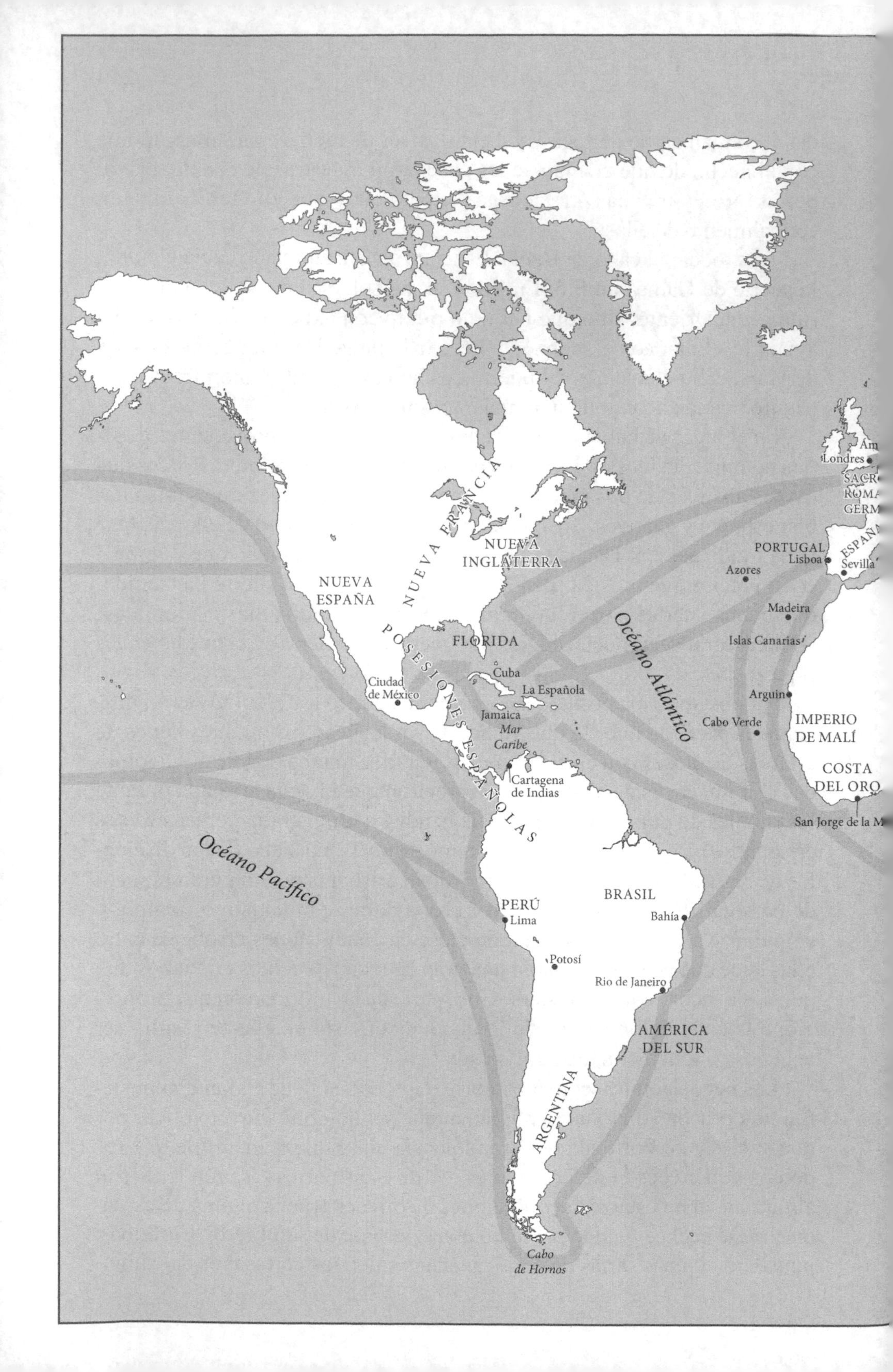

Londres
NUEVA FRANCIA
NUEVA INGLATERRA
NUEVA ESPAÑA
PORTUGAL
Lisboa
Sevilla
Azores
Madeira
Océano Atlántico
FLORIDA
Islas Canarias
POSESIONES ESPAÑOLAS
Cuba
La Española
Ciudad de México
Jamaica
Mar Caribe
Arguin
Cabo Verde
IMPERIO DE MALÍ
COSTA DEL ORO
Cartagena de Indias
Océano Pacífico
PERÚ
Lima
BRASIL
Bahía
Potosí
Rio de Janeiro
AMÉRICA DEL SUR
ARGENTINA
Cabo de Hornos

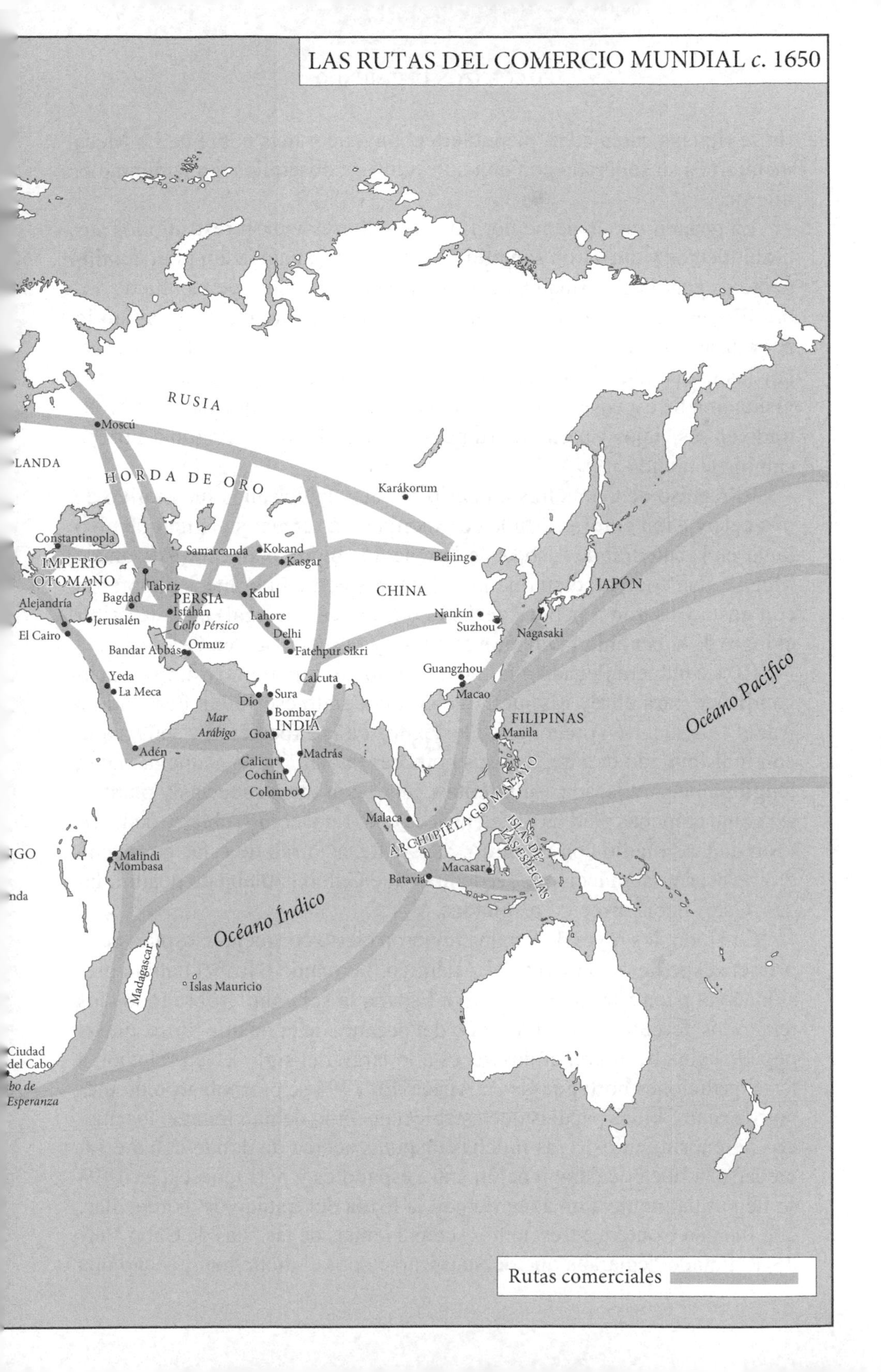
LAS RUTAS DEL COMERCIO MUNDIAL *c.* 1650
RUSIA
Moscú
LANDA
HORDA DE ORO
Karákorum
Constantinopla
IMPERIO OTOMANO
Samarcanda
Kokand
Kasgar
Beijing
Tabriz
PERSIA
Kabul
CHINA
JAPÓN
Alejandría
Bagdad
Isfahán
Lahore
Nankín
Suzhou
Jerusalén
*Golfo Pérsico*
Nagasaki
El Cairo
Ormuz
Delhi
Bandar Abbás
Fatehpur Sikri
Guangzhou
Yeda
Calcuta
Macao
La Meca
Sura
Dio
Bombay
INDIA
FILIPINAS
*Mar Arábigo*
Goa
Manila
*Océano Pacífico*
Adén
Madrás
Calicut
Cochín
Colombo
ARCHIPIÉLAGO MALAYO
Malaca
ISLAS DE LAS ESPECIAS
Malindi
Mombasa
Macasar
Batavia
*Océano Índico*
Madagascar
Islas Mauricio
Ciudad del Cabo
*bo de Esperanza*
Rutas comerciales

rín se rieron a carcajadas: ni siquiera el mercader más pobre de La Meca insultaría a su soberano con una colección de obsequios tan lamentable, dijeron.[12]

La tensión fue en aumento. Los portugueses vieron restringidos sus movimientos y quedaron sometidos a la mirada atenta de un gran contingente de guardias, «armados todos con espadas, hachas de batalla de doble filo, escudos y arcos y flechas». Gama y sus hombres se temían lo peor hasta que, de repente, el zamorín anunció que les permitiría descargar las mercancías y comerciar. Impacientes, los portugueses se aprovisionaron de especias y otros productos para mostrar qué habían encontrado en sus viajes y partieron rumbo a su país. Lo que llevaron a Europa cambió el mundo.

El regreso de Gama tras un periplo épico de dos años fue motivo de una celebración eufórica. En la ceremonia para señalar su éxito que tuvo lugar en la catedral de Lisboa, se le vinculó abiertamente con Alejandro Magno, una comparación que los escritores contemporáneos adoptaron con gusto y usaron repetidas veces (y no solo en Portugal) para describir el logro de haber abierto un mundo nuevo y desconocido en Oriente.[13]

El que hubiera llegado a la India supuso un importante triunfo propagandístico para el rey Manuel, que de inmediato escribió a Fernando e Isabel (sus suegros) pregonando los éxitos de la expedición y señalando, con indisimulado deleite, que sus hombres habían traído «canela, clavo, jengibre, nuez moscada y pimienta», junto con otras especias y plantas, así como «muchas piedras excelentes de todo tipo, como rubíes y demás». «Sin duda», añadió con regocijo, «sus Altezas oirán de estas cosas con gran placer y satisfacción».[14] Mientras que Colón hablaba de posibilidades, Gama había ofrecido resultados.

Con todo, los reyes de España tuvieron cierto consuelo. Después de la primera expedición a través del Atlántico, Fernando e Isabel habían presionado al papa para que otorgara a España la soberanía sobre todos los territorios descubiertos al otro lado del océano, de la misma forma que el papado había hecho repetidas veces a lo largo del siglo XV en relación a las expediciones portuguesas en África. En 1493 se promulgaron no menos de cuatro bulas papales que establecían cómo debían tratarse los nuevos descubrimientos. Tras muchas disputas acerca de dónde debía establecerse la línea de demarcación entre españoles y portugueses, en 1494 se llegó finalmente a un acuerdo con la firma del tratado de Tordesillas, que fijó una frontera a trescientas setenta leguas de las islas de Cabo Verde. El tratado declaraba que debía trazarse «por el dicho mar océano una raya o línea derecha de polo a polo, del polo Ártico al polo Antártico, que es de norte a sur». Todo lo que hubiera al oeste de esa línea pertenecía a España y todo lo que hubiera al este, a Portugal.[15]

Treinta años después, la relevancia final del acuerdo empezó a resultar clara. Para 1520, las naves portuguesas se habían aventurado todavía más al este y viajado más allá de la India para llegar a Malaca, las islas de las Especias (las Molucas) y Guangzhou (Cantón). Los españoles, entre tanto, no solo se dieron cuenta de que habían descubierto dos continentes en las Américas, sino que alcanzaron el logro sin precedentes de circunnavegar el globo gracias a la expedición extraordinaria de un marinero que consiguió cruzar el Pacífico y llegar a las Filipinas y las islas de las Especias. Hubo cierta ironía en el hecho de que el hombre que dirigió esa misión fuera portugués al servicio de una España que estaba dispuesta a financiar los intentos de alcanzar las islas de las Especias desde el oeste, pues con su triunfo aseguraba esas posesiones no para su país natal, sino para su vecino y rival.[16] Cuando Fernão de Magalhães, más conocido como Fernando de Magallanes, se embarcó en 1519-1520 en esta expedición épica, Portugal y España volvieron a la mesa de negociaciones para acordar una línea en el Pacífico equivalente a la que habían trazado en el Atlántico. Los dos vecinos ibéricos se dividieron el globo entre ambos; contaban para ello con la bendición del papado y, por ende, con la bendición de Dios.[17]

El resto de Europa tenía ahora que ajustarse a la fortuna creciente de España y Portugal. Las noticias del regreso de Vasco da Gama en 1499 se recibieron en Venecia con una mezcla de conmoción, pesadumbre e histeria: una voz dijo alto y claro a todo el que estuviera dispuesto a escuchar que el descubrimiento de una ruta marítima a la India a través del sur de África significaba nada más y nada menos que el fin de la ciudad.[18] Era inevitable, sostuvo Girolamo Priuli, que Lisboa arrebatara a Venecia la corona como centro comercial de Europa: «No cabe duda», escribió, «que los húngaros, los alemanes, los flamencos y los franceses, y todos los pueblos del otro lado de las montañas que solían venir a Venecia para comprar especias con su dinero, se dirigirán ahora a Lisboa». Para Priuli, las razones eran obvias. Todo el mundo sabía, declaró en su diario, que las mercancías que llegaban por tierra a Venecia pasaban por innumerables puntos de control en los que se pagaban impuestos y derechos; al transportar las mercancías por mar, los portugueses estarían en condiciones de ofrecerlas a precios con los que Venecia no estaba en capacidad de competir. Las cifras lo decían: Venecia estaba condenada.[19] Otros llegaron a conclusiones similares. Guido Detti, un comerciante florentino que a comienzos de la década de 1500 se encontraba en Portugal, estaba absolutamente convencido de que Venecia perdería el control del tráfico comercial porque no podría igualar los precios de las mercancías llegadas a Lisboa por mar. Los venecianos, observó con ironía, volverían a ser pescadores; la ciudad se retiraría a las lagunas de las que había surgido.[20]

Los rumores acerca del fin de Venecia se equivocaban, al menos a corto plazo. Como no dejaron de subrayar voces más sobrias, la apertura de una ruta marítima a Oriente no carecía de riesgos. Muchos buques portugueses nunca regresaron a casa. Como explicó al Senado el estadista veneciano Vicenzo Querini en 1506, menos de la mitad de los ciento catorce barcos que habían superado el extremo meridional de África consiguieron volver a salvo. «Diecinueve con seguridad se hundieron, casi todos ellos cargados de especias, y de otros cuarenta no se sabe nada.»[21]

No obstante, Venecia envió embajadores al Egipto musulmán para debatir en qué forma podían cooperar contra los portugueses, con propuestas de operaciones militares conjuntas e, incluso, anticipándose a la construcción del canal de Suez siglos más tarde, de explorar la posibilidad de excavar una vía navegable desde el mar Rojo para permitir el paso «de tantos buques y galeras como se quisiera».[22]

Aunque los portugueses estaban convencidos de que las operaciones en su contra en el mar Rojo y frente a la costa de la India a comienzos del siglo XVI eran el resultado de una gran alianza orquestada por Venecia, lo cierto era que los egipcios no necesitaban grandes estímulos para intentar poner controles sobre sus propias rutas comerciales. La presencia de un número cada vez más grande de embarcaciones portuguesas no había sido bienvenida, en particular porque los recién llegados eran sumamente agresivos. En una ocasión el mismo Vasco da Gama capturó un barco en el que viajaban cientos de musulmanes que regresaban a la India después de haber peregrinado a La Meca. Ignorando las ofertas de rescate desesperadamente generosas de quienes iban a bordo, ordenó que se prendiera fuego al barco en una acción tan grotesca que un observador declaró: «Recordaré lo ocurrido cada día de mi vida». Algunas mujeres enseñaban sus joyas rogando que se las salvara de las llamas o del agua; otras levantaban a sus hijos pequeños en un intento de protegerlos. Gama, «cruel y sin pizca de piedad», contempló el espectáculo impasible hasta que el último de los pasajeros y de los miembros de la tripulación se ahogó ante sus ojos.[23]

Los ataques contra puertos y otros lugares estratégicos fueron una novedad preocupante para Egipto. Yeda, el puerto de La Meca, fue atacado en 1505, y poco después Mascate y Qalhāt, dos puntos clave en el golfo Pérsico, fueron saqueadas y sus mezquitas reducidas a cenizas.[24] Igualmente preocupante fue el hecho de que los portugueses hubieran empezado a considerar la creación de una red de bases que formaran una cadena hasta Lisboa. No había nada más importante, sostuvo el militar y explorador Francisco de Almeida en 1505, «que tener un castillo en la boca del mar Rojo, o muy cerca de ella», pues eso haría que «toda la India renunciara a la necia idea de que es posible comerciar con alguien diferente de nosotros».[25]

Ante una violencia y una actitud semejantes, en El Cairo el sultán decidió enviar varias escuadras a patrullar el mar Rojo y sus accesos con órdenes de entrar en combate directo cuando correspondiera.[26] Algunos oficiales portugueses concluyeron que era necesario cambiar de táctica. Los buques se estaban exponiendo a peligros innecesarios, le dijo uno al rey de Portugal. Lo mejor era abandonar los fuertes que habían construido en lugares provocadores, como el de la isla de Socotra, en la entrada del mar Rojo, y en su lugar fomentar unas relaciones cordiales con el Egipto musulmán.[27]

El arranque repentino de la exploración portuguesa había estado acompañado de una violencia jactanciosa y una intolerancia brutal. Sin embargo, la situación no tardó en calmarse y la bravucona retórica inicial acerca del triunfo del cristianismo y el fin del islam cedió el paso a un enfoque más realista y esperanzador. Siendo las oportunidades comerciales tan abundantes, las actitudes hacia el islam, el hinduismo y el budismo se suavizaron con rapidez, como había ocurrido antes en los estados cruzados, cuando las baladronadas fueron reemplazadas por el reconocimiento de que una minoría superada con creces en número necesitaba establecer relaciones fructíferas si quería garantizar su supervivencia.

Esto tenía otros beneficios, pues en la India y en lugares como Macao y la península malaya los gobernantes estaban más que dispuestos a competir entre sí y ofrecer condiciones cada vez mejores a los mercaderes europeos para asegurarse que los ingresos derivados del comercio fueran para ellos y no para sus rivales.[28] En este contexto, a todos les convenía restar importancia a las diferencias religiosas tanto como fuera posible. No obstante, hubo quienes siguieron abrigando planes grandiosos. Alfonso de Albuquerque, por ejemplo, pensaba que con la conquista de Malaca «El Cairo y La Meca quedarán arruinadas y Venecia no podrá obtener más especias que las que los comerciantes consigan comprar en Portugal»; y con esa idea procedió a masacrar a la población musulmana de la ciudad, con lo que en última instancia solo consiguió trastocar las relaciones comerciales y generar una gran hostilidad y una desconfianza profunda.[29] La familia reinante tuvo que retirarse y establecer nuevos sultanatos en Perak y Johor, que fueron los que proporcionaron el liderazgo ante la competencia continuada de las potencias europeas.[30] Sin embargo, a diferencia de lo ocurrido en las Américas, el descubrimiento de la ruta marítima a Oriente fue por lo general una historia de cooperación más que de conquista. El resultado fue un aumento gigantesco del comercio del este al oeste.

Con Europa prácticamente sepultada bajo el peso de las riquezas obtenidas en las Américas, la capacidad de pagar los artículos de lujo procedentes de Asia experimentó un crecimiento espectacular. Pronto las tiendas de Lisboa, Amberes y otros emporios europeos se llenaron de porcelanas chinas y sedas Ming.[31] No obstante, las importaciones más significativas, tanto en términos de cantidad como de atractivo, eran de lejos las especias. Desde tiempos de los romanos, la pimienta, la nuez moscada, el clavo, el incienso, el jengibre, el sándalo, el cardamomo y la cúrcuma gozaban de un gran aprecio en la cocina europea como ingredientes para transformar el sabor de alimentos sosos y también por sus efectos medicinales.

La canela, por ejemplo, se consideraba buena para el corazón, el estómago y la cabeza, y se creía que era útil para curar la epilepsia y la perlesía. El aceite de nuez moscada era conocido como tratamiento para la diarrea y el vómito, así como para combatir el resfriado común. El aceite de cardamomo aliviaba los intestinos y ayudaba a reducir las ventosidades.[32] En un manual árabe escrito en el Mediterráneo por esta época, el capítulo titulado «Recetas para aumentar las dimensiones de miembros pequeños y hacerlos espléndidos» recomendaba frotar en las partes íntimas una mezcla de miel y jengibre; el efecto era tan poderoso y producía tal placer que la pareja del hombre «no querrá que se baje de ella».[33]

La competencia por abastecer a estos mercados de nuevo cuño fue feroz. A pesar de la alarma que produjo en Venecia la noticia de la primera expedición de Vasco da Gama, las rutas comerciales tradicionales no fueron reemplazadas de un día para otro. De hecho, progresaron gracias al aumento de la demanda en Europa: al igual que en la actualidad, a los consumidores no les interesaba entonces cómo llegaban los artículos al mercado; lo único que les importaba era el precio.

Los comerciantes se vigilaban unos a otros, pendientes de qué se compraba y por cuánto. En el Levante los portugueses reclutaron a mercaderes como Mathew Becudo para que espiaran las caravanas y convoyes que llegaban de Egipto y Damasco por tierra y por mar e informaran acerca de las cantidades de las mercancías que transportaban. Los rumores acerca de malas cosechas, buques que se hundían con su carga o problemas políticos podían incidir en los precios cotidianamente, lo que hacía de la especulación un asunto complicado. La oferta podía sufrir fluctuaciones considerables según el momento preciso en que la flota especiera se hacía al mar e inclinar el mercado claramente en favor de los comerciantes del Mediterráneo oriental, que estaban mejor informados y dependían de rutas menos peligrosas que la circunnavegación de África.[34]

Mientras tanto, la elección de las inversiones era una labor estresante. En 1560, un joven mercader veneciano llamado Alessandro Magno vio con angustia cómo el precio de la pimienta aumentaba en Alejandría un 10 por ciento en cuestión de días, lo que le empujó a cancelar las órdenes que había hecho e invertir en su lugar en clavo y jengibre. Era fundamental evitar quedar atrapado en una burbuja que no solo podía costarle sus márgenes, sino también hacerle perder capital. Como intermediario, su sustento dependía de la capacidad de comprar las mercancías correctas al precio que sus clientes estaban dispuestos a pagar.[35]

Con millones de kilos de especias, pimienta sobre todo, llegando cada año a Europa, lo que antes era un negocio de lujo y elitista entró con rapidez a formar parte de las convenciones culturales y comerciales a través del consumo masivo. La posibilidad de obtener grandes beneficios explica por qué los portugueses decidieron construirse una ruta de la seda propia estableciendo una cadena de puertos que conectaban Lisboa con la costa de Angola, Mozambique y África oriental y aún más lejos, en una extensa red de estaciones comerciales con colonias permanentes esparcidas desde la India hasta el estrecho de Malaca y las islas de las Especias. La empresa fue todo un éxito, hasta el punto de que apenas unas décadas después de la primera expedición de Vasco da Gama a la India, una parte sustancial de los ingresos del estado portugués procedía del comercio de especias.[36]

No obstante, para conseguirlo tuvieron que hacer frente a grandes desafíos, en particular porque había otros igualmente decididos a hacerse con una parte del mercado. Tras un periodo de agitación en Oriente Próximo y Medio, los otomanos tomaron el control de Egipto en 1517 y emergieron como la fuerza dominante en el Mediterráneo oriental y una gran amenaza para Europa. «Ahora que el turco más atroz ha capturado Egipto y Alejandría y la totalidad del Imperio Romano oriental», escribió el papa León X, «deseará no solo Sicilia e Italia, sino el mundo entero».[37]

La sensación de peligro se intensificó tras los triunfos militares de los otomanos en los Balcanes y un avance ominoso en el centro de Europa. Se avecina un choque, escribió el gran filósofo Erasmo en la primera mitad del siglo XVI en una carta a un amigo, que decidirá el destino del mundo, «pues el mundo no puede seguir soportando tener dos soles en el firmamento». El futuro, predecía, pertenecería a los musulmanes o a los cristianos, pero no podía ser de ambos.[38]

Erasmo estaba equivocado, como lo estaban también sus pares en el mundo otomano, no menos francos en sus predicciones de que «así como solo hay un Dios en el cielo [así también] solo puede haber un Imperio en la tierra».[39] No hubo ninguna lucha a muerte, incluso a pesar de que en 1526, tras el triunfo de los turcos sobre una fuerza occidental reunida de forma apresurada en la batalla de Mohács, al sur de Hungría, un ejército gigantesco consiguió abrirse paso en Europa central causando oleadas de pánico. Lo que emergió, sin embargo, fue una rivalidad intensa y duradera que se propagó en el océano Índico, el mar Rojo y el golfo Pérsico.

Llenos de confianza, los otomanos invirtieron grandes cantidades en el fortalecimiento de su posición comercial en toda Asia. Se creó una red de agentes de compras, al tiempo que se recuperó y renovó una serie de castillos para proteger las rutas marítimas en el Mediterráneo, el mar Rojo y el golfo Pérsico. La modernización de las carreteras que recorrían el interior desde el Golfo y llegaban al Levante a través de Basora hizo tan fiable, segura y rápida esa ruta que incluso los portugueses terminaron usándola para sus comunicaciones con Lisboa.[40]

Eso resulta todavía más sorprendente teniendo en cuenta que los otomanos recurrieron con regularidad al uso de la fuerza contra los portugueses. En 1538, por ejemplo, lanzaron un ataque a gran escala contra el fuerte portugués de Dio, en el noroeste de la India; y los ataques contra los buques portugueses eran repetidos.[41] A mediados del siglo XVI, un capitán naval, Sefer, tuvo una serie de triunfos tan espectacular que llegó a ponerse precio a su cabeza. Los otomanos se estaban haciendo «constantemente más ricos con los botines robados a los portugueses», se quejaba un capitán europeo, que además señalaba que la flota de Sefer era cada vez más grande; considerando lo exitoso que había sido con el reducido número de barcos que tenía a su disposición, «¿cuántos más problemas nos dará y cuántas más riquezas enviará [a su país] el día que tenga treinta?».[42] Los otomanos estaban resultando unos rivales formidables: otro observador portugués escribió en 1560 que cada año llegaban a Alejandría (el más importante de los emporios del Mediterráneo oriental para los productos procedentes del este) millones de kilos de especias; «no es de extrañar», lamentaba, «que sea tan poco lo que llega a Lisboa».[43]

Para esta época, los beneficios derivados del comercio de especias ya empezaban a reducirse de forma perceptible, y eso animó a algunos portugueses a desentenderse de él para invertir, en su lugar, en otras mercancías y productos asiáticos, como el algodón y la seda. El cambio se hizo patente hacia finales del siglo XVI, cuando el volumen de los textiles enviados a Europa no había parado de crecer.[44] Algunos cronistas contemporáneos sostenían (y algunos estudiosos modernos coinciden con ellos) que lo ocurrido fue consecuencia del alto nivel de corrupción entre los funcionarios portugueses involucrados en el comercio de especias y de las malas decisiones tomadas por la corona, que gravaba las importaciones con impuestos excesivamente elevados y no consiguió crear un red de distribución eficaz en Europa. La competencia otomana había conseguido someter a los portugueses (y los márgenes de beneficio) a una presión intensa.[45]

En el núcleo de esta rivalidad en el océano Índico y demás lugares lo que había era una competencia por asegurarse los máximos ingresos fiscales por las mercancías destinadas a los compradores en Europa, donde había una gran liquidez. El éxito de los otomanos les reportó jugosos dividendos. En Constantinopla, las arcas centrales estaban repletas gracias al volumen creciente del tráfico que pasaba por los puertos del mar Rojo, el golfo Pérsico y el Mediterráneo, aunque la demanda interna, cada vez mayor, también contribuía a aumentar los ingresos del gobierno.[46] Las remesas anuales crecieron de forma significativa a lo largo del siglo XVI, lo que a su vez espoleó el cambio social y económico no solo en las ciudades, sino también en el campo.[47]

Por tanto, no era solo en Europa donde había empezado una edad de oro. A lo largo y ancho del mundo otomano, desde los Balcanes hasta el norte de África, se emprendieron vastos programas de construcción financiados por unas rentas fiscales cada vez más grandes. El diseño de muchos de los proyectos más espectaculares fue obra de Sinān, el arquitecto jefe del sultán Solimán el Magnífico, que gobernó de 1520 a 1566, cuyo apelativo por sí solo da cuenta del espíritu y opulencia de la época. Sinān construyó más de ochenta grandes mezquitas, sesenta madrasas, treinta y dos palacios, diecisiete hospicios y tres hospitales, además de gran cantidad de puentes, acueductos, casas de baños y almacenes durante los reinados de Solimán y su hijo, Selīm II. El derroche de osadía arquitectónica y brillantez técnica de la mezquita de Selīm, construida en Edirne (en el noroeste de la actual Turquía) entre 1564 y 1575, la hizo «digna de la admiración de la humanidad», según un testimonio de la época. No obstante, el templo era también una declaración de ambición religiosa: «La gente del mundo» había dicho que «en las tierras del islam» era imposible construir una cúpula tan grande como la de Santa Sofía en Constantinopla. La mezquita de Edirne demostró que se equivocaban.[48]

En Persia, hubo un aumento similar del gasto tanto en trabajos de construcción espléndidos como en las artes visuales, que rivalizaban con el florecimiento cultural que estaba teniendo lugar en Europa. Tras la muerte de Timur a comienzos del siglo XV, su reino se había fracturado, pero de sus astillas surgió, bajo la dinastía safávida, un nuevo imperio que alcanzó su apogeo durante el reinado del sah ʿAbbās I (que gobernó de 1588 a 1629), quien supervisó la ambiciosa y sorprendente reconstrucción de Isfahán (en lo que hoy es el centro de Irán), donde se echaron abajo los viejos mercados y las calles oscuras para reemplazarlos con tiendas, baños y mezquitas construidas de acuerdo con un plan maestro para la ciudad cuidadosamente trazado. Un gran proyecto de irrigación garantizó que la nueva Isfahán contara con abundante suministro de agua, algo esencial para el Bāgh-i Naqsh-i Jahān, el «jardín que adorna el mundo», situado en el corazón de la ciudad, una obra maestra del diseño de jardines. También se construyó entonces la magnífica mezquita de Masjid-i Shāh, concebida (como la de Edirne) para ser una joya a la altura de las mejores del mundo islámico. Como señaló un contemporáneo, el sah hizo de Isfahán «un paraíso con edificios encantadores, parques en los que el perfume de las flores animaba el espíritu y arroyos y jardines».[49]

Los libros, la caligrafía y las artes visuales (en especial la pintura de miniaturas) florecieron en una cultura segura de sí misma, intelectualmente curiosa y cada vez más internacional. Se produjeron diversos tratados sobre cómo crear buen arte, el *Qānūn al-Ṣuvar*, por ejemplo, lo hace a través de pareados rimados agudos y elegantes. Ten en cuenta, advierte al lector el autor de esta obra, que está muy bien desear dominar el arte de la pintura, pero «has de saber que, para alcanzar la maestría en este ámbito, el talento natural es un importante requisito».[50]

La prosperidad contribuyó a abrir nuevos horizontes: los monjes carmelitas de Isfahán consiguieron presentar al sah la traducción al persa del libro de los Salmos, un obsequio que él aceptó con gratitud; el papa Pablo V, por su parte, le envió una colección de ilustraciones medievales de la Biblia con las que sah llegó a disfrutar tanto que encargó una serie de comentarios en persa que explicaran lo que representaba cada escena. En esta época los judíos de la región hicieron copias de la Torá en persa, pero usando caracteres hebreos, un signo de tolerancia religiosa pero también de la seguridad y confianza cultural de Persia en este periodo de crecimiento.[51]

Los imperios otomano y persa se beneficiaron del aumento pronunciado de los impuestos de tránsito y los derechos de importación que debían pagar las mercancías procedentes de más al este, y también, por supuesto, de la exportación de mercancías y productos propios que gozaban de gran demanda entre los nuevos ricos de Europa, desde las casas reales a las familias de los comerciantes, desde los validos hasta los granjeros adinerados. No obstante, aunque Oriente Próximo sacó provecho de la cascada de oro, plata y otros tesoros que fluía a Europa desde las Américas, los principales beneficiaros fueron los lugares donde se originaban la mayoría de las exportaciones: la India, China y Asia Central.

Europa se convirtió en una cámara de compensación para los metales preciosos que llegaban de fuentes espectacularmente ricas, como las minas de Potosí, en lo alto de la cordillera de los Andes, en lo que hoy es Bolivia, que resultó ser el mayor descubrimiento de plata de la historia y la responsable, durante más de un siglo, de más de la mitad de la producción mundial.[52] Se desarrollaron nuevas técnicas para extraer el metal utilizando un proceso de amalgamación con mercurio, lo que hizo la minería más barata y más rápida y, por ende, todavía más rentable.[53] El descubrimiento aceleró de forma extraordinaria la redistribución de los recursos procedentes de Sudamérica a través de la península Ibérica y, finalmente, Asia.

El metal precioso se fundía para acuñar las monedas que se embarcaban al este en cantidades asombrosas. Desde mediados del siglo XVI, se exportaron a Asia cada año centenares de toneladas de plata para pagar las codiciadas mercancías y especias de Oriente.[54] Una lista de la compra redactada en Florencia en la década de 1580 evidencia cómo había aumentado el deseo de esos productos. El gran duque Francisco de Médicis proporcionó una cantidad generosa a Filippo Sassetti, un mercader florentino que se disponía a viajar a la India, junto con instrucciones para la compra de diversas mercancías exóticas. A su debido tiempo recibió capas, telas, especias, semillas y modelos en cera de plantas, un interés particular del gran duque y su hermano, el cardenal Fernando, así como todo un abanico de medicinas, incluido un antídoto para las mordeduras de serpientes venenosas.[55] Semejante curiosidad adquisitiva era típica de los hombres poderosos y cultos de la época.

Europa y Oriente Próximo brillaban gracias a los descubrimientos procedentes de las Américas y la apertura de la ruta marítima a Oriente a lo largo de la costa de África. Sin embargo, ningún lugar lo hizo con mayor esplendor que la India. El periodo que siguió a la travesía atlántica de Colón fue testigo de la consolidación de un reino que se había desintegrado tras la muerte de Timur. En 1494, Bābur, uno de sus descendientes, heredó unas tierras en el valle de Ferganá, en Asia Central, y se dio a la tarea de expandirlas; inicialmente concentró su atención en Samarcanda, donde tuvo un éxito efímero. Tras ser expulsado definitivamente de la ciudad por sus rivales uzbecos, se desplazó al sur, y tras años de luchas sin logros significativos, dirigió su atención a otras partes. Primero, consiguió convertirse en señor de Kabul, después de lo cual tomó el control de Delhi tras echar a la tiránica dinastía Lodi, cuyos miembros se habían hecho en extremo impopulares debido a la persecución regular y salvaje de la población hindú.[56]

Bābur ya había demostrado ser un constructor aplicado, y un ejemplo de ello era el Bāgh-i Wafa, en Kabul, un magnífico jardín con fuentes impresionantes, árboles de granada, prados de trébol, arboledas de naranjos y plantas de todo el mundo. «Esta es la mejor parte del jardín», escribió con orgullo, «la vista es bellísima cuando las naranjas adquieren color. ¡En verdad que el jardín tiene una ubicación admirable!».[57] Tras consolidar su poder en la India, continuó diseñando jardines espectaculares, a pesar de quejarse de las dificultades del terreno. Le consternaba que el suministro de agua fuera un problema tan grande en el norte del subcontinente indio: «Mire a donde mire», escribió con horror, «todo es tan desagradable y desolado» que apenas si valía la pena esforzarse intentando crear algo especial. Llegado el momento, reunió el ánimo necesario y se estableció en un lugar cerca de Agra: «Aunque en realidad no había un lugar apropiado [cerca de la ciudad], no teníamos nada que hacer salvo trabajar con el espacio que teníamos». Finalmente, después de un esfuerzo considerable y grandes gastos, se consiguió crear jardines espléndidos en «la desagradable y poco armónica India».[58]

A pesar de los recelos iniciales de Bābur, el momento de su traslado al sur no podría haber sido mejor. El nuevo dominio no tardó demasiado tiempo en convertirse en un poderoso imperio. La apertura de las nuevas rutas comerciales y la entusiasta capacidad de compra de Europa supusieron para la India una entrada repentina de divisas. Una proporción considerable de esa riqueza se gastó en la compra de caballos. Ya en el siglo XIV hay testimonios de la venta de miles de caballos por parte de los comerciantes de Asia Central.[59] Los animales criados en las estepas eran muy populares, en particular por ser más grandes (y estar mejor alimentados) que los criados en el subcontinente mismo, de los que se decía que «son por naturaleza tan pequeños que, cuando un hombre los monta, los pies casi tocan el suelo».[60] Con la plata europea llegando a raudales para comprar mercancías de Oriente, mucho fue lo que se invirtió en la compra de los mejores corceles, por razones de prestigio, para diferenciarse socialmente y para acontecimientos ceremoniales (de forma bastante similar a como, en épocas más recientes, el dinero que fluye a los estados petroleros se ha dedicado a la compra de vehículos de lujo, como Ferrari y Lamborghini).

Los beneficios que podían obtenerse comerciando con caballos eran grandes. Esa tuvo que ser una de las primeras cosas que llamaron la atención de los portugueses cuando llegaron al golfo Pérsico y el océano Índico. A comienzos del siglo XVI se enviaron a la metrópoli informes acerca de la demanda de purasangres árabes y persas y los altos precios que los príncipes indios estaban dispuestos a pagar por ellos. La participación de los portugueses en el lucrativo negocio del comercio de caballos llegó a ser tal que sirvió para espolear cambios tecnológicos, ejemplo de lo cual fue la construcción de embarcaciones como la *Nau Taforeia*, diseñada específicamente para el transporte de caballos.[61]

Con todo, la mayoría de los caballos que se vendían en la India procedían de Asia Central. Dadas las cantidades de dinero que estaban llegando al país, un cronista contemporáneo cuenta que los márgenes llegaron a ser altísimos una vez empezaron a hacer efecto las presiones inflacionarias de una demanda que superaba con creces la oferta.[62] El aumento de la recaudación propició que se invirtiera en construir puentes, mejorar los caravasares y aumentar la seguridad de las principales rutas que iban hacia el norte. El resultado fue que las ciudades de Asia Central disfrutaron de una nueva explosión de vida y esplendor.[63]

La infraestructura en la que se apoyaba el comercio de caballos también era lucrativa. A mediados del siglo XVI, por ejemplo, un especulador espabilado invirtió en posadas a lo largo de las rutas principales y en un lapso de quince años llegó a montar más de mil quinientas. La llegada de cada vez más dinero a la región dejó su huella incluso en la escritura del *Gurú Granth Sahib*, el gran texto sagrado del sijismo, donde lo mundano y lo comercial conviven con lo espiritual: compra bienes duraderos, aconseja el maestro a sus seguidores, y lleva siempre las cuentas exactas, pues estas son un medio de consagrar la verdad.[64]

Las ciudades que estaban bien situadas para acoger grandes mercados equinos, como Babul, vivieron una bonanza económica. Sin embargo, el florecimiento más importante fue el que experimentó la ciudad de Delhi, que creció con rapidez gracias a su ubicación cerca del Hindú Kush. Y a medida que la importancia comercial de la ciudad aumentaba, también lo hacía el prestigio de sus gobernantes.[65] Pronto surgió una próspera industrial textil local que producía materiales que gozaban de gran aprecio en toda Asia y que las autoridades mogolas apoyaron con esmero.[66]

El poderoso reino no tardó en extenderse más allá de sus fronteras, utilizando su potencia financiera para vencer a una región tras otra y unirlas en una sola entidad. A lo largo del siglo XVI, Bābur, y tras él su hijo Humāyūn y su nieto Akbar I, supervisaron la espectacular expansión territorial del imperio mogol, que hacia 1600 se extendía desde Guyarat, en la costa oeste de la India, hasta el golfo de Bengala, y desde Lahore, en el Punyab, hasta lo profundo de la India central. Esta no fue una conquista animada por el simple deseo de conquistar. Por el contrario, en este caso se trataba de aprovechar un conjunto de circunstancias único para hacerse con el control de unas ciudades y regiones que ofrecían un flujo de ingresos jugoso, y que crecía con rapidez, para reforzar y fortalecer el naciente imperio. Como señaló un jesuita portugués en una carta enviada al principal de la orden, la conquista de Guyarat y Bengala, dos regiones con ciudades llenas de movimiento y, sobre todo, riquezas gravables, convirtió a Akbar en el señor de la «joya de la India».[67] Cada nueva adición daba más poder al centro y, en consecuencia, todavía más ímpetu.

Los mogoles trajeron consigo nuevas ideas, gustos y estilos. Los nuevos gobernantes impulsaron la pintura de miniaturas, un género que había gozado antes del favor de los mongoles y de los timúridas, trayendo a maestros de todas partes para crear una próspera escuela de artes visuales.

La lucha y las carreras de palomas, dos de los pasatiempos favoritos de Asia Central, se hicieron populares.[68]

La innovación fue incluso más pronunciada en la arquitectura y el diseño de jardines, ámbitos en los que la influencia de las técnicas constructivas y paisajísticas perfeccionadas en Samarcanda pronto se hizo evidente por todo el imperio. Los resultados siguen siendo visibles en nuestros días. La magnífica tumba de Humāyūn en Delhi no es solo una obra maestra de diseño timúrida, construida por un arquitecto de Bujará, sino un testimonio de una nueva era en la historia de la India.[69] También se introdujeron nuevos estilos paisajísticos que transformaron todavía más el ambiente construido y su relación con el entorno circundante, con una fuerte influencia de prácticas e ideas procedentes de Asia Central.[70] Lahore floreció con nuevos y grandiosos monumentos y espacios abiertos planeados con minuciosidad.[71] Teniendo a su disposición recursos ingentes y el viento a favor, los mogoles transformaron el imperio a su imagen. Y lo hicieron en una escala extraordinaria.

La asombrosa ciudad de Fatehpur Sikri, construida como nueva capital en la segunda mitad del siglo XVI, ofrece una imagen inequívoca de los recursos aparentemente ilimitados y las aspiraciones imperiales de la boyante dinastía en el poder. Una serie de patios y edificios, diseñados con gusto exquisito y construidos en arenisca roja, mezclan los estilos de Persia y Asia Central con los de la India para crear una corte espléndida en la que el emperador podía recibir a los visitantes sin que a estos les quedaran dudas de su poder.[72]

El testimonio más famoso de la inmensa riqueza derivada del dinero que fluía desde Europa fue un monumento construido a comienzos del siglo XVII, el mausoleo que Shah Jahān erigió para su esposa Mumtāz. Para conmemorar su fallecimiento, Jahān distribuyó cantidades enormes de comida y dinero entre los pobres. Después de seleccionar el lugar apropiado para la sepultura, se invirtieron millones de dólares —en términos actuales— para construir un edificio coronado por una gran cúpula, antes de dedicar todavía más millones a añadir un biombo de oro y cúpulas más pequeñas decoradas con esmaltados de la mayor calidad y vastas cantidades de oro. A cada lado del mausoleo se añadieron pabellones «encerrados con cubiertas soberbias», que a su vez estaban rodeados de jardines. Se dotó a la fundación de las rentas procedentes de mercados cercanos para garantizar que tuviera un mantenimiento apropiado en el futuro.[73]

Para muchos, el Taj Mahal es el monumento más romántico del mundo, una demostración extraordinaria del amor de un marido por la esposa.

Pero, al mismo tiempo, representa algo más: el comercio internacional globalizado que dio al emperador mogol una riqueza lo bastante grande como para plantearse dedicar un gesto tan maravilloso a su amada esposa. Su capacidad para llevarlo a término fue consecuencia de cambios profundos en el eje mundial, pues la gloria de Europa y de la India llegó a expensas de las Américas.

La espléndida expresión de tristeza por la muerte de la esposa de Shah Jahān encuentra un paralelo claro con la manifestada, no mucho tiempo antes, en el otro lado del planeta. El imperio maya también había florecido antes de la llegada de los europeos. En palabras de un autor que escribía poco después de lo ocurrido: «No había entonces enfermedad; no había dolor de huesos; no había fiebre para ellos, no había viruelas, no había ardor en el pecho, no había dolor de vientre, no había consunción. Rectamente erguido iba su cuerpo, entonces. No fue así lo que hicieron los [señores extranjeros] cuando llegaron aquí. Ellos enseñaron el miedo; y vinieron a marchitar las flores».[74] El oro y la plata extraídos en las Américas se abrieron camino hasta Asia; fue esta redistribución de la riqueza la que permitió la construcción del Taj Mahal. El hecho de que una de las glorias de la India fuera el resultado del sufrimiento de los «indios» al otro lado del mundo no carece de ironía.

Los continentes estaban ahora conectados entre sí, unidos por el flujo de la plata. Eso animó a muchos a buscar fortuna en nuevos lugares: hacia finales del siglo XVI, un inglés que visitaba la ciudad de Ormuz, en el golfo Pérsico, la encontró repleta de «franceses, flamencos, alemanes, húngaros, italianos, griegos, armenios, nazarenos, turcos y moros, judíos y gentiles, persas [y] moscovitas».[75] La llamada de Oriente era poderosa. Con todo, la idea de beneficiarse a través del comercio no era lo único que atraía a un número creciente de europeos a Asia, pues otro factor importante era la perspectiva de un empleo bien remunerado. En Persia, la India y la península malaya no faltaba trabajo para artilleros, pilotos, navegantes, jefes de galeras y constructores navales. Había muchas oportunidades para quienes querían empezar una nueva vida: desertores, delincuentes e indeseables de todo tipo, cuyas habilidades y experiencia podían resultar valiosas para los gobernantes locales. Aquellos que tuvieron éxito consiguieron de hecho convertirse en una suerte de pequeños príncipes independientes, como ocurrió en el golfo de Bengala y el mar de las Molucas, donde un holandés afortunado logró retozar «con tantas mujeres como quiso» y estaba cantando y bailando «todo el día, prácticamente desnudo» y completamente borracho.[76]

En 1571, la fundación de Manila por parte de los españoles cambió el ritmo del comercio global; para empezar, era la continuación de un programa de colonización notablemente menos destructivo para la población local que el que había tenido la de las Américas.[77] Establecida en un principio como una base desde la cual comprar especias, el asentamiento pronto se convirtió en una gran ciudad y en una conexión importante entre Asia y las Américas. Las mercancías empezaron a circular a través del Pacífico sin pasar primero por Europa, y lo mismo hizo la plata que las pagaba. Manila se convirtió en un emporio en el que era posible adquirir una gran variedad de productos. Según un funcionario de muy alto rango, hacia 1600 los mercados de la ciudad ofrecían sedas de muchos tipos diferentes, así como terciopelos, satenes, damascos y otros textiles. Y, también, «muchos adornos para el lecho, cortinas, colchas y tapices», además de manteles, cojines y alfombras, cuencos metálicos, calderas de cobre y ollas de hierro fundido. Igualmente era posible encontrar estaño, plomo, salitre y pólvora procedentes de China, así como «conservas hechas de naranja, melocotón, pera, nuez moscada y jengibre», castañas, nueces, caballos, gansos que parecían cisnes, pájaros parlantes y muchas otras curiosidades. Si tratara de enumerar todo lo que había a la venta, continuaba el autor, «nunca terminaría ni tendría suficiente papel para ello».[78] En palabras de un historiador moderno, Manila era «la primera ciudad global del mundo».[79]

Esto, como es obvio, tenía implicaciones importantes para las demás rutas comerciales. No fue coincidencia que el Imperio Otomano sufriera una contracción terrible no mucho después de que la ruta a través de Manila se hubiera consolidado. Si bien esta se debió en parte a las presiones fiscales internas y al gasto excesivo en las campañas militares contra los Habsburgo y contra Persia, la emergencia de una nueva intersección para los intercambios transcontinentales a miles de kilómetros de distancia también incidió en el descenso de las rentas otomanas.[80] La cantidad de plata que procedente de las Américas pasaba por las Filipinas rumbo al resto de Asia era asombrosa: a finales de siglo XVI y comienzos del XVII igualaba por lo menos la que lo hacía a través de Europa, lo que causó alarma en algunos sectores en España a medida que las remesas del Nuevo Mundo empezaban a reducirse.[81]

La ruta de la plata rodeaba el mundo como un cinturón. Había un lugar en particular en el que el metal precioso terminaba: China. Eso era así por dos razones. La primera era que el tamaño y la sofisticación de China hacían del país uno de los mayores productores de artículos de lujo, entre ellos cerámicas y porcelanas, para las que la demanda en Europa era tal que rápidamente surgió un enorme mercado de falsificaciones. Los chinos, escribió Matteo Ricci mientras visitaba Nankín, «son dados en demasía a falsificar objetos antiguos con gran artificio e ingenio», una destreza que les reportaba grandes beneficios.[82] En China se escribieron libros que aconsejaban cómo distinguir las falsificaciones; Liu Dong, por ejemplo, explicaba cómo reconocer los bronces de Xuande o la porcelana de Yongle.[83]

China consiguió abastecer los volúmenes que demandaba el mercado exportador e intensificar la producción en consecuencia. Dehua, por ejemplo, en la provincia de Fujian, se convirtió en un centro dedicado a la fabricación de porcelana acorde con los gustos europeos. La producción de seda recibió una inversión similar con el fin de que fuera posible satisfacer el apetito occidental. Esta fue una práctica acertada desde un punto de vista comercial y contribuyó al aumento pronunciado que experimentó la recaudación de las autoridades Ming, que según algunos expertos se multiplicó por lo menos por cuatro entre 1600 y 1643.[84]

La segunda razón por la que China recibía semejante flujo de dinero era el desequilibrio existente en la relación entre los metales preciosos. En China, la razón aproximada entre el valor de la plata y el del oro era de alrededor de 6:1, significativamente más alta que en la India, Persia o el Imperio Otomano; ese valor casi duplicaba el precio que tenía en Europa a comienzos del siglo XVI. En la práctica, esto significaba que el dinero europeo compraba más en los mercados chinos (y a los comerciantes chinos) que en otros lugares, lo que evidentemente constituía un poderoso incentivo para comprar productos chinos. La posibilidad de aprovechar esos desequilibrios en lo que los banqueros modernos llaman «arbitraje» fue algo que comprendieron de inmediato los recién llegados al Lejano Oriente, y en especial aquellos que advirtieron que la diferencia del valor del oro en China y Japón ofrecía una buena oportunidad de ganar dinero con facilidad. Los comerciantes corrieron a comprar y vender divisas y metales preciosos. Según un testigo presencial, los mercaderes que operaban desde Macao llevaban a Japón cargamentos de artículos cuidosamente seleccionados, pero su único interés era cambiarlos por plata.[85] Algunos apenas podían ocultar la excitación ante la oportunidad. El valor de la plata en relación al oro era tan alto que este último resultaba increíblemente barato, señaló Pedro Baeza; si se cambiaba un metal precioso por otro en Oriente y luego se llevaba a los territorios españoles en las Américas o a la misma Península, «el beneficio será de entre el 70 y el 75 por ciento».[86]

Los efectos de la afluencia de plata a China son complejos y difíciles de valorar plenamente. No obstante, la llegada del metal precioso procedente de las Américas tuvo un efecto obvio en la cultura, las artes y el conocimiento durante los siglos XVI y XVII. Pintores como Shen Zhou y los otros componentes de los «cuatro maestros» (los grandes artistas contemporáneos de la dinastía Ming) recibieron patrocinio y recompensas económicas por su trabajo. Artistas como Lu Zhi encontraron que había una demanda para su talento en forma de encargos privados de una clase media cada vez más grande interesada en desarrollar sus aficiones y gustos.[87]

Esta fue una época de experimentación y descubrimiento, en la que textos como el *Jin Ping Mei*, una novela erótica a menudo conocida como *El loto dorado* por uno de los personajes principales, desafiaron las actitudes vigentes no solo respecto a las formas literarias, sino también al sexo.[88] La nueva riqueza contribuyó al mantenimiento de eruditos como Song Yingxing, que elaboró una enciclopedia que abarcaba temas tan dispares como el buceo de superficie y los sistemas de riego, y cuya obra gozaba de un aprecio alto y amplio.[89] El interés creciente por el confucianismo y el prestigio alcanzado por especialistas como Wang Yangming constituyen un testimonio del deseo de explicaciones y soluciones en un periodo de considerables cambios.[90]

Ciertos mapas elaborados en la época demuestran el creciente interés por el comercio y los viajes que existía en China. Ejemplo de ello es el famoso mapa de Selden, recientemente redescubierto en la Biblioteca Bodleiana de la Universidad de Oxford, que ofrece un completo panorama del sureste asiático y las rutas comerciales. Con todo, esos mapas fueron de algún modo excepcionales: en este periodo, como antes, los mapas chinos por lo general mantuvieron una visión del mundo cerrada; la Gran Muralla, al norte, y el mar, al este, limitaban esas representaciones. Esto de algún modo evidenciaba la disposición de China a desempeñar un papel pasivo en un momento en que el mundo se estaba abriendo, pero también reflejaba la superioridad naval de los europeos en Asia oriental, donde los buques holandeses, españoles y portugueses luchaban unos contra otros (aunque también, con cierta regularidad, capturaban juncos chinos y se apoderaban de la carga).[91] China no tenía ganas de participar en los enfrentamientos continuos que libraban esos rivales agresivos, mucho menos de sufrir como consecuencia de ellos; en tales circunstancias, la inclinación a tornarse cada vez más introspectiva sin dejar de cosechar al mismo tiempo los beneficios de los comerciantes que llegaban a sus puertos parecería completamente justificada.

Gran parte de la plata que inundó China se invirtió en una serie de grandes reformas, entre ellas la monetización de la economía, el fomento de mercados laborales libres y un programa deliberado para estimular el comercio exterior. Irónicamente, el amor de China por la plata y el alto valor que otorgaba a ese metal precioso en particular se convirtió en su talón de Aquiles. Con semejantes cantidades de plata llegando al país, sobre todo a través de Manila, era inevitable que el valor empezara a caer, lo que con el tiempo causó una inflación. El resultado final fue que el valor de la plata y, sobre todo, su valor en relación con el oro, terminó alineándose con el de las demás regiones y continentes. A diferencia de la India, donde el impacto de la apertura al mundo produjo maravillas nuevas, en China se tradujo en una grave crisis económica y política en el siglo XVII.[92] La globalización no era menos problemática hace cinco siglos de lo que es en la actualidad.

Como señalaría más tarde Adam Smith en su famoso libro sobre la riqueza de las naciones, «el descubrimiento de América y el del paso a la Indias Orientales a través del cabo de Buena Esperanza son los acontecimientos más grandiosos e importantes registrados en la historia de la humanidad».[93] Las rutas del oro y de la plata abiertas tras la primera expedición de Colón y el exitoso viaje de regreso a casa desde la India de Vasco da Gama ciertamente transformaron el mundo. Lo que Adam Smith no dijo en 1776, sin embargo, es cómo encajaba Inglaterra en la ocasión. Pues si el siglo que siguió a los descubrimientos de la década de 1490 fue de España y Portugal, con los frutos derramándose sobre los imperios de Oriente, los siguientes doscientos años serían para los países del norte de Europa. En contra de todas las expectativas, el centro de gravedad del mundo estaba a punto de moverse de nuevo. En esta ocasión pertenecería a Gran Bretaña, que estaba a punto de conocer la grandeza.

## Capítulo 13

# LA RUTA DE EUROPA SEPTENTRIONAL

Los descubrimientos de la década de 1490 transformaron el mundo entero. Tras siglos de marginalidad en el ámbito internacional, Europa se estaba convirtiendo en el motor del mundo. Las decisiones adoptadas en Madrid y Lisboa ahora tenían eco y resonaban a miles de kilómetros de distancia, como antes ocurriera con la Bagdad abasí, Luoyang en la China de la dinastía Tang, la capital mongola de Karákorum o la Samarcanda de Timur. Ahora todos los caminos conducían a Europa.

Esto causó una frustración profunda en algunos, en especial en los ingleses, los más resentidos de todos. Ya era bastante malo que los tesoros de los rivales de Inglaterra se hubieran multiplicado de la noche a la mañana, pero el cuento triunfal de que el oro y la plata que llegaban a raudales a España formaban parte del plan de Dios era insufrible y hacía la situación muchísimo peor. Y, en el caso de Inglaterra, particularmente dolorosa después de su ruptura con Roma. Un sacerdote jesuita escribía en el siglo XVI acerca de la enorme «potencia que la Divina Majestad ha sido servida de dar a los reyes de España»; el país había recibido esa riqueza «pues el Señor de los cielos que da y quita los reinos a quien quiere y como quiere así lo ha ordenado».[1]

El mensaje era que los soberanos protestantes habían de esperar que se los castigara por abandonar la fe verdadera. Con la Reforma en pleno apogeo, la violencia entre católicos y protestantes estalló por toda Europa. Circulaban rumores de acciones militares inminentes contra Inglaterra, en especial tras la muerte de María I, cuyo ascenso al poder había alimentado la falsa esperanza de que el país volvería a plegarse a Roma y aceptar la autoridad papal. En 1558, cuando la media hermana de María, Isabel I, ocupó el trono, la corona tuvo que caminar en una precaria cuerda floja entre las conflictivas exigencias religiosas de un grupo de presión vociferante y poderoso, por un lado, y la insurrección de una población desafecta que había sido marginada o victimizada en el clima de intolerancia imperante, por otro. El relativo aislamiento de Inglaterra en la periferia de Europa no hacía precisamente más fácil satisfacer a todo el mundo. En 1570, cuando el papa Pío V publicó una bula titulada *Regnans in Excelsis* en la que declaraba que Isabel era «la pretendida reina de Inglaterra y la servidora de la delincuencia» y amenazaba con la excomunión a cualquier súbdito inglés que obedeciera sus leyes, ya se había empezado a pensar en cómo repeler la invasión que muchos daban por sentado y que se produciría tarde o temprano.[2]

Con el fin de crear una primera línea de defensa formidable y eficaz se realizó una fuerte inversión en la armada. Se construyeron astilleros modernos, como los de Deptford y Woolrich sobre el Támesis, con eficacia creciente, para el diseño y mantenimiento de los buques de guerra, algo que a su vez contribuyó a revolucionar la construcción de embarcaciones comerciales. En consecuencia, empezaron a construirse barcos capaces de transportar más carga, viajar más rápido y permanecer más tiempo en alta mar, además de llevar más tripulantes y estar dotados con cañones más potentes.[3]

El decano de los constructores navales era Matthew Baker, él mismo hijo de un maestro constructor. Baker adoptó principios matemáticos y geométricos (que expuso en un texto seminal titulado «Fragmentos acerca de la antigua construcción naval inglesa») para crear una nueva generación de buques para la reina Isabel.[4] Esos diseños se adoptaron con rapidez para el uso comercial, y el resultado fue que, después de 1560, el número de buques ingleses de cien o más toneladas casi se triplicó en un par de décadas. La nueva generación de barcos pronto se hizo famosa tanto por su velocidad y buena maniobrabilidad como por la amenaza formidable que constituía para quien se enfrentaba a ellos en alta mar.[5]

Los frutos de este aumento de las fuerzas navales resultaron evidentes en el verano de 1588, cuando España intentó enviar una flota gigantesca a recoger soldados en los Países Bajos con miras a una invasión de Inglaterra a gran escala. Superados tácticamente por los ingleses, los miembros supervivientes de la armada española regresaron a su país derrotados y deshonrados. Aunque la mayoría de los buques perdidos zozobraron en arrecifes y durante tormentas inusualmente intensas, y no a manos de los ingleses, pocos pusieron en duda que la inversión en la fuerza naval había merecido la pena.[6]

La captura cuatro años después de la *Madre de Deus*, una carabela portuguesa, frente a las Azores, cuando regresaba de las Indias Orientales cargada de pimienta, clavo, nuez moscada, ébano, tapices, seda, textiles, perlas y metales preciosos, subrayó con más énfasis aún las ventajas del poderío naval. Se calculó que el botín obtenido con esa única nave, que fue remolcada hasta el puerto de Dartmouth, en la costa sur de Inglaterra, equivalía a la mitad de las importaciones de Inglaterra en un año normal. La cuestión de cómo debía repartirse semejante botín entre la corona y los responsables de la captura suscitó discusiones interminables, a las que no contribuyó en absoluto la rápida desaparición de partes muy valiosas del cargamento.[7]

Esta clase de éxitos sirvieron para alimentar la confianza y fomentaron una conducta perturbadora en el Atlántico y otras partes. Inglaterra empezó a forjar lazos con cualquiera que fuera enemigo de los monarcas católicos de Europa. En la década de 1590, por ejemplo, la reina Isabel insistió en que se liberara a los musulmanes norteafricanos que servían como galeotes en los buques españoles capturados y se les proporcionara ropa, dinero «y otros artículos de primera necesidad» antes de enviarlos sanos y salvos a casa.[8] Los ingleses, además, contaron con el apoyo de los musulmanes del norte de África en el ataque que lanzaron contra Cádiz en 1596, un incidente al que se hace alusión al comienzo de *El mercader de Venecia* de Shakespeare. Los intereses de ingleses y musulmanes se alinearon de tal forma en este periodo que un historiador moderno habla a propósito de una yihad contra la España católica.[9]

Un resultado del intento de desafiar el control de España y Portugal sobre las nuevas rutas hacia las Américas y Asia fue que Inglaterra dedicó esfuerzos considerables a forjar una relación estrecha con los turcos otomanos. En un momento en el que la mayoría de Europa miraba con horror a las fuerzas turcas que prácticamente llamaban a las puertas de Viena, los ingleses decidieron apostar por otro caballo. Destacaron por su ausencia cuando otros estados cristianos se unieron para formar la Liga Santa, la coalición que atacó a la flota otomana en Lepanto, en el golfo de Corinto, en 1571. La victoria de la Liga Santa causó escenas de júbilo por toda Europa, donde se crearon poemas, piezas musicales, cuadros y monumentos para conmemorar el triunfo. En Inglaterra, en cambio, se guardó silencio.[10]

Pero incluso después de esto, desde la corte de la reina Isabel se siguió cortejando con tesón al sultán de Constantinopla con cartas de amistad y obsequios, en respuesta a los cuales se enviaron a Londres «gran cantidad de saludos sinceros y perfumados de rosa que emanaban de la pura confianza mutua y la abundancia de la concordia».[11] Entre los regalos remitidos desde Inglaterra se encontraba un órgano diseñado por Thomas Dallam, que se envió a Constantinopla en 1599. Dallam quedó horrorizado cuando descubrió que, debido al calor y la humedad, el acabado había quedado hecho una ruina y, además, los tubos se habían dañado durante el viaje. El embajador inglés echó una mirada «y dijo que no valía ni dos peniques». Tras una carrera contra el tiempo, Dallam consiguió reparar los daños, resucitar el órgano e impresionar al sultán, Mehmed III, tanto que cuando tocó para él lo colmó de oro y le ofreció «dos esposas, ya fueran dos de sus concubinas o las dos mejores vírgenes que pudiera elegir».[12]

Los acercamientos al sultán por parte de Isabel se cimentaban en la perspectiva de las oportunidades que había abierto el avance turco en Europa. Desde hacía mucho tiempo, el papa había instado a los gobernantes cristianos a unirse con el fin de evitar aún más pérdidas, advirtiéndoles de la gravedad de la situación: «Si Hungría es conquistada, Alemania será la siguiente, y si Dalmacia e Iliria se ven superadas, Italia será invadida».[13] Habiendo decidido Inglaterra seguir con resolución su propio camino, forjar una buena relación con Constantinopla parecía una política exterior sensata, que además ofrecía la posibilidad de desarrollar vínculos comerciales.

En este sentido, resulta llamativo que se alcanzara un acuerdo comercial formal que daba a los ingleses que comerciaban en el Imperio Otomano privilegios más generosos que los otorgados a cualquier otra nación.[14] No menos llamativo era el lenguaje empleado en las comunicaciones entre protestantes y musulmanes. No era coincidencia, por ejemplo, que la reina Isabel escribiera al sultán otomano que ella misma era «por la gracia del Dios todopoderoso [...] la defensora más invencible y más potente de la fe cristiana contra toda clase de idolatrías, de todos los que viven entre los cristianos, y las falsedades profesadas en nombre de Cristo».[15] Los gobernantes otomanos estaban igualmente pendientes de oportunidades de contactar con quienes se habían separado de la Iglesia católica y subrayaban las similitudes entre sus formas de interpretar la fe, en especial en lo referente a las imágenes visuales: entre los muchos errores del «infiel al que llaman papa», escribió el sultán Murad a «los miembros de la secta luterana en Flandes y España», estaba el de fomentar la veneración de ídolos. Era muy meritorio que los seguidores de Martín Lutero, uno de los arquitectos de la Reforma, hubieran «desterrado de las iglesias los ídolos y los retratos y las campanas».[16] Contra todo pronóstico, parecía que el protestantismo en lugar de cerrar puertas a Inglaterra podía ayudar a abrírselas.[17]

En Inglaterra la imagen positiva de los otomanos y el mundo musulmán penetró en la cultura dominante. «No me desdeñéis a causa de mi color», dice el príncipe de Marruecos a Porcia en *El mercader de Venecia*, cuando intenta ganarse su mano. El príncipe, se informa a la audiencia, era un hombre que había luchado con valor por el sultán en muchas ocasiones y un partido excelente para la heredera (que representa de forma velada a la mismísima reina Isabel) y alguien lo bastante inteligente como para darse cuenta de que «no todo lo que brilla es oro». O véase el caso de *Otelo*, también de Shakespeare, donde la nobleza trágica del protagonista, un moro (y, por tanto, es de suponer, un musulmán) al servicio de Venecia, contrasta radicalmente con la doble moral, la hipocresía y los engaños de los cristianos que le rodean. «El moro», se dice a la audiencia en un momento, «tiene una naturaleza noble y es constante en sus afectos»: una alusión a la creencia de que los musulmanes eran dignos de confianza y firmes cuando se trataba de hacer promesas y, por ende, aliados fiables.[18] De hecho, la era isabelina fue testigo del surgimiento de Persia como un punto de referencia cultural común y positivo en la literatura inglesa.[19]

Mientras que los musulmanes y sus reinos se representaban de forma positiva en Inglaterra, la actitud hacia los españoles era severa y crítica. En este sentido, la publicación del informe de Bartolomé de las Casas sobre la conquista del Nuevo Mundo fue un regalo del cielo, en especial en el contexto de la revolución iniciada por Johannes Gutenberg un centenar de años antes y que permitía la impresión de los textos en cantidades que previamente se habían considerado inimaginables.[20] Esto permitió que obras como la de Las Casas, un fraile dominico, se difundieran con rapidez y de forma relativamente económica. En este caso, al igual que en los avances tecnológicos de comienzos del siglo XXI, fue el incremento repentino de la velocidad con que se compartía la información lo que marcó la diferencia.

La obra de Las Casas fue importante porque el sacerdote había visto con creciente desilusión el sufrimiento de la población nativa de las Américas, de cuya situación tenía un conocimiento directo. En Inglaterra, donde la *Brevísima relación de la destrucción de las Indias* se tradujo como *A Short Account of the Destruction of the Indies*, se prestó gran atención al texto, que exponía al detalle las espantosas atrocidades cometidas contra los indígenas. El libro tuvo una amplia circulación en la década de 1580, ya fuera en la versión completa o en resúmenes que incluían los pasajes más espeluznantes, y presentaba a los españoles de forma inequívoca como genocidas y a España como un reino cruel y sanguinario. El traductor del texto, James Aligrodo, escribió en la introducción que se había masacrado a «doce, quince o veinte millones de pobres criaturas racionales».[21]

A lo largo y ancho de la Europa protestante se difundieron con rapidez relatos sobre el trato horripilante que daban los españoles a unos nativos a los que creían inferiores a ellos. La analogía era obvia: los españoles eran opresores natos que trataban a otros pueblos con una crueldad inquietante; de dárseles la oportunidad, no dudarían en perseguir de la misma forma a quienes estaban más cerca.[22] Esta era una conclusión que causaba pavor en la población de los Países Bajos, que a finales del siglo XVI estaba trabada en una lucha cada vez más despiadada con España debido a los intentos de esta última por afirmar su autoridad en las regiones en las que la Reforma había conseguido un fuerte apoyo. Richard Hakluyt, el famoso cronista que propugnaba la colonización británica de la Américas, describía cómo España «gobierna en las Indias con orgullo y tiranía plenos» y arrastra a la esclavitud a los inocentes que, afligidos, «imploran con una sola voz» para rogar la libertad.[23] En otras palabras, este era el modelo español del imperio, uno caracterizado por la intolerancia, la violencia y la persecución. Inglaterra, por supuesto, nunca actuaría de una manera tan vergonzosa.[24]

Esa era la teoría. En la práctica, las actitudes hacia la esclavitud y la violencia eran más ambiguas de los que esas promesas moralistas sugieren. En la década de 1560, los marineros ingleses intentaron en repetidas ocasiones participar en el lucrativo tráfico de esclavos desde África occidental; de hecho, sir John Hawkins utilizó inversiones de la reina Isabel para generar jugosos beneficios enviando seres humanos al otro lado del Atlántico. Habiendo concluido que «los negros son una mercancía muy buena en la Española y que en la costa de Guinea es posible obtener con facilidad cantidades de negros», Hawkins y sus patrocinadores se pusieron encantados manos a la obra. Lejos de negarse a tratar con los «tiranos» españoles en el Nuevo Mundo, algunos miembros de los niveles más altos de la sociedad inglesa consiguieron muy buenas ganancias gracias a ellos.[25]

En última instancia, la postura de Inglaterra era el resultado de una conciencia aguda de que se encontraba en una posición de debilidad para aprovechar las sorprendentes oportunidades creadas por los grandes cambios que habían tenido lugar a comienzos del siglo XVI. Las disputas religiosas y el momento inoportuno habían convertido el país en el enemigo jurado de la potencia mundial en la que se había convertido España; eso dejó a Inglaterra en una mala situación para beneficiarse de las riquezas que llegaban a raudales de las Américas o del comercio que fluía hacia Venecia a través del mar Rojo y las rutas terrestres de Oriente. Las críticas a España estaban muy bien, pero no servían para ocultar el hecho de que los ingleses eran carroñeros que agradecían cualquier migaja que se les apareciera en el camino. Inglaterra estaba «repleta hoy en día de jóvenes valientes», señaló el escritor Richard Hakluyt, y gracias a una «falta de empleo» crónica padecía una situación económica lamentable. ¿No sería maravilloso, se preguntaba, poner a esos jóvenes a trabajar en la creación de una marina capaz de convertir a «este reino [...] en los señores de todos los mares» del mundo?[26] Hablar de gobernar las olas era ambicioso; no había nada de malo en soñar.

Los ingleses no se quedaron sentados mientras Europa meridional prosperaba. Se enviaron expediciones en todas direcciones para intentar abrir nuevas rutas comerciales y construir nuevas redes de intercambio, transporte y comunicación. Pocas de ellas produjeron resultados alentadores. Las misiones encabezadas por Martin Frobisher para explorar el paso del noroeste en la década de 1570 regresaron a casa sin haber hallado la esperada ruta a Asia. Si eso ya era bastante malo, que las grandes cantidades de oro supuestamente encontradas en lo que hoy es Canadá resultaran un fiasco, después de que se hubieran anunciado a bombo y platillo como un descubrimiento que rivalizaba con los hechos en otras partes de las Américas, fue una vergüenza tremenda. El reluciente metal era en realidad marcasita o pirita, es decir, el oro de los tontos.[27]

Hubo otros desastres. Los intentos de llegar a China a través del mar de Barents terminaron en tragedia. Al empezar el invierno, sir Hugh Willoughby y sus hombres se encontraron atrapados por el hielo cerca de Múrmansk. Todos murieron de frío y sus cuerpos no se recuperaron hasta el año siguiente. Según el embajador de Venecia en Londres, estaban completamente congelados, «en diversas posturas, como estatuas», algunos «sentados en el acto de escribir, la pluma todavía en la mano y el papel delante; otros en la mesa, con el plato en la mano y la cuchara en la boca; otros abriendo una taquilla».[28]

Los esfuerzos adicionales para establecer vínculos comerciales con Rusia con el fin de acceder a las mercancías de Oriente se vieron dificultados, en primer lugar, por el hecho de que los ingleses llegaron en el momento en que reinaba Iván IV el Terrible, y en segundo lugar, por la limitaciones del comercio ruso en Asia en el siglo XVI. Aunque estaba a punto de expandirse de forma espectacular, las rutas a través del Caspio eran todavía demasiado frágiles para que los mercaderes pudieran recorrerlas con seguridad; incluso las caravanas que contaban con una buena protección podían ser objetivo de los bandidos.[29]

En la década de 1560 también se decidió enviar mercaderes a Persia en varias ocasiones, en una apuesta más bien desesperada para establecer lazos comerciales en el país. Provistos por lo general de documentos con promesas de amistad y alianza de la reina Isabel, los enviados solicitaban al sah privilegios «con la intención honesta de establecer el comercio de mercancías con vuestros súbditos y con los extranjeros que comercien en vuestros dominios».[30] Los ingleses estaban tan ansiosos por obtener concesiones que los comerciantes tenían órdenes estrictas de no hablar de cuestiones religiosas en caso de que sus devotos anfitriones musulmanes los pusieran en la situación incómoda de debatir las virtudes relativas del islam y el cristianismo. Si alguien preguntaba acerca de la situación futura de la fe en la metrópoli, se aconsejaba a los viajeros, lo mejor era «obviar la cuestión en silencio sin declarar nada al respecto».[31] En Europa, la postura religiosa lo era todo en un momento en que católicos y protestantes peleaban con ferocidad unos contra otros; en otros lugares, lo más conveniente era dejar a un lado la cuestión.

Para comienzos del siglo XVII, los esfuerzos por emular el éxito de los españoles y portugueses tenían poco resultados que enseñar. Se habían creado nuevas entidades comerciales para intentar reunir dinero de fondos privados, empezando con la Company of Merchant Adventurers for the Discovery of Regions, Dominios, Islands and Places Unknow, fundada en 1551, alrededor de la cual proliferaron un conjunto de compañías nuevas, separadas, con diferentes ambiciones geográficas. La Compañía Española, la Compañía del Este, la Compañía del Levante, la Compañía de Rusia, la Compañía de Turquía y la Compañía de las Indias Orientales se fundaron con privilegios reales que les otorgaban monopolios sobre el comercio con una región o país determinado, teniendo en cuenta que hacer negocios en el extranjero era arriesgado y exigía una inversión considerable. En este sentido, incentivar a los mercaderes mediante la protección del éxito futuro era una forma innovadora de intentar desarrollar el comercio de Inglaterra, y a través de él extender los tentáculos políticos del país.

A pesar de los nombres rimbombantes, el respaldo de la corona y las grandes expectativas, los resultados fueron, para empezar, escasos. Inglaterra permanecía anclada en la periferia de los asuntos mundiales, mientras que la posición de España parecía hacerse más y más fuerte. Los metales preciosos reunidos durante siglos por los aztecas, los incas y otros pueblos se recogieron y se enviaron a España en el curso de unas pocas décadas, junto con las riquezas de las minas que previamente no habían sido descubiertas o no habían sido explotadas a fondo, como la de Potosí, que según se decía producía un millón de pesos anuales para la corona española.[32]

Sin embargo, a pesar de las enormes dimensiones de los hallazgos de España, el tesoro que podía extraerse del Nuevo Mundo era limitado. A fin de cuentas, los recursos eran finitos, como lo eran los lechos de ostras frente a las costas de Venezuela que quedaron devastados tras la pesca de decenas de miles de millones de unidades en apenas treinta años a comienzos del siglo XVI.[33] No obstante, los españoles trataron la riqueza que les había caído del cielo como un pozo sin fondo y la utilizaron para financiar una letanía de proyectos grandiosos, como la construcción del gran monasterio de El Escorial, y una serie interminable de acciones militares contra sus rivales por toda Europa. Dentro de la corte existía la fuerte sensación de que España tenía que ser la policía del Todopoderoso y hacer que se cumpliera su voluntad en la tierra, incluso por la fuerza si fuera necesario. Resistirse a la confrontación armada con protestantes y musulmanes por igual le resultaba prácticamente imposible. Era un nuevo capítulo de la guerra santa.

Como habían demostrado las cruzadas previas, el apetito de hombres y dinero de la guerra santa podía ser ruinoso para las arcas reales. Y la disposición de la corona española a endeudarse para financiar sus proyectos no contribuía a mejorar la situación, pues promovía las decisiones cortoplacistas y ambiciosas al tiempo que ocultaba consecuencias que solo resultarían claras más tarde (en especial cuando las cosas salían mal). Aunque la mala gestión fiscal y la incompetencia también fueron factores importantes, en última instancia fue la incapacidad de España para controlar el gasto militar la que se reveló catastrófica. Por increíble que parezca, en la segunda mitad del siglo XVI el país se convirtió en un moroso en serie: incapaz de hacer frente a sus obligaciones, tuvo que suspender el pago de la deuda por lo menos en cuatro ocasiones.[34] Era como el ganador de la lotería que pasa de mendigo a millonario para, acto seguido, despilfarrar el dinero del premio en lujos que no podía permitirse.

Los efectos de la avalancha de riqueza se sintieron en todas partes. A lo largo y ancho de Europa los precios sufrieron una revolución, pues la inflación se afianzó gracias a la llegada del dinero procedente de las Américas, que, como es obvio, hacía que hubiera más consumidores detrás de una cantidad finita de mercancías. La creciente urbanización del continente exacerbó el problema e hizo que los precios subieran todavía más. En España, solo el precio del grano se quintuplicó en los cien años posteriores a los descubrimientos de Colón.[35]

La situación finalmente se quebró en las provincias y ciudades de los Países Bajos, que formaban parte de la herencia de España y donde el intento de esta de resolver sus problemas financieros con impuestos demasiado altos solo había servido para alimentar el descontento. Europa septentrional era un hervidero de centros urbanos productivos tras el surgimiento, en los siglos XV y XVI, de Amberes, Brujas, Gante y Ámsterdam como emporios clave para el comercio de importación y exportación de productos con el Mediterráneo, Escandinavia, el Báltico y Rusia y, también, las islas británicas. Y con la apertura del comercio desde la India y las Américas, como es obvio, la prosperidad fue todavía mayor.[36]

Estas ciudades se convirtieron en imanes para los comerciantes de todas partes, lo que a su vez les dio una vida social y económica vibrante y una fuerte identidad cívica. El aumento de la población obligó a un uso eficaz de la tierra circundante, lo que fomentó rápidos avances no solo en la gestión del rendimiento de los cultivos, sino también en las técnicas de irrigación y en la construcción de diques y rompeolas que permitieran aprovechar cada trozo de tierra disponible. La dimensión y productividad pujantes de las ciudades de los Países Bajos y las tierras del interior las convirtieron en centros tan atractivos como lucrativos, y en una importante fuente de ingresos fiscales, algo que no dejaron de advertir los monarcas españoles, que por el azar de los matrimonios y las herencias dinásticas controlaban la mayoría de la región.[37]

Al poco tiempo, algunas provincias y ciudades particulares empezaron a clamar consternadas contra la introducción de una fiscalidad exageradamente elevada y, también, la actitud opresiva y brutal de la corona en cuestiones de fe. Las ideas de Martín Lutero, Juan Calvino y otros que subrayaban la corrupción institucional de autoridades políticas distantes y la importancia espiritual del individuo cayeron en terreno fértil en estas áreas muy urbanizadas y contribuyeron a que el protestantismo echara raíces profundas en la región. La combinación de persecución económica y religiosa conformó un cóctel poderoso para el fomento de la rebelión y, llegado el momento, condujo a la Unión de Utrecht de 1581, la declaración de independencia de lo que se convertiría en la Unión de las Siete Provincias, la República Neerlandesa. Los españoles respondieron con una exhibición de fuerza e imponiendo un embargo comercial a los Países Bajos a partir de 1585. La meta era asfixiar a las provincias y ciudades rebeldes y obligarlas a someterse. Como sucede con frecuencia cuando las sanciones entran en vigor, el resultado fue el opuesto: sin apenas alternativa, los separatistas pasaron a la ofensiva. La única forma de sobrevivir consistía en aprovechar cada gramo de su conocimiento, habilidad y experiencia; era el momento de girar las tornas.[38]

En los últimos años del siglo XVI, las circunstancias confluyeron para que se diera un milagro en los Países Bajos. La represión española en la región causó una emigración a gran escala, con la población de las provincias meridionales desplazándose hacia el norte y ciudades como Gante, Brujas y Amberes sufriendo lo que un estudioso calificó como «una hemorragia de habitantes catastrófica». La suerte favoreció a los desplazados. La prohibición del comercio hizo que hubiera reservas enormes de grano y arenques, es decir, una provisión de alimento abundante y barato. Y aunque el precio de los alquileres creció con rapidez, el aumento de la población produjo a su vez un auge de la construcción de viviendas, y mancomunó a un grupo eficaz de comerciantes y otros profesionales experimentados, todos los cuales intentaban escapar de la presión a la que los sometían los españoles.[39]

En 1590, cuando el bloqueo por fin terminó, los holandeses actuaron con rapidez para desalojar a las tropas españolas enviadas para mantener el orden, aprovechando el hecho de que Felipe II de España estaba enredado en conflictos militares en otras partes de Europa. Liberados repentinamente de la presión militar y advirtiendo que tenían una oportunidad, los holandeses se lanzaron al comercio internacional con el propósito de establecer conexiones con las Américas, África y Asia.

El plan de crear rutas comerciales propias tenía una lógica comercial clara. Transportar las mercancías directamente a la República Neerlandesa evitaría dos series de gravámenes: en primer lugar, los artículos llegarían sin el sobrecoste de los derechos abonados en los puertos de Portugal y España, donde por lo general la carga procedente de ultramar debía pagar impuestos antes de su envío al norte. En segundo lugar, el hecho de que la recaudación estuviera ahora en manos de las autoridades holandesas, y no en las de los señores peninsulares, implicaba que el dinero producto de la prosperidad comercial de los Países Bajos no terminaría financiando ambiciones imperiales y gastos insensatos en otros lugares. Eso traería beneficios inmediatos y crearía un círculo virtuoso, pues sería posible reinvertir las ganancias, cada vez mayores, y generar flujos de liquidez todavía más sólidos, tanto para los mercaderes particulares como para la joven república.[40]

El ambicioso programa dio beneficios desde el principio. Una expedición que zarpó a Oriente en 1597 regresó triunfal al año siguiente transportando una carga que produjo ganancias del 400 por ciento. Animados por la posibilidad de obtener semejantes rendimientos del capital, los inversores financiaron las flotas que empezaron a diseminarse en todas direcciones.[41] Solo en 1601 partieron rumbo a Asia catorce expediciones distintas, mientras que hasta un centenar de embarcaciones cruzaban cada año el Atlántico para comprar sal en la península de Araya, un ingrediente fundamental para el comercio interno de arenque.[42]

Los españoles, furiosos, reanudaron las acciones militares e impusieron un nuevo bloqueo. Según Hugo Grocio, el brillante filósofo y jurista, eso sencillamente reforzaba el argumento de que los holandeses tenían que hacerse cargo de su propio destino. En lugar de retroceder ante las amenazas y las presiones, la única alternativa era invertir todavía más en empresas mercantiles y construir una red comercial tan pronto como fuera posible, lo que ayudaría a acumular potencia de fuego y reforzar la independencia. Era una cuestión de todo o nada.[43]

Una clave del logro holandés fue el hecho de contar con astilleros soberbios y, sobre todo, las innovaciones introducidas en los diseños clásicos que desde hacía mucho permitían a las flotas arenqueras operar con éxito en el mar del Norte y en puertos poco profundos gracias a su poco calado. Desde la década de 1550, cuando los ingleses se dedicaron a construir buques de guerra más veloces y potentes, los holandeses concentraron sus esfuerzos en el desarrollo de embarcaciones que pudieran gobernarse más y mejor, tuvieran una mayor capacidad para transportar carga, necesitaran menos hombres y, por ende, fueran más baratas de tripular. Estos barcos, llamados *fluyts* (filibotes), establecieron un nuevo estándar para la navegación comercial.[44]

Los holandeses hicieron la tarea y estaban bien preparados para hacerse al mar. Mientras que los europeos que los habían precedido estaban adentrándose en lo desconocido al cruzar el Atlántico o rodear el cabo de Buena Esperanza, ellos no. Sabían qué estaban buscando y dónde podían encontrarlo. Autores como Jan Huyghen Van Linschoten, secretario del arzobispo de Goa, que se dedicó a investigar a conciencia las rutas comerciales, los puertos, los mercados y las condiciones locales a través de Asia, produjeron textos como el *Itinerario*, en los que se proporcionaba una información tan completa que prácticamente sirvieron como manuales de instrucciones para quienes zarpaban en dirección a Oriente.[45]

Para prepararse para el viaje, los comerciantes contaban también con otras ayudas. Los holandeses eran los líderes mundiales en materia de cartografía. Los mapas y las cartas náuticas preparados por el grabador Lucas Janszoon Waghenaer en la década de 1580 se consideraban indispensables en toda Europa debido a su detalle y exactitud. Se prestaba mucha atención a la recopilación de información precisa y la producción de atlas actualizados y detallados, tanto de las Indias Orientales como del Caribe, que fueron los que establecieron la norma para las ayudas modernas a la navegación a comienzos del siglo XVII.[46]

Luego estaban los textos en los que se explicaba el vocabulario y la gramática de las extrañas lenguas con que los comerciantes holandeses iban a encontrarse en sus viajes. Uno de esos lingüistas pioneros fue Fredrik de Houtman, que en 1603 publicó un diccionario holandés-malayo después de que el sultán de Sumatra lo liberara de la prisión de Aceh, donde se había esmerado en aprender la lengua de sus captores.[47] Los mercaderes que se encaminaban a Asia en el siglo XVI estudiaban con avidez listas de vocabulario en las que se traducían del holandés al malayalam, al malayo, al bisayo, al tagalo, al tamil y a otras lenguas palabras y frases que podían serles útiles.[48]

El secreto subyacente al éxito holandés en el siglo XVII era el sentido común y el trabajo duro. Los holandeses estimaron que para prosperar no debían seguir el ejemplo de Inglaterra, donde compañías privilegiadas utilizaban métodos astutos, en el límite de lo legal, para beneficiar solo a un pequeño círculo de conocidos, que cuidaban de sus intereses entre sí y recurrían a prácticas monopolísticas para proteger su posición. En lugar de ello, decidieron reunir el capital y compartir el riesgo entre un conjunto de inversores tan grande como fuera posible. A su debido tiempo, se llegó a la conclusión de que a pesar de las ambiciones encontradas y rivalidades que había entre las provincias, las ciudades y, de hecho, los mercaderes particulares, la forma más eficaz y potente de crecer era combinando recursos.[49]

Por tanto, en 1602 el gobierno de las Provincias Unidas creó una entidad única para que se encargara del comercio con Asia, partiendo del principio de que esta sería más fuerte y poderosa que la suma de sus partes. Fue una decisión audaz, entre otras razones porque implicaba calmar las rivalidades locales y convencer a todos los involucrados no solo de que sus intereses estaban alineados, sino también de que esta era la mejor forma de satisfacerlos. La creación de la Verenigde Oost-Indische Compagnie (VOC), la Compañía de la Indias Orientales, y no mucho después de su hermana para el comercio con las Américas, la West-Indische Compagnie (WIC), la Compañía de las Indias Occidentales, fue un ejemplo claro de cómo montar una empresa multinacional de primer orden.[50]

El modelo holandés se reveló sorprendentemente exitoso. Aunque algunos, como el comerciante y fundador de la WIC, Willem Usselincx, sostuvieron que lo mejor era colonizar partes de las Américas en las que todavía fuera posible establecerse, un plan claro cobró forma.[51] El objetivo no era tratar de competir con otros mercaderes europeos como ocurría en Goa, donde los comerciantes portugueses, venecianos y alemanes vivían unos al lado de otros, sino desplazarlos.[52]

El enfoque agresivo dio frutos de inmediato. La atención se concentró inicialmente en las islas de las Especias, de donde se expulsó a la aislada comunidad portuguesa en 1605 en cumplimiento de un programa sistemático para hacerse con el control de las Indias Orientales. A lo largo de las siguientes décadas, los holandeses continuaron consolidando su posición y establecieron su cuartel general en Batavia, en lo que en la actualidad es Yakarta (el nombre aludía al que recibieron los habitantes de los Países Bajos en la época del Imperio Romano).

Se utilizó la fuerza militar para tomar y asegurar una cadena de puntos que conectara con la metrópoli. Aunque en unos pocos lugares, como Macao y Goa, los holandeses vieron frustrado su avance, las conquistas llevadas a cabo en el siglo XVII fueron realmente impresionantes. Pronto, los holandeses dejaron de acosar únicamente a otros europeos y empezaron también a asediar a aquellos soberanos locales cuyos dominios tenían una importancia estratégica o económica. Tras hacerse con el control de Malaca, Colombo, Ceilán y Cochín, decidieron atacar el sultanato de Macasar (en la moderna Indonesia) en 1669. Macasar era la pieza que les faltaba para tener el monopolio del comercio de especias con Asia. Rebautizada como Nueva Róterdam, a la toma de la ciudad le siguió la construcción de un gran fuerte, como se había hecho en otros lugares, toda una declaración de intenciones: no pensaban renunciar a esas conquistas con facilidad.[53] Un mapa que se conserva en los archivos estatales de La Haya dibuja la auténtica tela de araña que los holandeses tejieron a medida que reforzaban su posición en las Indias Orientales.[54]

En otras partes se siguió la misma pauta. En África occidental los holandeses expulsaron a sus rivales para hacerse con el dominio del comercio de oro y, a su debido tiempo, terminarían muy involucrados en el tráfico de esclavos a las Américas. Se fundaron nuevas fortalezas, como Fuerte Nassau, en la moderna Ghana; y se eliminó a los portugueses de otras bases, como Elmina, también en la costa de Ghana, que pasó a manos holandesas a mediados del siglo XVII. El éxito en el Caribe y las Américas también fue considerable, hasta el punto de que hacia la década de 1640 se habían hecho con una porción importante del transporte transatlántico y controlaban por completo el comercio de azúcar.[55]

Los Países Bajos se transformaron. Quienes habían invertido desde el principio en el comercio a larga distancia hicieron grandes fortunas, y muchísimos más prosperaron al beneficiarse de esa nueva riqueza. En Leiden y Groninga se fundaron universidades en las que los estudiosos pudieron ampliar las fronteras de las disciplinas académicas gracias a los fondos aportados por patrocinadores generosos. Florecieron artistas y arquitectos que gozaron del interés y la riqueza repentinos de la naciente burguesía. Gracias a la opulencia extraordinaria de la época, en Ámsterdam empezaron a erigirse edificios magníficos y la ciudad se alzó de las aguas como había hecho Venecia siglos antes. A medida que se construían viviendas cada vez más altas junto al Keizersgracht (Canal del Emperador) y los alrededores, se reclamaron al mar zonas como Jordaan mediante obras que eran al mismo tiempo hazañas de la ingeniería y maravillas arquitectónicas.

La influencia de las «rutas de la seda» empezó a sentirse en las artes. En Haarlem, en Ámsterdam y, sobre todo, en Delft, floreció una industria de la cerámica fuertemente influida por el aspecto, la textura y el diseño de los artículos importados de Oriente. Los motivos chinos eran dominantes, mientras que la característica porcelana azul y blanca desarrollada siglos antes por los alfareros del golfo Pérsico, y luego popularizada en China y el Imperio Otomano, se adoptó de forma tan generalizada que se convirtió también en el sello distintivo de la cerámica holandesa. La imitación no solo era la forma más sincera de elogio; en este caso, también era el modo de sumarse a un sistema global de la cultura material que ahora unía el mar del Norte con el Índico y el Pacífico.[56]

Gracias a la demanda creciente de objetos que ayudaran a señalar el propio estatus, las artes en general florecieron en los Países Bajos. Algunos han sostenido que solo en el siglo XVII se produjeron unos tres millones de cuadros.[57] Como era inevitable, eso estimuló el surgimiento de nuevas ideas y, al mismo tiempo, elevó los estándares, lo que creó el contexto en el que pintores como Frans Hals, Rembrandt y Vermeer crearon obras de sobrecogedora belleza. Dada la extraordinaria forma en que los holandeses se habían mancomunado para alcanzar el éxito, resulta muy apropiado que algunas de las obras más hermosas representen grupos, como *El banquete de la guardia de San Adrián* (la guardia municipal de Haarlem) de Frans Hals, o el famoso cuadro de Rembrandt *La compañía del capitán Frans Banninck Cocq y el teniente Willem Van Ruytenburgh preparándose para salir*, más conocido como *La ronda de noche*, que se le encargó para el salón de banquetes de la guardia municipal de Ámsterdam.

También los particulares eran clientes entusiastas: el mercader Andries Bicker, por ejemplo, contrató a Bartholomeus Van der Heist para conmemorar su éxito y su nuevo y elevado estatus social; y el constructor naval Jan Rijcksen pidió a Rembrandt que lo retratara, junto a su esposa, trabajando en un diseño náutico. Era el turno de que los holandeses (y el arte holandés) experimentaran una edad de oro.[58]

A los holandeses les encantaba exhibir el menaje del hogar, como en el caso de la pintura de Vermeer, *Muchacha leyendo una carta junto a la ventana*, en la que tiene una figuración destacada en primer plano una fuente de porcelana azul y blanca.[59] Un inglés que visitó Ámsterdam en 1640 no pudo ocultar cuán impresionado había quedado con lo que vio. En los Países Bajos, escribió Peter Mundy, cualquier casa «independientemente de su condición» está repleta de muebles y adornos «todos muy costosos y curiosos, llenos de placer y contento doméstico, como ricos armarios, gabinetes, etc., imágenes, porcelanas, jaulas para pájaros excelentes y caras» y mucho más. Incluso los carniceros y los panaderos, los herreros y los zapateros tenían pinturas y objetos lujosos en sus hogares.[60] «Estaba asombrado», escribió el diarista John Evelyn por la misma época acerca de la feria anual celebrada en Róterdam; el lugar estaba inundado de pinturas, en especial «paisajes y *drôleries*, que es como llaman a las representaciones bufonescas». Hasta los granjeros comunes se habían convertido en ávidos coleccionistas de arte.[61] Estas actitudes eran típicas entre los ingleses que, en número creciente, visitaban los Países Bajos en este periodo.[62]

La edad de oro holandesa fue el resultado de un plan llevado a cabo con precisión, pero que también se benefició de llegar en el momento oportuno, en una época en la que en buena parte de Europa reinaba la confusión, con el continente inmerso en una serie interminable de hostilidades militares costosas e inconcluyentes durante la guerra de los Treinta Años (1618-1648). Esta inestabilidad ofrecía oportunidades, pues los países involucrados concentraron su atención y recursos en los escenarios más cercanos y eso permitió a los holandeses conquistar sus objetivos en otros continentes uno por uno, sin tener que hacer frente a represalias. Las sangrientas luchas del siglo XVII permitieron a los holandeses establecer una posición dominante en Oriente a expensas de sus rivales europeos.

Sin embargo, la guerra europea tuvo una consecuencia todavía más importante: dio lugar al ascenso de Occidente. Los discursos acerca de Europa en este periodo hacen hincapié en que la Ilustración y el Siglo de las Luces supusieron una llegada a la mayoría de edad en la que las ideas de emancipación, derechos y libertad reemplazaron al absolutismo precedente. No obstante, fue la arraigada relación de Europa con la violencia y el militarismo lo que le permitió situarse en el centro del mundo después de las grandes expediciones de la década de 1490.

Aun antes de los descubrimientos casi simultáneos de Colón y Vasco da Gama, la competencia entre los reinos de Europa había sido intensa. Durante siglos, el continente se había caracterizado por una rivalidad feroz entre estados que con frecuencia estallaba en hostilidad abierta y guerra. Esto, a su vez, fomentó el avance de la tecnología militar. Se desarrollaron e introdujeron armas nuevas, que luego, tras haber sido probadas en el campo de batalla, fueron perfeccionadas. Las tácticas evolucionaron a medida que los oficiales al mando aprendían de la experiencia. La noción de violencia también se institucionalizó: el arte y la literatura europeos habían celebrado desde hacía mucho tiempo la vida del caballero cortés y su capacidad para usar la fuerza con juicio, como acto de amor y de fe, pero también como expresión de la justicia. Los relatos acerca de las cruzadas, que alababan la nobleza y el heroísmo al tiempo que ocultaban la traición, la perfidia y la ruptura de los juramentos solemnes, resultaron embriagadoramente poderosos.

El combate, la violencia y el derramamiento de sangre se glorificaban, siempre que pudieran considerarse justos. Quizá fuera esta una de las razones por las que la religión se volvió tan importante: era imposible hallar una mejor justificación para la guerra que la idea de librarla en defensa del Todopoderoso. Desde el principio, la fusión de religión y expansión fue estrecha: incluso las velas de las carabelas de Colón llevaban pintadas grandes cruces. Como los cronistas contemporáneos subrayan constantemente, en relación a las Américas, pero también a medida que los europeos empiezan a diseminarse por África, la India y otras partes de Asia y, más tarde, Australia, todo formaba parte del plan de Dios para que Occidente heredara la tierra.

De hecho, el carácter distintivo de Europa como un lugar más agresivo, más inestable y menos dado al pacifismo que otras partes del mundo ahora estaba dando frutos. A fin de cuentas, por esa razón los grandes buques de los españoles y los portugueses consiguieron cruzar los océanos con éxito y unir los continentes. Las embarcaciones de construcción tradicional que durante siglos habían navegado por el mar Arábigo y el océano Índico con apenas cambios en su diseño no eran rival para los barcos occidentales que podían superarlas en maniobrabilidad y potencia de fuego a voluntad. Y el mejoramiento continuo del diseño naval iría haciéndolos más rápidos, más fuertes y más letales, con lo que la brecha no dejó de ampliarse.[63]

Lo mismo puede decirse en el caso de la tecnología militar. La fiabilidad y precisión de las armas empleadas en las Américas era tal que una pequeña cantidad de conquistadores conseguía dominar a poblaciones que los superaban enormemente en número (poblaciones que salvo en materia de armamento eran avanzadas y muy complejas). En las tierras de los incas, escribió Pedro de Cieza de León, las autoridades se esmeraban en mantener la ley y el orden, y ponían tanto cuidado «en proveer justicia que ninguno osaba hacer desaguisado ni hurto».[64] Cada año se recababa información de todo el imperio para garantizar que los impuestos se calculaban correctamente y se pagaban como correspondía, y había un registro central de nacimientos y defunciones siempre actualizado. Los miembros de la élite tenían que trabajar la tierra por sí mismos durante un número determinado de días al año y lo hacían «para dar buen ejemplo de sí, porque se había de tener por entendido que no había de haber ninguno tan rico que por serlo quisiese baldonar y afrentar al pobre».[65]

Estos no eran los salvajes que describían los triunfalistas en Europa; de hecho, parecían sumamente ilustrados en comparación con las sociedades en extremo estratificadas que habían emergido a lo largo y ancho del continente, donde la brecha entre los poderosos y los débiles se cimentaba en un patrimonio aristocrático que protegía la posición social de los más fuertes. Aunque los europeos pensaran que estaban descubriendo civilizaciones primitivas y que esa era la razón por la que conseguían dominarlas, la verdad es que fueron los avances implacables en el ámbito de la guerra, la táctica y las armas los que pusieron las bases para el éxito de Occidente.

Una de las razones que hicieron posible la dominación de África, Asia y las Américas fue los siglos de práctica que tenían los europeos en la construcción de fortificaciones prácticamente inexpugnables. La construcción de castillos había sido un aspecto esencial de la sociedad europea desde la Edad Media, con miles de fortalezas espectaculares desperdigadas por el continente. El propósito, por supuesto, era que estuvieran en condiciones de resistir un ataque intenso y decidido; semejante cantidad es un testimonio de la regularidad de los ataques y el miedo que infundían. Los europeos eran los líderes mundiales, tanto en la construcción de fortalezas como en su asalto. Resulta llamativo que la insistencia de los europeos en construir sitios imponentes que pudieran protegerse desde el interior fuera una fuente de desconcierto para otros pueblos. Si a ningún comerciante se le había ocurrido construir fuertes en el pasado, anotaba el *nawab* de Bengala en la década de 1700, ¿por qué insistían los europeos en hacerlo ahora?[66]

La gran ironía, por tanto, fue que si bien Europa experimentó una edad de oro durante la que prosperaron el arte y literatura y se produjeron grandes saltos científicos, esa edad de oro se forjó con violencia. Pero no solo fue eso: el descubrimiento de nuevos mundos hizo a la sociedad europea todavía más inestable. Con un botín mayor por el que pelear y más recursos disponibles, las apuestas subieron y las tensiones se agudizaron y la batalla por la supremacía se intensificó.

Los siglos que siguieron a la emergencia de Europa como potencia mundial estuvieron acompañados de una consolidación implacable y una codicia enorme. En 1500, había alrededor de quinientas unidades políticas en Europa; en 1900, había apenas veinticinco. El fuerte devoró al débil.[67] La competencia y el conflicto militar eran endémicos en Europa. En este sentido, los horrores del siglo XX hundían sus raíces en el pasado profundo. La lucha por dominar a los vecinos y a los rivales espoleó avances en la tecnología armamentística, la mecanización y la logística, lo que en última instancia permitió ampliar sustancialmente los escenarios de la guerra y facilitó que se pasara de matar centenares a matar millones. Con el tiempo, sería posible perpetrar persecuciones a escala masiva. El que la guerra mundial y el peor genocidio de la historia se originaran y ejecutaran en Europa no fue una casualidad: una y otro fueron los últimos capítulos de una larga historia de brutalidad y violencia.

Por tanto, aunque lo usual es centrarse en la inversión en arte y el impacto de la nueva riqueza en la cultura en los siglos XVI y XVII, quizá sea más instructivo echar un vistazo a los avances en fabricación de armas que se dieron paralelamente en este periodo. Con las armas ocurrió lo mismo que con las pinturas, que se produjeron en cantidades enormes para satisfacer al apetito del público. En la década de 1690, el empresario Maximilien Titon vendió unos seiscientos mil fusiles de chispa solo en Francia central; algunos contemporáneos pensaban que era imposible estimar siquiera cuántos trabajadores empleaba la industria de armas cortas de Saint-Etienne, pues eran demasiado numerosos. Entre 1600 y 1750, la tasa de disparos con éxito de las pistolas se multiplicó por diez. Los avances tecnológicos (incluidas las invenciones del escobillón, los cartuchos de papel y las bayonetas) hicieron los fusiles más baratos, más fiables, más rápidos y más mortíferos.[68]

De forma similar, aunque los nombres de científicos como Galileo Galilei, Isaac Newton y Leonhard Euler son famosos para muchas generaciones de escolares, con demasiada facilidad se suele olvidar que algunos de sus trabajos más importantes estaban relacionados con la trayectoria de los proyectiles y el intento de comprender las causas por las que se desviaban con el fin de permitir una artillería más exacta.[69] Estos distinguidos científicos contribuyeron a producir armas más potentes y cada vez más fiables; los avances militares y tecnológicos iban de la mano en la era de la Ilustración.

Esto no quiere decir que en otras sociedades no existiera la violencia. Como muestran numerosos ejemplos de otros continentes, cualquier conquista conlleva muerte y sufrimiento a gran escala. Con todo, a los periodos de expansión explosiva que conocieron Asia y el norte de África, como las primeras y extraordinarias décadas de la difusión del islam o durante la época de las conquistas mongolas, les siguieron largos periodos de estabilidad, paz y prosperidad. La frecuencia y el ritmo de la guerra en Europa eran diferentes de los de otras partes del mundo: no acababa de resolverse un conflicto cuando estallaba otro. La competencia era brutal e implacable. En ese sentido, obras seminales como el *Leviatán*, de Thomas Hobbes, son textos fundamentales para explicar el ascenso de Occidente. Solo a un autor europeo se le habría ocurrido concluir que el estado natural del hombre era uno de violencia constante; y solo un autor europeo habría estado en lo cierto.[70]

Además, el ansia de confrontación militar estaba también detrás de otras novedades que guardaban una relación estrecha con la guerra, como las introducidas en el ámbito financiero. Los gobiernos de Europa necesitaban grandes capitales para financiar los ejércitos, lo que llevó a la creación de mercados de deuda en los que era posible obtener capital a cuenta de los futuros ingresos fiscales. Apostar por el éxito podía reportar cuantiosos ingresos, además de títulos y otros beneficios sociales, a un inversor sagaz, el cual, naturalmente, podía presentar su inversión en deuda pública como un ejercicio de patriotismo: invertir en las finanzas estatales era una forma de tomar la delantera y, asimismo, de volverse rico. Londres y Ámsterdam se convirtieron en centros financieros mundiales, especializados en deuda soberana, pero también en la cotización de valores cada vez más complejos.[71]

Una de las razones para la prominencia que alcanzaron Londres y Ámsterdam fue la aceleración socioeconómica que experimentó Europa septentrional. Las investigaciones más recientes sugieren que entre 1500 y 1800 la población prácticamente se duplicó en Inglaterra y los Países Bajos. La mayoría de este crecimiento se produjo en las áreas más densamente pobladas, donde el número de ciudades grandes se multiplicó casi por tres.[72] El proceso fue particularmente acusado en los Países Bajos: se considera que a mediados del siglo XVII por lo menos la mitad de los residentes de Ámsterdam eran personas llegadas a la ciudad desde otros lugares.[73] Los estados con más centros urbanos tenían una ventaja considerable sobre aquellos con una gran población rural. Recaudar impuestos en las ciudades llevaba menos tiempo y era más fácil y más eficaz, en particular, entre otras razones, porque la velocidad del intercambio comercial era muchísimo mayor que en el campo. Asimismo, las áreas con una gran densidad de población producían un flujo de ingresos más fiable y, por ende, era menos arriesgado prestarles dinero. Inglaterra y la República Neerlandesa podían prestar más y con un mejor interés que sus rivales comerciales y políticos.[74] Entonces, al igual que ocurre en la actualidad, para hacer dinero en el ámbito de las finanzas no bastaba con ser listo; había que estar en el lugar adecuado. Y de forma creciente eso significaba estar en Londres o Ámsterdam.

Esto marcó el comienzo del fin para Italia y el Adriático. Ya en una situación comprometida como consecuencia de las nuevas rutas comerciales, que permitían llevar directamente las mercancías a los consumidores más ricos, las ciudades-estado, cuyas rivalidades estaban profundamente arraigadas, no tenían posibilidades de competir con un conjunto de ciudades dispuesta a combinar sus recursos y capaces de hacerlo. Se recaudaron sumas tan grandes para financiar los proyectos de expansión que se convirtió en procedimiento estándar dedicar más de la mitad de los ingresos estatales al pago de la deuda nacional.[75] Estar inmerso en una pelea permanente con los vecinos, luchando constantemente por alcanzar algún tipo de política, comercial y cultural sobre ellos, resultaba muy caro. Europa se convirtió en un continente que marchaba a dos velocidades: la vieja Europa del este y del sur, que durante siglos había sido dominante, ahora aflojaba y se estancaba; mientras que la nueva Europa, en el noroeste, vivía una época de esplendor.[76]

Algunos vieron las señales de advertencia antes que otros. Ya en 1600, el embajador británico en Venecia escribía que «en materia de comercio, la decadencia es tan patente que todos los hombres concluyen que en un lapso de veinte años» la ciudad terminaría colapsándose. Venecia, que otrora dominaba el comercio con Oriente, ahora no estaba en condiciones de competir. En el puerto solía haber montones de buques imponentes, «de más de mil toneles cada uno», descargando mercancías o disponiéndose a zapar para cargar de nuevo; ahora «no hay ninguno a la vista».[77] La ciudad no tardó en empezar a reinventarse: de ser un centro neurálgico del comercio se transformó en una capital de vida lasciva y placeres hedonistas. Aunque las autoridades intentaron poner fin al uso exhibicionista de la joyería, a las fiestas cada vez más ostentosas y a la búsqueda de placeres y emociones, la reinvención de la ciudad resultaba en muchos sentidos comprensible: ¿qué otra opción tenía?[78]

En lugar de centros del comercio internacional y la alta política, Venecia, Florencia y Roma se convirtieron en escalas de una ruta turística para los nuevos ricos. Aunque la expresión *grand tour* no aparece hasta 1670, las expediciones que designa empezaron un siglo antes, cuando se advirtió por primera vez que un viaje a Italia era una oportunidad para adquirir antigüedades de primera calidad así como obras de arte más a la moda, cuyos precios se dispararon a medida que el número de visitantes aumentó.[79] Era un rito de paso, no solo para los individuos que participaban en él, sino para la cultura en su conjunto: el norte estaba devorando los frutos de la Europa meridional. Las joyas de la cultura antigua y contemporánea se desplazaron de la misma forma en que lo hizo el centro de gravedad del continente. Tres de las mejores colecciones de esculturas antiguas del mundo, las del Museo Británico, el Museo Fitzwilliam de Cambridge y el Museo Ashmolean de Oxford, se reunieron gracias a viajeros que además de poseer curiosidad cultural, tenían la bendición de contar con un gran capital.[80]

Esos viajeros traían a su regreso ideas acerca de la arquitectura, la escultura y el diseño de tumbas monumentales; la poesía, el arte, la música, el diseño de jardines, la medicina y la ciencia de la Antigüedad clásica no tardaron en convertirse en la fuente de inspiración de la que Inglaterra y los Países Bajos se apropiaron para modelar la gloria del presente de acuerdo con la del pasado.[81] La idea de que los pequeños terratenientes y funcionarios insignificantes de la que otrora fuera una provincia verde, aunque remota, del imperio encargaran bustos en lo que se los representaba no solo como herederos de Roma, sino como emperadores, hubiera dejado boquiabiertos a los ciudadanos romanos.[82] Pronto estarían haciendo algo más: Gran Bretaña estaba a punto de gobernar el mundo.

# Capítulo 14

# LA RUTA DEL IMPERIO

El desplazamiento del poder hacia el norte de Europa dejó a algunos sin posibilidades de competir y mantener el ritmo. En el mundo otomano, por ejemplo, el número de ciudades con población superior a diez mil habitantes permaneció en líneas generales estable entre 1500 y 1800. No hubo presión por intensificar la producción agraria para satisfacer una demanda creciente, lo que significa que la economía se mantuvo perezosa y estática. La recaudación de impuestos, además, era ineficaz, en parte como consecuencia de la privatización del cobro, que incentivaba a los individuos a hacer ganancias rápidas a costa de los ingresos a largo plazo del estado.[1]

Los burócratas otomanos habían demostrado ser administradores muy habilidosos, expertos en centralizar los recursos y gestionar la distribución de la población para garantizar que las cosechas y los suministros terminaran allí donde más se necesitaban. Eso había funcionado de forma eficaz y sin contratiempos a medida que el imperio se expandía en los siglos XV y XVI. Sin embargo, cuando el avance territorial se ralentizó, la fragilidad del sistema se hizo evidente debido a la presión que conllevaba mantener acciones militares en dos frentes —en Europa, por el oeste, y con la Persia safávida, por el este—, pero también como consecuencia del cambio climático, que tuvo un impacto particularmente grave en el mundo otomano.[2]

Las estructuras sociales del mundo musulmán, que se desarrollaron de forma muy diferente a las de Europa occidental, también fueron un factor importante. Por lo general, las sociedades islámicas distribuían la riqueza de forma más equitativa que las cristianas, en gran medida gracias a las detalladas instrucciones expuestas en el Corán acerca de los legados, que incluían principios ciertamente ilustrados para los estándares de la época en lo referente a la parte que la mujer debía recibir de la herencia del padre o el marido. Una mujer musulmana podía esperar una protección mucho mayor que su homóloga europea, pero eso se conseguía a expensas de la posibilidad de mantener las grandes riquezas dentro de una misma familia por un periodo de tiempo prolongado.[3] Esto, a su vez, hacía que la brecha entre ricos y pobres nunca fuera tan pronunciada como llegó a serlo en Europa, pues el dinero se redistribuía y volvía a circular de forma más amplia. Hasta cierto punto estos valores inhibieron el crecimiento: por regla general, las enseñanzas y disposiciones acerca de las herencias implicaban que a las familias les resultara más difícil acumular capital a lo largo de las generaciones, debido al carácter progresista e igualitario de las herencias; en Europa, la primogenitura concentraba los recursos en las manos de un único hijo, lo que allanó el camino a la acumulación de grandes fortunas.[4]

Para algunos, el hecho de que Europa, o Europa noroccidental, para ser más precisos, nunca hubiera sido tan afortunada era un motivo de inquietud. En los Países Bajos los sacerdotes calvinistas predicaban con aterradora convicción que el dinero era la raíz del mal y no dejaban de subrayar los peligros de entregarse al lujo.[5] Es posible hallar sentimientos similares en Inglaterra, donde hombres como Thomas Mun, un cronista particularmente airado de comienzos del siglo XVII, se quejaba del «desperdicio de [...] tiempo en la ociosidad y el placer» y advertía de que la riqueza material engendraría pobreza intelectual y una «lepra generalizada» del cuerpo y el alma.[6]

Como es evidente, los beneficios del crecimiento no se repartieron de forma equitativa. El aumento de los alquileres era bueno para los propietarios, pero no tanto para los arrendatarios; el acceso a mercados más grandes implicaba una presión considerable sobre los precios, pues la producción interna de lana, textiles y otros artículos quedaba expuesta a una mayor competencia.[7] El descenso de los estándares morales producto de los trastornos económicos y sociales fue suficiente para animar a algunos a tomar medidas drásticas. Había llegado el momento de buscar nuevos pastos, concluyeron los más conservadores, de encontrar un lugar en el que fuera posible llevar un estilo de vida sencillo que diera prioridad a la devoción religiosa y la pureza espiritual, un lugar en el que empezar de nuevo y volver a lo básico.

Los puritanos que emigraron a Nueva Inglaterra lo hicieron para protestar contra los cambios que habían acompañado el ascenso de Europa y contra la opulencia que vino después. La suya era una reacción a la avalancha de ideas y objetos nuevos y extraños que, de repente, hacía que el mundo pareciera un lugar diferente: en el que había porcelana china en las mesas de los hogares, en el que el matrimonio de personas con un color de piel diferente estaba dando origen a preguntas acerca de la identidad y la raza y en el que las actitudes acerca del cuerpo estaban fomentando lo que un analista ha calificado recientemente como la «primera revolución sexual».[8]

Para escapar de todo ello, los puritanos decidieron marcharse al otro lado del Atlántico. El destino elegido no fue el Caribe, donde muchos habían ido para convertir la tierra en plantaciones de azúcar utilizando mano de obra esclava, sino las tierras vírgenes de Nueva Inglaterra, donde los inmigrantes podían llevar una existencia idealizada de sencillez y devoción. El único problema, por supuesto, era la población nativa, que «se deleita en atormentar a los hombres de la forma más sangrienta que pueda existir; a unos los despellejaban vivos con conchas marinas, a otros les cortaban los miembros y las articulaciones en pedazos y los asaban sobre las brasas y se comían las lonchas de carne ante sus ojos mientras todavía vivían, con otras crueldades demasiado horribles para relatarlas».[9] Pero incluso ese era un riesgo que valía la pena correr; eso seguía siendo mejor que el mundo que dejaban atrás. Es fácil olvidar que la fiesta de Acción de Gracias, celebrada inicialmente por los «padres peregrinos» para marcar su llegada a la tierra de la abundancia, era también la conmemoración de una campaña contra la globalización: no solo se aclamaba el descubrimiento de un nuevo Edén, sino que se rechazaba, con triunfalismo, el paraíso destruido al que se había dado la espalda.[10]

Para aquellos con otras inclinaciones, aquellos a los que no les interesaba construir un bastión de austeridad y conservadurismo religioso, sino que querían descubrir lo nuevo, beneficiarse de las atracciones e incitantes deleites que ofrecía el mundo, y participar en ellos, había una alternativa: tomar rumbo al este y dirigirse a Asia. Construir una plataforma que permitiera a Inglaterra establecer conexiones con Asia en una forma estructurada y organizada fue un proceso lento y a menudo frustrante. La East India Company (EIC) o Compañía de las Indias Orientales, a la que en 1600 se otorgó un monopolio real sobre el comercio con todas las tierras al este del cabo de Buena Esperanza, consiguió sacar por la fuerza a los portugueses de Bandar Abbás, en el golfo Pérsico, y Surat, en el noroeste de la India, asegurándose unas posiciones que prometían mayores oportunidades en el futuro. No obstante, competir con la holandesa y todopoderosa Compañía de las Indias Orientales (VOC) fue todo un reto.[11] El volumen del comercio enviado a Inglaterra sin duda empezó a crecer; pero la supremacía de los holandeses era tal que a mediados del siglo XVII el valor de sus embarques prácticamente triplicaba el de los ingleses.[12]

La relación entre los ingleses y los holandeses era complicada. Por un lado, los Países Bajos proporcionaban consumidores y crédito a las mercancías inglesas, de modo que aunque existía una rivalidad comercial entre la EIC y la VOC, sus éxitos no eran mutuamente excluyentes. Por otro lado, los españoles constituían un enemigo común y un terreno para la cooperación militar y política entre los dos estados, firmes en su protestantismo. Algunas destacadas personalidades inglesas se entusiasmaron enormemente con los grandes triunfos navales de los holandeses contra España en el canal de la Mancha en 1639 y, no mucho después, en Itamaracá, frente a la costa de Brasil, con el resultado de que el pomposo Oliver Saint John, que encabezó una de las muchas delegaciones enviadas a La Haya para afianzar los lazos, llegó incluso a lanzar la radical propuesta de que los dos países debían «formar una alianza más íntima y una unión más estrecha», en otras palabras, que debían fusionarse en uno.[13]

Las potencias europeas eran tan impredecibles que, apenas un año después de proponer una confederación, Inglaterra estaba en guerra con los holandeses. El *casus belli* fue la aprobación, poco después de que la delegación de Saint John regresara a Inglaterra, de la ley de Navegación: la norma promulgada por el Parlamento exigía que toda la carga destinada a Inglaterra llegara a los puertos ingleses a bordo de buques ingleses. Aunque detrás de la ley había incuestionables motivos comerciales, a saber, impulsar los ingresos de una economía que había quedado devastada por las luchas internas, era imposible desconocer que hubo una presión creciente, ruidosa y apocalíptica por parte de quienes insistían en que los holandeses eran demasiado materialistas, carecían de convicción religiosa y su única motivación era el beneficio económico.[14]

La ley fue una indicación de que Inglaterra tenía mayores aspiraciones. Del mismo modo en que un siglo antes la retórica acerca de los españoles se había tornado cada vez más venenosa, las críticas dirigidas a los holandeses evolucionaron de forma parecida, en especial después de que estallaran combates intensos en alta mar, pues aquellos estaban decididos a mantener abiertas las rutas marítimas hacia sus puertos a través del canal de la Mancha y del mar del Norte. Esto causó nada más y nada menos que una revolución naval en Inglaterra. La marina inglesa siempre había estado bien financiada, incluso en la época de los Tudor, pero ahora fue sometida a una revisión completa y sistemática con el fin de modernizarla. En el curso de la segunda mitad del siglo XVII, se invirtió una cantidad considerable de recursos en un programa de construcción naval a gran escala. El gasto en la armada aumentó de forma tan pronunciada que pronto consumía casi una quinta parte de todo el presupuesto nacional.[15] El encargado de supervisar el proceso fue Samuel Pepys, cuyos diarios, muy personales, apenas si dejan entrever la transformación militar y geopolítica que estaba teniendo lugar o las dimensiones del cambio que estaba produciéndose en los astilleros de todo el país.[16]

Pepys reunió los tratados más actualizados de los especialistas holandeses (incluido el de Nicolaes Witsen, el gran teórico de la construcción naval) y se aplicó con rigor y disciplina en todos los aspectos del proyecto, desde la creación de escuelas en las que se enseñara el «arte de la navegación» hasta encargar la redacción de manuales que expusieran las técnicas más novedosas a una nueva generación de diseñadores ambiciosos y bien financiados.[17]

La revolución naval se fundó en tres observaciones separadas. La primera fue que los buques pesados especializados eran más eficaces que los cruceros ligeros. El éxito residía en conseguir concentrar la potencia de fuego y ser capaz de resistir la del enemigo. El diseño naval se modificó de acuerdo con esa indicación, haciendo hincapié en buques grandes y potentes que parecían castillos flotantes. La segunda observación fue que la experiencia era la mejor maestra. Los enfrentamientos con las flotas holandesas en las décadas de 1650 y 1660 tuvieron como resultado pérdidas devastadoras, tanto en términos de embarcaciones perdidas o capturadas como en términos de la muerte en batalla de altos oficiales y capitanes: en 1666, por ejemplo, en un único enfrentamiento murió casi el 10 por ciento de los altos mandos de la armada. Como consecuencia de esos encuentros traumáticos, las tácticas navales se reevaluaron de forma sistemática. Se publicaron y difundieron manuales de adiestramiento como las *Fighting Instructions* del almirante Robert Blake, uno de los grandes líderes navales de la época. Compartir el conocimiento y aprender del pasado era crucial para hacer de la marina inglesa la mejor del mundo. Y así fue: entre 1660 y 1815 las bajas en combate entre los capitanes ingleses (británicos) se redujeron en un 98 por ciento, una cifra asombrosa.[18]

La tercera observación, no menos importante que las anteriores, estaba relacionada con el funcionamiento de la marina como institución. Para ascender a teniente, pasó a ser necesario haber estado tres años en el mar y aprobar un examen organizado por oficiales de rango superior. Todo ascenso posterior debía fundarse estrictamente en la aptitud, más que en el patrocinio, lo que implicaba no solo que a la cima llegaban los más capaces, sino que lo hacían con la aprobación de sus pares. La transparencia de este sistema meritocrático, en sí misma un incentivo, se reforzó aún más con un proceso que recompensaba a quienes habían servido por más tiempo en las funciones más importantes. En líneas generales, era una organización idéntica a la implementada en los primeros días del islam y que se había revelado tan eficaz durante las conquistas musulmanas. En Inglaterra se decidió entonces que los botines se dividirían de acuerdo con un reparto preestablecido, que recompensaba a los oficiales y marineros en función del rango y el tiempo de servicio. Eso hizo que ascender fuera enormemente deseable y lucrativo, lo que, una vez más, sirvió para impulsar a los más capaces a la cima, en especial porque el proceso contaba con la supervisión de la junta del Almirantazgo, cuyo objetivo era eliminar los favoritismos y parcialidades. En otras palabras, se trataba de contratos de trabajo óptimos, diseñados para recompensar y promover el buen desempeño; y además, eran imparciales.[19]

Las reformas no tardaron en tener recompensa. La ingente inversión en la marina amplió el alcance de Inglaterra de forma sustancial, lo que le dio ocasión de aprovecharse de las rivalidades europeas, del estallido de conflictos bélicos o de otras oportunidades que se presentaran en el Caribe y otros lugares.[20] Asimismo, encajó perfectamente con los esfuerzos por construir una posición comercial más sólida en Asia, un proceso lento y prolongado en el que por fin empezaban a verse los frutos del trabajo realizado. Al igual que en Sura, la Compañía de las Indias Orientales estableció un centro importante en el sureste del subcontinente, en Madrasapatnam (hoy, Madrás), donde en la primera mitad del siglo XVII se negoció una concesión con el monarca local que les permitía negociar sin tener que pagar aduanas. Como saben muy bien las corporaciones modernas, las exenciones fiscales generosas eran una bendición enorme, pues debilitaban a los rivales en el comercio a larga distancia y, a su debido tiempo, también a los locales. Y como también entenderían las corporaciones modernas, a medida que los asentamientos se fueron haciendo más grandes y más prósperos, la compañía estaba en una posición inmejorable para renegociar las condiciones y obtener cada vez mejores términos. En un lapso de setenta años, Madrás se transformó en una metrópolis pujante. La pauta se replicó en otros sitios, en particular en Bombay y Calcuta, la joya de Bengala, y la fortuna de la Compañía de las Indias Orientales no cesó de crecer.[21]

Como ocurría con la VOC en Holanda, las fronteras entre el gobierno de Inglaterra y la EIC eran borrosas. Ambas compañías podían actuar como entidades cuasiestatales: se les había otorgado el derecho de acuñar moneda, formar alianzas y mantener fuerzas armadas y, más aún, usarlas. Estas organizaciones en extremo comerciales, que se beneficiaban tanto de la protección del gobierno como del hecho de contar con inversores muy poderosos, ofrecían oportunidades muy llamativas de hacer carrera, que en el caso de la EIC atrajeron a hombres de toda Inglaterra y, de hecho, también de otras partes del mundo (incluido ese baluarte del conservadurismo que era Nueva Inglaterra). Había magníficas recompensas para los ambiciosos y espabilados que consiguieran trepar por la jerarquía de la compañía.[22]

Fue característico el caso de un hombre nacido en Massachusetts en 1649 y que, siendo aún niño, se había trasladado con su familia de regreso a Inglaterra. Al entrar al servicio de la Compañía de las Indias Orientales ocupó inicialmente el modesto puesto de escribiente, pero llegado el momento ascendió hasta convertirse en gobernador de la Madrás. Allí tuvo mucho éxito, demasiado, pues cinco años después se le destituyó y corría el rumor de que se había enriquecido durante su estancia en el cargo. El hecho de que regresara a la metrópoli con cinco toneladas de especias, grandes cantidades de diamantes e innumerables objetos preciosos sugiere que las acusaciones tenían fundamento, y otro tanto puede decirse de su propio epitafio en Wrexham, en Gales del Norte, donde fue sepultado: «Nacido en América, criado en Europa, viajó por África y se casó en Asia [...] Hizo mucho bien y algún mal; esperemos que todo esté compensado y que su alma, gracias a la misericordia, haya ido al Cielo». Al regresar a Inglaterra gastó el dinero con liberalidad, pero no se olvidó de la tierra en la que había nacido: hacia el final de su vida, otorgó una generosa suma a la Escuela Universitaria de Connecticut, que reconoció el obsequio rebautizándose con el nombre de un benefactor que quizá hiciera nuevas donaciones en el futuro: Elihu Yale.[23]

Yale había estado en el lugar correcto en el momento adecuado. En la década de 1680, en China, la corte Qing eliminó las restricciones al comercio exterior, lo que se tradujo en un aumento repentino de las exportaciones de té, porcelana y azúcar china. En consecuencia, puertos como Madrás y Bombay, que ya eran centros importantes por derecho propio, se convirtieron en escalas de una nueva y vibrante red comercial global.[24]

Los últimos años del siglo XVII marcaron el comienzo de una nueva era en los contactos entre Europa y China, contactos que no estuvieron limitados al comercio. El matemático Gottfried Leibniz, que desarrolló el sistema binario, logró afinar sus ideas gracias a los textos sobre las teorías aritméticas chinas que le enviaba un amigo jesuita que hacia finales del siglo XVII se había establecido en Beijing. Quienes se encontraban bien posicionados para aprovechar los nuevos vínculos comerciales e intelectuales que estaban surgiendo se beneficiaron muchísimo.[25]

Para la época en que realizó su donación, el propio Yale era consciente de que Oriente en general y la India en particular empezaban a considerarse cada vez más como un simple atajo hacia la riqueza. «No debes impacientarte por tus progresos ni darte prisa por hacerte rico», le escribió a su nieto, Elihu Nicks; «mi fortuna me costó casi treinta años de paciencia».[26] Como miembro de la primera oleada de ingleses que se habían enriquecido en Oriente, era por lo menos gracioso que ofreciera un consejo tan serio a la siguiente generación. Además, las posibilidades de forjarse una riqueza inverosímil en Asia estaban a punto de hacerse incluso mejores. Era el albor de la era dorada de Inglaterra.

El que una isla del norte del Atlántico llegara a dominar los asuntos internacionales y se convirtiera en el corazón de un imperio que controlaba una cuarta parte del planeta y poseía una influencia todavía mayor hubiera asombrado a los historiadores y constructores de imperios del pasado. Britania era un lugar inhóspito, escribió uno de los grandes historiadores de la Antigüedad tardía, donde el aire era tan tóxico que podía matarte si cambiaba la dirección del viento.[27] Estaba habitada por los britanos, cuyo nombre, según especulaba un autor no mucho después, procedía del latín *brutus*, esto es, irracional o estúpido.[28] Separada del resto de Europa por el canal de la Mancha, era una tierra distante, aislada, periférica. Sin embargo, esas debilidades se convirtieron en fortalezas formidables y cimentaron el ascenso de uno de los mayores imperios de la historia.

Son muchas las razones que explican el triunfo definitivo de Gran Bretaña. Los historiadores han señalado, por ejemplo, que los niveles de desigualdad social y económica eran menores que en otros países de Europa y que el consumo de calorías de los niveles más desfavorecidos de la población era notablemente más alto que el de sus pares continentales.[29] Investigaciones recientes también destacan la función que tuvieron los cambios en el estilo de vida, pues gracias a las recompensas que ofrecía el crecimiento económico, el ritmo y la eficacia del trabajo aumentaron de forma pronunciada. El éxito arrollador de Gran Bretaña también se debió en gran medida al hecho de ser la patria de muchísimos innovadores.[30] Los niveles de fertilidad, que parecen haber sido menores en Gran Bretaña que en la mayoría de los demás países europeos, también tienen una correlación importante con la renta per cápita, pues los recursos y activos pasaban a menos manos de una generación a otra que en el continente.[31]

Con todo, el factor que se reveló imbatible fue la geografía. Inglaterra (o Gran Bretaña, tras la unión con Escocia en 1707) contaba con una barrera natural que la protegía de sus rivales: el mar. Esto resultaba útil para lidiar con las amenazas militares, pero era un auténtico regalo del cielo en lo referente al gasto gubernamental. Sin fronteras terrestres que defender, el gasto militar de Inglaterra era una fracción del de sus rivales continentales. Se calcula que mientras que en 1550 las fuerzas armadas de Inglaterra tenían aproximadamente el mismo tamaño que las de Francia, para 1700 los franceses tenían tres veces más hombres en el servicio. Dado que a todos esos efectivos había que equiparles y pagarles, el gasto debía de ser proporcionalmente más grande en Francia que en Inglaterra; además, los ingresos del estado también debían de ser proporcionalmente menores en Francia, pues para servir a su país esos soldados y marineros (generadores potenciales de ingresos gravables e impuestos indirectos a través del consumo) dejaban de trabajar en los campos, las fábricas y otras formas de empleo.[32]

Fue como si Gran Bretaña se hubiera vacunado contra los contagiosos problemas que padecía Europa, que a lo largo de los siglos XVII y XVIII vivió inmersa en guerras en apariencia interminables durante las cuales los estados continentales combatieron y pelearon en casi todas las combinaciones posibles. Los británicos aprendieron a intervenir con juicio, aprovechando las circunstancias que jugaban a su favor, pero manteniéndose fuera cuando los dados estaban en su contra. Además, para entonces empezaba a ser claro que lo que ocurría en Europa podía determinar el propio destino en el otro lado del mundo. Las intensas discusiones sobre quién heredaría el trono de Austria podían tener consecuencias que se traducían en combates e intercambios de territorio en las colonias europeas por todo el mundo: en la década de 1740 la legitimidad de la sucesión de María Teresa desencadenó enfrentamientos armados desde las Américas hasta el subcontinente indio que se prolongaron durante casi todo el decenio. El resultado, cuando la cuestión finalmente se resolvió en 1748, fue que la isla de Cabo Bretón, en Canadá, y Madrás, en la India, cambiaron de manos entre franceses y británicos.

Este es solo un ejemplo de cómo la competencia entre las potencias europeas tenía efectos en el otro lado del mundo. A finales de la década de 1690 los holandeses entregaron a los franceses ciudades en la India como resultado del acuerdo que puso fin a la guerra de los Nueve Años en Europa; dos décadas más tarde algunas islas del Caribe cambiaron de manos entre Gran Bretaña y Francia como parte de un acuerdo de paz tras nuevos combates intensos en Europa; y cuando se resolvieron las disputas por el trono español, franceses y británicos se intercambiaron enormes extensiones de Norteamérica.

Los matrimonios también podían traer consigo vastos territorios, cabezas de puente estratégicas o grandes ciudades, como Bombay, entregada a Inglaterra como parte de la dote de Catalina de Braganza cuando se casó con el rey Carlos II en la década de 1660. Como el gobernador portugués de la ciudad predijo con exactitud, este acto de generosidad significó el fin del poder de Portugal en la India.[33] Lo que ocurría en las alcobas de Europa, los susurros ahogados en los pasillos de los palacios a propósito de enlaces potenciales o los supuestos desaires sufridos por monarcas veleidosos propensos a sentirse ofendidos tenían implicaciones y ramificaciones a miles de kilómetros de distancia.

En determinado nivel, tales intrigas preocupaban muy poco a Oriente, donde se daba escasa importancia a si quienes llevaban la delantera eran los holandeses, los británicos, los franceses o algún otro. De hecho, lo que ocurría era más bien lo contrario, pues las rivalidades entre los europeos parecían generar beneficios cada vez mayores. A lo largo del siglo XVII, es posible hallar delegaciones rivales esforzándose por ganarse el favor del emperador mogol, o de los soberanos de China o Japón, y conseguir que se les otorgaran nuevas concesiones comerciales o se reconfirmaran las que ya tenían. Esto hizo crecer la importancia de los intermediarios —como Muqarrab Jan, un funcionario portuario de Guyarat que facilitaba las cosas con el emperador Jahāngīr, a comienzos del siglo XVII—, a los que en consecuencia les fue muy bien.[34] En el caso de Jan, las mercancías que compró en 1610, en las que se incluían «caballos árabes» y esclavos africanos entre otros artículos de lujo, necesitaron más de dos meses solo para superar la aduana.[35]

En Asia, los británicos actuaban de acuerdo con el principio de que, en palabras de un historiador, «todo y todos tenían un precio».[36] Eso les llevaba a hacer regalos extravagantes (y dio lugar a las protestas de los que censuraban la codicia de quienes se dejaban cortejar por ellos). El emperador mogol Jahāngīr, por ejemplo, tenía una debilidad particular porque se le obsequiaran «elefantes enormes», y quizá también por los dodos, y se decía que tenía un corazón «tan insaciable, que nunca se sabe cuándo ha tenido suficiente; es como una bolsa sin fondo, que es imposible llenar, pues cuanto más tiene, más desea».[37]

Los enviados holandeses que visitaron Beijing en la década de 1660 llevaron carruajes, armaduras, joyas, textiles e incluso anteojos en una apuesta por ganarse el favor de la corte tras haber perdido su posición en Taiwán.[38] Un testimonio sobre otra extravagante delegación holandesa, en esta ocasión a Lahore en 1711, evidencia el tremendo esfuerzo invertido en halagar y granjearse contactos valiosos, algo que también resulta patente en las espectaculares imágenes que se hicieron de la recepción de la que fue objeto la embajada en Udaipur, durante su viaje hacia el norte. Además de especias de las colonias holandesas y productos europeos (cañones, telescopios, sextantes y microscopios), entre los regalos que portaba la delegación había utensilios lacados de Japón, elefantes de Ceilán y caballos de Persia. Nada se dejaba al azar, si bien en esta ocasión en particular las circunstancias se confabularon para que la solicitud de renovar las concesiones comerciales quedara sin resolver.[39]

Las implicaciones más amplias de la inestabilidad europea tardaban un buen tiempo en abrirse paso hasta Oriente. A todos los efectos, cuantos más mercaderes llegaran a comerciar y cuanto más grandes fueran las embarcaciones en las que lo hacían, mejor: eso significaba más regalos, más recompensas y un volumen de comercio mayor. Además, a los emperadores mogoles como Akbar, Shah Jahān y Aurangzeb (este último gobernó entre 1658 y 1707) les gustaba hacerse pasar el día de su cumpleaños con gemas, metales preciosos y otros tesoros que se iban poniendo en la balanza hasta que esta quedaba equilibrada (un buen incentivo para mantener la línea).[40]

Luego estaban los sobornos pagados a los intermediarios que reclamaban dinero a cambio de «escoltar» a los viajeros y comerciantes a su destino, en gran medida para frustración de quienes encontraban molestas tanto la idea como las cantidades exigidas. En 1654, unos mercaderes ingleses a los que se les incautó la mercancía en Rajmahal vieron que no tenían otra opción que sobornar al gobernador y sus funcionarios, como habían tenido que hacer siempre los holandeses.[41] Las quejas por la falta de justicia de cuando en cuando llegaban hasta los emperadores mogoles, que en ocasiones castigaban a quienes se habían enriquecido demasiado: al parecer, a un juez al que se acusaba de no ser imparcial se le obligó a comparecer ante el soberano y que le mordiera una cobra; en otra ocasión, se mandó azotar a unos guardas después de que un músico se quejara de que, al salir de palacio, había tenido que darles una parte del estipendio que el emperador le había concedido.[42]

Los fondos que llegaban a la India continuaban alimentando el desarrollo artístico, arquitectónico y cultural que había acompañado las enormes inyecciones de capital desde principios del siglo XVI. Una porción cada vez mayor de ese dinero terminaba en Asia Central, en parte como consecuencia de los tributos pagados por gobernantes como Aurangzeb para el mantenimiento de relaciones pacíficas con el norte, pero también como resultado de la compra de caballos a gran escala a los criadores que pastaban sus manadas en las estepas. En los mercados de la India septentrional se compraban cada año hasta cien mil caballos, y a precios estratosféricos si hemos de creer a ciertas fuentes.[43] Cantidades de ganado todavía mayores se vendían a mercaderes procedentes de la India, así como también de Persia, China y, cada vez más, Rusia, lo que aportaba todavía más riqueza a la región. Ciudades como Kokand (en la moderna Uzbekistán) florecieron, y existen testimonios que hablan con entusiasmo de la calidad del ruibarbo, el té, la porcelana y la seda que era posible comprar allí a precios módicos y en cantidades considerables.[44]

A pesar del aumento del comercio europeo, las redes que cruzaban la columna vertebral de Asia seguían muy vivas. Esto se muestra en los registros de la VOC, en los que figura que decenas de miles de camellos cargados de textiles salían cada año de la India rumbo a Persia a través de las viejas rutas de Asia Central. De forma similar, fuentes inglesas, francesas, indias y rusas ofrecen información acerca del constante comercio terrestre y permiten hacernos una idea de sus dimensiones en los siglos XVII y XVIII: los viajeros se refieren de forma consistente a los grandes volúmenes de mercancías que se vendían en los mercados de Asia Central, a la enorme cantidad de caballos que se criaban y después vendían en lugares como Kabul, un «centro de comercio excelente» en el que convergían las caravanas llegadas de toda Asia para comprar y vender un amplio abanico de textiles, raíces aromáticas, azúcares refinados y otros artículos de lujo.[45] En este comercio continental cada vez eran más importantes las minorías que ayudaban a lubricar los intercambios comerciales, gracias a las costumbres compartidas, los lazos familiares y la capacidad para crear redes de crédito que funcionaran a larga distancia. En el pasado, esa función la habían desempeñado los sogdianos. Ahora quienes lo hacían eran los judíos y, sobre todo, los armenios.[46]

Bajo la superficie, sin ser vistas, se arremolinaban corrientes poderosas. Las actitudes de los europeos hacia el continente asiático estaban experimentando un cambio radical; se estaba dejando de ver a Oriente como una tierra maravillosa, repleta de plantas exóticas y tesoros magníficos, y se empezaba a verlo como un lugar en el que los nativos eran tan flojos e inútiles como en el Nuevo Mundo. Los puntos de vista expresados por Robert Orme son en este sentido típicos del siglo XVIII. Primer historiador oficial de la Compañía de las Indias Orientales británica, Orme escribió un ensayo cuyo título, *Sobre el afeminamiento de los habitantes del Indostán*, revela en gran medida la forma en que se había endurecido el pensamiento de la época. Una sensación disparatada de superioridad estaba creciendo y propagándose con rapidez.[47] Las actitudes respecto a Asia estaban virando de la excitación acerca de los beneficios potenciales del comercio a la idea de la explotación salvaje del continente.

Esta perspectiva tenía una representación perfecta en el *nabob*, que era como se llamaba a los funcionarios de la Compañía de las Indias Orientales que conseguían labrarse fortunas absurdas en Asia. Se comportaban como matones y usureros, prestaban dinero a tasas de interés exorbitantes, usaban los recursos de la compañía en su propio beneficio y se quedaban con una parte abusiva del beneficio producto de las transacciones. Era el «salvaje oeste»: un preludio de las escenas similares que conocería el oeste norteamericano un siglo más tarde. Ve a la India, le dijo su padre al memorialista William Hickey, y «córtale la cabeza a media docena de tíos ricos [...] y así regresaras convertido en un *nabob*». Servir en la EIC en la India era un billete de dirección única a la riqueza.[48]

El camino, con todo, no carecía de dificultades o peligros, pues las condiciones en el subcontinente no eran sencillas, y la enfermedad podía poner fin con rapidez a las ambiciones. Hasta donde los testimonios nos permiten establecer, aunque las tasas de mortalidad descendieron gracias a mejoras en el saneamiento y la higiene, así como en el ámbito de la medicina y la asistencia sanitaria, la cantidad de quienes eran enviados de regreso a casa o considerados no aptos para el servicio no dejó de aumentar.[49] Las experiencias podían ser traumáticas, como descubrieron el marinero mercante Thomas Bowrey y sus amigos a finales del siglo XVII, en la India, después de pagar seis peniques por una jarra de *bangha*, una infusión de cannabis: uno «se sentó en el suelo y estuvo llorando amargamente toda la tarde»; otro, «aterrorizado de miedo [...] metió la cabeza en una gran vasija y permaneció en esa postura durante cuatro horas o más»; «cuatro o cinco se echaron en las alfombras y estuvieron halagándose muchísimo unos a otros en términos elevados», mientras que otro más «se tornó pendenciero y se puso a pelear con uno de los pilares de madera del porche hasta despellejarse los nudillos».[50] Llevaba tiempo acostumbrarse a otras partes del mundo.

Por otro lado, las recompensas eran asombrosas, tanto que burlarse de los nuevos ricos se convirtió en un recurso tópico de los dramaturgos, la prensa y los políticos. Se hablaba con desdén de la moda de contratar tutores para enseñar aficiones propias de las clases superiores como la esgrima y el baile y del nerviosismo que producía elegir el sastre adecuado y el conocimiento de los temas de los que se podía tratar en la mesa.[51]

La hipocresía era omnipresente. Era grotesco, les dijo William Pitt el Viejo a sus colegas parlamentarios a finales del siglo XVIII, que «los importadores de oro extranjero hayan forzado su entrada al Parlamento mediante semejante torrente de corrupción privada, que ninguna fortuna hereditaria puede resistirse».[52] Por supuesto, no consideró que fuera necesario señalar que su propio abuelo había regresado de su estancia en la India con una de las piedras preciosas más grandiosas del mundo, el diamante Pitt, y utilizado la riqueza acumulada durante su periodo como gobernador de Madrás para comprarse una hacienda y el escaño en el Parlamento que venía con ella.[53] Otros fueron igualmente francos. La forma en que los *nabobs* estaban destruyendo la sociedad era espantosa, sostuvo un enfurecido Edmund Burke ante una comisión de la Cámara de los Comunes no mucho después: malgastaban su riqueza, se convertían en miembros del Parlamento y se casaban con las hijas de la alta burguesía.[54] No obstante, enfurecerse por tales cuestiones no servía de nada: a fin de cuentas, ¿quién no quería a un joven ambicioso y rico como yerno o un esposo generoso como marido?

La clave que permitió a esos hombres amasar semejantes fortunas estuvo en la transición de la Compañía de las Indias Orientales, que de operación mercantil para el transporte de mercancías de un continente a otro se convirtió en potencia ocupante. El desplazamiento hacia el tráfico de drogas y la extorsión se produjo sin fisuras. En las plantaciones de la India se cultivaba el opio en volúmenes cada vez mayores para financiar la compra de seda, porcelana y, sobre todo, té en China. Las importaciones de este último se dispararon: las cifras oficiales dibujan un alza desde las ciento cuarenta y dos mil libras de té adquiridas en 1711 a los quince millones de libras comprados ochenta años después (cifras que esconden los cargamentos que llegaban de contrabando para evitar tener que pagar impuestos). En una perfecta imagen especular, la creciente adicción al lujo de Occidente en realidad se intercambiaba por la creciente adicción a las drogas de China, a la que pronto sería equivalente.[55]

Hacer dinero en otras formas discutibles no era menos lucrativo. Aunque en el siglo XVIII se había ofrecido protección a los gobernantes locales de la India de forma cada vez más regular y a gran escala, el momento decisivo llegó en 1757, cuando se envió a Calcuta una expedición, dirigida por Robert Clive, después de que el *nawab* de Bengala atacara la ciudad. Clive pronto se encontró con que se le ofrecían enormes sumas de dinero a cambio de proporcionar apoyo a los rivales locales que querían hacerse con el poder. De un momento para otro, descubrió que se le otorgaba el control del *diwani* (la recaudación de impuestos de la región) y consiguió echar mano a las rentas de unas de las partes más pobladas y económicamente vibrantes de Asia, sede de la industria textil que fabricaba más de la mitad de los géneros que Gran Bretaña importaba de Oriente. Prácticamente de la noche a la mañana se convirtió en uno de los hombres más ricos del mundo.[56]

Un comité selecto de la Cámara de los Comunes creado en 1773 para examinar las repercusiones de la conquista de Bengala reveló las increíbles sumas que se habían extraído de las arcas bengalíes. Más de dos millones de libras esterlinas (decenas de miles de millones en términos actuales) habían sido distribuidas como «obsequios», que casi en su totalidad terminaron en los bolsillos de empleados de la EIC en la región.[57] La indignación se agravó debido a las escandalosas y estremecedoras escenas que se vivían en Bengala. Hacia 1770, con el precio del grano por las nubes, llegó la hambruna y las consecuencias fueron catastróficas. Las víctimas mortales se calcularon en millones, y de hecho, el gobernador general declaró que había fallecido una tercera parte de los habitantes. Mientras la población local se moría de hambre, los europeos solo habían pensado en enriquecerse.[58]

La situación había sido por completo evitable. Por mor del beneficio personal, se había sacrificado a muchos. Para mayor escarnio, Clive se limitó a responder (como el presidente ejecutivo de un banco en apuros) que su prioridad había sido proteger los intereses de los accionistas, no los de la población local; sin duda, era injusto que se le criticara por hacer su trabajo.[59] Y las cosas iban a empeorar. Mientras que los beneficios se desplomaban, los costes se dispararon repentinamente, lo que provocó el pánico ante la posibilidad de que la gallina de los huevos de oro hubiera puesto el último. Esto hizo que muchos vendieran sus acciones de la EIC y llevó a la compañía al borde de la bancarrota.[60] Resultó que lejos de estar dirigida por gestores y creadores de riqueza sobrehumanos, las prácticas y la cultura de la compañía habían puesto contra las cuerdas el sistema financiero intercontinental.

Después de consultas desesperadas, el gobierno en Londres concluyó que la EIC era demasiado grande para caer y acordó un rescate. Para financiarlo, sin embargo, era necesario reunir el efectivo. La mirada se dirigió entonces a las colonias en Norteamérica, donde los impuestos eran considerablemente más bajos que en la misma Gran Bretaña. Cuando el gobierno de lord North aprobó la ley del Té en 1773, pensaba que había hallado una solución elegante para pagar el rescate de la EIC, al tiempo que, al menos en parte, se alineaba el régimen fiscal de las colonias americanas al de la metrópoli. Lo que ocurrió fue que desató la furia de los colonos al otro lado del Atlántico.

En Pensilvania se distribuyeron volantes y panfletos en los que se describía a la Compañía de la Indias Orientales como una institución «muy versada en la tiranía, el expolio, la opresión y la matanza». Era un símbolo de todo lo que estaba mal en la misma Gran Bretaña, donde los estratos más altos de la sociedad eran esclavos de los grupos de interés codiciosos y egoístas que se enriquecían a expensas de la gente común.[61] Los buques que llevaban el té tuvieron que dar media vuelta cuando los colonos, formando un frente unido, se negaron a doblegarse ante las exigencias de un gobierno que les negaba representación en el proceso político. Cuando tres embarcaciones entraron en el puerto de Boston, se llegó a un punto muerto cargado de tensión entre la población local y las autoridades. En la noche del 16 de diciembre, un pequeño grupo de hombres vestidos como «indios» abordó los buques y lanzó al agua el cargamento de té; preferían que se hundiera en el mar a que les obligaran a pagar impuestos a Londres.[62]

Vista desde la perspectiva estadounidense, la cadena de acontecimientos que condujo a la declaración de independencia tenía un contexto muy americano. Sin embargo, desde un punto de vista más amplio es posible rastrear las causas hasta los tentáculos del poder británico, extendiéndose cada vez más lejos en busca de nuevas oportunidades, y la eficacia de la «ruta de la seda», que había causado el desequilibrio al proveer demasiado y demasiado rápido. Londres trataba de equilibrar las exigencias encontradas en lados opuestos del mundo e intentó usar los ingresos que generaban los impuestos en un lugar para financiar el gasto en otro, lo que condujo a la desilusión, la insatisfacción y, finalmente, la sublevación. La búsqueda de beneficios había sido implacable, lo que a su vez alimentó una seguridad y arrogancia crecientes. La Compañía de las Indias Orientales, les dijo Clive a sus interrogadores en la víspera del colapso, era una potencia imperial en todo salvo en el nombre. Gobernaba sobre países que eran «ricos, populosos y fructíferos», y estaba «en posesión [...] de veinte millones de súbditos».[63] Como advirtió la población de las colonias americanas, al final había muy poca diferencia entre ser súbdito en un territorio controlado desde Gran Bretaña o en otro. Si se dejaba a los bengalíes morirse de hambre, ¿por qué no podía ocurrirles lo mismo a los que vivían en las colonias, cuyos derechos no parecían ser más ni mejores? Para los colonos había llegado el momento de hacer las cosas por su cuenta.

La guerra de independencia de Estados Unidos provocó en Gran Bretaña un gran examen de conciencia sobre cómo debía tratar las regiones en las que había construido posiciones comerciales que no solo eran lucrativas desde un punto de vista económico, sino que tenían auténtica influencia política. La conquista efectiva de Bengala constituyó el momento decisivo en la medida en que cambió a Gran Bretaña, que de ser un país que apoyaba las colonias de sus propios emigrados pasó a convertirse en un dominio que gobernaba a otros pueblos. La curva de aprendizaje para entender lo que eso implicaba, y el modo de equilibrar los deseos del centro del imperio con las necesidades de sus extremidades, fue pronunciada. Gran Bretaña se descubrió gobernando sobre pueblos que tenían leyes y costumbres propias y teniendo que resolver qué tomaba prestado de esas nuevas comunidades y qué les prestaba ella y, sobre todo, preguntándose cómo construir una plataforma que fuera manejable y sostenible. Estaba naciendo un imperio.

Su génesis marcó el fin de un capítulo. El paso de la mayor parte de la India a manos británicas privó de oxígeno a las rutas de comercio terrestres, pues el poder adquisitivo, los activos y la atención viraron decisivamente hacia Europa. El declive de la importancia de la caballería ante los nuevos avances en la tecnología y la táctica militares, en particular los relacionados con la potencia de fuego y la artillería pesada, también contribuyeron a deprimir el volumen de comercio que circulaba por las rutas que durante milenios habían cruzado Asia. Asia Central, como Europa meridional antes de ella, empezó a marchitarse.

La pérdida de las trece colonias en Norteamérica fue un revés humillante para Gran Bretaña y subrayó cuán importante era asegurar sus posesiones. Y en ese sentido, el nombramiento de lord Cornwallis como gobernador general de la India fue toda una sorpresa, pues había desempeñado un papel prominente en la debacle al otro lado del Atlántico y fue quien rindió Yorktown a George Washington. Quizá la idea era que se había aprendido una dolorosa lección y que quienes lo habían hecho estaban mejor preparados para garantizar que no volviera a ocurrir lo mismo en otros lugares. Gran Bretaña podía haber perdido Estados Unidos, pero nunca perdería la India.

## Capítulo 15

# LA RUTA DE LA CRISIS

El desastre en América supuso una gran conmoción para Gran Bretaña, un revés que dejaba claro que el imperio no era invulnerable. Los británicos habían conseguido forjar una posición dominante (ya fuera directamente o a través de la Compañía de las Indias Orientales) que trajo consigo prosperidad, influencia y poder. Por ello, protegían ferozmente cada uno de los eslabones de la cadena, los oasis que conectaban entre sí hasta llegar a Londres, y vigilaban con celo cualquier intento de debilitar su control sobre los canales de comunicación desde el mar de Java hasta el Caribe y desde Canadá hasta el océano Índico.

Aunque normalmente se considera que el siglo XIX fue el periodo de apogeo del imperio, una época en la que la posición de Gran Bretaña continuó fortaleciéndose, había señales de que lo que ocurría era todo lo contrario, es decir, que empezaba a perder el control, lo que se traducía en acciones de resistencia desesperadas que a menudo tuvieron consecuencias desastrosas desde el punto de vista estratégico, militar y diplomático. En la práctica, el intento de retener y mantener controlados una serie de territorios desperdigados por todo el planeta condujo a una serie de juegos políticos peligrosos y arriesgados con los rivales locales y globales, en los que las apuestas eran cada vez más altas. Para 1914 estas habían crecido tanto que se llegó al punto de apostar el destino mismo del imperio al resultado de la guerra en Europa: no fueron una serie de sucesos desgraciados y malentendidos crónicos en los pasillos del poder en Londres, Berlín, Viena, París y San Petersburgo los que pusieron a los imperios de rodillas, sino las tensiones por el control de Asia, que llevaban décadas cociéndose a fuego lento. Detrás de la primera guerra mundial no estaba solo el espectro de Alemania; también estaba el de Rusia y, sobre todo, la sombra que arrojaba sobre Oriente. El intento desesperado de Gran Bretaña por impedir que esa sombra creciera tendría un papel decisivo en los sucesos que llevaron el mundo a la guerra.

La amenaza que Rusia suponía para Gran Bretaña creció como un cáncer en el siglo previo al asesinato de Francisco Fernando, a medida que Rusia dejaba de ser un reino arcaico y desvencijado con una economía agraria para transformarse en un imperio ambicioso. Esto hizo sonar las alarmas en Londres con creciente regularidad y creciente apremio, pues cada vez fue más claro que el crecimiento y la expansión de Rusia no solo hacían que sus intereses compitieran con los de Gran Bretaña, sino que amenazaban con pasar por encima de ellos.

La primera señal del problema llegó a comienzos del siglo XIX. Durante muchas décadas, Rusia había estado ampliando sus fronteras para incorporar nuevos territorios y nuevos pueblos al sur y al este, en las estepas de Asia Central, donde vivía un mosaico de poblaciones tribales como los kirguís, los kazajos y los oirates. En un principio, esto se hizo con bastante tacto. Aunque Marx criticó severamente el proceso imperialista usado para crear «nuevos rusos», lo cierto es que se llevó a cabo con considerable delicadeza.[1] En muchos casos no solo se recompensó con prodigalidad a los líderes locales, sino que además se les permitió conservar el poder, con San Petersburgo respaldando y reconociendo formalmente la posición que ostentaban dentro de su territorio. La concesión de amplias ventajas fiscales, las cesiones de tierras y la exención del servicio militar, entre otras medidas, hicieron más fácil de tolerar el señorío de Rusia.[2]

La expansión territorial impulsó el crecimiento económico que empezó a acelerarse en el siglo XIX. Por un lado, se redujo el considerable gasto que antes suponían las defensas contra las incursiones y ataques desde las estepas, con lo que los fondos liberados pudieron emplearse en otras partes y para otros fines.[3] Por otro, al ganar acceso a la tierra supremamente fértil del cinturón estepario, que se extendía a través del norte del mar Negro y se prolongaba hacia el este, se obtuvo una recompensa espléndida.

Previamente los rusos se veían obligados a cultivar terrenos menos atractivos, lo que tenía como resultado cosechas en las que el rendimiento del grano estaba entre los más bajos de Europa y que exponían a la población a la amenaza del hambre. A comienzos del siglo XVIII un visitante británico señaló que los calmucos, que formaban parte de las tribus oirates y vivían en el bajo Volga y los márgenes septentrionales del mar Caspio, estaban en condiciones de llevar al campo de batalla a cien mil hombres bien armados y en buena condición física. Sin embargo, debido al temor prácticamente constante de un ataque, la agricultura no se había desarrollado en todo su potencial. «Unas cuantas decenas de hectáreas» de la fértil tierra de esta región, escribió el mismo viajero, «tendrían un gran valor en Inglaterra, pero aquí permanecen desaprovechadas e incultas».[4] La situación afectaba al comercio y también al desarrollo de las ciudades, que mantenían un tamaño modesto y eran escasas: antes de 1800 solo una parte muy pequeña de la población era urbana.[5]

Una vez que esto empezó a cambiar, las ambiciones y los horizontes de Rusia se ampliaron. A comienzos del siglo XIX, el ejército imperial atacó al Imperio Otomano y obtuvo importantes concesiones, incluido el control de Besarabia, la región entre los ríos Dniéster y Prut, así como un territorio considerable junto al mar Caspio. Poco después se continuó con un ataque al sur del Cáucaso que infligió una serie de penosas derrotas a Persia.

El equilibrio del poder en el Cáucaso se estaba inclinando de forma decisiva. Los territorios, provincias y janatos de la zona habían sido durante siglos o bien independientes, o bien satélites de Persia. Redibujar ese mapa constituía un gran cambio en la región, y era, por tanto, una señal inequívoca de la creciente ambición de Rusia a lo largo de su frontera meridional. Los británicos no tardaron mucho en entender la importancia de esto, en especial tras enterarse de que los franceses habían enviado una misión a Persia que ponía en peligro la posición de Gran Bretaña en Oriente. La Revolución Francesa de 1789 había tenido resultados similares a los de la peste negra, con el sufrimiento a gran escala dando paso a una nueva era de determinación y resurgimiento.

Para finales del siglo XVIII, Napoleón tramaba no solo conquistar Egipto, sino echar a los británicos de la India. Supuestamente escribió al poderoso sultán Tipu de Mysore para hablarle de las numerosas e invencibles fuerzas francesas que pronto le «librarían de los grilletes de hierro de Inglaterra».[6] No cabía duda de que el encanto de la India ocupaba un lugar preponderante en las mentes de los estrategas franceses de la época.[7] Y continuaría haciéndolo, como resulta evidente del envío a Persia de uno de los generales de confianza de Napoleón, el conde de Gardane, en 1807, con la orden de acordar una alianza con el sah, pero también de hacer mapas detallados que ayudaran a preparar una campaña a gran escala en el subcontinente indio.[8]

Los británicos reaccionaron de inmediato enviando a un destacado diplomático, sir Gore Ouseley, para que respondiera a las propuestas de los franceses junto con, como correspondía, una delegación impactante con el fin de «recalcar a los nativos en general la permanencia de nuestro vínculo».[9] Se dedicaron grandes esfuerzos a impresionar al sah y la corte, a pesar de que, a puerta cerrada, pocos ocultaban su desdén por las costumbres locales. Se ridiculizaba en particular la exigencia casi incesante de obsequios espléndidos. Ouseley quedaría apesadumbrado al enterarse de que el anillo que había entregado al soberano persa, junto con una carta del rey Jorge III, se consideró demasiado pequeño y no lo bastante valioso. «La mezquindad y codicia de esta gente», escribió indignado, «es repugnante».[10] Esta era una opinión que también compartía un oficial británico que visitó Teherán por la misma época. Los persas están obsesionados, escribió, con las formalidades de la entrega de regalos y obsequios, hasta el punto de que podría escribirse un libro largo acerca de «las reglas para sentarse y ponerse de pie».[11]

En público, la situación era bastante diferente. Ouseley, que hablaba persa con fluidez, se aseguró de que al llegar se le recibiera más lejos de la capital que al embajador francés, pues consideraba que eso le otorgaría un estatus más elevado a él y a su misión, y se esmeró en organizar una reunión con el sah antes que su rival; luego señalaría complacido que su silla estaba situada más cerca del trono de lo que era habitual.[12] El esfuerzo por granjearse la amistad de los persas se extendió al envío de asesores militares: una delegación de la artillería real compuesta por dos oficiales, dos suboficiales y diez artilleros adiestró a los soldados persas, dio consejos sobre la defensa de las fronteras e incluso dirigió ataques sorpresa contra las posiciones rusas en Sultanabad, donde la rendición de la guarnición a comienzos de 1812 fue un golpe propagandístico.

Las circunstancias cambiaron cuando Napoleón atacó Rusia en junio de ese mismo año. Con los franceses cerniéndose sobre Moscú, los británicos apreciaron los beneficios de distanciarse de Persia y ponerse de parte de los rusos, «nuestros buenos amigos», según los llamaba Ouseley en un informe enviado al ministro de Exteriores en el que también señalaba las implicaciones generales del ataque francés contra Rusia. Esto ha sido para mejor, concluía Ouseley, pues existe «un rasgo muy perverso en el carácter persa que los hace insensibles y desagradecidos respecto a todos los favores que se les confieren»; la amistad que tanto se había esforzado por conquistar podía sacrificarse con facilidad y sin mucha pena, pues los persas eran los «ególatras más interesados del mundo».[13]

Que Gran Bretaña priorizara su relación con Rusia causó decepción en Persia, donde la impresión fue que unos aliados previamente fiables habían cambiado de bando de forma inesperada. Esa decepción se transformó en recriminaciones amargas después de que las fuerzas rusas, envalentonadas tras haber rechazado a Napoleón en 1812, lanzaran un ataque sorpresa a través del Cáucaso. El hecho de que al año siguiente Ouseley, que tantos esfuerzos había hecho por cultivar la amistad del sah, redactara el borrador del humillante tratado de Gulistán, el acuerdo de paz que puso fin a la guerra ruso-persa y otorgó a Rusia la mayoría de la orilla occidental del mar Caspio (lo que incluía territorios como Daguestán, Mingrelia, Abjasia, y ciudades importantes como Derbent y Bakú) fue considerado por muchos como un acto de traición.

El que los términos del tratado favorecieran tantísimo a Rusia repugnó a los persas, que lo interpretaron como una prueba de que los británicos no eran dignos de confianza y solo velaban por sus propios intereses. Estoy sumamente desilusionado con la conducta de Gran Bretaña, escribió el embajador persa a lord Castlereagh, el ministro de Asuntos Exteriores. «Contaba con la gran amistad de Inglaterra» y con las «firmes promesas» hechas en relación al apoyo que se daría a Persia. «Estoy totalmente decepcionado» por la forma en que ha salido todo, continuaba el embajador, y advertía de que «si las cosas se mantienen en el estado en que hoy se encuentran, no será en absoluto para honor de Inglaterra».[14] Como consecuencia del ataque de Napoleón, Rusia había pasado a ser un aliado útil; el sacrificio de los lazos con Persia era el precio que había que pagar.

La importancia creciente de Rusia en el nivel internacional no se limitaba a Europa u Oriente Próximo, pues sus tentáculos se extendían todavía más lejos. A diferencia del mundo que hoy vemos, en la primera mitad del siglo XIX la frontera oriental de Rusia no estaba en Asia, sino en un lugar completamente diferente: en Norteamérica. Las primeras colonias se habían establecido cruzando el mar de Bering hacia lo que hoy es Alaska, después de lo cual se fundaron nuevas comunidades en la costa oeste de Canadá y más allá, hacia el sur, hasta Fort Ross, en el condado de Sonoma (California), a comienzos de la década de 1800. Estas no eran de comerciantes de paso, sino de colonos permanentes que invertían en la construcción de puertos, instalaciones para almacenamiento e incluso escuelas. En la costa del Pacífico los niños locales de «origen criollo» se educaban en ruso y se les enseñaba el currículo ruso, y a algunos se los enviaba a estudiar a San Petersburgo, donde se matriculaban en la prestigiosa Academia de Medicina de la ciudad.[15] En una curiosa coincidencia temporal, los enviados del zar llegaban a la bahía de San Francisco para conversar sobre abastecimiento con el gobernador español casi en el momento exacto en el que sir Gore Ouseley sondeaba a los rusos como aliados potenciales tras la invasión napoleónica de 1812.[16]

El problema fue que, a medida que aumentaba el ritmo al que Rusia ampliaba sus fronteras, también lo hacía su confianza. Las actitudes hacia quienes estaban más allá de esas fronteras empezaron a endurecerse. De forma creciente, los pueblos del sur y el centro de Asia pasaron a ser considerados bárbaros a los que había que ilustrar y, por supuesto, a ser tratados como correspondía. Las consecuencias de esto fueron desastrosas, en particular en Chechenia, donde Alexéi Ermólov, un general tozudo y sanguinario, sometió a la población local a una violencia espantosa en la década de 1820. Eso no solo allanó el camino para el surgimiento de un líder carismático capaz de dirigir un movimiento de resistencia eficaz, el imam Shamil, sino que envenenó las relaciones entre esta región y Rusia durante generaciones.[17]

La imagen tópica del Cáucaso y el mundo estepario como lugares violentos e ingobernables se afianzó; ejemplos típicos son los poemas *El prisionero del Cáucaso*, de Alexandr Pushkin, y *Canción de cuna*, de Mijaíl Lérmontov, en el que un checheno sediento de sangre y armado con una daga se arrastra por la orilla de un río deseando matar a un niño.[18] Como señaló un destacado político radical a su audiencia en Kiev, mientras que al oeste Rusia limitaba con «la ilustración más sofisticada», en el este se enfrentaba a una ignorancia profunda. Era un deber, por tanto, «compartir el conocimiento con nuestros vecinos semibárbaros».[19]

No todos estaban tan seguros de ello. Durante las siguientes décadas, los intelectuales rusos discutieron acerca de hacia dónde debía mirar el imperio: hacia los salones y el refinamiento de Occidente, o hacia el este, a Siberia y Asia Central. Hubo un abanico de respuestas diferentes. Para el filósofo Piotr Chaadaev, los rusos no pertenecían «a ninguna de las grandes familias de la humanidad; no somos ni de Occidente ni de Oriente».[20] Para otros, en cambio, los territorios vírgenes del este constituían una oportunidad, la ocasión de que Rusia tuviera su propia India.[21] Las grandes potencias de Europa dejaron de ser vistas como modelos a emular y se convirtieron en rivales cuyo predominio había que desafiar.

El compositor Mijaíl Glinka buscó inspiración en la historia de los antiguos rus' y los jázaros para la ópera *Ruslán y Luidmila*, mientras que Alexandr Borodin miró hacia el este para componer el poema sinfónico *En las estepas de Asia Central*, que evoca las caravanas y el comercio a larga distancia a través de las estepas, y las *Danzas polovtsianas*, inspiradas en los ritmos de la vida nómada.[22] El interés por el «orientalismo», visible ya fuera en el tema, la armonía o la instrumentación, fue un rasgo constante de la música clásica rusa del siglo XIX.[23]

Dostoievski presentó con pasión su argumento de que Rusia no solo debía involucrarse con el este, sino abrazarlo. A finales del siglo XIX, en un famoso ensayo titulado *¿Qué es Asia para nosotros?*, argumentó que Rusia tenía que liberarse de los grilletes del imperialismo europeo. En Europa, escribió, somos parásitos y esclavos; en Asia, «vamos como señores».[24]

Puntos de vista como este eran producto de los éxitos continuados en el extranjero. En la década de 1820 se obtuvieron ganancias adicionales en el Cáucaso después de que Persia lanzara un ataque con resultados desastrosos. Todavía dolido por los términos del tratado de Gulistán y alentado por la animosidad de la población local hacia el general Ermólov, cuya decisión de ahorcar a mujeres y niños en las plazas públicas causaba gran indignación, el sah Fatḥ ʿAlī ordenó cargar contra las posiciones rusas en 1826.[25] La respuesta fue devastadora: tras la destitución de Ermólov, el ejército del zar avanzó en tropel hacia el sur a través de los pasos de las montañas del Cáucaso, destruyó a las tropas persas y, en 1828, obligó al sah a aceptar un acuerdo de paz que era todavía peor que el impuesto quince años antes: Persia tuvo que ceder todavía más territorio a Rusia y pagarle además una suma de dinero enorme. La humillación fue tal que el debilitado monarca tuvo que pedirle al zar que respaldara formalmente la sucesión de su heredero, el príncipe ʿAbbās Mīrzā, después de su muerte, pues temía que de lo contrario este no conseguiría ascender al trono y mucho menos mantener el poder.

No tardaron mucho en estallar disturbios violentos en Teherán. La multitud escogió como objetivo la embajada rusa y en febrero de 1829 asaltó el edificio. El dramaturgo Alexandr Griboyédov, de treinta y seis años, autor de la espléndida comedia *La desgracia de ser inteligente*, que como ministro del zar en la ciudad había adoptado una posición inflexible en las negociaciones con Persia, fue asesinado por la turba, que arrastró su cuerpo uniformado por las calles.[26] El sah tomó medidas de inmediato para evitar una invasión a gran escala. Envió a su nieto preferido a presentar sus disculpas al zar, en compañía de varios poetas que debían ensalzarlo como el «Solimán de nuestra época» y, más importante todavía, portando como regalo una de las mayores piedras preciosas del mundo. El conocido como «diamante Sah», una piedra de casi noventa quilates de peso que, rodeado de rubíes y esmeraldas, había adornado en otra época el trono de los emperadores de la India, se enviaba ahora a San Petersburgo como ofrenda de paz definitiva. El regalo obró el efecto esperado: todo el asunto, declaró el zar Nicolás I, quedaba olvidado.[27]

Entre tanto, la tensión crecía en Londres. Si a comienzos del siglo XIX se había enviado una embajada a Persia con el fin de contrarrestar la amenaza y megalomanía de Napoleón, ahora Gran Bretaña se descubría ante el desafío que le planteaba un rival diferente e inesperado: no era ya Francia la que constituía una amenaza, sino Rusia, y lo peor era que su alcance parecía extenderse cada día y en todas las direcciones. Algunos lo habían visto venir. Sir Harford Jones, que fue embajador en Teherán, señaló que la política británica implicaba «la entrega de Persia, atada de pies y manos a la corte de San Petersburgo». Otros fueron aún más directos. En lo que respecta a la política en Asia, escribió lord Ellenborough, una destacada figura del gabinete del duque de Wellington en la década de 1820, lo que tenía que hacer Gran Bretaña era sencillo: «Limitar el poder de Rusia».[28]

Por tanto, era en verdad preocupante que la evolución de los acontecimientos en Persia hubiera fortalecido la mano del zar, hasta el punto de convertirle en el protector del sah y su régimen. En 1836-1837, cuando se produjeron graves levantamientos contra el dominio ruso en las estepas kazajas y se interrumpió el comercio con Asia Central y la India, Rusia animó al nuevo sah de Persia, Muḥammad, a avanzar sobre Herat, en el oeste de Afganistán, con la esperanza de abrir una ruta nueva, alternativa, para el comercio con el este. Para ayudarles a alcanzar sus objetivos, los rusos proporcionaron apoyo militar y logístico a las fuerzas persas.[29] Eso tomó por sorpresa a los británicos, que entraron en pánico.

El giro de los acontecimientos alarmó a lord Palmerston, el ministro de Exteriores. «Rusia y Persia están jugando a engañar en Afganistán [sic]», escribió en la primavera de 1838, si bien seguía siendo optimista y pensando que la situación no tardaría en resolverse satisfactoriamente.[30] Sin embargo, al cabo de unas pocas semanas, pasó a estar de verdad preocupado. La joya de la corona del imperio británico de repente parecía vulnerable. Las acciones de Rusia la habían situado «un tanto demasiado cerca de nuestra puerta en la India», escribió a un confidente. Un mes después, ya estaba advirtiendo a otros de que la barrera entre Europa y la India había desaparecido «dejando el camino abierto a una invasión hasta nuestra misma puerta».[31] Las perspectivas parecían realmente sombrías.

El envío, como medida de emergencia, de un contingente a ocupar la isla de Jarg, en el golfo Pérsico, fue suficiente para distraer la atención del sah y lograr que abandonara el sitio de Herat. Sin embargo, los pasos adoptados a continuación fueron desastrosos. Ansiosos por forjar un líder fiable que les ayudara a reforzar la seguridad de su posición en Asia Central, Gran Bretaña intervino en la turbulenta situación de Afganistán. Tras conocer que el gobernante del país, Dost Muḥammad, había recibido a una embajada rusa con una propuesta de cooperación, los británicos tomaron la decisión de apoyar a su rival, Shah Shuja, con la intención de instalarlo en el trono. A cambio, Shuja prometió aceptar el acuartelamiento de tropas británicas en Kabul y aprobar la reciente anexión de Peshawar por parte del poderoso e influyente marajá de Punyab, uno de los colaboradores de Gran Bretaña.

En un principio, el plan funcionó como un reloj y se consiguió controlar sin mucho alboroto Quetta, Kandahar, Gazni y Kabul, los puntos clave de acceso en los ejes este-oeste y norte-sur. Pero no fue la primera vez, y no cabe duda de que tampoco la última, que la intervención extranjera creaba un imán para los intereses dispares y normalmente divididos que convivían en Afganistán. Las diferencias tribales, étnicas y lingüísticas se dejaron de lado y el apoyo a Dost Muḥammad creció con rapidez arrolladora a costa del interesado e impopular Shah Shuja, que terminó siendo el cabeza de turco, en especial después de que promulgara unas directivas que parecían favorecer a los británicos a expensas de la población local. Por todo el país las mezquitas empezaron a negarse a leer la *ḫuṭba*, la aclamación en honor del soberano, en nombre de Shuja.[32] Al poco tiempo, Kabul se volvió un lugar cada vez más inseguro tanto para los británicos como para cualquier sospechoso de simpatizar con ellos.

En noviembre de 1841, Alexander Burnes, un viajero escocés que había recorrido de cabo a rabo la región y era muy conocido en Gran Bretaña gracias a sus famosas publicaciones y su incesante autopromoción, fue emboscado y asesinado en la capital.[33] No mucho después, los británicos tomaron la decisión de retirarse a la India. En enero de 1842, en uno de los episodios más humillantes y tristemente célebres de la historia militar de Gran Bretaña, la columna de las fuerzas evacuadas, al mando del general de división Elphinstone, fue atacada y aniquilada cuando se dirigía hacia Jalalabad a través de las montañas cubiertas de nieve. La leyenda cuenta que solo un hombre llegó vivo a la ciudad de destino: el doctor William Brydon, al que un ejemplar de la revista *Blackwood* le salvó la vida; en un intento de mantener la cabeza caliente, enrolló la revista y la metió dentro del sombrero, con tanta suerte que recibió la mayor parte del espadazo que, de lo contrario, con seguridad lo hubiera matado.[34]

Los esfuerzos de Gran Bretaña por anticiparse a la penetración rusa en otras partes no tuvieron más éxito. Las embajadas para construir puentes con el emir de Bujará y ganar influencia en el norte de Afganistán se volvieron en su contra de forma espectacular. La imagen del pintoresco atraso que Alexander Burnes y otros autores ofrecían de la región alimentó en los británicos la falsa idea de que serían recibidos con los brazos abiertos. Nada más lejos de la realidad. Los janatos centroasiáticos de Jiva, Bujará y Kokand eran ferozmente independientes y no tenían ningún interés en verse envueltos en lo que un aspirante a mandarín británico, como de costumbre egocéntrico, etiquetó con ingenuidad como «el gran juego».[35] A comienzos de la década de 1840 dos oficiales británicos, el coronel Charles Stoddart y el capitán Arthur Conolly, que habían llegado a Bujará para ofrecer soluciones a los problemas de las relaciones anglo-rusas en Asia Central, fueron decapitados delante de una gran multitud de espectadores entusiastas.[36]

Un tercer personaje llegó después a Bujará: un individuo singular llamado Joseph Wolff. Hijo de un rabino alemán, Wolff se había convertido al cristianismo y había estudiado teología en Roma, de donde fue expulsado, y en la Universidad de Cambridge, bajo la dirección de un antisemita con opiniones tan provocadoras que los estudiantes le arrojaban huevos podridos en las calles de la ciudad.[37] Habiendo partido de Gran Bretaña como misionero, en un primer momento viajó a Oriente con la intención de buscar a las tribus perdidas de Israel. Al final, sin embargo, terminó encaminándose a Bujará para investigar sobre los enviados desaparecidos, de los que nada se sabía. El emir quizá adivinó que se acercaba un excéntrico al recibir la carta con la que el visitante se anunciaba: «Yo, Joseph Wolff, famoso derviche de los cristianos de Inglaterra». Sabed, continuaba, que «estoy a punto de entrar en Bujará» para comprobar la información de que Conolly y Stoddart han sido ejecutados, un rumor que «conociendo la hospitalidad de los habitantes de Bujará, me niego a creer». Aunque al llegar a la ciudad se le encarceló y se le dijo que esperara la muerte, tuvo la fortuna de no correr con la misma suerte de los enviados, pues al final le liberaron y le dejaron partir: se había salvado por muy poco.[38]

Lo irónico es que Bujará, y Asia Central en general, no tenían mucho interés para Rusia desde un punto de vista estratégico. Trabajos básicos de etnografía publicados en este periodo, como los estudios de Alexéi

Levshin sobre los kazajos, que se hicieron populares en San Petersburgo, revelan una curiosidad creciente acerca de esos pueblos que no sabían leer ni escribir, pero entre los que era posible detectar «los rudimentos de la música y la poesía», a pesar de que su ignorancia y tosquedad eran patentes.[39] Como señalaban los escritos de Burnes, los objetivos de Rusia en la región eran sin duda modestos: las dos prioridades eran fomentar el comercio y acabar con la venta de rusos como esclavos. El problema fue que este no fue el mensaje que sus lectores asimilaron: lo que realmente tocó la fibra sensible de Gran Bretaña fue su indicación alarmista de que «la corte de San Petersburgo desde hace tiempo abriga planes en esta parte de Asia».[40]

Eso encajaba con la creciente ansiedad de los británicos en otros lugares. El cónsul general en Bagdad, Henry Rawlinson, presionó incansablemente, advirtiendo a todo el que quisiera oírle que a menos de que se controlara el ascenso de Rusia, una gran amenaza se cerniría sobre el imperio británico en la India. Las opciones para Gran Bretaña eran dos: extender el imperio en Mesopotamia para construir un tapón eficaz que protegiera el acercamiento desde el oeste o enviar un gran ejército desde la India para atacar a los rusos en el Cáucaso.[41] Rawlinson se encargó de apoyar a todas las insurgencias antirrusas locales que fue capaz de encontrar: canalizó armas y dinero para el imam Shamil, cuyos seguidores en Chechenia eran una espina clavada en el costado de Rusia a mediados del siglo XIX.[42] El apoyo proporcionado por el diplomático británico ayudó a fundar la larga tradición de terrorismo checheno contra Rusia.

Como era inevitable, Gran Bretaña aprovechó para poner en su lugar a Rusia tan pronto vio la oportunidad. De forma deliberada, se permitió que una serie de altercados por el trato que recibían los cristianos en el Imperio Otomano escalara con rapidez hasta justificar el envío de un contingente considerable al mar Negro en 1854, donde a las fuerzas británicas se sumaron las francesas, ansiosas por proteger sus muchos intereses en Constantinopla, Alepo y Damasco. El objetivo era sencillo: dar una lección a Rusia.[43]

Como anotó lord Palmerston mientras las hostilidades tenían lugar, «el objetivo principal y verdadero de la guerra era contener la beligerante ambición de Rusia». El premio que estaba en juego en la oscura guerra que se libraba en la península de Crimea y el mar de Azov (con brotes relámpago en otros lugares, como el Cáucaso y junto al Danubio, por ejemplo) era mucho más significativo de lo que parecía a primera vista. De hecho, el respetado y carismático ministro de Exteriores británico llegó incluso a presentar a sus colegas un plan formal para el desmembramiento de Rusia: la forma de controlar Rusia y, por lo tanto, de proteger los intereses de Gran Bretaña en la India, era entregar el control de Crimea y de toda la región del Cáucaso a los otomanos.[44] Aunque la extravagante estrategia no llegó a ponerse en práctica, el hecho de que se planteara es un potente indicio de la importancia que había adquirido la expansión de Rusia en la mente del gobierno británico.

Algunos vieron con horror la invasión anglo-francesa. Karl Marx, que escribió furiosa y extensamente sobre el conflicto a medida que avanzaba, halló en él un material fértil con el cual desarrollar las ideas acerca del impacto ruinoso del imperialismo que había expuesto por primera vez unos años antes en *El manifiesto comunista*. Marx documentó con detalle el aumento del gasto militar y naval y ofreció comentarios continuos en el *New York Tribune* en los que atacó con ferocidad la hipocresía de quienes habían arrastrado a Occidente a la guerra. A duras penas consiguió disimular su regocijo cuando lord Aberdeen se vio obligado a dimitir como primer ministro ante la desilusión generalizada que causó el gran número de bajas sufridas en Rusia. Con la escala de los precios desencadenando protestas en Londres, a Marx le parecía obvio que las políticas imperialistas de Gran Bretaña estaban dictadas por una pequeña élite y se implementaban a expensas de las masas. El comunismo no nació con la guerra de Crimea, pero sin duda esta lo avivó.[45]

Como avivó también el movimiento de unificación italiano. Después de castigar el orgullo de Rusia (a costa de la vida de muchos soldados franceses y británicos, incluidos los que participaron en la infausta carga de la brigada ligera), los términos del acuerdo de paz se discutieron en París. Uno de los que se sentaron en la mesa de negociaciones fue el conde Cavour, el primer ministro de Cerdeña, que debía su participación a la decisión de Víctor Manuel, el rey de la isla, de enviar una fuerza auxiliar al mar Negro para ayudar a Francia. Cavour utilizó con habilidad su momento bajo los focos para pedir una Italia unida e independiente, una llamada que los aliados vieron con simpatía y contribuyó a movilizar el apoyo en su país.[46] Cinco años después, el rey de Cerdeña se había convertido en el rey de Italia, un nuevo país forjado a partir de ciudades y regiones dispares. El imponente Altare della Patria, el monumento que se alza en el centro de Roma y que fue construido tres décadas después para, en palabras de Primo Levi, hacer que Roma se sintiera italiana y que Italia se sintiera romana, marcó la culminación de un proceso al que había dado impulso la lucha por la tierra y la influencia librada a miles de kilómetros al este.[47]

Para Rusia, los términos impuestos en las conversaciones de paz de París en 1856 fueron simple y llanamente desastrosos. Gran Bretaña y Francia colaboraron para atar la soga alrededor del cuello de su rival: despojada de las conquistas obtenidas con tanto esfuerzo en el Cáucaso, Rusia sufrió la ignominia de verse privada de acceso militar al mar Negro, que se declaró neutral y en el que se prohibió la presencia de buques de guerra. De forma similar, se acordó la desmilitarización del litoral, donde no podría haber fortificaciones ni almacenes de armamento.[48]

El objetivo era humillar a Rusia y sofocar sus ambiciones. El efecto fue el contrario: el acuerdo resultó contraproducente y tuvo consecuencias peligrosas, una especie de tratado de Versalles *ante litteram*. Dejando de lado el hecho de que era tan punitivo y restrictivo que los rusos de inmediato intentaron liberarse de sus grilletes, el acuerdo dio pie a un periodo de cambios y reformas. La guerra de Crimea había revelado que el ejército del zar no estaba a la altura de las tropas aliadas, que tenían más experiencia y estaban mejor adiestradas. Tras recibir informes contundentes que exponían de forma detallada e implacable las limitaciones del ejército ruso, el zar Alejandro II emprendió una revisión radical de las fuerzas armadas.[49]

Se adoptaron medidas drásticas: el servicio militar pasó de veinticinco años a quince, lo que redujo la edad media del ejército de un plumazo, y se compró al por mayor equipamiento moderno para reemplazar el material anticuado e ineficaz.[50] Con todo, el cambio más llamativo provino de una reforma social de gran alcance. Aunque la grave crisis bancaria de finales de la década de 1850 también contribuyó a ello, fue la derrota en Crimea, y la humillación del acuerdo de paz subsiguiente, lo que empujó al zar a abolir la servidumbre, el sistema que mantenía a una parte significativa de la población rusa atada a la tierra y al servicio de los terratenientes ricos. Al cabo de cinco años la emancipación había puesto fin a siglos de esclavitud en Rusia.[51] Según algunos contemporáneos, la medida no fue prematura.[52] Presagiaba un paso decidido hacia la modernización y el liberalismo económico que en la segunda mitad del siglo XIX impulsaron el crecimiento a un ritmo fenomenal: la producción de hierro se quintuplicó entre 1870 y 1890, mientras que la impresionante expansión de la red ferroviaria sirvió, como ha anotado un historiador moderno, para «emancipar a Rusia de las limitaciones que le imponía la geografía» o, en otras palabras, para unir el vasto país.[53] Lejos de contener a Rusia, los británicos habían ayudado a liberar al genio de la botella.

La intensificación de las aspiraciones rusas pudo sentirse mientras aún estaba fresca la tinta del tratado firmado en París. Uno de los delegados del zar en las conversaciones de paz, un agregado militar llamado Nikolái Ignátiev, se enfureció tanto con el trato dado a Rusia y, en particular, por las restricciones impuestas al control sobre su propio litoral en el mar Negro, que hizo arreglos con el príncipe Gorchakov, que fuera condiscípulo y confidente de Alexandr Pushkin, para que encabezara una misión con destino a Asia Central. El objetivo era inequívoco: «La investigación [de esta región] y la promoción de lazos de amistad que aumenten la influencia de Rusia y reduzcan la de Gran Bretaña».[54]

Ignátiev presionó con insistencia para conseguir que se mandaran expediciones a Persia y Afganistán y enviados a los janatos de Jiva y Bujará. La meta, dijo sin rodeos, era encontrar una ruta hacia la India a través de cualquiera de los dos grandes ríos que desembocan en el mar de Aral, el Sir Daria y el Amu Daria. Sería ideal, argumentaba, que Rusia pudiera forjar una alianza con los pueblos en las fronteras de la India y, asimismo, fomentar la hostilidad hacia los británicos: esa era la forma de poner a Rusia en la puerta principal, y no solo en Asia.[55]

Las misiones encabezadas por Ignátiev y otros dieron fruto. En los quince años posteriores a la finalización de la guerra de Crimea, Rusia puso bajo su control cientos de miles de kilómetros cuadrados sin tener que recurrir al uso de la fuerza. Las expediciones dirigidas con acierto, sumadas a la presión diplomática sagaz que se ejerció sobre China, permitieron dar «pasos gigantes» en Lejano Oriente «en el breve lapso de un decenio», como señaló un experimentado observador en un informe elaborado para el Ministerio de Asuntos Exteriores británico en 1861.[56]

No mucho después, otra franja importante de la estepa meridional cayó en manos de Rusia, junto con las ciudades oasis del corazón de Asia. Para finales de la década de 1860, Taskent, Samarcanda y Bujará, así como gran parte del próspero valle de Ferganá, se habían convertido en «protectorados» o vasallos de San Petersburgo, un preludio de la anexión e incorporación total al imperio. Rusia se estaba construyendo su propia y enorme red de comercio y comunicaciones, que ahora conectaba Vladivostok, en el este, con la frontera de Prusia, en el oeste, y los puertos del mar Blanco, al norte, con el Cáucaso y Asia Central, al sur.

El relato, con todo, no era completamente positivo. Aunque después de la debacle de la guerra de Crimea el país se había embarcado en un necesitadísimo programa de modernización, los músculos de Rusia iban tensándose a medida que crecía. Generar el efectivo que ayudaba a financiar la transformación del imperio era un problema constante, uno que condujo a la penosa decisión de deshacerse de Alaska por razones geopolíticas y financieras.[57] No obstante, a medida que aumentaba la preocupación por las implicaciones que tenían para el imperio británico los cambios llevados a cabo en Rusia, en Londres se empezaron a considerar formas de detener la marea o, en caso de que eso fuera imposible, de desviar la atención de Rusia hacia otra parte.

# Capítulo 16

# LA RUTA DE LA GUERRA

A finales del siglo XIX, la confianza de Rusia, el optimismo incluso, estaba aumentando con rapidez. Y no pasó mucho tiempo antes de que la atención virara hacia la rescisión de las cláusulas acerca del mar Negro estipuladas en el tratado de París. Sin hacer ruido, se sondeó a las cancillerías europeas, una detrás de otra, en busca de apoyos para la revisión general del tratado y la eliminación de las cláusulas relevantes. La mayoría tuvo poco que objetar. Hubo una excepción: Londres. En el invierno de 1870, una copia de la propuesta para la supresión de las cláusulas presentada al gobierno británico se filtró a la prensa en San Petersburgo, junto con la noticia de que había sido rechazada de plano en la capital británica. Los esfuerzos del príncipe Gorchakov por forzar la situación funcionaron bien en Rusia, pero fueron recibidos con bramidos furiosos en la prensa de Gran Bretaña.[1]

La posición adoptada por el *Spectator* fue típica de la indignación escandalizada que suscitaba la idea. El intento de Rusia de renegociar el tratado era diabólico, declaró la publicación, pues «el mundo no había conocido nunca un desafío más abierto y osado de la ley europea, la moral internacional y de la política británica» que la nota rusa.[2] La propuesta de suprimir las cláusulas convencieron a algunos de que la guerra era inminente y de que Gran Bretaña no tenía otra opción que usar la fuerza si quería mantener las restricciones. Esta reacción era monstruosa, escribió John Stuart Mill en una carta a *The Times*; el paso dado por los rusos quizá fuera provocador, pero no debería conducir a un conflicto militar. De la misma opinión era la reina Victoria, que envió un telegrama al ministro de Exteriores, lord Granville: «¿Podría insinuarse a los principales diarios», escribió, «que se abstengan de estimular el espíritu bélico aquí?».[3]

El desencadenante de los altos niveles de ansiedad no era tanto la inquietud por el mar Negro como la preocupación general acerca de la exhibición de una fuerza cada vez mayor por parte de Rusia. Siendo la acción militar una posibilidad poco realista y careciendo de buenas cartas que jugar, Gran Bretaña no tuvo otra opción que ceder, lo que motivó ásperos intercambios en la Cámara de los Comunes entre el primer ministro, William Gladstone, y el carismático Benjamin Disraeli. Rusia consiguió lo que buscaba, a saber, la libertad de hacer lo que quisiera a lo largo del litoral y establecer buques de guerra en los puertos de la península de Crimea y otras partes de la costa septentrional del mar Negro. La noticia fue recibida con euforia en San Petersburgo, de acuerdo con un testigo presencial británico, y se presentó como un «triunfo» para Rusia. El zar Alejandro II, del que se dijo que estaba «exultante», ordenó que se cantara un tedeum en la capilla del Palacio de Invierno antes de dirigirse a la catedral de San Pedro y San Pablo, donde estuvo rezando «durante un tiempo con señales de profunda emoción».[4]

Gran Bretaña había sido incapaz de traducir su poderío económico en un triunfo diplomático y político. Pronto se adoptaron nuevos enfoques. Una de las cuestiones que se plantearon fue la del título del soberano británico. Dado el tamaño y la distribución de los dominios, regiones, pueblos y lugares que eran súbditos de la corona, se propuso que la monarquía debía ascender de categoría y tener un título imperial en lugar de uno real. El cambio cosmético fue tema de debates inflamados en las cámaras del Parlamento, con los tradicionalistas horrorizados ante la idea de cambiar rangos, títulos y nombres que se habían mantenido vigentes durante siglos. Los reyes tenían autoridad suprema sobre los gobernantes subordinados, dijo lord Granville a la Cámara de los Lores; no había razón ni justificación para reformar el título del soberano. «Mis lores», declaró, «en relación a la dignidad de Su Majestad, ningún nombre puede estimular la imaginación con tanta fuerza como el de Victoria, reina de Gran Bretaña e Irlanda». Era así como la reina debía ser conocida.[5]

El problema eran Rusia y el zar. Aparte de remontarse a la Roma imperial (la palabra «zar» es sencillamente una contracción de «césar»), el título formal del zar en toda su gloria, usado en la correspondencia oficial y en ocasiones formales, hacía referencia a una complicada y extensa lista de los territorios sobre los que mandaba. A mediados de la década de 1870, Disraeli, ya convertido en primer ministro, hizo hincapié en el Parlamento en que un título más elevado que el de reina ayudaría a infundir confianza en la población de la India, a la que ya preocupaba el avance

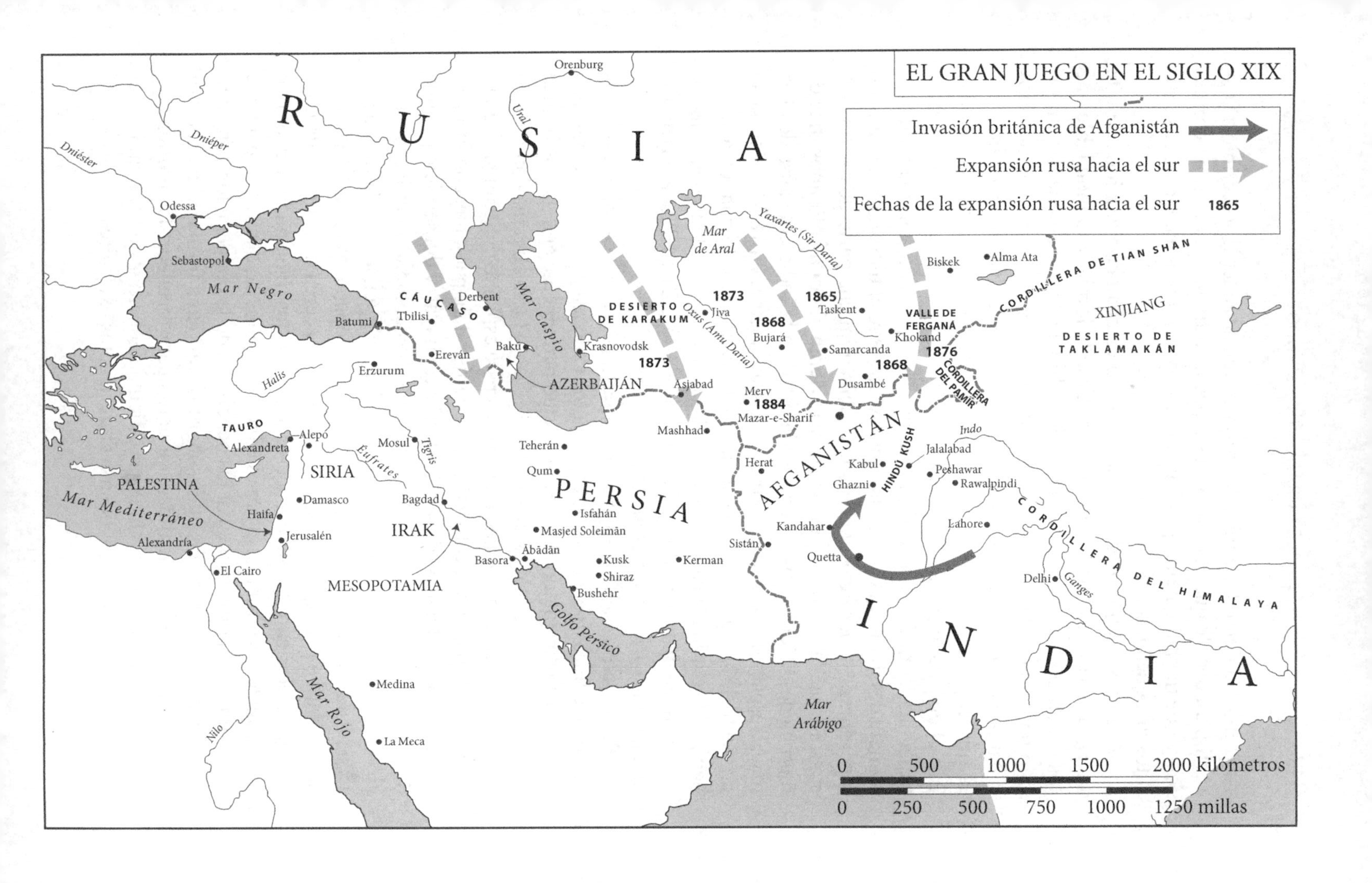

EL GRAN JUEGO EN EL SIGLO XIX
Invasión británica de Afganistán
Expansión rusa hacia el sur
Fechas de la expansión rusa hacia el sur
1865
RUSIA
PERSIA
AFGANISTÁN
INDIA
Orenburg
Ural
Dniéper
Dniéster
Odessa
Sebastopol
Mar Negro
Batumi
CÁUCASO
Tbilisi
Derbent
Ereván
Bakú
Mar Caspio
Krasnovodsk
AZERBAIJÁN
DESIERTO DE KARAKUM
Oxus (Amu Daria)
Jiva
1873
1873
Asjabad
Mar de Aral
Yaxartes (Sir Daria)
1868
Bujará
1865
Taskent
Samarcanda
1868
Dusambé
VALLE DE FERGANÁ
Khokand
1876
CORDILLERA DEL PAMIR
Biskek
Alma Ata
CORDILLERA DE TIAN SHAN
XINJIANG
DESIERTO DE TAKLAMAKÁN
Merv
1884
Mazar-e-Sharif
Mashhad
Herat
Kabul
Jalalabad
Peshawar
Rawalpindi
Ghazni
HINDÚ KUSH
Indo
Kandahar
Quetta
Lahore
Sistán
CORDILLERA DEL HIMALAYA
Delhi
Ganges
Erzurum
Halis
TAURO
Alepo
Alexandreta
SIRIA
Mosul
Tigris
Éufrates
Teherán
Qum
Isfahán
Masjed Soleimān
Ābādān
Kusk
Shiraz
Kerman
Bushehr
Basora
Golfo Pérsico
Bagdad
IRAK
MESOPOTAMIA
PALESTINA
Damasco
Haifa
Jerusalén
Mar Mediterráneo
Alexandría
El Cairo
Nilo
Mar Rojo
Medina
La Meca
Mar Arábigo
0 500 1000 1500 2000 kilómetros
0 250 500 750 1000 1250 millas

ruso en Asia Central. La reina Victoria estaba de acuerdo y escribió a Disraeli para decirle que «atacar a Rusia desde la India es el camino correcto» y que un título mejor quizá ayudara a concentrar la lealtad de sus súbditos en aquellos territorios.[6]

Algunos miembros del Parlamento no estaban convencidos de que fuera necesario competir con los rusos de esta forma. Era indudable que los británicos, «que hemos gobernado la India por un centenar de años», dijo un parlamentario, no nos sentimos tan inseguros acerca de nosotros mismos como para necesitar cambiar el título de la reina únicamente «con el fin de que nuestra monarquía pueda situarse en términos de igualdad con el emperador de Rusia».[7] Otros, sin embargo, subrayaron el cambio espectacular que había sufrido la situación en Oriente, proclamando de manera desafiante que «el control británico sobre el Indostán está llamado a perdurar» y, por tanto, «no debe cederse ninguna parte de ese territorio». El que las fronteras de Rusia estuvieran ahora a solo unos días de marcha desde los dominios de Su Majestad en la India era causa de alarma.[8] Después del acalorado debate en el Parlamento, en 1876 se aprobó el proyecto de ley que proclamaba que Victoria no era solo una reina, como había sido coronada casi cuatro décadas antes, sino también una emperatriz. Eso fue de su agrado: en Navidad le envió a Disraeli una tarjeta firmada como «Victoria, Regina et Imperatrix».[9]

Pasos como este, en apariencia superficiales, estuvieron acompañados de medidas más prácticas en un entorno de tensiones crecientes, con los británicos instalados en una inquietud permanente ante la posibilidad de perder terreno a manos de sus rivales. Tanto Gran Bretaña como Rusia se obsesionaron con la creación de redes para espiarse mutuamente, granjearse a la población local y cultivar la amistad de personas con influencia. El coronel Maclean, de la caballería del Punyab y del servicio político de la India, fue uno de aquellos a los que se encomendó vigilar la situación en las fronteras entre Persia, la India y Afganistán en la década de 1880. Para ello, creó grupos de comerciantes y operarios de telégrafo a los que incentivó para que le pasaran información acerca de lo que ocurría en la región. Maclean también se acercó a los clérigos musulmanes, a los que regaló chales, alfombras, cigarros e incluso anillos de diamantes para que inculcaran a la población local los beneficios de la cooperación con Gran Bretaña. Maclean justificó estos sobornos como una forma de dar apoyo a amigos influyentes. En realidad, sirvieron para fortalecer la autoridad religiosa por toda la región, un lugar difícil de gobernar que era también el centro de una competencia intensa entre agentes exteriores.[10]

Desde el punto de vista británico, existía una preocupación real acerca de las intenciones y la capacidad de Rusia y la amenaza que su expansión en Asia Central suponía para la defensa de la India. En Londres se volvió a hablar de confrontación militar con Rusia y Disraeli llegó a aconsejar a la reina que estuviera preparada para autorizar el envío de tropas «al gofo Pérsico y [que] la Emperatriz de la India deba ordenar a sus ejércitos despejar Asia Central de moscovitas y empujarlos al Caspio».[11] Tan nerviosas estaban las autoridades que el virrey, lord Lytton, ordenó no una sino dos invasiones de Afganistán en 1878-1880 e instaló a un títere en el trono de Kabul. A Persia se la cortejó de forma asidua para conseguir que firmara la convención de Herat, con la que se comprometía a proteger Asia Central del avance ruso. Eso no fue una tarea sencilla, pues Persia también tenía intereses en la región y estaba reponiéndose de las magulladuras que le había dejado una intervención reciente de los británicos en la que Afganistán había resultado favorecido a su costa.[12] Entre tanto, se adoptaron medidas para hacer contactos más allá de Kandahar con el fin de disponer de mejores sistemas de alerta que avisaran de cualquier iniciativa rusa, ya fuera militar o de otro tipo.[13]

Los altos mandos del ejército invirtieron energías considerables en evaluar lo que debía hacerse en caso de que los rusos invadieran el Raj. Desde finales de la década de 1870, se prepararon una serie de informes que examinaban la cuestión desde una perspectiva estratégica amplia: se reconocía que los acuerdos y tensiones con Rusia en otros escenarios podrían tener, y probablemente tendrían, un impacto en Oriente. Un memorando elaborado tras la invasión rusa de los Balcanes en 1877 abordaba «las medidas que deben adoptarse en la India en caso de que Inglaterra se sume a Turquía en la guerra contra Rusia». Otro escrito de 1883 se preguntaba: «¿Es posible una invasión de la India por parte de Rusia?»; y otro más, no mucho después de este: «¿Cuáles son los puntos vulnerables de Rusia y cómo han afectado los acontecimientos recientes a nuestra política de fronteras en la India?». El nombramiento de su autor, el belicoso general sir Frederick Roberts (posteriormente lord) como comandante en jefe de la India en 1885 es un indicio claro de cuán en serio se tomaron los memorandos.[14]

No todos compartían esta visión desalentadora de la situación en Asia, incluso después de que, en 1886, los británicos asumieran una serie de planes de invasión preparados por el general Alexéi Kuropatkin.[15] Henry Brackenbury, el director de la inteligencia militar, consideraba que la amenaza se estaba exagerando, tanto en términos de la disposición de Rusia a atacar como en términos de la preparación del ejército del zar para hacerlo.[16] George Curzon, que al cabo de una década se convertiría en virrey de la India, pero que entonces era todavía un parlamentario joven y prometedor, además de miembro galardonado de All Souls, el colegio oxoniense, se mostraba incluso más desdeñoso. No veía ningún plan maestro o gran estrategia detrás de los intereses de Rusia en Oriente. Lejos de ser «coherente o implacable o profunda», escribió en 1889 acerca de la política exterior rusa, «creo que se trata de una política precaria, una política de esperar a que los acontecimientos se produzcan, de beneficiarse de los errores de otros y, con frecuencia, de cometerlos ella misma».[17]

Ciertamente había mucho de fanfarronería y mera ilusión en las actitudes de Rusia hacia el gran cuadro de Asia Central y en relación a la India en particular. Dentro de la jerarquía militar había exaltados que hablaban de planes grandiosos para reemplazar a Gran Bretaña como potencia dominante en el subcontinente, a la vez que se daban pasos para sugerir que el interés de Rusia estaba lejos de ser pasivo: por ejemplo, enviar oficiales a aprender hindi en preparación de la inminente intervención en la India. Y también había quien alentaba esa actitud desde el propio subcontinente, como el maharajá del Punyab, Duleep Singh, que escribió al zar Alejandro III prometiéndole «liberar a unos doscientos cincuenta millones de compatriotas del cruel yugo del dominio británico» y asegurando que hablaba por «la mayoría de los príncipes poderosos de la India», aparentemente una invitación abierta a que Rusia expandiera sus fronteras todavía más al sur.[18]

En la práctica, sin embargo, las cosas no eran tan sencillas. Por un lado, ya entonces Rusia estaba lidiando con la espinosa cuestión de cómo incorporar las vastas regiones que hacía poco habían entrado en la órbita imperial. Los funcionarios enviados a Turquestán tenían que lidiar con registros de tierras complicados y a menudo contradictorios, y sus intentos de modernizar los impuestos y leyes locales para hacerlos más sencillos y eficaces se toparon con la inevitable oposición.[19] También estaba el problema de las creencias abrigadas por la opinión pública, que llevaron al gobierno de San Petersburgo a hablar con cierto pesimismo del «ánimo fanático de nuestras fronteras orientales», consecuencia de la influencia del islam en casi todos los aspectos de la vida cotidiana de estos «nuevos rusos».[20] La preocupación que suscitaba la posibilidad de una insurrección o rebelión en estos territorios recién añadidos al imperio del zar era tan grande que el servicio militar obligatorio no se aplicó en estas regiones, y las exigencias económicas que se les hicieron fueron deliberadamente bajas. Los campesinos rusos, señaló con acidez un destacado intelectual, no gozaban de un trato tan generoso.[21]

Las opiniones acerca de las poblaciones nativas también eran una fuente de complicaciones. Los críticos rusos llamaban la atención sobre la actitud y los prejuicios de los británicos; señalaban, por ejemplo, que en los bazares de Taskent los soldados británicos trataban a los comerciantes «como si estuvieran más cerca de los animales que de los seres humanos». Al parecer, en una ocasión la esposa de un capitán británico se negó a que el maharajá de Cachemira la acompañara a cenar afirmando que se trataba de un «cochino hindú». Sin embargo, pese a todas esas críticas, los rusos no eran precisamente más ilustrados: los funcionarios del zar quizá se quejaran entre sí por la forma en que los británicos trataban a los nativos, pero pocos testimonios demuestran que ellos de verdad vieran las cosas de una manera diferente. «Todos los hindúes sin excepción», escribió un viajero ruso que visitó la India en el siglo XIX, «dedican todas sus habilidades y toda su alma a la usura más horrible. ¡Pobre del desgraciado nativo que se deje seducir por sus engañosas promesas!».[22]

No obstante, los nuevos mundos con los que Rusia estaba entrando en contacto no dejaban de producir cierta excitación, como consignó en su diario el ministro de Interior, Piotr Valuev, en 1865. «El general Cherniaev ha tomado Taskent», escribió. «Nadie sabe por qué ni con qué propósito [pero] hay algo erótico en todo lo que estamos haciendo en los límites lejanos del Imperio.» La ampliación de las fronteras era maravillosa, escribió. Primero Rusia había alcanzado el río Amur, luego el Usuri. Y ahora Taskent.[23]

Con todo, pese a los problemas iniciales, la influencia e implicación de Rusia en Oriente continuó expandiéndose a una velocidad cada vez mayor a medida que el imperio desarrollaba sus propias «rutas de la seda». La construcción del ferrocarril transiberiano, sumada a la conexión con el ferrocarril chino del este, se tradujo en un auge inmediato del comercio, con un volumen que casi se triplicó entre 1895 y 1914.[24] Este proceso contó con el apoyo de nuevas entidades, como el Banco Ruso-Chino, creado para financiar la expansión económica en el Lejano Oriente.[25] Como explicó en 1908 el primer ministro Piotr Stolypin a la Duma, el Parlamento ruso, el este de Rusia era una región preñada de perspectivas y recursos. «Nuestra frontera distante e inhóspita es rica en oro, madera, pieles y espacios inmensos apropiados para la agricultura.» Aunque escasamente poblados hoy, advirtió, esos espacios no permanecerán vacíos por mucho tiempo. Rusia tenía que aprovechar las oportunidades que se le estaban abriendo en ese momento.[26]

Esto difícilmente podía resultar tranquilizador desde el punto de vista de Gran Bretaña, dado el celo con que cuidaba su posición en Lejano Oriente. La apertura de mercados en China, en particular, se había revelado difícil. En 1793, por ejemplo, la primera misión británica había sido tratada con altivez por la corte del emperador Qianlong tras haber solicitado que se les permitiera establecer una comunidad comercial en el país. Las conexiones de China penetraban en las entrañas de «cada país bajo el cielo». Por tanto, la petición no era del todo inesperada, tal como señalaba la carta del emperador que los enviados llevaron a su regreso al rey Jorge III. «Como vuestro embajador puede apreciar por sí mismo», continuaba la misiva con desdén, «poseemos de todo. No atribuyo valor a los objetos extraños o ingeniosos, y no me sirven de nada las manufacturas de vuestro país».[27]

Esto, en realidad, era una fanfarronada, pues a su debido tiempo se alcanzó un acuerdo. La respuesta cargada de hostilidad más bien se fundaba en la conciencia de que Gran Bretaña estaba extendiendo sus tentáculos cada vez más lejos, y la convicción de que el ataque era la mejor forma de defensa.[28] Tal y como se produjeron los acontecimientos, lo cierto es que las sospechas iniciales de China estaban lejos de ser erradas, pues una vez que se le otorgaron privilegios Gran Bretaña apenas vaciló en usar la fuerza para preservar y extender su posición. Un aspecto clave de la expansión comercial británica era la venta de opio, a pesar de las airadas protestas de los chinos, a cuya indignación por los efectos devastadores de la adicción a la droga las autoridades británicas no concedieron ninguna importancia.[29] El tráfico de opio se había ampliado de forma importante tras la firma del tratado de Nankín en 1842, que permitió el acceso a los puertos en los que el comercio había estado limitado previamente, al tiempo que cedía Hong Kong a los británicos; y en 1860, después de que fuerzas británicas y francesas marcharan sobre Beijing, donde saquearon y prendieron fuego al Antiguo Palacio de Verano, se les otorgaron concesiones adicionales.[30]

Algunos vieron en esto un momento trascendental que marcaba un nuevo capítulo en el triunfo de Occidente. «Ha sido el destino de Inglaterra», decía un reportaje en la prensa británica, «quebrar la fibra de un gobierno que durante tanto tiempo había desconcertado al mundo europeo y descubrir ante sus propios súbditos su vacuidad y sus males». Otro cronista era igual de tajante: el «barbarismo misterioso y único» del imperio chino, escribió, había sido desmantelado por «la fuerza de la activa y arrolladora civilización occidental».[31]

En 1885, con Gran Bretaña buscando contrarrestar los progresos de Rusia en el Lejano Oriente, se tomó la decisión de ocupar las islas de Komundo, frente a la costa meridional de la península de Corea, «como base», según se informó al gobierno, «para el bloqueo de la fuerza rusa en el Pacífico» y, asimismo, «como estación avanzada para apoyar las operaciones contra Vladivostok».[32] El objetivo de este movimiento era proteger la posición estratégica de Gran Bretaña y, sobre todo, el comercio con China, de ser necesario mediante un ataque preventivo. En 1894, antes de que los ferrocarriles hubieran abierto nuevas posibilidades, más del 80 por ciento de todos los ingresos por concepto de aduanas recaudados en China lo pagaban Gran Bretaña y las compañías británicas (cuyos buques transportaban más de cuatro quintas partes del comercio total de China). Era evidente que el ascenso de Rusia, y el surgimiento de nuevas rutas terrestres para transportar la producción agraria a Europa, llegarían a expensas de Gran Bretaña.

Fue en este contexto de rivalidad y tensiones crecientes cuando, hacia finales de la década de 1890, se supo que Rusia había empezado a dar pasos para atraer a Persia. Eso planteaba la posibilidad de una alianza que podría suponer la amenaza de un acercamiento a la India desde el noroeste. En Londres se había concedido con antelación, si bien después de muchas deliberaciones, que la presión sobre el subcontinente desde Rusia, vía Afganistán y a través del Hindú Kush, probablemente sería limitada. Para los estrategas armados con lápices y mapas, trazar una ruta desde Asia Central a través de la difícil geografía de la región quizá fuera sencillo; pero se aceptó que, si bien era imposible descartar un ataque sorpresa a pequeña escala, la realidad era que el terreno minimizaba las posibilidades de cualquier esfuerzo militar de envergadura a través de unos pasos de montaña extremadamente difíciles de penetrar y famosos por su carácter traicionero.

Un avance a través de Persia era otra cuestión. Rusia estaba cada vez más activa en su flanco meridional; en 1884 había ocupado Merv en un movimiento que tomó por sorpresa a los oficiales y agentes británicos, que se enteraron de lo ocurrido por la prensa, y ahora empezaba a cortejar al gobierno de Teherán. Con la frontera rusa a unos trescientos kilómetros de Herat, la ruta hacia Kandahar y la India quedaba abierta de par en par. Más preocupante aún era que la expansión rusa llegaba acompañada de proyectos de infraestructuras que conectaban las nuevas regiones a las zonas centrales del país. En 1880 se inició la construcción del ferrocarril transcaspiano, una de cuyas líneas pronto conectó con Samarcanda y Taskent, y para 1899 había un ramal que conectaba Merv con Kusk, a muy poca distancia de Herat.[33] Estas líneas ferroviarias no eran solo simbólicas: eran arterias que permitirían llevar provisiones, armas y soldados hasta la puerta trasera del imperio británico. Como subrayó el mariscal de campo lord Roberts a los oficiales del mando oriental no mucho después, era lamentable que los ferrocarriles hubieran llegado tan lejos. Ahora, sin embargo, se había establecido una línea que «no se puede permitir cruzar a Rusia». Si lo hacía, declaró, se «considerará un *casus belli*», es decir, un motivo para ir a la guerra.[34]

Las líneas ferroviarias también constituían una amenaza económica. En 1900, la embajada británica en San Petersburgo remitió a Londres el resumen de un informe escrito por un oficial ruso que abogaba por extender las vías en Persia y Afganistán. Era probable, admitía el autor del documento, que el nuevo sistema de transporte no sea del gusto de los británicos, pero eso no era una sorpresa: a fin de cuentas, una conexión ferroviaria que abarcara Asia pondría «la totalidad del comercio de la India y Asia Oriental con Rusia y Europa en manos» de Rusia.[35] Esto era algo exagerado, como observó un experimentado diplomático en su respuesta al informe. «Las consideraciones estratégicas planteadas por el autor no tienen un gran valor», escribió Charles Hardinge, porque sería una locura para Rusia hacer movimientos en esta región teniendo Gran Bretaña el control del golfo Pérsico.[36]

No obstante, en un momento en que la inquietud de Gran Bretaña ya era bastante intensa, los rumores sobre el alcance comercial de Rusia se convertían en un motivo de preocupación adicional. Se veían fantasmas y conspiraciones en todos los rincones, y los ansiosos diplomáticos británicos los registraban obedientemente. Se formulaban preguntas incómodas como, por ejemplo, por qué la presencia de un tal doctor Paschoski en Bushehr no se había advertido con más rapidez y si su aseveración de que estaba tratando a las víctimas de la peste de verdad eran ciertas; de forma similar, la visita de un noble ruso, identificado como el «príncipe Dabija», fue vista con extrema sospecha, y el hecho de que pareciera «muy reticente acerca de sus movimientos e intenciones» se señaló y transmitió puntualmente.[37] En Londres, Rusia pasó a encabezar el orden del día en las reuniones del gobierno, llamó la atención del mismo primer ministro y se convirtió en una de las prioridades del Ministerio de Asuntos Exteriores.

A corto plazo, Persia era el escenario en el que la competencia era más intensa. Los gobernantes del país se habían enriquecido gracias a los generosos préstamos blandos que les proporcionaban quienes buscaban forjar buenas relaciones con una nación bendecida con una posición estratégica envidiable como piedra angular entre el este y el oeste. A finales del siglo XIX Gran Bretaña se había esmerado en satisfacer los caprichos, prodigalidad y apetito financiero de los soberanos persas hasta que, en 1898, el sah Mozaffareddín, con sus extravagantes bigotes, dejó caer una bomba al rechazar la propuesta de un nuevo préstamo de dos millones de libras esterlinas. El gobierno británico envió de inmediato a un funcionario de primer nivel para que averiguara qué había ocurrido, pero se topó con un muro de piedra. Lord Salisbury, el entonces primer ministro, siguió la situación personalmente y dio órdenes al Tesoro para que se suavizaran las condiciones del préstamo y se aumentara la cuantía del crédito propuesto. Los rumores sobre lo que estaba ocurriendo entre bambalinas empezaron a circular; finalmente se supo que Rusia se ofrecía a prestar una cantidad mucho mayor que Gran Bretaña y en condiciones mucho mejores.[38]

Esta fue una maniobra astuta por parte de San Petersburgo. Los ingresos fiscales habían crecido considerablemente en Rusia al mismo tiempo que, desde fuera, la inversión extranjera empezaba a llegar a raudales. De forma lenta, pero segura, una clase media comenzaba a surgir en el país: hombres como Lopajin, el personaje de *El jardín de los cerezos*, de Antón Chéjov, que una generación antes habrían estado atados a la tierra, estaban aprovechando el cambio social, los nuevos mercados internos y las nuevas oportunidades de exportación para labrarse una fortuna por sí mismos. A los historiadores de la economía les gusta subrayar el crecimiento del periodo señalando el aumento pronunciado de la urbanización, la producción de arrabio y la cantidad de nuevas vías férreas construidas. Sin embargo, basta echar un vistazo a la literatura, el arte, la danza y la música del periodo, a la aparición de Tolstoi, Kandinski, Diáguilev, Chaikovski y muchos otros para hacerse una idea de lo que ocurría: Rusia estaba viviendo un auténtico auge cultural y económico.

Cada vez más boyante, era inevitable que Rusia se acercara a Persia alimentando su apetito insaciable de efectivo, que en parte derivaba de defectos estructurales de la administración y en parte de los costosos gustos de las clases dirigentes. En Londres se desató el infierno después de que sir Mortimer Durand, el ministro plenipotenciario en Teherán, reportara la información —obtenida de fuentes austriacas a comienzos de 1900— de que el gobierno del zar estaba dispuesto a prestar dinero a Persia y superar la oferta de Gran Bretaña.[39] Se crearon comités para estudiar la posibilidad de extender el ferrocarril desde Quetta hasta Sistán y construir una red de líneas de telégrafo, «para salvar a Persia meridional», según escribió lord Curzon, «de caer en las garras» de Rusia.[40]

Se hicieron propuestas radicales para contrarrestar lo que se percibía como el avance de Rusia, incluida la de realizar grandes trabajos de irrigación en la región de Sistán, como un modo de cultivar la tierra y construir lazos con la población local. Se llegó a hablar incluso de arrendar tierras en la provincia de Helmand para estar en condiciones de proteger de forma eficaz las rutas hacia la India que pasaban por allí.[41] Para entonces se pensaba que la cuestión no era ya si Rusia atacaría, sino cuándo. Como afirmó lord Curzon en 1901, «queríamos estados tapón entre nosotros y Rusia»; uno por uno, cada uno de esos estados había sido «aplastado». China, Turquestán, Afganistán y ahora Persia habían salido del tablero. El tapón, añadía Curzon, se había «reducido a la delgadez de una galleta».[42]

Desesperado, lord Salisbury instó a su ministro de Exteriores, lord Lansdowne, que buscara el modo de prestar dinero a Persia. «La situación parece [...] perdida», escribió el primer ministro en octubre de 1901. El Tesoro era reacio a mejorar la oferta, pues veía con alarma la rapidez con la que el sah y su séquito conseguían acceder a sumas sustanciales. Las opciones se estaban agotando. «Si no encontramos el dinero», escribió el primer ministro, «Rusia establecerá en la práctica un protectorado [en Persia] y solo por la fuerza podremos evitar que los puertos del Golfo caigan dentro de él».[43]

El temor a que eso ocurriera había brotado el año anterior cuando se informó de que Rusia se preparaba para tomar el control del puerto de Bandar Abbás, en el estrecho de Ormuz, la salida del golfo Pérsico y, por ende, un lugar vital desde un punto de vista estratégico. Como se explicó con alarma en la Cámara de los Lores, «la presencia de un arsenal naval en el golfo Pérsico en manos de una gran potencia sería una amenaza no solo para nuestro comercio con la India y China, sino también con Australasia».[44] Los buques de guerra recibieron la orden de tomar medidas en caso de que los rusos hicieran cualquier movimiento; y lord Lansdowne se mostró firme: «Debemos considerar el establecimiento de una base naval, o de un puerto fortificado, en el golfo Pérsico por parte de cualquier otra potencia como una amenaza gravísima a los intereses británicos». Las consecuencias, dijo, serían muy serias. Y eso significaba la guerra.[45]

Los fantasmas rusos estaban por doquier. Los funcionaros del Ministerio de Asuntos Exteriores examinaban con sumo cuidado, y ansiedad, la avalancha de informes que llegaba a Londres acerca de las actividades en Persia de oficiales, ingenieros y peritos al servicio del zar.[46] Cuando una nueva compañía comercial, respaldada por Rusia, empezó a operar entre Odesa, en el mar Negro, y Bushehr, en la costa meridional de Persia, las implicaciones se debatieron con gran seriedad en el Parlamento, varios de cuyos miembros se manifestaron además alarmados por los informes dignos de fiar de que ciertas figuras misteriosas que aseguraban dedicarse a la observación de «aves, mariposas y otros animalillos» eran en realidad agentes rusos dedicados a distribuir fusiles a las tribus y sembrar el descontento en las regiones conflictivas de la frontera.[47] La situación atrajo la atención del rey Eduardo VII, que en 1901 escribió al ministro de Asuntos Exteriores para expresarle su preocupación de que «la influencia rusa parece prevalecer cotidianamente en Persia en detrimento de Inglaterra», e instarlo a decirle al sah que no se toleraría la negativa a plantar cara a los rusos.[48] De poco sirvió que el ministro plenipotenciario de Gran Bretaña en Teherán, sir Cecil Spring-Rice, informara de que el sah afirmaba categóricamente que «no tiene intención de adoptar una posición en Persia que facilite la invasión de la India».[49]

La ansiedad fue en aumento en un periodo en el que existía la sensación aguda de que el imperio estaba exigido al máximo. La confrontación con los bóeres en el sur de África y el levantamiento de Yihetuan —la rebelión de los bóxers— en China recalcaban la idea de que Gran Bretaña corría el riesgo de verse superada en el extranjero, lo que a su vez exacerbaba el temor al avance ruso. A finales de 1901 el gobierno recibió en Londres un informe catastrofista en el que se afirmaba que, una vez que se acabara de extender la línea de ferrocarril desde Oremburgo hasta Taskent, los rusos estarían en condiciones de enviar doscientos mil hombres a Asia Central y situar a más de la mitad de esa cantidad cerca de la frontera de la India.[50] La advertencia llegaba pisándole los talones a otro informe, procedente de Batumi (Georgia), según el cual los rusos estaban a punto de trasladar veinte mil hombres a Asia Central, una falsa alarma, como luego se supo.[51] El problema era que desde el punto de vista de Gran Bretaña las opciones parecían escasas, pues el coste de reforzar la frontera era ruinoso: unos pocos años después se calcularían en no menos de veinte millones de libras esterlinas, a lo que había que sumar un desembolso anual para mantenimiento.[52]

Las escenas violentas que se vivieron en las calles de San Petersburgo en 1905 y la catastrófica derrota de la armada del zar en la guerra ruso-japonesa proporcionaron un pequeño consuelo a quienes estaban convencidos de que solo era cuestión de tiempo que Rusia se liberara de sus cadenas. Gran Bretaña a duras penas podría ofrecer resistencia a lo que abiertamente se llamaba el «amenazador avance de Rusia»; se necesitaban otras soluciones para impedir que la que ya era una mala situación se tornara peor. Quizá, sugería un documento preparado por la inteligencia militar, era el momento de llegar a un acuerdo con Alemania que mantuviera a las mentes rusas ocupadas.[53]

En Londres, las conversaciones viraron hacia la posibilidad de una intervención militar en Mesopotamia, parte de una preocupación constante por apuntalar la presencia británica en Oriente Próximo. El Comité para la Defensa Imperial analizó la posibilidad de ocupar Basora, al tiempo que se debatió con cierto acaloramiento la opción de desmembrar la Turquía asiática para obtener acceso a los ricos yacimientos petrolíferos del Éufrates. Luego, en 1906, surgieron propuestas para construir un ferrocarril desde el golfo Pérsico hasta Mosul, lo que entre otros beneficios permitiría a los soldados británicos situarse con facilidad en el talón de Aquiles de Rusia en el Cáucaso.[54] Una por una, estas ideas fueron descartadas por razones de viabilidad y de coste: como advirtió sir Edward Grey, el nuevo ministro de Exteriores, llevar a cabo una invasión (y asegurar y defender las nuevas fronteras) costaría millones de libras.[55]

Grey tenía otra idea. La posición de Gran Bretaña en Oriente era limitada y estaba peligrosamente expuesta. Lo que se necesitaba era redirigir por completo la atención de Rusia y alejarla de la región. En unas audaces declaraciones ofrecidas a *The Times* justo un mes antes de su nombramiento a finales de 1905, dejó claro que había mucho que ganar si conseguía alcanzarse un acuerdo acerca de «nuestras posesiones asiáticas». Ningún gobierno británico, dijo, buscaría «frustrar u obstruir la política de Rusia en Europa». Por tanto, era «deseable con urgencia» que «la posición e influencia de Rusia» se ampliara en Europa y, en otras palabras, se desviara de Asia.[56]

El momento no podría haber sido mejor. Francia estaba cada vez más inquieta debido al pujante crecimiento económico de Alemania, su vecino y rival acérrimo. El recuerdo de la guerra franco-prusiana de 1870-1871, durante la que se había sitiado París y que se había saldado con un desfile de la victoria prusiano por el centro de la capital francesa tras el acuerdo de armisticio, todavía estaba fresco en la memoria de los franceses. La velocidad con la que se llevó a cabo la invasión había causado una gran conmoción, y alimentaba el temor de que un nuevo ataque relámpago volviera a tomar a Francia desprevenida, en especial teniendo en cuenta que uno de los efectos de la guerra había sido la unificación de Alemania en un imperio, proclamado en el mismísimo palacio de Versalles.

Eso ya era bastante malo, pero en las dos décadas posteriores a 1870, cuando se duplicó la producción de carbón y se triplicó la producción de metales, la industria alemana en general experimentó un crecimiento acelerado, algo que alarmaba profundamente a los franceses.[57] La notable mejora de la economía condujo a una inversión cada vez mayor en la que ya era una máquina militar impresionante, tanto en tierra como en el mar. A comienzos de la década de 1890 los diplomáticos franceses ya trabajaban frenéticamente entre bambalinas para cerrar un acuerdo militar y, luego, una alianza completa con Rusia, cuyo principal objetivo era la defensa: ambos países se comprometían a atacar a Alemania en caso de que esta o sus aliados movilizaran a sus ejércitos; de hecho, también se dieron garantías formales de que actuarían contra Gran Bretaña en caso de que Londres actuara contra cualquiera de los dos.[58]

El deseo de los británicos de reorientar la atención de Rusia hacia su frontera occidental fue música para los oídos franceses. La primera fase del realineamiento entre Londres y París tuvo lugar en 1904, cuando se firmó la Entente Cordiale tras una serie de conversaciones detalladas sobre los intereses mutuos alrededor del mundo. Como era de esperar, Rusia tuvo una función clave en esas negociaciones. En 1907 llegó el momento de completar el círculo de alianzas. Los británicos alcanzaron entonces un acuerdo formal con Rusia respecto al corazón del mundo en el que se fijó una línea que demarcaba las esferas de influencia en Persia y se restringía al mínimo la intervención rusa en Afganistán.[59] La forma de liberar a la India «de los recelos y las tensiones», sostuvo Edward Grey, era forjar un entendimiento positivo con Rusia. Eso garantizaría que «Rusia no se haga con el control de las partes de Persia que son peligrosas para nosotros».[60] Como señaló de forma confidencial en 1912, por mucho tiempo abrigó dudas acerca de la política tradicional de intentar al mismo tiempo empujar y contener a Rusia: «Durante años he considerado que se trataba de una política errada».[61] En otras palabras, buscar una alianza era una manera mucho más elegante y productiva de avanzar.

Sin embargo, como reconocieron experimentados diplomáticos británicos, la reconciliación con Rusia tenía un precio: Alemania. Como subrayó en 1908 sir Charles Hardinge, entonces viceministro permanente de Asuntos Exteriores en Londres, «para nosotros resulta muchísimo más esencial tener un buen entendimiento con Rusia en Asia y Oriente Próximo que estar en buenos términos con Alemania».[62] Este fue un mensaje que se esmeró en repetir, incluso después de haber sido nombrado virrey de la India dos años más tarde. Si se producía una escalada rusa en Persia, no habría nada que hacer: «Somos prácticamente impotentes», escribió. Por tanto, valía la pena hacer todo lo posible por equilibrar la situación en Europa: «Nos perjudican muchísimo más una Francia y una Rusia hostiles que una Alemania hostil».[63] Como consecuencia de las tensiones en Persia, las relaciones de Gran Bretaña con Rusia estaban «sometidas a una grave presión», coincidía sir Arthur Nicolson, el embajador en San Petersburgo. «Creo», continuaba, «que es absolutamente esencial que mantengamos a toda costa nuestro entendimiento con Rusia al máximo».[64]

Mantener contenta a Rusia a toda costa se convirtió en la idea rectora de la política británica después de la firma de la alianza. En 1907, sir Edward Grey le dijo al embajador ruso en Londres que Gran Bretaña podría considerar ser más flexible en la cuestión del Bósforo si los rusos aceptaban establecer «relaciones buenas permanentes».[65] Bastó eso para desencadenar un terremoto en el castillo de naipes europeo, con San Petersburgo embarcado en una negociación diplomática que incluyó obtener el apoyo austriaco para la cuestión del Bósforo a cambio de consentir la anexión de Bosnia, un acuerdo que tendría consecuencias espectaculares.[66]

En 1910, sir Edward Grey escribió de nuevo sobre la necesidad de sacrificar las relaciones con Berlín si era necesario: «No podemos entrar en un entendimiento político con Alemania que nos aparte de Rusia y Francia».[67] La determinación de continuar con este enfoque se percibía con intensidad en San Petersburgo, donde se reconocía el cortejo desesperado de los británicos y, por supuesto, las oportunidades que ofrecía. «Me parece», reflexionaba hacia finales de 1910 el ministro de Exteriores ruso Sergéi Sazónov, que «el gobierno de Londres considera que la entente anglo-rusa de 1907 es importante para los intereses de Inglaterra en Asia». Siendo ese el caso, proseguía, parecería que fuera posible presionar a Gran Bretaña para que hiciera concesiones valiosas «con el fin de mantener vivo un acuerdo que es de tanta importancia para ellos».[68] Era una observación astuta.

En 1910, cuando las fuerzas rusas comenzaron a hacer nuevas incursiones en Mongolia, el Tíbet y el Turquestán chino, los observadores británicos a duras penas podían esconder su alarma.[69] La ampliación del alcance de Rusia subrayaba de forma rotunda cuán débil era la posición de Gran Bretaña. La situación difícilmente podría haber tenido un aspecto peor, como dejaba claro la pesimista valoración que hizo Grey en la primavera de 1914. Ocurría lo mismo en Afganistán, el Tíbet, Mongolia y Persia: «En todas partes queremos algo y no tenemos nada que dar». En Persia, no quedaba «nada que conceder» a Rusia, señalaba, y tampoco se tenía influencia en Afganistán. Peor aún: «Los rusos están dispuestos a ocupar Persia y nosotros no».[70] Al menos en Asia, Gran Bretaña estaba agotada. No cabía duda de que había llegado la fase final del juego. La cuestión era cuándo y dónde tendría lugar.

Mientras asimilaban la realidad de las dificultades que tenían por delante, las autoridades británicas no perdieron de vista el hecho de que también podrían tener que hacer frente al escenario de pesadilla definitivo, uno que con facilidad convertiría una posición frágil en algo mucho peor: una alianza entre Rusia y Alemania. Ese era un temor que acechaba a los legisladores británicos desde hacía algún tiempo. De hecho, un elemento importante de la alianza anglo-rusa de 1907 había sido la cooperación para hallar un *statu quo* que resultara mutuamente beneficioso en Asia. Para mantener ese fino equilibrio, subrayó sir Arthur Nicolson a Grey, era necesario «disuadir a Rusia de acercarse a Berlín».[71]

El crecimiento constante de las capacidades y, por supuesto, las ambiciones de Alemania contribuían a empeorar la sensación de pánico acuciante. La boyante economía alemana y el aumento del gasto militar eran fuentes de preocupación. Algunas destacadas figuras del Ministerio de Asuntos Exteriores británico no tenían duda alguna de que la meta de Alemania era «alcanzar la preponderancia en el continente europeo» y que eso llevaría a una confrontación militar. A fin de cuentas, todos los imperios se enfrentaban al desafío de sus rivales, se le recordó a sir Edward Grey; «personalmente», le escribió Nicolson, «estoy convencido de que, tarde o temprano, tendremos que repetir la misma lucha con Alemania». Era vital, por tanto, mantener contentas a Francia y Rusia.[72]

La capacidad de Alemania para desestabilizar el fino equilibrio de Europa y, en consecuencia, de otras partes del mundo significaba que se estaba cociendo una especie de tormenta perfecta. Los temores de que «Rusia emerja del lado de las potencias centrales», es decir, Alemania,

Austria-Hungría e Italia, se agudizaron. Se daba por sentado que el objetivo primordial de Berlín era dislocar las relaciones entre Gran Bretaña, Rusia y Francia y «aplastar [...] la Triple Entente».[73] «Estamos sinceramente preocupados», reconocía Grey durante un brote de ansiedad posterior, por la posibilidad de que se tiente a Rusia para que abandone la Triple Entente.[74]

Esos temores no carecían de fundamento. El embajador alemán en Persia, por ejemplo, reconoció que si bien había «poco que ganar» en ese país, era más fácil arrancar concesiones útiles a San Petersburgo en otros lugares si se le hacía pensar que peligraban los intereses de Rusia en Persia.[75] Era eso lo que estaba detrás de la reunión entre el káiser y el zar Nicolás II en Potsdam en el invierno de 1910, un encuentro que estuvo acompañado de conversaciones de alto nivel entre los respectivos ministros de Exteriores y que parecía confirmar los temores de que las «agrupaciones europeas», como las llamaba sir Arthur Nicolson, pudieran sufrir una reorganización en detrimento de Gran Bretaña.[76]

Las sospechas acerca de Alemania y sus acciones (reales o imaginarias) estaban grabadas en el ánimo de la diplomacia británica desde mucho antes de la alianza de 1907. Tres años atrás, poco antes de su nombramiento como embajador en París, sir Francis Bertie recibió una carta de un funcionario del Ministerio de Asuntos Exteriores en la que se le hablaba de cuán importante era que la misión en Francia estuviera dirigida por «alguien con los ojos bien abiertos, sobre todo ante los planes de Alemania». En su respuesta, Bertie escribió que era acertado desconfiar de esa nación: «Nunca ha hecho nada por nosotros, pero nos sangra. Es falsa y avara y es nuestro verdadero enemigo comercial y político».[77]

Como es obvio, e irónico, la percepción de la amenaza alemana de algún modo encontraba apoyo en la vulnerabilidad misma que sentía esa nación en el centro de Europa, enfrentada a la posibilidad de verse atrapada en medio de una alianza franco-rusa que hablaba de cooperación militar y ataques conjuntos en caso de provocación. Esa paranoia enconada acerca de ser atacada desde dos flancos no tardó en llevar a que el alto mando alemán considerara sus propias opciones. Tras la alianza franco-rusa de 1904, al jefe del Estado Mayor del ejército alemán, el conde Alfred von Schlieffen, se le ocurrió un plan que se basaba en gran medida en las experiencias de 1870, cuando se hizo pedazos al ejército francés, y planteaba un escenario en el que el ejército del káiser podía neutralizar Francia antes de girar hacia el este para hacer frente a Rusia. El plan era ambicioso tanto desde el punto de vista militar como logístico: requería un millón de ferroviarios, treinta mil locomotoras, sesenta y cinco mil coches de pasajeros y setecientos mil buenos vagones de carga para transportar tres millones de soldados, ochenta y seis mil caballos y montañas de munición durante un periodo de diecisiete días.[78]

Ese plan de acción tenía su reflejo en los que por la misma época diseñaba el ejército ruso, que para el verano de 1910 había concebido el llamado Plan 19, una descripción detallada de los pasos que debían adoptarse en caso de un ataque alemán que implicaba retirarse a una cadena de fortalezas a lo largo de la línea norte-sur desde Kovno (Kaunas) hasta Brest y prepararse para el contraataque. En 1912 se desarrollaron dos versiones de esta propuesta, conocidas como Planes 19A y 19G, la última de las cuales implicaba un contraataque rápido, en caso de que Alemania comenzara las hostilidades, con un objetivo franco: «Trasladar la guerra al territorio enemigo», es decir, a Alemania y el Imperio Austro-Húngaro.[79]

El alto mando alemán, al igual que el káiser, era muy consciente del incremento de la presión exterior; la sensación era que se estaba arrinconado a Alemania. El clamor público contra la propuesta de construir un ferrocarril desde Berlín hasta Bagdad desconcertó al káiser: no cabe duda, razonó, que tender vías a miles de kilómetros de distancia sería un problema si hubiera una guerra entre Alemania e Inglaterra. Pero en tal caso, prosiguió, ¿sería realista pensar que queremos estacionar a nuestros soldados tan lejos de su país?[80]

Otro ejemplo lo proporciona la reacción a la respuesta de Alemania al despliegue de tropas francesas en Marruecos en 1911, contraviniendo un acuerdo previo entre Berlín y París. En esa ocasión, el envío de un crucero alemán, el *Panther*, en un intento de intimidar a los franceses para hacerles transigir, resultó en extremo contraproducente. Alemania no solo recibió una incómoda lección pública acerca de las graves limitaciones de su alcance político, sino que, para empeorar las cosas, el mercado de valores en Berlín sufrió una dura caída: en septiembre de 1911, en medio de la crisis marroquí, la bolsa cayó más de un 30 por ciento, lo que hizo que el Reichsbank perdiera en un solo mes más de una quinta parte de sus reservas. Aunque el desastre financiero no hubiera sido orquestado por los franceses, como muchos alemanes creían, lo cierto es que estos se aprovecharon de la situación, pues con la retirada de fondos a corto plazo contribuyeron indudablemente a crear la crisis de liquidez.[81]

Se dedicaron esfuerzos considerables a la apertura de nuevos canales y la construcción de nuevas conexiones y alianzas. Se prestó mucha atención a Oriente Próximo; los bancos alemanes se expandieron con fuerza en Egipto, Sudán y el Imperio Otomano; y un programa para la creación de plazas universitarias de árabe, persa y estudios relacionados no solo contó con una generosa asignación, sino que fue seguido por el káiser en persona. Los vínculos crecientes entre el mundo islámico y el germano cautivaron la imaginación de los jóvenes, así como de los académicos, soldados, diplomáticos y políticos. Un joven escribiría con melancolía que, en los primeros años del siglo XX, al observar los hermosos edificios de Viena y la Ringstraße (la avenida que rodea el centro de la capital austriaca) le embargaba, sin que pudiera evitarlo, un «efecto mágico». No obstante, Adolf Hitler no se sentía transportado al Sacro Imperio Romano Germánico o a la Antigüedad clásica, dos opciones obvias de pasado idealizado; se sentía dentro de una escena de *Las mil y una noches*.[82]

Una peligrosa mentalidad de asedio estaba creciendo en Alemania, junto con la acusada sensación de que Berlín tenía enemigos poderosos y estaba a su merced. Helmuth von Moltke, el sucesor de Schlieffen como jefe de Estado Mayor, estaba convencido, al igual que otros importantes oficiales, de que la guerra era inevitable y que cuanto más pronto estallara el conflicto, mejor; posponer la confrontación, argumentaba, era un inconveniente para Alemania. Era mejor empezar la guerra y enfrentarse al enemigo, dijo Moltke en la primavera de 1914, «mientras todavía tenemos una oportunidad de alcanzar la victoria».[83]

¿Por qué se nos odiaba tanto?, se preguntaba el escritor Robert Musil desde Berlín en septiembre de 1914; ¿de dónde procedía esa envidia «de la que no teníamos la culpa»?[84] El escritor acertaba al advertir la forma en que las tensiones habían aumentado en Europa, una situación que la cultura popular contribuyó a atizar. Los libros acerca de los espías alemanes y los planes de Alemania para tomar Europa gozaban de una enorme popularidad. *The Invasion of 1910*, una novela de William Le Queux, vendió más de un millón de copias y se tradujo a veintisiete idiomas; luego apareció *When William Came: A Story of London under the Hohenzollern* [Cuando vino Guillermo: un relato de Londres bajo los Hohenzollern], de Saki, otro éxito de ventas publicado en la víspera de la guerra: en la novela, el héroe regresa de Asia para encontrar que Gran Bretaña ha sido derrotada y ocupada por los alemanes.[85]

Por tanto, el hecho de que los alemanes intentaran encontrar formas de minimizar los riesgos o de estar en condiciones de contrarrestarlos fue casi una profecía cumplida. Por ejemplo, era por completo comprensible que se buscaran garantías y acuerdos con Rusia, aunque solo eso bastó para alarmar todavía más a Gran Bretaña.[86] De forma similar, las recomendaciones que hizo al ejército alemán el general Colmar von der Goltz, que había pasado más de una década reformando el ejército otomano (donde se le conocía como Goltz Pachá), intentaban ofrecer cierta maniobrabilidad en caso de una crisis militar. Si bien era posible que el apoyo turco resultara útil contra Rusia, explicó Goltz a sus colegas, podía tener «el máximo valor» contra Gran Bretaña en Oriente Próximo.[87]

El problema era que la atención que Alemania prestaba al mundo otomano tensaba demasiado los nervios de Rusia. En San Petersburgo, las autoridades eran muy susceptibles acerca de la cuestión de los estrechos del Bósforo y los Dardanelos, y la perspectiva de que un nuevo actor se metiera a la fuerza en lo que percibían como su territorio los crispaba. En los años del cambio de siglo, las conversaciones habían virado en numerosas ocasiones hacia la posibilidad de ocupar Constantinopla; y hacia finales de 1912 comenzaron a desarrollarse planes para que las fuerzas rusas asumieran el control de la ciudad (en teoría, de forma temporal y solo en caso de guerra en los Balcanes).[88] No obstante, los rusos también se sentían contrariados por la aparente indiferencia de sus aliados, los británicos y los franceses, ante una situación que dio a los alemanes creciente control sobre el ejército otomano, lo que incluyó el traslado temporal de un oficial de alto rango alemán a la armada otomana. Suscitaba angustia en particular la inminente entrega a los turcos de dos acorazados de fabricación británica: esos buques de guerra de última generación darían a los otomanos una ventaja decisiva, y por ende catastrófica, sobre las fuerzas navales rusas, se quejó el ministro de Marina del zar en 1914; el resultado sería una «superioridad aplastante, casi seis veces» la de la flota rusa del mar Negro.[89]

Esto planteaba una amenaza que no era solo militar, sino también económica. Antes de la primera guerra mundial, más de un tercio de todas las exportaciones rusas pasaba por los Dardanelos, lo que incluía casi el 90 por ciento de los cereales que se cargaban en puertos como Odesa y Sebastopol, en la península de Crimea. En este contexto, las súplicas a Londres para que bloqueara, suspendiera o cancelara la entrega de los acorazados se convirtieron en el inútil desencadenante de un juego de faroles y engaños entre las grandes potencias en la víspera de la guerra.[90] Algunos no tenían duda alguna de cuán altas eran las apuestas. «Toda nuestra posición en Oriente Próximo» está en riesgo, dijo el embajador ruso en Constantinopla a San Petersburgo; «el incontestable derecho que adquirimos a través de siglos de innumerables sacrificios y el derramamiento de sangre rusa» estaba en serio peligro.[91]

En este contexto, el ataque de Italia contra Libia en 1911 y las guerras de los Balcanes de 1912-1913 que le siguieron sencillamente activaron una reacción en cadena, en la que los rivales locales e internacionales del Imperio Otomano aprovecharon con oportunismo los momentos de debilidad de este para arrebatarle las provincias periféricas. Con el régimen otomano tambaleándose al borde del precipicio, las ambiciones y rivalidades europeas se agudizaron de forma espectacular. Los alemanes comenzaron a pensar seriamente en expandirse en el este y establecer un protectorado para crear un «Oriente alemán».[92] Aunque esto sonaba a expansionismo, tales ideas tenían también un importante rasgo defensivo que coincidía con sentimientos agresivos profundamente arraigados en el alto mando alemán.[93] Alemania, como Gran Bretaña, había terminado temiéndose lo peor; y en su caso eso significaba verse obligada a impedir que los rusos se hicieran con el control de las mejores partes del Imperio Otomano que, era la creencia generalizada, se estaba pudriendo. Para los rusos, en cambio, eso significaría hacer realidad sueños abrigados durante mucho tiempo y asegurarse un futuro a largo plazo cuya importancia era imposible exagerar.

La idea de que Gran Bretaña representaba una amenaza para Alemania, y viceversa, era, sin embargo, una especie de maniobra de distracción. Aunque los historiadores modernos hablan con insistencia acerca del deseo de la primera de contener a la segunda, el puzle de la competencia en Europa era complejo y polifacético. Y, sobre todo, ciertamente más complejo que el relato simplista acerca de la rivalidad entre dos naciones que solo cobró vida a medida que la primera guerra mundial tomaba forma y se desarrollaba. Para 1918, las causas reales del conflicto habían quedado en la oscuridad como consecuencia del énfasis distorsionador que se puso en la carrera naval que había hecho escalar el gasto en construcción de buques, en las actitudes agresivas que exigían guerra entre bastidores y en la ciega sed de sangre del káiser y sus generales al provocar una guerra en la Europa continental.

La realidad de la historia fue muy diferente. Aunque los días que siguieron al asesinato de Francisco Fernando fueron testigos de una serie de malentendidos, discusiones, ultimátums y permutaciones que sería imposible recrear, las semillas de la guerra germinaron debido a los cambios y acontecimientos que tuvieron lugar a muchos miles de kilómetros de distancia. La ambición creciente de Rusia y el progreso que estaba consiguiendo en Persia, Asia Central y el Lejano Oriente ejercieron presión sobre la posición de Gran Bretaña en Oriente, lo que tuvo como resultado el anquilosamiento de las alianzas en Europa. Lo único que impedía una mayor erosión de la envidiable plataforma que Gran Bretaña se había construido a lo largo de los siglos anteriores era una serie de garantías mutuas diseñadas, sobre todo, para mantener ocupada a Rusia, el principal candidato a nuevo amo.

No obstante, mientras se acumulaban las nubes de tormenta, en los primeros meses de 1914 no parecía haber un gran peligro inmediato. «No había visto las aguas tan tranquilas», escribió Arthur Nicolson en mayo, «desde que estoy en el Ministerio de Exteriores».[94] De hecho, todo prometía que sería un año memorable. En Estados Unidos, los empleados de la Ford Motor Co. celebraban que en enero se les había duplicado el salario, como resultado del aumento de las ventas y de intentos innovadores de fomentar un incremento de la producción. Los médicos estaban considerando las consecuencias de la primera transfusión de sangre no directa realizada con éxito, un logro alcanzado en Bruselas tras trabajos pioneros en el uso de citrato de sodio como anticoagulante. En San Petersburgo, lo que mantenía a la mayoría de las personas preocupadas a comienzos del verano eran los incendios forestales, debido al denso humo negro que hacía que el aire estival fuera todavía más opresivo de lo habitual. En Alemania, los habitantes de la ciudad de Fürth, al norte de Baviera, estaban en éxtasis después de que el equipo de fútbol local ganara, contra todo pronóstico, al poderoso VfB Leipzig en un partido emocionante, en el que el gol de la victoria se anotó en el tiempo extra; el equipo se alzó por primera vez con en el campeonato nacional de fútbol, lo que convirtió en héroe a su entrenador, el inglés William Townley. Incluso la naturaleza estaba siendo amable, según la poeta inglesa Alice Meynell: el comienzo del verano de 1914 fue idílico, del que cabía esperar frutos abundantes: cada nueva luna era «celestialmente dulce» y, mientras tanto, «la cosecha aterciopelada trepaba la colina».[95]

No había en Gran Bretaña sensación alguna de que se avecinaba el desastre o de que la confrontación con Alemania era inminente. Los académicos de la Universidad de Oxford se preparaban para celebrar la cultura y el intelecto alemanes. En el edificio de las Examination Schools ya colgaba un gran retrato del káiser Guillermo II, obsequiado en agradecimiento después de que la Universidad le otorgara un doctorado honorífico en derecho civil en 1907.[96] Pero a finales de junio de 1914, escasamente un mes antes de que estallaran las hostilidades, las personalidades de la ciudad se congregaron para ver cómo una procesión de destacadas figuras alemanas recibía títulos honoríficos. Entre los que desfilaban entre aplausos en el Teatro Sheldonian envueltos en sus togas coloridas se encontraban el duque de Sajonia-Coburgo-Gotha, el compositor Richard Strauss y Ludwig Mitteis, un experto en derecho romano más bien ordinario, mientras que se confirieron doctorados *honoris causa* al duque de Wurtemberg y al príncipe Lichnowsky, el embajador alemán en Londres.[97]

Tres días después Gavrilo Princip, un joven idealista que no había cumplido aún los veinte años, efectuó dos disparos con una pistola contra un coche que transitaba por las calles de Sarajevo. La primera bala no alcanzó su objetivo, sino que impactó en el estómago de la archiduquesa Sofía, que estaba en el asiento trasero del coche junto a su marido y quedó herida de muerte. La segunda bala sí mató a Francisco Fernando, el heredero al trono del Imperio Austro-Húngaro. Y con eso, el mundo cambió.[98]

Los historiadores modernos suelen concentrarse en la «crisis de julio» de las semanas que siguieron al asesinato y en las oportunidades perdidas de evitar la guerra, o en la forma en que muchos habían temido y anticipado el estallido de las hostilidades: los estudios recientes hacen hincapié en que mientras el mundo se deslizaba hacia la guerra, el clima dominante no era de bravuconería patriotera, sino de angustia y confusión. Era un escenario de pesadilla. Como ha señalado con gran acierto un destacado historiador, «los protagonistas de 1914 actuaron como sonámbulos, estaban vigilantes, pero eran incapaces de ver, acosados por los sueños, pero ciegos a la realidad del horror» que estaban a punto de desatar.[99] Para cuando sir Edward Grey se dio cuenta de que «las luces se están apagando en toda Europa» ya era demasiado tarde.[100]

En los días posteriores al asesinato de Francisco Fernando, fue el miedo a Rusia lo que condujo a la guerra. En el caso de Alemania, el factor crucial fue el recelo generalizado hacia su vecino del este. Los generales del káiser en repetidas ocasiones le habían dicho que la amenaza que suponía Rusia se haría cada vez más fuerte a medida que el crecimiento de su economía continuara acelerándose.[101] Este punto de vista tenía un eco nítido en San Petersburgo, donde los altos mandos del ejército habían llegado a la conclusión de que la guerra era inevitable y lo mejor era que la confrontación militar empezara pronto.[102] Los franceses también estaban inquietos, pues mucho antes habían concluido que el mejor curso de acción que podían adoptar era instar tanto a San Petersburgo como a Londres a mantener la moderación. Sucediera lo que sucediere, apoyarían a Rusia.[103]

En el caso de Gran Bretaña, lo que impulsaba la política era el temor de lo que ocurriría si Rusia decidía jugarse su suerte en otra parte. De hecho, hacia comienzos de 1914 ya se hablaba en el Ministerio de Asuntos Exteriores de realinear a Gran Bretaña con Alemania con el fin de mantener bajo control a Rusia.[104] Con el callejón sin salida virando hacia la crisis, diplomáticos, generales y políticos se esforzaban por averiguar qué iba a ocurrir a continuación. Para finales de julio el diplomático George Clerk escribía con preocupación desde Constantinopla para aconsejar que Gran Bretaña tenía que hacer lo que fuera necesario para complacer a Rusia. De lo contrario, decía, nos enfrentaremos a consecuencias «en las que nuestra existencia misma como imperio estará en riesgo».[105]

Aunque algunos intentaron rebajar el alarmismo de tales afirmaciones, el embajador británico en San Petersburgo, que hacía muy poco había advertido de que Rusia era tan poderosa «que tenemos que mantener su amistad a cualquier coste», envió un telegrama ante el que no cabían dudas.[106] La posición de Gran Bretaña, decía, era «peligrosa», pues había llegado el momento decisivo: era necesario elegir entre seguir apoyando a Rusia «o renunciar a su amistad. Si le fallamos ahora», señalaba, «la cooperación amistosa en Asia que tan vital es para nosotros» llegaría a su fin.[107]

No había término medio, como dejó claro el ministro de Exteriores ruso hacia finales de julio: mientras que dos semanas antes había dado su palabra de que Rusia «carecía por completo de metas hostiles y en modo alguno soñaba con hacer adquisiciones por la fuerza», ahora hablaba de las consecuencias que tendría el que los aliados no estuvieran el uno al lado del otro al llegar la hora de la verdad. El que Gran Bretaña se mantuviera neutral, advirtió, «equivaldría a un suicidio».[108] Esta era una amenaza apenas velada acerca de los intereses británicos en Persia, si no en Asia en su conjunto.

A medida que la «crisis de julio» escalaba, las autoridades británicas siguieron hablando en público de conferencias de paz, mediación y defensa de la soberanía belga. Sin embargo, la suerte estaba echada. El destino de Gran Bretaña, y el de su imperio, dependía de las decisiones que se tomaran en Rusia. Ambos países eran rivales haciéndose pasar por aliados; y si bien ninguno de los dos quería contrariar al otro, o enemistarse con él, era obvio que el péndulo del poder había oscilado de Londres a San Petersburgo. Nadie era más consciente de eso que el canciller alemán, Theobald von Bethmann-Hollweg, un político de carrera muy bien conectado que llevaba un tiempo sufriendo noches de insomnio en las que rezaba pidiendo protección divina. Ahora, sentado «en la terraza bajo el cielo estrellado», diez días después del asesinato en Sarajevo, mientras las ruedas dentadas de la guerra se engrasaban lentamente, se volvió hacia su secretaria y le dijo: «El futuro le pertenece a Rusia».[109]

Lo que ese futuro implicaba no era en absoluto claro en 1914. La fortaleza rusa podía con facilidad ser engañosa, pues el país todavía se encontraba en la fase inicial de una metamorfosis social, económica y política. En 1905 el país ya había estado a punto de sumirse en una revolución a gran escala, pues la clase dirigente, profundamente conservadora, se negaba en gran medida a prestar atención a los muchos que reclamaban reformas. Luego estaba la enorme dependencia del capital extranjero; casi la mitad de todas las nuevas inversiones de capital entre 1890 y 1914 eran consecuencia de la financiación exterior: el dinero llegaba al país porque se daba por sentado que habría paz y estabilidad política.[110]

Las transformaciones a gran escala llevan tiempo, y rara vez resultan indoloras. Si Rusia hubiera mantenido la calma y optado por una forma menos beligerante de respaldar a sus aliados serbios, su destino (y con él los destinos de Europa y Asia, y acaso también el de Norteamérica) habría sido muy diferente. Así las cosas, 1914 trajo consigo el clímax que la reina Victoria había anticipado décadas atrás: todo, había dicho, se reducía a «la cuestión de la supremacía rusa o británica en el mundo».[111] Gran Bretaña no estaba en condiciones de poder fallar a Rusia.

Y así, como en una partida de ajedrez de pesadilla en la que todos los movimientos posibles son malos, el mundo fue a la guerra. A medida que la euforia y el patrioterismo dieron paso a la tragedia y el horror en una escala inimaginable, surgió un relato que remodeló el pasado y planteó la confrontación en términos de un conflicto entre Alemania y los aliados y centró el debate en la culpabilidad relativa de la primera y el heroísmo de los últimos.

La historia que arraigó en la conciencia pública fue la de la hostilidad alemana y la justa guerra librada por los aliados. Se necesitaba explicar por qué se había desperdiciado a toda una generación de hombres jóvenes y brillantes que tenían todo el futuro por delante. Se necesitaban respuestas que explicaran el sacrificio de figuras talentosas como Patrick Shaw

Stewart, un erudito cuyos excepcionales logros en la escuela, la universidad y los negocios habían asombrado tanto a sus contemporáneos como a su corresponsal, lady Diana Manners, a quien escribía cartas cargadas de citas eróticas en latín y griego.[112] O para explicar por qué los hombres de clase trabajadora que se habían alistado con sus amigos para luchar juntos en los llamados «batallones de colegas» fueron masacrados en las primeras horas de la catastrófica ofensiva del Somme en 1916.[113] O por qué había por todo el país monumentos con los nombres de los hombres que habían dado la vida por la patria, monumentos que daban cuenta de los nombres de los caídos, pero no del silencio que su ausencia trajo a los pueblos y las ciudades.

Por tanto, no resulta sorprendente que surgiera un relato potente que glorificaba a los soldados, celebraba su valentía y rendía tributo a los sacrificios que habían hecho. Winston Churchill escribiría después de la guerra que el ejército británico era la fuerza más excelente jamás reunida. A cada hombre le «inspiraba no solo el amor a su país, sino una convicción generalizada de que la tiranía militar e imperial planteaba un desafío a la libertad humana». La lucha había sido noble y justa. «Si los comandantes necesitaban dos o diez vidas para matar a un solo alemán, ni una queja se elevaba de entre los combatientes [...] Ninguna matanza por más desoladora que fuese les impedía volver a la carga», declaró el futuro primer ministro. Los caídos eran «mártires no menos que soldados [y] habían cumplido con el elevado propósito del deber del que estaban imbuidos».[114]

Sin embargo, muchos no lo vieron así en su momento. Algunos, como Edwin Campion Vaughan, un joven teniente que se había alistado lleno de esperanza, no conseguían entender la enormidad del sufrimiento y qué propósito podía tener. Tras ver a su compañía aniquilada y ante la perspectiva de tener que escribir un informe de bajas, Campion Vaughan cuenta: «Me senté en el suelo y bebí un whisky tras otro mientras me asomaba a un futuro negro y vacío».[115] De forma similar, la poesía producida durante la confrontación, un corpus realmente deslumbrante, nos ofrece un cuadro muy diferente de cómo se veía el conflicto en la época. Y lo mismo puede decirse del elevado número de consejos de guerra celebrados durante el conflicto, que difícilmente sugiere la existencia de una resolución unánime entre los combatientes: los tribunales militares tuvieron que lidiar con más de trescientos mil delitos (por no hablar de otros problemas de indisciplina menos graves, que se resolvían de forma diferente).[116]

También fue llamativo que el escenario central del conflicto se mantuviera anclado en las trincheras de Flandes y entre los horrores del Somme. La guerra había estallado muy lejos de las redes que ligaban los imperios de Europa con sus territorios en todo el mundo, lejos de los puntos en los que se había acumulado la tensión en Persia y Asia Central y a las puertas de la India y el Lejano Oriente que tanta preocupación generaban entre los dirigentes y políticos británicos a finales del siglo XIX y comienzos del XX. Y, no obstante, la confrontación había estado avecinándose durante décadas. Gran Bretaña vio a Rusia tensarse para mostrar su apoyo a Serbia, justo como Grey había predicho: «En Rusia ha surgido un fuerte sentimiento eslavo», señaló apenas unos pocos años antes en alusión a las voces que, de forma creciente, se alzaban en los Balcanes pidiendo una mayor implicación de Rusia en la región como protectora de la identidad eslava. «Un enfrentamiento sangriento entre Austria y Serbia sin duda elevaría ese sentimiento a cotas peligrosas.»[117] Ahí estaba la chispa que podía prender fuego al mundo.

Dadas las circunstancias, cuando Rusia empezó a prepararse para hacer una declaración de principios ante el resto del mundo, Gran Bretaña tuvo que respaldar plenamente a su aliado y rival, incluso a pesar de que a muchos eso pudiera parecerles desconcertante. Cuando el conflicto estalló, Rupert Brooke, que pronto conocería la fama por sus poemas sobre la guerra, apenas pudo contener su furia. «Todo está sencillamente al revés», escribió. «Yo quiero que Alemania despedace a Rusia y que luego Francia rompa a Alemania [...] Rusia significa el fin de Europa y de toda decencia.»[118] Él no tenía duda alguna acerca de quién era el verdadero enemigo de Gran Bretaña.

En cambio, el comienzo de las hostilidades hizo que la animosidad hacia Alemania se agudizara, y no solo en 1914, sino a lo largo del desarrollo de la guerra y hasta que se acordó la paz cuatro espantosos años después. Los «viejos colegios de Oxford posan la mirada / sobre los niños que juegan despreocupados», escribió un poeta de la guerra, «pero cuando las cornetas tocaron: ¡Guerra! / hicieron a un lado los juegos». Cambiaron los «cuidados prados» de la universidad por «un suelo ensangrentado»: «Regalaron su juventud alegre / por el país y por Dios».[119] La celebración de los lazos entre Gran Bretaña y Alemania y los títulos honoríficos otorgados a sus hijos ilustres se convirtieron con rapidez en un recuerdo amargo que era mejor olvidar.

No fue una sorpresa que la culpa de la guerra se atribuyera directamente a Alemania, tanto en la teoría como en la práctica. En el tratado de Versalles se consagró una cláusula que declaraba de forma categórica quién había sido el causante de la guerra: «Los gobiernos de las potencias aliadas y asociadas y Alemania afirman que aceptan la responsabilidad de Alemania y sus aliados por causar todos los daños y perjuicios sufridos por los gobiernos aliados y asociados y sus ciudadanos como consecuencia de la guerra impuesta sobre ellos por la agresión de Alemania y sus aliados».[120] El objetivo era establecer las bases para el pago de las compensaciones y reparaciones de guerra, pero lo que se consiguió fue prácticamente garantizar una reacción: el tratado proporcionó un terreno fértil que sería aprovechado por un demagogo habilidoso para unir el sentimiento nacional alrededor de la idea de una Alemania fuerte que resurgía de las cenizas.

Los vencedores lo eran solo de nombre y esperanza. En cuatro años, Gran Bretaña pasó de ser el mayor acreedor del mundo a ser el mayor deudor; la economía francesa estaba en ruinas después de financiar un esfuerzo bélico que había sometido a una presión inmensa a la población activa y a los recursos financieros y naturales del país. Mientras que Rusia, en palabras de un estudioso, «entró a la guerra para proteger el imperio [pero] terminó con su destrucción».[121]

El colapso de las potencias europeas abrió el mundo a otros actores. Para cubrir las insuficiencias de la producción agraria, los aliados asumieron compromisos enormes, contratando con instituciones como J. P. Morgan & Co. para asegurarse un suministro constante de artículos y materiales.[122] La oferta de crédito tuvo como resultado una redistribución de la riqueza tan espectacular como la que se produjo tras el descubrimiento de las Américas cuatro siglos antes: el dinero fluyó de Europa a Estados Unidos en una avalancha de lingotes y pagarés. La guerra dejó en la bancarrota al Viejo Mundo y enriqueció al Nuevo. El intento de recuperar las pérdidas (que se fijaron en un nivel imposible, equivalente en términos actuales a cientos de miles de millones de dólares) haciendo pagar a Alemania fue un esfuerzo desesperado e inútil para impedir lo inevitable: la Gran Guerra desvalijó los tesoros de los participantes, que en el proceso de destruirse unos a otros estaban también destruyéndose a sí mismos.[123]

Cuando las dos balas dejaron la recámara de la pistola Browning de Princip, Europa era un continente de imperios. Italia, Francia, Austria-Hungría, Alemania, Rusia, la Turquía otomana, Gran Bretaña, Portugal, los Países Bajos e incluso la diminuta Bélgica, formada apenas en 1831, controlaban vastos territorios alrededor del mundo. En el momento del impacto comenzó el proceso de devolver esos territorios a los poderes locales. Al cabo de unos años habían desaparecido los emperadores que salían a navegar en los yates de sus homólogos y se nombraban unos a otros miembros de grandiosas órdenes de caballerías; algunas de las colonias y dominios de ultramar también desaparecieron, y otros empezaban la marcha inexorable hacia la independencia.

En el curso de cuatro años, unos diez millones de personas murieron como consecuencia de los combates, y unos cinco millones más debido al hambre y las enfermedades. Los aliados y las potencias centrales habían gastado más de doscientos mil millones de dólares luchando entre sí. Las economías europeas estaban hechas añicos debido a un gasto sin parangón que exacerbó la caída de la productividad. Los países involucrados en la contienda registraron déficits y acumularon deudas a un ritmo frenético, deudas que no podían afrontar.[124] Los grandes imperios que habían dominado el mundo durante cuatro siglos no se desvanecieron de la noche a la mañana. Pero la guerra fue el comienzo del fin. El crepúsculo empezaba a caer. El telón de sombras del que había emergido Europa occidental unos pocos siglos atrás empezaba de nuevo a cerrarse. La experiencia de la guerra había sido demoledora e hizo que el control de las «rutas de la seda» y sus riquezas fuera más importante que nunca.

# Capítulo 17

# LA RUTA DEL ORO NEGRO

A pocos de los condiscípulos de William Knox D'Arcy en la prestigiosa escuela de Westminster en Londres se les hubiera ocurrido pensar que terminaría contribuyendo de forma destacada a remodelar el mundo, en especial cuando no regresó para empezar el nuevo año académico en septiembre de 1866. El padre de William se había metido en algún negocio desagradable en Devon que lo llevó a declararse en bancarrota y decidir trasladarse con la familia a la tranquila ciudad de Rockhampton, en Queensland (Australia), para empezar una nueva vida allí.

El hijo adolescente continuó con sus estudios en silencio y con bastante aplicación, se graduó como abogado y abrió su propio despacho. El trabajo le permitía vivir con desahogo y se convirtió en un miembro distinguido de la comunidad local; pertenecía al comité gestor del Jockey Club y era un apasionado de la caza, una afición que cultivaba siempre que el tiempo se lo permitía.

En 1882, William tuvo un golpe de suerte. Tres hermanos de apellido Morgan habían estado buscando explotar lo que, pensaban, era un hallazgo de oro potencialmente grande en la montaña Ironstone, a algo más de treinta kilómetros de Rockhampton. En búsqueda de inversores que les ayudaran a abrir una operación minera, se dirigieron al gerente del banco local, quien a su vez los dirigió hacia William Knox D'Arcy. Intrigado por la posibilidad de obtener unos buenos rendimientos de capital, D'Arcy formó un sindicato con el gerente del banco y otro amigo mutuo e invirtió en el proyecto de los hermanos Morgan.

Como toda operación minera en sus comienzos, el proyecto necesitaba cabeza fría, pues en la búsqueda del premio gordo se gastó una cantidad alarmantemente grande de efectivo. Los hermanos Morgan pronto perdieron los nervios, y asustados por el ritmo al que se consumían los fondos, vendieron su parte a los tres socios. La venta se produjo justo en el momento equivocado. Los depósitos de oro encontrados en lo que terminaría rebautizándose como monte Morgan resultaron ser unos de los mayores de la historia. El valor de las acciones en el negocio se multiplicó por dos mil, mientras que a lo largo de un periodo de diez años el rendimiento de la inversión fue de un doscientos mil por ciento. Knox D'Arcy, que controlaba más acciones que sus socios y más de una tercera parte de la empresa, pasó de ser un abogado en una pequeña ciudad de Australia a ser uno de los hombres más ricos del mundo.[1]

No tardó en hacer las maletas para regresar triunfal a Inglaterra. Compró una casa magnífica en el número 42 de la plaza Grosvenor y una mansión como correspondía en Stanmore Hall, en las afueras de Londres, que remodeló y decoró con el mobiliario más fino que el dinero podía comprar. Contrató a Morris & Co., la empresa creada por William Morris, para que se hiciera cargo de los interiores; y encargó a Edward Burne-Jones una serie de tapices de tal calidad que necesitó cuatro años para terminarlos. De forma por completo apropiada, el conjunto celebraba la búsqueda del Santo Grial, una conveniente metáfora del descubrimiento de un tesoro incalculable.[2]

Knox D'Arcy sabía cómo darse la buena vida: alquiló una hacienda excelente para ir de caza en Norfolk y tenía un palco junto a la línea de meta en las carreras de caballos de Epsom. Dos dibujos conservados en la National Portrait Gallery captaron su carácter a la perfección. En uno aparece recostado en una silla, satisfecho, con una sonrisa jovial en el rostro, la generosa cintura como testimonio del disfrute de platos exquisitos y vinos excelentes; otro lo muestra inclinándose hacia delante, como si se dispusiera a compartir con un amigo historias de sus aventuras empresariales, con una copa de champán delante de él y un cigarrillo en la mano.[3]

El éxito y la riqueza extraordinaria lo convirtieron en alguien a quien acudir para aquellos que, como los hermanos Morgan, necesitaban inversores. Una de las personas que acudió a él fue Antoine Kitabgi, un funcionario del gobierno persa con buenas conexiones que entró en contacto con Knox D'Arcy hacia finales de 1900 a través de sir Henry Drummond-Wolff, el ex embajador británico en Teherán. A pesar de ser un católico de origen georgiano, Kitabgi había prosperado en Persia, donde había llegado a ser director general de Aduanas y estaba involucrado en muchos asuntos. Había participado en varios intentos de captar inversión extranjera para estimular la economía, en la negociación de concesiones para que los extranjeros entraran en el sector bancario y en la producción y distribución de tabaco.[4]

Esos esfuerzos no estaban del todo motivados por el altruismo o el patriotismo, pues los hombres como Kitabgi comprendían que era posible valerse de sus contactos para obtener recompensas lucrativas cuando se cerraban acuerdos. Su línea de negocio consistía en abrir puertas a cambio de dinero. Eso causaba una irritación profunda en Londres, París, San Petersburgo y Berlín, donde los diplomáticos, los políticos y los hombres de negocios encontraban la forma persa de hacer las cosas de modo opaco o más bien del todo corrupto. Los esfuerzos por modernizar el país habían conocido escasos progresos, y la vieja tradición de confiar a extranjeros la dirección de las fuerzas armadas o funciones clave del gobierno generaba frustración por todas partes.[5] Cada vez que Persia daba un paso adelante, parecía también dar otro hacia atrás.

Estaba muy bien criticar a la élite gobernante, pero lo cierto es que desde hacía mucho se la había formado para actuar así. El sah y quienes le rodeaban eran como niños mimados en exceso que habían aprendido que si se hacían de rogar lo suficiente, terminarían siendo recompensados por las grandes potencias, a las que aterrorizaba la idea de perder su posición en una región crucial desde el punto de vista estratégico si no soltaban el dinero. En 1902, cuando al sah Mozaffareddín no se le concedió la Orden de la Jarretera durante su visita a Inglaterra, se negó a aceptar cualquier honor inferior y se fue del país dejando claro que estaba «muy descontento»; tras ello, destacados miembros del servicio diplomático se dieron a la tarea de convencer a un reacio rey Eduardo VII, que era quien otorgaba la dmisión a la orden, de que aceptara investir al soberano persa. Sin embargo, los contratiempos con este «terrible asunto» no terminaron una vez se convenció al monarca, pues luego se descubrió que el sah no tenía calzones cortos, una prenda que se consideraba esencial para la investidura; por suerte, un diplomático con recursos descubrió un precedente de alguien que había recibido el honor llevando pantalones. «El episodio de la Jarretera fue una pesadilla», gruñó después lord Lansdowne, el ministro de Exteriores.[6]

Ahora bien, el hecho de que el pago de sobornos fuera un requisito para conseguir cualquier cosa en Persia parecía vulgar, pero en muchos sentidos los persas que se movían con prisa por los pasillos del poder y de los grandes centros financieros de Europa a finales del siglo XIX no eran muy distintos de los comerciantes sogdianos de la Antigüedad, que viajaban largas distancias para hacer negocios, o de los armenios y judíos que desempeñaban el mismo papel a comienzos de la era moderna. La diferencia consistía en que los sogdianos tenían que llevar consigo mercancías para comerciar, mientras que, siglos más tarde, sus pares persas vendían servicios y contactos. Estos se habían mercantilizado precisamente porque era posible obtener espléndidos beneficios comerciando con ellos. De no haber habido compradores, es indudable que las cosas hubieran sido muy diferentes. La ubicación de Persia entre el este y el oeste, conectando el Golfo y la India con el extremo sur de Arabia, el Cuerno de África y el acceso al canal de Suez, hacía que se la cortejara sin importar el coste (y aunque fuera apretando los dientes).

Cuando Kitabgi se acercó a Drummond-Wolff y este lo puso en contacto con Knox D'Arcy, a quien se describió como «un capitalista de la mayor categoría», no tenía en mente el tabaco o el sector bancario de Persia, sino la riqueza mineral del país. Y Knox D'Arcy era la persona perfecta para hablar de ello. Buscando oro en Australia, había ganado el premio gordo ya una vez; ahora Kitabgi le ofrecía la oportunidad de volver a hacerlo, solo que esta vez lo que estaba en juego era el oro negro.[7]

La existencia de considerables depósitos de petróleo en Persia difícilmente era un secreto. En la Antigüedad tardía, los autores bizantinos escribieron con regularidad acerca del poder destructivo del «fuego medo», una sustancia hecha a partir de petróleo, muy probablemente obtenido de filtraciones superficiales en el norte de Persia, comparable al incendiario «fuego griego» que los bizantinos fabricaban también con petróleo obtenido en la región del mar Negro.[8]

En la década de 1850, las primeras inspecciones geológicas sistemáticas habían señalado la alta probabilidad de que hubiera recursos considerables debajo de la superficie, lo que llevó a otorgar una serie de concesiones a inversores atraídos por la perspectiva de hacerse ricos en un momento en el que, por todo el mundo, el planeta parecía estar descargando sus tesoros en los prospectores afortunados, desde el Gold Country, en California, hasta la cuenca de Witwatersrand, en África meridional.[9] El barón Paul Julius de Reuter, fundador de la agencia de noticias epónima, fue uno de los que se abalanzó sobre Persia. En 1872, Reuter obtuvo «el privilegio exclusivo y definitivo» para extraer cuanto pudiera de «las minas de carbón, hierro, cobre, plomo y petróleo» a lo largo y ancho de todo el país, así como la opción de construir carreteras, obras públicas y otros proyectos de infraestructura.[10]

Por una razón u otra, la concesión terminó en nada. Existía entonces una fuerte oposición local al otorgamiento de licencias, con figuras populistas como Sayyid Jamāl al-Dīn al-Afghānī, que deploraba el hecho de que «las riendas del gobierno [se estaban] entregando a los enemigos del islam». Como escribió uno de los críticos más ruidosos, «los reinos del islam pronto estarán bajo el control de extranjeros, que gobernarán en ellos como les plazca y harán lo que quieran».[11] Asimismo, había que lidiar con la presión internacional, que fue lo que llevó a que la concesión de Reuter fuera declarada nula apenas un año después de ser otorgada.[12]

Aunque en 1889 Reuter obtuvo una segunda concesión que le daba derecho a explotar todos los recurso minerales de Persia con excepción de los metales preciosos —a cambio, por supuesto, de sustanciales «regalos» en metálico al sah y algunos funcionarios clave de su gobierno, así como un acuerdo acerca del pago de regalías sobre los beneficios futuros—, esta caducó cuando los esfuerzos por hallar petróleo que fuera posible explotar en cantidades viables desde un punto de vista comercial no rindieron fruto alguno dentro de los diez años previstos. La «situación de atraso del país y la ausencia de medios de comunicación y transporte», sumadas a «la directa hostilidad, oposición y furia de funcionarios de alto rango del gobierno persa», en palabas de un destacado empresario británico, sin duda no contribuyeron a facilitar las cosas.[13] Y tampoco Londres era en absoluto comprensivo. Hacer negocios en esa parte del mundo era arriesgado, señalaba un documento interno del Ministerio de Exteriores: si alguien esperaba que todo funcionara como en Europa, era tremendamente estúpido; y si veía frustradas sus expectativas, declaraba el texto con frialdad, «es su culpa».[14]

Knox D'Arcy, no obstante, quedó intrigado por la propuesta que le hizo Kitabgi. Estudió los hallazgos de los geólogos franceses que habían inspeccionado el país durante casi una década y sondeó la opinión de Boverton Redwood, uno de los mayores expertos británicos en el tema, autor de manuales sobre la producción, almacenamiento seguro, transporte, distribución y usos del petróleo y sus derivados.[15] Kitabgi, entre tanto, le dijo a Drummond-Wolff que toda esa investigación era innecesaria: «Estamos en presencia de una fuente de riqueza incalculable», aseguró.[16]

Lo que leyó y oyó interesó a Knox D'Arcy lo suficiente como para llegar a un acuerdo con las personas que podrían proporcionarle la ayuda que necesitaba para obtener una concesión del sah: Edouard Cotte, que había trabajado como intermediario para Reuter y, por tanto, era un rostro familiar en los círculos persas, y el mismo Kitabgi (a Drummond-Wolff también se le prometió que se le daría una recompensa más adelante si el proyecto tenía éxito). A continuación, Knox D'Arcy se acercó al Ministerio de Exteriores para obtener la bendición oficial para la empresa y, acto seguido, envió a Teherán a su representante, Alfred Marriott, con una carta formal de presentación para que comenzara las negociaciones.

Aunque la carta en sí tenía poco valor intrínseco (el texto, sencillamente, solicitaba que se ofreciera al portador toda la ayuda que pudiera necesitar), en un mundo en el que las señales podían tergiversarse con facilidad la firma del ministro de Exteriores de Gran Bretaña era una herramienta poderosa: sugería que el gobierno británico respaldaba la iniciativa de Knox D'Arcy.[17] Marriott se maravilló al conocer la corte persa. El trono, escribió en su diario, estaba «todo incrustado de diamantes, zafiros y esmeraldas, y hay pájaros cubiertos de joyas (*no* pavos reales) en los lados»; el sah, afirmó, era como mínimo un «tirador sumamente bueno».[18]

En realidad, el trabajo de verdad fue obra de Kitabgi, que según un testimonio logró asegurarse «de forma muy concienzuda el apoyo de todos los principales ministros y cortesanos del sah, sin olvidarse ni siquiera del sirviente personal que le llevaba a Su Majestad la pipa y el café de la mañana» (una manera eufemística de decir que había sobornado a todos). Las cosas marchaban bien, se informó a Knox D'Arcy; parecía probable que «el gobierno persa otorgara» la concesión petrolífera.[19]

El proceso de lograr el acuerdo por escrito fue tortuoso. Los obstáculos inadvertidos aparecían por doquier, lo que se traducía en el envío de cables a Londres para pedir consejo a Knox D'Arcy y autorización para seguir pagando. «Espero que usted lo apruebe, pues negarse significaría perder el asunto», le instó Marriott. «No vacile, si puede, en proponer de mi parte lo que sea que facilite las cosas», fue la respuesta.[20] Knox D'Arcy quería decir que no tenía ningún inconveniente en ser generoso con su dinero y estaba dispuesto a hacer lo que fuera para conseguir lo que quería. Cuando se planteaban nuevas exigencias o se hacían promesas era imposible saber quiénes eran los auténticos beneficiarios; hubo rumores de que los rusos se habían enterado de las negociaciones, que supuestamente estaban llevándose en secreto, y se dejaron pistas falsas para hacerles perder el rastro.[21]

Y entonces, casi sin previo aviso, llegó la noticia (mientras Marriott estaba en una cena en Teherán) de que el sah había firmado el acuerdo. A cambio de veinte mil libras esterlinas, esa misma cantidad en acciones que se entregarían en el momento de la formación de la compañía y un 16 por ciento de los beneficios netos anuales en concepto de regalías, Knox

D'Arcy, descrito en los documentos formales como un hombre «de recursos independientes residente en Londres en el número 42 de la plaza Grosvenor», obtuvo unos derechos amplísimos. Se le otorgó «un privilegio especial y exclusivo para buscar, obtener, explotar, desarrollar, transformar para el comercio, llevarse y vender gas natural, petróleo, asfalto y ozoquerita en toda la extensión del imperio persa por un término de sesenta años». Además, recibió el derecho exclusivo de tender oleoductos y construir instalaciones de almacenamiento, refinerías y estaciones de bombeo.[22]

La proclama real que siguió al acuerdo anunciaba que se había otorgado a Knox D'Arcy (y «todos sus herederos y cesionarios y amigos») «poderes plenos y libertad ilimitada por un periodo de sesenta años para sondar, perforar y taladrar a su voluntad las profundidades del suelo persa» y rogaba a «todos los funcionarios de este reino bendito» que ayudaran a un hombre que gozaba del «favor de nuestra espléndida corte».[23] En otras palabras, se le habían entregado las llaves del reino; la cuestión era si sería capaz de hallar la cerradura.

En Teherán, algunos observadores experimentados no estaban para nada convencidos de que fuera a ser así. Incluso si «encuentra petróleo, como sus agentes creen que ocurrirá», señalaba sir Arthur Hardinge, el representante de Gran Bretaña en Persia, la operación tenía grandes retos por delante. Valía la pena recordar, continuaba, que «en los últimos años el suelo de Persia, contenga petróleo o no, ha quedado cubierto con los despojos de tantísimos proyectos prometedores de regeneración comercial y política que sería imprudente predecir el futuro de esta última empresa».[24]

Asimismo, es posible que el sah estuviera apostando por que el asunto no terminaría en nada y que, entre tanto, sencillamente podía beneficiarse de los pagos por adelantado, como había hecho en el pasado. No cabe duda de que la situación económica de Persia en ese momento era realmente grave: el gobierno se enfrentaba a una importante insuficiencia presupuestaria, que se traducía en un déficit precario y preocupante; de modo que quizá sí valía la pena tomar algunos atajos para obtener dinero de Knox D'Arcy, que tenía los bolsillos llenos. Este fue también un periodo de inquietud para el Ministerio de Exteriores británico, que prestó mucha menos atención a la concesión recién otorgada que a las propuestas que, en los años previos a la primera guerra mundial, Teherán estuvo haciendo a Londres y, lo más preocupante, a San Petersburgo.

Los rusos se tomaron muy mal la noticia de la concesión de Knox. De hecho, estuvieron a punto de hacer descarrilar la adjudicación cuando el sah recibió un telegrama personal del zar instándole a no seguir adelante.[25] La posibilidad de que el acuerdo irritara a los rusos había preocupado a Knox D'Arcy lo suficiente como para indicar que se excluyeran de él las provincias septentrionales del país con el fin de «no causar resentimiento» al poderoso vecino del norte. Desde el punto de vista de Londres, la preocupación era que Rusia intentara compensar la pérdida amoldándose más que nunca al sah y sus funcionarios.[26] Como advirtió el representante de Gran Bretaña en Teherán a lord Lansdowne, el otorgamiento de la concesión podía estar «cargado de consecuencias políticas y económicas» en caso de que se encontrara petróleo en una cantidad significativa.[27] Era imposible ocultar el hecho de que la presión en el Golfo estaba aumentando debido a la competencia por los recursos de la región y la capacidad de influir en ella.

A corto plazo, el asunto se olvidó, en gran medida porque el proyecto de Knox D'Arcy parecía condenado al fracaso. Las dificultades climatológicas, el gran número de fiestas religiosas y los regulares y desalentadores fallos mecánicos de las torres de perforación y los taladros hicieron que los trabajos avanzaran con lentitud. También existía una franca hostilidad hacia la operación que se manifestaba en forma de quejas acerca de los salarios, las prácticas laborales y el reducido número de empleados nativos; y además, estaban los interminables problemas con las tribus locales que querían que se les pagaran sobornos.[28] Knox D'Arcy comenzó a impacientarse por la falta de progresos y la cantidad de dinero que demandaba la empresa. «Retraso grave», telegrafió al equipo de perforación menos de un año después de que la concesión le fuera otorgada; «se ruega acelerar».[29] Una semana después envió otro mensaje: «¿Tenéis libre acceso a los pozos?», preguntaba desesperado al ingeniero jefe. Los libros de registro revelan las grandes cantidades de mangueras, tuberías, palas, acero y yunques enviadas desde Gran Bretaña, además de fusiles, pistolas y munición. Las nóminas de 1901-1902 demuestran también el gasto creciente de los fondos de la compañía. En algún momento Knox D'Arcy tuvo que haber pensado que estaba tirando el dinero.[30]

Y si él estaba preocupado, entonces también lo estaban sus banqueros en Lloyds, a los que inquietaba cada vez más el tamaño del descubierto de un hombre que, habían dado por sentado, tenía a su disposición fondos ilimitados.[31] Lo que hacía peor la situación era que no había mucho que mostrar para justificar el duro esfuerzo y los altos costes: Knox D'Arcy necesitaba convencer a otros inversores de que compraran participaciones en la empresa para así reducir la presión sobre sus finanzas personales y proporcionar el capital necesario para seguir adelante. Los equipos habían reportado señales prometedoras, pero lo que necesitaba era un descubrimiento grande.

Cada vez más desesperado, Knox D'Arcy sondeó a inversores e incluso a compradores potenciales de la concesión, llegando a viajar a Cannes para entrevistarse con el barón Alphonse de Rothschild, cuya familia tenía ya importantes intereses en el negocio petrolero en Bakú. Esto encendió las alarmas en Londres. En particular, llamó la atención de la armada británica: sir John Fisher, primer lord del Almirantazgo, creía fervorosamente que el futuro de la guerra naval y el dominio de los mares estaba en sustituir el carbón por petróleo. «El fuel», escribió a un amigo en 1901, «revolucionará por competo la estrategia naval. Es un caso de "¡Despierta Inglaterra!"».[32] A pesar de que seguía sin conseguirse un hallazgo definitivo, todas las pruebas sugerían que Persia podía convertirse en una importante fuente de petróleo. Si existía la posibilidad de garantizar que este fuera para uso exclusivo de la marina británica, tanto mejor. En cualquier caso, lo esencial era que el control de tales recursos no cayera en manos extranjeras.

El Almirantazgo intervino para negociar un acuerdo entre Knox D'Arcy y una compañía petrolera escocesa que había conocido un éxito considerable en Birmania. Tras ofrecer un contrato a esta última en 1905 para el suministro de cincuenta mil toneladas de petróleo al año, se convenció a los directores de la Burmah Oil Company de tomar una participación considerable en lo que se rebautizó como el Sindicato de Concesiones. Estos lo hicieron no para cumplir con un deber patriótico, sino porque era una estrategia de diversificación sensata, y también porque su historial les permitía reunir más capital. Aunque la solución dio un respiro a Knox D'Arcy, que escribió que los términos alcanzados «fueron mejores que los que podría haber obtenido con cualquier otra compañía», seguía sin haber garantía de éxito, como no dejaba de señalar en sus informes el representante diplomático británico en Teherán, siempre escéptico. Encontrar petróleo era un problema; manejar intentos persistentes de chantaje, otro muy distinto.[33]

Es cierto que la nueva sociedad tuvo poco que enseñar a lo largo de los siguientes tres años. Los pozos que se perforaron no dieron fruto, mientras que los gastos consumieron las finanzas de los accionistas. Para la primavera de 1908, los directores de la Burmah Oil Company ya hablaban abiertamente de salir de Persia por completo. El 14 de mayo de 1908, enviaron una carta a George Reynolds, el jefe de las operaciones sobre el terreno, un hombre al que quienes trabajaron a su lado describían como decidido, resuelto y hecho de «puro roble británico», en la que le notificaban que tenía que prepararse para suspender las perforaciones. La orden era perforar dos pozos excavados en Masjed Soleimān hasta una profundidad de casi quinientos metros. Si no encontraba petróleo entonces, debía «abandonar las operaciones, cerrar y recuperar tanto de la planta como fuera posible» y enviarlo todo a Birmania, donde sería más útil.[34]

Mientras la carta hacía su recorrido por las oficinas de correo de Europa y el Levante y finalmente Persia, Reynolds había continuado con su trabajo sin saber cuán cerca estaba la planta de cerrar. Su equipo siguió perforando, abriéndose camino a través de una roca tan dura que la broca del taladro se soltó. Mientras que el reloj seguía corriendo, la broca estuvo perdida en el agujero durante varios días, pero finalmente se consiguió recuperarla y fijarla de nuevo. El 28 de mayo, a las cuatro de la madrugada, encontraron la veta madre y un chorro de oro negro salió disparado hacia el cielo. Fue un hallazgo gigantesco.[35]

Arnold Wilson, el teniente del ejército británico que estaba a cargo de la seguridad del sitio, envío a Londres un cable codificado anunciando la noticia. El texto del mensaje era sencillamente: «Véase Salmo 104, versículo 15, segunda frase».[36] El versículo en cuestión ruega al Señor que saque de la tierra aceite para que los rostros brillen con felicidad. El descubrimiento, le dijo Wilson a su padre, prometía recompensas fabulosas para Gran Bretaña, y, con suerte, añadía, para los ingenieros «que han perseverado durante tanto tiempo a pesar de los enchisterados directores [de la compañía] [...] en este clima inhóspito».[37]

Los inversores, que corrieron a comprar acciones de la Anglo-Persian Oil Company, el instrumento que controlaba los derechos de la concesión, tan pronto estas se pusieron a la venta en 1909, calcularon que el primer pozo en Masjed Soleimān era solo la punta del iceberg y que en el futuro los beneficios serían elevados. Naturalmente, construir la infraestructura necesaria para que el petróleo pudiera ser exportado requeriría una inversión de tiempo y dinero considerable, al igual que la perforación de nuevos pozos y la búsqueda de nuevos yacimientos. Además, no era fácil conseguir que las operaciones marcharan sin contratiempos en el terreno, donde Arnold Wilson se quejaba de tener que dedicarse a salvar la brecha cultural entre los británicos, «que no pueden decir lo que piensan y los persas, que no siempre piensan de verdad lo que dicen». Los británicos, declaraba, veían un contrato como un acuerdo defendible ante un tribunal; los persas sencillamente lo veían como una declaración de intenciones.[38]

No obstante, pronto se construyó un oleoducto que conectaba el primer campo con la isla de Ābādān, en el río Shaṭṭ al-ʿArab, donde se había decidido ubicar la refinería y el centro de exportación. Con ello el petróleo persa llegó al Golfo, donde se cargaba en los buques que lo llevaban a los mercados de Europa justo en un momento en el que las necesidades de energía del continente estaban creciendo con rapidez. La terminación del oleoducto en sí misma fue un acontecimiento cargado de simbolismo, pues fue la primera hebra de lo que se convertiría en una red de oleoductos que entrecruzaría Asia para dar una forma y vida nuevas a las antiguas rutas de la seda.

Se avecinaban problemas. El descubrimiento de petróleo convirtió el papel firmado por el sah en 1901 en uno de los documentos más importantes del siglo XX, pues al tiempo que puso los cimientos para el desarrollo de una empresa multimilmillonaria (la Anglo-Persian Oil Company terminaría convirtiéndose en British Petroleum) también allanó el camino para la agitación política. El hecho de que los términos del acuerdo entregaran el control de las joyas de la corona de Persia a unos inversores extranjeros alimentó un odio enconado hacia el mundo exterior, lo que a su vez fomentó el nacionalismo y, en última instancia, el recelo y rechazo profundos de Occidente cuyo mejor exponente es el fundamentalismo islámico moderno. El deseo de hacerse con el control del petróleo sería la causa de muchos problemas en el futuro.

En el nivel humano, la historia de la concesión de Knox D'Arcy es un relato asombroso de visión empresarial y triunfo contra todo pronóstico; pero en términos globales su significación está a la par de los descubrimientos transatlánticos de Colón en 1492. También entonces los conquistadores se apropiaron de tesoros y riquezas inmensos y los enviaron a Europa. Lo mismo volvió a ocurrir en Persia. Una razón para ello fue el profundo interés que tenían en la cuestión el almirante Fisher y la armada, que vigilaban atentamente la situación en el país. Cuando la Anglo-Persian experimentó problemas de liquidez en 1912, Fisher se apresuró a intervenir, preocupado por la posibilidad de que la empresa pudiera ser adquirida por productores como Royal Dutch Shell, que había construido una red de producción y distribución considerable a partir de una base inicial en las Indias Orientales holandesas. Fisher acudió al primer lord del Almirantazgo, una figura política en ascenso, para convencerle de la importancia de cambiar los motores de carbón de los buques de guerra por motores de petróleo. El petróleo es el futuro, declaró; podía almacenarse en grandes cantidades y era barato. Pero lo más importante era que permitía a los barcos moverse más rápido. La guerra naval «es puro sentido común», dijo. «La primera necesidad básica es la velocidad, pues es la que te capacita para pelear *cuando* quieres, *donde* quieres y *como* quieres.» Eso permitiría a los buques británicos superar a las embarcaciones enemigas y les daría la ventaja decisiva en la batalla.[39] Escuchando a Fisher, Winston Churchill entendió lo que eso significaba.

Pasarse al petróleo implicaba llevar la potencia y eficacia de la armada británica a «un nivel definitivamente superior; mejores buques, mejores tripulaciones, economías mayores, formas más intensas de poder bélico». Implicaba, anotó Churchill, que lo que estaba en juego era nada más y nada menos que el dominio de los mares.[40] En un momento en que la tensión en los asuntos internacionales estaba en aumento y parecía cada vez más probable que estallara una confrontación en una forma u otra, bien fuera en Europa o en otro lugar, se dedicaba mucha reflexión a cómo conseguir y consolidar esa ventaja. En el verano de 1913, Churchill presentó al gobierno un documento titulado «Suministro de petróleo para la armada de Su Majestad». La solución, argumentaba, consistía en comprar el combustible a una gama de productores e, incluso, considerar la posibilidad de adquirir «una participación mayoritaria en fuentes de suministro fiables». La discusión que siguió a continuación no condujo a una conclusión definitiva más allá del acuerdo en que el «Almirantazgo debe garantizarse el suministro de petróleo [...] desde el área más amplia posible y las más numerosas fuentes».[41]

Menos de un mes después la situación había cambiado. El primer ministro, así como el gabinete, estaba convencido de la «necesidad vital» del petróleo en el futuro. Por tanto, en su habitual resumen de sucesos dignos de atención, comunicó al rey Jorge V que el gobierno iba a adquirir una participación mayoritaria en la Anglo-Persian con el fin de asegurarse «fuentes de suministro fiables».[42]

Churchill defendió la causa con insistencia. Garantizar un suministro de petróleo no era solo una cuestión de la armada; de lo que se trataba era de salvaguardar el futuro de Gran Bretaña. Aunque entendía que el carbón había echado las bases para el éxito del imperio, en gran parte este dependía ahora del petróleo. «Si no podemos conseguir petróleo», le dijo al Parlamento en julio de 1913, «no podremos conseguir grano, no podremos conseguir algodón y no podremos conseguir las mil y una materias primas necesarias para la preservación de las energías económicas de Gran Bretaña». Era necesario acumular reservas en caso de que estallara una guerra; pero tampoco se podía confiar en el mercado libre, pues gracias a los esfuerzos de los especuladores este se estaba convirtiendo en «una farsa descarada».[43]

La Anglo-Persian, por tanto, parecía ser la solución para muchos problemas. La concesión era «completamente sólida» y, con fondos suficientes respaldándola, probablemente podría «desarrollarse de forma gigantesca», según el almirante sir Edmond Slade, ex director de la inteligencia naval y jefe del grupo de trabajo al que se encargó el dictamen sobre la compañía. El control de la empresa, con el suministro de petróleo garantizado que conllevaba, sería un regalo del cielo para la marina. La clave, concluyó Slade, era adquirir la participación mayoritaria «a un coste muy razonable».[44]

Las negociaciones con la Anglo-Persian avanzaron con tanta rapidez que para el verano de 1914 el gobierno británico estaba en posición de comprar un 51 por ciento de la empresa y hacerse así con el control operativo. La elocuencia de Churchill en la Cámara de los Comunes hizo que una gran mayoría de los parlamentarios votara a favor de la decisión. Y fue así como los legisladores, planificadores y militares de Gran Bretaña pudieron reconfortarse con la certeza de que tenía acceso a unos recursos petrolíferos que podían revelarse vitales en cualquier conflicto militar del futuro. Once días después, Francisco Fernando fue asesinado en Sarajevo.

En el frenesí que rodeó los preparativos para la guerra, fue fácil pasar por alto los importantes pasos adoptados por Gran Bretaña para salvaguardar sus necesidades energéticas. Eso se debió, en parte, a que pocos eran conscientes de los tratos hechos entre bambalinas, pues además de comprar una participación mayoritaria en la Anglo-Persian el gobierno británico también había llegado a un acuerdo secreto para el suministro de petróleo para el Almirantazgo durante veinte años. Gracias a ello, los buques de la armada británica que zarparon en el verano de 1914 lo hicieron con la ventaja de saber que serían reabastecidos si la confrontación con Alemania se prolongaba. La conversión al petróleo hizo que los buques británicos fueran más rápidos y mejores que los de sus rivales, pero la ventaja más importante fue que podían permanecer en el mar. No fue casualidad que en noviembre de 1918, menos de dos semanas después de que se hubiera acordado el armisticio, lord Curzon pronunciara un discurso durante un banquete en Londres en el que sostuvo que «la causa aliada flotó hacia la victoria sobre una ola de petróleo». Un destacado senador francés, exultante, coincidió con él. Alemania había prestado demasiada atención al hierro y el carbón, dijo, y no la suficiente al petróleo. El petróleo era la sangre de la tierra, agregó, y la sangre de la victoria.[45]

Algo de verdad había en ello. Pues aunque los historiadores militares suelen concentrar su atención en los campos de la muerte de Flandes, lo que ocurrió en el centro de Asia fue muy relevante para el desenlace de la Gran Guerra (y sería todavía más importante en el periodo que llegó a continuación). Cuando sonaron los primeros disparos en Bélgica y el norte de Francia, los otomanos estaban preguntándose qué función debían desempeñar en la escalada de la confrontación en Europa. Aunque el sultán estaba absolutamente convencido de que el imperio tenía que mantenerse al margen de la guerra, se hicieron oír otras voces que argumentaban que el mejor curso de acción era forjar una alianza para consolidar los lazos con Alemania, tradicionalmente estrechos. Mientras las grandes potencias de Europa estaban ocupadas lanzando ultimátums y declarándose la guerra unas a otras, Enver Pachá, el veleidoso ministro de Guerra otomano, contactó con el cuartel general del ejército en Bagdad para advertirle de lo que quizá les aguardaba en el futuro inmediato. «La guerra con Inglaterra está ahora dentro del ámbito de lo posible», escribió. Si estallaban las hostilidades, debía incitarse a los líderes árabes a respaldar el esfuerzo militar otomano en una guerra santa. Era necesario despertar a la población musulmana de Persia para que se rebelara contra «el dominio ruso e inglés».[46]

En este contexto, no resulta sorprendente que apenas semanas después de empezada la guerra, los británicos enviaran una división desde Bombay para proteger Ābādān, los oleoductos y los campos petrolíferos. Una vez asegurados estos objetivos, en noviembre de 1914 se ocupó Basora, una posición clave desde un punto de vista estratégico. Después de eso, sir Percy Cox comunicó a los habitantes de la ciudad, durante una ceremonia de izada de bandera, que «no quedan restos de la administración turca en este lugar. En lugar de ella, se ha alzado la bandera británica bajo la cual disfrutaréis de los beneficios de la libertad y la justicia, tanto en cuestiones de carácter religioso como secular».[47] Las costumbres y creencias de la población local apenas tenían relevancia; lo importante era proteger el acceso a los recursos naturales de la región.

Conscientes de que el dominio que ejercían en la región del Golfo era frágil, los británicos se acercaron a destacadas figuras del mundo árabe, incluido Ḥusayn, el jerife de La Meca, a quien se propuso un acuerdo tentador: sí él «y los árabes en general» apoyaban a Gran Bretaña contra los turcos, entonces esta «garantizará la independencia, derechos y privilegios del jerifato contra toda agresión extranjera, en particular la de los otomanos». Eso no era lo único, pues los británicos plantearon otra iniciativa todavía más excitante. Quizá había llegado la hora de que «un árabe de verdadera raza asuma el califato en La Meca o en Medina». A cambio de su apoyo, se le estaba ofreciendo a Ḥusayn, guardián de la ciudad santa de La Meca, miembro de la tribu quraysh y descendiente de Hāshim, el bisabuelo del mismísimo profeta Mahoma, un imperio.[48]

Los británicos, en realidad, no tenían intenciones de cumplir semejante promesa, que, por lo demás, tampoco estaban en condiciones de satisfacer. Sin embargo, desde comienzos de 1915, con la situación empeorando cada vez más, se prepararon para embaucar a Ḥusayn. Eso fue consecuencia, en parte, de que en Europa no se hubiera materializado el triunfo rápido que algunos esperaban. Pero también del hecho de que los otomanos finalmente habían empezado a contraatacar amenazando la posición británica en el golfo Pérsico y también en Egipto, lo que era un gran motivo de inquietud, pues ponía en peligro el canal de Suez, la arteria que permitía a los buques procedentes de Oriente llegar a Europa semanas antes de lo que lo harían si tuvieran que circunnavegar África. Para obligar a los otomanos a desviar su atención y recursos a otros lugares, los británicos decidieron desembarcar tropas en el Mediterráneo oriental y abrir un nuevo frente. Dadas las circunstancias, llegar a acuerdos con cualquiera que pudiera aliviar la presión sobre las fuerzas aliadas parecía una solución obvia; y era fácil prometer recompensas excesivas que, llegado el caso, solo habría que pagar en un futuro lejano.

Cálculos similares se hicieron en Londres acerca del auge del poderío ruso. Aunque los horrores de la guerra se hicieron patentes con rapidez, en Gran Bretaña había algunas figuras influyentes a las que inquietaba la posibilidad de que la guerra terminara demasiado pronto. Al ex primer ministro Arthur Balfour le preocupaba que una derrota rápida de Alemania contribuyera a hacer a Rusia todavía más peligrosa, pues alimentaría sus ambiciones hasta el punto de que la India podía estar en riesgo. Había otro motivo de intranquilidad: Balfour también había oído rumores de que, en San Petersburgo, un grupo de presión con buenas conexiones estaba intentando pactar con Alemania; esto, reconocía, sería tan desastroso para Gran Bretaña como perder la guerra.[49]

Las preocupaciones acerca de Rusia hacían que garantizar su lealtad fuera una cuestión de suma importancia. La perspectiva de controlar

Constantinopla y los Dardanelos fue el cebo perfecto para mantener los lazos que unían a los aliados y desviar la atención del gobierno del zar hacia un asunto sumamente delicado. Pese a su poderío, el talón de Aquiles de Rusia era que carecía de puertos en aguas templadas más allá del mar Negro, que se conectaba con el Mediterráneo a través del Bósforo los Dardanelos, los estrechos que separaban Europa de Asia en los dos extremos del mar de Mármara. Estos canales constituían una ruta vital que unía los cultivos de cereales de Rusia meridional con los mercados de exportación del extranjero. El cierre de los Dardanelos durante la guerra de los Balcanes de 1912-1913 dejó el trigo pudriéndose en los almacenes, lo que infligió un daño devastador a la economía rusa e hizo que se hablara de declarar la guerra a los otomanos, que eran quienes controlaban los estrechos.[50]

Por tanto, a los rusos les encantó que, a finales de 1914, Gran Bretaña planteara la cuestión del futuro de Constantinopla y los Dardanelos, «la presa más apetitosa de toda la guerra», según anunció el embajador británico a los representantes del zar. Una vez la guerra hubiera terminado, se permitiría que Rusia asumiera el control de la zona pero con la condición de que Constantinopla siguiera siendo un puerto libre «para las mercancías en tránsito hacia y desde los territorios no rusos» y hubiera «libertad comercial para los buques mercantes que pasaban por los estrechos».[51]

Aunque había escasos signos de avance en el frente occidental, donde ambos bandos estaban sufriendo un número extraordinario de bajas y se enfrentaban a la perspectiva de años de carnicería, los aliados ya estaban sentados para negociar la repartición de los territorios e intereses de sus rivales. Considerando las acusaciones de imperialismo que se esgrimirían contra Alemania y sus socios después del armisticio, esto no deja de ser tremendamente irónico. Apenas unos meses después del comienzo de la guerra, los aliados ya estaban pensando en darse un banquete con los cadáveres de sus enemigos derrotados.

En este sentido, había mucho más en juego que Constantinopla y los Dardanelos, las zanahorias que se había puesto delante de las narices de Rusia. A comienzos de 1915 se creó una comisión presidida por sir Maurice de Bunsen con el fin de estudiar las propuestas para el futuro del Imperio Otomano una vez que la victoria estuviera asegurada. Parte del truco consistía en dividir las cosas de un modo que resultara conveniente para quienes eran aliados en el presente, pero que habían sido rivales en el pasado y que podían volver a serlo en el futuro. Según opinaba sir Edward Grey, no debía hacerse nada que pudiera despertar la sospecha de que

Gran Bretaña tenía planes para Siria. «Plantear cualquier reclamación a propósito de Siria y el Líbano supondría romper con Francia», escribió. Y la razón era clara: en los siglos XVIII y XIX las empresas francesas habían hecho una inversión considerable en la región.[52]

Por tanto, con el fin de mostrar solidaridad con Rusia y evitar una confrontación con Francia por sus intereses en Siria, se decidió desembarcar un gran contingente conformado por tropas británicas, australianas y neozelandesas no en Alejandreta, en el sureste de la actual Turquía, que era lo que se había planeado originalmente, sino en la península de Galípoli, en la entrada de los Dardanelos, que guardaba el acceso a Constantinopla.[53] El lugar del desembarco elegido se reveló particularmente inadecuado para llevar a cabo una ofensiva a gran escala y se convirtió en una trampa mortal para muchos de los que intentaron abrirse camino cuesta arriba, peleando contra las posiciones turcas, que estaban bien fortificadas. La desastrosa campaña posterior tuvo sus orígenes en la lucha por hacerse con el control de las redes comerciales y de comunicación que unían Europa con Oriente Próximo y Asia.[54]

El futuro de Constantinopla y los Dardanelos había quedado dispuesto; ahora era necesario resolver el de Oriente Próximo. En una serie de reuniones celebradas en la segunda mitad de 1915 y a comienzos de 1916, sir Mark Sykes, un parlamentario engreído al que el secretario de Estado para la Guerra, lord Kitchener, prestaba mucha atención, y François Georges-Picot, un diplomático francés arrogante, se repartieron la región. Entre los dos acordaron una línea que se extendía desde Acre (en el extremo norte de lo que hoy es Israel) en dirección noreste hasta la frontera con Persia. Los franceses se las arreglarían por su cuenta en Siria y el Líbano; los británicos, en Mesopotamia, Palestina y Suez.

Repartirse el botín de esta forma era peligroso, entre otras razones porque al mismo tiempo se estaban transmitiendo mensajes acerca del futuro de la región en sentido contrario de lo acordado. Estaba Ḥusayn, por ejemplo, al que se le había ofrecido la independencia árabe y el restablecimiento del califato, con él a la cabeza; estaban los pueblos de «Arabia, Armenia, Mesopotamia, Siria y Palestina», para los que el primer ministro británico no había dejado de pedir en sus declaraciones públicas «el reconocimiento de sus diferentes circunstancias nacionales», aparentemente una promesa de soberanía e independencia.[55] Luego estaba Estados Unidos, al que británicos y franceses habían asegurado en repetidas ocasiones que estaban combatiendo «no por intereses egoístas sino, sobre todo, para salvaguardar la independencia de los pueblos, el bien y la humanidad». Según *The Times*, el diario londinense, tanto Gran Bretaña como Francia declaraban con pasión que abrigaban en sus corazones metas nobles y estaban luchando por liberar «a las poblaciones sometidas a la sanguinaria tiranía de los turcos».[56] «Todo estaba mal», escribió Edward House, el consejero de política exterior del presidente Wilson, cuando descubrió el acuerdo secreto a través del ministro de Exteriores británico. Los franceses y los británicos «están convirtiendo [Oriente Próximo] en el semillero de la guerra futura».[57] No se equivocaba.

En la raíz del problema estaba el hecho de que Gran Bretaña sabía lo que estaba en juego gracias a los recursos naturales que se habían descu-

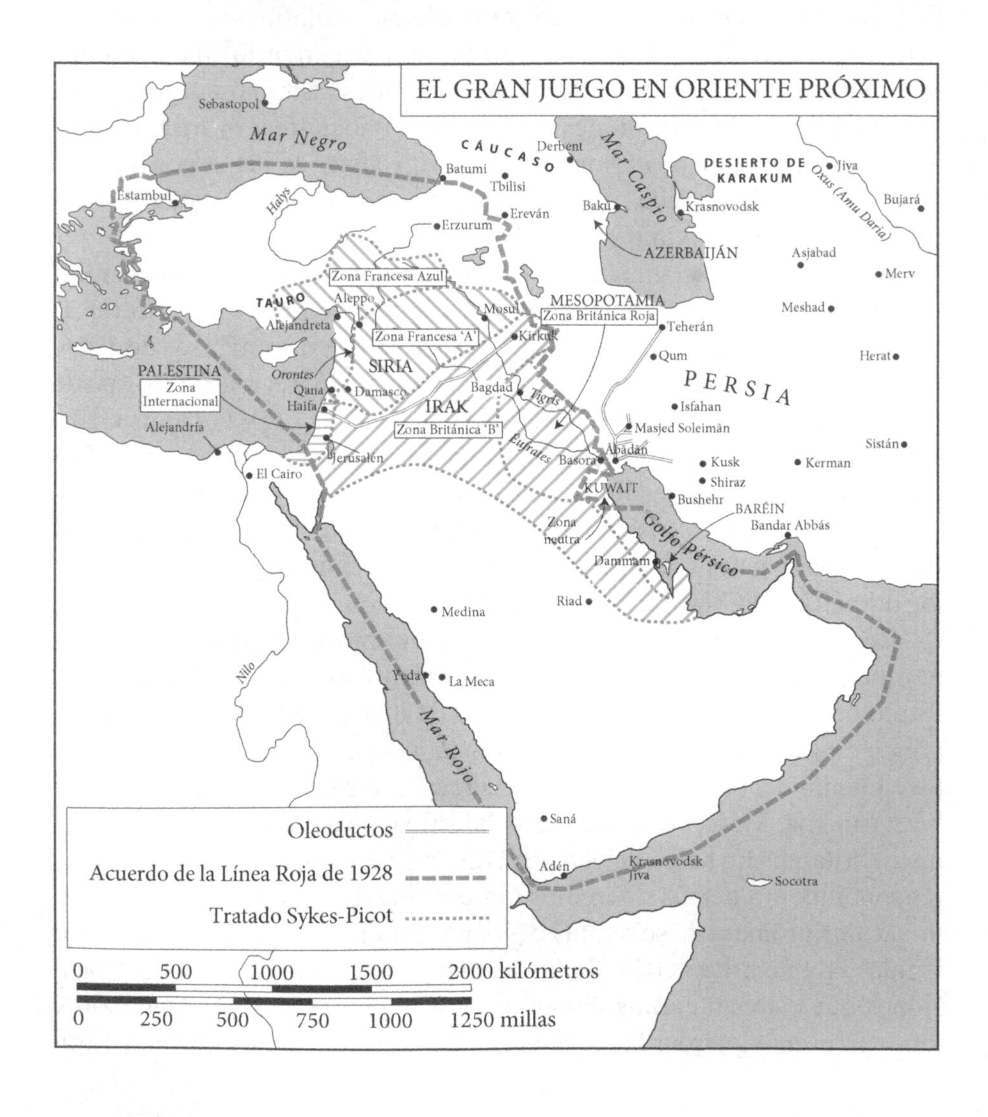

bierto en Persia, y que parecía probable que también poseyera Mesopotamia. De hecho, en 1914, justo el día del asesinato de Francisco Fernando, se aprobó una concesión para la búsqueda de petróleo que, no obstante, nunca llegó a ratificarse. El beneficiario era un consorcio encabezado por la Turkish Petroleum Company, una empresa en la que la Anglo-Persian era el accionista mayoritario y en la que tenían participaciones minoritarias la Royal Dutch Shell y el Deutsche Bank, además de la parte correspondiente a Calouste Gulbenkian, el extraordinario negociador que había tramado todo el acuerdo.[58] Independientemente de qué promesas o compromisos se estuvieran planteando a los pueblos y naciones de Oriente Próximo, la verdad era que la forma y el futuro de la región estaban siendo trazados por funcionarios, políticos y hombres de negocios que solo tenían una cosa en mente: asegurarse el control del petróleo y los oleoductos que lo bombeaban a los puertos para ser cargado en los buques cisterna.

Los alemanes se dieron cuenta de lo que estaba ocurriendo. En un documento informativo que terminó llegando a manos de los británicos, se argüía que Gran Bretaña tenía dos objetivos estratégicos primordiales. El primero era mantener el control del canal de Suez, que tenía un valor estratégico y comercial único; el segundo, controlar los campos petrolíferos de Persia y Oriente Próximo.[59] Esta era una evaluación muy perspicaz de la situación. En su crecimiento desproporcionado el imperio transcontinental de Gran Bretaña había llegado a cubrir casi una cuarta parte del globo. A pesar de los muchos climas, ecosistemas y recursos diferentes que abarcaba, había algo de lo que carecía: petróleo.

Sin depósitos significativos mencionables en ninguno de sus territorios, la guerra ofrecía a Gran Bretaña una oportunidad de corregir eso. «Las únicas reservas potencialmente grandes», escribió sir Maurice Hankey, el estudioso secretario del gabinete de guerra, «son las de Persia y Mesopotamia». En consecuencia, hacerse con «el control de esas reservas de petróleo se convierte en un objetivo primordial de la guerra».[60] Desde una perspectiva militar no había nada que ganar en esta región, subrayó Hankey en una carta al primer ministro, David Lloyd George, escrita ese mismo día; pero Gran Bretaña debía actuar con decisión si quería «asegurarse los valiosos pozos de petróleo» de Mesopotamia.[61]

Pocos necesitaban que se les convenciera. Antes de que la guerra terminara, el ministro de Exteriores británico hablaba sin términos medios sobre cómo veía el futuro. No cabía duda de que les aguardaban cuestiones relativas al desmembramiento de los imperios de sus rivales. «Me tiene sin cuidado», dijo a destacadas figuras del gobierno británico, «bajo qué sistema nos quedamos con el petróleo, bien sea mediante un contrato de arrendamiento a perpetuidad o cualquier otra posibilidad, pero estoy absolutamente seguro de que es de suma importancia para nosotros que ese petróleo esté a nuestra disposición».[62]

Había buenas razones para semejante determinación, así como para las inquietudes en las que se apoyaba. A comienzos de 1915, el Almirantazgo consumía ochenta mil toneladas de petróleo al mes. Dos años después, como consecuencia del gran número de buques en servicio y la proliferación de motores de petróleo, la cantidad era más del doble: ciento noventa mil toneladas. Las necesidades del ejército habían crecido de forma todavía más espectacular, pues de los cien vehículos en uso en 1914 se pasó a decenas de miles. Para 1916, el esfuerzo había agotado prácticamente las reservas de petróleo de Gran Bretaña: los treinta y seis millones de galones que había el 1 de enero se habían reducido a diecinueve millones seis meses después y, apenas cuatro semanas más tarde, ya solo eran doce millones y medio.[63] Cuando un comité gubernamental examinó las necesidades de carburante de los próximos doce meses, se encontró con que las estimaciones indicaban que escasamente se contaría con la mitad de la cantidad necesaria para satisfacer la demanda probable.[64]

Aunque la aprobación del racionamiento de petróleo con efecto inmediato consiguió de algún modo estabilizar las reservas, en la primavera de 1917 las preocupaciones constantes que ocasionaban los problemas de suministro llevaron al primer lord del Mar a ordenar que los buques de la armada pasaran tanto tiempo como fuera en los puertos, al tiempo que se limitó la velocidad de crucero en alta mar a veinte nudos. La precariedad de la situación quedó subrayada por las proyecciones preparadas en junio de 1917, en las que se calculó que para finales de ese mismo año las reservas del Almirantazgo no equivaldrían apenas al suministro de seis semanas.[65]

El desarrollo por parte de Alemania de submarinos de guerra eficaces empeoró todavía más las cosas. Gran Bretaña había estado importando petróleo en grandes cantidades (y a precios cada vez más altos) desde Estados Unidos, pero muchos petroleros no conseguían llegar a su destino. Los alemanes habían logrado hundir «tantísimos buques petroleros», escribió en 1917 Walter Page, el embajador de Estados Unidos en Londres, que «es posible que muy pronto este país se encuentre en una situación peligrosa».[66] A partir de 1914, la veloz mecanización de la guerra había estado acompañada por revoluciones tecnológicas que permitían a los motores funcionar más rápido y de forma más eficaz, una tendencia alimentada por la feroz guerra terrestre que se estaba librando en Europa. Sin embargo, este aumento del consumo hizo que la cuestión del acceso al petróleo, que ya era una importante preocupación antes del estallido de las hostilidades, se convirtiera en un factor clave, si no decisivo, de la política internacional de Gran Bretaña.

Algunos políticos británicos tenían grandes esperanzas acerca del futuro. Percy Cox, un administrador experimentado que había prestado servicio en Persia oriental y conocía bien el país, consideraba en 1917 que Gran Bretaña tenía la oportunidad de hacerse con un control tan férreo del golfo Pérsico como para excluir para siempre a los rusos, los franceses, los japoneses, los alemanes y los turcos.[67] En consecuencia, aunque el hundimiento de Rusia en la revolución de 1917 y el acuerdo de paz alcanzado con Alemania poco después de que los bolcheviques tomaran el poder fueron sucesos inquietantes para el desarrollo de la guerra en Europa, en otras partes se recibieron como un desarrollo que tenía un lado positivo. Como explicó lord Balfour al primer ministro en el verano de 1918, bajo el gobierno autocrático Rusia había sido «un peligro para sus vecinos, y para ninguno tanto como para nosotros».[68] De modo que su implosión era una buena noticia para la posición de Gran Bretaña en Oriente, donde había surgido una oportunidad real de consolidar el control sobre toda la región que se extendía entre el canal de Suez y la India y, por ende, de garantizar la seguridad de ambos.

# Capítulo 18

# LA RUTA DEL ARREGLO

Los británicos estaban decididos a instalar en Persia a un hombre fuerte y fiable que pudiera prestar un buen servicio a sus intereses. Los ojos no tardaron en posarse en una figura prominente de la corte, el príncipe Farman-Farma, que tenía grandes inversiones en la bolsa de valores de Londres y, por tanto, era alguien cuya considerable fortuna estaba estrechamente ligada a la prosperidad del imperio. Se decidió presionar de forma intensiva al gobierno para conseguir que fuera nombrado primer ministro. La víspera de Navidad de 1915 el representante de Gran Bretaña en Teherán tuvo una audiencia con el sah con el fin de dejarle claro que el nombramiento de Farman-Farma sería visto de forma muy favorable en Londres. «El cambio de primer ministro era inevitable en el futuro cercano», se le dijo al sah, en especial teniendo en cuenta todos los «elementos hostiles» en el gobierno de Teherán. Convencer al monarca resultó fácil: «Coincidió y consideró que era algo que debía hacerse cuanto antes. Prometió instar a Farman-Farma que aceptara el cargo de inmediato».[1] Pocos días después, el nombramiento del príncipe era oficial.

En Mesopotamia, la ausencia de un hombre de paja con el cual colaborar hizo las cosas más complicadas. Llegado el momento, los británicos decidieron encargarse del asunto por sus propios medios y en la primavera de 1917 enviaron tropas desde Basora para ocupar Bagdad. Como le escribió desde Londres el ya entonces lord Hardinge a Gertrude Bell, una escritora y viajera brillante que conocía la región tan bien como cualquiera, apenas si se pensó en lo que ocurriría después. «En realidad», decía la carta, «no importa si elegimos a los tres hombres más gordos de Bagdad o a los tres con las barbas más largas para ponerlos como emblemas del gobierno árabe». Los británicos, sencillamente, necesitaban a un líder, cualquier líder, al que fuera posible convencer de los beneficios de cooperar con la potencia ocupante; eso, como era obvio, implicaba pagar unos sobornos generosos.[2]

No obstante, había otros problemas graves a los que hacer frente y bastante más significativos que aclarar la configuración política que tendría la región en el futuro. Las voces que abogaban por revisar el acuerdo Sykes-Picot habían empezado a oírse en Gran Bretaña incluso antes de que la tinta estuviera seca. La causa no era ninguna clase de escrúpulos acerca del imperialismo descarado del pacto secreto, sino un informe preparado por el almirante Slade, que previamente había estado al frente de la división de inteligencia del Almirantazgo y que, tras encargarse de valorar los yacimientos de petróleo persas en 1913, había sido nombrado director de la Anglo-Persian Oil Company. En ese informe, Slade subrayaba que «bajo ninguna circunstancia posible debe permitirse que se perturbe nuestro usufructo» de los yacimientos persas, y que eso también se aplicaba a otras partes de la región. Había indicios, añadía, de la existencia de cantidades significativas de petróleo en «Mesopotamia, Kuwait, Baréin y Arabia». Por tanto, recomendaba encarecidamente que se trazaran de nuevo las líneas para garantizar que, en la medida de lo posible, la mayor parte de esos territorios quedaran dentro de la zona bajo control británico. «Es importante obtener el control de todos los derechos sobre el petróleo en estas áreas de modo que ninguna otra potencia puede explotarlos en su [propio] beneficio.»[3] El Ministerio de Asuntos Exteriores observaba con nerviosismo el desarrollo de los acontecimientos mientras coleccionaba artículos de periódicos europeos en los que se exigía «la libre navegación en el golfo Pérsico» reclamada por Alemania, un indicativo de que cuanto más rápido Gran Bretaña consiguiera asegurar su posición, mejor.[4]

Para finales de 1918, apenas semanas antes de que terminara la guerra, los británicos se las arreglaron para conseguir lo que querían: el primer ministro, David Lloyd George, convenció al primer ministro francés, Georges Clemenceau, de modificar el acuerdo y ceder a Gran Bretaña el control de Mosul y el área circundante. Esto se logró en parte aprovechando el temor de Francia a que los británicos pudieran obstaculizar su proyecto de establecer un protectorado en Siria, pero también insinuando que el apoyo de Gran Bretaña a la cuestión de Alsacia-Lorena en las negociaciones de paz que no tardarían en empezar no estaba en absoluto garantizado. «¿Qué quiere?», le preguntó sin rodeos Clemenceau a Lloyd George. «Quiero Mosul», le respondió el primer ministro británico. «La tendrá.

¿Algo más?» La respuesta fue afirmativa: «Sí, también quiero Jerusalén». «La tendrá», respondió de nuevo el francés. Clemenceau era un hombre «de una honradez absoluta que nunca faltaba a su palabra», recordaba un funcionario de alto nivel a cuyo juicio Lloyd George prestaba atención.[5]

Los británicos también habían incluido Palestina entre sus objetivos debido a su posición, ideal para contener cualquier amenaza contra el canal de Suez, sobre el que Gran Bretaña había consolidado su control en 1888 y era, sin duda, una de las arterias fundamentales del imperio. Por tanto, del mismo modo en que el ejército había marchado sobre Bagdad, avanzó sobre Palestina desde el sur y, en contra de lo esperado, también desde el este, con T. E. Lawrence surgiendo del desierto para tomar Áqaba en el verano de 1917. Unos pocos meses después, caía Jerusalén, y ello a pesar de los violentos contraataques lanzados por el VII y VIII ejércitos otomanos dirigidos por el general Erich von Falkenhayn, que a comienzos de la guerra había sido jefe de Estado Mayor del ejército alemán. Tras tomar la ciudad, «un regalo de Navidad para el pueblo británico», en palabras del primer ministro Lloyd George, el oficial al mando de las tropas británicas, el general Edmund Allenby, entró en ella a pie como señal de respeto.[6]

Con todo, existía otra razón por la que Palestina era importante. Desde hacía un tiempo había una preocupación creciente por el número cada vez mayor de inmigrantes judíos que llegaban a Gran Bretaña; solo la cantidad de quienes procedían de Rusia, por ejemplo, se había multiplicado por cinco entre 1880 y 1920. A comienzos del siglo XX se discutió la posibilidad de ofrecer a los judíos tierras en África oriental para animar a los emigrantes a establecerse allí, pero para cuando estalló la guerra la atención ya había virado hacia Palestina. En 1917, *The Times* publicó una carta del ministro de Exteriores, Arthur Balfour, a lord Rothschild en la que se decía que «el gobierno de Su Majestad ve de forma favorable la creación en Palestina de un hogar nacional para el pueblo judío».[7] Conocida como la «declaración Balfour», la idea de destinar territorios a la colonización judía era lo que el mismo Balfour describió ante la Cámara de los Lores como «una solución parcial al enorme y permanente problema judío».[8]

Aunque el haber abanderado la causa de una patria para los judíos europeos atrajo mucha atención, como es comprensible, Gran Bretaña también había puesto el ojo en Palestina por su posición en relación a los yacimientos petrolíferos y como estación terminal de un oleoducto que los conectara con el Mediterráneo. Eso, señalaron quienes diseñaron el plan, suponía ahorrarse un viaje de más de mil quinientos kilómetros y daría a Gran Bretaña «prácticamente el control sobre la producción de lo que bien puede terminar siendo uno de los yacimientos petrolíferos más ricos del mundo».[9] Era imprescindible, por tanto, que Gran Bretaña tuviera una fuerte presencia en Palestina, que se hiciera con el control de Haifa, que tenía un puerto muy bueno y profundo, ideal para cargar el combustible en los petroleros británicos, y que el oleoducto llegara hasta ese puerto (en lugar de hacerlo al norte, en la Siria bajo control francés).

De acuerdo con el pensamiento estratégico de Gran Bretaña en ese momento, Haifa era la terminal perfecta para el crudo bombeado desde Mesopotamia. Y así fue. Para 1940, el oleoducto construido después de la guerra transportaba más de cuatro millones de toneladas de petróleo, suficiente para abastecer toda la flota del Mediterráneo. Era, como lo denominó la revista *Time*, la «arteria carótida del imperio británico».[10] El imperio más grande del mundo estaba recibiendo una transfusión masiva de sangre negra bombeada directamente desde el corazón del mundo.

Hacia comienzos de 1918, por tanto, era mucho lo que se había pensado acerca de la forma que tendría el mundo de la posguerra y cómo debían dividirse los despojos de la victoria. El problema era que existía una diferencia muy grande entre los acuerdos alcanzados entre políticos sociables, diplomáticos irritables y estrategas armados con mapas y lápices en las capitales de Europa, por un lado, y la realidad sobre el terreno, por otro. La repartición de territorios entre Gran Bretaña y Francia para ampliar y proteger sus intereses estaba muy bien planificada sobre el papel, pero las cosas se tornaron bastante más complicadas cuando intervinieron los detalles prácticos.

Por ejemplo, en el verano de 1918, se ordenó al general británico Lionel Dunsterville avanzar desde el noroeste de Persia hacia el Caspio, al tiempo que se enviaba a otros oficiales de alto rango a vigilar el Cáucaso con el objetivo de garantizar que los turcos no lograran hacerse con el control de los campos petrolíferos de Azerbaiyán, tomar la región al sur del Caspio o apoderarse del ferrocarril transcaspiano, que llegaba a la frontera de Afganistán. Esto era un caso clásico de forzar demasiado los recursos, una misión prácticamente imposible que, no cabe duda, terminó en desastre. En su avance, las fuerzas turcas rodearon Bakú, donde Dunsterville estuvo atrapado seis semanas hasta que se le permitió retirarse. Una vez que la ciudad se rindió, la población local ajustó cuentas en una carnicería horripilante.[11]

En Londres, el pánico se apoderó de los funcionarios de la Secretaría de la India, que, frenéticos, se apresuraron a solicitar autorización para enviar agentes a Asia Central que pudieran informar de lo que estaba ocurriendo en la región en vista del resurgimiento turco y la confusión imperante en Rusia, donde los disturbios y las manifestaciones en el distrito de Samarcanda, el valle de Ferganá y Taskent contribuyeron a que la revolución estallara por todo el imperio.[12] «Todo control efectivo sobre la población nativa del Turquestán ha desaparecido», le escribió el secretario de Estado para la India al virrey, lord Chelmsford, a comienzos de 1918, «debido al colapso del gobierno central en Rusia y la descomposición total de la disciplina del ejército ruso».[13]

En respuesta a las advertencias de que el sentimiento antibritánico entre la población musulmana de la región se estaba intensificando, se despacharon enviados a la región con el fin de observar la situación y supervisar la difusión de propaganda anglófila. Se enviaron oficiales a Kasgar y Mashhad para valorar el ambiente, al tiempo que tenían lugar discusiones tortuosas sobre si se debían enviar fuerzas armadas a Afganistán y Taskent, o aprobar planes aún más grandiosos, como el de animar al emir de Afganistán a expandirse hacia el oeste y ocupar el valle del Murgab hasta Merv.[14] Tras la revolución rusa estaban surgiendo nuevas ideas, nuevas identidades y nuevas aspiraciones a lo largo de Ucrania, el Cáucaso y Asia Central, a medida que las demandas de expresión propia, cuando no de autodeterminación, se hacían más y más ruidosas.

Las complicaciones surgieron cuando quienes habían tomado el poder en Rusia descubrieron en Europa sus sueños frustrados de una revolución internacional y decidieron dirigir la atención hacia Asia. Trotski, efervescente de entusiasmo como de costumbre, aceptó con gusto la idea de cultivar el proyecto revolucionario en Oriente. «En las actuales circunstancias el camino hacia la India podría recorrerse mucho más fácil y, lo que es más, mucho más rápido que el que conduce a la formación de un sóviet en Hungría», escribió en un memorando que hizo circular entre sus colegas en 1919. «La ruta hacia París y Londres pasa por las ciudades de Afganistán, el Punyab y Bengala.»[15]

En 1920 se convocó a los delegados de «las masas populares esclavizadas de Persia, Armenia y Turquía», así como a los de Mesopotamia, Siria, Arabia y más allá, a una conferencia en Bakú en la que uno de los principales demagogos bolcheviques habló sin pelos en la lengua: «Ahora nos enfrentamos a la tarea de encender un auténtica guerra santa» contra Occidente, dijo a quienes le escuchaban. Había llegado el momento, señaló, de «educar a las masas de Oriente en el odio y el deseo de luchar contra los ricos». Eso significaba combatir contra los «rusos, judíos, alemanes, franceses [acaudalados] [...] y organizar una auténtica guerra santa del pueblo, en primer lugar contra el imperialismo británico».[16] En otras palabras: había llegado la hora de la confrontación definitiva entre Oriente y Occidente.

El mensaje fue bien recibido. Más allá de los vítores de los delegados, hubo quienes decidieron actuar: intelectuales como Muḥammad Barakatullāh, que escribió sobre la confluencia del «bolchevismo y las naciones islámicas», promovieron el avance del socialismo a lo largo y ancho del Asia musulmana. Por toda Asia Central se fundaron periódicos, universidades y escuelas militares para atender y radicalizar todavía más a la población local.[17]

Demostrando un grado de flexibilidad sorprendente, los soviéticos estuvieron dispuestos a transigir con cualquiera que pudiera contribuir a la causa. Por ejemplo, la jefatura bolchevique tuvo pocos reparos en hacer propuestas al monarca afgano, el rey Amanulá, después de que él mismo buscara distanciarse dc la influencia británica y lanzara un ataque contra la India británica al oeste del paso Jáiber. Aunque la confrontación militar fue un fiasco, al régimen bolchevique le encantaba la idea de encontrar un aliado en el este y envió una oferta de apoyo, acompañada de la promesa de que liberar a Oriente del imperialismo era un componente fundamental del programa revolucionario (promesa que probablemente no debió de resultar muy reconfortante para un gobernante que, a fin de cuentas, ocupa un trono).

La audacia y el oportunismo rusos causaron gritos de alarma estridentes en Gran Bretaña, donde *The Times* informó sobre «la amenaza bolchevique a la India: el punto de partida afgano». El ejército británico avanzó hacia el norte y entró en Afganistán. Entre los soldados se encontraba un joven cabo llamado Charles Kavanagh cuyo diario, descubierto hace poco, pinta un cuadro muy vívido de lo que vio durante la campaña, un cuadro que recuerda las experiencias de los soldados occidentales en la misma región en épocas más recientes. Las emboscadas y los ataques de los insurgentes eran un riesgo cotidiano, escribió. Los afganos no tenían inconveniente en disfrazarse de mujeres con vestidos que ocultaban tanto sus rostros como sus fusiles. Había que evitar ofrecer la mano a cualquier nativo al que no se conociera, anotaba: «Te la estrechará con la izquierda y te apuñalará con la derecha».[18]

Tras el final de la Gran Guerra surgieron diferentes visiones para el futuro. Por un lado, estaba el impulso hacia la autodeterminación, abanderado al menos en un comienzo por los bolcheviques. «Organizad vuestras vidas como prefiráis y sin ningún obstáculo», declaró Lenin. «Tenéis el derecho de hacerlo. Sabed que vuestros derechos, al igual que los de todos los pueblos de Rusia, están protegidos por el poder pleno de la revolución y sus organismos.»[19] La idea de autodeterminación se extendía a puntos de vista progresistas acerca de la igualdad de género: en las repúblicas soviéticas de Kirguistán, Turkmenistán, Ucrania y Azerbaiyán se otorgó el voto a las mujeres (antes que en el Reino Unido). En 1920 se pusieron en Taskent carteles, escritos en uzbeco, en los que aparecía una mujer delante de cuatro figuras fantasmales cubiertas con velo a las que instaba a emanciparse: «¡Mujeres! ¡Participad en las elecciones al sóviet!».[20]

Este progresismo posrevolucionario contrastaba radicalmente con las actitudes imperialistas de las potencias occidentales y la resolución con la que buscaban mantener el control de los dominios y recursos que consideraban vitales para el interés nacional. En este sentido, nadie se movilizó tanto ni con tanta agresividad como los británicos, que estaban decididos a conservar por encima de todo el control de las reservas de petróleo. En la medida en que ya tenía tropas sobre el terreno, Gran Bretaña gozaba de una ventaja que le permitió moldear el paisaje de acuerdo con sus necesidades. En el caso de Mesopotamia, lo que se hizo fue forjar un nuevo país que recibió el nombre de Irak, el amasijo resultante de fundir tres antiguas provincias otomanas que diferían profundamente en historia, religión y geografía: Basora miraba en dirección sur, hacia la India y el Golfo; Bagdad estaba estrechamente ligada a Persia; y Mosul tenía una conexión natural con Turquía y Siria.[21] La amalgama no satisfizo a nadie, con excepción de Londres.

El país era, en el mejor de los casos, una construcción endeble. Los británicos ayudaron a instalar como soberano a un viejo aliado, Faisal, el heredero del jerife de La Meca, en parte como recompensa por su cooperación durante la guerra, en parte por solidaridad tras su expulsión de Siria, el trono que se le había prometido originalmente, y en parte por la ausencia de cualquier otro candidato obvio. El hecho de que fuera un musulmán suní, mientras que la población local era predominantemente chií, no se consideró un inconveniente relevante: la introducción de la nueva parafernalia de la nación, como la ceremonia de cambio de guardia y la nueva bandera (diseñada por Gertrude Bell), ayudaría a limar cualquier aspereza. Esa parafernalia incluía un tratado que reconocía la «soberanía nacional» iraquí, pero obligaba al rey y el gobierno a aceptar la dirección de Gran Bretaña «en todas las cuestiones importantes», incluidas las relaciones internacionales y la defensa. Anexos ulteriores otorgaron a los británicos el derecho de hacer nombramientos en la judicatura e imponer consejeros financieros para gestionar la economía del país.[22] Este dominio imperial por delegación resultaba más barato desde el punto de vista financiero que una ocupación colonial plena en un momento en que la misma Gran Bretaña tenía que hacer frente a la enorme deuda nacional acumulada durante los años de la guerra, pero era también más barato en términos políticos. En 1920, el año previo a la entronización de Faisal, más de dos mil soldados británicos habían muerto en disturbios y protestas en Mesopotamia.[23]

Se hicieron esfuerzos coordinados para imponer un control similar sobre Persia. En 1919, se firmó un acuerdo para poner a consejeros británicos al frente tanto del tesoro como de las fuerzas armadas, así como para supervisar los proyectos de infraestructura. Esto sentó mal en Persia y en otras partes. Rusos y franceses veían con igual preocupación la excesiva influencia sobre Persia de Gran Bretaña, que ya tenía una participación mayoritaria en la Anglo-Persian Oil Company. Entre tanto, los sobornos (o «comisiones») pagados para lograr la firma del acuerdo produjeron gritos de protesta en Persia, en particular contra el mismísimo sah. «Dios condene la vergüenza sin fin / de aquel que traicionó las tierra de Sasán», escribió un famoso poeta de la época citando la antigüedad y el glorioso pasado del país; «decidle al esforzado Artajerjes Longímano / que el enemigo anexó su reino a Inglaterra».[24] Los críticos como este terminaron en prisión.[25]

El comisario de Asuntos Exteriores de la naciente Unión Soviética también reaccionó con furia: Gran Bretaña «está intentando amarrar al pueblo persa en una esclavitud total». Era vergonzoso, afirmó en una declaración, que los gobernantes del país «os hayan vendido a los ladrones ingleses».[26] La reacción de París fue un poco diferente. Pillados por sorpresa en la batalla por el petróleo, y habiendo renunciado a Mosul aparentemente por nada, los franceses habían estado presionando para colocar en Teherán a sus propios consejeros con el fin de promover sus intereses nacionales. Lord Curzon, que apenas pudo ocultar la indignación que le produjo el que se le preguntara si aprobaría un nombramiento semejante, despachó la cuestión sin rodeos. Persia, le dijo a Paul Cambon, el embajador francés en Londres, se había «salvado de la completa insolvencia solo gracias a la ayuda de Gran Bretaña». Francia no debía meterse donde no la habían llamado.[27]

Los franceses, resentidos, reaccionaron con furia. Financiaron la publicación de propaganda antibritánica en la prensa persa, al tiempo que en la suya aparecían artículos que vilipendiaban el acuerdo anglo-persa y también al sah. Ese enano de apenas medio centímetro de estatura, decía *Le Figaro* en un texto que se citó mucho en Teherán, «ha vendido su país por un céntimo».[28] Los franceses pertenecían al bando vencedor de la guerra, pero su aliado les había ganado la partida.

En realidad, los británicos estaban perplejos ante las exigencias de dinero del sah, que eran tan constantes como lo habían sido antes de la guerra. Eso también había sido un problema con el príncipe Farman-Farma, cuyo periodo como primer ministro no había resultado tan fructífero como esperaban. Los informes que se enviaban a Londres mencionaban su «poca disposición a trabajar con honestidad» y su «rapacidad»; esto hizo con rapidez «imposible su continuidad en el cargo».[29] Se necesitaba una figura más fiable.

Los hombres surgen cuando llega la hora, suele decirse. Reza Jan era un «hombre fornido, de buena presencia, constitución grande y estatura muy por encima de la media», informó con aprobación sir Percy Loraine, el representante del gobierno británico en Teherán, en 1922. Va directo al grano, proseguía el informe, «y no pierde el tiempo intercambiando los cumplidos expresados con delicadeza, pero perfectamente inútiles que tanto gustan a los persas». Aunque resultaba claro que era «ignorante y carecía de educación», Loraine estaba impresionado: «Al hablar con él tuve la impresión de que se trataba no de un cerebro vacío, sino inactivo». Esto era música para los oídos del Ministerio de Asuntos Exteriores. «La estimación de sir P. Loraine de Reza Jan es decididamente alentadora», señaló en Londres un funcionario acerca del informe. «Si bien [no] está libre de los vicios de sus compatriotas, su corazón parece estar del lado indicado.» Los orígenes raciales del candidato también se valoraron de forma positiva: «El que sea medio caucásico [por parte de madre] le favorece», se lee en otro documento. En resumen: era exactamente la clase de hombre con la que los británicos creían que se podía hacer negocios.[30]

Parecía ser «un hombre fuerte e intrépido al que le preocupa de corazón el bien de su país», según sir Edmund Ironside, el oficial al mando de la fuerza británica enviada para asegurar el norte de Persia en medio de una inquietud creciente acerca de los planes de Rusia en la zona del mar Caspio. La cuestión de cuánto apoyo dieron los británicos a Reza Jan y en qué medida contribuyeron a que se convirtiera en el poder detrás del trono y, finalmente, en 1925, en sah, ha sido tema de acalorados debates. En su momento, sin embargo, muchos de los que seguían de cerca los acontecimientos estaban seguros de que Gran Bretaña había tenido un papel clave en su entronización.[31] El representante de Estados Unidos en Teherán, John Caldwell, comentó que Reza era tan cercano a los británicos que era «prácticamente un espía».[32]

El hecho de que los estadounidenses también estuvieran prestando mucha atención a esta parte del mundo no era en absoluto sorprendente. Un informe de la sección de planificación de la armada de Estados Unidos que circuló en Europa en 1918 hablaba de la necesidad de que el país se preparara para la rivalidad comercial con los británicos. «Cuatro potencias han surgido en el mundo para competir con Gran Bretaña por la supremacía comercial», opinaba. España, Holanda, Francia y Alemania habían sido todas vencidas por Gran Bretaña. Estados Unidos era la «quinta potencia comercial, la más grande incluso [...] Los precedentes históricos nos advierten de que es necesario vigilar de cerca» los tejemanejes de Gran Bretaña.[33] La importancia de los yacimientos petrolíferos de Persia hacía que fuera necesario estar atentos a lo que ocurría en esta parte del mundo.

Eso era especialmente cierto dada la inquietud creciente que existía en Estados Unidos acerca de sus propias reservas de petróleo. Del mismo modo que a Gran Bretaña le preocupaba carecer de recursos antes de la guerra, inmediatamente después del conflicto Estados Unidos había empezado a inquietarse cada vez más por una posible escasez. El aumento experimentado por las pautas de consumo era un motivo de alarma, como también lo eran los cálculos acerca de las reservas de petróleo comprobadas. Según el director del Servicio Geológico de Estados Unidos, estas se agotarían en un plazo de nueve años y tres meses. La ausencia del «suministro necesario tanto a nivel nacional como internacional» constituía un problema mayúsculo, admitió el presidente Wilson.[34]

Por esta razón, el Departamento de Estado animó a la Standard Oil, uno de los mayores productores estadounidenses, a estudiar «la posibilidad de llegar a un acuerdo con el gobierno persa para el desarrollo de los recursos petrolíferos en el norte de Persia», en la región que había quedado fuera de la concesión de la Anglo-Persian.[35] El interés de Estados Unidos tuvo una respuesta eufórica por parte de Teherán: Gran Bretaña y Rusia habían interferido en Persia durante demasiado tiempo, decían los reportajes aparecidos en la prensa local, comprometiendo constantemente la independencia del país. Estados Unidos, el nuevo imperio emergente, era el caballero blanco perfecto. «Si los estadounidenses, con su riqueza floreciente, establecen relaciones económicas con nuestro país», declaraba con optimismo un artículo publicado en un diario persa, «podemos estar seguros de que nuestros recursos no permanecerán estériles y dejaremos de estar tan afligidos por la pobreza».[36] Las esperanzas eran muy grandes y, en general, una gran parte del país las compartía: la capital se vio inundada de telegramas que acogían con alegría la perspectiva de la inversión estadounidense. En Teherán, los sorprendidos miembros de la misión norteamericana señalaron que estaban firmados por «mulás importantísimos, personas eminentes, funcionarios gubernamentales y comerciantes».[37]

Airados, los británicos reaccionaron comunicándole al Departamento de Estado en términos inequívocos que el interés de Estados Unidos por el petróleo de Persia no solo no era bienvenido, sino ilegal. Aunque la región en cuestión no había entrado en la concesión de la Anglo-Persian, declararon, esta figuraba en un acuerdo separado alcanzado previamente entre Persia y Rusia que no se había concluido de forma correcta. Por tanto, los derechos de explotación no podían venderse a los estadounidenses, ni a ningún otro. Eso era un intento de tergiversar la situación, un intento por lo demás infructuoso, pues en última instancia los persas decidieron seguir adelante y otorgaron a la Standard Oil una concesión de cincuenta años.[38]

No obstante, la experiencia con los estadounidenses resultaría ser un nuevo falso amanecer para el país. Los persas abrigaban la esperanza de que la implicación de Estados Unidos, y del capital estadounidense, creara una alternativa real a la influencia británica en la región. Sin embargo, cualquier empresa que operara en el país estaba obligada por razones prácticas a llegar a un acuerdo con la Anglo-Persian para tener acceso a la infraestructura del oleoducto. Más aún, una vez que las conversaciones se pusieron en marcha, la esperanza dio paso a nuevas decepciones para los persas. Los estadounidenses se revelaron «más británicos que los británicos», señaló el representante del gobierno persa en Washington, lo que no pretendía en absoluto ser un cumplido. El editorial de un periódico de Teherán echaba humo: Estados Unidos y Gran Bretaña eran lo mismo, dos países «devotos del oro y estranguladores del débil», obsesionados con la promoción de sus propios intereses que intentaban repartirse «la preciosa joya» de los recursos petrolíferos de la nación y quitárselos de «las manos a los infantiles políticos de Persia».[39]

La historia guardaba una gran similitud con lo ocurrido tras el descubrimiento de América cuatrocientos años antes. Si bien las poblaciones nativas no fueron diezmadas de la misma forma que las que se toparon con los españoles, el proceso fue de hecho el mismo: la expropiación de los tesoros por parte de las naciones occidentales hizo que la riqueza se trasvasara de un continente a otro, con beneficios mínimos para los habitantes de las tierras explotadas. Pero las semejanzas con lo que sucedió después de que Colón lograra cruzar el Atlántico no terminan allí. Del mismo modo que España y Portugal se dividieron el mundo entre ambos con los tratados de Tordesillas, en 1494, y Zaragoza, tres décadas después, las potencias occidentales se repartieron entre ellas los recursos del mundo que se extendía entre el Mediterráneo y Asia Central.

Los territorios rodeados sobre un mapa con un lápiz de color sirvieron de base al pacto entre británicos y franceses conocido como el «acuerdo de la Línea Roja», que dividió los recursos petrolíferos de la región entre, por un lado, la Anglo-Persian y, por otro, la Turkish Petroleum Company, de la que la Anglo-Persian, y por ende el gobierno de Gran Bretaña, era uno de los principales accionistas. Esto era importante para Francia, que aspiraba a asegurare un posición sólida en el Levante debido a los lazos comerciales con la región, que tenían una larga historia, y las considerables inversiones realizadas allí a lo largo de varias décadas. Como hicieran las potencias ibéricas, Francia y Gran Bretaña se distribuyeron entre ellas el control de los recursos como si se trataran de un botín que tenían derecho a reclamar. Parecía el comienzo de una nueva era imperial.

El problema fue que esa nueva era imperial casi de inmediato se encontró con el hecho, traumático desde su punto de vista, de que el mundo estaba cambiando, y cambiando de prisa. Estaba muy bien contar con planes muy elaborados e intentar afirmar el control de Gran Bretaña sobre el petróleo y los oleoductos, pero todo ello tenía un precio. Con la deuda nacional británica disparada, tuvieron lugar discusiones dolorosas y complicadas acerca de lo que costaba mantener las grandes cantidades de soldados necesarios para gestionar un imperio de forma eficaz. El coste era abrumador y, escribió lord Curzon, «es imposible mantenerlo por más tiempo». La conclusión encontró el apoyo de Winston Churchill, para entonces ministro de las Colonias, que reconoció que «todo lo que sucede en Oriente Próximo es secundario respecto a la reducción del gasto».[40]

El desequilibrio entre las ambiciones y la capacidad para realizarlas era una receta para el desastre, y el dilema se hizo peor debido a la obstinación de algunos diplomáticos destacados. El ministro británico en Teherán, por ejemplo, se comportaba despóticamente con los persas, a los que describía con desprecio como «apestosos» y «salvajes taimados». En Bagdad, entre tanto, el representante de Londres mandó derribar unas casas con el fin de «ampliar los jardines de la embajada de Gran Bretaña», algo que, como comentó con ironía un observador, «sin duda mejoraba lo que ya era una hermosa residencia», pero no le granjeó precisamente una «popularidad universal entre los iraquíes».[41] En todo ello había una arrogante sensación de derecho, la idea de que el presente y el futuro de estos países residía irrefutablemente en manos de los británicos. La cuestión de quién y cómo gobernaba era algo que decidían los políticos en Londres, donde preocupaban muy poco los intereses de la población local y la atención se concentraba, en cambio, en las prioridades estratégicas y económicas de Gran Bretaña. Solo en la década de 1920, los británicos fueron directa o indirectamente responsables de la instalación o derrocamiento de los monarcas de Irak, Persia y Afganistán, al tiempo que se vieron involucrados también en la cuestión del título empleado por el rey de Egipto tras la independencia del país en 1922.[42]

Como era inevitable, esto generó problemas enconados que con el tiempo se tornarían tóxicos. Ya en 1919 Gertrude Bell había predicho con acierto que se Oriente Próximo estaba convirtiendo en un «horrible embrollo», y que la situación era como «una de esas pesadillas en las que prevés todas las cosas terribles que van a ocurrir y no puedes estirar la mano para impedirlas».[43] Gran Bretaña estaba jugando a un juego peligroso al elegir a quién apoyar y cuándo y dónde intervenir.

Por toda la región que se extendía desde el Levante hacia el este los británicos rompieron promesas y causaron decepción. Los compromisos de respaldar, ayudar y proteger los intereses de las poblaciones locales cedieron el paso a la promoción y protección de los intereses comerciales y estratégicos de Gran Bretaña, incluso cuando eso significaba dividir territorios mediante fronteras nuevas y artificiales, o abandonar comunidades, como ocurrió con los asirios cristianos de Irak, que se descubrieron en un posición excepcionalmente vulnerables tras la repartición de Oriente Próximo y el fin de la primera guerra mundial.[44]

Los resultados en Irak fueron, en general, desastrosos. A cambio de su apoyo al mandato británico, los magnates locales recibieron grandes extensiones de las tierras que antes pertenecían al estado otomano; eso permitió que una nueva forma de feudalismo echara raíces en el país, lo que a su vez redujo la movilidad social, amplió la desigualdad y atizó la insatisfacción de las comunidades rurales, que perdieron sus derechos sobre la tierra y su sustento. En la provincia de Kut, en el oriente de Irak, dos familias consiguieron, en el curso de tres décadas, adquirir más de doscientas mil hectáreas entre ambas.[45] Este escenario se repitió de forma muy similar en Persia, donde la riqueza generada por los beneficios del petróleo se concentró en las manos del sah y de quienes le rodeaban. En este sentido, fue precisamente la consciencia de que el gobierno de Gran Bretaña fuera el accionista mayoritario de la Anglo-Persian (que para la década de 1920 era responsable de casi la mitad de los ingresos del país) lo que alimentó los sentimientos antibritánicos, cada vez más decididos, y la oleada creciente del nacionalismo persa.

Eso era también un signo de los tiempos, pues a lo largo y ancho del imperio las reacciones contra el colonialismo estaban adquiriendo un ímpetu casi imparable. En 1929, en la India, en la sesión del partido Congreso Nacional Indio celebrada en Lahore, se presentó una declaración de independencia (Purna Swaraj). «El gobierno británico de la India no solo ha privado al pueblo indio de su libertad, sino que se ha fundado en la explotación de las masas», afirmaba el texto. La India había sido arruinada y, por tanto, debía «cortar de inmediato los vínculos con Gran Bretaña y alcanzar [...] la completa independencia». Había llegado la hora de la desobediencia civil.[46]

Era prácticamente inevitable que este cóctel de desencanto, repulsa y privación de derechos políticos prendiera en otros lugares. No obstante, la frustración creciente de Oriente Próximo también derivaba en parte de la constatación de que los beneficios prometidos por los hallazgos petrolíferos se habían revelado elusivos. Las corporaciones petroleras occidentales que controlaban las concesiones eran muy diestras y en extremo creativas a la hora de efectuar el pago de regalías. Al igual que ocurre en el mundo moderno, se organizaron redes de empresas filiales con el objetivo de utilizar los préstamos entre las compañías del grupo para crear pérdidas que pudieran emplearse para reducir, e incluso eliminar por completo, los beneficios comerciales de las compañías operadoras y, por ende, manipular a la baja las regalías que debían pagarse de acuerdo con los términos de la concesión. Todo ello solo servía para echar más leña al fuego. Los periódicos publicaban artículos furiosos en los que se decía que se estaba permitiendo a los extranjeros «vaciar al país de sus recursos petrolíferos y reducir, de forma deliberada, los rentas de Persia mediante el otorgamiento de exenciones fiscales ilegales e innecesarias». Con todo, la situación de Persia no era tan mala como la del vecino Irak, que, salvo por el nombre, era una colonia a todos los efectos.[47]

En un esfuerzo por atajar la oleada creciente de indignación, los directores de la Anglo-Persian emprendieron una campaña para lavar su imagen y prometieron una multitud de nuevos beneficios, que iban desde oportunidades de formación hasta ayudas para la modernización de los ferrocarriles e, incluso, la posibilidad de considerar el pago de regalías más generosas. Era lisa y llanamente injusto que el gobierno persa no tuviera participación en el negocio, se quejaron figuras de mucho prestigio en el país. «Los persas», señaló un observador, «sienten que en su suelo se ha desarrollado una industria en la que no tienen participación real»; e insistían en que eso no era una cuestión de dinero, pues «ninguna recompensa económica disipará este sentimiento» de alienación.[48] El presidente de la Anglo-Persian, el sofisticado sir John Cadman, instó a la calma y sugirió, a quien estaba en el lado opuesto de la mesa de negociaciones, que a nadie le interesaba que la prensa creara la «impresión errónea y dolorosa» de que el negocio no era justo y equitativo.[49] Eso estaba muy bien, se le dijo; si había algo que interesara a todos, era colaborar en una sociedad, pues en las circunstancias actuales, el negocio era poco más que una explotación descarada.[50]

Las interminables conversaciones sobre si debía renegociarse la concesión de Knox D'Arcy no fructificaron. Llegado el momento, los persas se hartaron. Incluso antes de 1929, el descubrimiento de petróleo en México y Venezuela (los trabajos en este último país estuvieron dirigidos por George Reynolds, el ingeniero que había descubierto el importantísimo yacimiento de Masjed Soleimān) provocó una gran corrección a la baja de los precios del petróleo; y después del crac de Wall Street, que causó una caída espectacular de la demanda, los persas decidieron encargarse por sí mismos del asunto. Finalmente, en noviembre de 1932, después del descenso pronunciado de las regalías recibidas y la continuación de las artimañas financieras mediante las cuales, de forma deliberada, se negaban a Teherán las cifras detalladas, el sah declaró que la concesión Knox D'Arcy quedaba cancelada con efecto inmediato.

Eso era un escándalo, se quejaron los diplomáticos británicos: «Si no nos hacemos notar desde el principio», aconsejó un experimentado funcionario del Ministerio de Asuntos Exteriores británico, «más tarde tendremos problemas mucho peores con los persas».[51] La declaración era un delito «flagrante».[52] A ojos de los británicos, el contrato acordado tres décadas antes debía mantenerse a toda costa. No obstante, si bien era cierto que poner en marcha una empresa petrolera conllevaba un riesgo financiero considerable en un principio, y que crear la infraestructura que permitía explotar los recursos había requerido una inversión cuantiosa, también era igualmente cierto que la riqueza liberada como resultado de todo ello era inmensa. El problema era que el clamor para que esa riqueza se repartiera de forma más equitativa sencillamente se había ignorado; a la manera de los grandes escándalos bancarios de comienzos del siglo XXI, la Anglo-Persian y los intereses que había detrás de ella eran demasiado grandes para caer.

En este caso, sin embargo, el proceso de nivelar la situación y arreglar las cosas fue veloz, en gran medida porque Persia contaba con una potente baza negociadora: la capacidad de hostigar, impedir y obstaculizar la producción para obligar a la empresa a renegociar la concesión. El nuevo acuerdo se alcanzó en la primavera de 1933, aunque no sin esfuerzo. La delegación persa se reunió con los ejecutivos de la petrolera en Ginebra, en el hotel Beau Rivage, les explicó que conocía los términos de un acuerdo reciente para la explotación del petróleo iraquí y exigió, por lo menos, unas condiciones equivalentes. Sir John Cadman rechazó la propuesta inicial, que consideró ridícula e imposible, pues, entre otras cosas, obligaba a la Anglo-Persian a ceder un 25 por ciento de sus acciones y garantizar una renta anual a Persia, que, además, tendría participación en los beneficios y representación en el consejo de la compañía.[53]

Aunque las conversaciones siguientes fueron absolutamente cordiales, pronto resultó claro que los esfuerzos por evitar una renegociación a gran escala estaban condenados al fracaso. Para abril de 1933 se había llegado a un nuevo pacto. Se prestaría más atención a la «persianización» del negocio petrolero, esto es, la contratación y formación de más personal local para trabajar en la empresa en todos los niveles, empezando por la dirección. La región abarcada por la concesión se redujo drásticamente a un cuarto de la extensión original, si bien se trataba del mejor trozo de la tarta; se acordó un canon fijo en concepto de regalías que eliminaba el filtro de las fluctuaciones de las divisas y los precios del petróleo; se garantizó un pago mínimo anual independiente de los niveles de producción o los precios de mercado alcanzados; y el gobierno persa tendría también una participación en los beneficios generales de la Anglo-Persian al recibir una parte de las ganancias que la compañía generara en otras jurisdicciones. Cadman no hizo ningún comentario cuando los negociadores persas le dijeron que debía ver el nuevo acuerdo como «un triunfo personal para [él mismo] y sus colegas». Sus notas revelan otra reacción: «Sentí que nos habían desplumado bien».[54]

Los persas, y otros que siguieron con atención las negociaciones, pensaban que la historia tenía una moraleja diferente. La lección era que, pese a todas sus bravatas, la posición negociadora de Occidente era débil. Quienes poseían los recursos estaban en condiciones, en última instancia, de obligar a ceder a quienes tenían las concesiones y llevarlos a la mesa de negociación. Occidente podía quejarse con tanta amargura como quisiera, pero al final, como reza el adagio anglosajón, la posesión en verdad es nueve décimos de la ley.

Esta cuestión se convertiría en uno de los temas clave de la segunda mitad del siglo XX. Nuevas conexiones estaban surgiendo a través de la columna vertebral de Asia. La nueva red, sin embargo, no se tejió con ciudades y oasis, sino con los oleoductos que conectaban los pozos de petróleo con el golfo Pérsico y, hacia la década de 1930, el Mediterráneo. Los recursos y la riqueza se bombeaban a lo largo de esas líneas hasta puertos como Haifa y Ābādān, la sede de la que fue durante más de cincuenta años la refinería más grande del mundo.

El control de esa red lo era todo, como reconocían los británicos incluso antes del estallido de la primera guerra mundial. Para los optimistas, las circunstancias todavía eran prometedoras. A fin de cuentas, a pesar de la renegociación de las concesiones en 1933, se habían construido vínculos fuertes con esta parte del mundo y aún había mucho que ganar de la cooperación con quienes poseían recursos con una importancia tan enorme; y Gran Bretaña, sin duda, estaba en mejor posición de hacerlo que cualquier otro.

La realidad, sin embargo, era que la corriente ya había cambiado. El poder y la influencia de Occidente estaban en declive, y parecía seguro que seguirían disminuyendo. La interferencia constante en los asuntos locales tenía un precio; la remodelación de los jardines de la embajada, también; y no jugar del todo limpio, todavía más. Ese precio era la prevención, el recelo y la desconfianza; y había que pagarlo.

Una cena celebrada en Bagdad en 1920, justo cuando la nueva forma de Oriente Próximo empezaba a aclararse, captó a la perfección las dos perspectivas, muy diferentes entre sí. Uno de los asistentes era Gertrude Bell, una mujer dinámica y poseedora de una inteligencia feroz, que había sido reclutada por la inteligencia británica a comienzos de la primera guerra mundial y era una aguda observadora de la política árabe. Tenga la seguridad, le dijo a Jaʿfar alʿ-Askarī, quien pronto sería nombrado primer ministro del nuevo país de Irak, de que «la independencia completa es lo que [los británicos] queremos otorgarles en última instancia». «Querida dama», replicó él, «la independencia completa es algo que nunca se otorga: se toma, siempre».[55] Para los países como Irak y Persia el reto era liberarse de la injerencia extranjera y ser capaces de decidir el propio futuro. Para Gran Bretaña, el reto era cómo impedir que lo hicieran. Era un conflicto que tarde o temprano tenía que llegar. Antes, sin embargo, otro desastre estaba a punto de producirse, una vez más impulsado por el control de los recursos. No obstante, en esta ocasión lo que ocupaba el centro de la catástrofe inminente no era el petróleo, sino el trigo.

# Capítulo 19
# LA RUTA DEL TRIGO

La revista británica *Homes & Gardens* se enorgullece desde hace mucho tiempo de estar a la vanguardia del diseño de interiores. «Con una mezcla de artículos hermosos sobre hogares y jardines auténticos, consejos de expertos e información práctica», la publicación es, según reza su eslogan más reciente, «la fuente definitiva de inspiración para el decorado». La edición de noviembre de 1938 se ocupaba con entusiasmo y admiración de un refugio en las montañas que derrochaba chic alpino. «El esquema de color de todo este chalé luminoso y aireado es el verde jade claro», escribía el corresponsal, animado por la pasión por cortar flores que exhibía el propietario, que era también quien había «decorado, diseñado y amueblado» la propiedad, de la que además había sido el arquitecto. Sus bocetos en acuarela colgaban en los dormitorios de los invitados junto a viejos grabados. Al dueño, que era «muy hábil y gracioso contando anécdotas», le encantaba rodearse de un abanico de «extranjeros brillantes, en especial pintores, músicos y cantantes», y a menudo llevaba a «talentos locales» para que tocaran obras de Mozart y Brahms para amenizar la sobremesa. El autor del artículo había quedado muy impresionado con Adolf Hitler.[1]

Nueve meses después, el 11 de agosto de 1939, una llamada esperada con impaciencia entró en la centralita telefónica, que de acuerdo con el artículo de *Homes & Gardens* estaba al lado del moderno despacho del Führer y le permitía estar en contacto con «sus amigos y los ministros». Durante la cena, Hitler recibió un mensaje. De acuerdo con el testimonio de uno de los presentes, «le echó un vistazo, estuvo con la mirada perdida por un instante, se puso coloradísimo y golpeó la mesa con tanta fuerza que las copas tintinearon». Entonces miró a sus invitados y dijo con gran excitación: «¡Los tengo! ¡Los tengo!».[2] Luego se sentó y siguió comiendo, sin duda el habitual «surtido imponente de platos vegetarianos, sabrosos y apetitosos, agradables tanto a la vista como al paladar» que un año antes había admirado el periodista de *Homes & Gardens*, todos preparados por el chef personal de Hitler, Arthur Kannenberg, que a menudo salía de la cocina durante la velada para tocar el acordeón.[3]

Después de comer, el mandatario alemán llamó a sus invitados y les dijo que el papel que tenía en la mano contenía el texto de la respuesta de Moscú que había estado esperando. Stalin, el amo indiscutido de la Unión Soviética, había aceptado firmar un tratado de no agresión con Alemania. «Espero», decía el teletipo, «que [esto] traiga consigo un giro decidido para mejorar las relaciones entre nuestros dos países».[4] Dos noches más tarde, después de que la noticia se hubiera hecho pública, Hitler y su séquito se encontraban en la terraza contemplando el valle. «El acto final del *Götterdämmerung* [El crepúsculo de los dioses] no podría haberse escenificado de forma más eficaz», anotó el arquitecto nazi Albert Speer.[5]

Irónicamente, el extraordinario acuerdo fue consecuencia de la política exterior de Gran Bretaña y Francia. Alarmados por la arriesgadísima partida de póquer político del canciller alemán a lo largo de la década de 1930, ambos países habían estado buscando de forma desesperada, pero sin mucho éxito, un modo de contenerlo. De hecho, tan infructuosos habían sido sus intentos que Mussolini le confió a su ministro de Exteriores, el conde Ciano, que los políticos y diplomáticos británicos no estaban hecho de la misma madera que «los Francis Drake» y demás «aventureros magníficos que crearon el imperio»; de hecho, no eran más que «los hijos cansados de un largo linaje de hombres ricos y ellos perderán el imperio».[6]

Tras la ocupación alemana de Checoslovaquia, se adoptó una línea más firme. En la tarde del 31 de marzo de 1939, el primer ministro Neville Chamberlain se puso de pie en la Cámara de los Comunes. «En caso de que se produzca cualquier acción que amenace con claridad la independencia polaca», dijo solemnemente, «el gobierno de Su Majestad se sentirá obligado a prestar en el acto al gobierno polaco cuanto apoyo esté en su poder. Se ha dado al gobierno polaco una garantía de ello. Puedo añadir que el gobierno francés me ha autorizado a poner de manifiesto que en esta cuestión tiene la misma posición que el gobierno de Su Majestad».[7]

En lugar de garantizar la seguridad de Polonia, eso selló su destino. Aunque el primer ministro dijo a la Cámara de los Comunes que el ministro de Exteriores se había reunido esa misma mañana con el embajador soviético Iván Maiski en un intento de limar asperezas, las garantías ofrecidas a Polonia pusieron en marcha una cadena de acontecimientos que conducía directamente a los cultivos de trigo de Ucrania y el sur de Rusia. La lucha iba a traer la muerte a millones de seres humanos.[8]

El objetivo de las garantías era encerrar a Alemania en un callejón sin salida, usando la amenaza de la guerra para disuadirla de realizar cualquier acción contra su vecino oriental. Sin embargo, lo cierto, como Hitler comprendió con rapidez, es que se le había dado un as, uno que, no obstante, le exigía tener unas agallas tremendas si quería jugarlo: las garantías eran una oportunidad para forjar un acuerdo con los comunistas de la Unión Soviética. Aunque en muchos sentidos la URSS era un rival acérrimo de la Alemania nazi, de repente existía un terreno común creado por la interferencia de Gran Bretaña y otros países. Stalin también se dio cuenta de cómo estaban las cartas. A él también le habían dado una oportunidad, una que igualmente le exigía tener unas agallas tremendas si quería aprovecharla: era la ocasión para llegar a un acuerdo con Hitler.

La idea de una alianza entre los dos estados parecía estar más allá de los ámbitos de lo verosímil o de lo real. Desde la llegada de Hitler al poder en 1933, las relaciones entre Alemania y la URSS se habían deteriorado considerablemente, y en los medios de comunicación de ambos países habían aparecido campañas virulentas en las que se pintaba al otro como un régimen demoniaco, despiadado y peligroso. El comercio prácticamente se había colapsado: mientras que en 1932 casi el 50 por ciento de todas las importaciones de la Unión Soviética procedía de Alemania, seis años después la cifra estaba por debajo del 5 por ciento.[9] Sin embargo, con las garantías concedidas a Polonia, los dos países tenían por fin algo en común: el deseo de destruir al estado emparedado entre ellos.[10]

En la primavera de 1939, hubo un frenesí de actividad diplomática. El encargado de negocios soviético en Berlín y el mayor experto alemán en Europa oriental se reunieron con el propósito de establecer las bases para un mejoramiento de las relaciones e identificar áreas en las que la cooperación fuera posible, incluida la reanudación del comercio. Estas conversaciones se aceleraron pronto y siguieron adelante en Moscú, donde el embajador alemán se reunió con Viacheslav Mólotov, el nuevo comisario de Asuntos Exteriores tras relevar a Maxim Litvínov, que había sido destituido por su origen judío, un obstáculo a la hora de tratar con el régimen antisemita de Berlín. Litvínov, «el judío eminente», escribió Winston

Churchill, «el blanco del antagonismo alemán, fue hecho a un lado como si fuera una herramienta rota [...] se lo sacó de la escena internacional para lanzarlo a la oscuridad, con una pensión ridícula y bajo vigilancia policial».[11]

Para el verano las cosas habían avanzado lo suficiente como para que Joachim von Ribbentrop, el ministro de Exteriores alemán, enviara mensajes a Moscú explicando que si bien el nacionalsocialismo y el comunismo eran muy diferentes, no existía «ninguna razón para la enemistad entre nuestros dos países». Si había el deseo de conversar sobre la cuestión, propuso, era posible efectuar mayores acercamientos. En el centro de todo esto se encontraba Polonia: ¿podía llegarse a un acuerdo para desmembrar Polonia y repartírsela entre ambos?[12]

Stalin decidió encargarse de la cuestión personalmente. Desde la revolución, Polonia había sido una bestia negra. Por un lado, los acuerdos de paz de Versalles habían otorgado a los polacos una franja de territorio que antes de 1914 era ruso; por otro, en los años posteriores a 1917 Polonia había emprendido acciones militares que llegaron a poner en riesgo el éxito mismo del golpe bolchevique. El temor a los espías polacos fue una característica regular y común de las purgas soviéticas de la década de 1930, en las que se arrestó a millones y se ejecutó a muchos cientos de miles. Apenas dos años antes de las negociaciones con Alemania, Stalin había firmado órdenes en las que exigía «la liquidación de la red de espías de la Organización Militar Polaca», lo que se tradujo en la detención de decenas de miles más y el fusilamiento de, por lo menos, cuatro quintas partes de ellos.[13] A la pregunta alemana acerca de la posibilidad de cooperar, en particular sobre Polonia, la respuesta del líder soviético fue positiva y alentadora.

Y tuvo resultados inmediatos. Dos días después de la respuesta de Stalin, dos aviones Focke-Wulf Condor aterrizaban en Moscú, donde les esperaban una guardia de honor y dos conjuntos de banderas ondeando al viento. La mitad lucían la imagen de la hoz y el martillo, las herramientas del campesinado y el proletariado urbano, el símbolo inconfundible del comunismo; las demás eran banderas del Tercer Reich, que el mismo Hitler había diseñado, como explicó en *Mi lucha*: «En rojo, podemos ver la idea social del movimiento [nacionalsocialista], en blanco la idea nacionalista y en la esvástica la misión de luchar por el triunfo del hombre ario».[14] En una de las escenas más extraordinarias e inesperadas del siglo XX, las banderas que representaban el comunismo y el fascismo ondeaban juntas mientras los alemanes descendían de los aviones. La delegación estaba encabezada por Ribbentrop, el ministro de Exteriores alemán; en palabras de uno de sus maestros de escuela, el hombre al que había confiado la negociación del acuerdo entre los rivales hasta entonces irreconciliables era «el más estúpido de la clase, pura vanidad y prepotencia».[15]

Después de ser conducido al Kremlin para reunirse con Stalin y Mólotov, Ribbentrop manifestó su esperanza de forjar buenas relaciones. «Alemania no pide nada de Rusia: solo paz y comercio», dijo. Stalin, como de costumbre, ofreció una respuesta directa: «Durante muchos años, hemos estado echándonos cubos de mierda en la cabeza unos a otros, y nuestros responsables de propaganda nunca tenían suficiente. Y ahora, de repente, ¿vamos a hacer creer a nuestros pueblos que todo está olvidado y perdonado? Las cosas no funcionan tan rápido».[16]

Lo cierto, sin embargo, fue que sí lo hicieron. En apenas unas pocas horas, se consiguió montar un esbozo de pacto, con un texto acordado destinado a hacerse público y un anexo secreto que detallaba las esferas de influencia en los países del Báltico y en Polonia y que, en realidad, daba a cada una de las partes carta blanca para intervenir y hacer lo que quisiera hasta la línea de demarcación convenida. Satisfecho, Stalin pidió vodka a altas horas de la madrugada para celebrar con un brindis. «Yo sé lo mucho que el *Volk* alemán quiere a su Führer», dijo usando la palabra alemana. «Quiero beber a su salud.» A ese brindis le siguieron otros. Mólotov apenas era capaz de contener su alegría: «Fue nuestro gran camarada Stalin quien comenzó este golpe de relaciones políticas», dijo radiante. «Bebo a su salud.»[17]

La euforia continuó al día siguiente en la dacha de Stalin a las afueras de Moscú, donde varios miembros destacados del politburó se sumaron al líder para cazar patos. Era obvio, les dijo, que se trataba de un juego de faroles: «Un juego para ver quién puede engañar a quién. Yo sé qué trama Hitler. Piensa que ha sido más listo que yo, pero en realidad soy yo el que le ha engañado».[18] Hitler, por supuesto, pensaba exactamente lo mismo. Hacia la medianoche, cuando recibió en su paraíso alpino la nota en la que se le informaba que el acuerdo definitivo estaba firmado, su reacción, como la de Stalin, fue la de un tahúr convencido de que está en racha: «Hemos ganado», declaró triunfante.[19]

El líder soviético pactó con Alemania para comprar tiempo. Stalin no se hacía ilusiones acerca de Hitler o la amenaza que constituía el régimen nazi a largo plazo. De hecho, en 1934, en el XVII Congreso del Partido Comunista de la Unión Soviética, se recitaron partes de *Mi lucha* para ilustrar el peligro que suponía Alemania y su canciller. El mismo Stalin había leído el infame libro de Hitler, en el que había subrayado los pasajes que se ocupaban de la necesidad de Alemania de expandir su territorio hacia el este.[20] Sin embargo, la Unión Soviética necesitaba recuperarse después de un periodo de agitación crónica. Una hambruna catastrófica, consecuencia de una política corta de miras y empecinada, había causado a comienzos de la década de 1930 la muerte de millones de personas debido a la escasez de alimentos y las enfermedades. El sufrimiento fue horrible y tuvo una escala colosal. Un chico que tenía ocho años en esa época recordaría más tarde haber visto a una niña, en su salón de clases en Járkov, que durante la lección puso la cabeza sobre la mesa y cerró los ojos; parecía que se había quedado dormida, pero en realidad había muerto de hambre. Habría que enterrarla, pensó, «así como enterraron gente ayer y el día antes de ayer y todos los días».[21]

En los siguientes años, la sociedad soviética se devoró a sí misma. La antigüedad dentro del Partido Comunista no ofrecía ninguna protección, pues Stalin se abalanzó sobre sus rivales más próximos y sus antiguos colegas. En una serie espectacular de juicios farsa celebrados en Moscú, se acusó, juzgó y condenó a muerte a hombres que se habían hechos famosos no solo dentro de la Unión Soviética, sino también a nivel internacional, y a los que ahora se presentaba como contrarrevolucionarios. Personajes como Grigori Zinóviev, Lev Kámenev, Nikolái Bujarin y Karl Rádek, héroes de la revolución de 1917, estuvieron entre los muchos sentenciados a la pena capital tras ser denunciados por el fiscal general, Andréi Vishinski, que los presentó como perros fascistas, terroristas, degenerados y alimañas. En una parodia de la historia intelectual y cultural, los venenosos ataques de Vishinski se verían recompensados cuando se rebautizó en su honor el Instituto de Gobierno y Derecho de la Academia de las Ciencias soviética.[22]

La atención se centró luego en el ejército. El alto mando no fue tanto diezmado como aniquilado, víctima de una lógica pervertida aplicada de forma implacable: pareció razonable que si los oficiales subordinados eran culpables de sedición, entonces sus superiores eran culpables o bien de complicidad, o bien de negligencia. Y así, una confesión, obtenida a golpes de un hombre quebrado, sirvió para desencadenar una cascada de detenciones. El objetivo, testificaría más tarde un oficial de la policía secreta, era demostrar la existencia de «una conspiración militar dentro del Ejército Rojo que implicara a tantos participantes como fuera posible».[23]

La jefatura suprema de las fuerzas armadas tenía ciento un miembros;

solo una decena evitó el arresto. De los noventa y un detenidos, solo nueve se salvaron del fusilamiento. Entre los ejecutados se encontraban tres de los cinco mariscales de la Unión Soviética, dos almirantes, así como todo el personal de alto rango de la fuerza aérea, todos los jefes de todos los distritos militares y prácticamente todos los generales de división. Se había puesto de rodillas al Ejército Rojo.[24] Y ahora había que reconstruirlo. En tales circunstancias, lo que más necesitaba Stalin era un momento de paz. El acercamiento de Alemania fue un regalo del cielo.

Hitler, por su parte, jugaba con apuestas mucho más altas. Estaba desesperado por obtener acceso a unos recursos que eran esenciales para que Alemania pudiera construirse una posición de fuerza y poder a largo plazo. En términos geográficos, el problema era que el país estaba mal ubicado para acceder al Atlántico y comerciar con las Américas, África y Asia; Hitler, por tanto, fijó la mirada en el este. Detrás de la decisión de reconciliarse con la Unión Soviética estaba la idea de que eso le daría acceso a su propia «ruta de la seda».

Por tanto, una vez que el pacto estuvo firmado, Hitler convocó a sus generales a su chalé de los Alpes para poder explicarles qué se había acordado y cuáles eran sus planes. Inclinado sobre el gran piano, habló extensamente sobre sí mismo. Era una fortuna que los alemanes le tuvieran como líder, declaró, un hombre en el que tenían total confianza. Pero ahora, continuó, había llegado el momento de aprovechar la oportunidad. «No tenemos nada que perder», dijo a sus oficiales de mayor rango. En las condiciones económicas actuales, Alemania solo podía sobrevivir unos cuantos años; «no tenemos otra opción», les dijo a los generales.[25]

La alianza con la Unión Soviética no solo les permitiría recuperar las tierras que el tratado de Versalles les había arrebatado, sino que garantizaría el futuro de Alemania. Todo dependía del triunfo de Alemania, y era vital recordarlo permanentemente. «Cerrad vuestros corazones a la piedad», dijo. «Actuad de forma brutal. Ochenta millones de personas deben obtener lo que es su derecho. Su existencia debe asegurarse.»[26] Hitler hablaba de la invasión de Polonia, pero también del nuevo amanecer que suponía para el país el acercamiento a la Unión Soviética. Para él, el acuerdo con Stalin era algo más que una oportunidad de elevar las apuestas en su arriesgado juego político, a saber, la posibilidad de obtener recursos. Aunque un tema recurrente desde que empezó a descollar era el *Lebensraum*, o espacio vital, que necesitaba el pueblo alemán, de lo que

Hitler quería hablar a sus generales era de premios concretos: lo que estaba en juego, les dijo, era el grano, el ganado, el carbón, el plomo y el zinc. Alemania, por fin, podría ser libre.[27]

No todos los que le escucharon quedaron convencidos. Hitler dijo que la guerra tardaría seis semanas; tardaría más bien seis años, murmuró el general Reichenau.[28] Tampoco el general Liebmann se dejó impresionar. El discurso, dijo, fue presuntuoso, vulgar y «absolutamente repulsivo». Hitler era un hombre que había perdido por completo el sentido de la responsabilidad. No obstante, como señala la mayor autoridad moderna en la Alemania nazi, ninguno se manifestó contra él.[29]

Hitler estaba convencido de que había encontrado el modo de proteger el futuro de Alemania. Una debilidad particular era la insuficiencia de la agricultura nacional. Como sostienen investigaciones recientes, se trataba de un sector que había resultado perjudicado durante la década de 1930, cuando la máquina de guerra alemana empezó a adquirir forma y consumir recursos, tiempo y dinero. De hecho, las nuevas leyes incluso redujeron las inversiones en agricultura en este periodo.[30] Alemania siguió siendo en extremo dependiente de las importaciones porque la producción local no bastaba para ser autosuficiente.[31] En agosto de 1939, hablando con un importante diplomático en Danzig, Hitler sacó a colación el tema del esfuerzo imposible al que se había sometido Alemania durante la primera guerra mundial, otro de sus temas recurrentes. Ahora, sin embargo, le aseguró a su interlocutor, él tenía la respuesta. Necesitamos Ucrania, «de modo que nadie pueda matarnos de hambre de nuevo como hicieron en la última guerra».[32]

Y Ucrania, o, mejor, los frutos de sus fértiles campos, fue lo que obtuvo con la firma del pacto de no agresión de 1939. En los meses posteriores a la visita de Ribbentrop a la capital rusa, funcionarios nazis y soviéticos fueron y vinieron entre Moscú y Berlín. Los alemanes confiaban en que la apertura pudiera traducirse en un acuerdo, en especial en relación a «todos los problemas territoriales de los mares Negro y Báltico», como le dijo Ribbentrop a Mólotov en agosto de 1939.[33] Las conversaciones más delicadas giraron alrededor de las condiciones para el comercio y, sobre todo, los volúmenes y los precios del trigo, el petróleo y otros materiales procedentes de la Unión Soviética que Alemania necesitaba para afrontar la invasión de Polonia y sus posibles repercusiones. Stalin estaba alimentando la guerra de Hitler.[34]

La alianza proporcionó a Hitler la confianza y la promesa de recursos que le permitieron atacar a Polonia sabiendo de antemano que su posición en el este estaba garantizada gracias al acuerdo con Stalin («Puedo darle mi palabra de honor de que la Unión Soviética no traicionará a su socio», dijo el líder ruso cuando se firmó el pacto).[35] No obstante, como se dio cuenta uno de los generales más astutos del ejército alemán, el desmantelamiento de Polonia hacía a Alemania más vulnerable, no menos, pues trasladaba la frontera soviética muchísimo más al oeste; lo mejor, señaló Franz Halder, era mantener buenas relaciones con Rusia y concentrarse en las posiciones británicas en Oriente Próximo y el Mediterráneo.[36]

El 1 de septiembre de 1939, apenas una semana después de la firma del histórico acuerdo, las tropas alemanas cruzaron la frontera y, como una guadaña, se abrieron paso a través de las defensas polacas. A medida que el avance se acercaba a Varsovia, la conquista territorial estuvo acompañada de otro objetivo: la decapitación de la élite polaca. De acuerdo con Hitler, «solo es posible empujar a una nación a la esclavitud mediante la destrucción de sus estratos superiores». Por tanto, las autoridades y las figuras destacadas se convirtieron en objetivo de los invasores; y estos sabían lo que estaban buscando: quince de los veinticinco oficiales al mando de los pelotones a los que se ordenó localizar y aniquilar a «los estratos superiores de la sociedad» tenían doctorados, la mayoría en derecho o filosofía.[37]

El realineamiento de Alemania y la Unión Soviética y el ataque contra Polonia pillaron por sorpresa a Gran Bretaña y Francia. Aunque ambos países declararon la guerra, ninguno proporcionó a los polacos mucha ayuda militar o logística significativa. La fuerza aérea británica sí realizó algunas operaciones de bombardeo, pero estas fueron limitadas, y la carga más frecuente de los aviones que volaron sobre territorio alemán no eran dispositivos incendiarios, sino octavillas, un exceso de optimismo, si no de auténtica ingenuidad. «Hay buenas razones para creer que las autoridades alemanas temieron el efecto de nuestra propaganda», se lee en las actas acerca del primer punto del orden del día del consejo de ministros celebrado a comienzos de septiembre de 1939. El hecho de que «nuestra aviación consiguiera volar con impunidad por todo el noroeste de Alemania» iba a tener «un efecto deprimente sobre la moral del pueblo germano». Se acordó que continuar arrojando octavillas de propaganda en el futuro podría ser muy eficaz.[38]

Entre tanto, en las valoraciones de la situación procedentes de la India y Asia Central que pronto inundaron Londres, el sentimiento dominante no era el optimismo, sino el pánico. El acuerdo firmado por Mólotov y Ribbentrop no solo proporcionaba a Alemania una fuente de suministros esenciales, lo que allanaba el camino para la guerra en Europa, sino que era mucho más grave. El ministro en Kabul, sir Kerr Fraser-Tytler, advirtió de que había muchas especulaciones en la ciudad acerca de si Gran Bretaña ofrecería apoyo militar en caso de que los soviéticos invadieran Afganistán.[39] Esa era una preocupación que compartía la Secretaría de la India, donde el secretario de Estado preparó un documento alarmista destinado al gabinete de guerra en Londres en el que se pintaba un cuadro desolador de las defensas indias, en especial de los recursos antiaéreos, que al parecer se limitaban a una única batería compuesta de ocho cañones de tres pulgadas.[40]

Aunque Londres se mostraba escéptico acerca del peligro en Asia Central a muy corto plazo, sí reconocía que la alianza de Alemania con la Unión Soviética constituía una amenaza para los intereses británicos en Oriente. Para la primavera de 1940, se estudió con sumo cuidado lo que parecía ser un enfrentamiento decisivo e inevitable. Como explicaba un informe elaborado por el Comité de Jefes de Estado Mayor para el gabinete de guerra con el título «Las implicaciones militares de las hostilidades con Rusia en 1940», era «improbable que el gobierno soviético tarde en pasar a la acción contra la India y Afganistán», un desarrollo que crearía «la máxima desviación de las fuerzas aliadas».[41] El problema, como exponía otro informe con una lucidez escalofriante, era que había muchísimas formas en las que la cooperación alemana con Moscú podía resultar enormemente perjudicial para los aliados: los intereses petroleros de Gran Bretaña en Irán e Irak eran vulnerables y existía la posibilidad de perderlos y, peor aún, de que pasaran al enemigo.[42]

Tales inquietudes no carecían de sustento. En la década de 1930 los alemanes habían sido muy activos en Oriente Próximo y Asia Central: Lufthansa creó una amplia red de vuelos comerciales en la región y compañías como Siemens y la Organización Todt hicieron importantes incursiones en los sectores industriales de Irak, Irán y Afganistán. Los ingenieros alemanes diseñaron innumerables carreteras y puentes, cuya construcción llevaron a cabo o supervisaron técnicos alemanes. De la instalación de infraestructuras de comunicaciones se ocupaban compañías como Telefunken, para cuya experiencia existía una gran demanda.[43] Estos vínculos hicieron que Alemania tuviera una imagen muy positiva a lo largo y ancho de la región, y el hecho de que en el mundo islámico se percibiera a Hitler como un líder decidido, que defendía aquello en lo que creía, sin duda contribuyó a potenciarla. Un nido de agentes controlados por la Abwehr, la inteligencia militar alemana, que había hechos grandes esfuerzos para establecer contactos y recabar apoyos por toda la región entre el Mediterráneo oriental y el Himalaya, se encargó de reforzar ese mensaje.[44]

De hecho, para enero de1940, en el alto mando alemán ya había conversaciones intensas acerca de cómo animar a los soviéticos a intervenir en Asia Central y la India; y el general Jodl, uno de los oficiales más respetados de la Wehrmacht, hizo circular planes para una ofensiva germano-soviética conjunta en Oriente Próximo. Ello requeriría un esfuerzo «relativamente pequeño», pero al mismo tiempo crearía «un foco de conflicto amenazador para Inglaterra».[45] De igual forma, se dedicó mucha atención al desarrollo de un plan separado, y bastante ambicioso, para devolver al trono de Afganistán al rey Amanulá, que se había establecido en Berlín tras ser depuesto.[46] Luego estaban los esfuerzos para fomentar los problemas en regiones sensibles desde el punto de vista estratégico. Se identificó al faquir de Ipi (un predicador ascético, pero sanguinario, conservador en materia religiosa y, no obstante, socialmente revolucionario: una especie de Osama bin Laden de los años treinta del siglo XX) como el socio perfecto para desestabilizar la frontera noroccidental de la India y distraer la atención y los recursos de Gran Bretaña. Una primera dificultad era encontrarle: el faquir era muy escurridizo y había conseguido escabullirse de los británicos en incontables ocasiones. Otra, encontrarle de forma discreta: una misión terminó en desastre cuando los dos agentes alemanes, a los que la Abwehr había disfrazado de expertos en lepra por considerar que así llamarían menos la atención, cayeron en una emboscada del ejército afgano, que mató a uno e hirió al otro. Cuando finalmente se consiguió contactar con él, el faquir planteó, a cambio de su ayuda contra los británicos, unas exigencias que bordeaban lo absurdo.[47]

Los esfuerzos por tender puentes de Alemania en otras partes de la región no fueron menos enérgicos. El dinamismo y la retórica de Hitler cautivaron a muchos en Irán e Irak. Había cierta coincidencia natural, por ejemplo, entre el profundo antisemitismo del régimen nazi y el de algunos eruditos islámicos. El gran muftí de Jerusalén, Muḥammad al-Ḥusaynī, había celebrado el advenimiento de un hombre al que más tarde se refirió como «al-ḥajj Muḥammad Hitler». Las opiniones antisemitas del líder alemán eran agua para el molino de un hombre al que le encantaba pedir la muerte de los judíos, a los que solía referirse utilizando términos como «escoria» y «gérmenes».[48]

La admiración hacia Alemania por toda la región iba mucho más lejos. Algunos estudiosos han señalado las semejanzas entre la ideología que Hitler impuso en Alemania en la década de 1930 y un programa similar, adoptado en Irán, de «purificación» de la lengua y las costumbres persas que se enmarcaba en un esfuerzo consciente por remontarse (al igual que los nazis) a una edad de oro semimítica. De hecho, la decisión de cambiar formalmente el nombre de Persia por el de Irán se debió supuestamente a que los diplomáticos de Teherán destinados en Berlín convencieron al sah de la importancia de la idea de la raza «aria», y de la etimología compartida y la herencia pseudohistórica a los que la nueva identidad de Irán podía apelar con facilidad.[49]

La fundación del Partido Baaz («renacimiento») en Irak también debe mucho a la propaganda nazi y la idea de resurgimiento.[50] Y existe también el revelador intercambio entre Hitler y el enviado del rey saudí. «Nosotros vemos a los árabes con la simpatía más calurosa por tres razones», le dijo el líder alemán al enviado en 1939. «Primera: no tenemos ninguna clase de ambiciones territoriales en las tierras árabes. Segunda: tenemos los mismos enemigos. Y tercera: ambos luchamos contra los judíos. Yo no descansaré hasta que el último de ellos abandone Alemania.»[51]

En tales circunstancias, no resulta en absoluto sorprendente que, entre tanto, en Londres y París se diseñaran un plan tras otro con el fin de contener a los alemanes y los soviéticos. El jefe de Estado Mayor francés, Claude Gamelin, pidió la elaboración de un plan para levantar una fortaleza, idealmente en los Balcanes, con el fin de presionar a la retaguardia alemana en caso de que fuera necesario.[52] La idea se tomó muy en serio y contó con el apoyo del primer ministro francés, Édouard Daladier, antes de ser descartada en favor de un plan audaz para lanzar un ataque sobre Escandinavia con el fin de cortar el acceso de los alemanes al mineral de hierro sueco. Este nuevo plan recibió el respaldo entusiasta de Winston Churchill, para entonces primer lord del Almirantazgo. «Nada sería más letal [...] que suspender por tres o incluso seis meses esas importaciones», escribió Churchill. Gran Bretaña «debía violar la neutralidad de Noruega» y sembrar minas en las aguas costeras del país. Adoptar esas medidas pondría en riesgo la «capacidad para hacer la guerra [de Alemania] y [...] la vida del país».[53]

El objetivo de paralizar la cadena de suministro de Alemania ocupaba el lugar central en todas las conversaciones. Finalmente, en la primavera de 1940, la atención viró hacia Bakú. El jefe de la fuerza aérea francesa, el general Vuillemin, abanderaba la idea de que las fuerzas aliadas usarán las bases en Oriente Próximo para atacar instalaciones clave, principalmente en el Azerbaiyán soviético. De acuerdo con ese plan, operando desde las bases británicas en Irak y las bases francesas en Siria, los escuadrones podrían reducir la producción de petróleo en el Cáucaso en un 50 por ciento en un plazo de entre dos y tres meses. Según el primer borrador del plan, eso tendría «repercusiones decisivas sobre Rusia y Alemania». Versiones posteriores ofrecían proyecciones aún más optimistas: con menos grupos de ataque se conseguían resultados similares, pero en menor tiempo.[54]

Las consecuencias de un bombardeo del Cáucaso serían espectaculares. Los estrategas británicos estaban de acuerdo: causaría un trastorno inmediato de «las economías industrial y agraria de Rusia que gradualmente se paralizaran y dejaran de funcionar. Eso acabaría con todas las esperanzas que Alemania pueda abrigar de organizar de forma racional la producción rusa en su beneficio y, desde este punto de vista, tendrá una influencia decisiva en el resultado final de la guerra». Los planificadores franceses y británicos estaban convencidos de que destruir las instalaciones petroleras rusas era la mejor forma de eliminar la amenaza planteada por Alemania.[55]

Esos planes de acción conjunta se hundieron cuando Hitler lanzó un ataque relámpago contra Francia. A ojos de muchos, la ofensiva alemana pareció una obra maestra de la táctica; se había conseguido coger por sorpresa a los defensores mediante una serie de operaciones deslumbrantes, planeadas con antelación de forma meticulosa y ejecutadas con destreza por un ejército curtido en combate y con una amplia experiencia en la ocupación de territorio extranjero. No obstante, como han mostrado investigaciones recientes, la victoria sobre Francia debía en realidad mucho al azar. En más de una ocasión, Hitler perdió los nervios y ordenó que las tropas mantuvieran la posición solo para descubrir que, para cuando sus instrucciones llegaban a los jefes de grupo, el avance había continuado y las fuerzas se encontraban a kilómetros del lugar en el que supuestamente debían haberse detenido. A Heinz Guderian, un gallardo oficial de origen prusiano que estaba al mando de un grupo de blindados, incluso se le relevó por insubordinación por haber seguido avanzando (y ello a pesar de que probablemente nunca llegó a recibir la orden de que conservara su posición). Durante este periodo, el propio Hitler tenía tanto miedo de que sus fuerzas cayeran en una trampa inexistente que estuvo cerca de sufrir un ataque de nervios.[56] El veloz avance fue el inmerecido premio de un apostador que había conseguido vencer a las probabilidades.

Para Europa occidental, la era del imperio había llegado a su fin con la primera guerra mundial. Y ahora, en lugar de desvanecerse lentamente, Alemania estaba a punto de propinarle una paliza. Mientras la fuerza aérea británica se preparaba para asaltar los cielos en la batalla de Inglaterra, las voces que pregonaban el fin de una era se hacían oír con fuerza. El ministro alemán en Kabul se mantenía ocupado gracias a la predicción de que para finales del verano Hitler estaría en Londres. En preparación para el colapso definitivo del imperio británico, se presentaron propuestas concretas a varias figuras destacadas del gobierno afgano: si el país abandonaba la postura neutral que había adoptado al comienzo de la guerra, Alemania se comprometía a cederle una larga porción del noroeste de la India y el puerto de Karachi cuando estos le cayeran del cielo. La oferta era tentadora. Incluso el enviado de Gran Bretaña en la capital afgana reconoció que el buque británico «parecía hundirse»; existía la posibilidad de que pudiera «mantenerse a flote», pero para ello se necesitaba valor y fe. Adoptar medidas para reducir los fletes de la cosecha de algodón afgana para garantizar que la economía local no se desplomara era un gesto simbólico mínimo y un testimonio de cuán limitadas eran las opciones de Gran Bretaña. En ese momento crucial, los afganos se mantuvieron firmes o, por lo menos, titubearon y no apostaron por Alemania de inmediato.[57]

Hacia el verano de 1940, Gran Bretaña y el imperio resistían con todas sus fuerzas, conscientes de que se jugaban la vida. El plumazo hecho a altas horas de la madrugada el verano anterior, en Moscú, con el que había quedado sellado el pacto entre la Alemania nazi y la Unión Soviética comunista, había cambiado el aspecto del mundo de forma radical y muy de prisa. El futuro residía en una nueva serie de conexiones que unían Berlín, a través de la Unión Soviética, con las entrañas de Asia y el subcontinente indio, una red que desviaba el comercio y los recursos hacia el centro de Europa, lejos de las potencias occidentales.

Esa reorientación, sin embargo, dependía del apoyo continuado y consistente de la Unión Soviética. Aunque en los meses que siguieron a la invasión de Polonia las mercancías y los materiales siguieron llegando a Alemania, no siempre lo hicieron sin contratiempos. Las negociaciones eran tensas, en particular cuando se trataba del trigo y del petróleo, dos recursos especialmente demandados. Stalin en persona supervisaba el asunto y era quien decidía si se debía permitir que los alemanes recibieran las ochocientas mil toneladas de petróleo que habían solicitado o una cantidad mucho menor, y en qué condiciones. Discutir los pedidos individua-

LA RUTA DE LA SEDA EN LA SEGUNDA GUERRA MUNDIAL
Avance alemán hacia el este
Corredor persa
RUSIA
Berlín
Óder
Vístula
Varsovia
Vorónezh
Kiev
Járkov
Zhytómir
Lvóv
Vínnytsia
Dniéper
Stalingrado
Ural
Donetsk
Viena
Budapest
Odessa
Rostov del Don
Venecia
Danubio
Belgrado
Bucarest
Sebastopol
Maikop
Grozny
Mar Negro
CÁUCASO
Batumi
Tbilisi
Ereván
Roma
Estambul
Erzerum
Halis
Athens
TAURO
Mar Mediterráneo
Alepo
SIRIA
PALESTINA
Haifa
Damasco
Jerusalén
Trípoli
Bengasi
Tobruk
El Alamein
Alejandría
El Cairo
Nilo
Mar Rojo
Medina
La Meca
Mosul
Erbil
Kirkuk
IRAK
Bagdad
Tigris
Éufrates
Basora
Ābādān
Qazvín
Teherán
Qum
Isfahán
PERSIA
Kusk
Shiraz
Golfo Pérsico
Mar Caspio
Bakú
Krasnovodsk
DESIERTO DE KARAKUM
Mar de Aral
Jiva
Oxus (Amu Daria)
Yaxartes (Sir Daria)
Asjabad
Merv
Bujará
Taskent
Samarcanda
Dusambé
VALLE DE FERGANÁ
Khokand
Biskek
Alma Ata
CORDILLERA DE TIAN SHAN
CORDILLERA DEL PAMIR
Mazar-e Sharif
Herat
AFGANISTÁN
Kabul
Ghazni
HINDÚ KUSH
Jalalabad
Peshawar
Rawalpindi
Lahore
Indo
Kandahar
Quetta
Sistán
Kerman
Delhi
INDIA
Mar Arábigo
0 500 1000 1500 2000 kilómetros
0 250 500 750 1000 1250 millas

les era estresante y requería mucho tiempo, y suponía una fuente casi constante de ansiedad para los planificadores alemanes.[58]

Como era de esperar, el Ministerio de Asuntos Exteriores alemán reconoció cuán frágil era la situación y elaboró informes en los que subrayaba los peligros que entrañaba la dependencia excesiva de Moscú. Si por cualquier razón algo salía mal (un cambio en el gobierno, una actitud obstinada o un simple desacuerdo comercial), Alemania quedaría expuesta. Esa era la mayor amenaza para la hasta sorprendente serie de triunfos militares de Hitler en Europa.[59]

Fue esa sensación de inquietud e incertidumbre la que condujo a la decisión que le costaría la vida a millones de soldados alemanes, millones de rusos y millones de judíos: la invasión de la Unión Soviética. Como de costumbre, cuando Hitler anunció la nueva empresa, a finales de julio de 1940, la disfrazó en términos de una batalla ideológica. Era el momento, le dijo al general Jodl, de aprovechar la oportunidad y acabar con el bolchevismo.[60] En realidad, lo que estaba en juego eran las materias primas y, sobre todo, la comida.

A lo largo de la segunda mitad de 1940 y comienzos de 1941, la logística de la invasión involucró no solo a los estrategas militares, sino también a los responsables de la planificación económica. El equipo estaba dirigido por Herbert Backe, un especialista en agricultura que se había unido al partido nazi a comienzos de la década de 1920 y fue ascendiendo de forma constante hasta convertirse en el protegido de Richard Darré, ministro de Agricultura y Alimentación del Reich. La devoción servil de Backe a la causa nazi, sumada a sus conocimientos de agricultura, le hicieron cada vez más influyente en las reformas de la década de 1930 que regularon los precios y fijaron límites tanto a las importaciones como a las exportaciones.[61]

Backe, un hombre de baja estatura y enjuto que usaba gafas y vestía con elegancia, estaba obsesionado con la idea de que Rusia podía ser la solución a los problemas de Alemania. A medida que el imperio ruso fue creciendo, las estepas se transformaron lentamente; el antiguo hogar de las tribus de pastores nómadas se convirtió en un granero perfecto, con un campo de cereales tras otro extendiéndose a través de las llanuras hasta donde alcanzaba la vista. La fertilidad de la tierra era extraordinaria, en especial en aquellas áreas en las que la tierra era oscura debido a la riqueza de sus minerales. La Academia de las Ciencias rusa había organizado expediciones científicas para explorar la región que describieron como el cinturón que se extendía desde el mar Negro hasta lo profundo de Asia Central e informaron con excitación de que las condiciones eran ideales para una agricultura a gran escala que sería enormemente productiva.[62]

En Rusia meridional y Ucrania la agricultura había crecido a una velocidad feroz antes de la revolución de 1917, impulsada por el aumento de la demanda interna y de las exportaciones y las investigaciones científicas destinadas a identificar el trigo de mejor calidad y el modo de maximizar el rendimiento de unas tierras que durante milenios habían sido usadas como pastos por los nómadas y sus animales.[63] La producción en las estepas se había expandido con gran rapidez entre finales del siglo XIX y comienzos del XX, y nadie conocía mejor su potencial que Herbert Backe, un especialista en el grano ruso, el tema de su tesis doctoral.[64] Fue él quien dirigió a los equipos que elaboraron los distintos borradores acerca de cuáles debían ser las metas y los objetivos de la invasión. Como insistió ante Hitler, la clave era Ucrania: el control de las fértiles llanuras que se extendían por el norte del mar Negro y se prolongaban más allá del Caspio «nos liberará de toda presión económica».[65] Alemania sería «invencible» si pudiera hacerse con las partes de la Unión Soviética que tenían esas «riquezas inmensas».[66] Ya no dependería de la buena voluntad de la URSS y su caprichoso líder y los efectos del bloqueo británico en el Mediterráneo y el mar del Norte se reducirían enormemente. Esta era la oportunidad de proporcionar a Alemania un acceso a todos los recursos que necesitaba.

Y fue así exactamente como Hitler terminó describiendo lo que estaba en juego después de que el ataque se pusiera en marcha en el verano de 1941. En los primeros días de la invasión, mientras las tropas alemanas avanzaban hacia el este a una velocidad sorprendente, el Führer apenas era capaz de contener la excitación. Alemania nunca dejaría esas tierras recién conquistadas, afirmó con regocijo; su destino era convertirse en «nuestra India», «nuestro propio Jardín del Edén».[67]

Joseph Goebbels, ministro de Propaganda del Reich, tampoco dudaba de que el ataque fuera por completo una cuestión de recursos, en especial trigo y otros granos. En un artículo escrito en 1942, declaró con su característico estilo, impasible e imperturbable, que la guerra había empezado por «el grano y el pan, por una mesa del desayuno y la comida y la cena bien provistas». Eso, y nada más, era el objetivo de la guerra para Alemania, prosiguió: la captura de «los vastos campos del este [en los que] se mece el trigo dorado, suficiente, más que suficiente, para alimentar a nuestro pueblo y a toda Europa».[68]

Detrás de comentarios como estos había una realidad apremiante: Alemania se estaba quedando sin comida y sin suministros, y los cargamentos de grano enviados desde la Unión Soviética no habían conseguido reducir los problemas crónicos del abastecimiento. En febrero de 1941, por ejemplo, la radio alemana comunicaba que había escasez de alimentos en toda Europa como consecuencia del bloqueo comercial impuesto por Gran Bretaña, una medida que previamente se había descrito como nada menos que como «trastorno mental», o «demencia británica», según la llamaban los locutores.[69] Para el verano de 1941, Goebbels recogía en su diario que en las tiendas de Berlín las estanterías estaban vacías; encontrar verduras a la venta era una rareza. Eso hacía que los precios fueran inestables y alimentaba un próspero mercado negro, todo lo cual aumentaba la inquietud de una población que si bien no estaba todavía preocupada, sí comenzaba a preguntarse precisamente cuáles habían sido los beneficios de la expansión alemana, un giro que ponía nerviosísimo al jefe de propaganda de Hitler.[70] Como señaló un funcionario local, «los hombres y mujeres agotados de trabajar en exceso [de esta parte del país] no entienden por qué la guerra ha de continuar todavía más dentro de Asia y África». Los días felices eran ahora un recuerdo distante.[71]

La solución la había proporcionado Backe y su grupo de analistas. Él mismo se había esmerado en señalar el deterioro de la situación alimentaria dentro de Alemania en el informe anual sobre suministros que presentó a finales de 1940. De hecho, en una reunión de las secretarías de Estado celebrada en 1941 a la que asistió Hermann Göring en su condición de coordinador del Plan Cuatrienal, Backe había llegado incluso a advertir que no pasaría mucho tiempo antes de que fuera necesario racionar también la carne, una medida que se había vetado en repetidas ocasiones por el temor a perder el apoyo de la población civil no solo a la guerra, sino al propio régimen nazi.[72]

La propuesta de Backe era radical. Aunque la Unión Soviética era un país vasto y variado en términos de clima y geografía, era posible dividirlo mediante una línea tosca. Al sur estaban los campos y los recursos que formaban la «zona de superávit»: Ucrania, Rusia meridional y el Cáucaso. Al norte, la «zona de déficit»: Rusia central y septentrional, Bielorrusia y los países del Báltico. Desde el punto de vista de Backe, quienes estaban a un lado de la línea producían la comida y los que estaban al otro se limitaban a consumirla. La respuesta para los problemas de Alemania era concentrarse en tomar la primera e ignorar la última. Era necesario capturar la «zona de superávit» y desviar la producción hacia Alemania. La «zona de déficit», por su parte, había que desconectarla; si sobrevivía y cómo era un asunto sin importancia. Su pérdida era la ganancia de Alemania.

Lo que eso significaba en realidad se explicó de forma detallada en una reunión que tuvo lugar en Berlín apenas unas semanas antes del lanzamiento de la operación Barbarroja, el nombre en clave que recibió la invasión de la Unión Soviética. El 2 de mayo, los encargados de diseñar el plan discutieron las prioridades y los resultados esperados del ataque: los ejércitos alemanes debían arrancar de la tierra lo que pudieran para alimentarse a medida que el avance progresara; se esperaba que la tierra prometida empezara a producir desde el comienzo. Desde el momento en que los soldados alemanes cruzaran la frontera, Rusia había de proveer el sustento de la Wehrmacht.

El efecto para quienes vivían en la «zona de déficit» también se mencionó en la discusión. Se los desposeería de un plumazo. En uno de los documentos más escalofriantes de la historia, las actas de la reunión sencillamente declaran: «Como consecuencia, *x* millones de personas sin duda morirán de hambre, si lo que necesitamos para nosotros se extrae de la tierra».[73] Esas muertes eran el precio que había que pagar para que Alemania pudiera alimentarse. Esos millones de seres humanos eran daños colaterales, las víctimas necesarias del triunfo y la supervivencia de Alemania.

La reunión siguió adelante para abordar otras cuestiones logísticas que debían garantizar que el avance se realizara sin contratiempos. Era fundamental hacerse con el control de las principales arterias que conectaban las llanuras agrarias con la infraestructura de transporte para permitir que la producción pudiera enviarse a Alemania. Se prestó una atención considerable a la forma en que debían vestir los líderes agrarios que supervisarían la recolección de la cosecha y la siembra futura: galones de color gris plata cosidos sobre las ropas civiles. Como anota un destacado historiador, la reunión fue una mezcla de lo mundano con lo asesino.[74]

En las tres semanas siguientes, se realizó un esfuerzo concertado por cuantificar el número probable de bajas y poner un valor al «*x* millones» de muertes que se preveían en la «zona de déficit». El 23 de mayo, se presentó un informe de veinte páginas que, básicamente, era una versión actualizada de las conclusiones alcanzadas con antelación. Se desconectaría la «zona de superávit» de la Unión Soviética y el grano y demás producción agraria se recogerían y se enviarían a Alemania. Como se había discutido en la reunión previa en Berlín, la población local sufriría las consecuencias. Estas se exponían ahora con detalle y el cálculo de muertes probables, que antes quedara abierto, se precisó. «Muchas decenas de millones de personas en este territorio pasarán a ser superfluas y morirán o deberán emigrar a Siberia», reza el informe. «Cualquier intento de salvar a la población local de morir de hambre [...] solo puede llevarse a cabo a expensas del abastecimiento de Europa. Eso haría imposible que Alemania resista hasta el final de la guerra.»[75] Lo que estaba en juego en el ataque no era solo la posibilidad de ganar la guerra. Era, literalmente, una cuestión de vida o muerte.

Aunque no se ha conservado una lista de los asistentes a la reunión del 2 de mayo, las huellas de Backe son visibles por todas partes en el orden del día y las conclusiones. Hitler lo tenía en muy buena consideración, más que a algunos de sus superiores, incluso, y como su esposa escribió en su diario, durante las reuniones informativas sobre el plan de la invasión el líder alemán solía buscar su consejo antes que el de cualquier otro. En la introducción revisada a su tesis doctoral, que finalmente se publicaría en el verano de 1941, escribió que Rusia no había sabido usar apropiadamente sus recursos; si Alemania se apoderaba de ellos, sin duda los usaría de forma más eficaz.[76]

Con todo, el testimonio más revelador es una nota breve escrita el 1 de junio de 1941, tres semanas antes de la invasión. No había necesidad de compadecer a los rusos por lo que están a punto de sufrir, decía la nota. «Los rusos ya han padecido la pobreza, el hambre y la frugalidad durante siglos [...] No se debe aplicar el nivel de vida alemán como [criterio] ni alterar el estilo de vida ruso.» El estómago ruso, continuaba, «es elástico». Por tanto, sentir pena por quienes iban a padecer hambre era un error.[77] La claridad de su pensamiento impresionaba a los demás, como observó Goebbels en su diario por la época en que los preparativos para el ataque contra la URSS se aceleraban. Backe, escribió, «domina su departamento de forma magistral. Con él, todo lo que es posible hacer, se hace».[78]

Todos los involucrados en los preparativos eran conscientes de la trascendencia de lo que se avecinaba. La comida escasearía en el invierno de 1941, predijo Goebbels en su diario, de forma tan severa que en comparación otras hambrunas parecerían insignificantes. Ese no es nuestro problema, añadió, siendo la inferencia obvia que quienes sufrirían serían los rusos, no los alemanes.[79] Dando por hecho que los alemanes escuchaban las transmisiones de la radio soviética con tanta atención como los británicos, podemos asumir que Goebbels debió de entusiasmarse al oír la noticia de que, a menos de tres días del comienzo de la invasión, «en el centro de Rusia los campos parecen alfombras verdes; en el sureste, el trigo madura». La cosecha justo estaba empezando y todo indicaba que sería abundante.[80]

Mientras los preparativos para el ataque llegaban a la fase final, se procedió a grabar en las mentes tanto de los soldados rasos como de los oficiales de alto rango qué era lo que estaba en juego. Según Franz Halder, un militar de carrera que había tenido un ascenso imparable en la Wehrmacht, Hitler fue como de costumbre directo y rotundo. Esta será una lucha hasta el final, dijo a sus generales en marzo de 1941. La fuerza debía emplearse en Rusia «en su forma más brutal». Esta iba a ser «una guerra de exterminio». «Los jefes de sección deben saber lo que está en juego.» En lo que respecta a la Unión Soviética, dijo Hitler, «la severidad hoy significa indulgencia en el futuro».[81]

Esas mismas ideas tuvieron una presentación más completa en mayo de 1941, cuando ya se habían elaborado, y puesto en circulación entre quienes iban a participar en la invasión, un documento oficial, las «Directrices para la conducta de las fuerzas combatientes en Rusia». En ellas se enumeraban las amenazas que había que esperar de los «agitadores», «partisanos», «saboteadores» y judíos, dejando claro que los soldados alemanes no debían confiar en nadie ni mostrar ningún tipo de clemencia.[82] Se difundieron órdenes que describían el modo de controlar los territorios conquistados. En caso de insurrección o resistencia, debía recurrirse a los castigos colectivos. Los sospechosos de trabajar en contra de los intereses de Alemania serían juzgados en el acto y fusilados si se les encontraba culpables, independientemente de si eran militares o civiles.[83]

Finalmente, se promulgaron una serie de directrices entre las cuales estaba la conocida como «Orden de los Comisarios», que advertía de forma gráfica lo que había que esperar que ocurriera durante la invasión: el enemigo probablemente actuaría de formas que contravenían los principios del derecho internacional y de la humanidad. Los comisarios (una etiqueta que abarcaba a toda la élite política rusa) lucharían de un modo que solo podía describirse como «bárbaro y asiático». Con ellos no había que tener piedad.[84]

# Capítulo 20

# LA RUTA DEL GENOCIDIO

En los preparativos de la invasión de la Unión Soviética, el mensaje transmitido a los oficiales y los soldados fue consistente e implacable: todo dependía de que consiguieran capturar los campos de trigo del sur. A los soldados se les invitó a imaginar que la comida que alimentaba a los ciudadanos soviéticos se les había arrancado de la boca a los niños alemanes.[1] Los oficiales al mando dijeron a sus hombres que el futuro de Alemania dependía de su éxito. Como dejó claro el teniente general Erich Hoepner a su Grupo Panzer en una orden operativa difundida inmediatamente antes del comienzo de la operación Barbarroja, Rusia tenía que ser aplastada, y aplastada «con una severidad sin precedentes. Cada acción militar debe, en su concepción y su ejecución, estar dirigida por la voluntad férrea de aniquilar al enemigo sin piedad y por completo».[2] El desprecio por los eslavos y el odio hacia el bolchevismo y el antisemitismo corrían por las venas del cuerpo de oficiales. Y ahora esos tres elementos iban a mezclarse, como anota un destacado historiador, para formar «una levadura ideológica que al fermentarse convertiría con facilidad a los generales en cómplices del exterminio masivo».[3]

Mientras fomentaba la implementación del horror, Hitler fantaseaba con el futuro: la península de Crimea sería como la Riviera francesa para los alemanes; cuán maravilloso sería unir la península del mar Negro a la madre patria con una autopista para que todos los alemanes pudieran visitarla en su «coche del pueblo» (Volkswagen). Se aficionó a pensar en lo mucho que le gustaría ser más joven para poder ver cómo esas fantasías cobraban forma; era una lástima, pensaba, que fuera a perderse una época tan emocionante como la que el país viviría en las próximas décadas.[4] De forma similar, Himmler veía un futuro prometedor en el que existirían «cadenas de asentamientos» (*Siedlungsperlen*) habitadas por colonos y rodeadas de aldeas en las que vivirían los granjeros alemanes, cosechando los frutos de la fértil tierra negra.[5]

Hitler y sus colaboradores más cercanos tenían dos modelos para ampliar las fuentes de recursos de Alemania. El primero era el imperio británico. Alemania se impondría en los nuevos y enormes territorios del este exactamente como había hecho Gran Bretaña en el subcontinente indio. Una pequeña población de colonizadores alemanes gobernaría Rusia, del mismo modo en que unos pocos británicos habían gobernado el Raj. La civilización europea triunfaría sobre una cultura que, sencillamente, era inferior. La jefatura nazi citaba constantemente a la India británica como un ejemplo de cómo la dominación a gran escala podía conseguirse con un número reducido de personas.[6]

Sin embargo, existía otro modelo que Hitler también mencionaba con frecuencia, en el que advertía similitudes y al que acudía en busca de inspiración: Estados Unidos. Alemania necesitaba hacer lo que los colonos europeos habían hecho en el Nuevo Mundo con los indígenas americanos, dijo Hitler a Alfred Rosenberg, el recién nombrado ministro del Reich para los Territorios Orientales Ocupados: a la población local había que hacerla retroceder o exterminarla. El Volga, proclamó, sería el Mississippi de Alemania, es decir, la frontera entre el mundo civilizado y el caos del otro lado. Los pueblos que en el siglo XIX se habían asentado en las Grandes Llanuras de Norteamérica, dijo, sin duda acudirían en masa a colonizar el este. Los alemanes, los holandeses, los escandinavos e incluso, predijo con confianza, los mismos estadounidenses buscarían labrarse un futuro y obtener recompensas en la nueva tierra de las oportunidades.[7] Un nuevo orden mundial surgiría gracias a los campos de Ucrania y Rusia meridional, que se extendían hasta las profundidades de Oriente. Era el fin del sueño americano, declaró Hitler: «Europa, ya no América, será la tierra de las posibilidades ilimitadas».[8]

La excitación del líder alemán no se fundaba exclusivamente en las perspectivas del cinturón de tierra al norte de los mares Negro y Caspio, sino también en los indicios que, por todas partes, apuntaban a un cambio drástico en favor de Alemania. Una parte de la tenaza alemana viajaba hacia el corazón del mundo desde el norte, mientras que la otra llegaba desde el sur, a través del norte de África y Oriente Próximo. Justo cuando la operación Barbarroja se puso en marcha, una sucesión de victorias relámpago en los desiertos del norte de África en 1941 habían llevado a Rommel y el Afrika Korps a corta distancia de Egipto y, por tanto, a un paso de hacerse con el control del canal de Suez, un punto vital. Entre tanto, el colapso de Francia había abierto la posibilidad de que la Luftwaffe usara las bases aéreas que los franceses habían establecido en Siria y el Levante tras los acuerdos de la primera guerra mundial, para ampliar todavía más el alcance de Alemania.

El destino del mundo pendía del más delgado de los hilos. La cuestión clave, parecía, giraba alrededor del momento adecuado para la invasión de la Unión Soviética, que podría tomar por sorpresa a Stalin. Era crucial lanzar el ataque después de que la cosecha hubiera sido sembrada, pero antes de que se la recogiera, de modo que las tropas alemanas pudieran aprovecharla en su avance por el territorio ruso. Las negociaciones con Moscú en 1940 ya se habían traducido en el envío a Alemania de un millón de toneladas de grano, casi la misma cantidad de petróleo y cantidades considerables de mineral de hierro y manganeso. Una vez que se completó el envío de una nueva y enorme remesa en mayo de 1941, el momento había llegado.[9]

Alarmados por la concentración de gran cantidad de tropas alemanas en el este a comienzos del verano de 1941, el mariscal Timoshenko, el comisario de Defensa soviético, y el general Zhúkov presentaron a Stalin una propuesta para lanzar un ataque preventivo seguido por un avance cuyos objetivos serían Varsovia, el norte de Polonia y parte de Prusia. Según dos testimonios que coinciden en gran medida, Stalin rechazó el plan sin pensárselo dos veces. «¿Os habéis vuelto locos? ¿Queréis provocar a los alemanes?», se cuenta que preguntó furioso. Después se giró hacia Timoshenko: «Mirad todos [...] Timoshenko es un hombre saludable y tiene una cabeza grande; pero es evidente que su cerebro es minúsculo». Y lanzó la amenaza: «Si provocáis a los alemanes en la frontera, si movéis fuerzas sin nuestro permiso, entonces tened en cuenta que rodarán cabezas». Dicho lo cual dio media vuelta y salió del recinto dando un portazo.[10]

El problema no era que Stalin creyera que Hitler no fuera a atacar, sino que pensaba que no se atrevería a hacerlo todavía. De hecho, la razón por la que había decidido supervisar personalmente el comercio con la administración nazi era para mantener vigilados de cerca a los alemanes mientras aceleraba la reconstrucción y modernización del ejército soviético. Estaba tan seguro de tener todas las cartas en su poder que incluso, cuando se recibieron los informes de espionaje de los agentes soviéticos en Berlín, Roma e incluso Tokio de que el ataque era inminente —lo que se sumaba a las advertencias y señales de las embajadas en Moscú—, sencillamente los descartó.[11] Su actitud corrosiva se resume a la perfección en la manera en que reaccionó ante el informe enviado, apenas cinco días antes de que empezara la invasión, por un espía que trabajaba en el cuartel general de las fuerzas aéreas alemanas: «Podéis decirle a vuestra "fuente" [...] que vaya a follarse a su madre», garabateó. «Esto no es una "fuente", es alguien difundiendo desinformación.»[12]

No todos los que rodeaban al líder soviético eran tan displicentes como él. Los movimientos de las tropas alemanas a comienzos de junio habían llevado a algunos a sostener que el Ejército Rojo debía avanzar hacia posiciones defensivas. «Tenemos un pacto de no agresión con Alemania», replicó Stalin con incredulidad. «Alemania está atada con la guerra en el oeste y estoy seguro de que Hitler no se atreverá a crear un segundo frente atacando a la Unión Soviética. Hitler no es ningún tonto y sabe que la Unión Soviética no es Polonia o Francia y tampoco Inglaterra.»[13]

Para el 21 de junio, era obvio que algo grave estaba en marcha. El embajador de Suecia en Moscú, Vilhelm Assarsson, pensaba que había dos opciones: o bien estaba a punto de ser testigo, en primera fila, de una confrontación épica entre «el Tercer Reich y el imperio soviético» que tendría consecuencias extraordinariamente amplias y transcendentales, o bien los alemanes se disponían a formular una serie de exigencias en relación a «Ucrania y los pozos de petróleo de Bakú». Si era la segunda opción la que se hacía realidad, especulaba, entonces podría presenciar «el mayor caso de chantaje de la historia del mundo».[14]

Unas horas más tarde, resultó evidente que los alemanes no iban de farol. A las 3.45 de la mañana del 22 de junio de 1941, una llamada telefónica despertó a Stalin. Era el general Zhúkov para informarle de que los alemanes habían traspasado la frontera en todos los sectores y que la Unión Soviética estaba siendo atacada. En un primer momento Stalin se negó a creer lo que estaba ocurriendo y concluyó que se trataba de una maniobra de Hitler, una exhibición de fuerza intimidatoria destinada a conseguir un acuerdo de algún tipo, probablemente relacionado con el comercio; y fue solo después cuando se dio cuenta de que, en realidad, estaba ante el comienzo de una lucha a muerte. Paralizado por la conmoción, se sumió en un estado catatónico, de modo que la responsabilidad de hacer los anuncios públicos recayó en Mólotov. «Un acto de traición sin precedentes en la historia de las naciones civilizadas ha tenido lugar», anunció con gravedad el ministro de Exteriores a través de las ondas. Nadie, sin embargo, debía dudar: «El enemigo será aplastado y la victoria será nuestra». El hecho de que la Unión Soviética hubiera estado bailando con el diablo no se mencionó en absoluto; había llegado el momento de pagar por ello.[15]

El avance alemán fue implacable y devastador, aunque la fuerza invasora no estaba tan bien preparada ni tan bien equipada como con frecuencia se suele dar por sentado.[16] En cuestión de días, Minsk había caído y cuatrocientos mil soldados soviéticos habían sido rodeados y atrapados. Brest-Litovsk quedó aislada, y sus defensores se vieron pronto privados de provisiones, aunque no siempre de esperanza, como el caso del joven soldado que, el 20 de julio de 1941, garabateó en una pared: «Me estoy muriendo, pero no me rindo. Adiós, madre patria».[17]

Para entonces Stalin había empezado a entender la magnitud de lo que estaba sucediendo. El 3 de julio pronunció un discurso a través de la radio en el que describió la invasión alemana como un asunto de «vida o muerte para los pueblos de la URSS». Informó a los oyentes de que los invasores querían restaurar el «zarismo» y el «gobierno de los terratenientes». Más cercana a la verdad fue la afirmación de que los atacantes pretendían hacerse con «esclavos» para los príncipes y varones alemanes.[18] Eso era más o menos correcto, siempre que se entienda que los príncipes y barones eran los jerarcas del partido nazi y los industriales alemanes: pronto el trabajo forzoso se convirtió en algo normal y corriente tanto para los soldados capturados como para la población civil. En su momento, más de trece millones de personas serían utilizadas para construir carreteras, cultivar los campos o trabajar en las fábricas tanto para el régimen nazi directamente como para compañías privadas alemanas (muchas de las cuales siguen funcionando en la actualidad). La esclavitud había regresado a Europa.[19]

A lo largo del verano de 1941 los alemanes parecían prácticamente imparables. Para septiembre, Kiev cayó tras un asedio que se saldó con la captura de más de medio millón de soldados soviéticos. Unas pocas semanas después, los tres grupos de batalla que actuaban como lanzas clavándose de lleno en el corazón de Rusia habían llegado a Kalinin, Tula y Borodino (donde la invasión napoleónica se había tambaleado en 1812). Y siguieron abriéndose paso a través de las defensas rusas. Para octubre, Moscú vacilaba. Tal era la ansiedad que se elaboraron planes para evacuar a la cúpula dirigente a Kúibyshev, la antigua Samara, situada a más de mil kilómetros al este de Moscú, en un recodo del Volga en su camino hacia el Caspio. El cuerpo de Lenin se retiró de la Plaza Roja para guardarlo en un lugar seguro. Se hicieron preparativos para que Stalin abandonara la ciudad, pero el líder ruso cambió de idea en el último minuto y decidió quedarse: según algunos testimonios, el motor del tren en el que iba a viajar llegó a ponerse en marcha y sus guardaespaldas estaban en el andén listos para partir.[20]

Para noviembre, Rostov del Don había caído, el punto final antes del Cáucaso. Hacia finales de mes, el 3.er y 4.º Grupos Panzer se encontraban a unos treinta kilómetros de Moscú. El 1 de diciembre, había ya una unidad de reconocimiento de motociclistas a menos de diez kilómetros de la capital.[21] Hitler estaba eufórico. El plan de decapitar la Unión Soviética dejando fuera de combate a Leningrado y Moscú, en el norte, era clave para garantizar el control a largo plazo de la «zona de superávit», en el sur, y el plan parecía estar saliendo según lo previsto. Dos meses después del comienzo de la invasión, con las líneas rusas retrocediendo cada vez más, el Führer habló con excitación acerca del futuro: «Ucrania, y luego la cuenca del Volga, serán un día los graneros de Europa. Cosecharemos mucho más además de lo que crece en los campos», dijo en agosto de 1941. «Si un día Suecia se niega a seguir suministrándonos hierro», prosiguió, «no hay problema: lo obtendremos de Rusia».[22]

Entre tanto, los equipos de construcción y técnicos se trasladaron al este siguiendo el avance del ejército. En septiembre de 1941, un convoy del recién creado Sonderkommando R (Comando Especial Rusia) partió de Berlín rumbo a Ucrania con el objetivo de establecer una infraestructura práctica en los territorios recién conquistados. Formado por más de un centenar de vehículos, entre los que había cocinas de campaña, oficinas móviles, tiendas de reparación y unidades de transmisión de la policía, el convoy tenía la misión de hacer posible lo que un historiador ha denominado «la campaña de colonización más radical de la historia de la conquista y la construcción de imperios europea».[23]

Cuando llegaron a Odessa, en el mar Negro, los oficiales a cargo de la operación (una colección variopinta de fracasados, holgazanes, evasores del servicio militar e inadaptados) ocuparon las mejores residencias para establecer sus cuarteles generales y se dispusieron a crear la clase de instituciones que suponen una declaración inequívoca de planes a largo plazo: bibliotecas, discotecas, salones de lectura y salas de cine en las cuales exhibir las triunfalistas películas alemanas.[24]

La invasión parecía haber sido un éxito absoluto. En menos de seis meses se había conquistado casi toda el área señalada para el envío de recursos a Alemania. Leningrado y Moscú todavía no habían caído, pero parecía ser solo cuestión de tiempo que ambas se rindieran. También en otras partes las señales parecían prometedoras. Aunque en Irak había habido un levantamiento fallido, sofocado por una fuerza británica reunida de forma precipitada (se requisaron autobuses en las calles de Haifa para llevar las tropas al este a reprimir la revuelta), todo indicaba que había razones sólidas para pensar que los nuevos amigos de Alemania en las ricas tierras petrolíferas al sur del mar Caspio pronto empezarían a hacerlo mejor.[25]

Para la época de la invasión de la Unión Soviética, Hitler ya había dado su bendición formal a la idea de la independencia árabe y había escrito al gran muftí de Jerusalén para expresarle su solidaridad y elogiar a los árabes, tanto por ser una civilización antigua como por el hecho de tener en los británicos y los judíos enemigos comunes con Alemania.[26] El cultivo de los lazos con el mundo musulmán llegó a tal extremo que un académico alemán escribió un encomio servil que, entre otras cosas, alababa a Arabia Saudí como «el Tercer Reich al estilo wahabita».[27]

Desde el punto de vista de Gran Bretaña, por tanto, la situación era desesperada. En Irak se había evitado el desastre por muy poco, señaló el general Wavell, el comandante en jefe en la India, y era fundamental que se adoptaran medidas para proteger Irán, donde la delicada situación favorecía la ampliación de la influencia alemana. «Es esencial para la defensa de la India», le escribió al primer ministro Winston Churchill en el verano de 1941, «que se eche a los alemanes de Irán ya. De no hacerlo, se terminarán repitiendo los acontecimientos que en Irak apenas fue posible contrarrestar al límite».[28]

Wavell tenía razón en preocuparse por Irán, donde la propaganda alemana había sido implacable desde el comienzo de la guerra. En el verano de 1941, un corresponsal estadounidense informó de que en los quioscos de Teherán abundaban las copias de la revista *Signal*, una de las tribunas de Goebbels, mientras que las salas de cine que proyectaban películas como *Sieg im Westen* («Victoria en el oeste»), que celebraba en un estilo épico las victorias alemanas en Francia y Europa occidental, estaban llenas.[29]

El ataque contra la Unión Soviética también se recibió con entusiasmo en Irán. Según algunos testimonios, en la plaza Sepah, en el centro de Teherán, se congregaban multitudes para celebrar las noticias de la caída de una ciudad soviética tras otra en manos de la Wehrmacht.[30] El problema, como informó a Londres en los días posteriores a la invasión sir Reader Bullard, el embajador británico, era que «a los iraníes en general les encanta que los alemanes hayan atacado a Rusia, su antiguo enemigo».[31]

La simpatía hacia los alemanes era generalizada en el ejército y en los bazares, declaró la distinguida estudiosa de la cultura y la historia persa Ann Lambton después de que se le preguntara su opinión sobre el desarrollo de la situación. Esos sentimientos eran particularmente elevados entre «los oficiales jóvenes [quienes] tienden a ser pro alemanes y confían en que Alemania resulte vencedora».[32] El agregado militar británico era del mismo parecer y oponía la impresión positiva acerca de Alemania entre la población local a las opiniones negativas acerca de Gran Bretaña. «Todavía existe un reducido número [de personas] que muy probablemente respalden la causa británica en caso de que los alemanes lleguen a Persia, pero quizá deba preverse que los alemanes encontrarán un respaldo activo considerable.»[33] Este era un punto de vista que compartía el embajador alemán en Teherán, Erwin Ettel, que informó a Berlín de que un ataque británico tendría que hacer frente a una «resistencia militar decidida» y llevaría al sah a solicitar formalmente la ayuda de Alemania.[34]

La noticia de que los alemanes continuaban avanzando en el este mientras que la resistencia se desmoronaba exacerbó la preocupación de que Irán pudiera unir su suerte a la del régimen nazi. El progreso de las fuerzas de Hitler era tal que se informó al general Auchinleck, que hasta hacía poco era el comandante en jefe en la India y acababa de ser nombrado para dirigir el Mando de Oriente Próximo, de que llegarían al Cáucaso hacia mediados de agosto de 1941.[35] Desde el punto de vista de Gran Bretaña, eso sería un desastre. Los alemanes necesitaban petróleo de forma desesperada. Si conseguían hacerse con el control de las reservas de Bakú y el Cáucaso, la situación sería gravísima. Y lo peor, anotó Leopold Amery, el secretario de Estado para la India, era que entonces estarían «muy cerca» de los campos petrolíferos de Irán e Irak y sin duda intentarían «toda clase de artimañas».[36] En otras palabras, todo parecía indicar que no solo Alemania estaba a punto de encontrar una solución a su talón de Aquiles, a saber, el carecer de una fuente fiable de petróleo para los buques, aviones, tanques y demás vehículos de su maquinaria de guerra, sino que podía poner en peligro la capacidad misma de Gran Bretaña para mantener el esfuerzo bélico. Era vital, concluyó el general Auchinleck, desarrollar un plan (que recibió el nombre de operación Countenance) para defender el cinturón que se extendía desde Palestina hasta Basora y los campos petrolíferos de Irán.[37]

La importancia de Irán aumentaba enormemente debido a la ubicación estratégica del país. La invasión de la Unión Soviética en 1941 convirtió a Stalin en un aliado improbable de Gran Bretaña y sus amigos, a pesar del pacto que el líder soviético había alcanzado con Hitler dos años antes. Por tanto, Washington anunció que «el gobierno de Estados Unidos ha decido ofrecer a la Unión Soviética toda la asistencia económica viable con el fin de fortalecer su lucha contra la agresión armada».[38] Y además el embajador de Estados Unidos en Moscú aseguró en privado a Stalin que su país estaba decidido «por completo» a derrotar a Hitler y que estaba dispuesto a hacer lo que fuera necesario para conseguirlo.[39]

El problema era cómo hacer llegar armas y material militar a la Unión Soviética. El envío a los puertos del círculo polar ártico era difícil desde un punto de vista logístico y, en medio del invierno, peligroso. Por otro lado, la ausencia de puertos apropiados en el este, más allá de Vladivostok, resultaba tanto o más problemática, entre otras cosas debido al dominio de Japón en esa parte del Pacífico. La solución resultó obvia: tomar el control de Irán. Eso impediría que los agentes y simpatizantes de Alemania en el país consiguieran afianzarse en el momento crucial, posibilitaría una mejor protección de unos recursos naturales que los aliados no podían permitirse perder y proporcionaría la mejor oportunidad de coordinar los esfuerzos para obstaculizar y detener definitivamente el avance implacable de la Wehrmacht en el frente oriental.

Esto resultaba conveniente para los objetivos de los aliados en el conflicto, pero a largo plazo prometía también importantes recompensas tanto para los británicos como para los soviéticos; ocupar el país daría a cada uno lo que durante tanto tiempo habían deseado en términos de influencia política, recursos económicos y valor estratégico. La decisión de Hitler de volverse contra su antiguo aliado en Moscú había creado oportunidades excitantes.

En agosto de 1941, los ejércitos británico y soviético invadieron Irán, el primero desde el sur y el segundo desde el noroeste. Las diferencias se dejaron de lado con el fin de promover los intereses mutuos en una región que tenía una importancia estratégica y económica profunda. Hubo una gran celebración cuando los soldados de ambos países se encontraron en Qazvín, en el norte del país, donde intercambiaron anécdotas y cigarrillos. Los corresponsales extranjeros que acudieron a la ciudad pronto se descubrieron siendo invitados por el ejército soviético a beber vodka y brindar por la alianza y a la salud de Stalin y de Churchill y de Mólotov y de Roosevelt, y luego otra vez, en el mismo orden. «Al final del trigésimo brindis con vodka puro», escribió un periodista estadounidense que estaba presente, «la mitad de los corresponsales estaban en el suelo. Los rusos, en cambio, continuaban bebiendo».[40]

Como el sah, vacilante, no se decidía a lanzar un ultimátum para que los ciudadanos alemanes abandonaran el país de inmediato, los británicos utilizaron el recién creado BBC Persian Radio Service para transmitir informes (falsos) de que el monarca había sacado las joyas de la corona de la capital, tenía trabajadores forzados en empresas de su propiedad y estaba usando las reservas de agua para regar sus jardines privados, críticas que según anota Reader Bullard en sus memorias ya tenían una amplia circulación.[41]

Ante las exigencias británicas, el sah intentó ganar tiempo escribiendo al presidente Roosevelt para quejarse de los «actos de agresión» y condenar la amenaza que suponían para «la justicia internacional y el derecho a la libertad de los pueblos». Todo eso estaba muy bien, le respondió el presidente estadounidense, pero el sah debía tener presente que «no cabe duda de que los movimientos de conquista de Alemania continuarán y se extenderán más allá de Europa, a Asia, África y las Américas incluso». Persia, en otras palabras, estaba coqueteando con el desastre al pensar que podía mantener una buena relación con el dictador alemán.[42] Al final, los británicos decidieron resolver el asunto por sus propios medios y obligaron a abdicar a Reza Jan, al que para entonces ya consideraban un lastre, y coronaron en su reemplazo a Mohammad Reza, su hijo, un *playboy* de una elegancia inmaculada, aficionado a la novela negra francesa, los coches veloces y las mujeres fáciles de conquistar.[43]

Para muchos iraníes, semejante injerencia extranjera era intolerable. En noviembre de 1941 se produjeron manifestaciones en las que la multitud gritó consignas como «¡Larga vida a Hitler!» y «¡Abajo los rusos y los británicos!» para demostrar su descontento por el hecho de que el destino del país estuviera siendo decidido por unos soldados a los que se veía como una fuerza ocupante.[44] Esta no era la guerra de Irán; las disputas y los conflictos militares de la segunda guerra mundial no tenían nada que ver con la población de ciudades como Teherán e Isfahán, que veían con impaciencia cómo su país se había visto atrapado en la lucha entre las potencias europeas. Sus opiniones, sin embargo, no se consideraron relevantes.

Con la situación en Irán puesta bajo control por la fuerza, se tomaron también medidas contra las instalaciones francesas en Siria debido al temor de que, tras la caída de Francia, pudieran emplearse contra Gran Bretaña y sus aliados en Oriente Próximo. Desde la base en Habbaniyah, uno de los aeródromos que la fuerza aérea británica mantuvo en Irak después de la primera guerra mundial, se desplegó de forma apresurada un escuadrón de cazas Hurricane para bombardear las bases de la Francia de Vichy. Entre quienes participaron en las incursiones de la segunda mitad de 1941 se encontraba un joven piloto que más tarde recordaría que, un domingo por la mañana, al descender en su avión sorprendió a los pilotos franceses y «un grupo de chicas con vestidos de colores brillantes» en plena celebración al aire libre. Las copas, las botellas y los tacones altos volaron por todas partes cuando los cazas británicos atacaron y todos corrieron a ponerse a cubierto. Fue «maravillosamente cómico» escribió el piloto de uno de los Hurricanes, un tal Roald Dahl.[45]

Las noticias que llegaban a Berlín por esta época parecían incansablemente buenas. Con la Unión Soviética en graves apuros, y progresos en apariencia inminentes en Persia, Irak y Siria, sobraban los motivos para creer que Alemania estaba a punto de realizar una serie de conquistas comparables a las de los grandes ejércitos del islam en el siglo VIII o a las de las fuerzas mongolas de Gengis Kan y sus herederos. El triunfo estaba al alcance de la mano.

La realidad, sin embargo, era bastante diferente. Pese a lo espectacular que pudiera parecer, el avance alemán, tanto en la Unión Soviética como en otras partes, estaba plagado de problemas. Por un lado, las bajas en el campo de batalla durante el avance en el este superaban en gran medida el número de reservistas enviados para reemplazarlas. Aunque ciertas victorias espectaculares se tradujeron en la captura de un número enorme de prisioneros, estas se consiguieron a un precio demasiado grande. Según los cálculos del general Halder, la Wehrmacht perdió a más del 10 por ciento de sus hombres en los dos primeros meses de combate tras el comienzo de la invasión, es decir, más de cuatrocientos mil soldados. Para mediados de septiembre, la cifra ascendía ya a más de medio millón de soldados muertos o heridos.[46]

El avance galopante también había sometido las líneas de suministro a una tensión casi insoportable. La falta de agua potable fue un problema desde el principio, lo que se tradujo en brotes de cólera y disentería. Incluso antes de que terminara agosto, los observadores más agudos empezaron a advertir con claridad que el cuadro no era tan prometedor como sugerían las apariencias: la escasez de materiales básicos como navajas de afeitar, crema y cepillos de dientes, papel para escribir, aguja e hilo fue notable desde los primeros días de la invasión.[47] A finales del verano la lluvia interminable mantenía empapados a los hombres y los equipos. «Es imposible secar las mantas, las botas y la ropa de forma apropiada», escribió un soldado a su familia.[48] Las noticias sobre las condiciones en el frente llegaron a Goebbels, que comentó en su diario que se requerían nervios de acero para superar las dificultades. A su debido tiempo, escribió, las dificultades actuales se convertirían en «buenos recuerdos».[49]

De forma similar, las perspectivas en Oriente Próximo y Asia Central eran halagadoras solo en apariencia. Pese a todo el optimismo de principios de año, Alemania tenía poco que aportar al entusiasmo con el que supuestamente conseguiría conectar el norte de África con Siria e Irak con Afganistán. La perspectiva de consolidar una presencia significativa en la región, por no hablar de controlarla, parecía ser más una ilusión que un plan fundamentado.

Y así, a pesar de las extraordinarias conquistas territoriales, el alto mando alemán tuvo que empezar a apuntalar la moral justo cuando Moscú se tambaleaba. A comienzos de octubre de 1941, el mariscal de campo Reichenau, el oficial al mando de parte del Grupo de Ejércitos Sur que había avanzado en la «zona de superávit», promulgó una orden para intentar infundir de nuevo un poco de coraje en sus soldados. Cada hombre, declaró solemnemente, era un «portaestandarte del ideal nacional y el vengador de todas las bestialidades perpetradas contra los pueblos germanos».[50] Eso estaba muy bien, pero en un momento en que los hombres tenían que meterse periódicos en las botas para combatir el frío, era difícil apreciar qué efecto podía tener esa retórica sobre una fuerza en la que los heridos morían congelados y a los soldados se les quedaba pegada la piel a la culata helada de los fusiles.[51] Cuando llegó el invierno en toda su intensidad y los hombres empezaron a tener que cortar el pan con hachas, Hitler dijo con desdén al ministro de Exteriores de Dinamarca: «Si el pueblo alemán ha dejado de ser lo bastante fuerte y no está dispuesto a sacrificar su propia sangre [...] debe perecer».[52] En términos de socorro, los estimulantes químicos (como el Pervitin, una metanfetamina que se distribuyó en grandes cantidades entre los soldados que prestaban servicio en el frío implacable del frente oriental) resultaron más útiles que las arengas.[53]

Otra característica de la invasión fueron los graves problemas de abastecimientos que padeció. Aunque se había calculado que los grupos de batalla que rodearían Moscú necesitaban recibir por tren veintisiete remesas de combustible diarias, a lo largo de todo el mes de noviembre, por ejemplo, apenas recibieron tres.[54] Los economistas estadounidenses que observaban la guerra con atención subrayaron precisamente esta cuestión en dos informes titulados «La situación militar y económica alemana» y «Los problemas de abastecimiento alemán en el frente oriental». Según sus cálculos, cada doscientos kilómetros el avance requería treinta y cinco mil vagones de carga adicionales, o bien reducir en diez mil toneladas las remesas enviadas diariamente al frente. La velocidad del avance se estaba revelando como uno de los mayores problemas.[55]

Mantener el frente abastecido desde la retaguardia era bastante complicado; no obstante, había un asunto más apremiante. La invasión se fundaba en el principio rector de que el objetivo era amputar a la Unión Soviética las tierras fértiles de Ucrania y Rusia meridional, la llamada «zona de superávit». Incluso antes de que se pusiera en marcha la operación Barbarroja, cuando la Unión Soviética enviaba grano a Hitler, los efectos de la guerra sobre el suministro de alimentos y la dieta eran mucho más marcados en Alemania que, por decir algo, en Gran Bretaña. Sin embargo, la situación no mejoró con las conquistas en el este, y el consumo de calorías diarias, que para finales de 1940 ya se había reducido bastante, cayó todavía más.[56] De hecho, las cantidades de grano enviadas a Alemania después de comenzada la invasión resultaron ser mucho menores que las importadas desde la Unión Soviética en los años 1939-1941.[57]

Los programas de radio alemanes se esforzaban por levantar la moral y tranquilizar a la población. En noviembre de 1941, un noticiario explicaba que si bien Alemania solía tener abundantes reservas de grano, «ahora, en tiempos de guerra, tenemos que aprender a vivir sin esta clase de lujos». Con todo, continuaba el informe, había buenas noticias. La escasez y los problemas de la primera guerra mundial no eran algo que hubiera que temer. A diferencia del periodo entre 1914 y 1918, «el pueblo alemán puede confiar en sus autoridades de control de alimentos».[58]

Eso era poco más que bravuconería, pues en realidad para entonces ya empezaba a estar claro que la idea de hacerse en el este con el control de una reserva de recursos en apariencia ilimitada había sido una ilusión. El ejército, que había recibido órdenes de alimentarse de las tierras conquistadas, no logró hacerlo, y sobreviviendo a duras penas recurrió al robo de ganado. Lejos de contribuir a aliviar la situación alimentaria en Alemania, las tierras prometidas en las que Hitler y sus asesores habían puesto tantas esperanzas resultaron ser un sumidero. La política de tierra arrasada de los soviéticos privó a la tierra de gran parte de su riqueza. Entre tanto, dentro de la Wehrmacht las prioridades militares confusas y contradictorias —había tensiones constantes a propósito de si debían desviarse hombres, tanques, recursos y combustible al centro, al norte o al sur— sembraron unas semillas que se revelarían mortales. Los cálculos realizados por los estadounidenses en la primavera de 1942 sobre el rendimiento probable de los cultivos en los territorios conquistados en el sur de la Unión Soviética pintaban un cuadro pesimista de las cosechas esperables en Ucrania y Rusia meridional. El informe sostenía que las cosechas serían, a lo sumo, dos tercios de lo que habían sido antes de la invasión. Y eso en el mejor de los casos.[59]

Por tanto, pese a todas las ganancias territoriales logradas, la campaña en el este no había conseguido cumplir no solo con lo prometido, sino con lo necesario. Apenas dos días después de la invasión de la Unión Soviética, Backe había presentado las proyecciones relativas a las necesidades de trigo en el contexto de un plan económico cuatrienal. Alemania se enfrentaba a un «déficit» de dos millones y medio de toneladas anuales. La Wehrmacht tenía que resolver eso, y garantizar además millones de toneladas de semillas oleaginosas y millones de cabezas de ganado, todo ello con el fin de que Alemania pudiera ser alimentada.[60] Esta fue una de las razones por las que Hitler ordenó a sus generales «arrasar por completo Moscú y Leningrado»: quería «impedir que permanezca allí gente a la que luego tengamos que alimentar en el invierno».[61]

Habiendo predicho que la escasez de comida y el hambre matarían a muchos, los alemanes comenzaron a identificar quiénes iban a padecerlas. Los primeros en la fila eran los prisioneros rusos. No hay necesidad de alimentarlos, escribió Göring con desdén; no es una cuestión a la que nos obligue ninguna ley internacional.[62] El 16 de septiembre de 1941, dio la orden de dejar de proveer alimentos a los prisioneros de guerra «no activos», esto es, a todos aquellos que estuvieran demasiado débiles o demasiado heridos para servir como mano de obra esclava. Un mes más tarde, las raciones para los prisioneros «activos», que ya habían sufrido una rebaja, volvieron a reducirse.[63] El efecto fue devastador: para febrero de 1942, unos dos millones de prisioneros de guerra soviéticos (de un total de 3,3 millones) habían muerto, en su mayoría de hambre.[64]

Para acelerar el proceso todavía más, se diseñaron nuevas técnicas para acabar con la cantidad de bocas a las que había que alimentar. Centenares de prisioneros de guerra fueron reunidos para probar qué efectos tenían sobre los seres humanos los pesticidas empleados para fumigar los barracones del ejército polaco. Asimismo, se realizaron experimentos sobre el impacto del envenenamiento con monóxido de carbono utilizando furgonetas con mangueras conectadas al propio tubo de escape. Esas pruebas, que tuvieron lugar en el otoño de 1941, se llevaron a cabo en lugares que pronto se harían tristemente célebres por usar las mismas técnicas en una escala masiva: Auschwitz y Sachsenhausen.[65]

El asesinato en masa que empezó apenas semanas después del inicio de la invasión fue una respuesta espeluznante al fracaso del ataque alemán y las deficiencias deplorables de los planes económicos y estratégicos. Los grandes graneros de Ucrania y Rusia meridional no habían generado lo que se esperaba de ellos. Y había un precio que pagar de inmediato: no la deportación o emigración de la población loca, como Hitler había mencionado en las conversaciones. Siendo tantísimas las personas y tan pocos los alimentos, existían dos objetivos obvios demonizados en todos los sectores de la sociedad alemana: los rusos y los judíos.

Antes de la guerra, una campaña sistemática había difundido la idea de que los eslavos eran un pueblo racialmente inferior, errático, con una capacidad singular para el sufrimiento y la violencia. Y si bien el veneno se atenuó tras la firma del acuerdo Mólotov-Ribbentrop en 1939, después de la invasión las críticas acérrimas recuperaron toda su fuerza. Como se ha mostrado de manera convincente, eso contribuyó de forma directa al genocidio del pueblo ruso que comenzó a finales del verano de 1941.[66]

El antisemitismo era un sentimiento todavía más arraigado en la sociedad alemana antes de la guerra. Según el káiser depuesto, la República de Weimar había sido «preparada por los judíos, instalada por los judíos y mantenida por el dinero judío». Los judíos, escribió en 1925, eran como los mosquitos, «una molestia de la que la humanidad debe librarse de una forma u otra [...] ¡Creo que lo mejor sería el gas!».[67] Tales actitudes no eran inusuales. Sucesos como la *Kristallnacht*, los actos coordinados de violencia contra los judíos que tuvieron lugar en la noche del 9 al 10 de noviembre de 1938, eran la culminación de una retórica venenosa que de forma rutinaria desdeñaba a la población judía como «un parásito [que] se alimenta de la carne y la productividad y el trabajo de otras naciones».[68]

El miedo creciente a lo que esas palabras (y acciones) podían desencadenar ya habían animado a algunos a plantearse nuevas alianzas. A mediados de la década de 1930, David Ben-Gurion, más tarde primer ministro de Israel, intentó llegar a un acuerdo con importantes figuras árabes para que se permitiera una mayor inmigración judía a Palestina. Esos esfuerzos no fructificaron, y en cambio los árabes terminaron enviando a Berlín una misión, supuestamente moderada, para acordar cómo el régimen nazi podía respaldar los planes árabes para socavar los intereses de Gran Bretaña en Oriente Próximo.[69]

En septiembre de 1939, antes de que terminara el primer mes de la guerra, se había acordado un plan para reubicar a todos los judíos de Polonia. Al menos en un principio, parece que el plan consistía en reunir a la población para facilitar su salida en masa de territorio alemán mediante la emigración forzosa. De hecho, a finales de la década de 1930 se desarrollaron planes complejos para la deportación de los judíos alemanes a Madagascar, un proyecto descabellado que tenía como punto de partida la creencia popular (pero errónea) de muchos geógrafos y antropólogos de finales del siglo XIX y comienzos del XX de que los malgaches, la población nativa de esta isla del suroeste del océano Índico, eran de origen judío.[70]

En la Alemania nazi también se había debatido la posibilidad de deportar a los judíos a otros destinos. De hecho, durante casi dos décadas Hitler había defendido la creación de un estado judío en Palestina, lo que resulta algo perverso. En la primavera de 1938, se manifestó en apoyo de una política para la emigración de los judíos alemanes a Oriente Próximo y la formación de un nuevo estado allí que les sirviera de patria.[71] Más aún, a finales de la década de 1930, se llegó a enviar a Palestina una misión de alto nivel, encabezada por Adolf Eichmann, con el fin de reunirse con representantes del movimiento sionista y discutir qué posibilidades había de llegar a un acuerdo que resolviera la denominada «cuestión judía» de una vez por todas. Con ironía considerable, Eichmann, que posteriormente sería ejecutado en Israel por crímenes contra la humanidad, se encontró debatiendo cómo fomentar la emigración de los judíos alemanes a Palestina, algo en lo que parecían coincidir los intereses de las antisemitas autoridades nazis, por un lado, y los líderes de la comunidad judía en Jerusalén y sus alrededores, por otro.[72]

Aunque esas conversaciones no se tradujeron en un acuerdo, los alemanes continuaron siendo considerados como socios potencialmente útiles incluso después del comienzo de la guerra. En el otoño de 1940, Abraham Stern, el creador de un grupo armado llamado Leji, al que las autoridades británicas de Palestina conocían como la «banda Stern» y del que eran miembros el futuro primer ministro Isaac Shamir y otros padres fundadores del moderno Estado de Israel, escribió a un importante diplomático alemán en Beirut para plantearle una propuesta radical. «Podrían existir intereses comunes», comenzaba el mensaje, entre Alemania y las «auténticas aspiraciones nacionales del pueblo judío», a los que Stern (y otros) pretendían representar. Si «se reconocen las aspiraciones del movimiento por la libertad de Israel», continuaba, Stern se ofrecía a «participar de forma activa en la guerra de parte del bando alemán». La liberación de los judíos a través de la creación de un estado sin duda beneficiaría a Hitler: además de «fortalecer la futura posición de poderío de Alemania en Oriente Próximo», serviría también para «fortalecer de manera extraordinaria el fundamento moral» del Tercer Reich «a ojos de toda la humanidad».[73]

Esto era una fanfarronada. En realidad, Stern estaba siendo pragmático, y ello a pesar de que no todos los miembros de la organización compartían sus esperanzas en una posible alianza con Alemania. «Todo lo que queremos de los alemanes», dijo poco después en un intento de explicar su posición, es que traigan a los reclutas judíos a Palestina. Si lo hacían, «la guerra contra los británicos para liberar la patria empezará aquí. Los judíos obtendrán un estado, y los alemanes, de paso, se librarán de una importante base británica en Oriente Próximo y resolverán la cuestión judía en Europa...» Parecía lógico y horrible: figuras judías destacadas estaban proponiendo de forma activa una colaboración con el mayor antisemita de todos los tiempos, negociando con los perpetradores del Holocausto apenas doce meses antes de que el genocidio empezara.[74]

En lo que respecta a Hitler, la cuestión de a dónde se deportaba a los judíos carecía de importancia, pues tal era el poder de su antisemitismo. Palestina fue solo un lugar entre los muchos que se consideraron; por ejemplo, también se discutió seriamente la posibilidad de enviarlos a sitios en lo profundo de Rusia. «No importa a dónde se envíe a los judíos», dijo Hitler al jefe militar croata Slavko Kvaternik en 1941. Siberia o Madagascar servirían.[75]

Sin embargo, ante los problemas crónicos de la campaña en Rusia, esa aparente indiferencia se endureció para dar paso a una actitud más severa e implacable cuando los planificadores nazis se dieron cuenta de que, estando ya los judíos recluidos en campos, era posible asesinarlos en masa sin apenas dificultades.[76] Enfrentado a una sangría de recursos que ya eran escasos, el régimen no necesitó realizar grandes esfuerzos para llevar su antisemitismo sistemático un paso más allá y empezar a plantearse el genocidio. Los judíos, que estaban ya concentrados en campos en Polonia, fueron un blanco disponible y fácil cuando la jefatura nazi se dio cuenta de que había demasiados millones de bocas que alimentar.

Ya a mediados de julio de 1941 Adolf Eichmann escribía que «existe el peligro de que este invierno no se pueda alimentar a todos los judíos.

Ha de considerarse seriamente si la solución más humana no es quizá eliminar a los judíos que no están en condiciones de trabajar mediante alguna medida expedita».[77] Los ancianos, los enfermos, las mujeres y los niños y todos aquellos que no estaban «en condiciones de trabajar» fueron considerados prescindibles: el primer paso para reemplazar la incógnita de esos «*x* millones» cuya muerte se había previsto con tanto cuidado antes de la invasión de la Unión Soviética.

Así comenzó una cadena de acontecimientos que alcanzaría una escala y un horror sin precedentes, el transporte de seres humanos como ganado a los corrales en los que serían divididos entre aquellos que trabajarían como mano de obra esclava y aquellos cuyas vidas fueron consideradas el precio que había que pagar por la supervivencia de otros: Rusia meridional, Ucrania y las estepas occidentales se convirtieron en la causa del genocidio. El hecho de que esas tierras no hubieran generado la cantidad de trigo prevista fue una causa directa del Holocausto.

En París, donde la policía había estado llevando un registro secreto de extranjeros judíos y no judíos desde finales de la década de 1930, el proceso de deportación se redujo a una cuestión de revisar el fichero que se entregó a los ocupantes alemanes y enviar guardias a detener a familias enteras para su posterior traslado a los campos del este, a Polonia en su mayoría.[78] El registro de judíos implementado en otros territorios ocupados, como los Países Bajos, una parte del amplio programa nazi de antisemitismo institucionalizado, también hizo dolorosamente sencilla la deportación de quienes ahora fueron identificados como excedentes.[79] Tras haber atacado la Unión Soviética pensando en zonas de superávit y excedentes agrarios, la imaginación nazi pasaba ahora a ocuparse de los excedentes de población y cómo lidiar con ellos.

Desbaratadas las esperanzas acerca de lo que la invasión traería, la élite nazi concluyó que había una solución para los problemas de Alemania. En un reflejo grotesco de la reunión celebrada en Berlín el 2 de mayo de 1941, ocho meses después se celebró otra en Wannsee, un barrio de las afueras de Berlín. Una vez más el encuentro giró alrededor de la cuestión de la muerte de millones de personas sin cuantificar. El nombre dado a las conclusiones alcanzadas en la helada mañana del 20 de enero de 1942 causa escalofríos. A ojos de sus artífices, el genocidio de los judíos era sencillamente la respuesta a un problema. El Holocausto era la «solución final».[80]

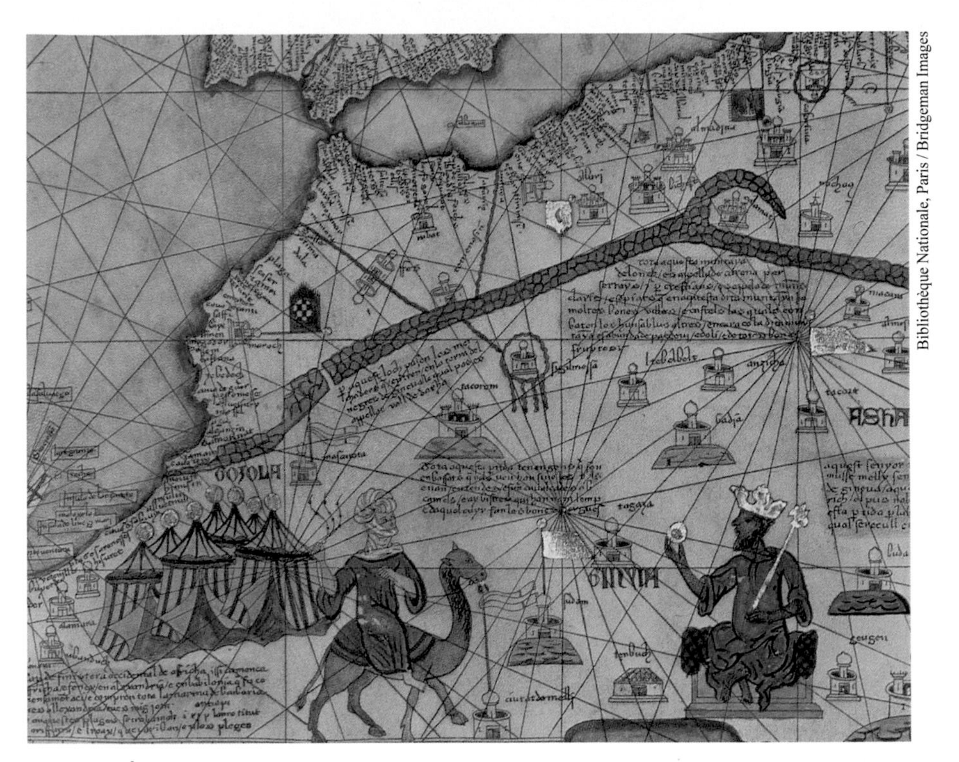



El oro de África occidental era famoso en todo el Mediterráneo. El gran rey de Malí, Mansa Musa, «el más rico y más noble» de los gobernantes, sostiene una gran pepita de oro en este detalle del Atlas Catalán, 1375.

China comenzó a interesarse cada vez más por el mundo más allá del Pacífico en el siglo XV. El almirante Zheng exploró el océano Índico y la costa de África oriental. Esta pintura mural de un santuario chino de Penang (Malasia) representa una de sus embarcaciones.

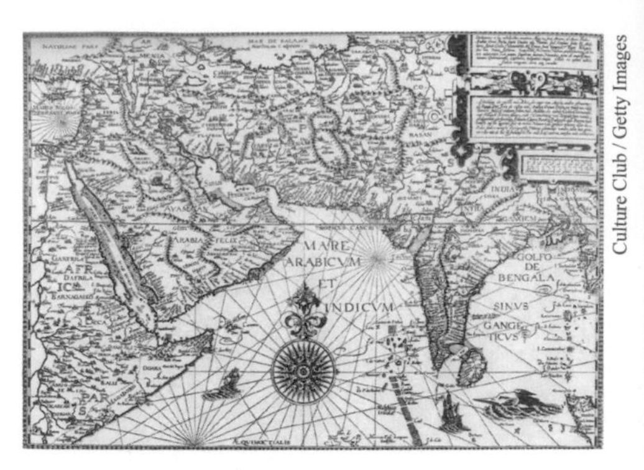


Culture Club / Getty Images

Mapa del océano Índico, el golfo Pérsico y la bahía de Bengala de Jan Huygens van Linschoten, el decano de los cartógrafos europeos.

Cortés y Xicoténcatl, cuya alianza provocaría el fin del imperio azteca. Cortés aseguraba sufrir de una enfermedad que solo podía curarse con oro.

Private Collection / The Stapleton Collection / Bridgeman Images

El ajetreado puerto de Calicut, en el suroeste de la India, un siglo después de la expedición de Vasco da Gama. La multitud de comerciantes europeos que viajaban a Asia podían obtener grandes beneficios a su regreso vendiendo las mercancías a los nuevos ricos de sus países.

El impresionante mausoleo de Gūr-i Mīr, en Samarcanda, donde reposan Timur y sus herederos.

El Taj Mahal, un símbolo de amor y, también, del increíble aumento de la riqueza en la India en el siglo XVII.

El maharana Sangram Singh recibe en Udaipur a la delegación holandesa en 1711 (detalle). Negociar y confirmar los privilegios comerciales era vital para la defensa de los intereses comerciales europeos.

El siglo de oro holandés: *Muchacha leyendo una carta,* de Vermeer. En primer plano se aprecia un plato con los característicos colores azul y blanco de la cerámica asiática.

La Compañía de las Indias Orientales hizo ricos a muchos de sus funcionarios. Su estrepitoso fracaso llevó a que el gobierno la rescatara, lo que causaría gran descontento en las colonias británicas. En 1773, en el puerto de Boston, hombres disfrazados de «indios» arrojaron el cargamento de té al agua para protestar. El motín del té de Boston fue un hito en la ruta hacia la declaración de independencia de Estados Unidos.

Asesinato de Alexander Burnes en Kabul el 2 de noviembre de 1841. Antes de su muerte, Burnes se había convertido en un analista popular de los asuntos centroasiáticos.

*Sir* Edward Grey, ministro de Exteriores británico a comienzos de la primera guerra mundial. Grey creía que mantener unas buenas relaciones con Rusia era fundamental para los intereses de Gran Bretaña en la India y el golfo Pérsico.

El sah Mozaffaredfín, cuyas solicitudes de préstamos crearon problemas (y oportunidades) a Londres y San Petersburgo.

Bundesarchiv

Herbert Backe, el arquitecto del plan para dividir la Unión Soviética en una «zona de superávit» y una «zona de déficit», una de cuyas consecuencias previstas era la muerte de hambre de millones de personas.

Heinrich Hoffmann / ullstein bild via Getty Images

La casa de Hitler en los Alpes bávaros reseñada en la revista *Homes & Gardens*, «la fuente definitiva de inspiración para el decorado». Hitler usó como modelos para la expansión al este la India británica y la colonización europea de Estados Unidos. El Volga, dijo, sería el Mississippi de Alemania, la frontera más allá de la cual se expulsaría a la población nativa.

General Photographic Agency / Getty Images

William Knox D'Arcy, el «capitalista de la mayor categoría» que obtuvo una concesión exclusiva para «sondar, perforar y taladrar a voluntad las profundidades del suelo persa» durante sesenta años.

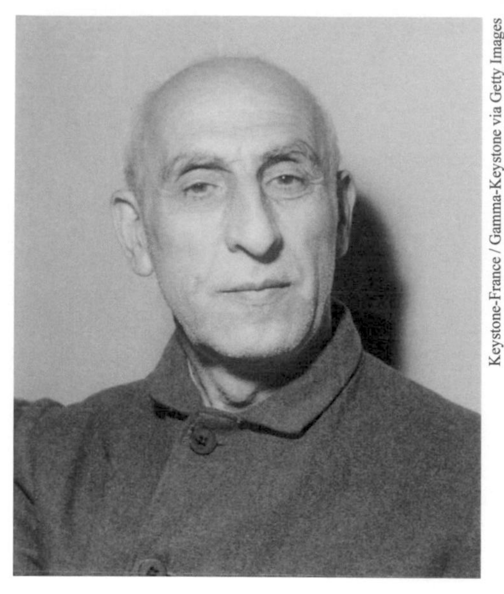

Keystone-France / Gamma-Keystone via Getty Images

Mohamed Mosadeq, primer ministro de Irán depuesto en 1953 en un golpe orquestado por la CIA. Un funcionario británico anotó en un informe que despedía «un ligero hedor a opio».

ARRIBA: Mohamed Mosadeq, hombre del año para la revista *Time* en 1952.

Dmitri Kessel / The LIFE Picture Collection / Getty Images

DERECHA: El sah de Irán, Reza Pahlavi, con su esposa. «Mis visiones fueron los milagros que salvaron el país», le dijo a un entrevistador.

Associated Press

El regreso del ayatolá Jomeini a Irán en 1979 fue recibido con celebraciones multitudinarias en Teherán. La BBC calculó que cinco millones de personas salieron a las calles de la capital.

Pierre PERRIN / Gamma-Rapho via Getty Images

Sadam Husein en uniforme de faena, su atuendo preferido. En la década de 1960 los británicos le identificaron como alguien con el que «sería posible hacer negocios».

Getty Images

Osama bin Laden. Antes del 11-S los informes de los servicios de inteligencia de Estados Unidos ya señalaban que muchos en el mundo árabe compartían su mensaje, aunque pocos aprobaban sus métodos terroristas.

Edson Walker / Getty Images

El centro de entretenimiento Khan Shatyry en Astaná (Kazajistán). La gigantesca tienda, transparente y futurista, acoge un centro comercial, instalaciones deportivas, salas de cine e incluso una playa cubierta.

El aeropuerto internacional Heydar Aliyev de Bakú (Azerbaiyán). Uno de los modernísimos centros de transporte que se están construyendo a lo largo de las rutas de la seda.

Tras la invasión de Irán, empezaron a abrirse camino hasta Moscú los tanques, aviones, armamentos y suministros de otro tipo que Londres y Washington fueron enviando a medida que la defensa contra Alemania ganaba ímpetu. Ese camino era, principalmente, el formado por redes, rutas comerciales y canales de comunicación que habían funcionado desde los días de la Antigüedad a través del denominado «corredor persa», que desde puertos como Ābādān, Basora y Bushehr, entre otros, se adentraba por el interior del país hasta Teherán, vía Arak y Qum, para finalmente cruzar el Cáucaso y llegar a la Unión Soviética. Pero desde el Lejano Oriente ruso también se abrieron rutas hacia Asia Central.[81]

Asimismo, y pesar del riesgo que conllevaba, se activaron de nuevo las viejas conexiones comerciales entre Rusia y Gran Bretaña. Las rutas por las que circulaban los convoyes que llevaban provisiones y recursos a Múrmansk y el norte de Rusia a través del Ártico ya eran suficientemente traicioneras en los siglos XVIII y XIX, pero hacerlo sabiéndose en las proximidades de los submarinos y acorazados fuertemente armados, como el *Tirpitz* y el *Bismarck*, que tenían su coto de caza particular en la costa del mar del Norte de Noruega, requería una resistencia y valentía tremendas. En ocasiones, los buques que conseguían llegar a su destino y volver a salvo a Gran Bretaña no eran ni la mitad de los que habían partido originalmente (pese a lo cual muchos de los soldados que hicieron esta ruta no recibirían las medallas que merecían por su servicio y su valor hasta décadas después de terminada la guerra).[82]

De forma lenta pero segura, la corriente cambió y las fuerzas alemanas fueron expulsadas del centro del mundo. Durante un momento se tuvo la impresión de que la apuesta de Hitler tendría el resultado esperado: amo de Europa a todos los efectos, el esfuerzo por abrir Asia Central desde el norte y el sur parecía haber funcionado cuando sus ejércitos alcanzaron las orillas del Volga. Sin embargo, una a una, las conquistas realizadas fueron desvaneciéndose a medida que el ejército alemán era obligado a retroceder, de forma implacable y brutal, hasta el mismo Berlín.

Hitler se hundió en la desesperación al darse cuenta de lo que estaba ocurriendo. Un informe clasificado de los servicios británicos sobre un discurso pronunciado el 26 de abril de 1942 revelaba que, a pesar del aparente triunfo en el este, el líder alemán dejaba escapar indicios claros de paranoia y fatalismo, sumados a las pruebas crecientes de que padecía lo que se ha etiquetado como complejo mesiánico.[83] Desde una perspectiva psicológica, Hitler era un individuo asombrosamente temerario cuyo perfil era el de jugador compulsivo.[84] Y su suerte por fin empezaba a agotarse.

El cambio de tendencia comenzó durante el verano de 1942. Rommel había sido detenido en El Alamein, lo que acabó con los planes de Muḥammad al-Ḥusaynī, quien había dicho a los habitantes de El Cairo que prepararan un listado de las residencias y lugares de trabajo de los judíos de la ciudad para que fuera posible acorralarlos y exterminarlos en los furgones de gas desarrollados por un oficial fanático de las SS que había estado destinado en el norte de África.[85]

La entrada de Estados Unidos en la guerra también marcó la diferencia, si bien tardó unos meses en hacerse notar. Empujados a actuar tras el ataque japonés sobre Pearl Harbor en diciembre de 1941, los estadounidenses se prepararon para luchar en dos frentes. Para mediados de 1942, la victoria en la batalla épica de Midway permitió a Estados Unidos pasar a la ofensiva en el Pacífico; y a comienzos del año siguiente el despliegue de tropas a gran escala en el norte de África, Sicilia y el sur de Italia y, más tarde, también en otros lugares de Europa, prometió cambiar el curso de la guerra en el frente occidental.[86]

Otro elemento del cambio de tendencia fue la situación en Stalingrado. En la primavera de 1942, Hitler aprobó una propuesta, cuyo nombre en clave era operación Azul, que implicaba el avance de las fuerzas alemanas a través de Rusia meridional para hacerse con el control de los campos petrolíferos del Cáucaso, que se habían convertido en un aspecto central en los planes de guerra del Tercer Reich. La ofensiva era ambiciosa y arriesgada, y la victoria dependía de ella, algo de lo que eran conscientes tanto la cúpula militar como el mismo Hitler: «Si no consigo el petróleo de Maikop y Grozni», declaró el líder alemán, «tendré que terminar la guerra».[87]

Stalingrado constituía un problema considerable. A pesar del prestigio que conllevaba su nombre, la conquista de la ciudad no era esencial. Si bien era centro industrial de cierta relevancia, su importancia residía en la ubicación estratégica en una curva del Volga: neutralizar Stalingrado era vital para proteger los territorios que los alemanes preveían conquistar en el Cáucaso. Para el otoño de 1942, estaba claro que las cosas habían salido muy mal. La ofensiva alemana había empezado tarde y no tardó en encontrar problemas. En Stalingrado se gastaron cantidades ingentes de recursos que Berlín no estaba en condiciones de desperdiciar: efectivos, artillería y combustible, cada vez más precioso. Eso ya era bastante malo de por sí, pero lo peor para los alemanes fue que desvió la atención del principal objetivo estratégico de la campaña: el petróleo. En el círculo íntimo de Hitler, algunos comprendieron lo que implicarían los retrasos, y uno de ellos fue Albert Speer: Alemania tenía que ganar la guerra «para finales de octubre, antes de que empiece el invierno ruso, o la habremos perdido de una vez por todas».[88]

Aunque todavía quedaba mucho por hacer en términos de planear cómo expulsar a las tropas alemanas del este y el oeste, y cómo coordinar las tenazas que se cerrarían en Berlín, para finales de 1942 los nuevos aliados, Gran Bretaña, Estados Unidos y la Unión Soviética, estaban empezando a pensar en el futuro. Cuando los líderes de los tres países se reunieron en Teherán en 1943, en Yalta en la primavera de 1945 y finalmente en Potsdam unos pocos meses más tarde, estaba claro que el esfuerzo, el coste y el trauma de otra confrontación a gran escala había dejado arrasada y exhausta a Europa occidental.

Ya era obvio que los imperios de antaño tocaban a su fin; la cuestión se reducía sencillamente a la mejor forma de gestionar el proceso. En una demostración de la fatiga moral dominante, la pregunta inmediata era cómo tomar la decisión menos mala (y ni siquiera eso se hizo del todo bien). En octubre de 1944, Churchill regresaba a Gran Bretaña después de visitar Moscú sintiéndose «renovado y fortalecido», según le dijo a Stalin, gracias a «la hospitalidad rusa, que es famosa, y se ha superado a sí misma [en esta] ocasión». Además de la multitud de conclusiones alcanzadas durante la conferencia, las actas del viaje recogen que hubo una interpretación del tercer concierto para piano de Rachmáninov y la oportunidad de hacer «compras desenfadadas». No recogen, sin embargo, las discusiones acerca del destino de la Europa de la posguerra, que se eliminaron de los informes oficiales.[89]

La integridad territorial de Polonia que la Cámara de los Comunes había jurado proteger en 1939 fue una de las primeras bajas. Las fronteras del país cambiaron de la forma más burda cuando Winston Churchill decidió que el momento era «apropiado para hacer negocios» y utilizó un lápiz azul para señalar en un mapa que un tercio del país pasaría a estar en territorio alemán y un tercio se le regalaría a la Unión Soviética; asimismo, propuso divisiones para muchos otros países en Europa central y oriental que podrían resultar mutuamente satisfactorias, como una partición 90:10 en Rumanía en favor de la influencia de Unión Soviética, y a costa de la británica, y una solución inversa para el caso de Grecia; en Bulgaria, Hungría y Yugoslavia, se aplicaría una división 50:50. El mismo Churchill reconoció en el acto que la «manera improvisada» en la que se estaba decidiendo el destino de «millones de personas» podía considerarse «bastante cínica». El precio de mantener contento a Stalin suponía sacrificar la libertad de medio continente europeo. «Quememos el papel», le dijo Churchill al dirigente soviético. «No», replicó Stalin, «consérvelo».[90]

Churchill no comprendió la realidad de la situación hasta que fue demasiado tarde. En el famoso discurso pronunciado en Fulton, Missouri, en 1946, en el que advirtió del «telón de acero» que había caído sobre Europa, señaló que «todas las capitales de los antiguos estados de Europa central y oriental, Varsovia, Berlín, Praga, Viena, Budapest, Belgrado, Bucarest y Sofía» se encontraban ahora dentro de la esfera de influencia de la Unión Soviética.[91] Salvo Viena y la mitad de Berlín, todas permanecerían allí. La segunda guerra mundial se había librado para detener la sombra negra de la tiranía que se cernía sobre toda Europa; al final, sin embargo, nada se pudo hacer, o se quiso hacer, para impedir que cayera el telón de acero.

Y así, al final de la segunda guerra mundial, Europa se partió en dos. La mitad occidental había luchado con valor y heroísmo; y durante décadas continuó congratulándose de haber logrado plantar cara al demonio del nazismo sin reconocer el papel que había tenido en su surgimiento. Y sin detenerse a pensar mucho en la parte del continente que había aceptado rendir en una nueva colección de acuerdos de posguerra. La derrota de Alemania había tenido como resultado una fatiga de combate crónica, el agotamiento de las economías de Gran Bretaña y Francia y el colapso de las de Holanda, Bélgica, Italia y los países escandinavos; y a estos trastornos vino a sumarse el miedo no solo a una carrera armamentística que muy probablemente ahondaría en la investigación de las armas nucleares, sino también a la confrontación directa. Con los ejércitos soviéticos disfrutando en Europa de una superioridad numérica de cuatro a uno sobre las fuerzas del resto de los aliados, y respaldados por la ventaja conseguida en el despliegue de los tanques, hubo un momento en que existió el temor real de que tras la rendición de Alemania pudieran estallar nuevas hostilidades. En consecuencia, Churchill ordenó que se elaboraran planes de emergencia a partir de la hipótesis de que la derrota de Hitler no fuera más que el final de un capítulo y no el verdadero punto culminante. El nombre otorgado a esos planes ocultaba la razón por la que habían sido preparados en un principio: en la mente de los estrategas británicos, la operación Impensable era por completo pensable.[92]

La necesidad de prepararse para tales eventualidades se fundaba en el hecho incuestionable de que la situación cambiaba con rapidez a medida que Alemania se desmoronaba. Stalin había adoptado una posición cada vez más inflexible, sin duda impulsado por el sentimiento de traición derivado de la catastrófica alianza con Hitler en 1939, pero también como consecuencia del precio astronómico que la Unión Soviética había tenido que pagar, sobre todo en Stalingrado y Leningrado, para sobrevivir a la arremetida alemana.[93] Desde el punto de vista de Moscú, era importante construir un sistema de zonas de separación y estados satélite, así como crear y reforzar el temor a la adopción de medidas directas en caso de que la Unión Soviética se sintiera amenazada. En tales circunstancias, inutilizar a los países situados al oeste de su frontera atacando e incluso suprimiendo sus bases industriales era un paso lógico, al igual que la decisión de proporcionar apoyo financiero y logístico a los nacientes partidos comunistas locales. Como demuestra la historia, el ataque es con frecuencia la mejor defensa.[94]

Una consecuencia de esto fue que la opresión de Hitler se consideró peor que la de Stalin. El relato de la guerra como un triunfo sobre la tiranía fue selectivo; se destacaba al enemigo político al tiempo que se restaba importancia a las culpas y faltas de los amigos recientes. En Europa central y oriental muchos lamentarían tener que disentir con la historia del triunfo de la democracia y señalarían el precio que tuvieron que pagar en décadas posteriores quienes de repente se descubrieron en el lado equivocado de una línea arbitraria. Sin embargo, Europa occidental tenía una historia que proteger, y eso implicaba resaltar los éxitos y guardar silencio acerca de los errores y acerca de unas decisiones que podrían explicarse en términos de pragmatismo político.

El ejemplo perfecto de ello fue la concesión del premio Nobel de la Paz a la Unión Europea en 2012: cuán maravilloso era que Europa, que durante siglos había sido responsable de una guerra casi continua no solo en su propio continente, sino en todo el mundo, hubiera conseguido evitar el conflicto por varias décadas. El equivalente en la Antigüedad tardía habría sido en entregar el premio a Roma un siglo después de haber sido saqueada por los godos, o quizá a los cruzados, después de la pérdida de Acre, por haber contribuido a moderar la retórica antimusulmana en el mundo cristiano. El silencio de los cañones acaso debía más al hecho de que no quedaba nada por lo que pelear que a la visión de una serie de pacificadores supuestamente brillantes de finales del siglo XX y comienzos del XXI, o a las maravillas de una organización internacional de estados europeos difícil de gestionar cuyas cuentas no han sido aprobadas por sus propios auditores durante años.

Un nuevo mundo había empezado a surgir en 1914 a medida que el sol se ponía sobre Europa occidental. El proceso se aceleró con las hostilidades de 1939-1945 y continuó después de que llegaran a su fin. La pregunta era ahora quién controlaría las grandes redes comerciales de Eurasia. Y existían buenas razones para reflexionar a fondo en esa cuestión, pues en las fértiles tierras y las arenas doradas del corazón del mundo y en las aguas del mar Caspio había mucho más de lo que se veía a simple vista.

## Capítulo 21

# LA RUTA DE LA GUERRA FRÍA

La lucha por el control del corazón de Asia estaba ya en marcha bastante antes de que la segunda guerra mundial hubiera terminado. En un acuerdo firmado en enero de 1942, y que recibió el pomposo nombre de Tratado Tripartito, Gran Bretaña y la Unión Soviética se comprometieron solemnemente a «proteger al pueblo iraní de las privaciones y dificultades que surjan como consecuencia de la actual guerra» y a garantizar que recibiría comida y ropa en cantidades suficientes. En realidad, como el documento dejaba claro a continuación, el tratado tenía muy poco que ver con la seguridad de Irán y, en cambio, todo que ver con el control de sus infraestructuras: de acuerdo con el texto, Gran Bretaña y la Unión Soviética podrían usar a su atojo carreteras, ríos, oleoductos, aeródromos y estaciones de telégrafo del país.[1] Eso no era una ocupación, declaraba el tratado; era ofrecer ayuda a un aliado. Bonitas palabras, pero más bien ficticias.

En teoría, el tratado se diseñó para impedir la expansión alemana en Irán y permitir que los aliados recibieran los recursos y la ayuda que llegaban al Golfo. No obstante, algunos consideraron que los británicos también estaban pensando a largo plazo. El ministro de Estados Unidos en Teherán, Louis G. Dreyfus, envió con regularidad cables a Washington en los que comentaba las exigencias cada vez más agresivas que se planteaban al sah y las acusaciones de que existía en el país una quinta columna que trabajaba en contra de los intereses británicos. «Estoy convencido», escribió en agosto de 1941, de «que los británicos están utilizando [la situación] como un pretexto para una futura ocupación de Irán y exagerando de forma deliberada [la] potencia» de las circunstancias actuales.[2]

La forma en que oficiales y soldados británicos trataban a la población local no facilitaba precisamente la consecución de las metas de mantener y fortalecer la posición de Gran Bretaña en Irán. Una década antes de la guerra, un periodista había escrito una crítica devastadora de la conducta de Gran Bretaña en la que sostenía que los iraníes eran tratados tan mal «como se dice que la Compañía de las Indias Orientales trataba a los indios hace doscientos años».[3] Detalles como el que los oficiales británicos insistieran en que sus homólogos iraníes les saludaran formalmente cuando se cruzaban con ellos solo sirvieron para avivar el resentimiento, pues los británicos no estaban dispuestos a proceder de igual forma cuando la situación era inversa. Las quejas de que se comportaban como «los *sahibs*, los hombres blancos, y tratan [a los iraníes] como a un pueblo colonizado» se generalizaron. Eso contrastaba radicalmente con el comportamiento de los oficiales soviéticos, que eran discretos, rara vez salían y no exigían saludos, al menos de acuerdo con un oficial de la inteligencia alemana destinado en la región.[4]

La actitud de sir Reader Bullard, el embajador británico en este periodo tan delicado, es un caso típico. Según el diplomático, la escasez de alimentos y la inflación que se vivieron durante la última parte del conflicto no tenían relación alguna con los fallos de las fuerzas ocupantes o con las dificultades de mantener el corredor persa para transportar hacia el norte las armas y demás material que llegaban al Golfo. El problema, escribió, era de los mismos iraníes: «Los persas encuentran ahora un doble placer en robar, elevar los precios a nivel de hambruna, etc.; y siempre culpan a los británicos».[5] A propósito de la «baja opinión que me he hecho de los iraníes», en una de las misivas enviadas a Londres añadía con ligereza absoluta que «la mayoría de los persas seguramente se conviertan en moscardas en la próxima encarnación».[6] Este tipo de despachos llamaron la atención de Winston Churchill. «Por natural que pueda ser el desprecio que sir Reader Bullard siente por todos los persas», escribió el primer ministro, «resulta perjudicial para su eficacia y nuestros intereses».[7]

Los británicos, que se sentían superiores, consideraban que estaban en su derecho al comportarse así, una perspectiva profundamente arraigada, y por completo ajena a la gravedad de la situación, que solo contribuía a empeorar más las cosas, pues la realidad, como resultaba cada vez más evidente, era que la posición dominante que se habían construido estaba en peligro. En 1944 se produjeron escenas desagradables en Teherán cuando los rusos descubrieron que estaban en marcha unas negociaciones para otorgar una concesión en el norte del país a un consorcio de productores de petróleo estadounidenses. La intervención del Partido Tudeh, una agrupación de militantes de izquierda cuyo mensaje de reforma, modernización y redistribución de la riqueza contaba con el apoyo de Moscú, ayudó a echar leña al fuego. La Unión Soviética estaba tan decidida a hacer descarrilar las conversaciones que en el apogeo de las tensiones los soldados rusos tomaron las calles junto a los miles de manifestantes a los que en teoría estaban vigilando. Muchos vieron con incomodidad cómo esto era una señal de que los soviéticos estaban dispuestos a usar la fuerza con tal de salirse con la suya y conseguir que se cancelara el acuerdo. Una sensación que vino a confirmar Sergei Kavtaradze, el matón comisario adjunto de Asuntos Exteriores soviético, a quien Stalin había enviado a Teherán para advertir de que si se enfurecía a la Unión Soviética, habría consecuencias.[8]

En un desenlace cargado de dramatismo, la cuestión recayó en Mohamed Mosadeq, político consumado, sagaz y elocuente que tuvo el don de captar el espíritu de la época. El hombre, escribió un funcionario británico, «parece más bien un caballo de tiro y tiene una leve sordera, por lo que al escuchar la cara, por lo demás inexpresiva, adquiere un aspecto tenso. Para conversar se pone a unos quince centímetros del interlocutor y a esa distancia emana un ligero hedor a opio. Sus comentarios tienden a ser prolijos y da la impresión de ser alguien inmune a los argumentos».[9] Mosadeq era «un persa de la vieja escuela», según un perfil publicado en el *Observer* que se añadió a los archivos del Ministerio de Exteriores británico, «educado, pródigo en reverencias y apretones de manos».[10] De hecho, como quedó demostrado, los británicos le subestimaron gravemente.

Mosadeq comenzó a promover la idea, expuesta por primera vez en el Parlamento a finales de 1944, de que Irán no podía ni debía permitir que las potencias extranjeras lo manipularan y aterrorizaran. La concesión de Knox D'Arcy y el comportamiento de la Anglo-Iranian (antes Anglo-Persian) ofrecían lecciones objetivas sobre lo que ocurría cuando se carecía de un liderazgo lo bastante sólido. Una y otra vez, dijo, los intereses rivales habían usado al país como un peón o sacado provecho de sus riquezas sin apenas beneficio para el pueblo iraní. Era sencillamente errado pensar que la cuestión estaba en decidir con quién debía hacer negocios Irán: «Negociemos con todo estado», declaró, «que desee comprar petróleo, trabajemos por la liberación del país».[11]

Mosadeq estaba diciendo lo que muchas personas pensaban desde hacía tiempo, a saber: que era injusto que Irán recibiera unos beneficios tan limitados por las riquezas de su subsuelo. En 1942, por ejemplo, el gobierno británico recibió 6,6 millones de libras esterlinas en concepto de impuestos por la actividades de la Anglo-Iranian; Irán, en cambio, recibió apenas un 60 por ciento de esa cifra como cobro de regalías. En 1945, la diferencia fue incluso más pronunciada. Mientras en Londres el fisco se embolsó la bonita cifra de dieciséis millones de libras en concepto de impuestos, Teherán apenas recibió seis millones (en otras palabras, poco más de una tercera parte).[12] Y no era solo una cuestión de dinero, como señaló un observador británico bien informado: el problema era que «ningún beneficio material puede compensar la degradación personal y la pérdida de dignidad».[13]

Entender eso no era algo habitual, como reconocía el autor de la cita, Laurence Elwell-Sutton, un analista formado en la Escuela de Estudios Orientales y Africanos de la Universidad de Londres que trabajó para la Anglo-Iranian en Irán antes de que estallara la segunda guerra mundial. Dotado para las lenguas y apasionado por la cultura persa, Elwell-Sutton quedó atónito al descubrir la torpeza con la que los empleados británicos de la compañía trataban a la población local. «Muy pocos europeos se toman el trabajo de conocer en detalle» a los persas, pues les resulta más fácil «mirar a los "nativos" [...] como salvajes sucios con hábitos peculiares que no revisten interés para nadie, con la excepción, quizá, de los antropólogos». Esa «antipatía racial» estaba destinada a terminar en desastre; «de no desaparecer», concluyó, «esta compañía lo hará».[14]

Dado este contexto, no era difícil entender que reformadores como Mosadeq encontraran cada vez más apoyo. La era europea del imperio llevaba tiempo erosionándose, como había resultado evidente para Gertrude Bell en Irak cuando le recordaron que la independencia no era algo que Gran Bretaña tuviera la potestad de otorgar. Era inevitable que en Irán, así como en otros lugares sometidos a la dominación o la injerencia extranjera, la población desarrollara un deseo creciente de tomar las riendas de su propio destino, un proceso que aumentó y se aceleró a medida que la guerra continuaba. En este sentido, Gran Bretaña se convirtió, literalmente, en un imperio en retirada debido al colapso de sus rutas de la seda.

En Asia, la presión militar se había traducido en una serie de maremotos que causaron diferentes Dunkerques en Oriente, retiradas caóticas que sirvieron como hitos dolorosos del fin de la edad de oro de Gran Bretaña. Cientos de miles huyeron de Birmania mientras las fuerzas japonesas se desplegaban por todo el sureste asiático buscando aprovecharse de las preocupaciones europeas de británicos y franceses para expandirse en unas regiones que desde hacía mucho tiempo figuraban en los intereses estratégicos y económicos de Tokio. Los aliados de Alemania en Oriente comprendieron con rapidez que la guerra era la oportunidad que Japón necesitaba para promover sus propias credenciales imperiales sobre una zona muy amplia. A medida que las fuerzas japonesas avanzaban, muchos padecieron las consecuencias. Unas ochenta mil personas murieron debido al hambre y las enfermedades. En la península malaya se vivieron escenas igualmente dramáticas, con miles replegándose hacia Penang y Singapur (de donde los más afortunados consiguieron salir antes de la caída de la ciudad). Una mujer que consiguió ser evacuada justo a tiempo escribió semanas después que el caos de la retirada británica fue «una cosa que, estoy segura, nunca olvidarán ni perdonarán» quienes fueron testigos o participaron en ella.[15]

El retroceso continuó una vez que las hostilidades en Europa y el Pacífico llegaron a su fin. La decisión de retirarse por completo de la India llegó después de tres décadas de concesiones y promesas que habían elevado las expectativas acerca del autogobierno, autonomía y, en última instancia, independencia. Para cuando terminó la guerra, la autoridad británica se desvanecía con rapidez y la situación amenazaba con hacerse incontrolable después de meses de disturbios, manifestaciones antiimperialistas y huelgas que paralizaron las ciudades del norte del subcontinente. Londres rechazó el plan inicial de una «retirada escalonada», que buscaba entre otras cosas ofrecer protección a las minorías musulmanas de la India, por ser demasiado costoso y prolongado.[16] En su lugar, a comienzos de 1947 se anunció que Gran Bretaña se retiraría en un plazo de dieciséis meses, lo que creó el pánico. Una decisión desastrosa, como dijo a la Cámara de los Comunes Winston Churchill, que había perdido las elecciones después de la guerra: «¿No será una desgracia terrible para nuestro nombre e historial si [...] permitimos que una quinta parte de la población del planeta [...] se suma en el caos y cause una carnicería?».[17]

Estas advertencias fueron desatendidas, y el subcontinente se convirtió en un pandemonio. La violencia estalló en comunidades que durante muchísimo tiempo habían sido estables y familias que habían vivido durante siglos en las mismas ciudades y pueblos se vieron abocadas a emprender una de las mayores migraciones masivas de la historia humana. Al menos once millones de personas cruzaron las nuevas fronteras del Punyab y Bengala.[18] Entre tanto, los británicos elaboraron planes detallados de evacuación para intentar evitar al máximo que sus propios ciudadanos quedaran atrapados en medio del conflicto.[19] Esa preocupación no se extendió a la población local.

La historia fue similar en otras partes, pues Gran Bretaña salía de una crisis para caer en otra. En una apuesta por preservar el equilibrio de la delicada situación en Palestina, así como para conservar el control de la refinería y el puerto de Haifa, garantizar la seguridad de Suez y mantener relaciones amistosas con destacadas figuras del mundo árabe, se tomaron medidas activas para tratar de contener la emigración judía desde Europa. Después de que los servicios de inteligencia hubieran diseñado planes para sabotear los buques que llevaban a los refugiados a Palestina (y echarle la culpa a una organización árabe aparentemente poderosa, pero inexistente), los británicos decidieron actuar de forma más directa.[20]

El peor momento de la crisis se produjo en el verano de 1947, después de que se hubiera acosado a los barcos utilizados para transportar a los inmigrantes cuando iban de camino a los puertos franceses en los que esperaban los judíos. Una embarcación con más de cuatro mil judíos a bordo, entre los que había mujeres embarazadas, niños y muchos ancianos, fue embestida por un destructor británico mientras navegaba hacia el este (incluso a pesar de que ya se había tomado la decisión de que no se permitiría a los pasajeros entrar cuando llegaran a Palestina).[21] Tratar de esa forma a quienes habían sobrevivido a los campos de concentración o perdido sus familias en el Holocausto fue un desastre de relaciones públicas: estaba claro que Gran Bretaña no se detendría ante nada para proteger sus intereses en el extranjero y no tendría miramientos con nadie en el proceso.

La torpeza fue evidente en los tratos con ʿAbdullāh, el rey de Transjordania, a quien se le prodigaron muchas atenciones en este periodo, incluida la promesa, precisada en acuerdos secretos, de proporcionarle ayuda militar una vez que su régimen adquiriera la independencia en 1946. El monarca se aprovechó de esa promesa para embarcarse en un plan para extender sus fronteras e incluir toda Palestina en su territorio tan pronto los británicos se retiraran, plan al que, si bien con condiciones, Londres dio luz verde.[22] «Parece la opción obvia», se dice que le dijo Ernest Bevin, el ministro de Exteriores británico, al primer ministro de Transjordania, «pero no vayáis a invadir las zonas asignadas a los judíos».[23] Cualquiera que fuera la orientación ofrecida, el caos se apoderó de nuevo de una parte del mundo de la que los británicos estaban retirándose, una prueba convincente de los efectos malignos del poder imperial europeo. La guerra árabe-israelí de 1948 quizá no fuera el resultado de la renuncia a hacer política más que mediante inclinaciones de cabeza, empujoncitos y guiños, pero sí fue consecuencia del vacío creado por el cambio de guardia.[24]

Las cosas fueron un poco mejor en Irak, donde a comienzos de 1948 hubo un momento de gran agitación después de que el primer ministro, Ṣāliḥ Jabr, acordara con Gran Bretaña que esta podía seguir usando las bases aéreas del país durante otros veinticinco años. La noticia del acuerdo provocó huelgas, disturbios y, por último, la renuncia de Jabr, que dejó el cargo acosado por una turba enfurecida.[25] Diversas cuestiones habían contribuido a avivar la hostilidad hacia Gran Bretaña, incluida la ocupación de Bagdad durante la segunda guerra mundial y la percepción de que los británicos no habían hecho nada para apoyar a los árabes en Palestina, en especial cuando se comparaba su actitud allí con los esfuerzos de Londres por mantener una base permanente en Irak. La inflación rampante y la escasez de alimentos después de unas malas cosechas hicieron que todo fuera todavía peor; como concluyó un observador agudo, la «situación interna en Irak era peligrosa».[26] Gran Bretaña, por tanto, tomó medidas para hacer concesiones que ayudaran al «primer ministro iraquí [...] a enfrentar la agitación popular». Entre esas concesiones estaba la oferta de compartir la base aérea de Habbaniyah; los iraquíes tendrían que sentirse encantados con este «ejemplo de cooperación de primera clase», afirmaron en Londres los responsables de la política exterior. A fin de cuentas, se trataba de una oferta que Gran Bretaña «no está dispuesta a hacer a ningún otro estado», y en consecuencia los iraquíes debían sentirse muy agradecidos de que se les permitiera creerse «superiores a otros estados de Oriente Próximo».[27]

El hecho de que, como ocurría en otros países, Irak no tuviera mucho que enseñar a cuenta del petróleo que se extraía de su subsuelo hacía más grave la situación. En 1950, un 90 por ciento de la población todavía era analfabeta. Peor aún se consideraba que Gran Bretaña era en gran medida responsable, pues ejercía un control demasiado fuerte sobre el país: por ejemplo, cuando se solicitó un préstamo para construir y ampliar la red ferroviaria, Gran Bretaña exigió que las reservas nacionales de petróleo avalaran lo operación, con lo que se planteaba la posibilidad de que, en caso de impago, los británicos quedaran a cargo de los yacimientos petrolíferos (de forma similar a lo que ocurrió con el canal de Suez en el siglo XIX, cuando los británicos se hicieron con el control de la infraestructura y finanzas de esa importantísima ruta).[28] Gran Bretaña se vio en una situación en la que solo podía salir perdiendo: había desperdiciado todo su capital político y nadie confiaba en ella. Tal era el recelo que incluso organismos como la Unidad Antilangostas de Oriente Próximo (MEALU, por sus siglas en inglés), que había gozado de un éxito considerable desde su creación durante la guerra, tuvieron que cesar sus actividades, lo que privó al país de un asesoramiento técnico experto que le ayudaba a lidiar con los dañinos enjambres y a proteger el suministro de alimentos.[29] Los estados de Oriente Próximo estaban haciendo una demostración de fuerza y volviéndose contra Occidente.

Entre tanto, la Unión Soviética también experimentaba un renacimiento. Tras la derrota de Alemania había surgido en la URSS un nuevo relato, uno que silenciaba el papel de Stalin en el origen de la guerra como aliado de Hitler y lo reemplazaba con un cuento sobre el triunfo y el cumplimiento del destino.[30] La revolución de 1917 no había conseguido obrar la transformación global prevista por Marx y sus discípulos; sin embargo, treinta años después, parecía que había llegado el momento de que el comunismo se extendiera por el mundo y dominara Asia del mismo modo que lo había hecho el islam en el siglo VII. Ya había empezado a esparcirse por China, donde las promesas de igualdad, justicia y, sobre todo, la reforma agraria habían permitido al partido comunista ganar apoyo hasta el punto de obligar a las fuerzas gubernamentales a retroceder y, finalmente, expulsarlas por completo del continente.

Una pauta similar comenzaba a ser visible en otras partes a medida que los partidos de izquierda iban ganando cada vez más apoyo en Europa y Estados Unidos. La utopía de una sociedad armónica que contrastaba radicalmente con los horrores de una guerra que había culminado con el lanzamiento de dos bombas atómicas sobre Hiroshima y Nagasaki cautivó a muchos, incluidos algunos de los que habían trabajado en el programa nuclear y veían con desilusión el hecho de que, en poco más de tres décadas, dos conflictos titánicos entre las naciones de Europa habían tenido efectos devastadores sobre el mundo entero.

Stalin atizó estas llamas de forma astuta en un discurso pronunciado en la primavera de 1946 y que tuvo una amplia difusión en todo el mundo. La segunda guerra mundial, declaró, había sido inevitable «debido al surgimiento de factores económicos y políticos globales que estaban implícitos en la noción del capitalismo monopolista moderno».[31] El discurso era una declaración de intenciones: el capitalismo había dominado el mundo demasiado tiempo y era el responsable del sufrimiento, los asesinatos masivos y los horrores de las guerras del siglo XX. El comunismo era una reacción lógica a un sistema político que había demostrado ser imperfecto y peligroso. Era un nuevo sistema que acentuaba las similitudes más que las diferencias, que reemplazaba las jerarquías por la igualdad. Y, en otras palabras, no era solo una visión atractiva, sino una alternativa viable.

No mucho antes, Churchill había jugado con el futuro de los países que se encontraban al oeste de la frontera de la Unión Soviética. «El pobre Neville Chamberlain creía que se podía confiar en Hitler», le dijo a un joven miembro de su equipo inmediatamente después de las negociaciones en Yalta sobre el aspecto que tendría el mundo de la posguerra. «Estaba equivocado. Pero yo no creo que me esté equivocando acerca de Stalin.»[32] Chamberlain, efectivamente, estaba equivocado, pero también lo estaba Churchill, como él mismo reconoció poco después. Nadie sabe, dijo el 4 de marzo de 1946 en el discurso pronunciado en Fulton (Missouri) «qué es lo que la Rusia soviética [...] pretende hacer en el futuro inmediato». Sin embargo, señalaba, el hecho de que tuviera una filosofía expansiva indicaba que constituía una amenaza para Occidente. «Desde Stettin, en el Báltico, hasta Trieste, en el Adriático, un telón de acero ha caído sobre el continente.»[33]

El destino del centro del mundo pendía en equilibrio. Y el punto de apoyo era Irán. Los estrategas estadounidenses estaban convencidos de que los soviéticos querían hacerse con el dominio absoluto del país debido al petróleo, pero también por sus bases navales y su ubicación en medio de una red de rutas aéreas internacionales. El gobierno iraní había otorgado la concesión petrolera en el norte del país a los estadounidenses solo porque el embajador de Estados Unidos garantizó que, de ser necesario, su país proporcionaría apoyo militar en caso de que las tropas soviéticas invadieran el territorio nacional tras la feroz oposición de Moscú al acuerdo.[34]

En el verano de 1946, las tensiones fueron en aumento en un momento en que las huelgas se multiplicaban por todo Irán. En las calles de Teherán circulaban distintos rumores y contrarrumores y el futuro inmediato del país parecía estar en juego. A pesar de que Gran Bretaña deseaba a toda costa mantener el control de sus activos en el país, resultaba dolorosamente claro que poco podía hacer para influir en el desarrollo de los acontecimientos allí donde importaba. Los informes de los servicios de inteligencia pintaban un escenario sombrío en el que la intervención militar de Moscú en Irán e Irak era inminente, daban cuenta de planes de invasión detallados e incluían información sobre los puntos en los que, en caso de ataque, probablemente concentrarían su atención «la poderosa caballería y fuerzas motorizadas soviéticas». Se decía que el Estado Mayor soviético había llegado a conclusiones muy optimistas sobre la ocupación de Mosul y estaba ya preparado para instalar un «gobierno popular iraní» una vez que el sah fuera derrocado. Según los británicos, se tomarían represalias contra el régimen previo, cuyas principales figuras serían etiquetadas como «traidores y colaboradores». Los paracaidistas soviéticos estaban listos para lanzarse cerca de Teherán con el fin de liderar un asalto que, se preveía, conseguiría sus objetivos con rapidez.[35]

Una sensación de auténtica alarma se apoderó de Washington. Los estadounidenses habían estado vigilando de cerca a Irán desde diciembre de 1942, cuando llegaron a Jorramchar, en el golfo Pérsico, los primeros de los veinte mil soldados del ejército de Estados Unidos destinados a trabajar en el mejoramiento del sistema de transporte iraní. Con el fin de supervisar la logística de la operación, se construyó en Teherán un gran campo que se convirtió en el cuartel general del Mando para el Golfo Pérsico de las fuerzas armadas estadounidenses.[36] Durante la guerra, los británicos y los soviéticos solían anteponer sus propios intereses en Irán, lo que de forma constante socavaba el esfuerzo bélico a la vez que debilitaba al estado iraní. El general Patrick Hurley informó al presidente Roosevelt del peligro de la situación: Irán estaba sometido a una gran presión desde todas direcciones.[37]

Los estadounidenses desplegados en Irán para apoyar y monitorizar las líneas de suministro durante la guerra experimentaron inicialmente una especie de choque cultural. El ejército iraní, descubrió el general de división Clarence Ridley, estaba mal adiestrado, carecía de recursos apropiados y, en términos generales, era inútil. Para estar en condiciones de hacer frente a vecinos hostiles, se necesitaba una inversión considerable para formar a una nueva generación de oficiales y comprar buenos equipos. Eso era música para los oídos del sah, que estaba desesperado por dejar huella en Irán a través de un programa de modernización. El problema, como le dijo sin rodeos su consejero para asuntos presupuestarios (un estadounidense), era que construir un ejército siguiendo el modelo de las fuerzas occidentales era imposible: si se destinaban los fondos necesarios al gasto militar, se le explicó, «quedaría poco, si es que quedaba algo, para la agricultura, la educación o la sanidad pública».[38]

Con unas fuerzas armadas poco preparadas, desorganizadas y débiles, Irán parecía tener pocas posibilidades de hacer frente a la Unión Soviética en un momento en el que las poses y el comportamiento de Stalin causaban profunda preocupación en Estados Unidos. Algunos de los que oyeron el discurso del líder comunista concluyeron que se trataba, nada más y nada menos, que de la «declaración de la tercera guerra mundial».[39] El encargado de negocios de la embajada de Estados Unidos en Moscú, George Kennan, que había sido testigo directo de las purgas estalinistas, sacó una conclusión similar y a comienzos de 1946 advirtió de que se avecinaba un gran conflicto global. «En la base de la visión neurótica que tiene el Kremlin de los asuntos mundiales», escribió, se encontraba el «tradicional e instintivo sentido de inseguridad ruso». La Unión Soviética, concluía, era «una fuerza política dedicada de forma fanática» a entablar una competencia con Estados Unidos hasta el punto de que su meta era conseguir «perturbar la armonía interna de nuestro estado, destruir nuestro estilo de vida tradicional [y] quebrar la autoridad internacional de nuestro estado».[40]

La importancia política y estratégica de Irán puso al país al frente de la política exterior de Estados Unidos. En este contexto, se realizaron esfuerzos sistemáticos para ayudar a reforzarlo. En 1949, la emisora de radio Voice of America empezó a transmitir en farsi para la población local; el primer programa emitido incluía al presidente Truman señalando «el lazo de amistad histórico» que existía entre Irán y Estados Unidos y prometiendo contribuir a la creación de «un mundo próspero y [...] pacífico», libre de la opresión.[41] Para cuando estalló la guerra en la península de Corea, un año después, se ofrecía ayuda más directa. Como señalaba un informe del Departamento de Estado, si bien el declive de la economía no había «alcanzado aún condiciones catastróficas», existía el riesgo de que, si no se proporcionaba un apoyo sólido a los iraníes, «el país se desintegre por completo y se integre de inmediato o llegado el momento en el bloque soviético».[42] Truman no necesitaba que le convencieran. «Si nos quedamos esperando», observó, los soviéticos «entrarán en Irán y tomarán todo Oriente Próximo».[43]

Los programas de radio se tornaron cada vez más directos y dijeron a los iraníes que «las naciones libres deben mantenerse juntas», que «la seguridad de Estados Unidos está estrechamente ligada a la seguridad de las demás naciones» y que «la fortaleza del mundo libre» iba a continuar creciendo. Tales mensajes iban de la mano con reportajes que insistían en la amenaza que planteaba la Unión Soviética a la paz mundial, declarando, por ejemplo, que «la meta de los líderes comunistas es la supresión universal de la libertad humana», y en los que se llegó a hacer afirmaciones como que «los profesores soviéticos viven en vagones de carga destartalados que habían sido desechados por no ser ya aptos para el transporte de ganado» y carecían de calefacción, instalaciones sanitarias básicas y agua potable.[44]

La ayuda financiera comenzó a llegar a raudales al país, multiplicándose casi por cinco en el curso de tres años, de 11,8 millones de dólares en 1950 a 52,5 millones en 1953. El objetivo era fomentar el desarrollo económico de Irán, estabilizar la cultura política local y establecer las bases de una reforma, pero también proporcionar asistencia militar y técnica para que el país estuviera en condiciones de defenderse. Estas fueron las primeras fases de la construcción de un estado satélite de Estados Unidos en Oriente Próximo.[45]

La motivación para hacer esto se fundaba, en parte, en la constatación de que Gran Bretaña no estaba ya en condiciones de respaldar regímenes de la forma en que lo había hecho en el pasado, y en parte en el reconocimiento franco de que el expansionismo soviético exigía una respuesta. No obstante, esas no eran las únicas razones para prestar tanta atención a Irán. En 1943, por ejemplo, durante la importante conferencia celebrada por los líderes aliados en Teherán, ni Winston Churchill ni el presidente Roosevelt se habían molestado siquiera en reunirse con el sah. En pocas palabras: ambos pensaban que habría sido desperdiciar el tiempo.[46] De forma similar, al año siguiente, Estados Unidos rechazó un acercamiento de Arabia Saudí, a la que consideraba una nación de escasa relevancia y a cuyas solicitudes de ayuda económica resultó fácil darles un portazo con el argumento de que, en palabras de Roosevelt, «nos queda un poco lejos»; el mandatario añadió que el país haría mejor en dirigir sus inquietudes y peticiones a Gran Bretaña.[47] Para cuando terminó la guerra, en cambio, la situación era muy diferente, y solo Arabia Saudí era ya considerada un país «más importante para la diplomacia estadounidense que prácticamente cualquier otra nación pequeña» del mundo.[48] La razón para ello era el petróleo.

Durante la guerra, un petrolero estadounidense llamado Everette Lee DeGolyer, un hombre resuelto que había hecho cierta fortuna en la industria norteamericana tras estudiar geología en la Universidad de Oklahoma, visitó Oriente Próximo para conocer los yacimientos descubiertos en los países de la zona y valorar el potencial y la importancia a largo plazo de los recursos de la región tanto por sí solos como en relación a los del golfo de México, Venezuela y Estados Unidos. Pese a las estimaciones conservadoras y advertencias que incluía, las conclusiones del informe que presentó eran asombrosas: «El centro de gravedad de la producción mundial de petróleo está cambiando de la zona del golfo de México y el Caribe a Oriente Próximo, a la zona del golfo Pérsico, y es probable que continué haciéndolo hasta establecerse con firmeza en la región».[49] Uno de los hombres que había viajado con él se expresó con más contundencia en el informe entregado a su regreso al Departamento de Estado: «El petróleo de esta región es el mayor premio gordo de toda la historia».[50]

Esto no pasó desapercibido para los británicos, que reaccionaron con celos ante la posibilidad de que Estados Unidos prestara más atención a la región en su conjunto. Había que decirles a los estadounidenses que se mantuvieran fuera de Oriente Próximo y lejos de la sólida posición que Gran Bretaña había construido allí, le dijo un destacado industrial británico a Winston Churchill; «el petróleo es el único y mayor activo que nos queda para la posguerra. Debemos negarnos a repartirnos ese último recurso con los estadounidenses».[51] Lord Halifax, el embajador británico en Washington, ofendido por la forma en que los funcionarios del Departamento de Estado habían intentado hacerlo a un lado, se manifestó enérgicamente en el mismo sentido. A los políticos británicos también les preocupaba lo que estaba ocurriendo, pues temían que «Estados Unidos esté intentando privarnos de nuestros activos petroleros en Oriente Próximo».[52] El primer ministro se implicó directamente y envió un telegrama al presidente Roosevelt en el que decía que había «estado observando con cierto recelo» la marcha de las negociaciones; «tenga la seguridad de que yo solo deseo llegar a lo que es justo y equitativo para nuestros dos países».[53]

Eso significaba alcanzar un acuerdo sobre cómo podía dividirse esta parte crucial del mundo entre Gran Bretaña y Estados Unidos. Una reunión entre Halifax y el presidente Roosevelt resolvió el problema: en lo concerniente a Estados Unidos, «el petróleo de Persia era [británico y] [...] ambos teníamos participaciones en Irak y Kuwait y [...] Baréin y Arabia Saudí eran estadounidenses».[54] La decisión fue similar a los acuerdos alcanzados por España y Portugal a finales del siglo XV y comienzos del XVI, o bien a las conversaciones que tuvieron lugar entre los líderes aliados durante la segunda guerra mundial e inmediatamente después, en las que el mundo se dividió con claridad en dos.

Los estadounidenses y los británicos abordaron esa división de formas muy diferentes. Desde la perspectiva de Estados Unidos, la cuestión clave era que el precio del petróleo se había duplicado entre 1945 y 1948, mientras que solo en Estados Unidos el número de coches había crecido más de un 50 por ciento y el valor de las ventas de las fábricas de vehículos a motor se había multiplicado por siete.[55] En respuesta a ello, Estados Unidos adoptó inicialmente un enfoque muy razonado y casi progresista: era inevitable que los países bendecidos con recursos naturales que se descubrían cortejados por todas partes buscaran maximizar su propia posición. En tal situación, era sensato renegociar los términos de las concesiones petroleras y hacerlo de forma digna, no bajo coacción.

Los rumores y amenazas de nacionalización que ya circulaban eran un reflejo del nuevo orden mundial. Por un lado, los nuevos pactos firmados con los países que poseían grandes reservas de petróleo eran cada vez más generosos y competitivos; un ejemplo de ello fue el acuerdo alcanzado por Jean Paul Getty para una concesión en la zona neutral entre Arabia Saudí y Kuwait, que pagaba casi el doble de regalías por barril que lo que solía pagarse en otras partes. Esto fue una fuente de contrariedad para aquellos países que estaban atados por acuerdos previos, que no solo se convirtieron en un semillero de voces disconformes con el modo en que se malvendían recursos naturales y, por ende, partidarias de la nacionalización, sino que también pasaron a ser más vulnerables a la retórica comunista y los acercamientos de Moscú.

Estados Unidos, por tanto, suavizó su posición comercial y renegoció un montón de acuerdos, lo que se tradujo en un cambio espectacular en las rentas de los países productores. En 1949, por ejemplo, el tesoro estadounidense recaudó cuarenta y tres millones de dólares en impuestos de Aramco, un consorcio de compañías occidentales, mientras que Arabia Saudí recibió treinta y nueve millones de dólares en concepto de regalías. Dos años más tarde, tras cambiar el sistema de créditos fiscales mediante el cual las empresas compensaban sus gastos, la compañía pago seis millones de dólares en impuestos en Estados Unidos y ciento diez millones a los saudíes.[56] Un efecto dominó obligó a renegociar los términos de otras concesiones en Arabia Saudí, así como en Kuwait, Irán y otros países en favor de los monarcas y gobiernos locales.

Algunos historiadores consideran este momento de reconfiguración de los flujos monetarios tan trascendente como la transferencia de poder de Londres a la India y Pakistán.[57] Sin embargo, el impacto fue más parecido al del descubrimiento de América y la redistribución de la riqueza mundial que se produjo a continuación. Las corporaciones occidentales que controlaban las concesiones y cuya distribución se concentraba en gran medida en Europa y Estados Unidos empezaron a canalizar el dinero hacia Oriente Próximo y, al hacerlo, iniciaron un cambio en el centro de gravedad del mundo. La telaraña de oleoductos que entrecruzó la región para conectar Oriente con Occidente marcó un nuevo capítulo en la historia de esta parte del mundo. En esta ocasión, lo que recorría el planeta no eran ya las especias o la seda, los esclavos o la plata, sino el petróleo.

Sin embargo, los británicos, que no supieron leer las señales con tanta claridad como sus homólogos estadounidenses, tenían otras ideas en mente. En Irán, la Anglo-Iranian atraía las críticas como un imán. Y dado el enorme desequilibrio entre las cantidades pagadas al tesoro británico y las regalías desembolsadas a Irán, no era difícil entender por qué.[58] Aunque otros países de la región también podían quejarse de la ausencia de beneficios a cambio de su oro negro, las dimensiones de la desigualdad en el caso de Irán hacían que la situación fuera particularmente mala. En 1950 Ābādān era la sede de la que entonces era la refinería más grande del mundo, pero pese a ello la ciudad entera tenía tanta electricidad como una única calle londinense. La escasez de escuelas era tal que apenas una décima parte de los veinticinco mil niños en edad escolar de la localidad podían asistir a clase.[59]

Como en otros lugares, Gran Bretaña estaba atrapada en un dilema del que no había forma de escapar: renegociar los términos de la concesión petrolera sería prácticamente imposible, como observó Dean Acheson, el secretario de Estado estadounidense, un hombre agudo y muy bien informado. El gobierno británico era el accionista mayoritario de la Anglo-Iranian y, por tanto, la compañía era considerada, no sin razón, una extensión directa de Gran Bretaña y su política exterior. Como la Compañía de las Indias Orientales (EIC), los límites entre los intereses empresariales y los del gobierno británico eran borrosos; y como en el caso de la EIC, la Anglo-Iranian era tan poderosa que, de hecho, funcionaba como un «estado dentro del estado», mientras que su poder «era, en última instancia, el de Gran Bretaña».[60] Si la compañía cedía y le ofrecía a Irán un mejor trato, concluía Anderson, lo que haría sería «destruir el último vestigio de confianza en el poder británico y en la libra». En cuestión de meses, predijo, a Gran Bretaña no le quedaría ningún activo en el extranjero.[61]

El hecho de que Londres dependiera de los ingresos de la compañía hacía la situación precaria, como reconocía Acheson. «Gran Bretaña se encuentra al borde de la bancarrota», escribió en un cable, sin «los importantes intereses en el extranjero y los renglones invisibles en la balanza de pagos [...] no puede sobrevivir». Eso explica por qué los británicos estaban usando todos los trucos de la diplomacia para mantener su posición en Irán, lo que incluía producir informes alarmantes en los que constantemente se subrayaba la amenaza inminente de una invasión soviética. Acheson, por su parte, no se creía nada de eso. «El propósito cardinal de la política británica no es impedir que Irán se vuelva comunista», por mucho que dijera lo contrario; «la meta cardinal es preservar lo que, según creen, es el último bastión de la solvencia británica».[62]

La situación se complicó aún más en 1950, cuando se ofrecieron nuevos términos a Irak al mismo tiempo que, como era visible, se le negaban a Irán. El hecho de que la Iraqi Oil Company fuera en parte propiedad de la Anglo-Iranian sirvió para echar sal en la herida y suscitó una reacción furiosa en el país. Los políticos nacionalistas se alzaron para proclamar la iniquidad del monopolio del que en la práctica gozaba la Anglo-Iranian, sazonando sus críticas con comentarios destinados a levantar ampollas. Toda la corrupción del país era consecuencia directa de la Anglo-Iranian, afirmó un miembro del Majlis, el Parlamento iraní.[63] Si no se tomaban medidas, pronto llegaría el momento en que «a las mujeres se les arrancará el chador de la cabeza», aseguró un demagogo.[64] Sería mejor, dijo otro, que toda la industria petrolera iraní fuera destruida por una bomba atómica que permitir que la Anglo-Iranian siguiera explotando al pueblo y al país.[65] Mosadeq fue algo menos brusco. Si se convertía en primer ministro, se dice que dijo, «no tenía ninguna intención de llegar a un acuerdo con los británicos». En lugar de ello, continuó, preferiría «sellar los pozos de petróleo con barro».[66]

La retórica antibritánica, que había estado bullendo durante toda una generación, entró a formar parte de la conciencia dominante: Gran Bretaña era el artífice de todos los problemas de Irán y no era un socio fiable, pues solo cuidaba de sus propios intereses y era imperialista en el peor sentido de la palabra. La conjunción de la defensa de la identidad iraní con los sentimientos antioccidentales echó raíces, lo que tendría implicaciones profundas a largo plazo.

Mosadeq aprovechó el momento sin pensárselo dos veces. ¡Basta ya!, declaró. Había llegado la hora de garantizar la prosperidad de la nación iraní y «asegurar la paz mundial». A finales de 1950 planteó una propuesta radical: las ganancias del petróleo no debían compartirse con la Anglo-Iranian ni con cualquier otro actor; lo que había que hacer era «declarar nacionalizada la industria petrolera iraní en todas las regiones del país, sin excepciones».[67] El ayatolá Kashaní, un clérigo populista que había regresado del exilio y era ya famoso por sus fuertes críticas a Occidente, apoyó de forma incondicional esa llamada a la acción e instó a sus seguidores a utilizar todos los métodos a su alcance para obrar el cambio. En cuestión de días, el primer ministro, ʿAlī Razmārā, fue asesinado; y poco después también lo fue el ministro de Educación. Irán flirteaba con la anarquía.

Los peores temores de Gran Bretaña se hicieron realidad en la primavera de 1951, cuando el Majlis eligió como primer ministro al propio Mosadeq, que en el acto aprobó la ley que nacionalizaba la Anglo-Iranian con efecto inmediato. Eso era desastroso, como entendieron en Londres tanto la prensa como el gobierno. Era importante, declaró el ministro de Defensa, «demostrar que no se nos puede provocar de forma incesante». Si se permitía a Irán «salirse con la suya», continuó, era posible que lo siguiente que hubiera que hacer frente fuera «el intento de nacionalizar el canal de Suez».[68] Se decidió elaborar planes para, de ser necesario, enviar paracaidistas al país con el fin de garantizar la seguridad de la refinería de Ābādān. Eran los estertores agónicos de un gran imperio en retroceso intentando con desesperación aferrarse a su antigua gloria.

Mosadeq dio otra vuelta de tuerca en septiembre de 1951, cuando conminó a los empleados británicos de la Anglo-Iranian a hacer las maletas y dejar el país en un plazo de una semana. Para acabar de completar, el ayatolá Kashaní declaró un día nacional del «odio contra el gobierno británico». Gran Bretaña se había convertido en sinónimo de todo lo que estaba mal en Irán, uno que servía de punto de encuentro a un amplio abanico de credos políticos. «Usted no sabe lo taimados que son» los británicos, le dijo Mosadeq a un enviado estadounidense de alto nivel. «No sabe lo malos que son. No sabe la capacidad que tienen para mancillar todo lo que tocan.»[69] Esa clase de retórica, que lo había hecho increíblemente popular en su país, también lo hizo famoso en el extranjero: en 1952 apareció en la cubierta de la revista *Time* como «hombre del año».[70]

El torpe intento de Gran Bretaña de resolver la situación por la fuerza no fue de ninguna ayuda. Enfrentado a perder no solo el control de la Anglo-Iranian sino de los ingresos que esta reportaba, el gobierno británico entró en crisis y organizó un bloqueo de todo el petróleo iraní. El objetivo era dañar a Mosadeq y obligarlo a rendirse. Privar a Irán de fondos pronto tendría el efecto deseado, opinó sir William Fraser, el embajador británico en Teherán: «Cuando [los iraníes] necesiten dinero, acudirán a nosotros arrastrándose sobre sus vientres».[71] Esta clase de comentarios, reproducidos en los principales periódicos, difícilmente contribuyeron a la causa de Gran Bretaña en el tribunal de la opinión pública y, por el contrario, fortalecieron la determinación de Irán, hasta el punto de que, hacia finales de 1942, los británicos ya no estaban tan seguros de que la táctica de las sanciones fuera a tener el resultado deseado. Por tanto, se optó por realizar un acercamiento a la recientemente creada Agencia Central de Inteligencia estadounidense para proponerle un plan «de acción política conjunta con el fin de destituir al primer ministro Mosadeq», en otras palabras, de organizar un golpe de estado. No era la primera vez que un cambio de régimen en esta parte del mundo parecía la respuesta al problema.

Los funcionarios estadounidenses respondieron de manera favorable a la propuesta británica. Los agentes sobre el terreno en Oriente Próximo tenían ya carta blanca para explorar soluciones creativas a los problemas con los gobernantes locales que no mostraran una buena disposición hacia Estados Unidos o bien parecieran ansiosos por coquetear con la Unión Soviética. Un grupo de espías jóvenes y entusiastas, nacidos en el seno de familias privilegiadas de la costa este, habían estado involucrados con anterioridad en el golpe que derrocó al presidente sirio en 1949 y en la remoción, tres años después, del corpulento, corrupto y poco fiable monarca egipcio, el rey Faruk, en una operación conocida extraoficialmente como «proyecto FF» (por *fat fucker*, «gordo cabrón»).[72]

El fervor de hombres como Miles Copeland y dos de los nietos del presidente Theodore Roosevelt, Archie y Kermit (Kim), recordaba el de los agentes británicos en Asia Central un siglo antes, que se sentían capaces de moldear el mundo o incluso el de colegas más modernos que pensaban que pasar secretos a la Unión Soviética quizá tuviera efectos positivos. Después de la caída del gobierno sirio, por ejemplo, esos jóvenes estadounidenses se marcharon a explorar «castillos cruzados y lugares alejados de las rutas habituales» y, de paso, admirar la arquitectura y la atmósfera de Alepo.[73] Las decisiones se tomaban sobre la marcha. «¿Qué diferencia hay», le preguntó Copeland al adusto polímata Archie Roosevelt, «entre que yo me invente mis informes y que usted deje que sus agentes lo hagan? Los míos por lo menos tienen sentido».[74] La forma arriesgada en que estos hombres operaban sobre el terreno, sin seguir reglas estrictas, fue advertida en Estados Unidos y un alto cargo de los servicios de inteligencia tuvo que advertirles de que «no se tolerarán en el futuro conductas descontroladas e irresponsables».[75] Con todo, cuando se presentó la cuestión de Irán, sus opiniones fueron muy solicitadas.

Las cosas empezaron a ponerse en marcha a finales de 1952, tras una reunión de rutina en Washington, cuando unos funcionarios británicos declararon lo mucho que preocupaba en Gran Bretaña el impacto económico de la nacionalización y sus homólogos estadounidenses la inquietud acerca del camino que iba a seguir Irán en el futuro. Por su parte, la estación de la CIA en Teherán, a la que Mosadeq había puesto nerviosa, aconsejó a Washington que lo más conveniente para Estados Unidos era «una sucesión de gobierno» en Irán. Los estrategas pronto concluyeron que había que involucrar al sah en la trama, pues era una figura que aportaba unidad y calma y podía hacer que la remoción del primer ministro «parezca legal o cuasi legal».[76]

Convencer al sah resultó más complicado de lo que parecía. El monarca, un hombre nervioso y vano, entró en pánico cuando se le habló por primera vez del plan, que había recibido el nombre de operación Ajax. La implicación de los británicos, en particular, le preocupaba sobremanera, de acuerdo con uno de los arquitectos estadounidenses de la trama, quien señaló que el sah tenía «un miedo patológico a la "mano oculta" de los británicos» y temía que la operación fuera una trampa. Para persuadirlo fue necesario recurrir incluso a las advertencias: en las transmisiones de la BBC desde Londres se introdujeron palabras clave para asegurarle que la operación había sido aprobada al más alto nivel; un discurso radiado en el que presidente Eisenhower explícitamente prometía que Estados Unidos ayudaría a Irán también resultó útil para convencerle; entre tanto, se le dijo en persona que si no respaldaba el plan Irán se convertiría en un país comunista, «una segunda Corea», en palabras de Kim Roosevelt.[77]

Con el fin de garantizar que la opinión pública estuviera en un «estado de agitación extrema» como preludio a la remoción de Mosadeq, Washington envió fondos para trabajar a ciertos individuos clave y ponerlos en contra del primer ministro. Roosevelt se encargó de cultivar a miembros destacados del Majlis, a los que es casi seguro que sobornó (el objetivo, escribió de forma eufemística, era «persuadirlos» para que dejaran de apoyar a Mosadeq).[78]

El dinero también se gastó con liberalidad en otras partes. Según un testigo presencial, la avalancha de dólares estadounidenses en Teherán llegó a ser tan grande que el valor de la divisa en relación al rial cayó casi un 40 por ciento durante el verano de 1953. Algunos de esos fondos se gastaron en pagar a multitudes para que se manifestaran por las calles de la capital en marchas organizadas por dos de los principales agentes de la CIA en Teherán. Hubo otros destinatarios notables del dinero estadounidense, sobre todo, mulás como el ayatolá Kashaní, cuyos intereses se juzgaron mutuamente compatibles con los objetivos de los conjurados.[79] Los eruditos musulmanes habían concluido que los preceptos y la irreligiosidad del comunismo lo convertían en una doctrina absolutamente contraria a las enseñanzas del islam. Por tanto, existía cierta confluencia obvia que la CIA utilizó para llegar a acuerdos con los clérigos, a quienes se les advirtió de forma decidida sobre los peligros de un Irán comunista.[80]

Después de que en junio de 1953 los estrategas británicos y estadounidenses convergieran en Beirut, se concibió un plan que a comienzos de julio fue aprobado personalmente por Winston Churchill, el primer ministro británico, y unos pocos días después por el presidente Eisenhower. Para entonces, los agentes de los servicios de inteligencia habían refinado sus ideas acerca de la mejor forma de comunicar a los «persas», a los que describían como «prolijos en exceso y a menudo ilógicos», que Occidente quería un cambio de régimen y que ese cambio debía llevarse a cabo sin sobresaltos ni contratiempos.[81]

Al final, sin embargo, las cosas salieron espectacularmente mal. Las tapaderas quedaron al descubierto, el cronograma se torció y la situación degeneró en caos. Espantado, el sah puso los pies en polvorosa y abandonó el país. Cuando se detuvo en Bagdad, de camino a Roma, se encontró con el embajador de Estados Unidos en Irak, que aprovechó la oportunidad para hacerle una propuesta: «Le sugerí que para salvaguardar su prestigio en Irán no debía nunca mencionar la participación de ningún extranjero en los sucesos recientes». Eso, por supuesto, no tenía nada que ver con el prestigio del sah y sí todo que ver con mantener las opciones abiertas y, sobre todo, mantener limpia la reputación de Estados Unidos. El sah, «agotado tras tres noches sin dormir [y] desconcertado por el giro de los acontecimientos», a duras penas podía pensar con claridad. No obstante, informó el aliviado embajador a Washington, «estuvo de acuerdo».[82]

Mientras el sah seguía rumbo al exilio en Italia, la radio iraní difundió reportajes despiadados sobre él al tiempo que la prensa lo acusaba de ser una puta, un saqueador y un ladrón.[83] El trauma no pasó desapercibido para su joven esposa Soraya (cuando se casaron se dijo que tenía diecinueve años, pero muchos murmuraban que parecía más joven): más tarde recordaría pasear por la Via Veneto, vestida con un vestido de lunares blanco y rojo, hablando de la despreciable política de Teherán y escuchando a su marido considerar con tristeza la posibilidad de comprar un pequeño terreno en el cual empezar una nueva vida, en Estados Unidos, quizá.[84]

Tras la huida del sah se produjeron errores y contratiempos dignos de una farsa teatral. En las calles proliferaba el rumor de que Mosadeq buscaba el modo de reclamar el trono para sí mismo, y la corriente cambió. Y entonces, en cuestión de días, y contra todo pronóstico, el sah estaba de nuevo de camino a casa, previa escala en Bagdad para ponerse el uniforme de comandante en jefe de la fuerza aérea. Tras regresar con esplendor y gloria, se presentó no como el cobarde que había salido corriendo presa del miedo, sino como un héroe que volvía para hacerse con el control de la situación. Mosadeq fue arrestado, juzgado y confinado en una celda de aislamiento; tras cumplir su condena, vivió bajo arresto domiciliario hasta su muerte en 1967.[85]

Mosadeq pagó un precio elevado por articular una visión para Oriente Próximo en la que la influencia de Occidente no debía reducirse, sino desaparecer por completo. Sus recelos acerca de la Anglo-Iranian se desarrollaron en una concepción de Occidente en su conjunto que era negativa y dañina. Eso lo convirtió en un agitador de primer orden en Irán, y eso fue suficiente para que quienes formulaban la política exterior de Gran Bretaña y Estados Unidos decidieran crear un plan para sacarlo definitivamente del escenario. Sus sonoras protestas se produjeron en un momento en que estaban surgiendo otras voces críticas del control occidental de las redes que unían Oriente y Occidente; en Egipto, la hostilidad creciente de la población se tradujo en disturbios antibritánicos y la exigencia de que se evacuara a los soldados británicos estacionados en Suez. Un informe presentado al Estado Mayor Conjunto estadounidense por un miembro del Departamento de Estado que había visitado El Cairo evaluaba la situación de forma inequívoca: «A los británicos se los detesta», escribió. «El odio contra ellos está generalizado y es intenso. Es un odio compartido por todos en el país.» Se necesitaba una solución urgente.[86]

Los tiempos estaban cambiando. Y en este sentido, Mosadeq era el más elocuente de quienes buscaban proponer una visión para la nueva era, una que implicaba la retirada de Occidente del centro de Asia. Aunque las circunstancias precisas de su destitución se mantuvieron ocultas durante décadas debido a la insistencia de los servicios de espionaje en las «consecuencias perjudiciales» que podía traer consigo la desclasificación de ciertos materiales, pocos tenían dudas de que la remoción de Mosadeq había ido orquestada por las potencias occidentales para su propio beneficio.[87] Por ello, Mosadeq se convirtió en un padre espiritual para toda la región, uno con muchísimos e importantes herederos. Pues si bien los métodos, objetivos y ambiciones de un grupo tan variado como para incluir, a lo largo de los años, al ayatolá Jomeini, Sadam Husein, Osama bin Laden y los talibanes diferían enormemente, a todos los unía el principio básico de que Occidente era hipócrita y maligno y que liberar a las poblaciones locales significaba liberarlas de la influencia extranjera. Había formas diferentes de intentar alcanzar ese objetivo; pero como quedó demostrado en el caso de Mosadeq, aquellos que pusieran problemas a Occidente tenían que estar dispuestos a hacer frente a las consecuencias.

Por tanto, desde un punto de vista psicológico el golpe fue un momento crucial. El sah sacó todas las conclusiones equivocadas, y se convenció de que el pueblo iraní le adoraba, cuando en realidad, en el mejor de los casos, se sentía ambivalente hacia él, el hijo del oficial de caballería que había tomado el trono apenas treinta años antes. La huida a Roma dejó al descubierto una preocupante falta de temple. Su convicción de que era el hombre apropiado para modernizar el país dependía de la capacidad para reconocer la dirección de los vientos políticos y mantener la independencia frente a la intervención occidental y, en particular, estadounidense. Eso era pedir demasiado a un hombre vano cuya mirada lasciva y afición a los lujos de la vida proporcionaban munición a sus rivales y le dejaban poco tiempo para ejercitar el buen juicio.

Sin embargo, más que cualquier otra cosa, el golpe respaldado por la CIA en 1953 marcó un punto de inflexión en el papel de Estados Unidos en Oriente Próximo. Se trataba, razonó John Foster Dulles, el nuevo secretario de Estado, de una «segunda oportunidad» para salvar a Irán, la ocasión de impedir que escapara de la órbita de Occidente.[88] Dado que un «Irán democrático e independiente [no parecía] posible en las actuales circunstancias», le dijo al sah el embajador de Estados Unidos en Teherán, había dos opciones: tener durante un tiempo un Irán no democrático, pero independiente y libre, o «de forma permanente un Irán no democrático detrás del telón de acero».[89] Eso era la antítesis perfecta del mensaje público acerca de la libertad y la democracia que Occidente promovía con fuerza en su lucha contra el comunismo.

Este fue el momento en el que Estados Unidos decidió llenar el vacío creado por la retirada del imperio, el momento en que entró a fondo en contacto con la región en la que durante siglos se habían entrecruzado las «rutas de la seda» y se dispuso a intentar controlarla. Pero grandes peligros aguardaban en el futuro. La pretensión de ser los defensores de la democracia, por un lado, y la disposición a aprobar e incluso orquestar cambios de régimen, por otro, formaban una pareja extraña e incómoda. Era un juego arriesgado para ambos bandos, en particular porque a su debido tiempo, como era inevitable, llegarían la quiebra de la confianza y el colapso de la credibilidad. Mientras la estrella de Gran Bretaña continuaba apagándose, muchas cosas dependían de qué lecciones aprendería Estados Unidos de lo ocurrido en 1953.

# Capítulo 22

# LA RUTA DE LA SEDA ESTADOUNIDENSE

Al tomar las riendas en Oriente Próximo, Estados Unidos estaba entrando en un mundo nuevo, uno en el que existían tensiones obvias entre, por un lado, el objetivo de promover los intereses nacionales y, por otro, el respaldo de regímenes y gobernantes indeseables. En cuestión de semanas, tras el derrocamiento de Mosadeq, el Departamento de Estado comenzó a sondear a las compañías petroleras estadounidenses con el propósito de que se hicieran cargo de los pozos e infraestructura de la Anglo-Iranian. A pocas les entusiasmaba la idea, y preferían mantenerse bien alejadas de las incertidumbres que, parecía muy probable, seguirían al regreso del sah: el que este último estuviera considerando ordenar la ejecución del antiguo primer ministro como un modo de calmar la situación difícilmente era una señal prometedora.

Tampoco ayudaba el hecho de que la producción de petróleo en otras partes estuviera aumentando, o la existencia de nuevas oportunidades que prometían cimentar fortunas muchísimo más grandes que la forjada por Knox D'Arcy. Semanas antes de la caída de Mosadeq, una compañía controlada por Jean Paul Getty hizo un hallazgo espectacular (en su momento se describió como «algo entre colosal e histórico») en la zona neutral entre Arabia Saudí y Kuwait. En comparación con ello, era comprensible que a las compañías no les resultara atractiva la idea de involucrarse en la tóxica política iraní. Para el gobierno estadounidense, en cambio, conseguir que se involucraran no era solo una prioridad, sino una necesidad: Irán prácticamente había dejado de exportar petróleo durante la crisis de comienzos de la década de 1950. Si la producción no se reanudaba pronto, la economía se desplomaría, lo que probablemente abriría la puerta a las facciones subversivas que podían inclinar el país hacia la Unión Soviética. El agotamiento de las reservas y el aumento de los precios también tendrían un impacto desagradable sobre una Europa en plena reconstrucción. Por tanto, el Departamento de Estado inició una campaña ininterrumpida para animar a los mayores productores estadounidenses a que formaran un consorcio para hacerse cargo de las operaciones de la Anglo-Iranian, insinuando de forma amenazadora que si no se actuaba pronto, sus concesiones en Kuwait, Irak y Arabia Saudí podían verse en peligro.

El gobierno estadounidense asumió el papel de maestro de ceremonias y engatusó a las corporaciones para que cooperaran. Como señaló un alto ejecutivo de una de esas empresas, «desde un punto de vista estrictamente comercial, nuestra compañía no tiene ningún interés en particular» en participar en la industria petrolera iraní; «pero somos muy conscientes de los importantes motivos de seguridad nacional en juego. Por tanto, estamos dispuestos a hacer todo esfuerzo razonable» para ayudar. Nosotros, dijo otro petrolero, nunca nos habríamos involucrado en Irán, si el gobierno «no nos hubiera dado en la cabeza».[1]

Un factor que complicaba los esfuerzos por asumir la posición de la Anglo-Iranian y mantener al país estable era que las mismas compañías petroleras a las que se les pedía servir como instrumento de la política exterior estadounidense estaban siendo llevadas a los tribunales por el Ministerio de Justicia por infringir las leyes antimonopolio. Pero así como la idea de predicar la democracia se había revelado flexible, se decidió que la defensa de las leyes estadounidenses también podía serlo: por solicitud del Consejo Nacional de Seguridad, el fiscal general prometió formalmente que «la aplicación de las leyes antimonopolio de Estados Unidos contra las [compañías petroleras participantes en el consorcio] podrá considerarse secundaria en beneficio de la seguridad nacional». Así, en la primavera de 1954 las compañías petroleras recibieron las garantías formales de que no se las llevaría a juicio. El control de Irán se había convertido en algo tan importante que el gobierno de Estados Unidos estaba dispuesto a hacer a un lado la propia legislación nacional.[2]

Fomentar la participación de las compañías petroleras estadounidenses era solo una parte de un plan más amplio para ayudar a Irán y mantenerlo alejado de las garras de la Unión Soviética. Se realizaron esfuerzos coordinados en proyectos de desarrollo social, en particular en el campo. Los campesinos sin tierra y con ingresos mínimos formaban unas tres cuartas partes de la población del país. Ellos vivían atrapados en un mundo en el que los terratenientes se oponían a la reforma agraria y donde las opciones eran muy limitadas: los créditos para los pequeños granjeros tenían por lo general intereses de entre el 30 y el 75 por ciento, niveles que solo servían para impedir por completo la movilidad social.[3]

Se invirtieron cantidades sustanciales en resolver algunas de estas cuestiones. La Fundación Ford, la organización filantrópica más grande de Estados Unidos, estableció planes de microfinanzas para ayudar a los pequeños propietarios. El apoyo a la creación de cooperativas les permitió cambiar el ineficiente comercio de sus cosechas de algodón en los mercados locales por la venta, a precios considerablemente mejores, a compradores en Europa. La presión para que el sah y los ministros se comprometieran de forma adecuada con el concepto de desarrollo rural fue creciendo, si bien con efectos limitados y para desesperación de quienes intentaban convencer a los políticos veteranos de que la negativa a afrontar el analfabetismo y la desigualdad reinantes en el campo tendría consecuencias a largo plazo.[4]

La ayuda directa del gobierno de Estados Unidos también experimentó un aumento pronunciado, desde una media anual de veintisiete millones de dólares en los años previos a la destitución de Mosadeq a una cifra casi cinco veces mayor en los años posteriores a ella.[5] Estados Unidos también ofreció donaciones y préstamos para ayudar a financiar la construcción de una enorme presa en el río, unos sesenta y cinco kilómetros al noreste de Teherán, diseñada para mejorar sustancialmente el suministro de electricidad y agua de la capital, además de servir como símbolo de la modernización y progreso del país en su conjunto.[6]

Estos y otros proyectos similares formaban parte de un enfoque sistemático para fortalecer otras zonas de la región. Aunque la riqueza petrolera de Irán hacía que el país fuera particularmente significativo para Occidente, los países vecinos también habían adquirido una importancia creciente debido a su posición a lo largo del flanco meridional de la Unión Soviética en un momento en el que la guerra fría comenzaba a caldearse.

El resultado fue la construcción de un cinturón de estados entre el Mediterráneo y la cordillera del Himalaya con gobiernos pro occidentales que recibían considerable apoyo económico, político y militar de Estados Unidos. Este bloque de países (al que el severo secretario de Estado John Foster Dulles bautizó como el Northern Tier, «balcón norte») cumplía con tres objetivos: servir como un bastión contra la expansión de los intereses soviéticos; mantener seguro el golfo Pérsico, y su riqueza de recursos, y continuar bombeando hacia Occidente el petróleo que estimularía la recuperación de Europa al tiempo que proporcionaría los beneficios que tan importantes eran para la estabilidad local; y, por último, proporcionar a Estados Unidos una serie de puestos de espionaje y bases militares en caso de que las tensiones con el bloque soviético llegaran a desbordarse en un conflicto declarado.

En 1949, por ejemplo, un informe preparado para el Estado Mayor Conjunto sobre Asia meridional señalaba que Pakistán «podría necesitarse como base para operaciones aéreas contra [el] centro de la URSS y punto de encuentro para las fuerzas involucradas en la defensa o recaptura de las zonas petroleras de Oriente Próximo», a la vez que mencionaba que el lugar era un puesto ideal de avanzada desde el cual llevar a cabo operaciones secretas contra la Unión Soviética.[7] Por tanto, era vital proporcionar ayuda a Pakistán, así como a los demás países del «balcón norte», pues de lo contrario existía la posibilidad de que la región en su conjunto adoptara una línea neutral respecto de Occidente «o, en el peor de los casos [...] cayera en la órbita soviética».[8]

Estas inquietudes dieron forma a la política de Estados Unidos y Occidente en general en relación a gran parte de Asia en el decenio siguiente a la segunda guerra mundial. En 1955, los países que formaban el cinturón que iba desde Turquía, en el oeste, hasta Pakistán, en el este, pasando por Irak e Irán, se convirtieron en firmantes de lo que pronto se conoció como el pacto de Bagdad y quedaron vinculados por un acuerdo único que reemplazaba la red de alianzas previas que tenían entre sí o con Gran Bretaña. Aunque la meta declarada del tratado era «el mantenimiento de la paz y la seguridad en Oriente Próximo», y para ello los firmantes intercambiaron garantías mutuas, la verdad era que había sido diseñado para permitir a Occidente influir en una región que era de vital importancia tanto desde el punto de vista estratégico como desde el punto de vista económico.[9]

A pesar de que se había prestado suma atención a garantizar que los gobiernos locales actuaran de forma favorable, Washington cometió errores que crearon oportunidades para los soviéticos. A finales de 1954, por ejemplo, las autoridades afganas se acercaron de forma discreta a las estadounidenses para pedir ayuda y armas, pero el Departamento de Estado rechazó la solicitud. En lugar de pedir armas, se le dijo al príncipe Naim, el hermano del primer ministro, Afganistán debía concentrarse en cuestiones más pertinentes, como resolver las disputas fronterizas que tenía con Pakistán. La torpe respuesta, con la que se pretendía mostrar apoyo al régimen de Karachi, que un agregado militar había descrito recientemente como de «importancia estratégica mundial», produjo el efecto menos deseado.[10]

La noticia apenas había llegado a Kabul cuando los soviéticos ya estaban interviniendo para decir que estarían encantados de proveer el material militar y los fondos para el desarrollo que el país requería, una oferta que los afganos aceptaron con rapidez. A la donación inicial de cien millones de dólares le siguieron pronto otras que permitieron la construcción de puentes, la modernización de las telecomunicaciones y la ampliación del sistema de carreteras, incluida la autopista entre Kandahar y Herat. El dinero y la asesoría experta de Moscú también fueron los responsables de la construcción del túnel de Salang, una vía de dos mil setecientos metros de largo en la carretera que une Kabul con el norte del país y el Asia Central soviética. Esa ruta, símbolo de la amistad afgano-soviética, sería la principal arteria de aprovisionamiento durante la invasión soviética de Afganistán en la década de 1980; e, irónicamente, también sería un componente vital de la ruta de suministro por la que llegaban los convoyes de Estados Unidos y sus aliados al país a comienzos del siglo XXI: una autovía construida para fortalecer a Afganistán contra Occidente se convirtió en un aspecto central de los esfuerzos de este último para reconstruir el primero a su imagen y semejanza.[11]

Ser superado en táctica de forma tan rotunda fue una experiencia aleccionadora, en especial cuando unos pocos meses después había vuelto a ocurrir lo mismo, esta vez con resultados más drásticos. A finales de 1955, el revolucionario Gamal Abdel Nasser, que tres años antes había desempeñado un papel fundamental en el golpe que derrocó al rey Faruk con apoyo de la CIA, se acercó también a Moscú para pedir armas. Pillado por sorpresa, Estados Unidos respondió ofreciéndose a ayudar a financiar, en conjunción con Gran Bretaña y el Banco Mundial, un proyecto para construir una inmensa presa en Asuán (un proyecto muy similar al de la construcción de la presa de Karaj, en Irán). Hubo conversaciones de alto nivel entre Londres y Washington sobre cómo podían ablandar a Nasser que tuvieron como resultado la promesa de que se le darían armas y se presionaría a Israel para que acordara un tratado con Egipto, con la esperanza de mejorar las relaciones entre los dos países, cada vez más suspicaces.[12]

Lo que había sacado de quicio a Nasser era el pacto de Bagdad, en el que veía un obstáculo para la unidad árabe y una herramienta de Occidente para preservar su influencia en el corazón de Asia. Con todo, es posible que los estadounidenses hubieran conseguido aplacarle, al menos a corto plazo, si el dinero y la ayuda prometidos se hubieran materializado. Sin embargo, las promesas de financiación se retiraron debido a la preocupación de los congresistas estadounidenses de que como consecuencia de la construcción de la presa la producción de algodón se disparara y la caída de los precios afectara a los cultivadores estadounidenses.[13] Esa preocupación excesiva por el propio interés se reveló fatal: para Nasser, fue la última gota.

Experto en el cálculo político arriesgado, el presidente egipcio (que según el primer ministro británico Anthony Eden estaba decidido «a convertirse en el Napoleón de los árabes») procedió a elevar la tensión.[14] En la primavera de 1956 respondió sin rodeos al pomposo comentario del ministro de Exteriores británico de que el canal de Suez era «una parte integral del complejo petrolero de Oriente Próximo», y tenía una importancia vital para los intereses de Gran Bretaña, replicando que si eso era así, entonces Egipto debía participar de los beneficios del canal, del mismo modo que los países productores participaban de las rentas del petróleo.[15] Nasser sabía muy bien que Occidente no se detendría ante nada para defender sus intereses, pero calculó que la nacionalización del canal le proporcionaría una influencia y capacidad de maniobra que a largo plazo solo podía beneficiar a Egipto.

Mientas los encargados de planificación empezaban a calcular en Estados Unidos el posible impacto que el cierre del canal tendría en los precios del petróleo, en Londres figuras destacadas de la vida política británica se hundían en un mar de pesimismo. «La verdad es que estamos atrapados en un dilema terrible», escribió Harold Macmillan, el ministro de Hacienda, un hombre que gozaba de un gran prestigio y estaba muy bien relacionado. «Si actuamos con fuerza contra Egipto y como consecuencia de ello se cierra el canal, se cortan los oleoductos hacia el Levante, estallan revueltas en el golfo Pérsico y la producción de petróleo se interrumpe, entonces el Reino Unido y Europa occidental estarán "hasta el cuello".»[16] Por otro lado, si no se hacía nada, Nasser ganaría sin despeinarse, lo que traería consecuencias catastróficas en otras partes: todos los países de Oriente Próximo sencillamente seguirían su ejemplo y nacionalizarían sus industrias petroleras.

Nasser había tomado el testigo de Mosadeq. Los diplomáticos occidentales, los políticos y los agentes de los servicios de espionaje empezaron a pensar en aplicar una solución similar al problema que planteaba un líder que defendía unas políticas contrarias a los intereses de Occidente. No pasó mucho tiempo antes de que los británicos decidieran buscar «las formas y los medios de derribar al régimen».[17] Como anotó en Londres un experimentado diplomático, «puede que tengamos que librarnos de Nasser»; el primer ministro, Anthony Eden, no quería solo derrocarle; lo quería muerto.[18] Después de que las rondas de contactos diplomáticos no hubieran dado fruto alguno, Gran Bretaña y Francia concluyeron que se necesitaba una demostración de poder sostenida para dejar claro a los líderes de todo Oriente Próximo que se tomarían medidas directas contra cualquiera que osara resistirse a los designios de Occidente.

A finales de octubre de 1956, comenzaron las acciones militares contra Egipto; las fuerzas británicas y francesas procedieron a asegurar la zona de canal, mientras sus aliados israelíes lanzaban un ataque penetrando a fondo en la península del Sinaí para ayudar a controlar el canal y maximizar la presión sobre Nasser. La invasión pronto se convirtió en un fiasco. El canal de Suez cerró después de que los egipcios barrenaran buques, barcazas y embarcaciones de mantenimiento tanto en los canales de navegación como en sus cercanías, y echaran al agua el puente móvil de ferrocarril que había en El Fridan, al norte de Ismailía. Las obstrucciones, un total de cuarenta y nueve, según se calculó, hicieron mucho más que causar el cierre del canal; produjeron lo que un informe de la época llamó «un grave trastorno del movimiento normal de las mercancías». El envío de petróleo a Europa occidental se redujo bruscamente. Y era de esperar, concluía la CIA, que hubiera consecuencias adicionales: los precios de «muchas mercancías básicas en el mundo del comercio» sin duda aumentarían y era probable que el desempleo creciera de forma considerable «en los países del mundo libre» cuyas economías dependían del transporte de carga a través del canal. El impacto se notaría también en la Unión Soviética, donde los barcos que comerciaban con el Lejano Oriente tendrían que hacer un desvío de más de once mil kilómetros alrededor de África para llegar a los puertos del mar Negro. Los estadounidenses, que vigilaban atentamente, advirtieron que para el transporte de carga esencial Moscú optaba por utilizar las rutas de los ferrocarriles transasiáticos, cuya importancia creció con rapidez.[19]

Pese a ser bastante consciente del aumento de las tensiones en Egipto, el estallido de las hostilidades tomó por sorpresa al gobierno de Eisenhower, con quien no se habían consultado los planes de la invasión. El presidente estadounidense estaba furioso y reprendió con severidad al mismísimo primer ministro británico. Justo cuando los tanques soviéticos recorrían las calles de Budapest para sofocar un levantamiento popular en Hungría, el uso de la fuerza en la zona de canal era un desastre propagandístico para los autoproclamados guardianes del «mundo libre». En última instancia, sin embargo, las acciones militares en el canal de Suez obligaron a Estados Unidos a plantearse una cuestión muy diferente: marcaron el momento en el que tuvo que escoger entre las potencias occidentales cuyo liderazgo había heredado en el siglo XX y la riqueza petrolífera de Oriente Próximo. Escogió esta última.

Era fundamental, razonó el presidente Eisenhower, que «los árabes [no se] enojen con todos nosotros». Si lo hacían, el suministro de petróleo desde Oriente Próximo podía derrumbarse por completo, debido tanto al cierre del canal como a la posibilidad de que se suspendiera la producción o se decretaran embargos en los distintos países de la región, en los que existía una solidaridad natural hacia Egipto en un momento en el que estaba sufriendo un abuso tan descarado. Como ya había concedido un veterano diplomático británico, cualquier reducción del suministro de petróleo tendría consecuencias devastadoras por sí sola: «Si a [Gran Bretaña] se le niega el petróleo de Oriente Próximo durante un año o dos, nuestras reservas de oro desaparecerán. Si nuestras reservas de oro desaparecen, la zona esterlina se desintegrará. Si se desintegra la zona esterlina y nos quedamos sin reservas [...] dudo de que tengamos capacidad para pagar el mínimo necesario para nuestra defensa. Y un país que no puede costear su propia defensa está acabado».[20] Ese era básicamente el peor escenario posible, expuesto no sin catastrofismo. El mismo Eisenhower reconocía en privado que le resultaba difícil mantenerse «indiferente a los apuros financieros y petroleros de Europa occidental»; pese a lo cual, como escribió a lord Ismay, el primer secretario general de la alianza de defensa mutua OTAN (Organización del Tratado del Atlántico Norte), seguía considerando vital no «contrariar al mundo árabe».[21]

En la práctica, esto implicaba poner a Gran Bretaña y Francia contra las cuerdas. Aunque en Washington se diseñó un plan para el envío de petróleo de Estados Unidos a Europa occidental, de forma deliberada se decidió no implementarlo con el fin de conseguir poner término a la situación en Egipto. Con la confianza en la economía británica derrumbándose y el valor de la libra esterlina cayendo en picado, Londres se vio obligado a recurrir al Fondo Monetario Internacional (FMI) en busca de apoyo financiero. En apenas cuatro décadas, Gran Bretaña había pasado de dominar el mundo a tender el sombrero e implorar ayuda. Que el FMI rechazara de plano la solicitud ya era bastante malo, pero que los soldados enviados a Egipto para luchar por una de las joyas más preciadas de Europa occidental tuvieran que retirarse sin haber cumplido su misión fue, sin lugar a dudas, humillante. La retirada, a ojos de los medios de comunicación del mundo entero, fue un indicio revelador de cuánto había cambiado el mundo: la India se había independizado, los campos petrolíferos de Irán ya no estaban bajo control británico y ahora estaba ocurriendo lo mismo con el canal de Suez. La renuncia del primer ministro, Anthony Eden, a comienzos de 1957 sencillamente fue un párrafo más en el capítulo final de la muerte de un imperio.[22]

Por otro lado, Estados Unidos, la nueva superpotencia, era muy consciente de sus recién descubiertas responsabilidades en lo concerniente a los países que formaban la columna vertebral de Asia. Como quedó demostrado con claridad tras lo ocurrido en el canal de Suez, era necesario andar con pies de plomo. La forma espectacular en que se habían desmoronado el prestigio y la influencia de Gran Bretaña evidenciaba la posibilidad de que el flanco meridional que servía de parapeto contra la Unión Soviética pudiera «derrumbarse por completo con la penetración y el triunfo del comunismo en Oriente Próximo», como anotó el presidente Eisenhower a finales de 1956.[23]

Además, el fiasco de la intervención militar había servido para estimular el sentimiento antioccidental en Oriente Próximo en su conjunto; el éxito de Nasser, que supo mantener la calma y superar la presión militar europea, entusiasmó a los demagogos nacionalistas de toda la región. A medida que el prestigio del líder egipcio crecía, comenzaron a brotar las ideas del nacionalismo árabe y, con ellas, un sentido creciente de que la unificación de todos los árabes en una sola entidad crearía una voz única que serviría para equilibrar la de Occidente, por un lado, y la del bloque soviético, por otro.

Eso era lo que algunos observadores especialmente agudos habían predicho que ocurriría, incluso antes de que Nasser diera su clase magistral de audacia política jugando al borde del abismo. El embajador de Estados Unidos en Teherán, Loy Henderson, que entendía la región mucho mejor que cualquiera de sus compatriotas, había concluido que las voces nacionalistas se tornarían cada vez más sonoras y potentes. «Parece casi inevitable», escribió en 1953, «que en algún momento en el futuro [...] los países de Oriente Próximo [...] confluyan y decidan políticas unificadas».[24] Nasser era el representante que ese movimiento había estado esperando.

Esto dio lugar a un significativo cambio de postura por parte de Estados Unidos que halló expresión en lo que se conoció como la «doctrina Eisenhower». Profundamente consciente de que la Unión Soviética miraba a Oriente Próximo con ojos oportunistas, el presidente dijo al Congreso que era esencial que Estados Unidos llenara «el vacío existente» en la región «antes de que lo llene Rusia». Eso no solo era importante para los intereses estadounidenses, continuaba; era fundamental «para la paz mundial».[25] En consecuencia, solicitó al Congreso la aprobación de un presupuesto ambicioso para financiar programas de ayuda económica y militar en toda la región, así como la autoridad para defender a cualquier país ante la amenaza de una agresión armada. Aunque uno de los principales propósitos de la iniciativa era anticiparse a la Unión Soviética, esta también se concibió como una alternativa a la visión de Nasser, una que resultara atractiva para aquellos países que pudieran ver los beneficios de recibir desembolsos de dinero sustanciales procedentes de Washington.[26]

Este intento de reposicionamiento no convenció a todos. Los israelíes no se dejaron impresionar por los intentos de Estados Unidos de mejorar las relaciones con los árabes y miraban con escepticismo la promesa de que ellos también verían los beneficios del nuevo perfil y mayor implicación de Washington en la región.[27] Ese recelo era comprensible dada la rabia que bullía alrededor de Israel, en especial en Arabia Saudí e Irak, tras la fallida intervención en el canal de Suez. Aunque el hecho de que las tropas israelíes hubieran participado en la invasión junto a los soldados británicos y franceses tampoco ayudaba, por supuesto, resultaba mucho más importante que el país estuviera convirtiéndose con rapidez en un símbolo totémico de la injerencia extranjera de Occidente en los asuntos de la región (de la que además era el primer beneficiario). En consecuencia, surgieron protestas cada vez más agresivas acerca del apoyo que Estados Unidos ofrecía a Israel y la incompatibilidad de este con la ayuda ofrecida a los árabes.

Israel se convirtió en un punto de encuentro alrededor del cual los nacionalistas árabes podían unirse. Como habían descubierto los cruzados en Tierra Santa centenares de años antes, la mera existencia de un estado conformado en teoría por forasteros era una razón para que los árabes hicieran a un lado los intereses dispares que los separaban. Como también habían descubierto los cruzados, los israelíes asumieron el papel ambiguo y en absoluto envidiable del blanco que une a muchos enemigos en uno solo.

La retórica antiisraelí destacó con fuerza cuando los políticos sirios se sumaron a Nasser y la visión que este encarnaba de un mundo árabe unido. A comienzos de 1958, una fusión formal con Egipto creó un nuevo estado, la República Árabe Unida, el preludio de la futura consolidación. Washington observó con inquietud la situación a medida que se desarrollaba, pues el embajador Henderson ya había advertido de los «efectos desastrosos» que tendría el surgimiento de una voz árabe unificada. En el esfuerzo por entender las implicaciones, en el Departamento de Estado se sucedían los debates, la mayor parte de ellos marcados por un gran pesimismo. Un documento elaborado por la Oficina de Asuntos de Oriente Próximo, Asia del Sur y África señalaba con inquietud que el nacionalismo radical de Nasser amenazaba con apoderarse por completo de la región y que, como consecuencia del éxito del líder egipcio en la crisis del canal de Suez y los avances con Siria, se habían reducido o neutralizado los «agentes» con los que contaba Estados Unidos en Oriente Próximo.[28] El progreso de Nasser inevitablemente allanaría el camino al comunismo, concluyó John Foster Dulles, el secretario de Estado, hermano mayor de Allen Dulles, el jefe de la CIA. Era el momento de actuar de forma decisiva y poner «sacos terreros alrededor de las posiciones que debemos proteger».[29]

El estado de ánimo empeoró cuando lo que a todas luces parecía una reacción en cadena comenzó a recorrer Asia en dirección este. Primero fue Irak. La unificación de Egipto y Siria provocó muchas discusiones entre la élite culta de Bagdad, para la que los atractivos del panarabismo resultaban cada vez más tentadores como una tercera vía entre las atenciones de Washington y Moscú. Sin embargo, en el verano de 1958 la situación en la capital se tornó tóxica, pues a la par que las simpatías hacia Nasser habían ido en aumento, habían crecido peligrosamente los sentimientos antioccidentales y la retórica agresiva acerca de Israel. El 14 de julio, un grupo de oficiales de alto rango del ejército iraquí encabezado por Abdul Karim Qasim (un hombre apodado «el encantador de serpientes» por quienes habían asistido a un curso militar con él dos décadas antes) dio un golpe de estado.[30]

Los conjurados marcharon sobre el palacio a la hora del desayuno, reunieron en el patio a los miembros de la familia real, incluido el monarca, Faisal II, y los ejecutaron. El cuerpo del príncipe heredero Abd al-Ilha, un hombre considerado y bastante serio, fue arrastrado «hasta la calle como [...] un perro» por una turba enfurecida que luego lo despedazó y le prendió fuego. Al día siguiente, el primer ministro del país, Nuri al-Said, un político veterano que había sido testigo de la transformación de Oriente Próximo, fue localizado mientras intentaba huir disfrazado como una mujer y asesinado. Su cuerpo mutilado fue exhibido con júbilo por las calles de Bagdad.[31]

Estos acontecimientos parecían anunciar una casi segura expansión de los intereses de la Unión Soviética. Irán, dijo el dirigente ruso Nikita Jrushchov al presidente John F. Kennedy durante una cumbre en 1961, pronto caería en manos de los soviéticos como una fruta podrida (una perspectiva que parecía probable, pues se sabía que hasta el jefe de la policía secreta iraní conspiraba contra el sah). Después de que fracasara un intento de asesinato orquestado desde Moscú por el Comité para la Seguridad del Estado, mejor conocido como KGB, la atención se concentró en la preparación de sitios de aterrizaje y depósitos de munición por todo el país, previendo, es de suponer, la decisión de intensificar los esfuerzos por fomentar un levantamiento popular y derrocar a la monarquía.[32]

Las cosas no estaban mucho mejor en Irak, sobre el que un experimentado estadista estadounidense escribió que «casi con seguridad [el país] derivará hacia una toma del poder por parte de los comunistas».[33] Una consecuencia de esta situación fue que Occidente se realineó con Nasser, al que se empezó a ver como «el menor de dos males». Estados Unidos hizo grandes esfuerzos para construir puentes con el voluble líder egipcio, que reconocía que el nacionalismo árabe podía estar en peligro debido a lo que describía como la creciente «penetración comunista en Oriente Próximo».[34] Que Washington y El Cairo tenían una causa común quedó subrayado por la decisión de los nuevos dirigentes iraquíes de seguir su propio rumbo y alejarse tanto del panarabismo como de Nasser, lo que solo sirvió para elevar aún más la preocupación que despertaba el fantasma de la Unión Soviética.[35]

De inmediato se procedió a elaborar planes para lidiar con Bagdad. En Estados Unidos se nombró un comité al que se le encomendó buscar «medios manifiestos o encubiertos» para evitar «una toma del poder por parte de los comunistas en Irak». Las limitaciones de las fuentes hacen que resulte difícil saber cuánto de involucrada llegó a estar la CIA, si es que lo estuvo, en el intento de golpe de estado contra Qasim, el primer ministro nacionalista que había derrocado a la monarquía iraquí, que tuvo lugar a finales de 1959. Uno de los conspiradores, que se haría un rasguño durante la confusión, utilizaría más tarde su participación en el plan como demostración de su determinación y valentía casi míticas. Su nombre era Sadam Husein.[36]

Aunque no sabemos con certeza si los golpistas contaron con el apoyo de Estados Unidos en esta ocasión, los documentos disponibles demuestran que los servicios de inteligencia estadounidenses tuvieron noticias del plan antes de que este se pusiera en marcha.[37] Con todo, el hecho de que se desarrollaran planes complejos para eliminar a figuras clave de posiciones de autoridad (como el de enviar a un coronel iraquí no identificado un pañuelo marcado con su monograma y contaminado con una sustancia paralizante) evidencia que se estaban tomando medidas para intentar garantizar que Bagdad no cayera en la órbita de Moscú.[38] Por tanto, quizá no fuera una coincidencia que, cuando Qasim finalmente fue depuesto en 1963, su derrocamiento no sorprendiera a los observadores estadounidenses, que más tarde declararían que lo sucedido había sido «pronosticado de forma detallada por los agentes de la CIA».[39]

Esta implicación profunda con la situación de Irak estaba animada principalmente por el deseo de mantener a la Unión Soviética fuera de los países al sur de sus fronteras. Construir conexiones a lo largo del cinturón que abarcaban «las rutas de la seda» era en parte una cuestión de prestigio político, en la que Estados Unidos no podía permitir que se le viera salir perdiendo frente a un rival que ofrecía una visión del mundo radicalmente diferente de la suya. No obstante, había otras razones para la intensidad de ese prolongado interés.

En 1955, Moscú decidió crear un importante lugar de pruebas para misiles de largo alcance en Tyuratam, en lo que hoy es Kazajistán, tras concluir que las estepas proporcionaban un entorno perfecto para la instalación de las antenas que permitirían monitorizar los lanzamientos sin obstrucciones, al tiempo que eran una ubicación lo bastante aislada como para que las pruebas no constituyeran una amenaza para ninguna población. El centro resultante, que más tarde recibiría el nombre de Cosmódromo de Baikonur, se convirtió en la principal instalación para el desarrollo y las pruebas de misiles balísticos.[40] Con todo, antes de la creación del centro, los soviéticos habían lanzado el R5, que tenía un alcance de casi mil kilómetros y podía transportar una cabeza nuclear. En 1957 comenzó la producción de su sucesor, el R7 (más conocido en Occidente por el nombre en clave que le dio la OTAN, «SS6 Sapwood»), que tenía un alcance de ocho mil kilómetros, lo que aumentaba de forma radical la amenaza que suponía la Unión Soviética para Occidente.[41]

El lanzamiento del Sputnik, el primer satélite artificial de la historia, ese mismo año, sumado a la introducción de una flota de bombarderos estratégicos de largo alcance Túpolev Tu-95 («Bear», en la designación de la OTAN) y Myasishchev 3M («Bison»), concentró todavía más las mentes de los estrategas militares estadounidenses: era vital que Estados Unidos estuviera en condiciones de vigilar las pruebas de misiles de la Unión Soviética, seguir el desarrollo de su potencial balístico y estar atento a posibles lanzamientos hostiles.[42] El término «guerra fría» con frecuencia invita a pensar en el muro de Berlín y Europa oriental como el principal escenario de la confrontación entre las superpotencias. Pero la auténtica partida de ajedrez de este periodo se jugó en la franja de territorio que forma la panza de la Unión Soviética.

Estados Unidos había advertido desde hacía mucho tiempo el valor estratégico de los países situados a lo largo del flanco meridional de la URSS, pero ahora estos adquirieron una importancia todavía mayor. Las bases aéreas, los puestos de escucha y las redes de comunicación en Pakistán se convirtieron en un componente crucial de la estrategia de defensa estadounidense. Para cuando los soviéticos consiguieron desarrollar misiles intercontinentales, la base aérea de Peshawar, en el norte del país, era un centro vital para los servicios de espionaje. Era el punto de partida de las operaciones realizadas por los aviones espía U-2, que hacían misiones de reconocimiento sobre Baikonur, así como sobre otras importantes instalaciones militares, incluida la planta de procesamiento de plutonio de Cheliábinsk. Fue de la base aérea de Peshawar de la que en 1960 despegó Gary Powers rumbo a la desafortunada misión que terminó cuando fue derribado cerca de Sverdlovsk, en el espacio aéreo de la Unión Soviética, en uno de los incidentes más electrizantes de la guerra fría.[43]

Por tanto, no deja de ser muy irónico que en esta región los objetivos políticos y militares de Estados Unidos, que tan importantes eran para la defensa del mundo libre y el estilo de vida democrático, condujeran a unos resultados que poca relación tenían con la libertad o la democracia. Estados Unidos construyó su posición en esta parte del mundo sobre una serie de hombres fuertes con instintos poco democráticos y métodos repugnantes para mantenerse en el poder. En el caso de Pakistán, los estadounidenses trataron encantados con el general Ayub Jan después de que este liderara un golpe de estado en 1958 que astutamente presentó como una «revolución alejada del comunismo» en un esfuerzo por granjearse el apoyo de Estados Unidos. El militar consiguió imponer la ley marcial sin resultar oprobioso para sus patrocinadores occidentales y justificó sus acciones anotando que solo se trataba con severidad «a quienes han estado destruyendo la fibra moral de Pakistán».[44] De boca para afuera se habló de restaurar un «gobierno constitucional factible», pero pocos dudaban de que la dictadura militar sería probablemente prolongada, en especial después de que Ayub declarara que pasarían «algunas décadas» antes de que se hubiera conseguido elevar el nivel educativo lo suficiente como para confiar a la población del país la elección de sus líderes.[45] Estados Unidos accedió más que encantado a proporcionar grandes cantidades de armamento a este dudoso aliado: misiles Sindewinder, cazas a reacción y bombarderos tácticos B57 fueron solo algunas de las armas que se le vendieron con la aprobación del presidente Eisenhower.[46]

Eso reforzó todavía más el estatus y el poder de las fuerzas armadas en Pakistán, donde el gasto militar representaba más del 65 por ciento del presupuesto nacional. Este parecía ser el precio que había que pagar para tener amigos en el poder en esta parte del mundo. Sentar las bases de una reforma social era un trabajo arduo y arriesgado en comparación con los beneficios inmediatos que reportaba confiar en los hombres fuertes y las élites que los rodeaban. El resultado, sin embargo, eran la asfixia de la democracia y la consolidación de problemas profundamente arraigados que, con el tiempo, se irían agravando.

Las autoridades afganas fueron cortejadas con igual diligencia; así, por ejemplo, a finales de la década de 1950 se invitó al primer ministro Daud Jan a visitar durante dos semanas Estados Unidos. El deseo de impresionarle era tal que cuando aterrizó le esperaban en la pista el vicepresidente Nixon y el secretario de Estado John Foster Dulles; luego sería recibido por el presidente Eisenhower, que hizo cuanto pudo para advertirle de la amenaza que suponía el comunismo para los países musulmanes de Asia. Estados Unidos ya había iniciado una serie de ambiciosos proyectos de desarrollo en Afganistán, como el gran plan de irrigación en el valle del río Helmand, además de esfuerzos audaces para mejorar el sistema educativo; pero ahora asumió nuevos compromisos con el fin de contrarrestar la ayuda considerable ofrecida por los soviéticos en términos de inversiones, préstamos y proyectos de infraestructura que ya se encontraban en funcionamiento.[47]

El problema, por supuesto, fue que los dirigentes de los países interesados no tardaron mucho tiempo en darse cuenta de que podían aprovechar la rivalidad de las dos superpotencias, y obtener cada vez mayores beneficios de ellas, enfrentando a una contra la otra. De hecho, a finales de la década de 1950, cuando el presidente Eisenhower visitó Kabul, se le pidió a bocajarro que igualara la ayuda que Moscú estaba dando al país.[48] Negarse tenía consecuencias, pero también las tenía acceder.

Entre tanto, los estrategas estadounidenses estaban muy inquietos por lo que percibían como una clara vacilación por parte de Irán cuando, a finales de la década de 1950, el sah Reza Pahlavi demostró cierta disposición a mejorar las relaciones con Moscú tras una perjudicial campaña de propaganda radiada financiada por la Unión Soviética, que de forma implacable se aprovechó de la imagen del monarca como un títere de Occidente e instó a los trabajadores a levantarse y derrocar su régimen despótico.[49] Eso fue suficiente para que el sah se planteara abandonar lo que él llamaba las relaciones «totalmente hostiles» de Irán con la URSS y, asumiendo una actitud más conciliadora, abrir canales de comunicación y cooperación.[50]

Esto encendió las alarmas en Washington, donde los estrategas defendían una visión inflexible acerca de la importancia crucial que tenía Irán en el flanco meridional de la Unión Soviética. Para comienzos de la década de 1960, como señalaba un informe, la «ubicación estratégica [del país] entre la URSS y el golfo Pérsico y sus grandes reservas de petróleo hacen que resulte fundamental para Estados Unidos mantener la amistad, independencia e integridad territorial de Irán».[51] Se invirtió una cantidad considerable de energía y recursos para apoyar la economía y el ejército iraníes y reforzar el control del sah sobre el país.

Mantener contento al sah se consideraba tan importante que se hizo la vista gorda a la intolerancia, a la corrupción a gran escala y al inevitable estancamiento económico que esta contribuía a producir. Nada se dijo acerca de la persecución de las minorías religiosas como los bahaíes, que fueron objeto de un trato brutal en la década de 1950.[52] Entre tanto, había poquísimo que mostrar como consecuencia del pronunciado incremento de los ingresos procedentes del petróleo, que entre 1954 y 1960 se multiplicaron más de siete veces. Los parientes del sah y el grupo al que informalmente se conocía como «las mil familias» establecieron un férreo control sobre las importaciones, lo que les permitió labrarse grandes fortunas. Los créditos blandos otorgados por Washington solo sirvieron para que unos pocos se enriquecieran a expensas de los pobres, a los que cada vez les resultaba más difícil mantenerse debido a la forma en que se había disparado el coste de la vida (y más aún después de las malas cosechas de 1959-1960).[53]

Tampoco fue de ninguna ayuda que algunos de los proyectos estadounidenses diseñados para estimular la economía agraria resultaran fracasos espectaculares. Los intentos de reemplazar las semillas tradicionales por híbridos modernos fueron un desastre: las nuevas cepas se revelaron inapropiadas para el terreno y carecían de resistencia para la devastación causada por las enfermedades y los insectos. Un plan concebido para ayudar a la vez a los criadores de pollos de Irán y de Estados Unidos mediante la introducción de polluelos americanos en Irán tuvo también resultados desastrosos; la falta de alimentación adecuada y de vacunas se tradujo en unas consecuencias que, por desgracia, hubieran sido fáciles de prever. La vergonzosa incompetencia para entender el funcionamiento del nivel freático en Irán condujo a la excavación de pozos que vaciaron los depósitos subterráneos y destruyeron la viabilidad de muchas granjas a lo largo y ancho del país.[54]

Planes contraproducentes como estos difícilmente eran ejemplos positivos de los beneficios de una cooperación más estrecha con Occidente, en general, y con Estados Unidos, en particular, y proporcionaron un terreno fértil que los críticos supieron aprovechar. Ninguno lo hizo con mayor maestría que un erudito chií, Ruhollah Musaví Jomeini, que captó el ánimo de una población cada vez más descontenta debido a los salarios bajos, la falta de progreso económico y la evidente ausencia de justicia social. «Su excelencia, señor sah, déjeme darle un consejo», declaró el ayatolá a comienzos de la década de 1960 en un discurso particularmente feroz. «Miserable desgraciado, ¿no es hora de que piense y reflexione un poco y sopese a dónde le lleva todo esto? [...] Señor sah, ¿quiere que diga que usted no cree en el islam y lo eche de Irán a patadas?»[55] Eso bastó para que se le arrestara, lo que provocó disturbios en el centro de Teherán, donde la multitud gritaba: «Jomeini o la muerte». Como señalaron los informes de espionaje de la CIA, incluso los empleados gubernamentales se unieron a las manifestaciones contra el régimen.[56]

En lugar de prestar atención a las advertencias, el sah respondió contrariando a sus críticos todavía más. El clero iraní, anunció con una falta de tacto asombrosa durante una visita a la ciudad santa de Qum, estaba formado por «hombres ignorantes y marchitos cuyas mentes no han recibido estímulo alguno en siglos».[57] En lugar de ofrecer concesiones o fomentar reformas sinceras, el gobierno concentró sus energías en reforzar los controles. Obligado a marcharse al exilio, Jomeini se estableció en Nayaf, en el vecino Irak, donde permaneció durante más de una década; allí sus apasionadas denuncias del sah y el régimen iraní no solo eran bien recibidas, sino incluso apoyadas.[58]

Por esta época Irán dedicó una cantidad sustancial de recursos a la creación del Savak, la policía secreta del régimen, que pronto adquirió una reputación temible. Los encarcelamientos sin juicio, las torturas y las ejecuciones se emplearon a gran escala para lidiar con los críticos del sah y quienes le rodeaban; en casos excepcionales, a los opositores que tenían la fortuna de ser muy visibles debido a su alto perfil (como era el caso de Jomeini) se les puso bajo arresto domiciliario o se les envió al exilio para quitarlos de la circulación.[59] El uso de tales tácticas en la Unión Soviética era tema de críticas estridentes por parte de Estados Unidos, que veía en ellas la antítesis de la democracia y una herramienta del totalitarismo; su utilización en Irán, en cambio, se obvió por completo.

Para conservar el respaldo del sah y consolidar su posición, desde Washington se continuó enviando fondos a Irán: para desarrollar un sistema de autopistas de dos mil cuatrocientos kilómetros para conectar el golfo Pérsico con el mar Caspio; para contribuir a la construcción de un puerto de aguas profundas en Bandar Abbás; para permitir la expansión y modernización de la red eléctrica; e incluso para ayudar a financiar proyectos de prestigio, como la creación de una compañía aérea nacional. A lo largo de todo el proceso, la mayoría de los funcionarios occidentales que diseñaban las políticas para la región prefirió ignorar lo que ocurría en realidad en el país y ver lo que quería ver. A ojos de muchos observadores estadounidenses, Irán parecía un auténtico triunfo. La economía de «uno de los amigos más leales de Estados Unidos en Oriente Próximo se ha acelerado», afirmaba un informe preparado para el presidente Johnson en 1968. El PIB de Irán estaba creciendo con tanta rapidez que el país era «una de las historias de éxito más notables» de épocas recientes. Cuatro años más tarde, se llegó a la misma conclusión, aunque de forma más enfática. Después de terminada la segunda guerra mundial, señalaba la embajada estadounidense en Teherán, Estados Unidos se había visto obligado a apostar por Irán y moldear el país a su imagen. «Esa apuesta ha tenido unos frutos espléndidos, probablemente más que en cualquier otro país en vías de desarrollo que se haya beneficiado de una inversión estadounidense similar.» Irán, predecía el documento con confianza, iba camino de convertirse en «el país más próspero de Asia después de Japón» y ponerse a la par de muchos países de Europa.[60]

Aquellos que se mostraban más escépticos formaban una minoría clara. Uno de ellos era un joven académico llamado William Polk, al que la administración Kennedy había contratado como asesor de política exterior. Si el sah no reforma el proceso político, advirtió Polk, habría violencia en el país e incluso una revolución; una vez que estallaran los disturbios, las fuerzas de seguridad no tardarían en negarse a disparar contra los manifestantes. La oposición al sah se estaba uniendo en «la potente institución islámica de Irán».[61]

Polk estaba por completo en lo cierto. En ese momento, sin embargo, pareció más importante continuar apoyando al sah, un aliado en la lucha contra el comunismo, que presionarle para que realizara las reformas que el país necesitaba. Y el sah desarrolló planes cada vez más grandiosos que solo contribuyeron a empeorar la situación. Las sumas de dinero invertidas en las fuerzas armadas eran ingentes: el gasto militar de Irán pasó de 293 millones de dólares en 1963 a 7.300 millones menos de quince años después. En consecuencia, la fuerza aérea y el ejército del país pasaron a estar entre los más grandes del mundo.[62] Irán financió esa extraordinaria escalada gracias en parte a la ayuda militar y los créditos blandos de Estados Unidos (que se beneficiaba a su vez, pues la mayor parte de los equipos comprados por Irán eran fabricados por contratistas de defensa estadounidenses). No obstante, Irán también se benefició del aumento continuado de las rentas derivadas del petróleo, y del mecanismo creado por los principales países productores para actuar como un cartel y, así, maximizar los beneficios.

La creación de la Organización de Países Exportadores de Petróleo (OPEP) en 1960 se diseñó para coordinar la venta de las reservas de petróleo en el mercado abierto. La meta era permitir a los miembros fundadores (Irak, Irán, Arabia Saudí, Kuwait y Venezuela) combinar sus intereses e incrementar sus beneficios mediante el control de la oferta y, por tanto, el de los precios.[63] Era el siguiente paso lógico para los países que tenían una gran riqueza de recursos y deseaban, al mismo tiempo, reducir el poder de las corporaciones occidentales y contar con el apoyo político y financiero de los gobiernos occidentales.

La OPEP era, de hecho, un intento deliberado de limitar la influencia de Occidente, cuyo interés, a saber, proporcionar combustible barato y abundante a sus mercados internos, era claramente diferente al de los países con grandes reservas de petróleo y gas, que querían que los beneficios que estas les reportaban fueran lo más altos posibles. Por tanto, en contra de lo que podría parecer, la OPEP era el heredero espiritual de un elenco de personajes bastante inverosímil en el que coincidían líderes desafiantes como Mosadeq, un demagogo populista como Nasser, el intransigente Qasim y personalidades iraníes cada vez más antioccidentales como el ayatolá Jomeini. A todos les unían sus intentos concertados por distanciar a sus países de la abrumadora atención extranjera. Aunque la OPEP no era un movimiento político, alinear a estos distintos países y permitirles hablar y actuar con una sola voz fue un paso clave en el proceso de transferir a los gobiernos locales el poder político que estaba en manos de Europa y Estados Unidos.

Las simples dimensiones de las reservas de petróleo de Irán, Irak, Kuwait y Arabia Saudí, combinadas con la demanda global, cada vez mayor, hicieron que las primeras décadas de la segunda mitad del siglo XX estuvieran marcadas por una reconfiguración del equilibrio del poder. El alcance de ello comenzó a resultar claro en 1967, cuando Israel sorprendió a Nasser con un ataque preventivo mientras este se preparaba para la guerra acumulando tropas en la frontera. Arabia Saudí, Irak y Kuwait, con el respaldo de Argelia y Libia, dos países del norte de África en los que la producción estaba despegando, suspendieron el envío de petróleo a Gran Bretaña y Estados Unidos debido a su perceptible amistad con Israel. Con las refinerías paralizadas y los oleoductos cerrados, un escenario de pesadilla cobró forma: escasez y aumento pronunciado de los precios, una amenaza para la economía mundial.

Al final, el impacto fue mínimo porque el asalto que Nasser planeaba lanzar fracasó incluso antes de empezar y en el campo de batalla su ejército sufrió una derrota decisiva. La rapidez y espectacularidad de ese fracaso tuvieron una enorme importancia: la «guerra de los Seis Días» estuvo casi terminada al instante, y Nasser y los sueños del nacionalismo árabe recibieron un baño de realidad. El ejército israelí, que contaba con el respaldo tecnológico y político de Occidente, demostró ser un adversario formidable. Ni Occidente ni su supuesto estado títere en Oriente Próximo estaban preparados aún para sufrir un golpe decisivo.[64]

Durante dos siglos, las grandes potencias de Europa habían luchado y peleado entre sí por el control de la región y de los mercados que conectaban el Mediterráneo con la India y China. El siglo XX fue testigo del retroceso de Europa occidental y el paso del relevo a Estados Unidos. En cierto sentido, resultaba del todo apropiado que fuera una nación fruto de la competencia entre Gran Bretaña, Francia y España la que asumiera la responsabilidad de intentar mantener el control sobre el corazón del mundo. El reto se revelaría arduo, en particular porque un nuevo «gran juego» estaba a punto de empezar.

## Capítulo 23

# LA RUTA DE LA RIVALIDAD ENTRE LAS SUPERPOTENCIAS

La guerra de 1967 fue un disparo de advertencia: una exhibición de fuerza y una señal de lo que estaba por llegar. Mantener el poder y la influencia en el corazón del mundo iba a ser cada vez más difícil para Occidente. Y en el caso de Gran Bretaña, imposible. En 1968, el primer ministro, Harold Wilson, anunció que Gran Bretaña se retiraría de todos sus compromisos defensivos al este del canal de Suez, incluido el golfo Pérsico.[1] Quedaba en manos de Estados Unidos, al mismo tiempo vestigio y heredero de la gran era del imperialismo europeo, asumir la responsabilidad de mantener la influencia de Occidente en Oriente Próximo.

Un complicado contexto de presiones intensas por todos lados hacía que esa tarea no fuera en absoluto fácil. En 1961, por ejemplo, grandes áreas de Irak que formaban parte de la concesión otorgada tres décadas antes al consorcio de productores occidentales que formaban la Iraq Petroleum Company fueron nacionalizadas con el argumento de que no estaban siendo explotadas. La actitud de Bagdad se hizo todavía más rígida después de que el primer ministro, Qasim, fuera depuesto y ejecutado delante de las cámaras de televisión «a la vista del mundo entero». El nuevo régimen radical declaró que se proponía liderar «la lucha general para liberar a la nación árabe de la dominación del imperialismo occidental y la explotación de los monopolistas del petróleo» y, de un día para otro, aumentó las tasas de tránsito del oleoducto de Banias.[2]

Los soviéticos observaban la situación con regocijo. Moscú había seguido de cerca los cambios en Oriente Próximo y la oleada creciente de sentimiento antioccidental. Desde la guerra árabe-israelí de 1967, señalaba un informe de la CIA, la URSS «ha seguido un rumbo consistente [...] buscando, a medida que surgen oportunidades, extender su influencia política y militar en una región de interés para Rusia tradicionalmente».[3] La Unión Soviética buscaba ahora aprovechar las aperturas con entusiasmo, dispuesta a construir su propia red de relaciones desde el Mediterráneo hasta el Hindú Kush y desde el mar Caspio hasta el golfo Pérsico.

En parte, esto fue resultado de un arriesgado juego político entre las dos superpotencias. Pequeños triunfos se magnificaban para presentarlos como grandes victorias propagandísticas, como fue el caso del apoyo financiero y técnico que dieron los soviéticos al campo petrolífero de Rumaila en Irak. El diario *Izvestia* dio cuenta de la noticia con auténtica euforia, proclamando un nuevo hito en la positiva cooperación entre «las naciones árabes y las socialistas» y señalando, de forma intencionada, con cuánto gusto la URSS contribuía al desarrollo de «una industria petrolera nacional para los árabes», mientras que, en cambio, «los planes [occidentales] para controlar el petróleo de los árabes se desmoronan».[4]

La década de 1960 fue un periodo en el que los horizontes de las superpotencias crecieron de forma clara, y no solo en el centro de Asia. A comienzos del decenio, el respaldo ofrecido por la Unión Soviética a la Cuba revolucionaria, que incluía un programa para el estacionamiento de cabezas nucleares en la isla, estuvo a punto de desencadenar una guerra. Tras un tenso enfrentamiento en alta mar, los buques soviéticos finalmente se retiraron en lugar de penetrar en el perímetro establecido por las embarcaciones de la marina estadounidense. La confrontación que había estallado a finales de la segunda guerra mundial en el Lejano Oriente, en la península de Corea, explotó de nuevo, esta vez en Vietnam; los efectos del conflicto se extendieron a Camboya y Laos, y Estados Unidos terminó envuelto en una guerra horrible y costosa que a ojos de muchos estadounidenses era una batalla entre las fuerzas del mundo libre y las del comunismo totalitario. El compromiso, visible en el envío de cantidades sustanciales de tropas de infantería, no convenció a otros y la desilusión cada vez mayor con la guerra de Vietnam se convertiría en un punto de convergencia para el naciente movimiento contracultural.

A medida que la situación en el sureste asiático empeoraba, la actividad era frenética en la Unión Soviética, pues Moscú quería aprovechar el creciente desencanto con Estados Unidos, que había adquirido tal intensidad que en 1964 el ayatolá Jomeini pudo declarar: «Hacedle saber al presidente estadounidense que a ojos del pueblo iraní él es el miembro más repelente de la especie humana».[5] Este desencanto no se limitaba a las figuras de la oposición, el clero islámico o los demagogos populistas. El presidente del vecino Irak no dudó en llamar «sanguijuelas» a los magnates del petróleo británicos y estadounidenses, mientras que en Bagdad los principales periódicos habían empezado a describir a Occidente como colonialista, sionista o, incluso, sionista imperialista.[6]

A pesar de la hostilidad de tales declaraciones y el terreno fértil sobre el que caían, no todas las actitudes hacia Occidente eran por completo negativas. En realidad, la cuestión no era que se denigrara a Estados Unidos y, en menor medida, a Gran Bretaña por su supuesta injerencia en los asuntos de los países del Mediterráneo oriental y Oriente Próximo y su disposición a llenar los bolsillos de una élite corrupta. Lo que ocurría, más bien, era que la retórica enmascaraba los imperativos de una nueva realidad en la que una región que a lo largo de varios siglos se había vuelto periférica de repente emergía de nuevo gracias a los recursos naturales presentes en el subsuelo, el abundante suministro de consumidores dispuestos a pagar por ellos y la demanda creciente. Esto alimentó las ambiciones de la población local y, en particular, la exigencia de no verse limitada por los intereses e influencias extranjeros. Por tanto, resultaba irónico que surgiera ahora un nuevo campo de batalla en el que las superpotencias se abrían paso a empujones buscando mejorar su posición como parte de un nuevo «gran juego», en el que cada una quería explotar los puntos débiles de la otra.

Irak, Siria y Afganistán aceptaban encantados que se les otorgaran créditos blandos para comprar armamento soviético y contar con los asesores y técnicos cualificadísimos que enviaba Moscú para construir instalaciones que podían revelarse útiles para sus ambiciones estratégicas más amplias. Esos proyectos incluían el puerto de aguas profundas de Um Kasar, en el golfo Pérsico, pero también seis aeródromos militares en Irak, que como descubrió con rapidez el espionaje estadounidense podrían emplearse para «ofrecer respaldo a una presencia naval soviética en el océano Índico».[7]

Esto formaba parte del intento de Moscú de construir una red de contactos y alianzas propia que rivalizara con la de los estadounidenses. No sorprende, entonces, que las políticas soviéticas fueran idénticas a las impulsadas por Washington desde la segunda guerra mundial, a través de las cuales Estados Unidos pudo establecer una gran cantidad de bases que le permitían vigilar con un ojo la seguridad del golfo Pérsico y el océano Índico, y con el otro, monitorizar las actividades de los soviéticos o crear puestos avanzados. Esa fue la estrategia a la que respondió la URSS. A finales de la década de 1960, después de años dedicados a cultivar sus relaciones en la región, Moscú resituó los buques de guerra soviéticos en el océano Índico para respaldar a los nuevos regímenes revolucionarios que se habían hecho con el poder en Sudán, Yemen y Somalia. Esto dio a los soviéticos una envidiable serie de puntos de apoyo en Adén, Mogadiscio y Berbera.[8] De esta forma, la URSS adquirió la capacidad de cerrar el acceso al canal de Suez, algo que los estrategas y planificadores estadounidenses habían temido durante años.[9]

La CIA vigilaba con suma atención los movimientos de los soviéticos en la zona del océano Índico, incluida África oriental y el golfo Pérsico, donde de forma sistemática ofrecieron ayudas a la pesca, la agricultura y otras industrias locales. Entre esas ayudas estaba la formación de pescadores, el desarrollo de instalaciones portuarias y la venta o alquiler de embarcaciones de pesca a precios muy competitivos. Tales gestos de buena voluntad fueron correspondidos con el libre acceso a puertos de Irak, Mauricio y Somalia, así como a Adén y Saná.[10] Los soviéticos también invirtieron esfuerzos considerables en cultivar la amistad de Irak y la India. En el caso de esta última, el armamento proporcionado por la URSS representaba más de tres cuartas partes de todas las adquisiciones militares que Nueva Delhi realizó en el extranjero a lo largo de la década de 1960, y las cantidades irían en aumento a lo largo del decenio siguiente.[11] Las ventas incluían algunos de los equipos más avanzados fabricados por Moscú, como misiles Atoll y Styx, cazas MiG-27 y MiG-29 y destructores de última generación; los soviéticos, además, concedieron a la India una licencia para producir aviones militares que antes se le había negado a los chinos.[12]

Mirar a izquierda y derecha era algo natural para los pueblos de esta parte del mundo, y continuaba siendo gratificante. En Afganistán, se acuñó una palabra para designar la práctica de solicitar apoyo a ambas superpotencias: el *bi-tarafi*, literalmente «sin lados», se convirtió en un principio de una política exterior que buscaba equilibrar las contribuciones hechas por la URSS con las de Estados Unidos. Como señaló un agudo observador en una obra clásica publicada en 1973, los oficiales del ejército afgano a los que se enviaba a la Unión Soviética y Estados Unidos para participar en programas formales de adiestramiento, diseñados para construir lazos y desarrollar relaciones con los futuros líderes de las fuerzas armadas, comparaban sus notas al regresar al país. Había una cosa en particular que llamaba la atención de los oficiales descubiertos por los cazatalentos soviéticos o estadounidenses: «Ni Estados Unidos ni la URSS resultaron ser los paraísos que pintaba la propaganda respectiva». Por tanto, en lugar de servir para evangelizar a unos nuevos conversos, la respuesta abrumadoramente mayoritaria de quienes viajaban al extranjero era que regresaban a casa convencidos de que Afganistán debía seguir siendo independiente.[13]

Impulsos similares existían en Irán, donde el sah decía a todo el que estuviera dispuesto a escuchar que él era el salvador del país. «Mis visiones», le dijo a un entrevistador, «fueron los milagros que salvaron el país. Mi reina ha salvado al país y lo ha hecho porque Dios estaba de mi parte». Cuando se le preguntó por qué nadie se atrevía a pronunciar su nombre en las calles de Teherán, no pareció siquiera plantearse que eso pudiera deberse al aterrador aparato policial del estado que era el que lo mantenía en el poder. «He de suponer», dijo, que no quieren hablar del sah debido a un «respeto exagerado».[14]

Si se trataba de un caso de autoengaño, entonces también lo era su pose acerca de los comunistas. «El comunismo va contra la ley», le dijo el sah a su entrevistador en un tono desafiante. «De ello se sigue que un comunista no es un preso político, sino un delincuente común [...] son una gente a la que debemos eliminar.» Sin embargo, prácticamente a continuación declaró con orgullo que Irán gozaba de «buenas relaciones diplomáticas y comerciales con la Unión Soviética».[15] Esto lo dice todo acerca del delicado equilibrio creado a lo largo de la columna vertebral de Asia durante la guerra fría. La experiencia había enseñado al sah que enemistarse con su poderoso vecino del norte podía tener repercusiones graves. Por tanto, le convenía aceptar el apoyo de Estados Unidos y Occidente y, al mismo tiempo, suavizar las relaciones con Moscú. En consecuencia, aceptó absolutamente encantado participar en una serie de acuerdos para comprar a la Unión Soviética lanzacohetes, cañones antiaéreos y artillería pesada y permitir que los técnicos soviéticos ayudaran con la ampliación de una planta siderúrgica en Isfahán.

No obstante, aunque este pragmatismo político resultaba completamente comprensible, era también una demostración de las dificultades de la posición en la que se encontraban los países de la región. Cualquier alineamiento con una de las superpotencias suscitaba una respuesta por parte de la otra; cualquier intento de mantener las distancias podía tener consecuencias desastrosas y crear con facilidad oportunidades para figuras de la oposición. En 1968, un nuevo golpe de estado en Irak dio a la Unión Soviética la ocasión de fortalecer los lazos que con tanto esfuerzo había cultivado a lo largo de la década precedente. Esos lazos fructificaron con la firma, en 1972, de un tratado de amistad y cooperación para los siguientes quince años, que en Londres se interpretó como una auténtica «alianza con la Unión Soviética».[16]

Ciertos sucesos en otras partes de Asia acentuaron todavía más la inquietud con la que Washington veía extenderse los tentáculos de la URSS en la región. En 1971 Moscú firmó un tratado de paz, amistad y cooperación de veinticinco años con la India, a la que acordó ofrecer respaldo económico, tecnológico y militar. La situación tampoco era muy prometedora en Afganistán, donde en 1973 un golpe de estado llevó al poder al primer ministro Mohamed Daud con el apoyo de elementos izquierdistas. El nuevo régimen expulsó o hizo huir a una gran cantidad de líderes islamistas preeminentes, que fueron acogidos en Pakistán, en especial en las regiones tribales de los alrededores de Quetta. Allí contaron con el apoyo activo del gobierno de Zulfiqar Ali Bhutto, que veía en ellos una herramienta para la desestabilización del nuevo gobierno afgano, y una forma fácil de dar brillo a sus propias credenciales religiosas de cara a los pakistaníes.

La agitación social y la sensación de que estaba surgiendo un nuevo orden mundial era palpable: los pueblos del cinturón de países que se extendía entre el Mediterráneo y la cordillera del Himalaya estaban luchando por decidir su futuro por sí mismos. Según se acostumbró a decir Sadam Husein tiempo después, el momento real en el que Irak conquistó la independencia fue en 1972, cuando nacionalizó la industria petrolera y tomó el control de su propio destino. Los días en que los occidentales podían aparecer y tratar con prepotencia a la población local habían pasado definitivamente. El tiempo de «la dominación extranjera y la explotación foránea», declaró, «se acabó».[17]

El petróleo era el combustible que alimentaba gran parte de estos movimientos para escapar de la influencia opresiva de las potencias extranjeras, lo que puso en marcha una reacción en cadena que tendría implicaciones profundas a largo plazo. El catalizador de una nueva oleada de cambio fue el golpe liderado por un oficial del ejército libio joven y ambicioso, al que el instructor militar británico que supervisó su adiestramiento en el Reino Unido describió como «alegre, trabajador y meticuloso».[18] Muamar Gadafi era, sin duda, un hombre habilidoso. A comienzos de 1970, poco después de hacerse con el poder, exigió un aumento drástico de las regalías del petróleo libio (que en esa época representaba el 30 por ciento del petróleo consumido en Europa). «Hermano», había proclamado ante sus compatriotas, «la revolución no puede dejar que el pueblo libio sea pobre a pesar de poseer una riqueza petrolera colosal. Hay gente viviendo en chozas y tiendas mientras que los extranjeros viven en palacios». Otros países, continuó Gadafi, ponen al hombre en la luna; a los libios, en cambio, se les explota hasta el punto de que no tienen electricidad ni agua potable.[19]

Las compañías petroleras bramaron indignadas ante la insistencia del nuevo régimen en que debían pagar un precio justo por el petróleo; sin embargo, no tardaron en obedecer una vez quedó claro que la nacionalización no era una opción, pero podría serlo. El hecho de que el líder libio hubiera conseguido forzar a las petroleras a renegociar no pasó desapercibido para otros: en cuestión de semanas, la OPEP presionaba para elevar la contribución que las compañías petroleras occidentales hacían a los países miembros, amenazando con reducir la producción en caso de que no se llegara a un acuerdo. Ese fue el momento, en palabras de un ejecutivo de la Shell, en que empezó la «avalancha».[20]

Los resultados fueron espectaculares. En los siguientes tres años el precio del petróleo se cuadruplicó, lo que sometió a una presión inmensa a las economías de Europa y Estados Unidos, donde la demanda y los niveles de consumo estaban creciendo sin parar. Entre tanto, el efectivo inundó los países productores de petróleo, donde el dinero llegaba en cantidades sin precedentes. Los países de Asia Central y el golfo Pérsico habían visto mejorar sus ingresos de forma constante casi desde el mismo momento en que la concesión Knox D'Arcy encontró petróleo, pues en las décadas posteriores los acuerdos fueron renegociándose lenta, pero inexorablemente, con condiciones cada vez mejores. Sin embargo, lo que ocurrió en la década de 1970 fue un cambio de proporciones sísmicas. Solo en 1972-1973 los ingresos derivados del petróleo de Irán se multiplicaron por ocho. En el lapso de una década, las rentas del gobierno aumentaron treinta veces.[21] En el vecino Irak, el aumento no fue menos espectacular: casi cincuenta veces entre 1972 y 1980, de 575 millones de dólares a veintiséis mil millones.[22]

Estaba muy bien quejarse del «grado de dependencia del petróleo como fuente de energía de los países industriales de Occidente», como hizo un experimentado funcionario estadounidense en un informe que preparó para el Departamento de Estado en 1973.[23] Pero la transferencia de poder (y dinero) a los países que formaban la columna vertebral de Asia tenía algo de inevitable; como también era inevitable el fortalecimiento del mundo islámico que acompañó la ampliación de las ambiciones.

La expresión más dramática de ello llegó con un nuevo esfuerzo por eliminar el símbolo totémico de la influencia extranjera en Oriente Próximo en su conjunto: el Estado de Israel. En octubre de 1973, los ejércitos de Siria y Egipto lanzaron la operación Badr, bautizada así por la batalla que abrió el camino hacia el control de la ciudad santa de La Meca en tiempos del profeta Mahoma.[24] El asalto tomó por sorpresa no solo a las defensas israelíes, sino a las dos superpotencias. Horas antes de que empezara el ataque, un informe de la CIA declaraba confiado que «asignamos una baja probabilidad a la posibilidad de que los dos ejércitos inicien operaciones militares contra Israel», y ello a pesar de saber que los egipcios y los sirios habían estado reuniendo tropas cerca de la frontera; eso, concluía el informe, era parte de un ejercicio de adiestramiento o bien se debía «al temor [a las] medidas ofensivas [que pueda adoptar] Israel».[25] Aunque algunos han argumentado que el KGB parecía haber estado mejor informado de los planes, la expulsión en masa de los observadores soviéticos de Egipto un año antes evidencia cuán fuerte era el deseo de ajustar las cuentas de forma local (y no dentro del contexto más amplio de la lucha por la supremacía en la guerra fría).[26] De hecho, la URSS había estado intentando seriamente calmar las tensiones en Oriente Próximo y buscar una «relajación militar» en la región.[27]

El impacto del conflicto sacudió al mundo entero. En Estados Unidos el nivel de alerta militar se elevó a DEFCON 3, lo que indicaba que se consideraba inminente el riesgo de un lanzamiento nuclear (el punto más alto alcanzado desde la crisis de los misiles cubanos en 1962). En la Unión Soviética, la prioridad era contener la situación. Entre bastidores se instó al presidente egipcio, Anwar el-Sadat, a acordar un alto el fuego, mientras que el ministro de Exteriores soviético, Andréi Gromyko, un superviviente político consumado, presionó personalmente al presidente Nixon y su recién nombrado secretario de Estado, Henry Kissinger, para actuar de forma conjunta con el fin de prevenir una «verdadera conflagración» que fácilmente podía hacer que la guerra se propagara.[28]

Lo realmente significativo de la guerra de Yom Kipur, llamada así porque el ataque comenzó el día de esa fiesta judía, no fueron los intentos de Washington y Moscú de trabajar juntos, y tampoco los espectaculares resultados de la confrontación, que fue testigo de uno de los mayores reveses militares de la historia cuando, en cuestión de horas, Israel pasó de estar al borde la extinción a aplastar a las fuerzas invasoras y avanzar sobre Damasco y El Cairo. De hecho, lo que fue extraordinario fue la actuación del mundo árabe en conjunto, como un califato en todo salvo en el nombre. Los cabecillas eran los saudíes, los señores de La Meca, que no solo hablaron abiertamente de usar el petróleo como un arma, sino que de verdad lo hicieron. La producción se redujo, lo que sumado a la incertidumbre política, causó un aumento de los precios: el coste del barril casi se triplicó de la noche a la mañana.

Mientras en Estados Unidos se formaban colas alrededor de las estaciones de gasolina, el secretario de Estado Henry Kissinger se quejó del «chantaje político» que amenazaba la estabilidad del mundo desarrollado. La conmoción fue suficiente como para que se hablara de desarrollar nuevas estrategias que redujeran o, incluso, acabaran por completo con la dependencia del petróleo de Oriente Próximo. El 7 de noviembre de 1973 el presidente Nixon pronunció un discurso a toda la nación a través de la televisión, en horario de máxima audiencia, para anunciar una serie de medidas para hacer frente al molesto hecho de que «en años recientes nuestra demanda de energía ha empezado a superar las existencias disponibles». En consecuencia, opinó el presidente con solemnidad, las centrales eléctricas debían cambiar el uso de petróleo por el uso de carbón, «nuestro recurso más abundante». El combustible para la aviación se restringiría con efecto inmediato; todos los vehículos propiedad del gobierno federal no debían superar los ochenta kilómetros por hora «salvo en caso de emergencia». «Para garantizar que haya petróleo suficiente para todo el invierno», continuó Nixon, «será esencial que todos vivamos y trabajemos a temperaturas más bajas. Debemos pedirles a todos que bajen el termostato de sus hogares en por lo menos tres grados de modo que podamos alcanzar una media nacional diurna de veinte grados centígrados». Si les sirve de consuelo, añadió el presidente, «los médicos me dicen [...] que realmente es más saludable» vivir a esa temperatura.[29]

«Ahora bien», prosiguió, «algunos de ustedes se estarán preguntando si estamos volviendo a otra época. Racionamiento de la gasolina, escasez de petróleo, límites de velocidad reducidos: todo ello suena a la forma de vida que dejamos atrás con Glenn Miller y la guerra de los años cuarenta. Pues bien, en realidad, parte de nuestro problema actual deriva también de la guerra: la guerra en Oriente Próximo». Además de lo mencionado antes, anunció Nixon, lo que se necesitaba era «una meta nacional», un plan ambicioso que permitiera a Estados Unidos satisfacer sus «necesidades energéticas propias sin depender de ningún recurso energético extranjero». Bautizado como «proyecto Independencia», la propuesta debía inspirarse en «el espíritu del programa Apolo», una referencia al programa espacial, y el proyecto Manhattan, que había dado a Occidente las armas nucleares y, por supuesto, la capacidad de destruir el mundo. Estados Unidos era una superpotencia, pero también era en extremo consciente de sus debilidades. Había llegado la hora de encontrar alternativas y reducir la dependencia (y la importancia) del petróleo de Oriente Próximo.[30]

Este giro produjo algunos efectos secundarios inesperados. La reducción general de los límites de velocidad en las carreteras a noventa kilómetros por hora, una medida concebida para reducir el consumo, no solo causó un descenso del consumo de más de ciento cincuenta mil barriles diarios, sino también una reducción considerable en el número de accidentes de tráfico en todo el país. Las estadísticas de la Administración Nacional de Seguridad del Tráfico en las Carreteras (NHTSA, por sus siglas en inglés) indican que, solo en diciembre de 1973, los niveles de siniestralidad descendieron más de un 15 por ciento como consecuencia directa de la reducción de los límites de velocidad.[31] Estudios realizados en Utah, Illinois, Kentucky, California y otros lugares demostraron con claridad el efecto positivo de la reducción de los límites de velocidad a la hora de salvar vidas.[32]

La importancia de reducir el consumo de energía animó a los arquitectos estadounidenses a empezar a diseñar edificios que hicieran hincapié en el aprovechamiento de fuentes de energía renovables.[33] Este momento también fue un punto de inflexión en el desarrollo del coche eléctrico, pues fomentó investigaciones exhaustivas sobre la estabilidad y eficacia de diversos sistemas alternativos, incluidas las baterías de electrólito acuoso, de estado sólido y de sal fundida que sentaron las bases para los coches híbridos que empezarían a llegar al mercado masivo décadas más tarde.[34] La energía se convirtió en una cuestión política de primer orden, con el gobernador de Georgia, y pronto candidato presidencial, Jimmy Carter pronunciándose con claridad a favor de una «política energética nacional completa y a largo plazo».[35] El Congreso acordó hacer una gran inversión en energía solar, al tiempo que surgieron actitudes cada vez más favorables hacia la industria nuclear, que se percibía como fiable desde el punto de vista tecnológico y suponía una solución obvia a los problemas energéticos.[36]

El aumento de los precios hacía ahora justificable buscar petróleo en zonas en las que la producción se había considerado antes inviable desde un punto de vista comercial, o prohibitivamente cara, como el mar del Norte y el golfo de México. Las plataformas petroleras trajeron consigo rápidos avances tecnológicos en la perforación en aguas profundas, y condujeron a una inversión considerable en infraestructura, oleoductos, torres y recursos humanos.

Sin embargo, nada de eso suponía una solución inmediata. Todo ello requería investigación e inversión y, sobre todo, tiempo. Apagar el aire acondicionado en los edificios federales, permitir una «adecuada relajación de los estándares de vestuario de los empleados» gubernamentales y fomentar los traslados en transporte público y coches compartidos, como ordenó el presidente Nixon en un memorando de junio de 1973, estaba muy bien, pero tales medidas estaban muy lejos de ser una solución al problema.[37] Entre tanto, los productores de petróleo de Oriente Próximo hicieron su agosto. Con los mercados asustados debido a las incertidumbres acerca del suministro y las naciones musulmanas de la OPEP utilizando el petróleo como un «arma en la batalla», en palabras del rey de Arabia Saudí, los precios se dispararon de forma prácticamente descontrolada. En los últimos seis meses de 1973, el precio de referencia del barril pasó de 2,90 a 11,65 dólares.[38]

Incluso cuando la guerra de Yom Kipur llegó a su fin después de tres semanas de combates encarnizados, las cosas nunca volvieron a la normalidad. De hecho, la redistribución de capital de Occidente a Oriente Próximo sencillamente se aceleró: los beneficios colectivos de los países productores de petróleo aumentaron de veintitrés mil millones de dólares en 1972 a ciento cuarenta mil millones apenas cinco años después.[39] Las ciudades crecieron, transformadas por la avalancha de dinero, lo que sirvió para financiar la construcción de carreteras, escuelas, hospitales y, en el caso de Bagdad, un nuevo aeropuerto, obras monumentales e, incluso, un estadio diseñado por Le Corbusier. Tan grande fue el cambio que una revista de arquitectura japonesa comparó la transformación de la capital iraquí con la que sufrió París a finales del siglo XIX bajo la dirección del barón Haussmann.[40] Naturalmente, esto proporcionó a quienes estaban en el poder un valioso capital político: los regímenes del golfo Pérsico pudieron hacer declaraciones grandiosas que ligaban la nueva opulencia con su poder personal.

No fue una coincidencia, por tanto, que a medida que los ríos de dinero que llegaban al corazón del mundo se convertían en torrentes, las clases dirigentes fueran adquiriendo actitudes cada vez más demagógicas. Los fondos a su disposición eran tan grandes que, si bien podían usarse para proporcionar pan y circo al pueblo, de acuerdo con el método tradicional de control autocrático, sencillamente era demasiado lo que tenían que perder si compartían el poder con otros. El desarrollo de una democracia plural experimentó una marcada ralentización y, en su lugar, pequeños grupos de individuos se afianzaron en posiciones de control, ya fuera por estar emparentados con el monarca y la familia gobernante, como en la península arábiga e Irán, o por abrazar una causa política común, como en Irak y Siria. El gobierno dinástico se convirtió en la norma en un momento en que el mundo industrializado estaba derribando activamente barreras para mejorar la movilidad social y pregonando con fuerza los méritos de la democracia liberal.

La redistribución de capital a los países con una gran riqueza petrolera, la mayoría de los cuales estaban situados en el golfo Pérsico, o alrededor de él, se produjo a costa de una crisis crónica en las economías del mundo desarrollado, que cedieron bajo el peso de la depresión y el estancamiento mientras se hinchaban los cofres de los estados miembros de la OPEP. El Medio Oriente se vio inundado de dinero, igual que Gran Bretaña durante su apogeo en el siglo XVIII, cuando los *nabobs* gastaban sin freno. La década de 1970 fue un periodo de opulencia en el que Irán hacía pedidos de Concordes y las importaciones de artículos de lujo como los estéreos y los televisores se dispararon (el número de telespectadores, por ejemplo, pasó de dos millones en 1970 a quince millones en apenas cuatro años).[41] No había límites para el gasto suntuoso.

Como había ocurrido en la alta Edad Media, cuando Europa estaba hambrienta de tejidos finos, especias y artículos de lujo procedentes de Oriente, la pregunta era si había otras formas de pagar las mercancías más apreciadas. Un milenio antes, se enviaban esclavos a los países musulmanes para ayudar a financiar las compras que viajaban en dirección contraria. Y ahora también surgió un comercio oscuro para hacer posible la compra del oro negro: la venta de armas y tecnología nuclear.

Los gobiernos nacionales presionaban de forma agresiva para vender armas a través de empresas de propiedad estatal, o promoviendo los intereses de corporaciones que eran grandes empleadores y contribuyentes. A mediados de la década de 1970 Oriente Próximo en su conjunto representaba más del 50 por ciento de las importaciones de armas mundiales. Solo en Irán, el gasto en defensa se multiplicó casi diez veces en un lapso de seis años hasta 1978, un periodo durante el cual las empresas estadounidenses recibieron órdenes por casi veinte mil millones de dólares; el gasto militar total en este periodo se calcula en más de cincuenta y cuatro mil millones de dólares (llegado el momento ascendió a casi el 16 por ciento del PIB).[42]

Cuando se trataba de comprar armas, el sah no necesitaba que se le convenciera. Era un hombre obsesionado por los aviones, los misiles y la artillería, que en una ocasión se volvió hacia el embajador británico en Irán para preguntarle: «¿Qué potencia tiene la corona motriz del tanque Chieftain?», una pregunta que el diplomático tuvo dificultades para responder.[43] Todo el mundo estaba invitado a compartir el pastel, desde la Unión Soviética hasta los franceses, desde los alemanes orientales hasta los británicos. Provisto de recursos en apariencia ilimitados, la cuestión se reducía a qué sistema de misiles tierra-aire compraría, qué dispositivos antitanque buscaba, qué aviones de combate aceptaría, y en qué intermediario confiar para cerrar los tratos en un mundo en el que los profanos tenían dificultades para entender cómo había que moverse.

En Irak, el gasto en material militar alcanzó casi el 40 por ciento del presupuesto nacional, multiplicándose más de seis veces entre 1975 y 1980. Pocos se preocuparon por las consecuencias de lo que pronto se convirtió en una carrera armamentística regional entre Irán e Irak, o por la posibilidad de que la cantidad creciente de recursos invertidos en armamento terminara elevando peligrosamente el perfil de la jefatura militar en ambos países. Por el contrario, mientras hubo demanda (y capacidad para pagar) no se pusieron obstáculos a la forma en que los países de Oriente Próximo y el golfo Pérsico hacían acopio de grandes arsenales. Cuantos más tanques Chieftain ordenara Irán, más aviones Mirage comprara Israel, más cazas MiG-21 y MiG-23 adquiriera Siria, más carros de combate soviéticos T-72 quisiera Irak y más cazas F-5 estadounidenses pidiera Arabia Saudí, mucho mejor para las economías de Gran Bretaña, Francia, la Unión Soviética y Estados Unidos.[44]

Se adoptó el mismo enfoque para la cuestión de la capacidad nuclear. La sola idea de que un país como Irán desarrollara un programa nuclear de cualquier tipo se convirtió, a comienzos del siglo XXI, en un asunto que suscitaba la condena y desconfianza de la comunidad internacional. La cuestión de la capacidad nuclear ha quedado ligada de forma inextricable a la proliferación de armas de destrucción masiva. El potencial nuclear de Irak y el hecho de que los inspectores del Organismo Internacional de la Energía Atómica no consiguieran examinar las instalaciones, los laboratorios y las centrifugadoras que se pensaba, se decía o se sabía que había en el país fueron elementos fundamentales para justificar la invasión de 2003 que derrocó a Sadam Husein.

Interrogantes análogos sobre la aparente determinación de Irán de desarrollar armas nucleares y la capacidad del país para procesar materiales radiactivos han animado impulsos similares. «No podemos dejar que la política y la mitología nublen la realidad», dijo el secretario de Estado John Kerry en el invierno de 2013. El presidente Obama «ha tenido la voluntad y dejado claro que está preparado para usar la fuerza en relación a las armas de Irán, y ha desplegado las fuerzas y las armas necesarias para lograr ese objetivo en caso de que haya que hacerlo».[45] El solo deseo de obtener energía nuclear ha sido considerado un peligro para la seguridad regional y mundial. Los iraníes, dijo en 2005 el entonces vicepresidente estadounidense Dick Cheney, «ya están sentados sobre una cantidad tremenda de petróleo y gas. Nadie puede entender por qué podrían necesitar también tener la capacidad de generar energía nuclear». «Para un gran productor de petróleo como Irán», coincidió Henry Kissinger, «la energía nuclear es un desperdicio de recursos».[46]

Décadas antes, ambos personajes veían las cosas de forma muy diferente, y lo mismo puede decirse de sucesivas administraciones estadounidenses durante la segunda posguerra. De hecho, Estados Unidos había fomentado activamente la adquisición de recursos nucleares en un programa cuyo nombre y objetivos resultan casi cómicos en la actualidad: «Átomos para la paz». Concebido por la administración Eisenhower, era un plan diseñado para permitir que Estados Unidos participara en «un grupo atómico internacional» e implicaba en última instancia dar acceso a gobiernos amigos a cuarenta mil kilogramos de uranio-235 para su utilización en la investigación sin fines militares.[47]

Durante tres decenios, compartir tecnología, componentes y materiales nucleares fue un aspecto fundamental de la política exterior de Estados Unidos, un incentivo directo para la cooperación y el apoyo contra el bloque soviético. Con la URSS convertida con una fuerza digna de respeto en Asia y el golfo Pérsico, Estados Unidos sentía una intensa necesidad de reforzar el respaldo que ofrecía al sah, quien parecía ser el único líder fiable de la región. No todos, sin embargo, opinaban lo mismo: un prominente saudí advirtió al embajador estadounidense en Riad de que el sah era «megalómano [y] muy inestable». Si Washington no entendía eso, añadió, «debe de haber algún problema con las facultades de observación» de los estadounidenses.[48]

Pese a la existencia de voces escépticas que aconsejaban cautela y se oponían a que se diera al monarca iraní «todo lo que quiere», la extensión del poder soviético en la región convenció a otros, en particular a Kissinger, de que era necesario reforzar el apoyo al sah. Por tanto, cuando este último visitó Washington a mediados de la década de 1970, el memorando que el secretario de Estado preparó para el presidente llamaba la atención sobre la importancia de hacer visible que Estados Unidos respaldaba al sah, al que se refirió como «un hombre de una capacidad y conocimiento extraordinarios», un elogio que a todas luces obviaba los niveles crónicos de corrupción e ineficacia alcanzados en Irán.[49]

Estados Unidos estaba tan ansioso de proporcionar apoyo a los planes de desestabilizar al vecino Irak que ayudó a fomentar los problemas con los kurdos. Los resultados de esa intervención fueron trágicos, pues la rebelión salió terriblemente mal y las autoridades iraquíes tomaron fuertes represalias contra la minoría kurda del norte del país. Tras haber estimulado la revuelta, Estados Unidos dio un paso atrás y optó por mirar cómo Irán se acercaba a Irak y pronto llegaba a un acuerdo para resolver antiguas cuestiones fronterizas, sacrificando a los kurdos en el proceso.[50] «Incluso en el contexto de las operaciones encubiertas, la nuestra fue una empresa cínica», concluyó el Comité Pike en su investigación sobre la diplomacia clandestina estadounidense de la década de 1970.[51] Quizá no deba sorprendernos que, tras haber declarado que no tenía espacio suficiente para abordar este tema en el primer volumen de sus memorias, Kissinger hubiera preferido incumplir la promesa de ocuparse de él en el segundo.[52]

En otros aspectos, al interesarse por la energía atómica el sah también estaba planeando para el futuro. El monarca era consciente de que la bonanza petrolera de comienzos de la década de 1970 no duraría para siempre y entendía que, llegado el momento, las reservas de hidrocarburos terminarían agotándose, lo que haría muy difícil satisfacer las necesidades energéticas del mismo Irán. Sin importar que en Estados Unidos se bajaran los termostatos, la demanda de petróleo había continuado aumentando, lo que proporcionaba a Irán (y el resto de países productores) una gran riqueza con la cual prepararse para el futuro. La energía nuclear, concluyó un informe encargado especialmente por el monarca, era «la fuente de energía más económica» para garantizar la satisfacción de las necesidades energéticas del país. Suponiendo que los precios del petróleo solo podían seguir subiendo y que, en cambio, los costes de construcción y mantenimiento de las plantas nucleares se irían reduciendo, parecía obvio cuál era el paso que había que dar; el desarrollo de la industria nuclear, además, era un proyecto de prestigio, que demostraría cuánto se había modernizado Irán.[53] El sah decidió encargarse en persona de la cuestión y ordenó al doctor Akbar Etemad, el presidente de la recién creada Organización de la Energía Atómica iraní, que le informara directamente.[54]

Estados Unidos era la primera puerta a la cual llamar. En 1974 se llegó a un acuerdo inicial por el cual Estados Unidos aceptaba vender a Irán dos reactores, así como uranio enriquecido. El alcance del trato se amplió en 1975, cuando ambos países cerraron un acuerdo comercial por valor de quince mil millones de dólares, que entre otras cosas preveía la compra por parte de Irán de ocho reactores por un total de seis mil cuatrocientos millones de dólares.[55] Al año siguiente, el presidente Ford aprobó un acuerdo que permitía a Irán comprar y poner en marcha un sistema, de construcción estadounidense, que incluía una instalación de reprocesamiento que podía extraer plutonio del combustible gastado en los reactores nucleares y, por tanto, permitía a Teherán operar el «ciclo del combustible nuclear». El jefe de Gabinete de la Casa Blanca de la administración Ford no vaciló en aprobar la venta: en la década de 1970 Dick Cheney no había tenido ninguna dificultad para «entender» qué era lo que motivaba a Irán.

Estas adquisiciones formaban parte de un plan ambicioso y mucho más amplio que involucraba tecnología, experiencia y materiales de otros países occidentales. En 1975 se empezó a trabajar en la construcción de dos reactores de agua a presión cerca de Bushehr, en el Golfo, después de que se hubiera firmado un contrato con la Kraftwerk Union AG, una empresa de Alemania occidental, que se comprometía además a proporcionar a Irán la carga inicial de combustible y las recargas que fueran necesarias durante un periodo de diez años. Se firmaron cartas de intención adicionales tanto con Kraftwerk como con la suiza Brown Boveri y la francesa Framatome para ocho reactores más; en las condiciones se incluía el suministro de uranio enriquecido. Asimismo, se alcanzaron acuerdos independientes para que el uranio se reprocesara en Francia, volviera a Teherán para ser enriquecido y luego reutilizado internamente (o revendido a terceros a discreción de las autoridades iraníes).[56]

A pesar de que Irán era uno de los firmantes del Tratado de No Proliferación Nuclear de 1968, en los servicios de inteligencia se hablaba con regularidad de la existencia de un programa clandestino para el desarrollo de armas nucleares, lo que difícilmente era una sorpresa, puesto que en diversas ocasiones el sah había declarado que Irán se dotaría de armas con capacidad nuclear «sin dudarlo y más pronto de lo que pueda pensarse».[57] Un informe de la CIA escrito en 1974 sobre la proliferación de armas nucleares en general concluía que, si bien Irán se encontraba en una fase temprana de desarrollo, era probable que el sah consiguiera su objetivo hacia mediados de la década de 1980, «si sigue vivo».[58]

Otros países también estaban interesados en contar con instalaciones nucleares para usos civiles, al mismo tiempo que buscaban desarrollar armamento nuclear. En la década de 1970, Irak, bajo la dirección de Sadam Husein, invirtió de forma agresiva con el objetivo específico de obtener la bomba nuclear.[59] El líder iraquí era ambicioso y se fijó una «meta de producción de seis bombas anuales», según el testimonio del doctor Jidir Hamza, el científico nombrado al frente del programa en la década de 1980. Un programa de semejantes dimensiones habría proporcionado a Irak un arsenal mayor que el de China en un lapso de veinte años. No se escatimó en gastos. Una gran cantidad de científicos e ingenieros iraquíes fueron enviados a formarse en el extranjero, sobre todo en Francia e Italia, mientras que dentro del país se hizo todo lo posible para usar el programa civil para obtener las tecnologías, habilidad e infraestructura necesarias para crear un arsenal nuclear.[60]

El enfoque de los iraquíes fue decidido. Habiendo ya adquirido un reactor de investigación de dos megavatios a la Unión Soviética que alcanzó el estado crítico en 1967, la atención se centró en la consecución de un reactor de grafito-gas y una instalación de reprocesamiento para el plutonio que produciría. Cuando las solicitudes hechas a Francia se vieron frustradas, se tanteó a Canadá con la esperanza de comprar un reactor similar al que había permitido a la India probar un dispositivo nuclear en 1974. Ese movimiento animó a los franceses a retomar las negociaciones, lo que resultó en un acuerdo para construir un reactor de investigación Osiris y otro más pequeño, ambos alimentados con uranio de calidad armamentística. Otros materiales esenciales para un doble uso se compraron a Italia, incluidas celdas calientes así como una instalación de separación y manejo capaz de extraer plutonio del uranio irradiado, con la que podían producirse ocho kilogramos al año.[61]

Pocos abrigaban dudas de que en tales esfuerzos había algo más de lo que se veía a simple vista y que la energía no era la única motivación. Los israelíes, en particular, seguían de cerca estos desarrollos con considerable preocupación, y sus servicios de espionaje, que recababan información detallada acerca de la militarización de sus vecinos, concentraron su atención en el reactor Tammuz, en al-Tuwaitha, cerca de Bagdad, una instalación más conocida como la planta Osirak. Entre tanto, Israel también había realizado una gran inversión en su propio programa de armas nucleares, así como en un sistema de misiles que modificaba un diseño francés y cuyas ojivas tenían un alcance de unos quinientos kilómetros.[62] Para la época de la guerra de Yom Kipur (1973), se creía que Israel poseía un arsenal de trece dispositivos nucleares.[63]

Occidente hizo la vista gorda según sus necesidades. En Irak, por ejemplo, los británicos concluyeron a comienzos de la década de 1970 que «aunque represivo y particularmente poco atractivo, el actual gobierno parece estar en control de la situación». Era un régimen estable y, por tanto, uno con el que Gran Bretaña podía hacer negocios.[64] De forma similar, las actividades de Pakistán (que a lo largo de la década de 1970 construyó instalaciones a gran profundidad para poder realizar pruebas en secreto y que, llegado el momento, lograría hacer una detonación exitosa) no fueron objeto de ninguna clase de control. Se excavaron cinco túneles horizontales en las entrañas de una montaña de la cordillera Ras Koh, en la provincia de Baluchistán, diseñados para soportar cada uno una detonación de veinte kilotones.[65] Como anotaron los científicos pakistaníes con tristeza, «el mundo occidental estaba convencido de que un país subdesarrollado como Pakistán nunca podría dominar esta tecnología» y, sin embargo, al mismo tiempo, los países occidentales realizaban «esfuerzos frenéticos y persistentes para vendernos todo [...] literalmente nos rogaban que les compráramos sus equipos».[66] Así las cosas, resulta fácil entender que los graves discursos acerca de la proliferación de armas nucleares pronunciados por países como Estados Unidos, Gran Bretaña y Francia, que se negaban a someterse a las inspecciones y reglas de la Organización Internacional para la Energía Atómica, molestaran a los que sí debían someterse a ellas y, por ende, tenían que realizar sus investigaciones en secreto; no obstante, desde un punto de vista objetivo, la verdadera hipocresía estuvo en el entusiasmo con que el mundo desarrollado corrió a aprovechar la ocasión de ganar dinero contante y sonante o tener acceso a fuentes de petróleo barato.

Hubo algunos intentos superficiales de reducir la propagación de material nuclear. En 1976, Kissinger propuso que Pakistán debía suspender su proyecto de reprocesamiento y, en lugar de ello, recurrir a las instalaciones que se estaban construyendo en Irán, con equipamiento estadounidense, como parte de un plan concebido por nadie más y nadie menos que Dick Cheney (la idea era que la planta iraní sirviera como un gran centro para atender las necesidades energéticas de la región). Cuando el presidente de Pakistán rechazó esa oferta, Estados Unidos amenazó con recortar el paquete de ayudas del país.[67]

Incluso Kissinger empezaba a reconsiderar la sensatez de permitir que gobiernos extranjeros tuvieran acceso a las tecnologías y diseños que cimentaban el poderío nuclear. «Francamente, empiezo a cansarme del trato con Irán [para la construcción de reactores nucleares]», dijo durante una reunión del Departamento de Estado en 1976, a pesar de que él mismo había desempeñado un papel central en la negociación del acuerdo. «Lo he respaldado, pero en cualquier región a la que mires, es un fraude [...] somos el único país que es lo bastante fanático y poco realista como para hacer cosas que son contrarias a nuestros intereses nacionales.»[68]

Este tipo de afirmaciones eran un indicio de la sensación creciente que existía en Washington de que Estados Unidos se encontraba acorralado y que las opciones a su disposición eran muy limitadas. Hubo quienes advirtieron eso con claridad a finales de la década de 1970, entre ellos miembros del Consejo Nacional de Seguridad, que más tarde declararían que, habiendo quemado las naves políticas en otras partes, «Estados Unidos no tenía ninguna alternativa estratégica visible a la de mantener una relación estrecha con Irán».[69] Aunque las críticas al régimen del sah y, en particular, a los métodos brutales del Savak fueron en aumento en la prensa occidental, el gobierno estadounidense continuó apoyándolo de forma explícita y consistente. La víspera de año nuevo de 1977 el presidente Carter voló a Teherán y fue el invitado de honor en un banquete con motivo del fin del año. «Irán», dijo el presidente en esa ocasión, «es una isla de estabilidad en una de las zonas más conflictivas del mundo». La razón de ello era el «gran liderazgo del sah». El éxito del país debía mucho a «su majestad y su liderazgo y el respeto y la admiración y el amor que el pueblo le profesa».[70]

Eso no era tanto un intento de pintar las cosas de color de rosa como una negación de la realidad, pues se avecinaba una tormenta y las señales estaban a la vista de todos. En Irán, el crecimiento demográfico, la urbanización veloz y el gasto excesivo de un régimen represor produjeron un cóctel tóxico. La corrupción endémica tampoco era de ninguna ayuda: por cada reactor, la familia real y quienes estaban cerca de la clase dirigente se embolsaron centenares de millones de dólares en concepto de «comisiones».[71] Para finales de la década de 1970, la situación en Teherán era insostenible, con las calles tomadas por una multitud cada vez más numerosa para protestar por la ausencia de justicia social y, también, el aumento del coste de la vida debido a la caída de los precios del petróleo en un momento en que la oferta global empezaba a superar a la demanda.

El descontento creciente jugaba a favor del ayatolá Jomeini, para entonces exiliado en París después de que le sacaran de Irak como parte del trato alcanzado con el sah en 1975. Jomeini, cuyo hijo mayor probablemente fue asesinado por el Savak en 1977, se hizo con el control de la situación ofreciendo una visión que, al mismo tiempo, era un diagnóstico de la enfermedad y una promesa de cura. Era un brillante comunicador, y como había hecho Mosadeq tres décadas antes, supo captar el estado anímico del país. En un movimiento que concitó el respaldo de los revolucionarios de izquierda, los islamistas intransigentes y casi todos los iraníes que se encontraban fuera del círculo dorado de privilegiados recompensados por el régimen, Jomeini declaró que había llegado la hora de que el sah se hiciera a un lado. Los beneficiarios de un buen liderazgo debían ser los iraníes y el islam, no la corona.

Para despejar el temor a que Irán fuera a convertirse en un estado confesional, Jomeini prometió que los clérigos, predicadores y fanáticos religiosos no gobernarían el país directamente, sino que se limitarían a ofrecer una orientación. El futuro, sostuvo, se cimentaría sobre cuatro principios básicos: el uso del derecho islámico, la erradicación de la corrupción, la derogación de las leyes injustas y el fin de la intervención extranjera en los asuntos internos. No era un manifiesto precisamente pegadizo, pero sí uno eficaz, que hablaba a grupos diversos y sintetizaba los problemas no solo de Irán, sino del mundo islámico en su conjunto. El argumento de que la riqueza del país se estaba desviando a las manos de unos pocos a costa de la mayoría de la población no solo era potente, sino irrebatible. Según la Organización Mundial de la Salud, en la década de 1970 más del 40 por ciento de la población del país sufría malnutrición; la desigualdad era enorme: los ricos eran cada vez más ricos y la situación de los pobres apenas mejoraba, si es que lo hacía.[72] Estaba en manos del pueblo iraní manifestarse, declaró Jomeini; llamar a los soldados a la causa, «aunque os disparen y os maten». Que decenas de miles mueran como hermanos, si es necesario, para demostrar «que la sangre es más poderosa que la espada».[73]

A medida que la situación se tornaba cada vez más tensa, el sah, en quien tantísimas esperanzas tenía puestas Estados Unidos, se presentó en el aeropuerto de Teherán, donde ofreció una breve declaración, «me siento agotado y necesito un descanso», antes de salir del país por última vez.[74] Si hubiera podido o no impedir lo que ocurrió a continuación es materia de especulaciones. Lo que sí está más claro es cómo reaccionaron algunos de los líderes europeos a la situación. En lo que el presidente Carter llamó «uno de los peores días de mi vida diplomática», el canciller Schmidt llegó a ponerse «grosero» durante las conversaciones acerca de Oriente Próximo y alegar que «la intromisión de Estados Unidos en [esta región] [...] había causado problemas con el petróleo en el mundo entero».[75]

Estados Unidos había seguido una política de negación absoluta y cuando se decidió a leer las runas era demasiado tarde. A comienzos de 1979, Washington envió a Teherán al general Robert Huyser, el comandante en jefe del Mando Europeo de Estados Unidos, para demostrar que su país apoyaba al sah y, en particular, recalcar a la cúpula militar que Estados Unidos continuaba respaldando al régimen. El general no tardó en darse cuenta de que las señales de que el régimen tenía los días contados eran patentes, y entendió que su propia vida podía estar peligro. Lo que vio fue suficiente para comprender que el sah estaba acabado y que Jomeini era imparable.[76]

La estrategia estadounidense estaba hecha añicos. Desde la segunda guerra mundial el país había invertido una cantidad enorme de tiempo, esfuerzo y recursos tanto en Irán como en los países vecinos. Se había cortejado y mimado a los líderes locales, y derrocado o reemplazado a los que se negaron a seguir el juego. Los métodos empleados para controlar las partes interconectadas de Asia habían fracasado de forma espectacular. Las naciones occidentales, por citar a sir Anthony Parsons, el embajador británico en Teherán en esa época, «miraban por el telescopio correcto [...] pero [estaban] concentradas en el objetivo equivocado».[77] Peor aún, la retórica antiestadounidense unía ahora a casi todos los países de la región. Siria e Irak dirigían la mirada a la URSS, la India estaba más cerca de Moscú que de Washington y Pakistán solo aceptaba el apoyo de Estados Unidos cuando le convenía. Irán era una pieza clave de ese rompecabezas y ahora todo indicaba que estaba también a punto de caer. Parecía el fin de una era, como anotó Jomeini en un discurso pronunciado a finales de 1979: «Todos los problemas de Oriente derivan de esos extranjeros llegados de Occidente y, en la actualidad, de Estados Unidos», dijo. «Hoy todos nuestros problemas se originan en Estados Unidos.»[78]

La caída del sah causó pánico en Washington e infundió esperanzas a Moscú. El derrumbamiento del régimen iraní parecía un punto de inflexión que ofrecía nuevas oportunidades. La lectura que Occidente había hecho de la situación era tan errada que resultaba casi cómica, y no solo en el caso de Irán, sino también en otros lugares, como Afganistán, donde en 1978 la embajada de Estados Unidos en Kabul informaba de que las relaciones eran excelentes.[79] De hecho, para la mirada optimista de los estadounidenses, la de Afganistán era prácticamente una historia triunfal, como antes lo había sido Irán: desde 1950 el número de escuelas se había multiplicado por diez, con muchos más estudiantes optando por disciplinas técnicas como la medicina, el derecho y las ciencias en general; la educación femenina también había prosperado y el número de niñas que accedían a la escuela primaria experimentó un aumento pronunciado. Circulaban rumores de que la CIA había reclutado al presidente Daud, en el poder desde el golpe de estado de 1973, y que las políticas progresistas introducidas durante su mandato eran en realidad ideas plantadas por los estadounidenses. Aunque se trataba de murmuraciones sin fundamento, el hecho de que tanto en Moscú como en Washington se ordenara investigarlas constituye una prueba de cuán intensa era la presión para que las dos superpotencias compitieran, y jugaran la versión más reciente del «gran juego» en Asia.[80]

Lo crucial ahora era conseguir calmar la situación después de un breve periodo de agitación. A todos los efectos, Estados Unidos estaba gravemente descolocado. La apuesta que había hecho por el sah e Irán parecía perdida; pero a lo largo de las antiguas «rutas de la seda» había otros dispuestos a escuchar ofertas. Con Irán inmerso en una revolución e Irak al parecer comprometido con el pretendiente soviético, Estados Unidos tenía que pensar con sumo cuidado cuál iba a ser su siguiente paso. Resultó desastroso.

## Capítulo 24

# LA RUTA DE LA CATÁSTROFE

La revolución iraní derrumbó todo el castillo de naipes que Estados Unidos había levantado en la región. Las señales de inestabilidad estaban a la vista desde hacía algún tiempo. La corrupción del régimen del sah, el estancamiento de la economía, la parálisis política y la brutalidad policial produjeron una combinación venenosa que jugó a favor de los críticos declarados de la corona, cuyas promesas de reforma cayeron en terreno fértil.

Quienes ya estaban preocupados por la forma en que evolucionaban las cosas en Irán se pusieron todavía más nerviosos debido a los indicios de que la URSS estaba intrigando para aprovecharse de la situación. Los soviéticos continuaron con sus actividades en Irán incluso después de que el KGB perdiera a su principal hombre en el país, el general Ahmad Mogarebi, al que Moscú consideraba «el mejor agente de Rusia» con conexiones en todos los sectores de la élite. En septiembre de 1977, Mogarebi fue arrestado por el Savak, que había empezado a sospechar de los encuentros que mantenía regularmente con sus contactos del KGB.[1] Esto espoleó a los soviéticos, que intensificaron su actividad en el país.

A comienzos de 1978 se consideró que el volumen inusualmente grande de transacciones en riales iraníes observado en los mercados de divisas suizos era consecuencia de la orden dada a los agentes soviéticos en Irán para que financiaran a sus simpatizantes; la perceptible alta calidad de *Navid*, el boletín distribuido por el izquierdista Partido Tudeh, convenció a algunos de que no solo se imprimía con ayuda soviética, sino en la misma embajada de la URSS en Teherán. La organización, fuera del país, de nuevos campos para el adiestramiento de disidentes iraníes (entre otros) en tácticas guerrilleras y doctrina marxista fue un siniestro presagio de que Moscú se estaba preparando para llenar cualquier posible vacío en caso de que cayera el sah.[2] Esto formaba parte de un programa más amplio para una región que parecía a punto de entrar en un periodo de cambio. Por tanto, se dio apoyo adicional al presidente sirio al-Asad, a pesar de que el KGB lo consideraba «un pequeño burgués chovinista y ególatra».[3]

Algunos de quienes seguían de cerca el desarrollo de los acontecimientos tenían la certeza de que la catástrofe estaba a la vuelta de la esquina. Para finales de 1978, William Sullivan, el embajador de Estados Unidos en Teherán, envió a Washington un cable titulado «Pensar lo impensable», en el que pedía que se implementaran de inmediato planes de contingencia. Esa solicitud, sin embargo, fue ignorada, como lo fue también su recomendación de que «intentemos estructurar un *modus vivendi* entre los [líderes] militares y religiosos» a la primera oportunidad. Lo que quería decir era que Estados Unidos debía intentar abrir canales de comunicación con Jomeini antes de que este se hiciera con el poder, no después.[4] En la Casa Blanca había voces sonoras que continuaban creyendo que Estados Unidos aún podía controlar la situación si mantenía el apoyo al sah y respaldaba la propuesta hecha a finales de enero de 1979 por el primer ministro, Shapur Bajtiar, de detener al ayatolá Jomeini si decidía volar a Irán.[5]

La futilidad y miopía de esta forma de pensar resultó evidente en cuestión de días. El 1 de febrero de 1979 el ayatolá Jomeini aterrizó en Teherán, catorce años después de haber sido obligado a marcharse al exilio. Una multitud enorme se congregó en el aeropuerto para darle la bienvenida y le acompañaron hasta el Cementerio de los Mártires, veinte kilómetros al sur de Teherán, donde le esperaban doscientos cincuenta mil seguidores. «Golpearé con mis puños las bocas de este gobierno», bramó desafiante. «A partir de ahora yo nombraré al gobierno.» Al informar acerca del discurso, la BBC calculó que unos cinco millones de personas habían salido a las calles de la capital para recibirle.[6]

Los acontecimientos se sucedieron con rapidez a medida que los partidarios de Jomeini tomaban el control del país. El 11 de febrero la embajada de Estados Unidos cerraba sus puertas, mientras el embajador Sullivan cablegrafiaba a Washington: «Ejército se rinde. Jomeini gana. Destruyendo todo material clasificado». Los funcionarios seguían destruyendo documentos confidenciales tres días después, cuando los militantes asaltaron el complejo de la embajada, si bien los lugartenientes de Jomeini restauraron pronto el orden.[7] El 16 de febrero, el embajador Sullivan se reunió con Mahdī Bāzargān, el recién nombrado primer ministro, y le dijo que Estados Unidos no tenía ningún interés en interferir en los asuntos internos de Irán.[8] Menos de una semana después, Estados Unidos reconoció formalmente el nuevo gobierno, que el 1 de abril declararía, tras un referendo nacional, que el país pasaba a llamarse República Islámica de Irán. Un segundo referendo celebrado a finales de ese mismo año aprobó la nueva constitución, en la que se afirmaba que a partir de entonces «todas las leyes y regulaciones civiles, penales, financieras, económicas, administrativas, culturales, militares, políticas y demás del país [debían] fundarse en criterios islámicos».[9]

Estados Unidos había apostado fuerte por Irán y el sah durante décadas. La apuesta, sin embargo, resultó fallida, y la superpotencia tuvo que pagar un alto precio. La onda sísmica de revolución iraní se percibió en todo el mundo e hizo que los precios del petróleo prácticamente se triplicaran. El efecto sobre las economías del mundo desarrollado, hambrientas de petróleo, fue desastroso, con la inflación aumentando de forma galopante y amenazando con salirse de control. A medida que el pánico se instalaba, surgió el temor de que la crisis se desbordara: para finales de junio, una alarmante cantidad de estaciones de servicio estadounidenses permanecían cerradas debido a la ausencia de suministro. El nivel de apoyo al presidente Carter cayó de forma inusitada al 28 por ciento, lo que le situaba cerca del nivel alcanzado por Nixon en el momento álgido del escándalo Watergate.[10] Con la campaña para la reelección a punto de ponerse en marcha, parecía que el cambio de régimen en Teherán iba a ser un factor significativo en la siguiente elección presidencial.

Con todo, el aumento del precio del petróleo no era lo único que amenazaba con hacer descarrilar las economías occidentales. A ello se sumó pronto la cancelación en masa de órdenes y la nacionalización inmediata de la industria. British Petroleum (BP), la heredera de la concesión original de Knox D'Arcy, se vio forzada a realizar una reorganización a gran escala (y vender acciones) después de que desaparecieran de un plumazo los yacimientos que suponían el 40 por ciento de su producción total. De un día para otro se descartaron también contratos para construir plantas siderúrgicas, modernizar terminales aeroportuarias y desarrollar puertos; y se anularon e hicieron trizas los contratos para la compra de armas. En 1979, Jomeini canceló compras a Estados Unidos por valor de nueve mil millones de dólares, lo que dejó a los fabricantes con un doloroso agujero en las cuentas y una cantidad considerable de existencias que ahora tenían que intentar vender en mercados probablemente menos interesados en militarizarse que el sah.[11]

Si el estado de la economía iraní ya había obligado a ralentizar el desarrollo del programa nuclear antes de la revolución, tras su triunfo se canceló por completo. Para compañías como Creusot-Loire, Westinghouse Electric Corporation y Kraftwerk Union (con sede en Francia, Estados Unidos y Alemania occidental, respectivamente), los costes de los negocios perdidos en la región ascendieron a trescientos treinta mil millones de dólares.[12] Algunos demostraron un estoicismo admirable ante la adversidad. «No debemos olvidar todo lo que sacamos del régimen del sah», escribió sir Anthony Parsons, el embajador británico en Teherán en el momento del regreso de Jomeini, un diplomático veterano en Oriente Próximo. «Las empresas y la industria británicas hicieron cantidades enormes de dinero en Irán.»[13] Aunque no lo decía explícitamente, estaba claro que los buenos tiempos habían llegado a su fin; era mejor celebrar lo conseguido en el pasado que lamentarse por lo que ya no se ganaría en el futuro.

Sin embargo, lo que estaba en juego para Estados Unidos iba mucho más allá de las consecuencias sobre la economía y la política internas. El hecho de que Jomeini y sus colegas religiosos no tuvieran tiempo para la política atea de la Unión Soviética, sumado a su escasa simpatía o afinidad por los grupos de izquierda iraníes, ofrecía sin duda cierto consuelo.[14] Pero aunque la caída del sah no hubiera permitido a la Unión Soviética ganar terreno en el país, estaba claro que Estados Unidos había sido empujado con firmeza a la defensiva: toda una serie de posiciones que antes eran seguras, eran ahora precarias o se habían perdido por completo.

Después de hacerse con el poder, Jomeini cerró de inmediato todas las instalaciones de los servicios de inteligencia estadounidenses en el país. Esas estaciones formaban un sistema de alerta temprana ante un posible ataque nuclear soviético y servían como puestos de vigilancia para monitorizar las pruebas de misiles en Asia Central, por lo que su cierre privó a Estados Unidos de unos recursos vitales para recabar información acerca de su rival en un momento en que esa información se consideraba de suma importancia tras las intensas conversaciones con la URSS para limitar el número de dispositivos para el lanzamiento de misiles balísticos estratégicos a los niveles existentes. Las estaciones cerradas desempeñaban una función clave en el proceso de verificación y, por tanto, la decisión de Jomeini ponía en riesgo toda una serie de acuerdos sobre armamento estratégico alcanzados tras años de negociaciones y, además, amenazaba con hacer descarrilar otras conversaciones en curso sobre cuestiones muy delicadas.

Recuperar la capacidad perdida de monitorizar las pruebas y el desarrollo de los misiles soviéticos llevaría a Estados Unidos por lo menos cinco años, dijo el director de la CIA, el almirante Stansfield Turner, al comité de inteligencia del Senado a comienzos de 1979.[15] Como consecuencia de los acontecimientos en Irán, había surgido una «auténtica brecha» en la recopilación de información de los servicios de inteligencia, señaló Robert Gates, el director de inteligencia nacional para la URSS de la CIA (y más tarde director de la agencia y, también, secretario de Defensa). Por tanto, se emprendieron esfuerzos «excepcionalmente sensibles» para forjar nuevas alianzas en otros países que permitieran llenar el vacío. Esos esfuerzos incluyeron conversaciones de alto nivel con las autoridades chinas para la construcción de instalaciones de reemplazo en China occidental, lo que condujo a una visita secreta a Beijing del almirante Turner y Gates en el invierno de 1980-1981 (la revelación de que tal viaje se había producido llegaría mucho años después, e incluso entonces sin ofrecer ningún detalle significativo).[16] La Oficina de Operaciones SIGINT (inteligencia de señales) construyó instalaciones en Qitai y Korla, en Xinjiang, para que fueran operadas por personal del Departamento Técnico del Estado Mayor del Ejército Popular de Liberación chino en estrecha colaboración con asesores y técnicos estadounidenses.[17] Esta cooperación entre Estados Unidos y las fuerzas armadas chinas fue una consecuencia adicional de la caída del sah.

Por otro lado, si bien la revolución iraní no ayudó a la URSS desde un punto de vista político, sí lo hizo desde un punto de vista militar. A pesar de los esfuerzos de la embajada de Estados Unidos en Teherán por destruir documentos importantes, la velocidad y la fuerza de la oleada de cambio que transformó el país causaron algunas pérdidas de información perjudiciales. El sah había comprado una flota de cazas supersónicos F-14 Tomcat, así como un sistema de misiles aire-aire Phoenix de última generación, misiles tierra-aire Hawk y diversas armas antitanque de alta tecnología; y gracias a la revolución los soviéticos consiguieron hacerse con imágenes detalladas de ese armamento y, en algunos casos, incluso con los manuales de instrucciones del material militar. Semejante pérdida no solo resultaba vergonzosa, sino que tenía implicaciones potencialmente graves para la seguridad nacional tanto de Estados Unidos como de sus aliados.[18]

La sensación de que el mundo conocido se estaba colapsando con rapidez se propagó por Washington, pues Irán no era el único lugar en el que las cosas de repente habían cambiado. Estados Unidos había mantenido una vigilancia atenta sobre la situación de Afganistán, cuya importancia estratégica había aumentado de forma considerable tras la revolución de Jomeini. En la primavera de 1979, por ejemplo, un equipo de la CIA llevó a cabo un estudio para valorar la posibilidad de reubicar en ese país las instalaciones de espionaje perdidas en Irán.[19] El problema era que las circunstancias de Afganistán también estaban cambiando de forma acelerada y parecía cada vez más probable que se reprodujeran allí los sucesos de Irán.

La agitación había empezado en 1973, cuando el rey Zahir Shah, conocido por su afición al ajedrez, fue derrocado por su sobrino Mohamed Daud, que se autoproclamó presidente. Cinco años después, Daud también fue depuesto. Su caída no fue una gran sorpresa, dada la brutalidad creciente de un régimen en el que de forma rutinaria se ejecutaba sin juicio a los prisioneros políticos, echados boca abajo en predios de la cárcel de Pul-i Charji, justo a las afuera de Kabul, un centro tristemente célebre por los abusos cometidos allí y el hacinamiento crónico en el que vivían los internos.[20]

Los comunistas de línea dura que ocuparon el lugar de Daud se revelaron igual de implacables y todavía más progresistas, animados por un programa ambicioso para modernizar el país. Había llegado el momento, declararon, de mejorar de forma drástica los niveles de alfabetización, de quebrar la estructura «feudal» del sistema rival, de acabar con la discriminación étnica y de dar derechos a las mujeres, incluidos la igualdad educativa, la seguridad laboral y el acceso a la asistencia sanitaria.[21] Los esfuerzos por introducir cambios integrales suscitaron una respuesta furiosa que fue especialmente intensa entre los clérigos musulmanes; al igual que ocurriría a comienzos del siglo XXI, los intentos de reforma solo sirvieron para aunar a tradicionalistas, terratenientes, líderes tribales y mulás, que hicieron causa común para proteger sus intereses.

La oposición pronto se hizo notar de forma ruidosa y violenta. El primer levantamiento tuvo lugar en marzo de 1979 en Herat, al oeste del país, donde quienes proclamaban la independencia nacional, el retorno a la tradición y el rechazo de la influencia foránea quisieron seguir el ejemplo de lo que estaba sucediendo al otro lado de la frontera, en Irán. Los manifestantes se volvieron contra todo y contra todos, incluidos los residentes soviéticos de la ciudad, que fueron masacrados por una turba enloquecida.[22] El malestar pronto se extendió a otras ciudades, incluida Jalalabad, donde las unidades militares afganas se negaron a oponer resistencia y, en lugar de ello, se volvieron contra sus asesores soviéticos y los mataron.[23]

La Unión Soviética respondió a esos acontecimientos con cautela: la conclusión del envejecido politburó fue que se debía proporcionar apoyo a las autoridades afganas, algunos de cuyos miembros tenían vínculos antiguos y personales con la URSS, y ayudarles a sofocar los disturbios, que para entonces habían llegado también a Kabul. Se adoptaron una serie de medidas para fortalecer el régimen, por lo demás conflictivo y de gatillo fácil, encabezado por el presidente Nur Muḥammad Taraki, quien gozaba de muy buena consideración en Moscú, donde algunos le tenían por el «Máximo Gorki de Afganistán» por sus escritos sobre «temas socialistas científicos» (un gran elogio, de hecho).[24] Los soviéticos enviaron al país generosos cargamentos de grano y otros alimentos y condonaron los intereses de préstamos que aún estaban pendientes de pago. Y para ayudar a nutrir las arcas del gobierno, se ofrecieron además a pagar por el gas afgano más del doble de lo que habían pagado durante el decenio anterior.[25] Aunque las solicitudes de armas químicas y gas venenoso fueron denegadas, Moscú sí accedió a proporcionar apoyo militar con el envío de ciento cuarenta piezas de artillería, cuarenta y ocho mil fusiles y casi mil lanzagranadas.[26]

De todo eso se tomó nota en Washington, donde se consideraron con suma inquietud las implicaciones del aumento «gradual pero inconfundible» de la implicación soviética en Afganistán. Si la URSS decidía ofrecer ayuda militar directa a Taraki y enviaba tropas, se señalaba en un informe de alto nivel, las consecuencias se percibirían no solo en Afganistán, sino a lo largo de la columna vertebral de Asia, en Irán, Pakistán y China, e incluso más lejos aún.[27] Cuán incierta era toda la situación fue algo que había puesto de manifiesto el asesinato de Adolph Dubs, el embajador de Estados Unidos en Kabul, en febrero de 1979. Apenas unos pocos días después del regreso de Jomeini a Teherán, el diplomático fue secuestrado a plena luz del día en las calles de la capital afgana cuando, a bordo de su vehículo blindado, se detuvo en lo que parecía ser un control policial. Dubs fue llevado al hotel Kabul (en la actualidad, el lujoso hotel Kabul Serena), donde permaneció retenido como rehén durante algunas horas antes de ser asesinado en el transcurso de la chapucera operación de rescate.[28]

Aunque no era seguro quién estaba detrás del secuestro del embajador o cuáles eran sus motivos, lo ocurrido bastó para hacer que Estados Unidos se implicara más directamente en lo que estaba pasando en Afganistán. De inmediato se decidió cortar la ayuda que se daba al país y ofrecer apoyo a los anticomunistas y otros grupos opuestos al nuevo gobierno.[29] Eso marcó el comienzo de un largo periodo durante el cual Estados Unidos buscó de forma activa y deliberada cooperar con los islamistas, que coincidían de manera natural con los estadounidenses en su resistencia al programa izquierdista de quienes estaban en el poder. El precio de ese pacto no se haría evidente hasta varias décadas después.

Tras este nuevo enfoque se escondía el temor de que Afganistán pudiera caer en manos de los soviéticos, que para la segunda mitad de 1979 parecían estar preparados para una intervención militar en el país. La cuestión de las intenciones de la URSS pasó a ser una de las principales prioridades de los informes de los servicios de inteligencia estadounidenses y se convirtió en protagonista de una avalancha de documentos de posición basados en los acontecimientos más recientes (lo que no implicaba que se tuviera una idea verdadera de lo que estaba ocurriendo).[30] Un informe presentado al Consejo Nacional de Seguridad con el título «¿Qué están haciendo los soviéticos en Afganistán?» proporcionaba una respuesta a la que es imposible reprochar su franqueza: «Sencillamente, no lo sabemos».[31] Aunque desentrañar los planes de Moscú era difícil, resultaba obvio que la caída del sah implicaba que Estados Unidos había perdido a su principal aliado en la región; y lo más preocupante era que parecía estar a punto de producirse un efecto dominó que empeoraría su posición todavía más.

A los soviéticos, por su parte, les preocupaba exactamente lo mismo. Lo ocurrido en Irán no les había reportado ningún beneficio y, de hecho, en Moscú se valoró como perjudicial para los intereses de la Unión Soviética, pues el ascenso de Jomeini al poder había reducido sus oportunidades en lugar de aumentarlas. Por tanto, el ejército diseñó planes de contingencia para un despliegue a gran escala en caso de que fuera necesario reforzar lo que el secretario general Leonid Brézhnev llamó «el gobierno de la nación amiga de Afganistán». Estados Unidos, que vigilaba los movimientos de tropas al norte de las fronteras tanto de Irán como de Afganistán, registró el envío de una unidad de las fuerzas especiales Spetsnaz a Kabul, así como el de un batallón de paracaidistas que, según concluyó la CIA, fueron desplegados para asegurar la base aérea de Bagram, el principal punto de entrada de los suministros soviéticos.[32]

En ese momento crítico, el futuro de Afganistán entró de repente en juego. En septiembre de 1979 una lucha de poder culminó con la destitución (y muerte) de Nur Muḥammad Taraki y el ascenso del primer ministro Jafizulá Amín, un hombre tan ambicioso como difícil de entender. En editoriales aparecidos en *Pravda*, el portavoz oficial del pensamiento del politburó, se le había declarado explícitamente un líder viable.[33] Sin embargo, tras tomar el poder, Moscú le denunció como un enemigo de la revolución, un hombre que buscaba manipular las rivalidades tribales para sus propios fines y «un espía del imperialismo estadounidense».[34] A los soviéticos les inquietaba además el rumor de que Amín había sido reclutado por la CIA, rumor que sus enemigos se habían esforzado por difundir también en Afganistán.[35] Las actas de las reuniones del politburó muestran que a la cúpula comunista en Moscú le preocupaba mucho la reorientación de Amín hacia Estados Unidos y la impaciencia de este último por contar con un gobierno amigo en Kabul al cual ofrecer su apoyo.[36]

La situación comenzó a preocupar más y más a los soviéticos. Las frecuentes reuniones de Amín con el jefe interino de la legación estadounidense en Afganistán antes del golpe de estado que lo llevó a la presidencia parecían indicar que Washington se estaba reposicionando tras el fracaso catastrófico de sus políticas en Irán. Y cuando, inmediatamente después de tomar el poder, Amín se tornó cada vez más agresivo en su trato con los soviéticos en Kabul y empezó a hacer propuestas a Estados Unidos, se decidió que era hora de actuar.[37]

El argumento era que si la Unión Soviética no se mostraba firme y respaldaba a sus aliados ahora, terminaría perdiendo no solo Afganistán, sino la región en su conjunto. El general Valentín Verénnikov recordaría más tarde que a la jefatura militar soviética le preocupaba la posibilidad de que «al verse obligado a salir de Irán, Estados Unidos reubicara sus bases en Pakistán y tomara Afganistán».[38] Los acontecimientos que se estaban produciendo en otros lugares también inquietaban a las autoridades soviéticas y contribuían a crear la impresión de que la URSS estaba siendo empujada a una posición defensiva. Ejemplo de ello es el hecho de que, a finales de la década de 1970, cuando el politburó discutió la forma en que Washington y Beijing habían mejorado sus relaciones, se señalara que también allí Moscú se estaba quedando atrás.[39]

Estados Unidos, le dijeron a Brézhnev destacados miembros del partido comunista en diciembre de 1979, estaba intentando crear «un nuevo gran imperio otomano» en toda Asia Central; esos temores se magnificaron debido a la ausencia de un sistema de defensa aérea completo a lo largo de la frontera meridional de la URSS. Eso significaba que Estados Unidos podía clavar un puñal en el corazón de la Unión Soviética.[40] Como anotó Brézhnev poco después en una entrevista publicada en *Pravda*, la inestabilidad de Afganistán representaba una «amenaza muy grande para la seguridad del estado soviético».[41] La sensación de que se tenía que hacer algo era palpable.

Dos días después de la reunión entre Brézhnev y la cúpula comunista, se dio la orden de diseñar un plan de invasión basado en un despliegue inicial de unos setenta y cinco mil u ochenta mil soldados. El jefe de Estado Mayor, el general Nikolai Ogarkov, un oficial práctico de la vieja escuela, reaccionó con furia. Ingeniero de formación, Ogarkov argumentó que semejante fuerza sería demasiado pequeña para controlar las rutas de comunicación con éxito y asegurar los puntos clave repartidos por todo el país.[42] Sin embargo, fue desautorizado por el ministro de Defensa, Dmitri Ustínov, un superviviente político consumado propenso a hacer declaraciones ostentosas acerca de la brillantez de las fuerzas armadas soviéticas, cuya habilidad para el combate, decía, les permitía conseguir «el logro de cualquier tarea encomendada por el Partido y el pueblo».[43]

Independientemente de que creyera de verdad o no en sus palabras, lo relevante era que él y otros veteranos de la segunda guerra mundial de su generación, hombres cuya comprensión del cambiante mundo que los rodeaba empezaba a desvanecerse de prisa, estaban convencidos de que Estados Unidos planeaba suplantar a la Unión Soviética. Según se cuenta, a finales de 1979 Ustínov llegó a preguntarse: «Si [los estadounidenses pueden] hacer todos esos preparativos delante de nuestras narices, ¿por qué deberíamos agacharnos, jugar a ser cautos y perder Afganistán?».[44] El 12 de diciembre, en una reunión del politburó, Ustínov y un puñado de eminencias canosas como Leonid Brézhnev, Andréi Gromyko, Yuri Andrópov y Konstantín Chernenko dieron el visto bueno a un despliegue de tropas a gran escala en Afganistán.[45] Tomar la decisión no había sido sencillo, se dijo citando a Brézhnev en *Pravda* unas pocas semanas después.[46]

Unos quince días después de la reunión, en la víspera de Navidad de 1979, las fuerzas soviéticas comenzaron a cruzar a raudales la frontera como parte de la operación Tormenta 333. En línea con lo que repetirían una y otra vez los diplomáticos y políticos soviéticos a lo largo de la siguiente década, Ustínov explicó a los oficiales del ejército al mando de las tropas que la operación no era una invasión, sino todo lo contrario: era un intento de devolver la estabilidad al país en un momento de gran agitación en la «situación política y militar de Oriente Próximo», emprendido tras la solicitud del gobierno en Kabul de que se «proporcionara ayuda al pueblo amigo de Afganistán».[47]

Desde el punto de vista de Washington, el momento no podía haber sido peor. Pese a todos los temores de los soviéticos acerca de la expansión estadounidense en Afganistán, la debilidad de Estados Unidos en toda la región empezaba a resultar dolorosamente clara en toda su extensión. Después de abandonar Teherán a comienzos de 1979, el sah había pasado de un país a otro en busca de un hogar permanente. En otoño de ese año, destacados miembros de la administración Carter instaron al presidente a permitir que quien había sido un amigo leal de Estados Unidos viajara al país para recibir tratamiento médico, pues el sah se estaba muriendo. Mientras esto se discutía, el nuevo ministro de Asuntos Exteriores de Jomeini dijo sin rodeos a los asesores del presidente que «están abriendo la caja de Pandora con eso».[48] Los archivos de la Casa Blanca demuestran que Carter era consciente de cuánto estaba en juego si permitía al sah entrar en Estados Unidos. «Chicos, ¿qué pensáis aconsejarme si [los iraníes] invaden la embajada y toman como rehenes a nuestra gente?», preguntó el presidente. Nadie le respondió.[49]

El 4 de noviembre, dos semanas después de que el sah hubiera ingresado en el centro médico Cornell de Nueva York, cientos de estudiantes iraníes partidarios de la revolución islámica superaron a las fuerzas de seguridad de la embajada de Estados Unidos en Teherán y se hicieron con el control del complejo. Aunque parecía que el objetivo inicial era realizar una protesta breve y contundente por la decisión de permitir la entrada del sah en Estados Unidos, la toma escaló con rapidez.[50] El 5 de noviembre, el ayatolá Jomeini se refirió a la situación de la embajada sin medir las palabras ni, mucho menos, llamar a la calma. Las embajadas de Teherán, declaró, eran el semillero de las «conjuras clandestinas [que] se están tramando» para echar abajo la República Islámica de Irán. El cabecilla de esas conspiraciones, prosiguió, era «el gran Satán: Estados Unidos». Dicho eso, exigió al gobierno estadounidense que entregara al sah, «el traidor», con el fin de llevarlo ante la justicia.[51]

Los esfuerzos iniciales de Estados Unidos por apaciguar la situación fueron de lo inepto a lo caótico. Al encargado de llevar una solicitud personal del presidente a Jomeini se le negó terminantemente una audiencia con el ayatolá y no pudo entregar la carta; luego se descubrió que se había autorizado que otro enviado entablara conversaciones con la Organización para la Liberación de Palestina (OLP), cuyos miembros habían estado detrás de ataques terroristas como la masacre de los deportistas israelíes en los juegos olímpicos de Múnich y cuyo principal objetivo era la creación de un estado palestino a expensas de Israel. Si la revelación de que Estados Unidos estaba intentando usar a la OLP como canal para llegar a los iraníes fue una vergüenza, una todavía mayor fue la noticia de que los mismos iraníes se negaban a permitir que la OLP mediara en la crisis.[52]

El presidente Carter resolvió entonces adoptar medidas más decididas que no solo desbloquearan la situación de los rehenes, sino que sirvieran además como una declaración de intenciones y dejaran claro que, aunque el sah hubiera sido derrocado, Estados Unidos era una potencia digna de respeto en el centro de Asia. El 12 de noviembre de 1979, en un intento de presionar económicamente al régimen de Jomeini, Carter anunció un embargo sobre el petróleo iraní. «Nadie», declaró al anunciar la prohibición de las importaciones, «debe subestimar la determinación del gobierno de Estados Unidos y el pueblo estadounidense».[53] Dos días más tarde, el presidente fue aún más lejos al promulgar una orden ejecutiva para la congelación de activos iraníes por valor de doce mil millones de dólares. Estas medidas, enérgicas y firmes, funcionaron bien a nivel interno y Carter se benefició de lo que en su momento se describió como el mayor aumento de la popularidad de un presidente desde la invención de las encuestas Gallup.[54]

El rumor de sables, sin embargo, surtió escaso efecto. Teherán desestimó el embargo de petróleo como irrelevante. «El mundo necesita petróleo», dijo el ayatolá Jomeini en un discurso pronunciado una semana después del anuncio de Carter. «El mundo no necesita a Estados Unidos. Otros países acudirán a nosotros, que tenemos petróleo, y no a ustedes.»[55] El embargo, en cualquier caso, no era fácil de implementar desde el punto de vista logístico, pues el petróleo iraní a menudo pasaba a terceros a través de los cuales podía seguir llegando a Estados Unidos. Además, el hecho de que el boicot supusiera una presión sobre la oferta y, por ende, amenazara con hacer aumentar todavía más los precios del petróleo jugaba a favor del régimen iraní, pues elevaba sus beneficios.[56]

La confiscación de bienes espantó a muchos en el mundo árabe, a los que inquietó sobremanera el precedente creado por esta acción estadounidense. El callejón sin salida exacerbó las discrepancias políticas con países como Arabia Saudí, que no estaba de acuerdo con la política de Washington en Oriente Próximo y, en particular, en lo concerniente a Israel.[57] Como concluía un informe de la CIA preparado unas pocas semanas después de la introducción del embargo, «es poco probable que la actual presión económica tenga algún efecto positivo; [de hecho] es posible que el impacto sea negativo».[58]

Además, muchos países occidentales no querían verse arrastrados a una escalada de la crisis con Teherán. «Pronto resultó evidente», escribió Carter, «que incluso nuestros aliados más cercanos en Europa no iban a exponerse a un potencial boicot petrolero o a hacer peligrar sus acuerdos diplomáticos en nombre de los rehenes estadounidenses». La única forma de aunar las mentes era hacer «la amenaza directa de acciones adicionales por parte de Estados Unidos».[59] Por tanto, Carter envió al secretario de Defensa, Cyrus Vance, a una gira por Europa occidental con el mensaje de que si no se imponían sanciones a Irán, Estados Unidos estaba dispuesto a actuar de forma unilateral e, incluso, minar el golfo Pérsico si era necesario.[60] Eso, como era obvio, tendría un gran impacto en los precios del petróleo y, por tanto, en las economías del mundo desarrollado. Para poner más presión sobre Irán, Washington tuvo que amenazar a sus propios aliados.

Fue con este telón de fondo de medidas desesperadas, contraproducentes y poco meditadas para forzar una solución en Irán cuando Estados Unidos recibió la noticia de que las tropas soviéticas estaban marchando hacia el sur y entrando en Afganistán. La invasión tomó por sorpresa a los estrategas políticos estadounidenses. Cuatro días antes, el presidente Carter y sus consejeros habían estado considerando planes para tomar las islas de la costa iraní y la posibilidad de emprender acciones militares y secretas para derrocar a Jomeini. Una situación amenazadora había pasado a ser crítica.[61]

Enfrentado ya a una toma de rehenes desastrosa, Estados Unidos se veía forzado ahora a contemplar una ampliación considerable del poderío soviético en la región. Además, los puntos de vista de Washington eran una versión especular de los de Moscú, a saber, que un paso adelante en Afganistán era probablemente el preludio de posteriores expansiones de una superpotencia a expensas de la otra. Era muy posible que la mira de los soviéticos quizá se posara luego sobre Irán, donde grupos de agitadores seguramente atizarían los problemas, como indicaba un informe de los servicios de inteligencia a comienzos de 1980. El presidente, por tanto, debía empezar a considerar las circunstancias en las cuales «estaríamos preparados para poner fuerzas estadounidenses en Irán».[62]

Carter subió el tono de la retórica en el discurso sobre el estado de la Unión del 23 de enero de 1980. La invasión soviética de Afganistán implicaba que una región de «gran importancia estratégica» estaba ahora amenazada, dijo; el paso dado por Moscú había eliminado una zona de separación y llevado a la URSS a mínima distancia no solo de un área que «contiene más de dos terceras partes del petróleo exportable del mundo», sino también del estrecho de Ormuz, un punto crucial «a través del cual tiene que pasar la mayor parte del petróleo del mundo». En tales circunstancias el presidente estadounidense pronunció una amenaza redactada con sumo cuidado: «Dejemos absolutamente clara nuestra posición», dijo; «cualquier intento por parte de una fuerza extranjera de hacerse con el control de la región del golfo Pérsico se considerará un ataque contra intereses vitales de los Estados Unidos de América y, en cuanto tal, se repelerá mediante todos los medios que sean necesarios, incluida la fuerza militar». Esta declaración, sin duda desafiante, resumía a la perfección las actitudes hacia el petróleo de Oriente Próximo y la posición construida en un principio por Gran Bretaña y luego heredada por Estados Unidos: cualquier intento de cambiar el *statu quo* se encontraría con una respuesta feroz. Se trataba de una política imperial en todo sentido, salvo por el nombre.[63]

Las rimbombantes palabras de Carter, sin embargo, contrastaban con la realidad de lo que estaba ocurriendo sobre el terreno. Las conversaciones con los iraníes acerca de la liberación de los rehenes habían continuado en segundo plano, pero estaban deviniendo cada vez más absurdas. El problema no era solo que el enviado presidencial que asistía a los diálogos con los representantes de Teherán tenía que presentarse en algunas de las reuniones llevando peluca, bigote postizo y gafas falsas, sino que, mientras estas conversaciones tenían lugar, el ayatolá Jomeini continuaba dando discursos acerca de unos «Estados Unidos devoradores del mundo» y la lección que había que enseñar al «gran Satán».[64]

Finalmente, en abril de 1980, el presidente Carter resolvió acabar con el asunto de una vez por todas y autorizó la operación Garra de Águila, una misión secreta para rescatar a los rehenes en Teherán. El resultado fue un fiasco total, digno de hacer sonrojar a niños de colegio. Ocho helicópteros despegarían del portaviones nuclear USS *Nimitz* para, en teoría, encontrarse con un equipo de tierra en un lugar cerca de Tabas, en el centro de Irán; el coronel Charlie Beckwith, al mando de una nueva unidad de tropas de élite bautizada como Fuerza Delta, sería el encargado de dirigir el rescate. La operación pronto se reveló un fracaso: un helicóptero tuvo que regresar debido a las condiciones atmosféricas; otro tuvo un problema con el rotor y fue necesario abandonarlo intacto; y a otro más se le detectó un fallo en el sistema hidráulico. Beckwith concluyó que la misión ya no era viable y solicitó, y obtuvo, la autorización del presidente para abortarla. Cuando los helicópteros volaban de regreso al *Nimitz*, uno se acercó demasiado a uno de los aviones cisterna C-130 y causó una explosión que derribó a ambas aeronaves y en la que murieron ocho soldados estadounidenses.[65]

Desde el punto de vista propagandístico, fue un desastre. Jomeini, como era de esperar, presentó lo ocurrido como un caso de intervención divina.[66] Otros se ocuparon con desconcierto de la ineptitud de la misión fallida. El hecho de que Estados Unidos no fuera capaz de conseguir la liberación de los rehenes por medio de la negociación o de la fuerza decía muchísimo sobre la forma en que el mundo estaba cambiando. Incluso antes del fracaso de la misión de rescate, algunos de los consejeros del presidente habían planteado la necesidad de actuar de manera decisiva para no parecer impotentes. «Tenemos que hacer algo», dijo Zbigniew Brzezinski, el asesor de seguridad nacional del presidente, «para demostrar a los egipcios, los saudíes y otros en la península arábiga que Estados Unidos está preparado para hacer valer su poder». Y eso significaba establecer «una presencia militar visible en la zona ya».[67]

Con todo, en su intento de hallar una respuesta a los acontecimientos que permitiera proteger sus intereses y su reputación, Estados Unidos no estaba solo. El 22 de septiembre Irak inició un ataque por sorpresa contra Irán bombardeando los aeródromos del país y lanzando una triple invasión por tierra que tenía como objetivos la provincia de Juzestán y las ciudades de Ābādān y Jorramchar. En la mente de los iraníes no había duda sobre quién estaba detrás de esos ataques. «Las manos de Estados Unidos», bramó Jomeini, habían «salido de la manga de Sadam».[68] El ataque, clamó el presidente Banisadr, era el resultado de un plan maestro estadounidense-iraquí-israelí cuyos objetivos eran, según la ocasión, derrocar al gobierno islámico, devolver el trono al sah o forzar la desintegración de Irán en cinco repúblicas diferentes. Fuera como fuere, sostuvo, Washington era quien había dado a los iraquíes el plan que sustentaba la invasión.[69]

Aunque la idea de que Estados Unidos estuvo detrás del ataque ha sido defendida por algunos analistas y repetida por muchos más, existen pocas pruebas concretas que demuestren que eso fuera así. Por el contrario, las fuentes (que incluyen los millones de páginas de documentos, grabaciones de audio y transcripciones recuperadas del palacio presidencial de Bagdad en 2003) apuntan con firmeza a que Sadam actuó solo y eligió el momento que consideró oportuno para golpear a un vecino inestable con el que tenía una cuenta que saldar después de haber quedado en el lado equivocado de los acuerdos territoriales alcanzados cinco años antes.[70] Esos documentos evidencian que la recopilación de información por parte del espionaje iraquí aumentó de forma agresiva en los meses previos al ataque, cuando la idea de una invasión sorpresa comenzó a tomar forma en Bagdad.[71]

Sadam también actuó motivado por una buena dosis de inseguridad y una fuerte megalomanía. Estaba obsesionado con Israel debido a la impotencia de los árabes para derrotar a un país que era «una extensión de los Estados Unidos de América y los ingleses», al mismo tiempo que se quejaba de que cualquier acción hostil que los árabes llevaran a cabo contra Israel tendría como consecuencia la decisión de Occidente de tomar represalias contra Irak. Si atacamos a Israel, advirtió a sus oficiales de mayor rango, los estadounidenses «nos lanzarán la bomba atómica». El «primer blanco» de la acción occidental, señaló, «será Bagdad, no Damasco o Amán».[72] De algún modo, en la mente de Sadam resultaba lógico que si atacar a Israel significaba para Irak la posibilidad de ser aniquilado, entonces debía darse prioridad al ataque contra Irán.

Es posible rastrear el emparejamiento de Israel e Irán en la retórica grandilocuente que empleaban tanto Sadam como figuras destacadas de la clase dirigente iraquí, en la que eran frecuentes las alusiones a la asunción, por parte de Irak, del liderazgo del mundo árabe. El ataque contra Irán de 1980 se presentó como un ejemplo de reclamación de tierras, en este caso los territorios que le habían sido «arrancados» en el acuerdo de 1975. Eso, dijo Sadam a su cúpula militar, movería a la acción a «todos los pueblos» desposeídos de sus tierras, que también se levantarían para reclamar lo que por derecho les pertenecía (un mensaje dirigido sobre todo a los palestinos).[73] Sadam se convenció a sí mismo de que invadir Irán contribuiría a la causa de los pueblos árabes en otras partes. Empujado por semejante lógica perversa, no es de extrañar que el primer ministro israelí, Menájem Beguín, acostumbrara a describir a Irak como «el más irresponsable de todos los regímenes árabes, con la posible excepción de Gadafi en Libia».[74]

A Sadam también le había irritado la revolución iraní; el derrocamiento del sah y el ascenso del ayatolá Jomeini, gruñó, era «por completo una decisión estadounidense». La agitación del país, declaró, era el comienzo de un plan maestro que pretendía usar a los clérigos musulmanes «para asustar a la gente del Golfo de modo que [los estadounidenses] puedan tener una presencia en la región y arreglen la situación» según les convenga.[75] Semejante paranoia se mezclaba con momentos de auténtica lucidez:

el líder iraquí, por ejemplo, supo comprender en el acto la relevancia del paso dado por los soviéticos en Afganistán y las implicaciones que ello tenía para Irak. ¿Haría la URSS lo mismo en el futuro para abrirse camino en Bagdad?, preguntó; ¿se establecería también un gobierno títere en Irak con la excusa de estar proporcionando ayuda al país? «¿Es así», preguntó a Moscú, cómo trataréis a vuestros otros «amigos en el futuro?».[76]

Sus recelos siguieron aumentando a medida que la Unión Soviética buscaba capitalizar el sentimiento antiestadounidense en Irán y comenzaba a cortejar a Jomeini y quienes le rodeaban.[77] Sadam se dio cuenta de que eso también era potencialmente perjudicial para los intereses de su país, pues era posible que Moscú decidiera prescindir de Irak en favor de su vecino. «La penetración soviética en la región [...] ha de ser controlada», le dijo a unos diplomáticos jordanos en 1980.[78] Sintiéndose cada vez más aislado, el líder iraquí estaba preparado para dar la espalda a los soviéticos, que le habían apoyado con firmeza durante su ascenso al poder en la década de 1970. Esa desilusión con sus antiguos patrocinadores fue una de las razones por las que no se habló a los soviéticos de los planes contra Irán hasta el día antes de lanzar el ataque, lo que tuvo como resultado una respuesta gélida por parte de Moscú.[79] Para entonces, según los informes de la inteligencia iraquí, el hecho de que Irán estuviera inmerso en una «crisis económica asfixiante» y no se encontrara en condiciones óptimas para «defenderse a gran escala» representaba una oportunidad demasiado buena para dejarla pasar.[80]

La caída del sah había puesto en marcha una serie de acontecimientos extraordinaria. Para finales de 1980, todo el centro de Asia se encontraba inmerso en un cambio constante. Los futuros de Irán, Irak y Afganistán estaban en la cuerda floja, y el resultado dependía tanto de las elecciones de sus líderes como de la intervención de fuerzas exteriores. Adivinar en qué sentido evolucionaría la situación de cada uno de esos países, por no hablar de la región en su conjunto, bordeaba lo imposible. La respuesta de Estados Unidos fue intentar apañárselas jugando con todos los bandos. Los resultados fueron desastrosos: si bien era cierto que las semillas del sentimiento antiestadounidense estaban plantadas desde muchos años atrás, no era en absoluto inevitable que estas crecieran hasta convertirse en odio puro. Sin embargo, las decisiones políticas adoptadas en las dos últimas décadas del siglo XX servirían para envenenar las actitudes a lo largo y ancho de la región que se extiende entre el Mediterráneo y la cordillera del Himalaya.

No cabe duda de que Estados Unidos tenía una mano terrible a comienzos de la década de 1980: ninguna carta era precisamente buena. Para empezar, los estrategas estadounidenses vieron la invasión iraquí como una bendición; la agresión de Sadam Husein era la oportunidad que buscaban para entablar conversaciones con Teherán. Según un veterano asesor que participó en las reuniones de crisis durante este periodo, Brzezinski, el consejero de seguridad nacional del presidente Carter, «no ocultaba el hecho de que el ataque iraquí era un acontecimiento potencialmente positivo, pues aumentaría la presión para que Irán liberara a los rehenes».[81] La presión sobre el régimen de Jomeini efectivamente se amplió al conocerse que, para poder responder al ataque, necesitaba de forma desesperada recambios para el material militar que Irán había comprado antes a Estados Unidos. Por lo tanto, se dijo a las autoridades iraníes que Washington quizá estaría dispuesto a proporcionar el material en cuestión (cuyo valor ascendía a cientos de millones de dólares) si se liberaba a los rehenes. Teherán sencillamente ignoró el acercamiento, que contaba con la aprobación personal del presidente estadounidense.[82] Irán iba un paso por delante (y no era la primera vez): sus agentes demostraron ser muy ingeniosos y compraron los recambios que tanto necesitaban en otras partes, incluido Vietnam, que tenía grandes cantidades de equipos estadounidenses capturados durante la guerra.[83]

Irán también recibió grandes volúmenes de suministros de Israel, cuya perspectiva era que Sadam Husein debía ser detenido a toda costa. La disposición de iraníes e israelíes a hacer negocios unos con otros resultaba en muchos sentidos sorprendente, en especial dada la forma despectiva en que Jomeini en particular hablaba con regularidad de los judíos e Israel. «El islam y el pueblo islámico tienen su primer saboteador en el pueblo judío que es la fuente de todos los libelos e intrigas antiislámicas», había escrito el ayatolá en 1970.[84] Contra toda probabilidad, Irán e Israel habían terminado asociándose gracias a la intervención de Sadam Husein en el Golfo.

Esta fue una de las razones por las que a comienzos de la década de 1980 Jomeini suavizó su retórica hacia las minorías y respeto a otras religiones; en esos años el ayatolá describía el judaísmo como «una religión honorable que había surgido de entre la gente corriente» (el judaísmo, no obstante, debía distinguirse del sionismo, que, al menos desde su punto de vista, era un movimiento político y explotador que en esencia era contario a la religión). Este cambio de postura hacia otros credos fue tan amplio que la República Islámica de Irán incluso produjo sellos postales con una silueta de Jesucristo y un verso del Corán escrito en armenio.[85]

Israel e Irán no cooperaron solo en cuestiones de comercio de armas, sino también en operaciones militares. Un objetivo específico que interesaba a ambos era el reactor nuclear Osirak. Según un oficial de los servicios de inteligencia, representantes iraníes e israelíes habían hablado de una misión para atacar las instalaciones durante unas conversaciones secretas en París incluso antes de que Sadam lanzara la invasión de Irán.[86] Poco más de una semana después del comienzo de las hostilidades, el reactor fue objeto de una osada incursión llevada a cabo por cuatro cazas supersónicos F-4 Phantom iraníes que atacaron el laboratorio de investigación y el edificio de control. Ocho meses más tarde, en junio de 1981, los pilotos israelíes lo hicieron todavía mejor y causaron graves daños en el reactor en un momento en el que se temía que estaba a punto de alcanzar el estado crítico.[87]

Los iraquíes habían previsto que la invasión de Irán se traduciría en una dulce victoria en poco tiempo. Y en un comienzo, incluso a pesar del ataque contra Osirak, la situación parecía de verdad prometedora desde el punto de vista de Bagdad. No obstante, a medida que fue pasando el tiempo, la balanza empezó a inclinarse a favor de Irán. La Unión Soviética castigó a Sadam por haber procedido de forma unilateral suspendiendo el envío de armamento al país, lo que dejó al líder iraquí frustrado y con apenas opciones. En un franco reconocimiento de que la guerra no iba tan bien como se esperaba, el presidente reunía a sus confidentes para quejarse y exponer las inverosímiles conspiraciones internacionales que, según él, explicaban los reveses sufridos. Lo esencial, sin embargo, era que los iraquíes se veían cada vez más superados en potencia de fuego y en combate. En una ocasión, a mediados de 1981, Sadam preguntó a sus generales casi con tristeza: «Intentemos comprar armas en el mercado negro. ¿Podemos hacerlo de la misma forma en que lo hace Irán?».[88]

Irán, de hecho, estaba demostrando tener recursos, había resurgido y empezaba a ser cada vez más ambicioso. Para el verano de 1982, los soldados iraníes no solo habían conseguido expulsar a los iraquíes de los territorios que habían capturado inicialmente, sino que también habían penetrado al otro lado de la frontera. Un informe especial de los servicios de inteligencia preparado para la Agencia de Seguridad Nacional estadounidense en junio de ese año describía un cuadro inequívoco: «Irak básicamente ha perdido la guerra con Irán [...] Es muy poco lo que los iraquíes pueden hacer solos, o en combinación con otras fuerzas árabes, para invertir la situación militar».[89] Con el viento a favor, los iraníes buscaban ahora difundir la idea de la revolución islámica a otros países. Así, por ejemplo, se dio apoyo financiero y logístico a fuerzas chiíes radicales en el Líbano y a la organización Hezbolá (Partido de Dios), al tiempo que se intentó fomentar disturbios en La Meca y patrocinar un golpe de estado en Baréin. En julio de 1982, un artículo de periódico citaba al secretario de Defensa estadounidense, Caspar Weinberger, diciendo: «Creo que es incuestionable que los iraníes suponen una amenaza considerable para los países de Oriente Próximo; son un país dirigido por un grupo de dementes».[90]

Irónicamente, por tanto, las dificultades crecientes que afrontaba el Irak de Sadam Husein fueron un regalo del cielo para Estados Unidos. Aunque gracias a un acuerdo cerrado entre bambalinas los rehenes de la embajada en Teherán fueron liberados en enero de 1981, después de haber estado retenidos durante más de un año, el fin del callejón sin salida no supuso una mejoría en las relaciones entre Estados Unidos e Irán. Y, entre tanto, los soviéticos continuaban cortejando a Jomeini, como advirtió con alarma la CIA. El momento parecía ser de la Unión Soviética, en especial dado el aparente éxito alcanzado en Afganistán, donde los soldados habían ocupado las ciudades y asegurado el control de las principales vías de comunicación y parecían, al menos desde el exterior, estar al mando de la situación. La presión diplomática sobre la Unión Soviética, que incluyó el boicoteo de los juegos olímpicos de Moscú en 1980, no consiguió ninguna clase de resultados tangibles. Desde el punto de vista de Washington, había pocas razones para ser optimistas... hasta que a algunos de los responsables de diseñar la política exterior se les ocurrió que existía algo obvio que podían hacer: respaldar a Sadam.

Como anotaría más tarde el secretario de Estado George Shultz, si Irak continuaba retrocediendo era posible que el país se colapsara con facilidad, lo que habría sido «un desastre estratégico para Estados Unidos».[91] Además de convulsionar el golfo Pérsico y la totalidad de Oriente Próximo, la caída de Irak fortalecería la posición de Irán en los mercados de petróleo internacionales. Y así, de forma lenta pero segura, emergió una nueva política: Estados Unidos apostaría con fuerza por Irak, la casilla del tablero en la que las posibilidades de Washington de influir en lo que ocurría en el centro de Asia eran mayores. Ayudar a Sadam era una forma de seguir involucrado en la región y, al mismo tiempo, un modo de contrarrestar el avance tanto de Irán como de la Unión Soviética.

El apoyo al régimen iraquí adoptó varias formas. Después de quitar al país de la lista de estados que patrocinaban el terrorismo, Estados Unidos tomó medidas encaminadas a apuntalar la economía; así, se crearon líneas de crédito para ayudar al sector agrario y se permitió a Sadam comprar, en primera instancia, equipos no militares y, luego, tecnología de «doble uso», como camiones pesados que podían usarse para transportar material militar al frente. Se animó a los gobiernos de Europa occidental a vender armas a Bagdad, y la diplomacia estadounidense se dedicó de lleno a convencer a otras potencias regionales, como Kuwait y Arabia Saudí, de que ayudaran a financiar el gasto militar de Irak. Se empezó a pasar a Bagdad la información obtenida por los agentes de los servicios de inteligencia estadounidenses, con frecuencia a través del rey Husein de Jordania, un intermediario fiable.[92] Bajo la presidencia de Reagan el gobierno estadounidense también contribuyó a aumentar las exportaciones de petróleo de Irak, y en consecuencia los ingresos del país, fomentando y facilitando la ampliación de los oleoductos a Arabia Saudí y Jordania con el fin de contrarrestar los problemas que la guerra con Irán causaba al transporte a través del golfo Pérsico. La intención era «corregir el desequilibrio exportador entre Irán e Irak» o, en otras palabras, nivelar el terreno y conseguir que los dos países estuvieran en igualdad de condiciones.[93]

Además, desde finales de 1983 se tomaron medidas para reducir la venta de armas y recambios a Irán en un intento de detener el avance en el campo de batalla, una iniciativa que recibió el nombre de operación Staunch («restañar»). Los diplomáticos estadounidenses recibieron instrucciones de solicitar a las naciones anfitrionas que consideraran «suspender cualquier tráfico de equipos militares, sea cual sea su origen, que pueda existir entre su país e Irán» hasta que se hubiera alcanzado un alto el fuego en el Golfo. Los diplomáticos debían hacer hincapié en que la contienda suponía una «amenaza para todos nuestros intereses»; era imperativo, declaraba la orden, «disminuir la capacidad de Irán para prolongar la guerra».[94]

Esta medida también estaba encaminada a ganar la confianza de los iraquíes y, en particular, de Sadam, que a pesar de todos los pasos dados por el gobierno estadounidense seguía recelando profundamente de sus motivos.[95] Por tanto, a finales de 1983, cuando el presidente Reagan envió a Bagdad a su embajador itinerante, Donald Rumsfeld, uno de los objetivos explícitos del viaje era «iniciar un diálogo y establecer una buena relación personal» con Sadam Husein. Como recogen los apuntes entregados a Rumsfeld, tenía que asegurar al líder iraquí que Estados Unidos «interpretará cualquier revés importante sufrido por Irak como una derrota estratégica para Occidente».[96] Tanto los estadounidenses como los iraquíes consideraron que la misión de Rumsfeld había sido todo un éxito. E incluso los saudíes, que estaban igualmente preocupados por la intención de Jomeini de exportar el chiísmo a todo Oriente Próximo, opinaron que se trataba de una «noticia muy positiva».[97]

Tan importante fue el alineamiento con Irak que Washington estuvo dispuesto a minimizar el uso de armas químicas por parte de Sadam, lo que, según declaraba un informe, era algo que ocurría «casi cotidianamente».[98] Debía hacerse un esfuerzo por disuadir a los iraquíes, pero en privado, para así «evitar dar una sorpresa desagradable a Irak a través de nuestras posiciones públicas».[99] Al respecto se señaló también que criticar el uso de armas químicas (estrictamente prohibidas en el Protocolo de Ginebra de 1925) sería poner en bandeja una victoria propagandística a Irán y no serviría de nada para calmar las tensiones. Estados Unidos optó por buscar el modo de impedir el envío de los productos químicos empleados en la fabricación de gas mostaza, y presionó con insistencia a los iraquíes para que no utilizaran agentes químicos en el campo de batalla, sobre todo después de que Irán llevara la cuestión a las Naciones Unidas en octubre de 1983.[100]

Sin embargo, más allá de la declaración anodina de que Estados Unidos se oponía de forma decidida al uso de armas químicas, los estadounidenses siguieron negándose a criticar públicamente a Irak incluso después de que resultara evidente que se había usado gas venenoso contra las tropas iraníes en el curso de la operación Badr en 1985.[101] En cualquier caso, era demasiado comprometedor que la capacidad de producción de armas químicas de Irak derivara sobre todo de «empresas occidentales, incluida posiblemente la filial extranjera de una compañía de Estados Unidos», como anotó un veterano oficial estadounidense. No era necesario esforzarse mucho para darse cuenta de que eso planteaba preguntas muy incómodas acerca de la complicidad en la adquisición y uso de armas químicas por parte de Sadam.[102]

Con el tiempo, el problema de las armas químicas desapareció incluso de los comentarios públicos discretos y las suplicas transmitidas en privado a los funcionarios iraquíes. A mediados de la década de 1980, cuando las investigaciones de las Naciones Unidas concluyeron que Irak estaba usando armas químicas incluso contra su propia población civil, la respuesta de Estados Unidos fue el silencio. La condena de las acciones brutales y sostenidas de Sadam contra la población kurda de Irak brilló por su ausencia. Los informes militares estadounidenses se limitaban a mencionar que se estaban empleando «agentes químicos» de forma amplia contra blancos civiles. Irak era más importante para Estados Unidos que los principios del derecho internacional, y más importante que las víctimas.[103]

De forma similar, poco fue lo que se dijo o hizo para limitar el programa nuclear de Pakistán, un país cuyo valor estratégico se disparó tras la invasión soviética de Afganistán. Por todo el mundo, los derechos humanos se convirtieron en una consideración muy secundaria cuando se trataba de promover los intereses estadounidenses. Las lecciones del Irán prerrevolucionario estaban lejos de haber sido aprendidas: el objetivo de Estados Unidos ciertamente no era respaldar la mala conducta, pero era inevitable que el hecho de apoyar a dictadores, gobiernos o grupos dispuestos a maltratar a su propia gente, o que tenían la intención de provocar a sus vecinos, tuviera un precio y dañara su reputación.[104]

Un buen ejemplo lo proporciona la ayuda concedida en Afganistán a los insurgentes opuestos a la invasión soviética. Aunque en la prensa occidental se les dio el nombre colectivo de «muyahidines» (literalmente, aquellos que hacen la yihad), estos eran en realidad un colección variopinta de grupos formados por nacionalistas, antiguos oficiales del ejército afgano, fanáticos religiosos, líderes tribales, oportunistas y liberales. Además de combatir a los soviéticos, esos grupos también competían ocasionalmente ente sí por reclutas, dinero y armas, incluidos los miles de fusiles semiautomáticos y lanzagranadas antitanque RPG-7 que la CIA les suministraba desde comienzos de la década de 1980, por lo general a través de la frontera con Pakistán.

A pesar de su incoherencia organizativa, la resistencia contra el coloso militar soviético demostró ser persistente, agobiante y desmoralizante. Los ataques terroristas se convirtieron en sucesos comunes tanto de la vida cotidiana de las grandes ciudades como a lo largo de la carretera de Salang y la ruta que desde Uzbekistán bajaba en dirección sur hacia Herat y Kandahar, las principales arterias por las que llegaban las tropas y equipos procedentes de la Unión Soviética. Los informes remitidos a Moscú destacaban el preocupante aumento del número de incidentes hostiles, así como lo difícil que resultaba identificar a los perpetradores: los insurgentes, señalaba un memorando, habían recibido instrucciones de mezclarse con la población local para que no se los pudiera detectar.[105]

El éxito creciente de los rebeldes afganos fue impresionante. En 1983, por ejemplo, un asalto liderado por un jefe guerrillero, Jalaludin Haqani, consiguió capturar dos tanques T-55, además de una buena cantidad de material militar, incluidos cañones antiaéreos, lanzacohetes y obuses, que protegió en una red de túneles en los alrededores de la ciudad de Jost, cerca de la frontera con Pakistán, y utilizó para atacar a los convoyes que circulaban por las carreteras desprotegidas, con lo que se convirtieron en una herramienta de propaganda de valor incalculable para convencer a la población local de que era posible partirle la nariz a la poderosa Unión Soviética.[106]

Triunfos como este desmoralizaban a los soldados soviéticos, que reaccionaban con brutalidad. Algunos de ellos escribieron acerca de la «sed de sangre» y el deseo de venganza insaciable que sentían después de ver a sus colegas y camaradas muertos y heridos. Las represalias eran espantosas: niños muertos, mujeres violadas y todos los civiles convertidos en sospechosos de ser muyahidines.[107] Como escribió un analista, para los oficiales soviéticos fue aleccionador darse cuenta de que el mazo del Ejército Rojo era incapaz de romper la nuez de un enemigo escurridizo y descoordinado.[108]

La fortaleza de la insurgencia impresionó a Estados Unidos, para el que el objetivo dejó de ser contener la expansión soviética en Afganistán. Para comienzos de 1985, las conversaciones habían virado hacia el modo de derrotar a la URSS y expulsar del país a la totalidad de las fuerzas soviéticas.[109] En marzo, el presidente Reagan firmó la Directiva de Seguridad Nacional 166, en la que se declaraba que «el objetivo último de la política [de Estados Unidos] es la expulsión de las fuerzas soviéticas de Afganistán»; para conseguir esa meta, continuaba, era necesario «mejorar la eficacia militar de la resistencia afgana».[110] Pronto quedó claro qué significaba eso: un aumento espectacular de la cantidad de armas que se estaba proporcionando a los insurgentes. La decisión provocó un debate prolongado acerca de si la ayuda debía incluir o no misiles Stinger, un formidable lanzador portátil capaz de derribar un avión a una distancia de cinco kilómetros y con una exactitud considerablemente mayor que las demás armas disponible entonces.[111]

Los beneficiarios de la nueva política fueron hombres como Jalaludin Haqani, cuyos logros contra los soviéticos y devoción religiosa convencieron al congresista estadounidense Charlie Wilson de que era adecuado describirle como la «bondad personificada» (Wilson inspiraría más tarde la película *La guerra de Charlie Wilson*, dirigida por Mike Nichols). Con acceso a más y mejor material, Jalaludin consiguió consolidar su posición en el sur de Afganistán, y gracias a la avalancha de armamento estadounidense que empezó en 1985, sus puntos de vista radicales resultaron fortalecidos. Eso, sin embargo, no implicaba que sintiera ningún tipo de lealtad hacia Estados Unidos. De hecho, se convertiría en una espina clavada en el corazón: después de los atentados del 11 de septiembre de 2001 pasó a ser el tercer hombre más buscado de Afganistán.[112]

Estados Unidos ofreció apoyo a unos cincuenta líderes semejantes, a los que pagaba entre veinte mil y cien mil dólares mensuales dependiendo de los resultados y el estatus de cada uno. También hubo una avalancha de dinero procedente de Arabia Saudí para apoyar a los muyahidines, el resultado de la simpatía hacia la retórica de la militancia islámica que empleaba la resistencia y del deseo de ayudar a los musulmanes perseguidos. Ciertos hombres de origen saudí que siguiendo la voz de la conciencia llegaron a Afganistán para contribuir a la lucha llegaron a ser muy bien considerados. Individuos como Osama bin Laden (bien conectados, elocuentes y, en persona, imponentes) estaban perfectamente situados para canalizar las grandes sumas de dinero donadas a la causa por los benefactores saudíes. Como era inevitable, su acceso a esos recursos los convirtió a su vez en figuras clave dentro del mismo movimiento muyahidín.[113] La importancia de esta evolución, sin embargo, solo se haría evidente tiempo después.

El apoyo ofrecido por China a la resistencia también tendría implicaciones a largo plazo. China se había declarado opuesta a la invasión soviética desde el principio, pues opinaba que era el resultado de una política expansionista que tenía consecuencias desagradables. El paso dado por la Unión Soviética en 1979 era una «amenaza para la paz y la seguridad en Asia y el mundo entero», sostuvo en su momento un diario chino; Afganistán no era el verdadero objetivo de los soviéticos, que sencillamente pretendían usar el país como «una escala de una ofensiva en dirección sur, hacia Pakistán y el subcontinente entero».[114]

Beijing también cortejó de forma decidida a quienes resistían el avance del ejército soviético, a los que proporcionó armas en cantidades que fueron creciendo de forma constante a lo largo de la década de 1980. De hecho, en 2001, cuando las tropas estadounidenses capturaron las bases de los talibanes y Al Qaeda en Tora Bora, se descubrieron grandes reservas de lanzagranadas antitanque, lanzacohetes múltiples, minas y fusiles enviados a Afganistán dos décadas antes. En un paso que también terminarían lamentando, China alentó, reclutó y entrenó a musulmanes uigures en Xinjiang, antes de ayudarles a contactar y unirse a los muyahidines.[115] La radicalización de China occidental se ha revelado problemática desde entonces.

Con todo este patrocinio, la resistencia al Ejército Rojo experimentó un gran crecimiento y, de repente, los soviéticos se descubrieron acosados, sufriendo graves pérdidas de material, efectivas y dinero. En agosto de 1986, los muyahidines hicieron volar por los aires un gran depósito de armas en las afueras de Kabul: las cuarenta mil toneladas de munición que contenía valían, se calculó en su momento, unos doscientos cincuenta millones de dólares. Luego llegó el éxito de los misiles Stinger estadounidenses, que derribaron tres helicópteros artillados MI-24 cerca de Jalalabad en ese mismo año y se revelaron tan eficaces que cambiaron la forma de usar el apoyo aéreo en Afganistán: los pilotos soviéticos se vieron obligados a modificar sus pautas de aterrizaje, y un número creciente de misiones pasaron a llevarse a cabo en la noche, todo con el fin de reducir las probabilidades de que las aeronaves fueran derribadas.[116]

A mediados de la década de 1980, la perspectiva empezaba a parecer prometedora desde el punto de vista de Washington. El considerable esfuerzo realizado para cultivar la amistad de Sadam Husein y construir lazos de confianza con Irak parecía haber fructificado; y la situación en Afganistán también era mejor: las fuerzas soviéticas estaban ya a la defensiva y, llegado el momento, a comienzos de 1989, abandonarían el país por completo. A todos los efectos, Estados Unidos no solo había logrado acabar con los intentos de Moscú de ampliar su influencia y autoridad en el centro de Asia, sino que había conseguido construir nuevas redes por sí mismo, adaptándose a las circunstancias a medida que se veía obligado a hacerlo. Era una pena, sostenía un documento de los servicios de inteligencia redactado en la primavera de 1985, que dada «la importancia histórica y geoestratégica de Irán», las relaciones entre Washington y Teherán fueran tan malas.[117] De hecho, un año antes, Irán había sido etiquetado oficialmente como «estado patrocinador del terrorismo», lo que implicaba la prohibición total de exportar armas al país, la implementación de controles estrictos para la venta de tecnologías y equipos de «doble uso» y un montón de restricciones financieras y económicas.

Era ciertamente una lástima, señalaba otro informe escrito más o menos por la misma época, que Estados Unidos no tuviera «cartas que jugar» en sus tratos con Irán; quizá, proponía el autor, valiera la pena considerar la adopción de una «política más audaz y, acaso, más arriesgada».[118] Los beneficios serían muchos, para ambos bandos. Con Jomeini envejecido y enfermo, Washington tenía muchos deseos de identificar a la siguiente generación de líderes que terminaría ocupando las posiciones de poder.

Según algunos informes, existía una «facción moderada» en la clase política iraní que estaba ansiosa por contactar con Estados Unidos e impulsar una reconciliación; entablar conversaciones con esos elementos moderados probablemente ayudaría a construir lazos que en el futuro podían revelarse valiosos. Asimismo, existía la esperanza de que Irán pudiera ayudar a conseguir la liberación de los rehenes occidentales capturados en el Líbano a comienzos de la década de 1980 por miembros de Hezbolá.[119]

Desde la perspectiva de Irán, un enfoque más constructivo también tenía atractivos. La evolución de la situación en Afganistán, donde los intereses de ambos países se entretejían a la perfección, constituía un comienzo prometedor, un indicio de que la cooperación no solo era posible, sino también potencialmente fructífera. Además, Irán tenía mucho interés en avanzar hacia unas mejores relaciones por otras razones, entre las cuales destacaban los más de dos millones de refugiados que habían cruzado la frontera desde 1980. El país no estaba en condiciones de absorber con facilidad a semejante cantidad de personas, de modo que era muy posible que las autoridades iraníes estuvieran dispuestas a cultivar amistades que pudieran ayudar a reducir la volatilidad en toda la región.[120] Entre tanto, Irán estaba teniendo dificultades para proveerse de material militar en un momento en que los combates con Irak continuaban siendo intensos. A pesar de que el conflicto había virado en su favor y de la gran cantidad de armamento comprado en el mercado negro, tener un acceso seguro a las armas y recambios de Estados Unidos resultaba cada vez más atractivo.[121] Surgió así una propuesta tentativa para la apertura de canales de comunicación.

Los encuentros iniciales fueron tensos, difíciles e incómodos. Decididos a conquistar a los iraníes, los estadounidenses les presentaron lo que luego se supo que era, al mismo tiempo, «información de inteligencia real y engañosa» acerca de las intenciones soviéticas en relación a Irán, centrándose sobre todo en los presuntos planes territoriales de la URSS sobre ciertas partes del país, con el fin de recalcar que alinearse con Estados Unidos tenía beneficios obvios para Irán.[122] Sin embargo, a medida que las conversaciones progresaban también lo hizo el flujo de información acerca de asuntos que revestían un interés particular para Estados Unidos, como el desempeño en combate del equipo soviético. Los estadounidenses siempre habían seguido con atención tales cuestiones y, de hecho, habían pagado cinco mil dólares para obtener un fusil de asalto AK-74 capturado en Afganistán poco después de que fuera adoptado por el ejército soviético.[123] Los estadounidenses escucharon atentamente lo que tenían que decir los guerrilleros afganos acerca de los méritos, limitaciones y puntos débiles de los tanques T-72 y el helicóptero de combate MI-24 Krokodil; se enteraron de que los soviéticos utilizaban napalm y gases venenosos en abundancia; y, también, de que las fuerzas especiales Spetsnaz que operaban por todo el país tenían una eficacia excepcional, probablemente resultado de su mejor adiestramiento en comparación con los soldados regulares del Ejército Rojo.[124] Toda esa información se convertiría en una valiosa cartilla para las fuerzas de Estados Unidos dos décadas más tarde.

Entre Estados Unidos e Irán había una confluencia natural de intereses. Las declaraciones de los negociadores iraníes de que «la ideología soviética es directamente contraria a la de Irán» se emparejaban muy bien con las actitudes de Estados Unidos hacía el comunismo, que podían expresarse con igual rotundidad. El hecho de que la Unión Soviética estuviera dando considerable apoyo militar a Irak por esta época también resultó crucial. «Los soviéticos», dijo una figura destacada durante las conversaciones, «están matando soldados iraníes».[125] En el lapso de unos pocos años, Irán y Estados Unidos quizá no pasaron de ser los peores enemigos a ser los mejores amigos, pero sí se mostraron cada vez más dispuestos a hacer a un lado sus diferencias y trabajar en pos de una meta común. Este intento de trazar un camino en medio de las rivalidades entre las grandes potencias era una política clásica que habrían podido reconocer al instante generaciones previas de diplomáticos y líderes iraníes.

Ansioso por consolidar la relación, Estados Unidos comenzó a enviar armas a Irán en contravención de su propio embargo y a pesar de las presiones hechas sobre gobiernos extranjeros para que no se vendieran armas a Teherán. Dentro del gobierno estadounidense hubo algunos que se manifestaron en contra de esa iniciativa, incluido el secretario de Estado George Shultz, que observó que podía conducir a la victoria de Irán y, en consecuencia, a «una inyección de energía renovada para el antiamericanismo de un extremo a otro de la región».[126] Otros, por su parte, ya habían argumentado que el desgaste mutuo de Irán e Irak beneficiaba a los intereses de Estados Unidos. En una comparecencia ante el Congreso celebrada el año anterior, Richard Murphy, uno de los asistentes de Shultz, había declarado que «una victoria de cualquiera [Irán o Irak] no es factible desde el punto de vista militar ni deseable desde el punto de vista estratégico» (una opinión que se repitió en los comentarios de funcionarios veteranos de la Casa Blanca).[127]

En el verano de 1985 se envió una primera remesa de cien sistemas de misiles antitanque guiados TOW (acrónimo de *tube-launched, optical-tracked, wire-guided*). El armamento se entregó a través de un intermediario deseoso de construir lazos con Teherán: Israel.[128] Desde nuestra perspectiva a comienzos del siglo XXI, cuando los líderes iraníes piden de forma rutinaria que Israel sea «borrado del mapa», la relación amistosa entre los dos países parece sorprendente. Sin embargo, a mediados de la década de 1980 los lazos entre ambos eran tan estrechos que el primer ministro israelí, Isaac Rabin, llegó a declarar: «Israel es el mejor amigo de Irán y no tenemos intención de cambiar esa posición».[129]

La disposición de Israel a participar en el programa diseñado por Estados Unidos para hacer llegar las armas a Irán debía mucho a su deseo de mantener a Irak en una situación que lo forzara a concentrar la atención en su vecino del este, en lugar de plantearse actuar en alguna otra parte. No obstante, había muchas cuestiones delicadas en el acuerdo con Irán. La propuesta de Estados Unidos implicaba que Israel enviara artillería y equipos estadounidenses a Teherán, antes de que Washington lo compensara por ello. En consecuencia, el gobierno israelí pidió (y obtuvo) confirmación de que el plan había recibido el visto bueno al más alto nivel en Estados Unidos. De hecho, contaba con la aprobación directa y personal del mismo presidente Reagan.[130]

Entre el verano de 1985 y el otoño de 1986, Irán recibió varias remesas importantes de material estadounidense, incluidos dos mil misiles TOW, dieciocho misiles antiaéreos Hawk y dos remesas de recambios para los sistemas Hawk.[131] No todo el material llegó a Irán a través de Israel, pues las entregas no tardaron en empezar a hacerse directamente, si bien en el proceso se enturbiaron las aguas todavía más cuando los beneficios de la venta de armas se destinaron a proporcionar financiación a la Contra en Nicaragua. Desde la crisis de los misiles cubanos, Washington veía con espanto la amenaza del comunismo en su patio trasero y financiaba con gusto grupos capaces de servir como parapeto eficaz contra la retórica y la política izquierdistas (pasando por alto en silencio sus muchos problemas). La Contra, que era en realidad una asociación de diferentes grupos contrarrevolucionarios a menudo envueltos en luchas feroces entre sí, fue uno de los mayores beneficiarios de la doctrina anticomunista de Estados Unidos, y de la ceguera de su política exterior. En una imagen especular del modo en que las acciones públicas y privadas de la superpotencia diferían en Oriente Próximo, se dio ayuda a las fuerzas opositoras en Centroamérica a pesar de la existencia de leyes específicas que prohibían hacerlo.[132]

El asunto alcanzó su momento decisivo a finales de 1986, cuando una serie de filtraciones revelaron lo que había estado ocurriendo. El escándalo amenazaba con derribar al presidente. El 13 de noviembre Reagan salió al aire en momento de máxima audiencia para dirigirse a la nación a propósito de «una cuestión de política exterior extremadamente delicada y de profunda importancia». Fue un momento crucial, y el mandatario tuvo que recurrir a todo su considerable encanto para salir bien librado. Reagan no quería disculparse ni dar la impresión de que estaba a la defensiva; lo que se necesitaba era una explicación. Sus comentarios resumieron a la perfección la importancia de los países del centro de Asia y cuán necesario era para Estados Unidos tener influencia allí a toda costa.

«Irán», dijo a unos espectadores paralizados, «abarca algunos de los territorios más críticos del mundo. Se encuentra entre la Unión Soviética y el acceso a las aguas templadas del océano Índico. La geografía explica por qué la Unión Soviética ha enviado un ejército a Afganistán para dominar ese país y, de ser posible, también Irán y Pakistán. La geografía de Irán le otorga una posición crítica desde la cual un adversario podría interferir en el flujo de petróleo desde los estados árabes que bordean el golfo Pérsico. Aparte de la geografía, las reservas de petróleo de Irán son importantes para la salud de la economía mundial a largo plazo». Eso justificaba «la transferencia de cantidades pequeñas de armamento defensivo y recambios», dijo. Sin especificar en ningún momento con precisión qué se había enviado a Teherán, declaró que «estas modestas entregas en su conjunto podrían caber con facilidad en un único avión de carga». Todo lo que él había intentado hacer era contribuir a dar «un fin honorable a los seis años de guerra sangrienta» entre Irán e Irak «para eliminar el terrorismo patrocinado por los Estados» y «conseguir el regreso de todos los rehenes sanos y salvos».[133]

Esta actuación no le permitió evitar las inesperadas consecuencias que tendría en Washington la noticia de que Estados Unidos estaba vendiendo armas a Irán en lo que parecía ser un trato directo para garantizar el regreso de los rehenes estadounidenses. La situación se tornó todavía más tóxica cuando se supo que quienes estaban estrechamente involucrados con la iniciativa Irán-Contra habían estado destruyendo documentos que demostraban que ciertas operaciones secretas e ilegales habían sido aprobadas por el mismísimo presidente. Reagan compareció ante la comisión nombrada para investigar el escándalo y declaró que su memoria no era lo bastante buena para recordar si había o no autorizado la venta de armas a Irán. En marzo de 1987, pronunció otro discurso televisado, esta vez para expresar su indignación por «las actividades emprendidas sin mi conocimiento», una declaración que jugaba con la verdad, como el mismo Reagan reconoció. «Hace unos meses, le dije al pueblo estadounidense que yo no intercambiaba armas por rehenes. Mi corazón y mis mejores intenciones siguen diciéndome que eso es cierto, pero los hechos y las pruebas me dicen lo contrario.»[134]

Estas bochornosas revelaciones tuvieron consecuencias profundas para la administración Reagan, donde una serie de destacadas figuras serían imputadas por cargos que iban desde la conspiración al perjurio y la ocultación de pruebas. Entre los acusados estaban el secretario de Defensa Caspar Weinberger; el consejero de Seguridad Nacional, Robert McFarlane, y su sucesor, John Poindexter; el subsecretario de Estado para Asuntos Interamericanos, Elliott Abrams; y un montón de funcionarios de alto rango de la CIA, incluido el director adjunto de Operaciones, Clair George. El listado de nombres ilustres llamados a comparecer era una demostración de cuán lejos Estados Unidos estaba dispuesto a ir con tal de proteger su posición en el corazón del mundo.[135]

Y lo mismo puede decirse del hecho de que el proceso terminó siendo poco más que un lavado de cara: en la víspera de Navidad de 1992 todas las figuras de relieve involucradas recibirían el perdón presidencial de George H. W. Bush. «El denominador común de sus motivos, fueran sus acciones correctas o erradas», rezaba la notificación, «fue el patriotismo». El impacto sobre sus finanzas personales, sus carreras y sus familias, continuaba el presidente, había sido «extremadamente desproporcionado en relación a cualquier fechoría o error de juicio que hayan podido cometer».[136] Varios de los perdonados ya habían sido condenados por cargos que iban desde cometer perjurio a ocultar información al Congreso, mientras que el juicio de Weinberger debía empezar dos semanas más tarde. Lo ocurrido fue un caso clásico de justicia elástica y del fin justifica los medios. Las ramificaciones irían mucho más allá de Washington, D. C.

Sadam Husein se enfureció al conocer la noticia de los negocios entre Estados Unidos e Irán: en ese momento Irak creía que contaba con el respaldo de Washington en su lucha contra su vecino y encarnizado rival. En una serie de reuniones celebradas inmediatamente después del primer discurso televisado de Reagan, en noviembre de 1986, para debatir las palabras del presidente, Sadam despotricó acerca de la venta de armas a Irán, una vergonzosa «puñalada por la espalda», y el proceder de Estados Unidos, que, en su opinión, establecía un nuevo punto bajo de «mala conducta e inmoralidad».[137] Estados Unidos estaba decidido a «derramar más sangre» iraquí, concluyó; otros participantes estuvieron de acuerdo: lo que había salido a la luz era apenas la punta del iceberg. Era inevitable, comentó una importante personalidad unas pocas semanas después, que Estados Unidos continuara conspirando contra Irak; esa forma de actuar era típica de las potencias imperialistas, coincidió el viceprimer ministro Tarek Aziz.[138] La rabia y el sentimiento de traición eran tangibles. «No confiéis en los estadounidenses, los estadounidenses son mentirosos, no confiéis en los estadounidenses», se oye implorar a una voz en las citas de audio recuperadas en Bagdad más de veinte años después.[139]

El escándalo Irangate hizo que rodaran cabezas en Washington, pero además fue un factor crucial en el desarrollo de la mentalidad de asedio que se apoderó de Irak a mediados de la década de 1980. Tras haber sido traicionados por Estados Unidos, Sadam y sus hombres de confianza veían ahora conspiraciones por todas partes. El líder iraquí empezó hablar de quintacolumnistas a los que rebanaría el cuello cuando los encontrara; y, de repente, se comenzó a ver con gran recelo a otros países árabes, cuyas relaciones con Irán o Estados Unidos parecían demasiado estrechas para que los iraquíes pudieran sentirse cómodos. Como concluiría más tarde un informe de alto nivel elaborado en Estados Unidos, tras el Irangate Sadam quedo convencido de que «era imposible confiar en Washington y de que el gobierno estadounidense le tenía manía».[140]

La creencia de que el gobierno de Estados Unidos estaba dispuesto a participar en un doble juego y traicionar a quienes en teoría apoyaba no era en absoluto infundada. Los estadounidenses, que no habían tenido inconveniente para hacerse amigos del sah, ahora estaban intentando forjar lazos con el régimen del ayatolá Jomeini. Por otro lado, en Afganistán, habían dado considerable apoyo militar y económico a una colección de personajes indeseables solo en virtud de la vieja rivalidad entre Estados Unidos y la Unión Soviética. El mismo Sadam solo había sido aceptado cuando le convino a los estrategas políticos en Washington, que no dudaron en sacrificarle una vez que dejó de serles útil. El problema de Estados Unidos no era que diera prioridad a los intereses nacionales; el problema era que llevar a cabo una política exterior de corte imperialista requería más tacto, así como pensar con más detenimiento en las consecuencias a largo plazo. En el contexto de la lucha por el control de los países de las «rutas de la seda» a finales del siglo XX,

Estados Unidos optó, en todos los casos, por hacer tratos y forjar acuerdos sobre la marcha, resolviendo los problemas del día sin preocuparse por los de mañana, y algunas veces echando los cimientos de situaciones mucho más difíciles. El objetivo de expulsar a los soviéticos de Afganistán se había logrado; pero poco se había pensado en lo que iba a ocurrir a continuación.

La cruda realidad del mundo que Estados Unidos había creado estaba a la vista de todos en el Irak de finales de la década de 1980 y comienzos de la de 1990. Avergonzados tras la debacle del Irangate, los funcionarios estadounidenses hicieron lo mejor que pudieron para «recuperar la credibilidad ante los estados árabes», en palabras del secretario de Defensa.[141] En el caso de Irak, eso implicó conceder al país facilidades de crédito extraordinariamente grandes, desarrollar iniciativas para estimular el comercio (lo que incluyó suavizar las restricciones sobre los equipos de «doble uso» y otras exportaciones de alta tecnología) y financiar el titubeante sector agrario. Los estadounidenses dieron todos esos pasos en un intento de recuperar la confianza de Sadam.[142] Sin embargo, la interpretación que se les dio en Bagdad fue muy diferente: aunque el líder iraquí aceptó los acuerdos que se le ofrecieron, estaba convencido de que estos formaban parte de una nueva trampa, quizá el preludio de un ataque militar, quizá un intento de aumentar la presión en un momento en el que ajustar las cuentas acumuladas durante la guerra entre Irán e Irak resultaba problemático.

Los iraquíes, declaró el embajador estadounidense en Bagdad, estaban «bastante convencidos de que Estados Unidos [...] ha convertido Irak en un objetivo. Se quejan de ello todo el tiempo [...] Y pienso que Sadam Husein efectivamente lo cree».[143] A finales de 1989, entre las autoridades iraquíes comenzó a circular el rumor de que Estados Unidos tramaba dar un golpe de estado contra Sadam. Tarek Aziz le dijo sin rodeos al secretario de Estado James Baker que Irak tenía pruebas de que Estados Unidos conspiraba para derrocar a Sadam.[144] La mentalidad de asedio se había convertido en una paranoia tan aguda que, independientemente del paso que dieran, los estadounidenses iban a ser malinterpretados.

Los recelos de Irak no eran difíciles de entender, en especial cuando el aval crediticio que Washington había prometido se canceló de forma abrupta en julio de 1990, cuando el Congreso hizo descarrilar los intentos de la Casa Blanca por dar apoyo financiero a Bagdad. Peor aún, además de cancelar ayudas por valor de setecientos millones de dólares, se impusieron sanciones al país como castigo por el uso de gas venenoso en el pasado. Desde el punto de vista de Sadam, la situación era un caso de la historia que se repite: Estados Unidos prometía una cosa y luego hacía otra, y lo hacía de forma solapada.[145]

Para entonces las fuerzas iraquíes se estaban reuniendo al sur del país. «Normalmente eso no sería asunto nuestro en absoluto», dijo la embajadora de Estados Unidos en Bagdad, April Glaspie, cuando se reunió con Sadam Husein el 25 de julio de 1990. En lo que constituye uno de los documentos más incriminatorios de finales del siglo XX, la transcripción del encuentro de la embajadora estadounidense con el presidente iraquí revela que ella le dijo a Sadam que tenía «instrucciones directas del presidente Bush de mejorar nuestras relaciones con Irak» y mencionó con admiración los «extraordinarios esfuerzos para reconstruir el país» que estaba realizando Sadam. No obstante, le dijo Glaspie al líder iraquí, «sabemos que necesita fondos».

Irak atravesaba tiempos difíciles, reconoció Sadam, el cual, según un memorando separado que posteriormente se haría público, se mostró «cordial, razonable e incluso afable durante la reunión».[146] La perforación angular de pozos de gas, las antiguas disputas fronterizas y los bajos precios del petróleo suponían problemas para la economía, dijo. Y a todo ello había que sumar las deudas acumuladas durante la guerra con Irán. Con todo, existía una solución potencial, dijo: tener el control del Shaṭṭ al-ʿArab, un río navegable por el que Irak mantenía desde hacía tiempo una disputa con Kuwait, ayudaría a resolver algunos de los actuales problemas del país. «¿Qué opina Estados Unidos de esa cuestión?», preguntó.

«Nosotros no tenemos ninguna opinión sobre sus conflictos con otros países árabes, como es el caso de su disputa con Kuwait», respondió la embajadora. Glaspie prosiguió para aclarar lo que quería decir: «El secretario [de Estado James] Baker me ha pedido que haga hincapié en la indicación, dada por primera vez a Irak en la década de 1960, de que Estados Unidos no tiene vínculos con el problema de Kuwait».[147] Sadam había pedido luz verde a Estados Unidos y se le había otorgado. A la semana siguiente, invadió Kuwait.

Las consecuencias de esa acción resultarían catastróficas. A lo largo de las tres décadas siguientes, los asuntos internacionales estarían en buena medida dominados por los acontecimientos que tenían lugar a lo largo de la columna vertebral de Asia. La lucha por el control y la influencia en estos países produjo guerras, insurrecciones y terrorismo internacional, pero también oportunidades y perspectivas, no solo en Irán, Irak y Afganistán, sino también en el cinturón de países que se extiende hacia el este desde el mar Negro, de Siria a Ucrania, de Kazajistán a Kirguistán, de Turkmenistán a Azerbaiyán e, igualmente, de Rusia a China. La historia del mundo siempre ha estado centrada en esos países, pero desde la época de la invasión de Kuwait, todo ha girado alrededor de la emergencia de la nueva «ruta de la seda».

# Capítulo 25

# LA RUTA DE LA TRAGEDIA

La invasión de Kuwait en 1990 desencadenó la extraordinaria secuencia de acontecimientos que definió el decenio final del siglo XX y el comienzo del XXI. Tiempo atrás Sadam había causado una buena impresión a los británicos, que lo describieron como «un hombre joven y pulcro» con una «sonrisa encantadora» y desprovisto de la «afabilidad superficial» de muchos de sus colegas. Era un hombre, concluyó el embajador británico en Bagdad a finales de la década de 1960, «con el cual sería posible hacer negocios solo con que hubiera ocasión de verlo más».[1] Considerado por los franceses una suerte de «De Gaulle árabe», un hombre cuyo «nacionalismo y socialismo» admiraba con entusiasmo el futuro presidente Jacques Chirac, Sadam era una figura por la que Estados Unidos también había estado dispuesto a apostar a comienzos de la década de 1980 en un esfuerzo por mejorar lo que Donald Rumsfeld llamó «la postura de Estados Unidos en la región».[2]

El ataque contra Kuwait, dijo Sadam Husein a sus asesores más próximos en diciembre de 1990, era una forma de autodefensa tras el escándalo del Irangate y la revelación del doble juego de Estados Unidos.[3] Esa, sin embargo, no fue la forma en que el resto del mundo vio las cosas. Después de la invasión no tardaron en aplicarse sanciones económicas al país, al tiempo que las Naciones Unidas exigieron la retirada inmediata de las fuerzas iraquíes. Y cuando Bagdad decidió pasar por alto la creciente presión diplomática, se elaboraron planes para resolver el problema de forma más decidida. El 15 de enero de 1991, el presidente George H. W. Bush autorizó las acciones militares contra Irak «en cumplimiento de mis responsabilidades y autoridad que me otorga la Constitución como presidente y comandante en jefe, y de acuerdo con las leyes y tratados de Estados

Unidos». Resulta de algún modo revelador que la frase inicial de la Directiva Nacional 54, que aprobó el uso de la fuerza por parte de «las fuerzas militares convencionales aéreas, navales y terrestres de Estados Unidos en coordinación con las fuerzas de nuestros socios en la coalición», no mencionara la agresión iraquí, la violación de la soberanía territorial de Kuwait o las leyes internacionales. En su lugar, en una declaración que marcaba la pauta de la política exterior estadounidense para las tres décadas siguientes, el documento presidencial afirmaba que «el acceso al petróleo del golfo Pérsico y la seguridad de importantes Estados amigos en la zona son vitales para la seguridad nacional de Estados Unidos».[4] La invasión de Kuwait llevada a cabo por Sadam Husein suponía un desafío directo al poder y los intereses de Estados Unidos en la región.

Lo que vino a continuación fue un asalto ambicioso con tropas pertenecientes a una amplia coalición de países bajo la dirección del general Norman Schwarzkopf, un militar cuyo padre había ayudado a asegurar el control aliado de Irán durante la segunda guerra mundial y había participado no solo en la operación Ajax, que derrocó a Mosadeq, sino también en la creación del Savak, el servicio de inteligencia iraní que aterrorizó a su propia población desde 1957 hasta 1979. La coalición bombardeó desde el aire instalaciones clave de defensa, comunicaciones y armamento, mientras que las fuerzas terrestres penetraron en el sur de Irak y Kuwait en la operación Tormenta del Desierto. La expedición fue espectacular, pero también rápida. El 28 de febrero, seis semanas después del comienzo de las operaciones en enero de 1991, el presidente Bush anunció el alto el fuego, señalando en un discurso televisado que «Kuwait ha sido liberado. El ejército de Irak ha sido derrotado. Hemos cumplido nuestros objetivos militares. Kuwait se encuentra una vez más en manos de los kuwaitíes, en control de su destino». Con todo, no era «un momento para la euforia ni, ciertamente, una ocasión para regodearse», continuó. «Ahora debemos mirar más allá de la victoria y de la guerra.»[5]

El índice de aprobación de Bush se disparó, llegando a superar incluso los niveles estratosféricos alcanzados por el presidente Truman el día de la rendición de Alemania en 1945.[6] Ello se debió en parte a que los objetivos de la guerra se habían definido con claridad y se habían alcanzado con rapidez y, por fortuna, con pocas bajas para las fuerzas de la coalición. Estados Unidos había descartado incluir entre los objetivos el derrocamiento de Sadam, a menos que este usara «armas químicas, biológicas o nucleares», patrocinara ataques terroristas o destruyera los campos petrolíferos de Kuwait, en cuyo caso, había dicho el presidente Bush, «pasará a ser objetivo específico de Estados Unidos reemplazar a las actuales autoridades iraquíes».[7]

La decisión de poner fin a las acciones militares a la primera oportunidad fue recibida con admiración en todo el mundo árabe y más allá, y ello a pesar de que las fuerzas iraquíes sí sabotearon muchos pozos de petróleo kuwaitíes y les prendieron fuego. Si se optó por pasar por alto ese hecho fue en parte porque se consideró que avanzar sobre la capital iraquí habría sido una «ampliación de la misión» inaceptable, como anotó el presidente estadounidense en un libro escrito a cuatro manos con su consejero de Seguridad Nacional Bernt Scowcroft a finales de la década de 1990. Además de que eso hubiera contrariado a sus aliados en el mundo árabe y otras partes, Estados Unidos era consciente de que ampliar la guerra terrestre al territorio iraquí para «intentar eliminar a Sadam» habría tenido un precio demasiado alto.[8]

«Tomamos la decisión de no ir hasta Bagdad», coincidió el secretario de Defensa Dick Cheney en un discurso pronunciado en el Instituto Discovery en 1992, «porque hacerlo nunca fue parte de nuestro objetivo. No era para lo que [Estados Unidos] se había alistado, no era eso lo que el Congreso había aprobado, no era para hacer eso para lo que se había formado la coalición». Además, prosiguió, Estados Unidos no quería «verse enredado en los problemas de intentar controlar y gobernar Irak». Quitar a Sadam habría sido difícil, «y la pregunta que me planteo», concedió, «es: ¿cuántas bajas estadounidenses más vale Sadam? Y mi respuesta es, vaya, no muchas».[9]

La posición pública era que había que tratar de contener a Sadam Husein en lugar de derrocarlo. En privado, sin embargo, se contaba una historia diferente. En mayo de 1991, apenas unas semanas después del cese de las hostilidades, el presidente Bush aprobó un plan para «crear las condiciones para quitar a Sadam Husein del poder». Con el fin de conseguir esa meta, reservó una cantidad significativa para operaciones secretas: cien millones de dólares.[10] Prácticamente desde la década de 1920, Estados Unidos había respaldado activamente regímenes que convenían a sus intereses estratégicos. Ahora Washington mostraba una vez más su disposición a considerar también cambios de régimen que le ayudaran imponer su visión en esta parte del mundo.

La potente ambición de Estados Unidos en esa época se alimentaba en parte de los profundos cambios geopolíticos que tuvieron lugar a comienzos de la década de 1990. La caída del muro de Berlín se había producido no mucho antes de la invasión de Kuwait, y en los meses que siguieron a la derrota de Irak la Unión Soviética se colapsó. El día de Navidad de 1991, el presidente Mijaíl Gorbachov renunció como mandatario de la Unión Soviética y anunció la disolución de la URSS en quince estados independientes. El mundo estaba siendo testigo de «cambios de proporciones casi bíblicas», dijo el presidente Bush al Congreso unas pocas semanas más tarde. «Por la gracia de Dios, Estados Unidos [ha] ganado la guerra fría.»[11]

En Rusia, la transición desencadenó una batalla furiosa por el control del país que terminó en una crisis constitucional y el derrocamiento de la vieja guardia después de que en 1993 tanques del ejército hubieran bombardeado la Casa Blanca de Moscú, la sede del gobierno de la Federación Rusa. Este periodo fue también testigo de una importante transición en China, donde las reformas introducidas por Deng Xiaoping y otros tras la muerte de Mao Zedong en 1976 empezaron a hacer efecto y transformar al país, que de ser una potencia regional aislada se convirtió en una con ambiciones económicas, militares y políticas cada vez mayores.[12] En Sudáfrica la política opresiva del *apartheid* también llegaba a su fin. Los tambores de la libertad, la paz y la prosperidad parecían tocar con fuerza una marcha triunfal.

El mundo estaba antes dividido en dos, dijo el presidente Bush durante una sesión conjunta del Senado y la Cámara de Representantes. Ahora solo había «una única y preeminente potencia: los Estados Unidos de América».[13] Occidente había triunfado. Tomar unos pocos atajos morales en Irak se justificaba cuando el propósito evangélico primordial era acelerar la propagación del don y el sello distintivo del imperio estadounidense: la democracia.

Por tanto, a lo largo del decenio que siguió a la invasión de Irak, Estados Unidos llevó adelante una política que era a la vez ambigua y ambiciosa. Repitió el mantra de liberar a países como Irak y promover el concepto y la práctica de la democracia; pero al mismo tiempo buscó proteger y favorecer sus intereses en este mundo de cambios veloces; lo hizo con celo, y en ocasiones con auténtica brutalidad, y casi sin que importara el precio. En el caso de Irak, la ONU aprobó tras la guerra del Golfo la Resolución 687 que incluía medidas relacionadas con la soberanía kuwaití, pero también sanciones a «la venta o abastecimiento [...] de mercancías o productos distintos de medicinas y suministros sanitarios» y, por supuesto, «alimentos».[14] El objetivo de esas medidas era forzar al país a desarmarse, lo que implicaba suspender definitivamente sus programas de armas biológicas y químicas, y obligarle a alcanzar un acuerdo que reconociera la soberanía de Kuwait. Dadas las amplias restricciones impuestas a las exportaciones y transacciones financieras de Irak, el impacto fue devastador, en especial para los pobres. De acuerdo con los cálculos iniciales de la revista *Lancet*, en un lapso de cinco años quinientos mil niños murieron debido a la desnutrición y las enfermedades como consecuencia directa de esas políticas.[15] En 1996, la periodista Leslie Stahl entrevistó para el programa *60 Minutes* a Madeleine Albright, entonces embajadora de Estados Unidos ante la ONU, y le preguntó sobre el hecho de que habían muerto más niños en Irak como resultado de las sanciones que en Hiroshima en 1945. «Pienso que es una decisión muy difícil», respondió Albright; no obstante, continuó, «creo que el precio se justifica».[16]

Las sanciones no fueron las únicas medidas adoptadas contra Irak tras el alto el fuego. Poco después del cese de las hostilidades se acordó imponer zonas de exclusión aérea al norte del paralelo 36 y al sur del paralelo 32 (esta última se amplió más tarde hasta el paralelo 33), cuya supervisión corrió a cargo de las fuerzas estadounidenses, francesas y británicas, cuyos aviones de combate realizaron más de doscientas mil misiones de patrulla en la zona a lo largo de la década de 1990.[17] Estas zonas de exclusión aérea, que sumadas abarcaban más de la mitad del territorio iraquí, se crearon en teoría para proteger a la minoría kurda del norte del país y la población chií del sur. El hecho de que se impusieran de forma unilateral, sin mandato del Consejo de Seguridad de la ONU, era una prueba de que Occidente seguía estando dispuesto a interferir en los asuntos internos de otros países y tomarse la justicia por su mano cuando le convenía.[18]

Esto quedó demostrado de nuevo en 1998, cuando el presidente Clinton firmó la «Ley para la liberación de Irak» que formalizó «la política de Estados Unidos de apoyar los esfuerzos por sacar del poder en Irak al régimen encabezado por Sadam Husein y fomentar el surgimiento de un gobierno democrático que reemplace ese régimen».[19] Clinton también anunció que se pondrían a disposición de la «oposición democrática iraquí» ocho millones de dólares con el objetivo expreso de permitir a las voces disonantes opuestas a Sadam «unificarse [y] trabajar juntas de forma más eficaz».[20]

Los intentos de Estados Unidos y sus aliados por conseguir lo que querían no se limitaron a Irak. El presidente Clinton también buscó acercarse a los líderes iraníes, por ejemplo, en un intento de abrir canales de diálogo y mejorar las relaciones entre los dos países, las cuales habían caído en picado después del escándalo del Irangate y empeorado la catástrofe que supuso el derribo por parte del USS *Vincennes* de un avión de pasajeros iraní en 1988. Aunque las represalias adoptadas por Teherán siguen sin conocerse de forma completa, distintas pruebas e indicios apuntan a una amplia serie de ataques terroristas contra objetivos estadounidenses, entre los que posiblemente estarían incluidos el que sufrió el vuelo 103 de Pan Am, que explotó sobre Lockerbie ( Escocia) en diciembre de 1998, y la bomba contra la base estadounidense cerca de Dhahran (Arabia Saudí) en 1996.[21]

Después de que una investigación llevada a cabo por Estados Unidos apuntara firmemente a la participación de Irán en este último ataque, el presidente Clinton envió, a través de un intermediario, una carta de protesta al presidente Jatamí a finales de la década. Los iraníes respondieron de forma agresiva, rechazando como «inexacta e inaceptable» la acusación de complicidad en la muerte de diecinueve soldados estadounidenses. Además, afirmaba la respuesta, era hipócrita que Estados Unidos se declarara indignado por los ataques terroristas cuando no había hecho nada en absoluto para «llevar ante la justicia o extraditar a los ciudadanos estadounidenses fácilmente identificables que fueron responsables del derribo de un avión de pasajeros iraní» una década atrás. No obstante, Teherán ofreció también esperanzas para el futuro. El presidente debía tener por seguro, decía la respuesta, que Irán no tiene «intenciones hostiles hacia los estadounidenses». Además, «el pueblo iraní no solo no abriga ninguna enemistad hacia el gran pueblo estadounidense sino que, de hecho, le profesa respeto».[22]

Un avance similar tuvo lugar en Afganistán, donde se abrieron canales de comunicación con el régimen fundamentalista talibán después de que el líder supremo, el mulá Omar, estableciera contacto a través de un intermediario en 1996. Una vez más, las primeras señales fueron prometedoras. «Los talibanes tenemos una elevada opinión de Estados Unidos», dijo un destacado líder del grupo, según el informe confidencial sobre el primer encuentro que elaboró la embajada estadounidense en Kabul; además, el apoyo proporcionado por Washington «durante la yihad contra los soviéticos» no había sido olvidado. Sobre todo, «los talibanes quieren buenas relaciones con Estados Unidos».[23] Este mensaje conciliador era un motivo para el optimismo, como también lo era el hecho de que Estados Unidos contara con contactos y viejos amigos en el país que podrían revelarse útiles en el futuro. Uno de ellos era el líder Jalaludin Haqani, un colaborador de la CIA desde la época de la invasión soviética cuyas actitudes (relativamente) liberales hacia la política social y los derechos de las mujeres se mencionaban en un documento en el que además se resaltaba su importancia creciente dentro del movimiento talibán.[24]

A Estados Unidos le preocupaba principalmente el papel de Afganistán como semillero de milicianos y terroristas. Los talibanes se habían hecho con el control de Kabul durante 1996, lo que desató la alarma en los países vecinos debido a la inestabilidad regional que eso podía ocasionar, el aumento del fundamentalismo religioso y la posibilidad de que Rusia volviera a una región de la que acaba de retirarse poco antes de la disolución de la Unión Soviética.

Esas inquietudes se plantearon en una reunión de alto nivel con destacadas figuras de los talibanes celebrada en Kandahar en octubre de 1996. A los funcionarios estadounidenses se les aseguró que los campos de adiestramiento de milicianos habían sido cerrados y que se permitiría la realización de inspecciones para demostrar que eso era efectivamente así. Los representantes de los talibanes, entre los que se encontraba el mulá Ghous, que entonces era en la práctica el ministro de Exteriores afgano, respondieron positivamente cuando se les preguntó por Osama bin Laden, cuyas actividades causaban creciente preocupación a los servicios de inteligencia de Estados Unidos. La CIA vinculaba a Bin Laden con los ataques contra soldados estadounidenses en Somalia en 1992, la bomba del World Trade Center de Nueva York en 1993 y la creación de «una red de centros de reclutamiento y casas de alojamiento de Al Qaeda en Egipto, Arabia Saudí y Pakistán». Como se señalaba en un informe de los servicios de inteligencia, era «uno de los patrocinadores financieros más significativos de las actividades del extremismo islámico en el mundo».[25]

Los funcionarios estadounidenses dijeron a los enviados afganos que «sería de mucha ayuda si los talibanes pudieran decirnos dónde se encuentra [Bin Laden] y garantizar que no pueda llevar a cabo ataques» terroristas. La respuesta de los representantes talibanes fue que Bin Laden estaba con ellos «como un huésped, como un refugiado» y que, en cuanto tal, tenían la obligación de tratarlo «con respeto y hospitalidad» de acuerdo a las costumbres de la cultura pastún. «Los talibanes», dijeron, «no permitiríamos que nadie usara [nuestro] territorio para actividades terroristas». Y, en cualquier caso, Bin Laden les había «prometido que no cometería» ataques terroristas mientras estuviera viviendo en Afganistán y, además, cuando los talibanes habían considerado sospechoso que viviera en unas cuevas al sur de Jalalabad, cerca de Tora Bora, y le habían pedido que «saliera de allí [y] viviera en una casa normal y corriente», él había acatado sus indicaciones.[26]

Aunque eso era alentador, al menos superficialmente, carecía de la rotundidad que los estadounidenses deseaban, de modo que decidieron plantear la cuestión de otra manera. «Ese hombre es ponzoñoso», dijeron a los enviados talibanes sin rodeos. «Todos los países, incluso uno tan grande y poderoso como Estados Unidos, necesitan amigos. [Y] Afganistán, en especial, necesita amigos.» Eso era un disparo de advertencia: lo que se les estaba diciendo era que habría consecuencias si se comprobaba la implicación de Bin Laden en nuevos ataques terroristas. La respuesta del mulá Rabani, una figura de alto rango en la jefatura talibán, fue clara y repetía lo que se había dicho antes; se la cita íntegramente en un cable que fue enviado a Washington y del que se remitieron copias a las misiones de Islamabad, Karachi, Lahore, Riad y Yeda: «En esta parte del mundo existe una ley que dice que cuando alguien busca refugio, se le debe otorgar asilo, pero si hay personas que llevan a cabo actividades terroristas, entonces ustedes pueden señalar eso; nosotros tenemos juicio y no permitiremos que nadie lleve a cabo esas asquerosas actividades».[27]

Esas promesas nunca llegaron a comprobarse del todo, pero tampoco fueron creídas al pie de la letra. Hacia la primavera de 1998, la CIA trabajaba en un plan para capturar a Bin Laden que implicaba conseguir el apoyo y cooperación de «las tribus» de Afganistán para lo que sus diseñadores describían como una «operación perfecta». En mayo, «la planificación para la extradición [de Osama bin Laden] va muy bien», según un informe de la CIA cuyo contenido sigue en buena parte censurado; se había desarrollado una estrategia «detallada, meditada y realista», si bien no exenta de riesgos. El que el plan fuera aprobado era otra cuestión: como señaló uno de los involucrados, «las posibilidades de que la operación reciba luz verde [son] de cincuenta-cincuenta». Algunos oficiales de alto rango del ejército adoptaron una perspectiva menos optimista. Según se informa, el jefe de la Fuerza Delta estaba «incómodo» con los detalles de la operación, mientras que el jefe de Operaciones Especiales Conjuntas pensaba que el plan era demasiado complicado para la CIA: el plan, dijo, estaba «fuera de su alcance». Aunque hubo un «último ensayo escalonado de la operación» y este salió bien, al final se decidió suspenderla.[28]

Los acontecimientos giraron de forma decisiva el 7 de agosto de 1998, antes de que pudiera realizarse cualquier intento definitivo de atrapar a

Bin Laden. Ese día Al Qaeda atentó, de forma simultánea, contra las embajadas de Estados Unidos en Nairobi y Dar es-Salam, las ciudades más grandes de Kenia y Tanzania, respectivamente. En los ataques murieron doscientas veinticuatro personas y miles resultaron heridas. Todas las sospechas apuntaban a Osama bin Laden.

Al cabo de dos semanas, Estados Unidos pasó a la acción con el lanzamiento de setenta y ocho misiles de crucero contra cuatro supuestas bases de Al Qaeda en Afganistán. «Nuestro objetivo eran los terroristas», dijo el presidente Clinton en un discurso televisado el 20 de agosto. «Nuestra misión era clara: golpear la red de grupos radicales vinculada a Osama bin Laden y financiada por él, quizá el mayor organizador y financiador del terrorismo internacional en el mundo actual.» Clinton, que en ese momento se encontraba en medio del escándalo sexual derivado de su relación con la becaria Monica Lewinsky que amenazaba con privarle de la presidencia, no consultó con los talibanes antes de intentar eliminar al cerebro de los atentados. En un intento de adelantarse a las críticas, durante su anuncio televisado afirmó que era su deseo que «el mundo entienda que nuestras acciones no están dirigidas contra el islam». Por el contrario, continuó el acosado mandatario, el islam es «una gran religión».[29]

Que los intentos de lidiar con Osama bin Laden resultaran infructuosos ya era bastante malo, pero además enfurecieron a los talibanes, que de inmediato manifestaron su indignación por el ataque contra territorio afgano y contra un huésped cuya implicación en los atentados terroristas de África oriental no había sido demostrada. El mulá Omar declaró que los talibanes «nunca entregaremos a Bin Laden y le protegeremos con nuestra sangre a toda costa».[30] Como explicaba una evaluación de la información proporcionada por los servicios de inteligencia estadounidenses, Bin Laden despertaba una gran simpatía en el mundo árabe, donde el extremismo que profesaba encajaba perfectamente con los «sentimientos de injusticia y victimización» de los pueblos musulmanes y la creencia popular de que «las políticas de Estados Unidos respaldan regímenes corruptos [...] y están diseñadas para dividir, debilitar y explotar el mundo árabe». Pocos apoyaban el terrorismo de Bin Laden, concluía el informe, pero «muchos comparten al menos algunos de sus sentimientos políticos».[31]

Esas conclusiones coincidían con la opinión del mismo mulá Omar, que, tres días después de los ataques con misiles sobre territorio afgano, en una inusual llamada telefónica al Departamento de Estado en Washington, declaró que «los ataques se revelarán contraproducentes y suscitarán sentimientos antiestadounidenses en el mundo islámico». En el curso de esa llamada, que recientemente ha sido desclasificada y que constituye el único contacto directo conocido entre el líder supremo de los talibanes y funcionarios del gobierno estadounidense, el mulá Omar mencionó «las actuales dificultades internas» que padecía el presidente Clinton, una referencia al escándalo Lewinsky. Teniendo eso en cuenta y con el fin de «reconstruir la popularidad de Estados Unidos en el mundo islámico» después del desastroso ataque unilateral cometido, dijo el líder afgano, «el Congreso debería obligar al presidente Clinton a renunciar».[32]

Entre tanto, Wakīl Ahmed Muttawakil, un importante portavoz del régimen talibán, denunció los bombardeos estadounidenses como un ataque contra «la totalidad del pueblo afgano». Después del incidente habían tenido lugar grandes manifestaciones antiestadounidenses en Kandahar y Jalalabad, según Wakīl Ahmed, que al poco tiempo habló acerca de lo ocurrido con representantes de Estados Unidos. «Si [los talibanes] pudieran haber respondido con tanques similares contra Washington», declaró, «lo hubieran hecho».[33] Como ocurrió cuando Sadam Husein descubrió que Estados Unidos había estado vendiendo armas a Irán al tiempo que aseguraba estar apoyando a Irak, lo más perjudicial era la sensación de traición y doble juego: por un lado, Estados Unidos ofrecía mensajes de amistad; por otro, actuaba de forma brutal.

Wakīl Ahmed se mostró escandalizado ante la pobreza de las pruebas que los estadounidenses le presentaron para defender los ataques militares sobre suelo afgano. La cúpula talibán siempre había dejado claro que si se demostraba que Bin Laden estaba dirigiendo actividades terroristas desde Afganistán, se tomarían medidas en su contra.[34] De hecho, casi de inmediato el mulá Omar pidió al Departamento de Estado pruebas sólidas que demostraran que así era.[35] Mientras que algunos creían que las acusaciones eran falsas, dijo el representante talibán, otros señalaban que Bin Laden «había sido antes un guerrillero adiestrado que contaba con el apoyo de Estados Unidos». Lo que los estadounidenses les enseñaban ahora no era nada más que «unos papeles» que difícilmente probaban nada; la cinta de vídeo entregada a los talibanes «no contenía nada nuevo» acerca de Bin Laden y carecía absolutamente de valor como prueba.

El ataque estadounidense, dijo Ahmed, era deplorable, había causado la muerte a afganos inocentes y constituía una violación de la soberanía nacional. Si los estadounidenses de verdad querían solucionar el problema de Bin Laden, lo que debían hacer era hablar con los saudíes; si lo hacían, el asunto se resolvería en cuestión «de minutos, no de horas».[36] Irónicamente, Estados Unidos ya había llegado a esa misma conclusión de forma independiente, como demuestra la avalancha de cables diplomáticos, documentos de investigación y recomendaciones que pedían obtener el apoyo de Riad para resolver el problema.[37]

Las repercusiones de los ataques de Estados Unidos fueron desastrosas. Como señaló un importante estudio sobre la amenaza que suponía Al Qaeda elaborado un año después de los bombardeos, aparte del hecho de que el intento de eliminar a Bin Laden había fracasado, los ataques sirvieron para consolidar su prestigio, tanto a lo largo y ancho del mundo árabe como en otros lugares, como «el oprimido que planta cara con firmeza ante la agresión y el abuso». La creciente percepción de Estados Unidos como «culturalmente arrogante» constituía un peligro real; también resultaba inquietante, advertía el informe, el hecho de que los bombardeos estadounidenses fueran «cuestionables desde un punto de vista moral» y la semejanza que guardaban con los propios ataques de Bin Laden, en los que personas inocentes habían sufrido solo porque las prioridades políticas consideraban justificable el uso de la fuerza. En consecuencia, «el lanzamiento de misiles de crucero como represalia [...] podría en última instancia haber hecho más daño que bien». Estados Unidos también debía ser consciente, añadía proféticamente el informe, de la probabilidad de que los bombardeos «causen una nueva ronda de atentados terroristas».[38]

Incluso antes de que se produjeran nuevos atentados, la fallida intervención trajo resultados inoportunos. Dentro de la cúpula talibán las opiniones acerca del mundo exterior se endurecieron a medida que arraigaba el recelo acerca de la hipocresía de Occidente. Dentro del movimiento surgió una mentalidad de asedio que sirvió para acelerar el desarrollo de una perspectiva religiosa cada vez más intransigente, al tiempo que aumentaba el interés por exportar su versión del islam radical al resto del mundo (algo que, no obstante, un informe de la CIA redactado por esa época juzgaba muy improbable que consiguieran hacer de forma eficaz).[39]

Sin embargo, la presión de Estados Unidos contribuyó a hacer que las voces resueltamente conservadoras se tornaran cada vez más y más fundamentalistas. Aquellos que temían que la negativa a expulsar a Bin Laden profundizara el aislamiento internacional de Afganistán, que era lo que pensaba el mulá Rabani, el segundo hombre del gobierno talibán y presidente de la Shūrā (consejo) de Kabul, fueron superados por el mulá Omar, cuya política inflexible de no cooperar ni capitular ante ningún agente extranjero sería la que prevalecería finalmente. Como resultado de ello, los talibanes se situaron todavía más cerca de los agresivos planes de Bin Laden para liberar a los musulmanes de las garras de Occidente y reinstaurar un mundo de fantasía premedieval.[40]

Ese fue precisamente el objetivo de los ataques del 11 de septiembre de 2001. Un informe elaborado para los servicios de inteligencia estadounidenses en 1999 ya había señalado que Bin Laden tenía un «ego grande e inflado: se ve a sí mismo como un actor en un escenario histórico muy grande y muy antiguo, es decir, se ve como la resistencia a los últimos cruzados».[41] En este sentido resulta tremendamente revelador que todas y cada una de las cintas de audio y vídeo difundidas por el líder de Al Qaeda después del ataque contra las Torres Gemelas mencionaran las cruzadas o los cruzados como puntos de referencia. Es frecuente que los revolucionarios elijan apelar a un pasado idealizado, pero pocos se remontan mil años atrás en busca de inspiración y justificación de actos terroristas.

En los meses que precedieron a los atentados del 11-S, la información recabada por los servicios de inteligencia apuntaba a que la amenaza de Al Qaeda estaba creciendo. Un memorando con el fatídico título «Bin Laden decidido a atacar en EE. UU.», fechado el 6 de agosto de 2001 y etiquetado como «Solo para el presidente», informaba al mandatario estadounidense de que el FBI había concluido que la información reunida a través de «las aproximadamente setenta investigaciones de campo» que estaban en curso por todo Estados Unidos indicaban «pautas de actividad sospechosa en este país congruentes con los preparativos de secuestros u otro tipo de ataques».[42] Entre tanto, el gobierno había estado lo bastante nervioso como para mantener la puerta abierta al régimen de Kabul, al que se aseguró que «Estados Unidos no estaba en contra de los talibanes per se [y] no tenía intención de destruir a los talibanes». El problema era Bin Laden. Si fuera posible resolverlo, anotaron los diplomáticos estadounidenses en la región, «tendríamos un tipo diferente de relación».[43]

El problema no fue resuelto. A las 8.24 de la mañana del 11 de septiembre de 2001 resultó patente que algo estaba muy mal. El servicio de control del tráfico aéreo había estado intentando contactar con el vuelo 11 de American Airlines de Boston a Los Ángeles durante once minutos desde que se indicara a los pilotos que ascendiera hasta los diez mil quinientos metros. Cuando se obtuvo respuesta, esta no fue la esperada: «Tenemos algunos aviones. Estén tranquilos y no les pasará nada. Estamos regresando al aeropuerto».[44] A las 8.46, el Boeing 767 se estrelló contra la torre norte del World Trade Center. En la hora y diecisiete minutos siguientes, los otros tres aviones de pasajeros que habían sido secuestrados encontraron destinos similares: el vuelo 175 de United Airlines impactó contra la torre sur del World Trade Center; el vuelo 77 de American Airlines se empotró en el Pentágono; y el vuelo 93 de United Airlines se estrelló cerca de Shanksville, Pensilvania.[45]

Dos mil novecientas setenta y siete personas murieron el 11-S junto con los diecinueve terroristas. El impacto psicológico de los ataques, que causaron la destrucción de las dos Torres Gemelas y daños en el edificio del Pentágono, fue intenso. Los atentados terroristas cometidos contra embajadas o bases estadounidenses en el extranjero ya habían sido bastante traumáticos, pero el ataque coordinado contra objetivos en territorio estadounidense fue devastador. La secuencia inolvidable y aterradora de los aviones volando deliberadamente contra los edificios, y las escenas de desastre, caos y tragedia que siguieron a continuación exigían una respuesta inmediata y épica. «Está en marcha la búsqueda de quienes están detrás de estos actos malvados», dijo el presidente George W. Bush en un discurso televisado en la noche del 11 de septiembre. «He dirigido todos los recursos de nuestros servicios de inteligencia y cuerpos de seguridad para que se encuentre a los responsables y se los lleve ante la justicia. No haremos distinciones», advirtió, «entre los terroristas que cometieron estos actos y quienes les dan refugio».[46]

El país recibió una avalancha de expresiones de apoyo procedentes de todos los rincones de planeta, incluidos lugares tan improbables como Libia, Siria e Irán, cuyo presidente manifestó su «profundo pesar y solidaridad con las víctimas» y añadió que «es un deber internacional intentar acabar con el terrorismo».[47] De inmediato resultó obvio que Bin Laden estaba detrás de los ataques, si bien el embajador del régimen talibán en Pakistán aseguró que este no contaba con los recursos necesarios para llevar a cabo «un plan tan bien organizado».[48] Al día siguiente de los atentados, Wakīl Ahmed Muttawakil dijo a la cadena catarí Al Yazira que los talibanes «denunciaban este ataque terrorista, esté quien esté detrás de él».[49]

Apenas horas después de los ataques, ya se estaban diseñando estrategias para lidiar con Bin Laden. Un plan de acción presentado en la mañana del 13 de septiembre señalaba la importancia de involucrar a Irán y contactar con las autoridades de Turkmenistán, Uzbekistán, Kirguistán, Kazajistán y China (países vecinos o casi vecinos de Afganistán). Se puso en marcha un plan para «reactivar» el contacto con ellos a lo largo de la semana siguiente con el fin de prepararlos para acciones militares que se emprenderían contra los talibanes.[50] El primer paso en respuesta al 11-S fue alinear a los países de las «rutas de la seda».

Hubo un vecino de Afganistán al que se prestó particular atención. Pakistán había forjado con los talibanes lazos estrechos que se remontaban por lo menos una y acaso dos generaciones atrás. Sin embargo, los ataques terroristas del 11-S obligaban a Islamabad a hacer una elección tajante, se le dijo al jefe del servicio de inteligencia pakistaní, entre «el blanco y el negro [...] sin grises». O bien el país «está al lado de Estados Unidos en la lucha contra el terrorismo o está contra nosotros».[51]

A medida que se posicionaban las piezas para la invasión de Afganistán, se dio a los talibanes una última y fatídica advertencia, que había de ser entregada personalmente ya fuera por el presidente de Pakistán o su jefe de seguridad. «Por su propio interés y por el de su superveniencia, se les pide que entreguen a todos los líderes de Al Qaeda, cierren todos los campos terroristas y permitan que Estados Unidos acceda a las instalaciones de los terroristas.» La respuesta sería «devastadora» en caso de que «cualquier persona o grupo vinculado de cualquier forma con Afganistán» estuviera involucrado en los ataques terroristas contra Estados Unidos. «Todos los pilares del régimen talibán», decía el cortante mensaje, «serán destruidos».[52] El ultimátum era enfático y claro: los talibanes debían entregar a Bin Laden o prepararse para sufrir las consecuencias.

Pese a todos los esfuerzos dirigidos a encontrar a Bin Laden y destruir el potencial de Al Qaeda, lo que estaba en juego era algo más que la caza del líder terrorista. De hecho, la atención en Washington pronto giró hacia una visión más amplia: controlar el centro de Asia de forma decisiva y real. Voces influyentes arguyeron que lo que se necesitaba era remodelar por completo los países de la región, y hacerlo de tal forma que las perspectivas de los intereses y la seguridad de Estados Unidos mejoraran radicalmente.

Durante décadas, Estados Unidos había estado jugando con el diablo. Durante décadas, se había considerado de singular importancia cuanto ocurría en el corazón de Asia; tanto, que después de la segunda guerra mundial pasó a ser habitual hablar de forma explícita de cuán relevante era la región para la seguridad nacional de Estados Unidos. Su ubicación entre Oriente y Occidente la hacía crucial desde el punto de vista estratégico para la rivalidad entre las superpotencias, mientras que los recursos naturales con que contaba (petróleo y gas, sobre todo) hacían que la situación de los países del golfo Pérsico y sus vecinos inmediatos fuera en verdad una cuestión de suprema importancia para los estadounidenses.

Hacia el 30 de septiembre de 2001, tres semanas después de las atrocidades del 11-S, el secretario de Defensa, Donald Rumsfeld, presentó al presidente sus «ideas estratégicas» acerca de lo que Estados Unidos podía y debía buscar conseguir en el futuro cercano como parte de su «objetivo bélico» «Se planea que empiecen pronto los ataques aéreos contra blancos de Al Qaeda y los talibanes», señalaba; esos ataques marcarían el comienzo de lo que él no dudaba en llamar una «guerra». Era importante, escribió, «convencer u obligar a los estados para que dejen de apoyar el terrorismo». No obstante, lo que proponía a continuación era un plan espectacularmente ambicioso y sorprendente. «Si la guerra no cambia de forma significativa el mapa político del mundo, Estados Unidos no alcanzará su objetivo.» Lo que eso significaba se exponía a continuación con claridad: «El [gobierno de Estados Unidos] debe visualizar una meta siguiendo esa perspectiva: nuevos regímenes en Afganistán y en otro estado clave (o dos)».[53] Rumsfeld no necesitaba especificar cuáles eran los estados en los que pensaba: Irán e Irak.

Los ataques del 11-S transformaron la forma en que Estados Unidos se relacionaba con el mundo en su conjunto. Su futuro dependía de la seguridad en la columna vertebral de Asia, que iba desde la frontera occidental de Irak con Siria y Turquía hasta el Hindú Kush. El presidente Bush se encargó de presentar esa visión de forma decidida a finales de enero de 2002. Para entonces, las fuerzas estadounidenses se habían ocupado con firmeza de los talibanes, a los que se sacó de las principales ciudades de Afganistán, incluida Kabul, en cuestión de semanas tras el comienzo de la operación Libertad Duradera, que además de una gran campaña de ataques aéreos incluyó el despliegue a gran escala de fuerzas de tierra. Aunque Bin Laden seguía sin ser atrapado, el presidente explicó en el «Discurso sobre el estado de la Unión» por qué Estados Unidos tenía que fijar la mirada en metas más ambiciosas. Muchos regímenes que antes habían manifestado su hostilidad hacia los intereses estadounidenses «han estado bastante callados desde el 11 de septiembre, pero nosotros conocemos su auténtica naturaleza». Corea del Norte, el estado canalla por excelencia, era uno. Pero la atención real se centraba en la amenaza planteada por otros dos: Irán e Irak. Esos países, junto con el régimen de Pionyang, «constituyen un eje del mal que se arma para amenazar la paz del mundo». Desmantelar ese eje era crucial. «Nuestra guerra contra el terrorismo está adelantada, pero apenas ha comenzado.»[54]

La determinación de hacerse con el control era abrumadora. Deponer los regímenes existentes que se consideraban desestabilizadores y peligrosos se convirtió en la meta primordial del pensamiento estratégico de Estados Unidos y sus aliados. La prioridad era librarse de los que se percibían como peligros inminentes, sin pensar mucho en qué podía o debía ocurrir después. Corregir los problemas a corto plazo se consideró más importante que el escenario a largo plazo. Esa posición era explícita en los planes para el ataque contra Afganistán elaborados en el otoño de 2001. «El [gobierno de Estados Unidos] no debe preocuparse en exceso por la situación del país después de los talibanes», proponía un documento presentado cuando ya estaba en marcha la campaña de ataques aéreos. La clave era derrotar a Al Qaeda y los talibanes; ya habría tiempo después de preocuparse por lo que viniera a continuación.[55]

El mismo cortoplacismo resultó evidente en el caso de Irak, donde la atención dedicada al objetivo de quitar a Sadam Husein del poder contrastaba radicalmente con la ausencia de planificación sobre la organización futura del país. El deseo de librarse de Sadam figuraba en el orden del día desde el comienzo de la administración Bush: menos de setenta y dos horas después de la toma de posesión de George Bush y, como es obvio, meses antes del 11-S, el nuevo secretario de Estado, Colin Powell, pidió aclarar la «política [de Estados Unidos] para el cambio de régimen en Irak».[56] Tras los ataques terroristas, la atención viró casi de inmediato al derrocamiento del líder iraquí. En un momento en que las tropas estadounidenses parecían estar haciéndose con el control de Afganistán de forma inexorable, el Departamento de Defensa trabajaba con ahínco para preparar un avance a gran escala sobre Irak. La cuestión era sencilla, como dejan claro las notas preparadas para un encuentro entre Rumsfeld y el general Tommy Franks, el jefe del Mando Central estadounidense: «¿Cómo empezar?».[57]

Se previeron tres posibles desencadenantes, todos los cuales podían justificar emprender operaciones militares. ¿Quizá las acciones de Sadam «contras los kurdos del norte?», se preguntaba Donald Rumsfeld en noviembre de 2001; tal vez una «relación con los ataques del 11 de septiembre o con ataques con ántrax» (después del envío de cartas contaminadas a varios medios de comunicación y a dos senadores estadounidenses en septiembre de 2001); o bien, «¿una disputa por inspecciones de armas de destrucción masiva?». Esta parecía una opción prometedora, como revela el comentario que la acompañaba: «Empezar a pensar ya en exigir inspecciones».[58]

A lo largo de 2002 y en los primeros meses de 2003, se aumentó la presión sobre Irak y la cuestión de las armas químicas, biológicas y de destrucción masiva ocupó el centro del escenario. Estados Unidos se dedicó a ello con un fervor casi fanático. En ausencia de «pruebas incontrovertibles» de un vínculo entre el 11-S y Bagdad, señalaba un informe, el único líder con cuyo apoyo para la guerra podía contar el gobierno estadounidense era Tony Blair, si bien «a un coste político considerable»; por su parte, otro documento subrayaba el hecho de que «muchos, si no la mayoría, de los países con los que Estados Unidos tiene alianzas o lazos de amistad, en especial en Europa, abrigan serias dudas acerca de [...] un ataque total contra Irak». Previendo que era probable que las Naciones Unidas no dieran un mandato claro para actuar contra Sadam, se empezó entonces a trabajar en la creación de un marco legal que justificara una guerra a gran escala.[59]

En particular se insistió en construir la tesis de que Irak no solo estaba decidido a producir armas de destrucción masiva, sino que ya lo estaba haciendo de forma clandestina, mientras que, al mismo tiempo, obstaculizaba la labor de los inspectores del Organismo Internacional de la Energía Atómica (OIEA). En ciertos casos, esto creó problemas con los propios organismos de vigilancia, cuya posición se exageró y cuyo trabajo quedó comprometido. En la primavera de 2002, por ejemplo, el brasileño José Bustani, el director general de la Organización para la Prohibición de las Armas Químicas, fue destituido tras una sesión especial a puerta cerrada; era la primera vez que se forzaba la salida del jefe de una organización internacional de relieve.[60] La información obtenida de fuentes aisladas y con frecuencia poco fiables pasó a tenerse por muy importante y se presentaron como hechos lo que no eran más que especulaciones, todo lo cual era resultado de la firme decisión de conseguir que los argumentos contra Irak y Sadam parecieran irrefutables. «Todas las afirmaciones que hago hoy», dijo Colin Powell a las Naciones Unidas el 5 de febrero de 2003, «están respaldadas por fuentes, fuentes sólidas. No se trata de meras aseveraciones. Lo que les estamos ofreciendo son hechos y conclusiones basados en información sólida obtenida por los servicios de inteligencia».[61]

No era nada similar. Apenas una semana antes, un informe de la OIEA había concluido que «hasta la fecha no hemos encontrado pruebas de que Irak haya resucitado su programa de armas nucleares desde la supresión del programa en la década de 1990» y añadía que serían necesarias «actividades de verificación adicionales».[62] Eso coincidía con la actualización publicada ese mismo día, el 27 de enero de 2003, por Hans Blix, el jefe de la Comisión de las Naciones Unidas de Vigilancia, Verificación e Inspección (UNMOVIC, por sus siglas en inglés), en la que se afirmaba que si bien se habían producido algunos incidentes y existía cierto acoso, «Irak en su conjunto ha cooperado bastante bien hasta ahora» con los inspectores y atendido sus peticiones.[63]

Como más tarde se sabría, no había ningún vínculo entre Sadam Husein y los ataques llevados a cabo por Al Qaeda en 2001. De hecho, los millones de páginas de documentos recuperados en Bagdad tras la invasión que empezó el 19 de marzo de 2003 destacan por las poquísimas referencias al terrorismo que incluyen. Y los documentos relacionados con el servicio de inteligencia iraquí evidencian que, por el contrario, se había dedicado una atención considerable a la contención de figuras como Abu Abás, el líder del Frente para la Liberación de Palestina y principal responsable de algunos ataques espectaculares llevados a cabo en la década de 1980, y se había dejado claro que no debía atacarse ningún objetivo estadounidense bajo ninguna circunstancia (salvo en caso de que Estados Unidos atacara a Irak).[64]

De forma similar, como hoy sabemos, la tesis de un programa muy amplio y complejo para la producción de armas nucleares, que tan real parecía en las mentes de quienes veían en el régimen iraquí una amenaza para la paz regional y mundial, tenía escaso fundamento. Los camiones que Colin Powell describió como instalaciones para la fabricación de armas biológicas, los cuales permanecían «ocultos en grandes huertos de palmeras» y cambiaban de sitio «cada semana o cada cuatro semanas para evitar ser detectados» resultaron ser globos meteorológicos, justo lo que los iraquíes habían dicho que eran.[65]

La decisión de librarse de Sadam Husein a cualquier precio estuvo acompañada de una pésima planeación para lo que ocurriría después. Los planes y libros elaborados antes y durante la invasión dibujaban el futuro idílico que aguardaba al país una vez hubiera sido liberado. El petróleo de Irak, aseguraba un importante estudio con optimismo, era «un recurso tremendo», del que podría beneficiarse «hasta el último ciudadano del país independientemente de su origen étnico o afiliación religiosa».[66] El supuesto ingenuo de que la riqueza nacional sería compartida por todos con alegría y justicia dice mucho acerca de lo poco realistas que eran las expectativas acerca de las consecuencias de la invasión. El motivo de la solución espontánea de los problemas era omnipresente. «Irak, a diferencia de Afganistán, es un país bastante rico», declaró el portavoz de la Casa Blanca, Ari Fleischer, durante una sesión informativa en febrero de 2003. Tiene «recursos tremendos que pertenecen al pueblo iraquí. Y por ende

[...] Irak [debería con facilidad] estar en condiciones de asumir buena parte de los costes de su propia reconstrucción». Paul Wolfowitz, el segundo de Donald Rumsfeld en el Departamento de Defensa, repitió esos mismos argumentos ante el Comité de Asignaciones de la Cámara de Representantes de Estados Unidos en marzo de 2003, una semana después del comienzo de la invasión. No había necesidad de preocuparse, insistió, «estamos hablando de un país que realmente puede financiar su propia reconstrucción y con relativa rapidez». Las rentas derivadas del petróleo, predijo alegremente, reportarían a Irak entre cincuenta mil y cien mil millones de dólares a lo largo de los próximos «dos o tres años».[67]

La idea de que al echar a Sadam Irak se convertiría en una tierra de leche y miel era hacer castillos en el aire a una escala colosal. Cuando las tropas estadounidenses invadieron Afganistán, los estrategas del Consejo Nacional de Seguridad señalaron con solemnidad que Estados Unidos «no debe comprometerse a ninguna implicación militar posterior al derrocamiento del régimen talibán, pues Estados Unidos estará dedicado en gran medida a la lucha contra el terrorismo en todo el mundo».[68] Las expectativas respecto a Irak eran similares: de acuerdo con los planes del Mando Central estadounidense, se necesitarían doscientos setenta mil soldados para la invasión del país; pero tres años y medio más tarde apenas será necesario contar con cinco mil efectivos sobre el terreno. Todo eso quizá pareciera verosímil cuando se presentaba en diapositivas de PowerPoint a quienes, por lo demás, veían en ellas lo que querían ver.[69] Se trataba, en otras palabras, de guerras leves, conflictos que sería posible resolver con rapidez y que permitirían crear un nuevo equilibrio en una región fundamental de Asia.

En ambos casos, sin embargo, las guerras resultaron ser prolongadas y costosas. Tras la caída de Bagdad y el surgimiento de una insurgencia potente, Irak básicamente se hundió en una guerra civil, mientras que en Afganistán la reacción a la intervención fue tan capaz y decidida como lo había sido la reacción contra la Unión Soviética en la década de 1980, un contexto en el que el apoyo de Pakistán a los guerrilleros fundamentalistas se reveló de nuevo crucial. Muchos miles de soldados estadounidenses perdieron la vida en los dos conflictos, y más de ciento cincuenta mil veteranos sufrieron heridas y lesiones que les causaron grados de discapacidad iguales o superiores al 70 por ciento.[70] Y ello sin mencionar a los cientos de miles de civiles afganos e iraquíes que resultaron muertos o heridos en acciones militares, y por estar en el lugar equivocado en el momento inoportuno de un fuego cruzado o un ataque con drones o un coche bomba, se convirtieron en «daños colaterales».[71]

Los costes financieros aumentaron a un ritmo sorprendente. Un estudio reciente calcula que el coste de las intervenciones en Irak y Afganistán podría ascender a seis billones de dólares (o setenta y cinco mil dólares por cada hogar estadounidense) si se tienen en cuenta los cuidados médicos a largo plazo y las compensaciones por discapacidad. Esto representa un aumento de alrededor del 20 por ciento en la deuda nacional de Estados Unidos entre 2001 y 2012.[72]

El hecho de que el efecto de las intervenciones fuera más limitado de lo que se preveía solo contribuyó a hacer la situación peor. Hacia 2011, el presidente Obama prácticamente había perdido la esperanza en Afganistán, según su ex secretario de Defensa, Robert Gares, quien comprendió cuán desoladora era la situación en una reunión en la Casa Blanca en marzo de 2011. «Mientras estaba allí sentado, pensé: el presidente no confía en el oficial al mando [el general Petraeus], no soporta a Karzai [el presidente afgano], no cree en su propia estrategia ni considera que la guerra sea suya. Para él, todo se reduce a largarse de allí.»[73] Esta descripción coincide con las impresiones del mandatario afgano, al que Occidente había designado, apoyado y, en opinión de muchos, enriquecido. «Como nación», le dijo al escritor William Dalrymple, Afganistán ha sufrido muchísimo como consecuencia de la política de Estados Unidos; los estadounidenses «no luchaban contra el terrorismo donde estaba, donde todavía está. Continúan causando daño a Afganistán y su gente». No existía otra forma de expresarlo, dijo: «Esto es una traición».[74]

En Irak, entre tanto, es poco lo que hoy se puede mostrar que justifique las vidas perdidas, el enorme coste económico y las esperanzas de futuro destrozadas. Diez años después de la caída de Sadam Husein, el país sigue ubicándose en los niveles más bajos de los índices que señalan la transición hacia una democracia saludable. En materia de derechos humanos, libertad de prensa, derechos de las minorías, corrupción y libertad de expresión, Irak no está mejor clasificado que cuando Sadam Husein estaba en el poder y en algunos casos está incluso peor. Inutilizado por la incertidumbre, la agitación y el descontento, el país ha sido testigo de convulsiones catastróficas y formas grotescas de violencia que se han cebado en particular con las poblaciones minoritarias. Las perspectivas para el futuro son desalentadoras.

Luego, por supuesto, está el daño que ha sufrido la reputación de Occidente en general y Estados Unidos en particular. «Debemos evitar tanto como sea posible crear imágenes de estadounidenses matando musulmanes», aconsejó Donald Rumsfeld al presidente Bush dos semanas después del 11-S.[75] Esa sensibilidad aparente fue reemplazada pronto por las imágenes de los presos recluidos sin juicio en el deliberado limbo legal de la bahía de Guantánamo (el lugar se eligió específicamente con el argumento de que así podría negarse a los detenidos la protección que les hubiera otorgado la Constitución estadounidense). Las investigaciones sobre la fase previa a la guerra de Irak en Estados Unidos y el Reino Unido revelaron que las pruebas habían sido tergiversadas, manipuladas y moldeadas para respaldar decisiones que ya habían sido tomadas a puerta cerrada. Los esfuerzos por controlar los medios de comunicación en el Irak posterior a Sadam, donde los periodistas debían pregonar el concepto de la libertad utilizando «información aprobada por el gobierno de Estados Unidos» para subrayar «la esperanza de un futuro próspero y democrático», recordaban la forma en que los comisarios soviéticos aprobaban la difusión de noticias basadas no en la realidad, sino en los sueños.[76]

Por si fuera poco, a todo eso hay que añadir las extradiciones extrajudiciales, la tortura a escala institucional y los ataques con drones contra figuras a las que se consideraba una amenaza, pero cuya peligrosidad no necesariamente estaba demostrada. El hecho de que estas cuestiones pudieran debatirse en público dice mucho de la complejidad y pluralidad de Occidente, donde muchos se horrorizaron ante la hipocresía de propagar un mensaje sobre la primacía de la democracia al mismo tiempo que se ejercía el poder de forma imperial. Algunos se sintieron tan escandalizados que decidieron filtrar información clasificada que sacaba a la luz precisamente cómo se diseñaban las políticas: de manera pragmática, sobre la marcha y, con frecuencia, sin detenerse a pensar demasiado en las leyes internacionales y la justicia. Nada de eso dada una buena imagen de Occidente, algo de lo que eran muy conscientes los servicios de inteligencia, que lucharon por mantener clasificados los informes sobre la naturaleza y extensión de las torturas, incluso ante el cuestionamiento directo del Senado estadounidense.

Aunque en este capítulo hemos centrado la atención en los esfuerzos por influir y moldear Irak y Afganistán, es importante no pasar por alto los intentos de propiciar un cambio en Irán. Estos han incluido sanciones, que Washington, con dinamismo, se esfuerza en hacer cumplir y que, es posible decir, han resultado contraproducentes. Como en el caso de Irak en la década de 1990, es evidente que los efectos de esas sanciones son más fuertes y pronunciados en los pobres, los débiles y los marginados, empeorando todavía más su situación. Las restricciones a la exportación de petróleo iraní han tenido un impacto en el nivel de vida no solo de los ciudadanos de Irán sino también, como es evidente, en quienes viven al otro lado del mundo. En un mercado energético globalizado, el precio del gas, la electricidad y los combustibles afectan a los granjeros de Minnesota, los taxistas de Madrid, las estudiantes del África subsahariana y los caficultores de Vietnam. Todos los seres humanos estamos siendo directamente afectados por la política del poder puesta en práctica a miles de kilómetros de distancia. Resulta fácil olvidar que, en el mundo en vías de desarrollo, unos céntimos pueden hacer la diferencia entre la vida y la muerte; la imposición de embargo puede significar la asfixia silenciosa de aquellos cuyas voces no es posible oír: madres en los tugurios de Bombay, tejedores de cestas de los suburbios de Mombasa o mujeres que intentan oponerse a la minería ilegal en Sudamérica. Y todo ello para obligar a Irán a renunciar a un programa nuclear construido a partir de tecnología estadounidense vendida en la década de 1970 a un régimen despótico, intolerante y corrupto.

En este periodo, aparte de la presión diplomática y económica ejercida sobre Teherán, Estados Unidos dejó claro en repetidas ocasiones que no descartaba recurrir al uso de la fuerza contra Irán con tal de poner fin al programa de enriquecimiento de uranio. En la etapa final de la administración Bush, Dick Cheney aseguró que había propuesto con insistencia que se atacaran las instalaciones del programa nuclear iraní, incluso a pesar de que reactores como el de Bushehr se encuentran ahora muy protegidos mediante los modernos sistemas de misiles tierra-aire Tor de fabricación rusa. «Yo era probablemente más partidario de la acción militar que muchos de mis colegas», dijo en 2009.[77] Otros le advirtieron de que lanzar un ataque preventivo solo serviría para empeorar, no para mejorar, la situación en toda la región. Pese a ello, volvió en repetidas ocasiones a plantear la idea. En 2013, por ejemplo, sostuvo que las negociaciones fracasarían a menos que existiera la amenaza de una acción militar. «Me cuesta trabajo entender cómo vamos a alcanzar nuestro objetivo sin ello», dijo a ABC News.[78]

La idea de que Occidente necesitaba amenazar y estar dispuesto a usar la fuerza para conseguir lo que quiere se convirtió en un mantra en Washington. «Irán tendrá que demostrar que su programa de verdad es pacífico», dijo el secretario de Estado John Kerry en noviembre de 2013. Irán debería tener en cuenta, advirtió, que «el presidente [...] ha dicho específicamente que no ha retirado de la mesa la amenaza» de una acción militar. Kerry volvió a transmitir el mismo mensaje en repetidas ocasiones. «La opción militar que Estados Unidos tiene a su disposición está lista», dijo en enero de 2014 en una entrevista en el canal Al Arabiya. De ser necesario, añadió, Estados Unidos hará «lo que tenga que hacer».[79] «Como he dejado claro una y otra vez a lo largo de mi presidencia», subrayó el presidente Obama, «no vacilaré en usar la fuerza cuando sea necesario para defender a Estados Unidos y sus intereses».[80]

A pesar de las amenazas lanzadas para llevar a Irán a la mesa de negociación, hay indicios de que, en cualquier caso, Estados Unidos seguía actuando entre bastidores para conseguir lo que quería. Si bien son varias las fuentes potenciales del virus Stuxnet que atacó las centrifugadoras del complejo nuclear de Natanz y luego otros reactores iraníes, múltiples indicios sugieren que Estados Unidos y directamente la Casa Blanca están en el origen de las ciberestrategias agresivas y enormemente sofisticadas que amenazaron el programa nuclear de Irán.[81] El ciberterrorismo, parece ser, resulta aceptable mientras esté en manos de los servicios de inteligencia occidentales. Como la amenaza del uso de la fuerza contra Irán, la protección del orden global que conviene a los intereses de Occidente es sencillamente un nuevo capítulo en el intento de mantener la posición en la antigua intersección de las civilizaciones. Las apuestas son demasiado elevadas para proceder de otra forma.

# Conclusión

# LA NUEVA RUTA DE LA SEDA

En muchos sentidos, las últimas décadas del siglo XX y las primeras del XXI fueron una especie de desastre para Estados Unidos y Europa en la lucha por mantener su posición en los territorios vitales que unen Oriente y Occidente. Lo más llamativo de los acontecimientos de los últimos decenios es la falta de perspectiva de Occidente acerca de la historia mundial, su desinterés por la visión de conjunto, los motivos recurrentes y las grandes pautas que se entrecruzan en esta región. En la mente de los planificadores, los políticos, los diplomáticos y los generales, los problemas de Afganistán, Irán e Irak parecían distintos y separados o, a lo sumo, apenas ligeramente relacionados entre sí.

No obstante, dar un paso atrás, y tomar distancia, proporciona una perspectiva valiosa y una capacidad de comprensión extraordinaria que permiten ver una gran región inmersa en una enorme agitación. En Turquía se está librando una batalla por el alma de la nación, con un gobierno que ordena cierres caprichosos de proveedores de internet y redes sociales, pero se mantiene dividido ante la cuestión de dónde debe buscar el país su futuro. El dilema se repite en Ucrania, donde las concepciones diferentes de la nación han hecho pedazos el país. Siria también está sufriendo una experiencia traumática que traerá un cambio profundo, a un coste inmenso, consecuencia del enfrentamiento de las fuerzas del conservadurismo y el liberalismo. También el Cáucaso ha atravesado un periodo de transición, durante el que han surgido múltiples cuestiones relacionadas con la identidad y el nacionalismo, en particular en Chechenia y Georgia. Luego, por supuesto, está la región situada más al este, donde en 2005 la «revolución de los tulipanes» de Kirguistán fue el preludio de un largo periodo de inestabilidad política; y Xinjiang, en el oeste de China, donde la población uigur se ha vuelto cada vez más inquieta y hostil y los ataques terroristas son en la actualidad una amenaza tal que las autoridades decretaron que dejarse crecer demasiado la barba es una señal de intenciones sospechosas e iniciaron un programa formal, conocido como «proyecto Belleza», para desalentar el uso del velo islámico entre las mujeres.

Por tanto, hay muchos más procesos en marcha que las torpes intervenciones de Occidente en Irak y Afganistán y el uso de la presión en Ucrania, Irán y otros lugares. De este a oeste, las «rutas de la seda» se alzan de nuevo. Resulta fácil sentirse confundido e inquieto ante los trastornos y la violencia en el mundo islámico, ante el fundamentalismo religioso, ante los choques entre Rusia y sus vecinos o ante la lucha de China contra el extremismo en sus provincias occidentales. Sin embargo, lo que estamos viendo son los dolores de parto de una región que otrora dominaba el paisaje intelectual, cultural y económico y hoy experimenta un resurgimiento. Lo que vemos son las señales de que el centro de gravedad del mundo está cambiando de nuevo, regresando a donde estuvo durante milenios.

Hay razones obvias que explican que esto esté ocurriendo. La más importante, por supuesto, son los recursos naturales de esta región. Monopolizar los recursos de Persia, Mesopotamia y el Golfo fue una prioridad durante la primera guerra mundial, y desde entonces los esfuerzos por asegurarse el premio mayor de la historia han dominado las actitudes del mundo occidental. La situación hoy no es distinta. Y, de hecho, podría decirse que incluso hay mucho más en juego que cuando las dimensiones de los hallazgos de Knox D'Arcy en Irán se hicieron evidentes por primera vez: solo las reservas demostradas de crudo bajo el mar Caspio suman casi el doble de las de todo Estados Unidos.[1] Los países de esta región están crujiendo sobre sus recursos naturales: desde Kurdistán, donde los depósitos de petróleo descubiertos recientemente suponen cientos de millones de dólares mensuales (es el caso del campo de Taq Taq, cuya producción desde 2007 ha crecido de dos mil a doscientos cincuenta mil barriles diarios), hasta la inmensa reserva de Karachaganak, en la frontera entre Kazajistán y Rusia, que según se calcula contiene más de un billón de metros cúbicos de gas natural, además de gas licuado y petróleo crudo.

Luego está Dombás (la cuenca del Donets) que abarcaba buena parte de la frontera oriental de Ucrania con Rusia, una región famosa desde hace muchísimo tiempo por sus depósitos de carbón, con unas reservas extraíbles de alrededor de diez mil millones de toneladas. La importancia de la zona también ha aumentado debido a la riqueza mineral que alberga. Una valoración reciente, realizada por el Servicio Geológico de Estados Unidos, calcula que la región contendría mil cuatrocientos millones de barriles de petróleo y unos setenta mil millones de metros cúbicos de gas natural, además de volúmenes considerables de los líquidos del gas natural.[2] Los depósitos de gas natural de Turkmenistán son todavía mayores. Con no menos de veinte billones de metros cúbicos de gas natural bajo el subsuelo, el país controla la cuarta reserva más grande del mundo. Y después están las minas de Uzbekistán y Kirguistán, que forman parte del cinturón montañoso Tian Shan, la segunda reserva de oro más grande del mundo después de la cuenca de Witwatersrand, en Sudáfrica. Kazajistán, por su parte, cuenta con berilio, disprosio y otras «tierras raras», elementos fundamentales para la fabricación de teléfonos móviles, ordenadores portátiles y baterías recargables, así como con uranio y plutonio, esenciales para la producción de energía nuclear (y, evidentemente, la fabricación de ojivas nucleares).

Incluso la tierra misma es rica y valiosa. Otrora, eran los caballos de Asia Central los que constituían una mercancía enormemente apreciada, codiciada tanto en la corte imperial en China como en los mercados de Delhi, y famosa para los cronistas de Kiev, Constantinopla y Beijing. En la actualidad, grandes partes de los pastos de las estepas se han trasformado en cultivos de grano, sorprendentemente productivos, de Rusia meridional y Ucrania: de hecho, tan fértil y buscado es su característico humus, el *chernozem* (literalmente, «tierra negra»), que una ONG ha descubierto que solo en Ucrania se extraen y venden cada año cantidades de este rico suelo valoradas en cerca de mil millones de dólares.[3]

El impacto de la inestabilidad, la agitación o la guerra en esta región no solo se percibe en el precio del petróleo que envía al mundo entero, sino que afecta también al precio de la tecnología que usamos e, incluso, al pan que comemos. En el verano de 2010, por ejemplo, las condiciones meteorológicas produjeron una mala cosecha en Rusia, donde la producción cayó por debajo de la demanda interna. En cuanto resultó evidente que era muy probable que hubiera escasez, se decidió de inmediato prohibir la exportación internacional de cereales. Aunque antes de que la medida se hiciera efectiva hubo una advertencia de diez días, el impacto sobre los precios mundiales de los cereales fue instantáneo: en apenas dos días aumentaron un 15 por ciento.[4] El conflicto en Ucrania a comienzos de 2014 tuvo un impacto similar: el precio del trigo se disparó debido a los temores sobre los efectos de la confrontación en la producción agraria del tercer mayor exportador del mundo.

El cultivo de otros productos en esta parte del mundo sigue principios similares. En otra época, Asia Central era famosa por los naranjos de Bābur y, más tarde, por los tulipanes, que eran tan apreciados en las capitales europeas del siglo XVII que en Ámsterdam se llegaron a cambiar casas enteras junto a los canales por un solo bulbo. En la actualidad, la pelea es por el opio: el cultivo de amapola, sobre todo en Afganistán, sostiene buena parte del consumo mundial de heroína y determina su precio (y, por supuesto, incide en los costes resultantes del tratamiento y rehabilitación de los drogadictos, así como en el precio de intentar controlar a la delincuencia organizada).[5]

Esto forma parte de un mundo que a ojos de Occidente quizá resulte extraño y desconocido, ajeno hasta el punto de parecer estrambótico. En Turkmenistán, se erigió en 1998 una estatua dorada gigante del presidente del país que gira para estar siempre de cara al sol; y cuatro años después se decidió cambiar el nombre de los meses: abril (hasta entonces *aprel*) pasó a llamarse *gurbansoltan* en recuerdo de la difunta madre del entonces mandatario. O véase el caso del vecino Kazajistán, donde el presidente Nursultán Nazarbáyev fue reelegido en 2011 tras hacerse con un impresionante 96 por ciento del voto y donde, como revelan algunos cables diplomáticos filtrados, estrellas de la música pop como Elton John y Nelly Furtado han dado conciertos privados para la familia presidencial después de recibir ofertas demasiado buenas como para negarse.[6] En Tayikistán, que durante un breve tiempo retuvo la marca mundial del asta de bandera más alta, la atención se concentra en la actualidad en la construcción del teatro más grande de Asia Central, que habrá de acompañar a la biblioteca, el museo y la casa de té más grandes de la región.[7]

Entre tanto, en Azerbaiyán, en la costa occidental del mar Caspio, el presidente Aliyev tuvo que conformarse con un 86 por ciento del voto en las elecciones, un porcentaje ligeramente menos convincente que el de su homólogo kazajo. El hijo de Aliyev (los diplomáticos estadounidenses compararon a la familia con «los Corleone del *Padrino*») posee un conjunto de chalés y pisos en Dubái valorado en cuarenta y cinco millones de dólares; la suma es diez mil veces la renta anual del azerbaiyano medio: nada mal para un niño de once años.[8] Y al sur tenemos Irán, donde uno de los últimos presidentes negó públicamente el Holocausto y acusó a «las potencias y déspotas de Occidente» de haber desarrollado el VIH «para poder vender sus medicamentos y equipos sanitarios a los países pobres».[9]

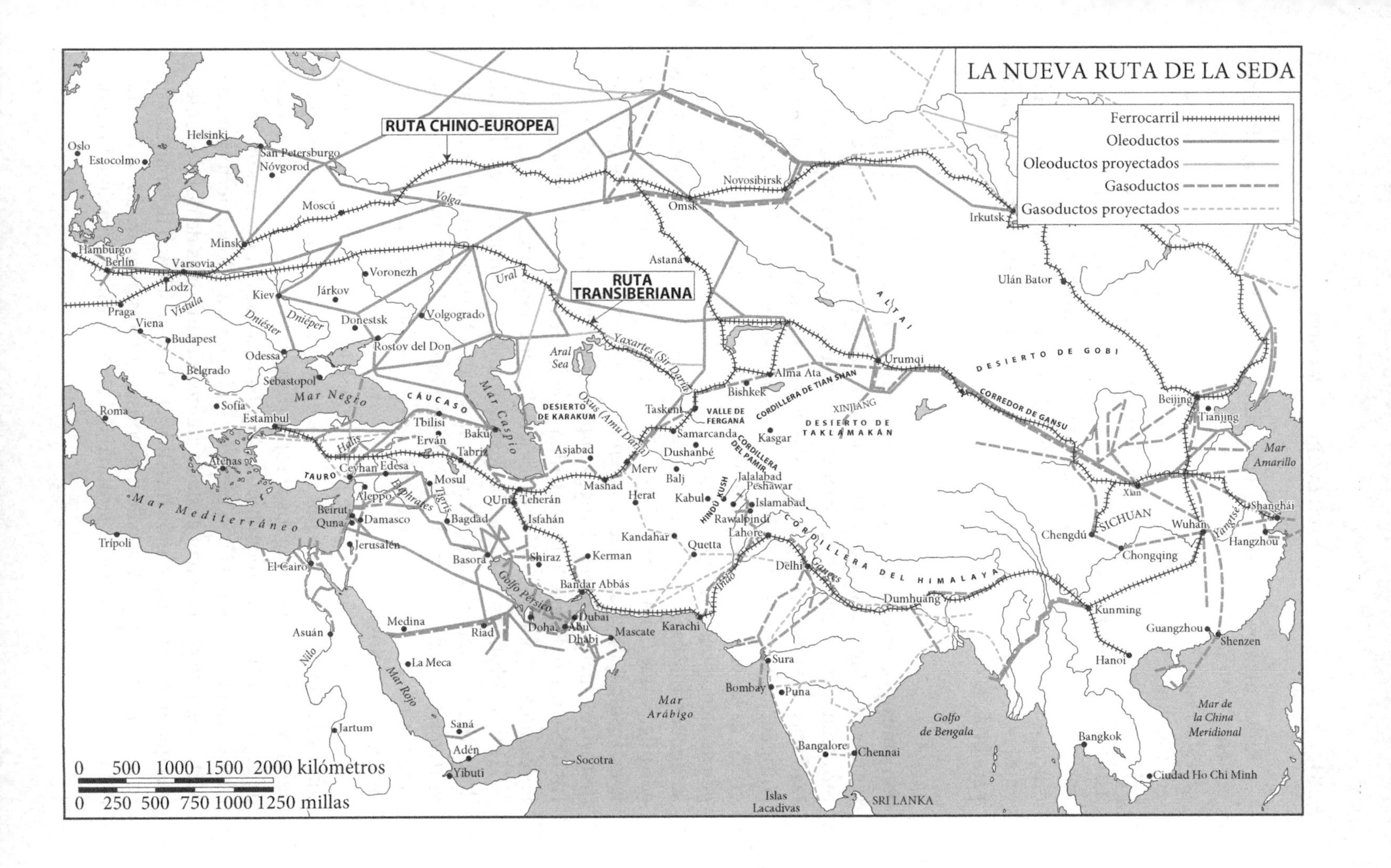
LA NUEVA RUTA DE LA SEDA
Ferrocarril
Oleoductos
Oleoductos proyectados
Gasoductos
Gasoductos proyectados
RUTA CHINO-EUROPEA
RUTA TRANSIBERIANA
Oslo
Estocolmo
Helsinki
San Petersburgo
Nóvgorod
Moscú
Minsk
Hamburgo
Berlín
Varsovia
Lodz
Praga
Viena
Budapest
Belgrado
Vistula
Kiev
Járkov
Voronezh
Dniéster
Dniéper
Donestsk
Volgogrado
Rostov del Don
Odessa
Sebastopol
Mar Negro
Sofía
Roma
Estambul
Atenas
Mar Mediterráneo
Trípoli
El Cairo
Volga
Ural
Novosibirsk
Omsk
Astaná
Irkutsk
Ulán Bator
ALTAI
Aral Sea
Yaxartes (Sir Daria)
Oxus (Amu Daria)
DESIERTO DE KARAKUM
CÁUCASO
Mar Caspio
Tbilisi
Ereván
Bakú
Tabriz
Halis
TAURO
Ceyhan
Edesa
Mosul
Aleppo
Euphrates
Tigris
Beirut
Quna
Damasco
Jerusalén
QUm
Teherán
Bagdad
Isfahán
Basora
Shiraz
Kerman
Golfo Pérsico
Bandar Abbás
Doha
Dubai
Abu Dhabi
Mascate
Medina
Riad
La Meca
Mar Rojo
Asuán
Nilo
Jartum
Saná
Adén
Yibuti
Socotra
Asjabad
Mashad
Merv
Herat
Taskent
Samarcanda
Dushanbé
Balj
VALLE DE FERGANÁ
Bishkek
Alma Ata
Urumqi
CORDILLERA DE TIAN SHAN
CORDILLERA DEL PAMIR
Kasgar
XINJIANG
DESIERTO DE TAKLAMAKÁN
DESIERTO DE GOBI
CORREDOR DE GANSU
HINDÚ KUSH
Kabul
Jalalabad
Peshawar
Islamabad
Rawalpindi
Lahore
Kandahar
Quetta
Karachi
Indo
CORDILLERA DEL HIMALAYA
Delhi
Ganges
Dumhuang
Mar Arábigo
Sura
Bombay
Puna
Bangalore
Chennai
Islas Lacadivas
SRI LANKA
Golfo de Bengala
Beijing
Tianjing
Mar Amarillo
Xian
Chengdú
SICHUAN
Chongqing
Wuhan
Yangtsé
Shanghái
Hangzhou
Kunming
Guangzhou
Shenzen
Hanoi
Bangkok
Ciudad Ho Chi Minh
Mar de la China Meridional
0 500 1000 1500 2000 kilómetros
0 250 500 750 1000 1250 millas

En las mentes occidentales la región se describe como atrasada, despótica y violenta. Durante demasiado tiempo, dijo en 2011 la entonces secretaria de Estado Hillary Clinton, el centro de Asia ha sido «arrasado por los conflictos y las divisiones», un lugar en el que «las barreras burocráticas y otros impedimentos a la circulación de bienes y personas» han asfixiado el comercio y la cooperación; la única forma de que «las personas que viven allí tengan un mejor futuro», concluyó, era intentar crear un clima de estabilidad y seguridad duradero. Solo entonces sería posible «atraer más inversión privada», algo, al menos en su opinión, esencial para el desarrollo social y económico.[10]

Sin embargo, pese a su aparente «otredad», estos territorios siempre han tenido una importancia crucial en la historia del mundo en un sentido u otro, como el vínculo entre Oriente y Occidente, como el crisol en el que las ideas, costumbres y lenguas han competido unas con otras desde la Antigüedad hasta nuestros días. Y hoy, sin que muchos se den cuenta, las «rutas de la seda» están surgiendo de nuevo. Los economistas aún no dirigen su atención a las riquezas que contienen el suelo y el subsuelo, las que se encuentran bajo las aguas o están sepultadas en las montañas de las cordilleras que unen el mar Negro, Asia Menor y el Levante con el Himalaya. En lugar de ello, se han concentrado en grupos de países sin vínculos históricos, pero con estadísticas superficialmente similares, como los BRICS (Brasil, Rusia, la India, China y Sudáfrica), a los que ahora se suele reemplazar por los MIST (México, Indonesia, Corea del Sur y Turquía).[11] No obstante, el lugar al que deberíamos estar mirando es el verdadero Mediterráneo: el auténtico «centro de la tierra». Este no es ningún «salvaje oriente» y tampoco un Nuevo Mundo a la espera de ser descubierto, sino una región y una serie de conexiones que están resurgiendo ante nuestros ojos.

En aquellos países que de repente se han encontrado con inmensas sumas de dinero con las cuales satisfacer sus fantasías, las ciudades prosperan y se construyen nuevos aeropuertos, complejos turísticos, hoteles de lujo y edificios emblemáticos. Asjabad, la capital de Turkmenistán, cuenta con un nuevo palacio presidencial y un estadio cubierto para deportes de invierno que han costado cientos de millones de dólares; mientras que en Avaza, una región turística en la costa oriental del mar Caspio, se han invertido ya, según cálculos conservadores, más de dos mil millones de dólares. La moderna terminal del aeropuerto internacional Heydar

Aliyev de Bakú, con sus capullos de madera gigantes y paredes cóncavas de vidrio, hace que los viajeros que llegan a Azerbaiyán no abriguen duda alguna acerca de la ambición y riqueza de un país empapado en petróleo; y otro tanto puede decirse del Crystal Hall, el recinto para conciertos que albergó el Festival de la Canción de Eurovisión de 2012. A la par que Bakú ha crecido, lo han hecho también las opciones a disposición del viajero internacional: quien necesite pasar la noche en la capital de Azerbaiyán puede ahora elegir entre el Hilton, el Kempinski, el Radisson, el Ramada, el Sheraton y el Hyatt Regency, así como una nueva cosecha de sofisticados hoteles *boutique*. Y eso es apenas el comienzo: solo en 2011, el número de plazas hoteleras de la ciudad se duplicó, y se esperaba que la cantidad volviera a duplicarse en los siguientes cuatro años.[12] O véase el caso de Erbil, la capital del Kurdistán iraquí, una de las ciudades más grandes de Irak, si bien desconocida para muchos fuera de la industria petrolera. Allí, las tarifas del nuevo hotel Rotana son más altas que en la mayoría de las capitales europeas y muchas ciudades importantes de Estados Unidos: hay habitaciones básicas desde doscientos noventa dólares la noche, cuyo precio incluye el desayuno y acceso al *spa* (pero no wifi).[13]

Se han fundado nuevos grandes centros urbanos, entre ellos incluso una nueva capital, Astaná, en Kazajistán, que surgió del polvo en menos de veinte años. La ciudad alberga hoy un espectacular Palacio de la Paz y la Reconciliación, diseñado por Norman Foster, así como el Bayterek, una torre de cien metros de alto en forma de árbol coronada por una esfera dorada, donde se conserva una impresión de la mano derecha del presidente Nazarbáyev (a quienes visitan el lugar se les anima a poner la mano sobre la huella y pedir un deseo). Para el ojo inexperto, todo esto podría parecer la descripción de una nueva tierra de frontera, un lugar cuyos milmillonarios aparecen de la nada para comprar las obras de arte más grandiosas en casas de subastas de Londres, Nueva York y París, y adquirir encantados las mejores propiedades del mundo a precios que apenas resultan creíbles para los residentes de toda la vida: en el mercado inmobiliario de Londres el gasto medio de los compradores procedentes de las exrepúblicas soviéticas es casi tres veces más alto que el de los compradores estadounidenses o chinos y hasta cuatro veces mayor que el de los compradores locales.[14] Magnates del cobre uzbecos, potentados enriquecidos con el negocio de la potasa en los Urales o barones del petróleo kazajos han comprado, uno tras otro, edificios emblemáticos y residencias exclusivas en Manhattan, en barrios londinenses de prestigio como Mayfair y Knightsbridge o en el sur de Francia y pagando el mejor precio posible (y por lo general, en efectivo). Algunos aprovechan sus fortunas para contratar a futbolistas de talla mundial, como Samuel Eto'o, al que un oligarca del mar Caspio fichó para jugar en el Anzhí Majachkalá, un club de Daguestán, lo que en su momento lo convirtió en el jugador mejor pagado del mundo. Otros no reparan en gastos con tal de realzar el perfil internacional del país: Azerbaiyán, por ejemplo, fue la sede de la Copa Mundial Femenina de Fútbol Sub-17 en 2012, con Jennifer López como estrella de la ceremonia inaugural (la diferencia con la versión previa, celebrada dos años antes en Trinidad y Tobago, fue enorme: entonces la ceremonia de apertura duró diez minutos, estuvo amenizada por un pequeño grupo de danza y contó con apenas unos pocos centenares de espectadores).[15]

A lo largo de la columna vertebral de Asia están brotando nuevas conexiones que unen esta región clave con el norte, el sur, el este y el oeste, y adoptan diferentes rutas y formas, como ha ocurrido durante milenios. A estas conexiones se han sumado nuevos tipos de arterias, como la «red de distribución septentrional», una serie de corredores de tránsito para la entrega de «bienes no letales» a las fuerzas de Estados Unidos y la coalición en Afganistán a través de Rusia, Uzbekistán, Kazajistán, Kirguistán y Tayikistán, en varios casos utilizando las infraestructuras construidas por la Unión Soviética en la década de 1980, durante la ocupación del país.[16]

Luego, por supuesto, están los oleoductos y gasoductos que llevan los combustibles a los consumidores dispuestos a pagar por ellos (y con capacidad para hacerlo) en Europa, la India, China y otros lugares. Estas tuberías entrecruzan la región en todas las direcciones, se conectan al puerto de Ceyhan, en el sureste de Turquía, o se expanden a través de Asia Central para satisfacer las necesidades energéticas de China a medida que la economía crece. La apertura de nuevos mercados y su interconexión ha fomentado también una cooperación estrecha entre Afganistán, Pakistán y la India, cuyos intereses coinciden en gran medida cuando se trata de acceder a fuentes de energía más abundantes y más baratas. El principal logro de esa cooperación es un nuevo gasoducto que, una vez terminado, transportará veintisiete mil millones de metros cúbicos al año. La ruta de la tubería, que sigue la carretera desde los campos de gas de Turkmenistán, primero hacia Herat y luego a Kandahar, y de allí a Quetta y Multán, habría resultado familiar tanto a los mercaderes sogdianos que recorrían la región dos mil años atrás como a los comerciantes de caballos del siglo XVII, tanto a los estrategas y planificadores de los ferrocarriles británicos de la época victoriana como a los poetas que en la Edad Media se desplazaban a Gazni para trabajar en la corte.

Otras tuberías, existentes o propuestas, conectan Europa con las reservas de petróleo y gas del centro del mundo, lo que eleva la importancia política, económica y estratégica no solo de los estados exportadores, sino también de aquellos territorios por los que pasan: como ya ha demostrado Rusia, el suministro de energía puede usarse como un arma, bien sea aumentando los precios o sencillamente cortando el suministro a Ucrania. Dada la enorme dependencia que muchos países europeos tienen del gas ruso y, aún más, de empresas en las que Gazprom, una compañía controlada por el Kremlin, tiene una participación estratégica o incluso mayoritaria, es muy probable que el uso de los recursos energéticos, gasoductos y oleoductos como armas económicas, diplomáticas y políticas sea uno de los problemas del siglo XXI. El hecho de que la tesis doctoral del presidente Putin versara sobre la planificación estratégica y el uso de los recursos minerales de Rusia quizá no sea un buen presagio (y ello a pesar de que algunos hayan puesto en duda la originalidad del trabajo o, incluso, la veracidad de la concesión del doctorado).[17]

Hacia el este, esas tuberías transportan la savia del mañana, ya que China firmó un contrato de suministro de gas a treinta años por valor de cuatrocientos mil millones de dólares. Esa suma gigantesca, que en parte se pagará por adelantado, da a Beijing la seguridad energética que tanto ansía, al tiempo que hace más que justificables los veintidós mil millones que, según se calcula, costará el nuevo gasoducto, y proporciona a Moscú una libertad y confianza adicionales en sus tratos con sus vecinos y rivales. No es de extrañar que China fuera el único miembro del Consejo de Seguridad de la ONU que no reprochó a Rusia sus acciones durante la crisis ucraniana de 2014; la fría realidad de los tratos de beneficio mutuo resulta muchísimo más convincente que el arriesgado juego político de Occidente.

Al igual que los oleoductos, las rutas de transporte se han ampliado de forma espectacular en las últimas tres décadas. La enorme inversión hecha en las líneas de ferrocarril transcontinentales ya se ha traducido en la apertura de rutas de carga a lo largo de los más de once mil kilómetros que recorre el ferrocarril Yuxinou, que conecta China con un gran centro de distribución cerca de Duisburgo, en Alemania, que el presidente Xi Jinping en persona visitó en 2014. Trenes de ochocientos metros de largo han empezado a transportar millones de ordenadores portátiles, zapatos, prendas de vestir y otros productos no perecederos, en una dirección, y sistemas electrónicos, recambios para automóviles y equipos médicos, en la otra, en un viaje que dura dieciséis días (lo que lo hace considerablemente más rápido que la ruta marítima desde los puertos de China en el Pacífico).

Con una inversión ya anunciada de cuarenta y tres mil millones de dólares para mejorar las conexiones ferroviarias, algunos predicen que el número de contenedores transportados por tren cada año aumentará de siete mil quinientos en 2012 a siete millones y medio en 2020.[18] Y esto es solo el comienzo: en la actualidad se están planeando líneas que atravesarán Irán, Turquía, los Balcanes y Siberia hasta llegar a Moscú, Berlín y París, y nuevas rutas que conectarán Beijing con Pakistán, Kazajistán y la India. Se ha hablado incluso de construir un túnel de más de trescientos kilómetros por debajo del estrecho de Bering, lo que permitiría a los trenes pasar de China a Alaska y Canadá y de allí a los Estados Unidos continentales.[19]

El gobierno chino está construyendo redes, de forma cuidadosa y deliberada, para conectar los minerales, las fuentes de energía y los accesos a las ciudades, los puertos y los océanos. Apenas pasa un mes sin que se anuncie la financiación de nuevos proyectos a gran escala para modernizar o construir de cero infraestructuras que, una vez terminadas, permitirán aumentar de forma drástica el volumen y la velocidad de los intercambios. Esto se hace en colaboración con países que a ojos de China pasan de ser «amigos de hierro» a relaciones capaces de sobrevivir sean cuales sean las condiciones.[20]

Estos cambios ya han propiciado un resurgimiento de las provincias occidentales de China. Siendo la mano de obra más barata en el interior profundo que en la costa, muchas empresas han empezado a mudarse a ciudades cercanas a la puerta de Zungaria, el antiguo punto de entrada en el oeste del país, a través del cual llegan los trenes modernos. Hewlett Packard ha trasladado la producción de Shanghái a Chongqing, en el suroeste de China, donde hoy produce cada año veinte millones de portátiles y quince millones de impresoras, muchos de los cuales se envían por tren a los mercados occidentales. Otras empresas, como la Ford Motor Company, han seguido su ejemplo. O está el caso de Foxconn, uno de los principales fabricantes en el campo de las tecnologías de la información y un proveedor clave de empresas como Apple, que ha aumentado su presencia en Chengdú en detrimento de sus antiguas instalaciones en Shenzen.[21]

Otras redes de transporte también han cobrado nueva vida. Cinco vuelos diarios llevan a empresarios y turistas de China a Almaty, en Kazajistán; desde Bakú, en Azerbaiyán, hay treinta y cinco vuelos semanales de ida y regreso a Estambul, y muchos más a ciudades de toda Rusia. Los horarios de llegadas y salidas de los aeropuertos de ciudades como Asjabad, Teherán, Astaná y Taskent constituyen una prueba de la vasta y creciente red de transporte que une a las ciudades de la región, al tiempo que evidencia cuán escaso es el contacto con Europa, desde donde la llegada de vuelos es infrecuente, en especial cuando se la compara con los procedentes del Golfo, la India y China.

En una región que en otra época fue cuna de algunos de los eruditos más sobresalientes del mundo, también están surgiendo nuevos centros de excelencia intelectual. A lo largo y ancho del golfo Pérsico han brotado campus financiados por los gobernantes y magnates locales que gestionan instituciones como la Universidad de Yale y la Universidad de Columbia, entre otras. Y también están las sedes del Instituto Confucio, una organización sin ánimo de lucro para el fomento y la difusión de la lengua y la cultura chinas, que cuenta con un centro en cada uno de los países entre China y el Mediterráneo como demostración de la generosidad y buena voluntad de Beijing.

Asimismo, se están construyendo nuevos centros para las artes, desde el extraordinario Museo Nacional de Catar al Museo Guggenheim de Abu Dabi o el Museo de Arte Moderno de Bakú. Mención aparte merecen el imponente nuevo edificio de la Biblioteca Nacional de Taskent y la Catedral de la Santísima Trinidad de Tiflis, conocida como la Sameba, cuya construcción fue costeada por el magnate y actual primer ministro georgiano Bidzina Ivanishvili, el mismo que en 2006 compró en subasta el *Dora Maar* de Picasso por noventa y cinco millones de dólares. Se trata de una región que está reviviendo y recuperando su antigua gloria.

En el golfo Pérsico, Rusia, China y el Lejano Oriente, las casas de moda occidentales como Prada, Burberry y Louis Vuitton han abierto tiendas enormes y disfrutan de cifras de ventas espectaculares (con lo que, en una deliciosa ironía de la historia, las sedas y textiles finos se venden hoy en el lugar en el que nacieron).[22] La ropa siempre ha sido un señal de diferenciación social, desde los jefes tribales xiongnu de hace dos mil años hasta los hombres y mujeres de la Europa del Renacimiento hace cinco siglos. El apetito voraz por las marcas más exclusivas que vemos en la actualidad tiene un rico linaje histórico, y constituye un indicador obvio del surgimiento de nuevas élites en países cada vez más ricos e importantes.

Para aquellos con gustos más exóticos y perversos, existe un sitio web encriptado en el que es posible comerciar de forma anónima con armas, drogas y mucho más, bautizado de manera deliberada para evocar las redes de comunicación y emporios del pasado: *The Silk Road*, la ruta de la seda. Mientras que los cuerpos de seguridad juegan constantemente al gato y el ratón con quienes están desarrollando nuevas tecnologías para el control del futuro, la batalla por el pasado también se está convirtiendo en una parte cada vez más importante de la nueva era a la que nos encaminamos.

La cuestión no es tanto que la historia vaya a ser reexaminada y reevaluada (aunque eso seguramente ocurrirá a medida que las nuevas universidades y campus crezcan y prosperen) sino que el pasado es, en muchos sentidos, materia viva a lo largo y ancho de «las rutas de la seda». La batalla por el alma del islam, entre sectas rivales, líderes rivales y doctrinas rivales, es hoy tan intensa como lo fue en los primeros cien años tras la muerte del profeta Mahoma, y buena parte de ella depende de las interpretaciones que se hacen del pasado; las relaciones entre Rusia y sus vecinos, por un lado, y con el mundo occidental, por otro, se han revelado igualmente volátiles e intensas. Las viejas rivalidades y enemistades pueden atizarse, o mitigarse, con la elección cuidadosa de ejemplos históricos en los que se produjeron ajustes de cuentas, o en los que las diferencias se dejaron a un lado. Mostrar cuán útiles e importantes fueron los antiguos vínculos en el pasado puede ser de gran provecho para el futuro: esta es una de las razones por las que China está invirtiendo tanto en conectarse con las «rutas de la seda» al oeste del país, y lo hace precisamente afirmando una herencia común de intercambios comerciales e intelectuales.

De hecho, China ha estado a la vanguardia de la revolución de las telecomunicaciones a lo largo y ancho de la región, fomentando la instalación de cables para telefonía fija y transmisores de datos que permiten conectarse a la red con velocidades de descarga entre las más rápidas de mundo. Buena parte de esa infraestructura ha sido desarrollada por Huawei y ZTE, compañías estrechamente vinculadas con el Ejército Popular de Liberación chino. Los créditos blandos proporcionados por el Banco de Desarrollo de China, u ofrecidos como ayuda intergubernamental, han permitido a esas empresas construir instalaciones con la tecnología más moderna en Tayikistán, Kirguistán, Uzbekistán y Turkmenistán, países con los que China está deseosa de crear lazos a largo plazo por razones de estabilidad regional y, sobre todo, por la riqueza mineral que albergan. La inquietud que despiertan las compañías de telecomunicaciones chinas en Estados Unidos ha sido lo bastante grande como para motivar una serie de audiencias del Congreso en las que se concluyó que «no puede confiarse» en Huawei y ZTE debido a que su excesiva cercanía a la «influencia estatal» china suponía «una amenaza para la seguridad de Estados Unidos» (una conclusión por lo menos paradójica si se tiene en cuenta la revelación posterior de que la Agencia de Seguridad Nacional creó un programa clandestino llamado *Operation Shotgiant* para infiltrarse y *hackear* los servidores de Huawei).[23]

La preocupación creciente de Occidente respecto a China no resulta sorprendente, pues el país está inmerso en el proceso de construir una nueva red que abarque el mundo entero. Hasta mediados del siglo XX todavía era posible navegar desde Southampton, Londres o Liverpool hasta el otro lado del mundo prácticamente sin dejar territorio británico: se hacía escala en Gibraltar y después en Malta, antes de llegar a Puerto Saíd; de allí se seguía hasta Adén, Bombay y Colombo; después de una pausa en la península malaya se llegaba finalmente a Hong Kong. En la actualidad son los chinos los que pueden hacer algo similar. Las inversiones chinas en el Caribe se multiplicaron por más de cuatro entre 2004 y 2009, mientras que por toda la región del Pacífico se están construyendo carreteras, estadios deportivos y relucientes edificios gubernamentales gracias a las ayudas, los créditos blandos o la inversión directa de China. África también ha conocido una potente intensificación de la actividad del país asiático, que ha establecido una serie de puntos de apoyo en el continente que le ayudarán a ponerse a la delantera de toda una variedad de «grandes juegos» que ya están en marcha, todo lo cual forma parte de la competencia por la energía, los recursos minerales, la provisión de alimentos y la influencia política en un momento en el que se sabe que el cambio climático probablemente tenga un impacto significativo en cada uno de esos factores.

La era de Occidente se halla en una encrucijada, si no ya ante su fin. En la presentación de un análisis preparado por el Departamento de Defensa estadounidense en 2012, el presidente Obama expresaba en términos inequívocos, y desde la primera frase, la percepción actual sobre el futuro a largo plazo de Estados Unidos: «Nuestra nación se encuentra en un momento de transición». El mundo está transformándose ante nuestros ojos, continuó el presidente, lo que «nos exige liderazgo [para que] los Estados Unidos de América sigan siendo la mayor fuerza para la libertad y la seguridad que el mundo haya conocido jamás».[24] En la práctica, como el análisis dejaba claro, eso implica nada más y nada menos que una reorientación del país. «Necesitamos», explicaba el documento, «reequilibrar nuestra posición hacia la región Asia-Pacífico». A pesar de que se prevé que el gasto en defensa sufra recortes por valor de quinientos mil millones de dólares a lo largo del próximo decenio, y de que es probable que haya reducciones presupuestarias adicionales, el presidente Obama se esforzó en subrayar que esto no se haría «a expensas de esta región crítica»: Estados Unidos fortalecería su presencia en la región Asia-Pacífico.[25] Parafraseado de forma descarnada, he aquí lo que decía el informe: durante cien años Estados Unidos ha dedicado gran parte de su atención a la relación especial que tiene con los países de Europa occidental; ha llegado el momento de fijar la mirada en otro lugar.

A esa misma conclusión llegó en Londres, de manera independiente, el Ministerio de Defensa británico, que cuenta con su propio informe reciente en el que se acepta que el mundo atraviesa una época de convulsiones y transformación. El periodo que va hasta 2040 «será una época de transición», señalaban los autores del estudio, con el típico comedimiento de los funcionarios británicos. Entre los retos a los que habrá que hacer frente en las próximas décadas, declaraban, se encuentran «la realidad del cambio climático, el veloz aumento de la población, la escasez de recursos, el resurgimiento de las ideologías y los cambios de poder de Occidente a Oriente».[26]

A medida que el corazón del mundo cobra nueva forma, también empiezan a surgir instituciones y organizaciones para formalizar las relaciones en esta región crucial. La Organización de Cooperación de Shanghái (OCS), creada originalmente para facilitar la colaboración política, económica y militar entre Rusia, Kazajistán, Kirguistán, Tayikistán, Uzbekistán y China, se ha vuelto cada vez más influyente y se está convirtiendo de modo gradual en una alternativa viable a la Unión Europea. Aunque algunos censuran la asociación como «un vehículo para la violación de los derechos humanos» subrayando que los estados miembros no respetan la «Convención contra la tortura» de la ONU y la flagrante falta de protección que padecen las minorías en sus territorios, otros ven en ella el futuro: países como Bielorrusia y Sri Lanka, por ejemplo, han solicitado y obtenido autorización formal para asistir a las reuniones como observadores.[27] Eso no es suficiente para Turquía, que ha declarado su deseo de convertirse en miembro de pleno derecho, lo que implicaría reorientar su política exterior hacia el este y distanciarse de Europa. Según anunció el primer ministro turco en 2013, durante una entrevista en televisión, el país abandonaría su candidatura de acceso a la Unión Europea, un proceso prolongado y hasta el momento frustrante, y miraría hacia Oriente; la OCS, afirmó Erdoğan, es una organización «mejor y más poderosa con la que tenemos valores en común».[28]

Esos comentarios quizá no deban interpretarse al pie de la letra, pues los países y pueblos de esta parte del mundo se acostumbraron, hace mucho tiempo, a jugar a dos bandas y aprovechar las rivalidades de los demás en beneficio propio. No obstante, no es una coincidencia que, en un momento en que se contempla el surgimiento de un nuevo orden mundial, se esté llegando a las mismas conclusiones en Washington, Beijing, Moscú y otras partes. Ha llegado la hora, dijo la secretaria de Estado Hillary Clinton en 2011, de «fijar nuestra mirada en una nueva ruta de la seda» que contribuya al florecimiento de la región en su conjunto.[29]

Se trata de una cuestión de la que también se ha ocupado el presidente chino, Xi Jinping. En el transcurso de más de dos mil años, anunció en Astaná durante una importante gira por el centro de Asia en el otoño de 2013, los pueblos que viven en la región que conecta Oriente con Occidente han sido capaces de coexistir, cooperar y florecer a pesar de «las diferencias raciales, religiosas y culturales». Es una «prioridad de la política exterior» de China, continuó, «forjar relaciones amistosas de cooperación con los países de Asia Central». Ha llegado el momento, dijo, de estrechar los lazos económicos, mejorar la comunicación, fomentar el comercio y mejorar la circulación monetaria. Ha llegado el momento, sostuvo, de construir un «cinturón económico de la ruta de la seda»: en otras palabras, una nueva ruta de la seda.[30]

El mundo a nuestro alrededor está cambiando. Al adentrarnos en una era en la que el dominio político, militar y económico en Occidente se verá sometido a cada vez mayores presiones, la sensación de incertidumbre resulta inquietante. La falsa promesa de la «primavera árabe», que parecía anunciar una oleada de libertad y un auge de la democracia, cedió el paso a la intolerancia, el sufrimiento y el miedo en toda la región y aún más lejos, a medida que el Estado Islámico de Irak y Siria y sus partidarios comenzaron a hacerse con el control del territorio, el petróleo y las mentes de sus víctimas. Pocos ponen en duda que se avecinan nuevas turbulencias, en particular como consecuencia de la espectacular caída del precio del petróleo, un factor que amenaza la estabilidad de los estados del golfo Pérsico, la península arábiga y Asia Central, que están teniendo problemas para equilibrar los presupuestos y se han visto obligados a introducir medidas de austeridad después de vivir durante generaciones de la riqueza derivada de las reservas de petróleo y gas. La compresión económica y la volatilidad política van de la mano, y rara vez se resuelven con rapidez y, mucho menos, con facilidad.

Al norte del mar Negro, la absorción de Crimea por parte de Rusia y su intervención en Ucrania han desestabilizado las relaciones entre Moscú y Washington, así como con la Unión Europea. Todo lo contrario de la trayectoria seguida por Irán, durante tanto tiempo un estado paria y ahora, al parecer, a punto de retomar su papel tradicional como sostén para la difusión de la paz y la prosperidad en la región. Y luego, por supuesto, está China, que está entrando con claridad en una fase de transición en la que la velocidad de vértigo del crecimiento económico de las dos últimas décadas ha ido aminorando hasta llegar a un ritmo consistente, pero no espectacular, y que, en opinión de muchos, se convertirá en la «nueva normalidad». La forma en que China se relacione con sus vecinos, o casi vecinos, y la función que elija desempeñar en el escenario mundial contribuirá a moldear el siglo XXI.

Los inmensos recursos invertidos en la iniciativa «Un cinturón, una ruta», propuesta por Xi Jinping en 2013, son un indicativo sólido de que China tiene un plan para el futuro. En otras partes, los traumas y dificultades, los retos y problemas contemporáneos parecen ser auténticos dolores de parto: las señales de un nuevo mundo surgiendo ante nuestros ojos. Mientras en Occidente nos preguntamos de dónde vendrá la siguiente amenaza, cómo lidiar con el extremismo religioso, cómo negociar con estados aparentemente decididos a despreciar el derecho internacional y cómo construir buenas relaciones con pueblos, culturas y regiones a los que pocas veces nos hemos esforzado por entender, a lo largo y ancho de la columna vertebral de Asia se tejen en silencio nuevas redes y conexiones o se restauran. Las «rutas de la seda» se alzan de nuevo.

# NOTAS

## Prefacio

1. E. Wolf, *Europe and the People without History*, Berkeley, 1982, p. 5 (hay trad. castellana: *Europa y la gente sin historia*, Fondo de Cultura Económica, México, 2005).

2. A. Herrman, «Die älteste türkische Weltkarte (1076 n. Chr)», *Imago Mundi* 1.1 (1935), pp. 21-28, y también Maḥmud al-Kashghari, *Dīwān lughāt al-turk: Compendium of the Turkic Dialects*, R. Dankhoff y J. Kelly (ed. y trad.), 3 vols., Cambridge (Massachusetts), 1982-1985, vol. I, pp. 82-83. Sobre la ubicación de la ciudad, V. Goryacheva, *Srednevekoviye gorodskie tsentry i arkhitekturnye ansambli Kirgizii*, Frunze, 1983, en especial las pp. 54-61.

3. Sobre el aumento de la demanda de artículos de lujo en China, véase Credit Lyonnais Securities Asia, *Dipped in Gold: Luxury Lifestyles in China* (2011); para el caso de la India, véase Ministry of Home Affairs, *Houselisting and Housing Census Data* (Nueva Delhi, 2012).

4. Véanse Transparency International, *Corruption Perception Index 2013* (www.transparency.org); Reporteros sin Fronteras, *World Press Freedom Index 2013-2014* (www.rsf.org); Human Rights Watch, *World Report 2014* (www.hrw.org).

5. Génesis 2:8-9 (todas las citas de la Biblia utilizadas en la traducción proceden de la Biblia de Jerusalén, Desclée de Brouwer, Bilbao, 1975). Sobre las ideas acerca de la ubicación del Jardín del Edén, J. Delumeau, *History of Paradise: The Garden of Eden in Myth and Tradition*, Nueva York, 1995 (hay trad. castellana: *Historia del paraíso 1. El jardín de las delicias*, Taurus, Madrid, 2005).

6. Sobre Mohenjo-Daro y otras ciudades, véase J. Kenoyer, *Ancient Cities of the Indus Valley*, Oxford, 1998.

7. *Records of the Grand Historian by Sima Qian, Han Dynasty*, B. Watson (trad.), 2 vols., edición revisada, Nueva York, 1971, 123, vol. II, pp. 234-235.

8. F. von Richthofen, «Über die zentralasiatischen Seidenstrassen bis zum 2. Jahrhundert. n. Chr.», *Verhandlungen der Gesellschaft fur Erdkunde zu Berlin* 4 (1877), pp. 96-122.

9. E. Said, *Orientalism* Nueva York, 1978 (hay trad. castellana: *Orientalismo*, Debate, 2002). Adviértase asimismo la reacción abrumadoramente positiva y en exceso romántica de pensadores franceses como Foucault, Sartre y Godard hacia Oriente en general, y China en particular, en R. Wolin, *French Intellectuals, The Cultural Revolution and the Legacy of the 1960s: The Wind from the East*, Princeton, 2010.

10. Bābur-Nāma, *Memoirs of Babur, Prince and Emperor*, W. Thackston (trad.), Londres, 2006, pp. 173-174 (hay trad. castellana: *Memorias*, Círculo de Lectores, Barcelona, 2001).

11. W. Thackston, «Treatise on Calligraphic Arts: A Disquisition on Paper, Colors, Inks and Pens by Simi of Nishapur», en M. Mazzaoui y V. Moreen (eds.), *Intellectual Studies on Islam: Essays Written in Honor of Martin B. Dickinson*, Salt Lake City, 1990, p. 219.

12. Al-Muqaddasī, *Aḥsanu-t-taqāsīm fī maʿrifati-l-aqālīm*, B. Collins (trad.), *Best Division of Knowledge*, Reading, 2001, p. 252; Ibn al-Faqīh, *Kitāb al-buldān*, P. Lunde y C. Stone (trad.), «Book of Countries», en *Ibn Fadlan and the Land of Darkness: Arab Travellers in the Far North*, Londres, 2011, p. 113.

13. Citado por N. di Cosmo, *Ancient China and its Enemies: The Rise of Nomadic Power in East Asian History*, Cambridge, 2002, p. 137.

14. Véanse S. Freud, *The Interpretation of Dreams*, J. Strachey (ed.), Nueva York, 1965, p. 564 (hay trad. castellana: *La interpretación de los sueños*, Alianza, Madrid, 2011), y J. Derrida, *Résistances de la psychanalyse*, París, 1996, pp. 8-14 (hay trad. castellana: *Resistencias del psicoanálisis*, Paidós, Barcelona, 1998).

## Capítulo 1: La creación de la «ruta de la seda»

1. C. Renfrew, «Inception of Agriculture and Rearing in the Middle East», *C. R. Palevol* 5 (2006), pp. 395-404, y G. Algaze, *Ancient Mesopotamia at the Dawn of Civilization: The Evolution of an Urban Landscape*, Chicago, 2008 (hay trad. castellana: *La antigua Mesopotamia en los albores de la civilización: la evolución de un paisaje urbano,* Edicions Bellaterra, Barcelona, 2008).

2. Heródoto, *Historiai*, 1.135, en *Herodotus: The Histories*, A. Godley (ed. y trad.), 4 vols., Cambridge (Massachusetts), 1982, vol. I, pp. 174-176 (hay trad. castellana: *Historia*, Gredos, Madrid, 2008, 4 vols.).

3. Véase J. Curtis y St J. Simpson (eds.), *The World of Achaemenid Persia: History, Art and Society in Iran and the Ancient Near East*, Londres, 2010.

4. Heródoto, *Historiai*, 8.98, 4, p. 96; D. Graf, «The Persian Royal Road

System», en H. Sancisi-Weerdenburg, A. Kuhrt y M. Root (eds.), *Continuity and Change*, Leiden, 1994, pp. 167-189.

5. H. Rawlinson, «The Persian Cuneiform Inscription at Behistun, Decyphered and Translated», *Journal of the Royal Asiatic Society* 11 (1849), pp. 1-192.

6. Esdras, 1:2-4. Véase también Isaías, 45:1 [original: Esdras, 1:2; Isaías 44:24, 45:3].

7. R. Kent, *Old Persian Grammar, Texts, Lexicon*, New Haven, 1953, pp. 142-144.

8. Heródoto, *Historiai*, 1.135, 1, pp. 174-176.

9. Ibíd., 1.214, 1, p. 268.

10. Esquilo, *Los persas*. Adviértase también la existencia de actitudes más ambivalentes en P. Briant, «History and Ideology: The Greeks and "Persian Decadence"», en T. Harrison (ed.), *Greeks and Barbarians*, Nueva York, 2002, pp. 193-210.

11. Eurípides, *Bakhai*, en *Euripides: Bacchae, Iphigenia at Aulis, Rhesus*, D. Kovacs (ed. y trad.), Cambridge (Massachusetts), 2003, p. 13 (hay trad. castellana: *Bacantes*, Gredos, Madrid, 2010).

12. Plutarco, *Bioi Paralleloi: Alexandros*, 32-33, en *Plutarch's Lives*, B. Perrin (ed. y trad.), 11 vols., Cambridge (Massachusetts), 1914-1926, vol. VII, pp. 318-326 (hay trad. castellana: *Vidas paralelas*, Gredos, Madrid, 2007, vol. VI). A juzgar por el famoso mosaico que adornaba la casa más grandiosa de Pompeya, lucía un atuendo de la suerte, A. Cohen, *Alexander Mosaic: Stories of Victory and Defeat*, Cambridge, 1996.

13. Quinto Curcio Rufo, *Historiae Alexandri Magni Macedonis*, 5.1, en *Quintus Curtius Rufus: History of Alexander*, J. Rolfe (ed. y trad.), 2 vols., Cambridge (Massachusetts), 1946, vol. I, pp. 332-334 (hay trad. castellana: *Historia de Alejandro Magno*, Gredos, Madrid, 2002).

14. M. Beard, «Was Alexander the Great a Slav?», *Times Literary Supplement*, 3 de julio de 2009.

15. Arriano, *Anabasis*, 6.29, en *Arrian: History of Alexander and Indica*, P. Brunt (ed. y trad.), 2 vols., Cambridge (Massachusetts), 1976-1983, vol. II, pp. 192-194 (hay trad. castellana: *Anábasis de Alejandro Magno*, Gredos, Madrid, 2006, 2 vols.); Plutarco también se refiere a la importancia del enfoque pacífico y generoso de Alejandro, *Alexandros*, 59, 1, p. 392.

16. Arriano, *Anabasis*, 3.22, 1, p. 300.

17. Quinto Curcio Rufo, *Historiae*, 8.8, 2, p. 298.

18. A. Shahbazi, «Iranians and Alexander», *American Journal of Ancient History* 2.1 (2003), pp. 5-38. Véanse también M. Olbryct, *Aleksander Wielki i swiat iranski*, Gdansk, 2004, y M. Brosius, «Alexander and the Persians», en J. Roitman (ed.), *Alexander the Great*, Leiden, 2003, pp. 169-193.

19. Véase P. Briant, *Darius dans l'ombre d'Alexandre*, París, 2003.

20. Sobre la *huaxia*, véase C. Holcombe, *A History of East Asia: From the Origins of Civilization to the Twenty-First Century*, Cambridge, 2010; sobre la muralla, A. Waldron, «The Problem of the Great Wall of China», *Harvard Journal of Asiatic Studies* 43.2 (1983), pp. 643-663, y sobre todo, Di Cosmo, *Ancient China and its Enemies.*

21. Véase J. Romm, *Ghost on the Throne: The Death of Alexander the Great and the War for Crown and Empire*, Nueva York, 2011. Se ha sostenido con diversos argumentos que Alejandro murió de tifoidea, malaria, leucemia, intoxicación etílica (o alguna enfermedad relacionada con esta) o por una herida infectada; algunos arguyen que fue asesinado. A. Bosworth, «Alexander's Death: The Poisoning Rumors», en J. Romm (ed.), *The Landmark Arrian: The Campaigns of Alexander*, Nueva York, 2010, pp. 407-411.

22. Véase R. Waterfield, *Dividing the Spoils: The War for Alexander the Great's Empire*, Oxford, 2011 (hay trad. castellana: *La guerra por el Imperio de Alejandro Magno*, Gredos, Madrid, 2012).

23. K. Sheedy, «Magically Back to Life: Some Thoughts on Ancient Coins and the Study of Hellenistic Royal Portraits», en K. Sheedy (ed.), *Alexander and the Hellenistic Kingdoms: Coins, Image and the Creation of Identity*, Sydney, 2007, pp. 11-16; K. Erickson y N. Wright, «The "Royal Archer" and Apollo in the East: Greco-Persian Iconography in the Seleukid Empire», en N. Holmes (ed.), *Proceedings of the XIVth International Numismatic Congress*, Glasgow, 2011, pp. 163-168.

24. L. Robert, «De Delphes à l'Oxus: inscriptions grecques nouvelles de la Bactriane», *Comptes Rendus de l'Academie des Inscriptions* (1968), pp. 416-157. La traducción utilizada aquí procede de F. Holt, *Thundering Zeus: The Making of Hellenistic Bactria*, Londres, 1999, p. 175.

25. J. Jakobsson, «Who Founded the Indo-Greek Era of 186/5 BCE?», *Classical Quarterly* 59.2 (2009), pp. 505-510.

26. D. Sick, «When Socrates Met the Buddha: Greek and Indian Dialectic in Hellenistic Bactria and India», *Journal of the Royal Asiatic Society* 17.3 (2007), pp. 253-254.

27. J. Derrett, «Early Buddhist Use of Two Western Themes», *Journal of the Royal Asiatic Society* 12.3 (2002), pp. 343-355.

28. B. Litvinsky, «Ancient Tajikistan: Studies in History, Archaeology and Culture (1980-1991)», *Ancient Civilisations* 1.3 (1994), p. 295.

29. S. Nath Sen, *Ancient Indian History and Civilisation*, Delhi, 1988, p. 184. Véase también R. Jairazbhoy, *Foreign Influence in Ancient India*, Nueva York, 1963, pp. 48-109.

30. Plutarco, *Peri tes Alexandrou tukhes he arête,* 5.4, en *Plutarch: Moralia,* F. Babitt *et al*. (ed. y trad.), 15 vols., Cambridge (Massachusetts), 1927-1976, vol. IV, pp. 392-396 (hay trad. castellana: «Sobre la fortuna o virtud de Alejandro», en *Obras morales y de costumbres*, Gredos, Madrid, 1989, vol. V); J. De-

rrett, «Homer in India: The Birth of the Buddha», *Journal of the Royal Asiatic Society* 2.1 (1992), pp. 47-57.

31. J. Frazer, *The Fasti of Ovid*, Londres, 1929; J. Lallemant, «Une Source de l'Enéide: le Mahabharata», *Latomus* 18 (1959), pp. 262-287; Jairazbhoy, *Foreign Influence*, p. 99.

32. C. Baumer, *The History of Central Asia: The Age of the Steppe Warriors*, Londres, 2012, pp. 290-295.

33. V. Hansen, *The Silk Road*, Oxford, 2012, pp. 9-10.

34. Sima Qian, *Records of the Grand Historian of China*, 123, vol. 2, p. 238.

35. Ibíd., 129, vol. 2, p. 440.

36. H. Creel, «The Role of the Horse in Chinese History», *American Historical Review* 70 (1965), pp. 647-672. En las paredes de las cuevas de Dunhuang hay pintados muchos caballos celestiales, véase T. Chang, *Dunhuang Art through the Eyes of Duan Wenjie*, Nueva Delhi, 1994, pp. 27-28.

37. Excavaciones en el mausoleo del emperador Wu en Xi'an en 2011, *Xinhua*, 21 de febrero de 2011.

38. Huan Kuan, *Yan Tie Lun*, citado por Y. Yu, *Trade and Expansion in Han China: A Study in the Structure of Sino-Barbarian Economic Relations*, Berkeley, 1967, p. 40.

39. Por ejemplo, Sima Qian, *Records of the Grand Historian of China*, 110, vol. II, pp. 145-146. Para algunos comentarios sobre la educación, las costumbres y el vestido de los xiongnu, véase pp. 129-130.

40. Véase Yu, *Trade and Expansion in Han China*, pp. 48-54.

41. Ibíd., p. 47, n. 33; véase también R. McLaughlin, *Rome and the Distant East: Trade Routes to the Ancient Lands of Arabia, India and China*, Londres, 2010, pp. 83-85.

42. Sima Qian, *Records of the Grand Historian of China*, 110, vol. II, p. 143.

43. S. Durrant, *The Cloudy Mirror: Tension and Conflict in the Writings of Sima Qian*, Albany (Nueva York), 1995, pp. 8-10.

44. Sima Qian, *Records of the Grand Historian of China*, 123, vol. 2, p. 235.

45. E. Schafer, *The Golden Peaches of Samarkand: A Study of Tang Exotics*, Berkeley, 1963, pp. 13-14.

46. Hansen, *Silk Road*, p. 14.

47. T. Burrow, *A Translation of Kharoshthi Documents from Chinese Turkestan*, Londres, 1940, p. 95.

48. Hansen, *Silk Road*, p. 17.

49. R. de Crespigny, *Biographical Dictionary of Later Han to the Three Kingdoms (23-220* AD*)*, Leiden, 2007.

50. M. R. Shayegan, *Arsacids and Sasanians: Political Ideology in Post-Hellenistic and Late Antique Persia*, Cambridge, 2011.

51. N. Rosenstein, *Imperatores victi: Military Defeat and Aristocratic Competition in the Middle and Late Republic*, Berkeley, 1990; véase también S. Phang, *Roman Military Service: Ideologies of Discipline in the Late Republic and Early Principate*, Cambridge, 2008.

52. P. Heather, *The Fall of the Roman Empire: A New History of Rome and the Barbarians*, Oxford, 2006, p. 6 (hay trad. castellana: *La caída del imperio romano*, Crítica, Barcelona, 2006). Sobre la prohibición del matrimonio, véase S. Phang, *Marriage of Roman Soldiers (13 BC-AD 235): Law and Family in the Imperial Army*, Leiden, 2001.

53. C. Howgego, «The Supply and Use of Money in the Roman World 200 B.C. to A.D. 300», *Journal of Roman Studies* 82 (1992), pp. 4-5.

54. A. Bowman, *Life and Letters from the Roman Frontier: Vindolanda and its People*, Londres, 1994.

55. Diodoro Sículo, *Bibliotheke Historike*, 17.52, en *The Library of History of Diodorus of Sicily*, C. Oldfather (ed. y trad.), 12 vols., Cambridge (Massachusetts), 1933-1967, vol. VII, p. 26 (hay trad. castellana: Diodoro de Sicilia, *Biblioteca histórica*, Gredos, Madrid, 2001-2014, 6 vols.). Los estudiosos modernos calculan que la población de Alejandría llegó a alcanzar el medio millón de habitantes; véase, por ejemplo, R. Bagnall y B. Frier, *The Demography of Roman Egypt*, Cambridge, 1994, pp. 54, 104.

56. D. Thompson, «Nile Grain Transport under the Ptolemies», en P. Garnsey, K. Hopkins y C. Whittaker (eds.), *Trade in the Ancient Economy*, Berkeley, 1983, pp. 70-71.

57. Estrabón, *Geographika*, 17.1, en *The Geography of Strabo*, H. Jones (ed. y trad.), 8 vols. Cambridge (Massachusetts), 1917-1932, vol. VIII, p. 42 (hay trad. castellana: *Geografía*, Gredos, Madrid, 1991-2015, 6 vols.).

58. Cassius Dio, *Historia Romana*, 51.21, en *Dio's Roman History*, E. Cary (ed. y trad.), 9 vols., Cambridge (Massachusetts), 1914-1927, vol. VI, p. 60 (hay trad. castellana: *Historia romana*, Gredos, Madrid, 2004-2011, 4 vols.); Suetonio, *De Vita Cesarum. Divus Augustus*, 41, en *Suetonius: Lives of the Caesars*, J. Rolfe (ed. y trad.), 2 vols., Cambridge (Massachusetts), 1997-1998, 41, vol. I, p. 212 (hay trad. castellana: *Vida de los doce césares*, Gredos, Madrid, 1992, 2 vols.); R. Duncan-Jones, *Money and Government in the Roman Empire*, Cambridge, 1994, p. 21; M. Fitzpatrick, «Provincializing Rome: The Indian Ocean Trade Network and Roman Imperialism», *Journal of World History* 22.1 (2011), p. 34.

59. Suetonius, *Divus Augustus*, 41, vol. I, pp. 212-214.

60. Ibíd., 28, vol. 1, p. 192; el registro arqueológico respalda la afirmación de Augusto, véase P. Zanker, *The Power of Images in the Age of Augustus*, Ann Arbor, 1989 (hay trad. castellana: *Augusto y el poder de las imágenes*, Alianza, Madrid, 2005).

61. Sobre los impuestos a las rutas de las caravanas, véanse J. Thorley,

«The Development of Trade between the Roman Empire and the East under Augustus», *Greece and Rome* 16.2 (1969), p. 211; Jones, *History of Rome*, pp. 256-257, 259-260; R. Ritner, «Egypt under Roman Rule: The Legacy of Ancient Egypt», en *Cambridge History of Egypt*, vol. I, p. 10, y N. Lewis, *Life in Egypt under Roman Rule*, Oxford, 1983, p. 180.

62. Véanse Lewis, *Life in Egypt*, pp. 33-34; Ritner, «Egypt under Roman Rule», en *Cambridge History of Egypt*, vol. I, pp. 7-8; A. Bowman, *Egypt after the Pharaohs 332 BC-AD 642: From Alexander to the Arab Conquest*, Berkeley, 1986, pp. 92-93.

63. Sobre el registro de los nacimientos y las defunciones en el Egipto romano, véase R. Ritner, «Poll Tax on the Dead», *Enchoria* 15 (1988), pp. 205-207. Sobre el censo, incluida la fecha en que se llevó a cabo, véase J. Rist, «Luke 2:2: Making Sense of the Date of Jesus' Birth», *Journal of Theological Studies* 56.2 (2005), pp. 489-491.

64. Cicerón, *Pro lege Manilia*, 6, en *Cicero: The Speeches*, H. Grose Hodge (ed. y trad.), Cambridge (Massachusetts), 1927, p. 26 (hay trad. castellana: «En defensa de la Ley Manilia», en *Discursos*, Gredos, Madrid, 1995, vol. V).

65. Salustio, *Bellum Catilinae*, 11.5-6, en *Sallust*, J. Rolfe (ed. y trad.), Cambridge (Massachusetts), 1931, p. 20 (hay trad. castellana: *Conjuración de Catilina*, Gredos, Madrid, 2011); A. Dalby, *Empire of Pleasures: Luxury and Indulgence in the Roman World*, Londres, 2000, p. 162.

66. F. Hoffman, M. Minas-Nerpel y S. Pfeiffer, *Die dreisprachige Stele des C. Cornelius Gallus. Ubersetzung und Kommentar*, Berlín, 2009, pp. 5 y ss. G. Bowersock, «A Report on Arabia Provincia», *Journal of Roman Studies* 61 (1971), p. 227.

67. W. Schoff, *Parthian Stations of Isidore of Charax: An Account of the Overland Trade between the Levant and India in the First Century BC*, Filadelfia, 1914. Con frecuencia se ha considerado que el texto se ocupa de las rutas comerciales; Millar muestra que esto es incorrecto en «Caravan Cities», pp. 119 y ss. Sobre la identificación de Alexandrópolis, véase P. Fraser, *Cities of Alexander the* Great, Oxford, 1996, pp. 132-140.

68. Estrabón, *Geographica*, 2.5, vol. 1, p. 454; Parker, «Ex Oriente», pp. 64-66; Fitzpatrick, «Provincializing Rome», pp. 49-50.

69. Parker, «Ex Oriente», pp. 64-66; M. Vickers, «Nabataea, India, Gaul, and Carthage: Reflections on Hellenistic and Roman Gold Vessels and Red-Gloss Pottery», *American Journal of Archaeology* 98 (1994), p. 242; E. Lo Cascio, «State and Coinage in the Late Republic and Early Empire», *Journal of Roman Studies* 81 (1981), p. 82.

70. Citado por G. Parker, *The Making of Roman India*, Cambridge, 2008, p. 173.

71. En H. Kulke y D. Rothermund, *A History of India,* Londres, 2004, pp. 107-108.

72. L. Casson (ed.), *The Periplus Maris Erythraei: Text with Introduction, Translation and Commentary*, Princeton, 1989, 48-49, p. 80, y 56, p. 84 (hay trad. castellana del texto griego: «Periplo del mar Eritreo», en L. García Moreno y F. J. Gómez Espelosín, *Relatos de viajes en la literatura griega antigua*, Alianza, Madrid, 1996).

73. W. Wendrich, R. Tomber, S. Sidebotham, J. Harrell, R. Cappers y R. Bagnall, «Berenike Crossroads: The Integration of Information», *Journal of the Economic and Social History of the Orient* 46.1 (2003), pp. 59-62.

74. V. Begley, «Arikamedu Reconsidered», *American Journal of Archaeology* 87.4 (1983), pp. 461-481; Parker, «Ex Oriente», pp. 47-48.

75. Véase T. Power, *The Red Sea from Byzantium to the Caliphate,* AD *500-1000*, El Cairo, 2012.

76. Tácito, *Annales*, ed. H. Heubner, Stuttgart, 1983, 2.33, p. 63 (hay trad. castellana: *Anales*, Gredos, Madrid, 2002, 2 vols.).

77. Petronio, *Satyricon*, ed. K. Müller, Múnich, 2000, 30-38, pp. 23-31; 55, p. 49 (hay trad. castellana: *El Satiricón*, Gredos, Madrid, 1988).

78. Marcial, *Epigrams*, 5.37, en *Martial: Epigrams*, D. Shackleton Bailey (ed. y trad.), 3 vols., Cambridge (Massachusetts), 1993, vol. I, p. 388 (hay trad. castellana: *Epigramas*, Gredos, Madrid, 1997, 2 vols.).

79. *Talmud Bavli*, citado por Dalby, *Empire of Pleasures*, p. 266.

80. Juvenal, *Satire* 3, en *Juvenal and Persius*, S. Braund (ed. y trad.), Cambridge (Massachusetts), 2004, pp. 172-174 (hay trad. castellana: *Sátiras*, Gredos, Madrid, 1991).

81. Casson, *Periplus Maris Erythraei*, 49, p. 80; 56, p. 84; 64, p. 90.

82. Séneca, *De Beneficiis*, 7.9, en *Seneca: Moral Essays*, J. Basore (ed. y trad.), 3 vols., Cambridge (Massachusetts), 1928-1935, vol. III, p. 478 (hay trad. castellana: *Tratado de los beneficios*, Ediciones Ercilla, Santiago, 1941).

83. Tácito, *Annales,* 2.33, p. 63.

84. Plinio el Viejo, *Naturalis Historia*, 6.20, en *Pliny: The Natural History*, H. Rackham (ed. y trad.), 10 vols., Cambridge (Massachusetts), 1947-1952, vol. II, p. 378 (hay trad. castellana: *Historia natural*, Gredos, Madrid, 1995-2010, 4 vols).

85. Ibíd., 6.26, p. 414.

86. Ibíd., 12.49, p. 62.

87. H. Harrauer y P. Sijpesteijn, «Ein neues Dokument zu Roms Indienhandel, P. Vindob. G40822», *Anzeiger der Österreichischen Akademie der Wissenschaften, phil.-hist.Kl.122* (1985), pp. 124-155; véanse también L. Casson, «New Light on Maritime Loans: P. Vindob. G 40822», *Zeitschrift fur Papyrologie und Epigraphik* 84 (1990), pp. 195-206, y F. Millar, «Looking East from the Classical World», *International History Review* 20.3 (1998), pp. 507-531.

88. Casson, *Periplus Maris Erythraei*, 39, p. 74.

89. J. Teixidor, *Un Port roman du désert: Palmyre et son commerce*

*d'Auguste à Caracalla*, París, 1984; E. Will, *Les Palmyréniens, la Venise des sables (I^er^ siècle avant-III^ème^ siècle après J.-C.)*, París, 1992.

90. Amiano Marcelino, *Rerum Gestarum Libri Qui Supersunt*, 14.3, en *Ammianus Marcellinus*, J. Rolfe (ed. y trad.), 3 vols., Cambridge (Massachusetts), 1935-1940, vol. I, p. 24 (hay trad. castellana: *Historia*, Akal, Madrid, 2002).

91. J. Cribb, «The Heraus Coins: Their Attribution to the Kushan King Kujula Kadphises, *c.* AD 30-80», en M. Price, A. Burnett y R. Bland (eds.), *Essays in Honour of Robert Carson and Kenneth Jenkins*, Londres, 1993, pp. 107-134.

92. Casson, *Periplus Maris Erythraei*, 43, pp. 76-78; 46, pp. 78-80.

93. Ibíd., 39, p. 76; 48-49, p. 81. Sobre los kushán, véase la colección de ensayos recogidos en V. Masson, B. Puris, C. Bosworth *et al.* (eds.), *History of Civilizations of Central Asia,* 6 vols., París, 1992-, vol. 2, pp. 247-396.

94. D. Leslie y K. Gardiner, *The Roman Empire in Chinese Sources*, Roma, 1996, en especial las pp. 131-162; véase también R. Kauz y L. Yingsheng, «Armenia in Chinese Sources», *Iran and the Caucasus* 12 (2008), pp. 157-190.

95. Sima Qian, *Records of the Grand Historian of China*, 123, vol. 2, p. 241.

96. Véanse B. Laufer, *Sino-Iranica: Chinese Contributions to the History of Civilisation in Ancient Iran*, Chicago, 1919, y R. Ghirshman, *Iran: From the Earliest Times to the Islamic Conquest*, Harmondsworth, 1954.

97. Power, *Red Sea*, p. 58.

98. Schafer, *Golden Peaches of Samarkand*, p. 1.

99. El hecho de que la embajada llevara caparazones de tortuga, cuernos de rinoceronte y marfil sugiere que los enviados estaban bien informados acerca de los gustos chinos. Véanse F. Hirth, *China and the Roman Orient*, Leipzig, 1885, pp. 42, 94, y R. McLaughlin, *Rome and the Distant East: Trade Routes to the Ancient Lands of Arabia, India and China*, Londres, 2010.

100. Fitzpatrick, «Provincializing Rome», p. 36; Horacio, *Odes*, 1.12, en *Horace: Odes and Epodes*, N. Rudd (ed. y trad.), Cambridge (Massachusetts), 2004, p. 48 (hay trad. castellana: *Odas y Epodos*, Cátedra, Madrid, 2004).

101. B. Isaac, *The Limits of Empire: The Roman Army in the East*, Oxford, 1990, p. 43; S. Mattern, *Rome and the Enemy: Imperial Strategy in the Principate*, Berkeley, 1999, p. 37.

102. Dion Casio, 68.29, vol. 8, pp. 414-416; H. Mattingly, ed., *A Catalogue of the Coins of the Roman Empire in the British Museum*, 6 vols., Londres, 1940-1962, vol. 3, p. 606. Sobre la campaña de Trajano, véase J. Bennett, *Trajan: Optimus Princeps*, Londres, 1997, pp. 183-204.

103. Jordanes, *Romana*, en *Iordanis Romana et Getica*, pp. 34-35.

104. Lactancio, *De Mortibus Persecutorum*, edición y traducción de J. Creed, Oxford, 1984, 5, p. 11 (hay trad. castellana: *Sobre la muerte de los perseguidores*, Gredos, Madrid, 1982; de esta edición proceden las citas utilizadas en esta traducción).

105. A. Invernizzi, «Arsacid Palaces», en I. Nielsen (ed.), *The Royal Palace Institution in the First Millennium BC*, Atenas, 2001, pp. 295-312; ídem, «The Culture of Nisa, between Steppe and Empire», en J. Cribb y G. Herrmann (eds.), *After Alexander: Central Asia before Islam: Themes in the History and Archaeology of Western Central Asia*, Oxford, 2007, pp. 163-177. Nisa, una ciudad durante mucho tiempo olvidada, acoge muchos ejemplos magníficos de las formas artísticas helenísticas. Véanse V. Pilipko, *Rospisi Staroi Nisy*, Taskent, 1992; P. Bernard y F. Grenet (eds.), *Histoire des cultes de l'Asie Centrale preislamique*, París, 1991.

106. Sobre Characene, véase L. Gregoratti, «A Parthian Port on the Persian Gulf: Characene and its Trade», *Anabasis* 2 (2011), pp. 209-229. Sobre la cerámica, véase, por ejemplo, Schenk, «Parthian Glazed Pottery from Sri Lanka and the Indian Ocean Trade», *Zeitschrift für Archäologie Außereuropäischer Kulturen* 2 (2007), pp. 57-90.

107. F. Rahimi-Laridjani, *Die Entwicklung der Bewässerungslandwirtschaft im Iran bis in Sasanidisch-frühislamische Zeit*, Weisbaden, 1988; R. Gyselen, *La Géographie administrative de l'empire sasanide: les témoignages sigilographiques*, París, 1989.

108. A. Taffazoli, «List of Trades and Crafts in the Sassanian Period», *Archaeologische Mitteilungen aus Iran* 7 (1974), pp. 192-196.

109. T. Daryaee, *Šahrestānīhā-ī Ērānšahr: A Middle Persian Text on Late Antique Geography, Epic, and History*, Costa Mesa (California), 2002.

110. M. Morony, «Land Use and Settlement Patterns in Late Sasanian and Early Islamic Iraq», en A. Cameron, G. King y J. Haldon (eds.), *The Byzantine and Early Islamic Near East,* 3 vols., Princeton, 1992-1996, vol. II, pp. 221-229.

111. R. Frye, «Sasanian Seal Inscriptions», en R. Stiehl y H. Stier (eds.), *Beiträge zur alten Geschichte und deren Nachleben,* 2 vols., Berlín, 1969-1970, vol. I, pp. 77-84; J. Choksy, «Loan and Sales Contracts in Ancient and Early Medieval Iran», *Indo-Iranian Journal* 31 (1988), p. 120.

112. T. Daryaee, «The Persian Gulf Trade in Late Antiquity», *Journal of World History* 14.1 (2003), pp. 1-16.

113. Lactancio, *De Mortibus Persecutorum*, 7, p. 11.

114. Ibíd., 23, p. 36.

115. Museo de Arqueología Subacuática de Bodrum. Hasta el momento, la inscripción, descubierta en 2011, sigue sin ser publicada.

116. Pseudo Aurelio Víctor, *Epitome de Caesaribus,* M. Festy (ed.), *Pseudo-Aurelius Victor. Abrégé de Césars*, París, 1999, 39, p. 41.

117. Suetonio, *Divus Julius*, 79, en *Lives of the Caesars*, vol. I, p. 132.

118. Libanio, *Antioch as a Centre of Hellenic Culture as Observed by Libanius*, traducción de A. Norman, Liverpool, 2001, pp. 145-167.

119. Para una seria refutación del «mito de la *translatio imperii*», véase L. Grig y G. Kelly (eds.), *Two Romes: Rome and Constantinople in Late Antiquity,* Cambridge, 2012.

## CAPÍTULO 2: LA RUTA DE LOS CREDOS

1. H. Falk, *Asókan Sites and Artefacts: A Source-book with Bibliography*, Maguncia, 2006, p. 13; E. Seldeslachts, «Greece, the Final Frontier? The Westward Spread of Buddhism», en A. Heirman y S. Bumbacher (eds.), *The Spread of Buddhism*, Leiden, 2007, en especial pp. 158-160.

2. Sick, «When Socrates Met the Buddha», p. 271; para la literatura pali contemporánea, véase T. Hinüber, *A Handbook of Pali Literature*, Berlín, 1996.

3. G. Fussman, «The Mat *Devakula*: A New Approach to its Understanding», en D. Srivasan (ed.), *Mathurā: The Cultural Heritage*, Nueva Delhi, 1989, pp. 193-199.

4. Por ejemplo, P. Rao Bandela, *Coin Splendour: A Journey into the Past*, Nueva Delhi, 2003, pp. 32-35.

5. D. MacDowall, «Soter Megas, the King of Kings, the Kushana», *Journal of the Numismatic Society of India* (1968), pp. 28-48.

6. Piénsese, por ejemplo, en la descripción que recogen los Salmos, «Dios de los dioses [...] Señor de los señores» (136:2-3), y el Deuteronomio, «el Dios de los dioses y el Señor de los señores» (10:17). El Apocalipsis dice que la Bestia será derrotada porque el Cordero es «Señor de Señores y Rey de Reyes» (17:14) (Biblia de Jerusalén, Desclée de Brouwer, Bilbao, 1975).

7. *The Lotus of the Wonderful Law or The Lotus Gospel: Saddharma Pundarīka Sūtra Miao-Fa Lin Hua Chung*, W. Soothill (trad.), Londres, 1987, p. 77.

8. X. Liu, *Ancient India and Ancient China: Trade and Religious Exchanges AD 1-600*, Oxford, 1988, p. 102.

9. *Sukhāvatī-vyūha: Description of Sukhāvatī, the Land of Bliss*, F. Müller (trad.), Oxford, 1883, pp. 33-34; *Lotus of the Wonderful Law*, pp. 107, 114.

10. D. Schlumberger, M. Le Berre y G. Fussman (eds.), *Surkh Kotal en Bactriane*, vol. 1: *Les Temples: architecture, sculpture, inscriptions*, París, 1983; V. Gaibov, «Ancient Tajikistan Studies in History, Archaeology and Culture (1980-1991)», *Ancient Civilizations from Scythia to Siberia* 1.3 (1995), pp. 289-304.

11. R. Salomon, *Ancient Buddhist Scrolls from Gandhara*, Seattle, 1999.

12. J. Harle, *The Art and Architecture of the Indian Subcontinent*, New Haven, 1994, pp. 43-57 (hay trad. castellana: *Arte y arquitectura en el subcontinente indio*, Cátedra, Madrid, 1992).

13. Véase E. de la Vaissière, *Sogdian Traders: A History*, Leiden, 2005.

14. K. Jettmar, «Sogdians in the Indus Valley», en P. Bertrand y F. Grenet (eds.), *Histoire des cultes de l'Asie centrale préislamique*, París, 1991, pp. 251-253.

15. C. Huart, *Le Livre de Gerchāsp, poème persan d'Asadī junior de Toūs*, 2 vols., París, 1926-1929, vol. II, p. 111.

16. R. Giès, G. Feugère y A. Coutin (eds.), *Painted Buddhas of Xinjiang: Hidden Treasures from the Silk Road*, Londres, 2002; T. Higuchi y G. Barnes,

«Bamiyan: Buddhist Cave Temples in Afghanistan», *World Archaeology* 27.2 (1995), pp. 282 y ss.

17. M. Rhie, *Early Buddhist Art of China and Central Asia*, vol. I, Leiden, 1999; R. Wei, *Ancient Chinese Architecture: Buddhist Buildings*, Viena, 2000.

18. G. Koshelenko, «The Beginnings of Buddhism in Margiana», *Acta Antiqua Academiae Scientiarum Hungaricae* 14 (1966), pp. 175-183; R. Foltz, *Religions of the Silk Road: Premodern Patterns of Globalization*, Basingstoke, 2010[2], pp. 47-48; ídem, «Buddhism in the Iranian World», *Muslim World* 100.2-3 (2010), pp. 204-214.

19. N. Sims-Williams, «Indian Elements in Parthian and Sogdian», en R. Röhrborn y W. Veenker (eds.), *Sprachen des Buddhismus in Zentralasien*, Wiesbaden, 1983, pp. 132-141; W. Sundermann, «Die Bedeutung des Parthischen für die Verbreitung buddhistischer Wörter indischer Herkunft», *Altorientalische Forschungen* 9 (1982), pp. 99-113.

20. W. Ball, «How Far Did Buddhism Spread West?», *Al-Rāfidān* 10 (1989), pp. 1-11.

21. T. Daryaee, *Sasanian Persia: The Rise and Fall of an Empire*, Londres, 2009, pp. 2-5.

22. Muchos estudiosos se han ocupado de la cuestión de la continuidad y el cambio. Véase M. Canepa, *The Two Eyes of the Earth: Art and Ritual of Kingship between Rome and Sasanian Iran*, Berkeley, 2009.

23. M. Canepa, «Technologies of Memory in Early Sasanian Iran: Achaemenid Sites and Sasanian Identity», *American Journal of Archaeology* 114.4 (2010), pp. 563-596; U. Weber, «Wahram II: König der Könige von Eran und Aneran», *Iranica Antiqua* 44 (2009), pp. 559-643.

24. Sobre la acuñación sasánida en general, véase R. Göbl, *Sasanian Numismatics*, Brunswick, 1971.

25. M. Boyce, *Zoroastrians: Their Religious Beliefs and Practices*, Londres, 1979.

26. R. Foltz, «Zoroastrian Attitudes toward Animals», *Society and Animals* 18 (2010), pp. 367-378.

27. *The Book of the Counsel of Zartusht*, 2-8, en R. Zaehner, *The Teachings of the Magi: A Compendium of Zoroastrian Beliefs*, Nueva York, 1956, pp. 21-22. Véase también M. Boyce, *Textual Sources for the Study of Zoroastrianism*, Manchester, 1984.

28. Véase M. Boyce, *Textual Sources for the Study of Zoroastrianism*, Manchester, 1984, pp. 104-106.

29. M. Boyce y F. Grenet, *A History of Zoroastrianis*, Leiden, 1991, pp. 30-33. Sobre las creencias del zoroastrismo, incluidas las oraciones y el credo, véase Boyce, *Textual Sources*, pp. 53-61; para los rituales y las prácticas, pp. 61-70.

30. J. Harmatta, «Late Bactrian Inscriptions», *Acta Antiqua Hungaricae* 17 (1969), pp. 386-388.

31. M. Back, «Die sassanidischen Staatsinschriften», *Acta Iranica* 18 (1978), pp. 287-288.

32. S. Shaked, «Administrative Functions of Priests in the Sasanian Period», en G. Gnoli y A. Panaino (eds.), *Proceedings of the First European Conference of Iranian Studies*, 2 vols., Roma, 1991, vol. I, pp. 261-273; T. Daryaee, «Memory and History: The Construction of the Past in Late Antiquity», *Name-ye Iran-e Bastan* 1.2 (2001-2002), pp. 1-14.

33. Back, «Sassanidischen Staatsinschriften», p. 384. Para la inscripción completa, véase M.-L. Chaumont, «L'Inscription de Kartir à la Ka'bah de Zoroastre: text, traduction et commentaire», *Journal Asiatique* 248 (1960), pp. 339-380.

34. M.-L. Chaumont, *La Christianisation de l'empire iranien, des origines aux grandes persécutions du IV siecle*, Lovaina, 1988, p. 111; G. Fowden, *Empire to Commonwealth: Consequences of Monotheism in Late Antiquity*, Princeton, 1993, pp. 28-29.

35. R. Merkelbach, *Mani und sein Religionssystem*, Opladen, 1986; J. Russell, «Kartir and Mani: A Shamanistic Model of their Conflict», *Iranica Varia: Papers in Honor of Professor Ehsan Yarshater*, Leiden, 1990, pp. 180-193; S. Lieu, *History of Manicheanism in the Later Roman Empire and Medieval China: A Historical Survey*, Manchester, 1985. Sobre Sapor y Mani, véase M. Hutter, «Manichaeism in the early Sasanian Empire», *Numen* 40 (1993), pp. 2-15.

36. P. Gigoux (ed. y trad.), *Les Quatre Inscriptions du mage Kirdir, textes et concordances*, París, 1991. Véanse también C. Jullien y F. Jullien, «Aux frontières de l'iranité: "nasraye" et "kristyone" des inscriptions du mobad Kirdir: enquête littéraire et historique», *Numen* 49.3 (2002), pp. 282-335; F. de Blois, «*Naṣrānī* (Ναζωραῖος) and *ḥanīf* (ἐθνικός): Studies on the Religious Vocabulary of Christianity and of Islam», *Bulletin of the School of Oriental and African Studies* 65 (2002), pp. 7-8.

37. S. Lieu, «Captives, Refugees and Exiles: A Study of Cross-Frontier Civilian Movements and Contacts between Rome and Persia from Valerian to Jovian», en P. Freeman y D. Kennedy (eds.), *The Defence of the Roman and Byzantine East*, Oxford, 1986, pp. 475-505.

38. A. Kitchen, C. Ehret, S. Assefa y C. Mulligan, «Bayesian Phylogenetic Analysis of Semitic Languages Identifies an Early Bronze Age Origin of Semitic in the Near East», *Proceedings of the Royal Society B*, 276.1668 (2009), pp. 2702-2710. Algunos estudiosos han propuesto que las lenguas semíticas tendrían su origen en el norte de África, por ejemplo D. McCall, «The Afroasiatic Language Phylum: African in Origin, or Asian?», *Current Anthropology* 39.1 (1998), pp. 139-144.

39. R. Stark, *The Rise of Christianity: A Sociologist Reconsiders History*, Princeton, 1996 (hay trad. castellana: *La expansión del cristianismo. Un estudio sociológico*, Trotta, Madrid, 2009), y *Cities of God: The Real Story of How Christianity Became an Urban Movement and Conquered Rome*, San Francisco,

2006. Los puntos de vista y metodologías de Stark se han revelado polémicos, véase *Journal of Early Christian Studies* 6.2 (1998).

40. Plinio el Joven, Carta 96, B. Radice (ed. y trad.), *Letters and Panegyricus*, 2 vols., Cambridge (Massachusetts), 1969, vol. II, pp. 284-286 (hay trad. castellana: *Cartas*, Gredos, Madrid, 2005).

41. Ibíd., Carta 97, vol. 2, pp. 290-292.

42. J. Helgeland, R. Daly y P. Patout Burns (eds.), *Christians and the Military: The Early Experience*, Filadelfia, 1985.

43. M. Roberts, *Poetry and the Cult of the Martyrs*, Ann Arbor, 1993; G. de Ste Croix, *Christian Persecution, Martyrdom and Orthodoxy*, Oxford, 2006.

44. Tertuliano, *Apologia ad Nationes,* 42, en *Tertullian: Apology: De Spectaculis,* T. Glover (ed. y trad.), Londres, 1931, p. 190 (hay trad. castellana: *Apologético. A los gentiles*, Gredos, Madrid, 2001); G. Stoumsa, *Barbarian Philosophy: The Religious Revolution of Early Christianity*, Tubinga, 1999, pp. 69-70.

45. Tertuliano, *Apologia*, 8, p. 44.

46. W. Baum y D. Winkler, *Die Apostolische Kirche des Ostens*, Klagenfurt, 2000, pp. 13-17.

47. S. Rose, *Roman Edessa: Politics and Culture on the Eastern Fringes of the Roman Empire, 114 - 242 CE*, Londres, 2001.

48. T. Mgaloblishvili e I. Gagoshidze, «The Jewish Diaspora and Early Christianity in Georgia», en T. Mgaloblishvili (ed.), *Ancient Christianity in the Caucasus*, Londres, 1998, pp. 39-48.

49. J. Bowman, «The Sassanian Church in the Kharg Island», *Acta Iranica* 1 (1974), pp. 217-220.

50. *The Book of the Laws of the Countries: Dialogue on the Fate of Bardaisan of Edessa*, H. Drijvers (trad.), Assen, 1965, p. 61.

51. J. Asmussen, «Christians in Iran», en *The Cambridge History of Iran: The Seleucid, Parthian and Sasanian Periods*, Cambridge, 1983, vol. 3.2, pp. 929-930.

52. S. Brock, «A Martyr at the Sasanid Court under Vahran II: Candida», *Analecta Bollandiana* 96.2 (1978), pp. 167-181.

53. Eusebio, *Evaggelike Proparaskeus,* K. Mras (ed.), *Eusebius Werke: Die Praeparatio Evangelica*, Berlín, 1954, 1.4, p. 16 (hay trad. castellana: *Preparación evangélica*, 3 vols., Biblioteca de Autores Cristianos, Madrid, 2011); A. Johnson, «Eusebius' *Praeparatio Evangelica* as Literary Experiment», en S. Johnson (ed.), *Greek Literature in Late Antiquity: Dynamism, Didacticism, Classicism*, Aldershot, 2006, p. 85.

54. P. Brown, *The Body and Society: Men, Women and Sexual Renunciation in Early Christianity*, Londres, 1988 (hay trad. castellana: *El cuerpo y la sociedad. Los cristianos y la renuncia sexual*, Muchnik, Barcelona, 1993); C. Wickham, *The Inheritance of Rome: A History of Europe from 400 to 1000*, Londres, 2009, pp. 55-56.

55. B. Dignas y E. Winter, *Rome and Persia in Late Antiquity*, Cambridge, 2007, pp. 210-232.

56. Véase A. Sterk, «Mission from Below: Captive Women and Conversion on the East Roman Frontiers», *Church History* 79.1 (2010), pp. 1-39.

57. Sobre la conversión, véase R. Thomson (ed. y trad.), *The Lives of St Gregory: The Armenian, Greek, Arabic and Syriac Versions of the History Attributed to Agathaneglos*, Ann Arbor, 2010. Sobre la fecha, muy debatida, W. Seibt, *Die Christianisierung des Kaukasus: The Christianisation of Caucasus (Armenia, Georgia, Albania)*, Viena, 2002, y M.-L. Chaumont, *Recherches sur l'histoire d'Arménie, de l'avenement des Sassanides à la conversion du royaume*, París, 1969, pp. 131-146.

58. Eusebio de Cesarea, *Bios tou megalou Konstantinou*, F. Winkelmann (ed.), *Über das Leben des Kaisers Konstantin,* Berlín, 1992, 1.28-30, pp. 29-30 (hay trad. castellana: *Vida de Constantino*, Gredos, Madrid, 1994). Sobre la conversión de Constantino y el periodo en general, véase los ensayos recogidos en N. Lenski (ed.), *The Cambridge Companion to the Age of Constantine*, Cambridge, 2012 (ed. revisada).

59. Sozomeno, *Ekklesiastike Historia*, J. Bidez (ed.), *Sozomenus: Kirchengeschichte*, Berlín, 1995, 2.3, p. 52.

60. Eusebio, *Bios tou megalou Konstantinou*, 2.44, p. 66.

61. A. Lee, «Traditional Religions», en Lenski, *Age of Constantine*, pp. 159-180.

62. *Codex Theodosianus,* C. Pharr (trad.), *The Theodosian Code and Novels and the Simondian Constitutions*, Princeton, 1952, 15.12, p. 436.

63. Eusebio, *Bios tou megalou Konstantinou,* 3.27-8, p. 96.

64. Ibíd., 3.31-2, p. 99.

65. P. Sarris, *Empires of Faith*, Oxford, 2012, pp. 22-23.

66. Eusebio, *Vita Constantini*, 4.13, p. 125; trad. en Dodgeon y Lieu (eds.), *The Roman Eastern Frontier and the Persian Wars A.D. 226-363: A Documentary History,* Londres, 1991, p. 152. Sobre la fecha, véase G. Fowden, *Empire to Commonwealth: Consequences of Monotheism in Late Antiquity,* Princeton, 1993, pp. 94-99.

67. J. Eadie, «The Transformation of the Eastern Frontier 260-305», en R. Mathisen y H. Sivan (eds.), *Shifting Frontiers in Late Antiquity*, Aldershot, 1996, pp. 72-82; M. Konrad, «Research on the Roman and Early Byzantine Frontier in North Syria», *Journal of Roman Archaeology* 12 (1999), pp. 392-410.

68. Sterk, «Mission from Below», pp. 10-11.

69. Eusebius, *Vita Constantini*, 5.56, p. 143; 5.62, pp. 145-146.

70. T. Barnes, «Constantine and the Christians of Persia», *Journal of Roman Studies* 75 (1985), p. 132.

71. Afraate, *Demonstrations*, M.-J. Pierre, *Aphraate le sage person: les exposés*, París, 1988-1989, n.º 5.

72. J. Walker, *The Legend of Mar Qardagh: Narrative and Christian Heroism in Late Antique Iraq*, Berkeley, 2006, 6, p. 22.

73. Véase, en general, J. Rist, «Die Verfolgung der Christen im spätkirchen Sasanidenreich: Ursachen, Verlauf, und Folgen», *Oriens Christianus* 80 (1996), pp. 17-42. Los testimonios no dejan de plantear problemas de interpretación, véase S. Brock, «Saints in Syriac: A Little-Tapped Resource», *Journal of East Christian Studies* 16.2 (2008), en especial pp. 184-186.

74. J. Wiesehöfer, *Ancient Persia, 500 BC to 650 AD*, Londres, 2001, p. 202.

## Capítulo 3: La ruta del Oriente cristiano

1. O. Knottnerus, «Malaria in den Nordseemarschen: Gedanken über Mensch und Umwelt», en M. Jakubowski-Tiessen y J. Lorenzen-Schmidt, *Dünger und Dynamit: Beiträge zur Umweltgeschichte Schleswig-Holsteins und Dänemarks*, Neumünster, 1999, pp. 25-39; P. Sorrel *et al.*, «Climate Variability in the Aral Sea Basin (Central Asia) during the Late Holocene Based on Vegetation Changes», *Quaternary Research* 67.3 (2007), pp. 357-370; H. Oberhänsli *et al.*, «Variability in Precipitation, Temperature and River Runoff in W. Central Asia during the Past ~2000 Yrs», *Global and Planetary Change* 76 (2011), pp. 95-104; O. Savoskul y O. Solomina, «Late-Holocene Glacier Variations in the Frontal and Inner Ranges of the Tian Shan, Central Asia», *Holocene* 6.1 (1996), pp. 25-35.

2. N. Sims-Williams, «Sogdian Ancient Letter II», en A. Juliano y J. Lerner (eds.), *Monks and Merchants: Silk Road Treasures from Northern China: Gansu and Ningxia 4th-7th Century*, Nueva York, 2001, pp. 47-49. Véanse también F. Grenet y N. Sims-Williams, «The Historical Context of the Sogdian Ancient Letters», *Transition Periods in Iranian History, Studia Iranica* 5 (1987), pp. 101-122, y N. Sims-Williams, «Towards a New Edition of the Sogdian Letters», en E. Trembert y E. de la Vaissière (eds.), *Les Sogdiens en Chine*, París, 2005, pp. 181-193.

3. E. de la Vaissière, «Huns et Xiongnu», *Central Asiatic Journal* 49.1 (2005), pp. 3-26.

4. P. Heather, *Empires and Barbarians,* Londres, 2009, pp. 151-188; A. Poulter, «Cataclysm on the Lower Danube: The Destruction of a Complex Roman Landscape», en N. Christie (ed.), *Landscapes of Change: Rural Evolutions in Late Antiquity and the Early Middle Ages*, Aldershot, 2004, pp. 223-254.

5. Véanse F. Grenet, «Crise et sortie de crise en Bactriane-Sogdiane aux IVe-Ve s. de n. è.: de l'héritage antique à l'adoption de modèles sassanides», en *La Persia e l'Asia Centrale da Alessandro al X secolo. Atti dei Convegni Lincei* 127, Roma, 1996, pp. 367-390; De la Vaissière, *Sogdian Traders*, pp. 97-103.

6. G. Greatrex y S. Lieu, *The Roman Eastern Frontier and the Persian*

*Wars, Part II,* AD *363-630,* Londres, 2002, pp. 17-19; O. Maenchen-Helfen, *The World of the Huns*, Los Ángeles, 1973, p. 58.

7. Aunque los eruditos han debatido durante mucho tiempo la fecha de esta construcción, los recientes avances en datación por radiocarbono y luminiscencia ópticamente estimulada han permitido situar con certeza la erección de la inmensa fortificación en este periodo. J. Nokandeh *et al.*, «Linear Barriers of Northern Iran: The Great Wall of Gorgan and the Wall of Tammishe», *Iran* 44 (2006), pp. 121-173.

8. J. Howard-Johnston, «The Two Great Powers in Late Antiquity: A Comparison», en A. Cameron, G. King y J. Haldon (eds.), *The Byzantine and Early Islamic Near East*, 3 vols., Princeton, 1992-1996, vol. III, pp. 190-197.

9. R. Blockley, «Subsidies and Diplomacy: Rome and Persia in Late Antiquity», *Phoenix* 39 (1985), pp. 66-67.

10. Greatrex y Lieu, *Roman Eastern Frontier*, pp. 32-33.

11. Véase Heather, *Fall of the Roman Empire*, pp. 191-250.

12. San Jerónimo, «Ad Principiam», *Select Letters of St Jerome*, F. Wright (ed. y trad.), Cambridge (Massachusetts), 1933, 127, p. 462 (hay trad. castellana: *Cartas de san Jerónimo*, Biblioteca de Autores Cristianos, Madrid, 1962, 2 vols.).

13. Jordanes, *Getica,* 30, en *Iordanis Romana et Getica*, T. Mommsen (ed.), Berlín, 1882, pp. 98-99 (hay trad. castellana: *Origen y gestas de los godos*, Cátedra, Madrid, 2009).

14. J. Hill, *Through the Jade Gate to Rome: A Study of the Silk Routes during the Late Han Dynasty, 1st to 2nd Centuries* CE*: An Annotated Translation of the Chronicle of the «Western Regions» from the Hou Hanshu*, Charleston (Carolina del Sur), 2009.

15. Sarris, *Empires of Faith*, pp. 41-43.

16. Un documento de principios del siglo IV recoge una lista de las tribus que habían penetrado en el Imperio Romano. Véase A. Riese (ed.), *Geographi latini minores*, Hildesheim, 1964, pp. 1280-1289. Para otro ejemplo, véase Sidonio Apolinar, «Panegyric on Avitus», en *Sidonius Apollinaris: Poems and Letters*, W. Anderson (ed. y trad.), 2 vols., Cambridge (Massachusetts), 1935-1956, vol. I, p. 146 (hay trad. castellana: «Panegírico de Avito» en *Poemas*, Gredos, Madrid, 2005).

17. Amiano Marcelino, *Rerum Gestarum Libri XXX,* 31.2, 3, p. 382.

18. Prisco, *Testimonia*, fragmento 49, R. Blockley (ed. y trad.), *The Fragmentary Classicising Historians of the Later Roman Empire: Eunapius, Olympiodorus, Priscus, and Malchus*, 2 vols., Liverpool, 1981-1983, vol. II, p. 356.

19. Amiano Marcelino, *Rerum Gestarum Libri XXX*, 31.2, 3, p. 380.

20. D. Pany y K. Wiltschke-Schrotta, «Artificial Cranial Deformation in a Migration Period Burial of Schwarzenbach, Central Austria», *VIAVIAS* 2 (2008), pp. 18-23.

21. Prisco, *Testimonia*, fragmento 24, vol. II, pp. 316-17. Sobre los triunfos de los hunos, Heather, *Fall of the Roman Empire*, pp. 300-348.

22. B. Ward-Perkins, *The Fall of Rome and the End of Civilization*, Oxford, 2005, pp. 91 y ss. (hay trad. castellana: *La caída de Roma y el fin de la civilización*, Espasa, Madrid, 2007).

23. Salviano, *Œuvres*, C. Lagarrigue (ed. y trad.), 2 vols., París, 1971-1975, vol. II, 4.12. La traducción utilizada es de E. Sanford: *The Government of God*, Nueva York, 1930, p. 118.

24. Zosimo, *Historias Neas*, F. Paschoud (ed. y trad.), *Zosime, Histoire nouvelle*, 3 vols., París, 2000, 2.7, vol. I, pp. 77-79 (hay trad. castellana: *Nueva historia*, Gredos, Madrid, 1992).

25. Asmussen, «Christians in Ira», pp. 929-930.

26. S. Brock, «The Church of the East in the Sasanian Empire up to the Sixth Century and its Absence from the Councils in the Roman Empire», *Syriac Dialogue: First Non-Official Consultation on Dialogue within the Syriac Tradition*, Viena, 1994, p. 71.

27. A. Cameron y R. Hoyland (eds.), *Doctrine and Debate in the East Christian World 300-1500*, Farnham, 2011, p. XI.

28. W. Barnstone, *The Restored New Testament: A New Translation with Commentary, Including the Gnostic Gospels of Thomas, Mary and Judas*, Nueva York, 2009.

29. N. Tanner, *The Decrees of the Ecumenical Councils*, 2 vols., Washington, D.C., 1990, vol. I; A. Cameron, *The Later Roman Empire, AD 284-430*, Londres, 1993, pp. 59-70 (hay trad. castellana: *El bajo imperio romano*, Encuentro, Madrid, 2001).

30. Véase P. Wood, *The Chronicle of Seert. Christian Historical Imagination in Late Antique Iraq*, Oxford, 2013, pp. 23-24.

31. S. Brock, «The Christology of the Church of the East in the Synods of the Fifth to Early Seventh Centuries: Preliminary Considerations and Materials», en G. Dagras (ed.), *A Festschrift for Archbishop Methodios of Thyateira and Great Britain*, Atenas, 1985, pp. 125-142.

32. Baum y Winkler, *Apostolische Kirche*, pp. 19-25.

33. Sínodo de Dadjesus, *Synodicon orientale, ou Recueil de synods nestoriens*, J. Chabot (ed.), París, 1902, pp. 285-298; Brock, «Christology of the Church of the East», pp. 125-142; Brock, «Church of the East», pp. 73-74.

34. Wood, *Chronicle of Seert*, pp. 32-37.

35. Gregorio Nacianceno, *De Vita Sua*, en D. Meehan (trad.), *Saint Gregory of Nazianzus: Three Poems*, Washington, D.C., 1987, pp. 133-135 (hay trad. castellana: *Fuga y autobiografía*, Ciudad Nueva, Madrid, 1996).

36. San Cirilo de Alejandría, Carta a Pablo el Prefecto, en J. McEnerney (trad.), *Letters of St Cyril of Alexandria*, 2 vols., Washington, D.C., 1985-1987, vol. II, 96, pp. 151-153.

37. S. Brock, «From Antagonism to Assimilation: Syriac Attitudes to Greek Learning», en N. Garsoian, T. Mathews y T. Thomson (eds.), *East of Byzantium: Syria and Armenia in the Formative Period*, Washington, D.C., 1982, pp. 17-34; véase del mismo autor, «Christology of the Church of the East», pp. 165-173.

38. R. Norris, *The Christological Controversy*, Filadelfia, 1980, pp. 156-157.

39. Brock, «Christology of the Church of the East», pp. 125-142; véase también Baum y Winkler, *Apostolische Kirche*, pp. 31-34.

40. F.-C. Andreas, «Bruchstücke einer Pehlevi-Übersetzung der Psalmen aus der Sassanidenzeit», *Sitzungsberichte der Berliner Akademie der Wissenschaften* (1910), pp. 869-872; J. Asmussen, «The Sogdian and Uighur-Turkish Christian Literature in Central Asia before the Real Rise of Islam: A Survey», en L. Hercus, F. Kuiper, T. Rajapatirana y E. Skrzypczak (eds.), *Indological and Buddhist Studies: Volume in Honour of Professor J. W. de Jong on his Sixtieth Birthday*, Canberra, 1982, pp. 11-29.

41. Sarris, *Empires of Faith*, p. 153.

42. Sobre el concilio de 553, véase R. Price, *The Acts of the Council of Constantinople of 553: Edited with an introduction and notes*, 2 vols., Liverpool, 2009. Para el texto siriaco, acompañado de la traducción inglesa, véase S. Brock, «The Conversations with the Syrian Orthodox under Justinian (532)», *Orientalia Christiana Periodica* 47 (1981), pp. 87-121, y «Some New Letters of the Patriarch Severus», *Studia Patristica* 12 (1975), pp. 17-24.

43. Evagrio Escolástico, *Ekklesiastike historia*, 5.1, *Ecclesiastical History of Evagrius Scholasticus*, M. Whitby (trad.), Liverpool, 2005, p. 254.

44. Sobre la compilación y datación del texto, véase R. Lim, *Public Disputation: Power and Social Order in Late Antiquity*, Berkeley, 1991, p. 227.

45. Sterk, «Mission from Below», pp. 10-12.

46. Sobre los trescientos mártires de Najrán, véase I. Shahid, «The Martyrdom of Early Arab Christians: Sixth Century Najran», en G. Corey, P. Gillquist, M. Mackoul *et al.* (eds.), *The First One Hundred Years: A Centennial Anthology Celebrating Antiochian Orthodoxy in North America*, Englewood (Nueva Jersey), 1996, pp. 177-180. Sobre el viaje de Cosmas Indicopleustes, véase S. Faller, *Taprobane im Wandel der Zeit*, Stuttgart, 2000; H. Schneider, «Kosmas Indikopleustes, Christliche Topographie: Probleme der Überlieferung und Editionsgeschichte», *Byzantinische Zeitschrift* 99.2 (2006), pp. 605-614.

47. *The History of Theophylact Simocatta: An English Translation with Introduction and Notes*, M. Whitby y M. Whitby (ed. y trad.), Oxford, 1986, 5.10, p. 147.

48. Véase *Wood, Chronicle of Seert*, p. 23.

49. B. Spuler, *Iran in fruh-Islamischer Zeit*, Wiesbaden, 1952, pp. 210-213; P. Jenkins, *The Lost History of Christianity*, Oxford, 2008, pp. 14, 53; véase también S. Moffett, *A History of Christianity in Asia*, 2 vols., San Francisco, 1998; J. Asmussen, «Christians in Iran», pp. 924-948.

50. A. Atiya, *A History of Eastern Christianity*, Londres, 1968, pp. 239 y ss.

51. Agatías, *Historion*, 2.28, *Agathias: Histories*, J. Frendo (trad.), Berlín, 1975, p. 77 (hay trad. castellana: *Historias*, Gredos, Madrid, 2008).

52. Para las oraciones, véase Brock, «Church of the East», p. 76; sobre la elección, Sínodo de Mar Gregorio I, *Synodicon orientale*, p. 471.

53. T. Daryaee (ed. y trad.), *Šahrestānīhā-ī Ērānšahr: A Middle Persian Text on Late Antique Geography, Epic and History*, Costa Mesa (California), 2002.

54. M. Morony, «Land Use and Settlement Patterns in Late Sasanian and Early Islamic Iraq», en Cameron, King y Haldon, *The Byzantine and Early Islamic Near East*, vol. II, pp. 221-229; F. Rahimi-Laridjani, *Die Entwicklung der Bewässerungslandwirtschaft im Iran bis Sasanidisch-frhislamische zeit*, Weisbaden, 1988; R. Gyselen, *La géographie administrative de l'empire sasanide: les témoignages sigilographiques*, París, 1989.

55. P. Pourshariati, *Decline and Fall of the Sasanian Empire: The Sasanian-Parthian Confederacy and the Arab Conquest of Iran*, Londres, 2009, pp. 33-60. Véase también Z. Rubin, «The Reforms of Khusro Anushirwān», en Cameron, *Islamic Near East*, vol. III, pp. 225-297.

56. A. Taffazoli, «List of Trades and Crafts in the Sassanian Period», *Archaeologische Mitteilungen aus Iran* 7 (1974), pp. 192-196.

57. R. Frye, «Sasanian Seal Inscriptions», en R. Stiehl y H. Stier, *Beiträge zur alten Gesichte und deren Nachleben,* 2 vols., Berlín, 1969-1970, vol. I, pp. 79-84; J. Choksy, «Loan and Sales Contracts in Ancient and Early Medieval Iran», *Indo-Iranian Journal* 31 (1988), p. 120.

58. Daryaee, «Persian Gulf Trade», pp. 1-16.

59. E. de la Vaissière, *Histoire des marchands sogdiens*, París, 2002, pp. 155-161, 179-231. N. Sims-Williams, «The Sogdian Merchants in China and India», en A. Cadonna y L. Lanciotti (eds.), *Cina e Iran: da Alessandro Magno alla dinastia Tang*, Florencia, 1996, pp. 45-67; J. Rose, «The Sogdians: Prime Movers between Boundaries», *Comparative Studies of South Asia, Africa and the Middle East* 30.3 (2010), pp. 410-419.

60. F. Thierry y C. Morrisson, «Sur les monnaies Byzantines trouvés en Chine», *Revue numismatique* 36 (1994), pp. 109-145; L. Yin, «Western Turks and Byzantine Gold Coins Found in China», *Transoxiana* 6 (2003); B. Marshak y W. Anazawa, «Some Notes on the Tomb of Li Xian and his Wife under the Northern Zhou Dynasty at Guyuan, Ningxia and its Gold-Gilt Silver Ewer with Greek Mythological Scenes Unearthed There», *Cultura Antiqua* 41.4 (1989), pp. 54-57.

61. D. Shepherd, «Sasanian Art», en *Cambridge History of Iran*, vol. 3.2, pp. 1085-1086.

62. Sobre la Pascua, véase Eusebio, *Vita Constantini*, 3.18, p. 90. Para ejemplos de leyes contra los matrimonios mixtos, *Codex Theodosianus*, 16.7, p. 466; 16.8, pp. 467-468.

63. L. Feldman, «Proselytism by Jews in the Third, Fourth and Fifth Centuries», *Journal for the Study of Judaism* 24.1 (1993), pp. 9-10.

64. Ibíd., 46.

65. P. Schäfer, *Jesus in the Talmud*, Princeton, 2007; P. Schäfer, M. Meerson e Y. Deutsch (eds.), *Toledot Yeshu («The Life Story of Jesus») Revisited*, Tubinga, 2011.

66. G. Bowersock, «The New Greek Inscription from South Yemen», en A. Sedov y J.-F. Salles (eds.), *Qāni': le port antique du Ḥaḍramawt entre la Méditerranee, l'Afrique et l'Inde: fouilles russes 1972, 1985-1989, 1991, 1993-1994*, Turnhout, 2013, pp. 393-396.

67. J. Beaucamp, F. Briquel-Chatonnet y C. Robin (eds.), *Juifs et chrétiens en Arabie aux Ve et VIe siècles: regards croisés sur les sources*, París, 2010; C. Robin, «Joseph, dernier roi de Himyar (de 522 à 525, ou une des années suivantes)», *Jerusalem Studies in Arabic and Islam* 34 (2008), pp. 1-124.

68. G. Bowersock, *The Throne of Adulis: Red Sea Wars on the Eve of Islam*, Oxford, 2013, pp. 78-91.

69. Brock, «Church of the East», p. 73.

70. Walker, *The Legend of Mar Qardagh*; texto, pp. 19-69.

71. Y. Saeki, *The Nestorian Documents and Relics in China*, Tokio, 1951[2], pp. 126-127; D. Scott, «Christian Responses to Buddhism in Pre-Medieval Times», *Numen* 32.1 (1985), pp. 91-92.

72. Véase E. Pagels, *The Gnostic Gospels*, Nueva York, 1979 (hay trad. castellana: *Los evangelios gnósticos*, Crítica, Barcelona, 2005); H.-J. Klimkeit, *Gnosis on the Silk Road: Gnostic Texts from Central Asia*, San Francisco, 1993; K. King, *What is Gnosticism?*, Cambridge (Massachusetts), 2003.

73. P. Crone, «Zoroastrian Communism», *Comparative Studies in Society and History* 36.4 (1994), pp. 447-462; G. Gnoli, «Nuovi studi sul Mazdakismo», en *Convegno internazionale: la Persia e Bisanzio*, Roma, 2004, pp. 439-456.

74. Hui Li, *Life of Hiuen-tsang*, Samuel Beal (trad.), Westport (Connecticut), 1973, p. 45.

75. Ibíd., p. 46; R. Foltz, «When was Central Asia Zoroastrian?», *Mankind Quarterly* (1988), pp. 189-200.

76. S. Beal, *Buddhist Records of the Western World*, Nueva Delhi, 1969, pp. 44-46.

77. G. Mitchell y S. Johar, «The Maratha Complex at Ellora», *Modern Asian Studies* 28.1 (2012), pp. 69-88.

78. En la década de 1970 equipos conjuntos de japoneses y afganos llevaron a cabo diversas excavaciones y sondeos. Véase T. Higuchi, *Japan-Afghanistan Joint Archaeological Survey 1974, 1976, 1978*, Kioto, 1976-1980.

79. Para la datación del complejo de Bamiyán hacia 600, véase D. Klimburg-Salter, «Buddhist Painting in the Hindu Kush *c.* VIIth to Xth Centuries: Reflections of the Co-existence of Pre-Islamic and Islamic Artistic Cultures du-

ring the Early Centuries of the Islamic Era», en E. de la Vaissière, *Islamisation de l'Asie Centrale: processus locaux d'acculturation du VIIe au XIe siècle*, París, 2008, pp. 140-142; véase también F. Flood, «Between Cult and Culture: Bamiyan, Islamic Iconoclasm, and the Museum», *Art Bulletin* 84.4 (2002), pp. 641 y ss., y L. Morgan, *The Buddhas of Bamiyan,* Londres, 2012.

80. Citado por Power, *Red Sea*, p. 58.

81. I. Gillman y H.-J. Klimkeit, *Christians in Asia before 1500*, Ann Arbor, 1999, pp. 265-305.

82. G. Stroumsa, *Barbarian Philosophy: The Religious Revolution of Early Christianity*, Tubinga, 1999, pp. 80, 274-281.

83. J. Choksy, «Hagiography and Monotheism in History: Doctrinal Encounters between Zoroastrianism, Judaism and Christianity», *Islam and Christian-Muslim Relations* 14.4 (2010), pp. 407-421.

## CAPÍTULO 4: LA RUTA DE LA REVOLUCIÓN

1. Pseudo Dionisio de Tel-Mahre, *Chronicle (Known Also as the Chronicle of Zuqnin), Part III*, W. Witaksowski (trad.), Liverpool, 1996, p. 77.

2. Procopio, *Hyper ton polemon,* 2.22-23, en *History of the Wars, Secret History, Buildings*, H. Dewing (ed. y trad.), 7 vols., Cambridge (Massachusetts), vol. I, pp. 450-472 (hay trad. castellana: *Historia de las guerras*, 4 vols., Gredos, Madrid, 2000-2007).

3. M. Morony, «"For Whom Does the Writer Write?": The First Bubonic Plague Pandemic According to Syriac Sources», en K. Lester (ed.), *Plague and the End of Antiquity: The Pandemic of 541-750*, Cambridge, 2007, p. 64; D. Twitchett, «Population and Pestilence in T'ang China», en W. Bauer (ed.), *Studia Sino-Mongolica*, Wiesbaden, 1979, pp. 42, 62.

4. P. Sarris, *Economy and Society in the Age of Justinian*, Cambridge, 2006, y «Plague in Byzantium: The Evidence of Non-Literary Sources», en Lester, *Plague and the End of Antiquity*, pp. 119-134; A. Cameron, *The Mediterranean World in Late Antiquity: AD 395-700*, Londres, 1993, pp. 113 y ss. (hay trad. castellana: *El mundo mediterráneo en la antigüedad tardía, 395-600*, Crítica, Barcelona, 1998); D. Stathakopoulos, *Famine and Pestilence in the Late Roman and Early Byzantine Empire: A Systematic Survey of Subsistence Crises and Epidemics*, Birmingham, 2004, pp. 110-165.

5. Sarris, *Empires of Faith*, pp. 145 y ss.

6. Procopio, *The Secret History*, P. Sarris (trad.), Londres, 2007, p. 80 (hay trad. castellana: *Historia secreta*, Gredos, Madrid, 2000).

7. Juan de Éfeso, *Ecclesiastical History*, 6.24, R. P. Smith (trad.), 1860, p. 429.

8. M.-T. Liu, *Die chinesischen Nachrichten zur Geschichte der Ost-Tür-*

*ken (T'u-küe)*, 2 vols., Wiesbaden, 2009, vol. I, p. 87. Véase también J. Banaji, «Precious-Metal Coinages and Monetary Expansion in Late Antiquity», en F. De Romanis y S. Sorda (eds.), *Dal denarius al dinar: l'oriente e la monetà romana*, Roma, 2006, pp. 265-303.

9. *The History of Menander the Guardsman*, R. Blockley (trad.), Liverpool, 1985, pp. 121-123.

10. Ibíd., pp. 110-117.

11. Sarris, *Empires of Faith*, pp. 230-231.

12. *Menander the Guardsman*, pp. 173-175.

13. Para las fuentes utilizadas aquí, véase Greatrex y Lieu, *Roman Eastern Frontier, Part II*, pp. 153-158.

14. R. Thomson, *The Armenian History Attributed to Sebeos. Part I: Translation and Notes*, Liverpool, 1999, 8, p. 9.

15. Agatías, *Historion*, 2.24, p. 72.

16. G. Fisher, «From Mavia to al-Mundhir: Arab Christians and Arab Tribes in the Late Antique Roman East», en I. Toral-Niehoff y K. Dimitriev (eds.), *Religious Culture in Late Antique Arabia*, Leiden, 2012, p. x; M. Maas, «"Delivered from their Ancient Customs": Christianity and the Question of Cultural Change in Early Byzantine Ethnography», en K. Mills y A. Grafton (eds.), *Conversion in Late Antiquity and the Early Middle Ages*, Rochester (Nueva York), 2003, pp. 152-188.

17. R. Hoyland, «Arab Kings, Arab Tribes and the Beginnings of Arab Historical Memory in Late Roman Epigraphy», en H. Cotton, R. Hoyland, J. Price y D. Wasserstein (eds.), *From Hellenism to Islam: Cultural and Linguistic Change in the Roman Near East*, Cambridge, 2009, pp. 374-400.

18. M. Whittow, «Rome and the Jafnids: Writing the History of a Sixth-Century Tribal Dynasty», en J. Humphrey (ed.), *The Roman and Byzantine Near East: Some Recent Archaeological Research*, Ann Arbor, 1999, pp. 215-233.

19. K. ʿAtahmina, «The Tribal Kings in Pre-Islamic Arabia: A Study of the Epithet *malik* or *dhū al-tāj* in Early Arabic Traditions», *al-Qanṭara* 19 (1998), p. 35; M. Morony, «The Late Sasanian Economic Impact on the Arabian Peninsula», *Nāme-ye Irān-e Bāstān* 1.2 (2001-2002), pp. 35-36; I. Shahid, *Byzantium and the Arabs in the Sixth Century,* 2 vols., Washington, D.C., 1995-2009, vol. 2.2, pp. 53-54.

20. Sarris, *Empires of Faith*, pp. 234-236.

21. Procopio, *Buildings*, 3.3, 7, pp. 192-194 (hay trad. castellana: Procopio de Cesarea, «Los edificios», en *Estudios orientales* 7, 2003).

22. J. Howard-Johnston, *Witnesses to a World Crisis: Historians and Histories of the Middle East in the Seventh Century*, Oxford, 2010, pp. 438-439.

23. Sínodo de Mar Gregorio I, *Synodicon orientale*, p. 471. Véase también Walker, *Mar Qardagh*, pp. 87-89.

24. F. Conybeare, «Antiochos Strategos' Account of the Sack of Jerusa-

lem in AD 614», *English Historical Review* 25 (1910), pp. 506-508, pero véase también Howard-Johnston, *Witnesses to a World Crisis*, pp. 164-165. Sobre la propaganda, J. Howard-Johnston, «Heraclius' Persian Campaigns and the Revival of the Roman Empire», *War in History* 6 (1999), pp. 36-39.

25. *Chronicon Paschale*, M. Whitby y M. Whitby (trad.), Liverpool, 1989, pp. 161-162; Howard-Johnston, «Heraclius' Persian Campaigns», p. 3; Sarris, *Empires of Faith*, p. 248.

26. *Chronicon Paschale*, pp. 158, 164.

27. Howard-Johnston, «Heraclius' Persian Campaigns», p. 37.

28. La fecha precisa es objeto de debate. R. Altheim-Stiehl, «Würde Alexandreia im Juni 619 n. Chr. durch die Perser Erobert?», *Tyche* 6 (1991), pp. 3-16.

29. J. Howard-Johnston, «The Siege of Constantinople in 626», en C. Mango y G. Dagron (eds.), *Constantinople and its Hinterland*, Aldershot, 1995, pp. 131-142.

30. Howard-Johnston, «Heraclius' Persian Campaigns», pp. 23-24; C. Zuckerman, «La Petite Augusta et le Turc: Epiphania-Eudocie sur les monnaies d'Héraclius», *Revue Numismatique* 150 (1995), pp. 113-126.

31. Véase N. Oikonomides, «Correspondence between Heraclius and Kavadh-Siroe in the *Paschal Chronicle (628)*», *Byzantion* 41 (1971), pp. 269-281.

32. Sebeos, *Armenian History*, 40, pp. 86-87; Teófanes, *The Chronicle of Theophanes Confessor: Byzantine and Near Eastern History, AD 284-813,* C. Mango y R. Scott (trad.), Oxford, 1997, pp. 455-456.

33. *Chronicon Paschale*, pp. 166-167; Sebeos, *Armenian History*, 38, pp. 79-81.

34. G. Dagron y V. Déroche, «Juifs et chrétiens en Orient byzantin», *Travaux et Mémoires* 11 (1994), pp. 28 y ss.

35. Cameron y Hoyland, *Doctrine and Debate*, pp. XXI-XXII.

36. Carta a los obispos de Persia, *Synodicon orientale*, pp. 584-585.

37. Teófanes, *Chronicle*, p. 459; Mango, «Deux études sur Byzance et la Perse sassanide», *Travaux et Mémoires* 9 (1985), p. 117.

38. B. Dols, «Plague in Early Islamic History», *Journal of the American Oriental Society* 94.3 (1974), p. 376; P. Sarris, «The Justinianic Plague: Origins and Effects», *Continuity and Change* 17.2 (2002), p. 171.

39. Bowersock, *Throne of Adulis*, pp. 106-133. Véase también G. Lüling, *Die Wiederentdeckung des Propheten Muhammad: eine Kritik am «christlichen» Abendland*, Erlangen, 1981.

40. C. Robin, «Arabia and Ethiopia», en S. Johnson (ed.), *Oxford Handbook of Late Antiquity*, Oxford, 2012, p. 302.

41. Corán, 96.1, N. Dawood (ed. y trad.), *The Koran: With a Parallel Translation of the Arabic Text*, Londres, 2014 (todas las citas del Corán utilizadas en la traducción proceden de la ed. de Julio Cortés, Herder, Barcelona, 2005).

42. Ibn Hisham, *Sīrat rasūl Allāh*, A. Guillaume (trad.), *The Life of Muhammad: A Translation of Isḥāq's Sīrat rasūl Allāh*, Oxford, 1955, p. 106; Corán, 81.23, p. 586.

43. Véanse H. Motzki, «The Collection of the *Qur'ān* : A Reconsideration of Western Views in Light of Recent Methodological Developments», *Der Islam* 78 (2001), pp. 1-34, y A. Neuwirth, N. Sinai y M. Marx (eds.), *The Qur'ān in Context: Historical and Literary Investigations into the Qur'ānic Milieu*, Leiden, 2010.

44. Corán, 18.56, p. 299.

45. Corán, 16.98-99, p. 277.

46. Véase, por ejemplo, Corán, 2.165; 2.197; 2.211.

47. Véase F. Donner, *Narratives of Islamic Origins: The Beginnings of Islamic Historical Writing*, Princeton, 1998. Véase también T. Holland, *In the Shadow of the Sword: The Battle for Global Empire and the End of the Ancient World*, Londres, 2012 (hay trad. castellana: *A la sombra de las espadas: la batalla por el imperio global y el fin del mundo antiguo*, Planeta, Barcelona, 2014).

48. E. El Badawi, *The Qur'ān and the Aramaic Gospel Traditions*, Londres, 2013.

49. P. Crone, *Meccan Trade and the Rise of Islam*, Princeton, 1977; véase también R. Serjeant, «Meccan Trade and the Rise of Islam: Misconceptions and Flawed Polemics», *Journal of the American Oriental Society* 110.3 (1990), pp. 472-473.

50. C. Robinson, «The Rise of Islam», en M. Cook *et al.* (eds.), *The New Cambridge History of Islam*, 6 vols., Cambridge, 2010, vol. I, pp. 180-181; M. Kister, «The Struggle against Musaylima and the Conquest of Yamāma», *Jerusalem Studies in Arabic and Islam* 27 (2002), pp. 1-56.

51. G. Heck, «"Arabia without Spices": An Alternative Hypothesis: The Issue of "Makkan Trade and the Rise of Islam"», *Journal of the American Oriental Society* 123.3 (2003), pp. 547-576; J. Schiettecatte y C. Robin, *L'Arabie à la veille de l'Islam: un bilan clinique*, París, 2009.

52. P. Crone, «Quraysh and the Roman Army: Making Sense of the Meccan Leather Trade», *Bulletin of the School of Oriental and African Studies* 70.1 (2007), pp. 63-88.

53. Ibn al-Kalbī, *Kitāb al-aṣnām*, N. Faris (trad.), *The Book of Idols Being a Translation from the Arabic of the Kitāb al-aṣnām*, Princeton, 1952, pp. 23-24.

54. Corán, 36.33-36, p. 441; G. Reinink, «Heraclius, the New Alexander: Apocalyptic Prophecies during the Reign of Heraclius», pp. 81-94; W. E. Kaegi Jr., «New Evidence on the Early Reign of Heraclius», *Byzantinische Zeitschrift* 66 (1973), pp. 308-330.

55. Corán, 47.15, p. 507.

56. Corán, 5.33, p. 112.

57. Corán, 4.56, p. 86. Véase también W. Shepard, *Sayyid Qutb and Isla-*

*mic Activism: A Translation and Critical Analysis of Social Justice in Islam*, Leiden, 2010. Adviértanse las importantes observaciones acerca del sexo y la justicia social en el islam temprano: A. Wahud, *Qur'ān and Woman: Rereading the Sacred Text from a Woman's Perspective*, Oxford, 1999.

58. Corán, 47.15, p. 507.

59. P. Crone, «The Religion of the Qur'ānic Pagans: God and the Lesser Deities», *Arabica* 57 (2010), pp. 151-200.

60. R. Hoyland, «New Documentary Texts and the Early Islamic State», *Bulletin of the School of Oriental and African Studies* 69.3 (2006), pp. 395-416. Para la fecha de la huida de Mahoma, véase A. Noth, *The Early Arabic Historical Tradition: A Source Critical Study*, Princeton, 1994, p. 40; M. Cook y P. Crone, *Hagarism: The Making of the Islamic World*, Cambridge, 1977, pp. 24, 157.

61. Nicéforo de Constantinopla, *Chronographikon syntomon*, C. Mango (ed. y trad.), *Short History*, Washington, D.C., 1990, pp. 68-69 (hay trad. castellana: *Nicéforo patriarca de Constantinopla: Historia breve*, Centro de Estudios Bizantinos, Neogriegos y Chipriotas, Granada, 2012); Teofilacto Simocates, *History*, 3.17. Sobre la «identidad» árabe antes del surgimiento del islam, véase A. Al-Azmeh, *The Emergence of Islam in Late Antiquity*, Oxford, 2014, p. 147; véase también W. Kaegi, «Reconceptualizing Byzantium's Eastern Frontiers», en Mathisen y Sivan, *Shifting Frontiers*, p. 88.

62. Corán, 43.3, p. 488.

63. C. Robinson, «Rise of Islam», p. 181.

64. Mālik recoge dos variantes similares, lo que, es de suponer, refleja el prestigio del comentario, Mālik ibn Anas, *al-Muwaṭṭa*, 45.5, A. ʿAbdarahman e Y. Johnson (trad.), Norwich, 1982, p. 429 (hay trad. castellana: *Al-Muwatta*, Madrasa Editorial, Granada, 2008).

65. Corán, 2.143-144, p. 21; véase también al-Azmeh, *Emergence of Islam*, p. 419.

66. Corán, 22.27-29, pp. 334-335.

67. R. Frye, «The Political History of Iran under the Sasanians», en *Cambridge History of Iran*, vol. 3.1, p. 178; Tabarī, *The Battle of al-Qādisiyyah and the Conquest of Syria and Palestine*, Y. Friedmann (trad.), Albany (Nueva York), 1992, pp. 45-46.

68. H. Kennedy, *The Great Arab Conquests*, Londres, 2007, pp. 103-105 (hay trad. castellana: *Las grandes conquistas árabes*, Crítica, Barcelona, 2007).

69. Tabarī, *Battle of al-Qādisiyyah*, p. 63.

70. Ibíd.

71. Corán, 29.1-5, p. 395.

72. Crone, *Meccan Trade*, p. 245.

73. C. Robinson, «The First Islamic Empire», en J. Arnason y K. Raaflaub (eds.), *The Roman Empire in Context: Historical and Comparative Perspectives*, Oxford, 2010, p. 239; G.-R. Puin, *Der Dīwān von ʿUmar Ibn al-Ḥattab*, Bonn,

1970; F. Donner, *The Early Islamic Conquests*, Princeton, 1981, pp. 231-232, 261-263.

74. Pourshariati, *Decline and Fall of the Sasanian Empire*, pp. 161 y ss. Véase también Donner, *Early Islamic Conquests*, pp. 176-190; Kennedy, *Arab Conquests*, pp. 105-107.

75. Para la fecha de la conquista de Jerusalén, véase P. Booth, *Crisis of Empire: Doctrine and Dissent at the End of Late Antiquity*, Berkeley, 2014, p. 243.

76. Sebeos, *Armenian History*, 42, p. 98.

77. Véase Howard-Johnston, *Witnesses to a World Crisis*, pp. 373-375.

## Capítulo 5: La ruta de la concordia

1. Para el texto, véase F. Donner, *Muhammad and the Believers: At the Origins of Islam*, Cambridge (Massachusetts), 2010, pp. 228-232. Véase también M. Lecker, *The «Constitution of Medina»: Muhammad's First Legal Document*, Princeton, 2004.

2. Véase la importante colección de ensayos de M. Goodman, G. Van Kooten y J. van Ruiten, *Abraham, the Nations and the Hagarites: Jewish, Christian and Islamic Perspectives on Kinship with Abraham*, Leiden, 2010.

3. *Doctrina Iacobi*, en Dagron y Déroche, «Juifs et chrétiens', 209. La traducción citada aquí procede de R. Hoyland, *Seeing Islam as Others Saw It: A Survey and Evaluation of Christian, Jewish and Zoroastrian Writings on Early Islam*, Princeton, 1997, p. 57.

4. Véase al respecto W. Van Bekkum, «Jewish Messianic Expectations in the Age of Heraclius», en G. Reinink y H. Stolte (eds.), *The Reign of Heraclius (610-641): Crisis and Confrontation*, Lovaina, 2002, pp. 95-112.

5. Dagron y Déroche, «Juifs et chrétiens», pp. 240-247. Sobre la fiabilidad de gran parte de la información contenida en el texto, véase Howard-Johnston, *Witnesses to a World Crisis*, pp. 155-157; sobre la probable audiencia y el propósito del texto, D. Olster, *Roman Defeat, Christian Response and the Literary Construction of the Jew*, Filadelfia, 1994. Véase también Hoyland, *Seeing Islam as Others Saw It*.

6. J. Reeves, *Trajectories in Near Eastern Apocalyptic: A Postrabbinic Jewish Apocalypse Reader*, Leiden, 2006, pp. 78-89; B. Lewis, «An Apocalyptic Vision of Islamic History», *Bulletin of the School of Oriental and African Studies* 13 (1950), pp. 321-330. Véase también S. Shoemaker, *The Death of a Prophet: The End of Muhammad's Life and the Beginnings of Islam*, Filadelfia, 2012, pp. 28-33.

7. *Canonici Hebronensis Tractatus de invention sanctorum patriarchum Abraham, Ysaac et Yacob*, en *Recueil des Historiens des Croisades: Historiens*

*Occidentaux* 1, p. 309; la traducción procede de N. Stillman, *The Jews of Arab Lands: A History and Source Book*, Filadelfia, 1979, p. 152.

8. M. Conterno, «"L'abominio della desolazione nel luogo santo": l'ingresso di ʿUmar I a Gerusalemme nella *Cronografia* de Teofane Confessore e in tre cronache siriache», en *Quaderni di storia religiosa* 17 (2010), pp. 9-24.

9. J. Binns, *Ascetics and Ambassadors of Christ: The Monasteries of Palestine 314-631*, Oxford, 1994; B. Horn, *Asceticism and Christological Controversy in Fifth-Century Palestine: The Career of Peter the Iberian*, Oxford, 2006; Cameron y Hoyland, *Doctrine and Debate*, p. XXIX.

10. S. Brock, «North Mesopotamia in the Late Seventh Century: Book XV of John Bar Penkaye's Rish Melle», *Jerusalem Studies in Arabic and Islam* 9 (1987), p. 65.

11. *Corpus Scriptorum Christianorum Orientalium*, Series 3, 64, pp. 248-251; Donner, *Muhammad and the Believers*, p. 114.

12. Corán, 2.87, p. 12.

13. Corán, 3.3, p. 49.

14. Corán, 3.42-43, p. 54. [IMPORTANTE: 2.42-43 en el original; era un error]

15. Cameron y Hoyland, *Doctrine and Debate*, p. XXXII.

16. Corán, 3.65, p. 57.

17. Corán, 3.103-105, p. 62.

18. Corán, 2.62, p. 9; 5.69, p. 118.

19. R. Hoyland, *In God's Path: The Arab Conquests and the Creation of an Islamic Empire*, Oxford, 2015, pp. 224-229.

20. Robinson, «The Rise of Islam», p. 186.

21. C. Luxenberg, *The Syro-Aramaic Reading of the Koran: A Contribution to the Decoding of the Language of the Koran,* Berlín, 2007; véase al respecto D. King, «A Christian Qurʾān? A Study in the Syriac background to the language of the Qurʾān as presented in the work of Christoph Luxenberg», *Journal for Late Antique Religion and Culture* 3 (2009), pp. 44-71.

22. Corán, 30.2-4, p. 403.

23. Corán, 30.6, p. 404.

24. T. Sizgorich, *Violence and Belief in Late Antiquity: Militant Devotion in Christianity and Islam*, Filadelfia, 2009, pp. 160-161.

25. R. Finn, *Asceticism in the Graeco-Roman World*, Cambridge, 2009.

26. Corán, 3.84, p. 60.

27. Corán, 10.19, p. 209.

28. Shoemaker, *Death of a Prophet*, pp. 18-72. Véase también R. Hoyland, «The Earliest Christian Writings on Muhammad: An Appraisal», en H. Motzki (ed.), *The Biography of Muhammad: The Issue of the Sources*, Leiden, 2000, en especial pp. 277-281; Cook, «Muhammad», pp. 75-76.

29. Sofronio de Jerusalén, «Logos eis to hagion baptisma», en A. Papado-

poulos-Kermeus, «Tou en hagiois patros hemon Sophroniou archiepiskopou Hierosolymon logos eis to hagion baptisma», *Analekta Hierosolymitikes Stakhiologias* 5, San Petersburgo, 1898, pp. 166-167.

30. G. Anvil, *The Byzantine-Islamic Transition in Palestine: An Archaeological Approach*, Oxford, 2014; R. Schick, *The Christian Communities of Palestine from Byzantine to Islamic Rule*, Princeton, 1995.

31. Al-Balādhurī, *Kitab futuḥ al-buldan*, P. Hitti (trad.), *The Origins of the Islamic State*, Nueva York, 1916, 8, p. 187.

32. Juan de Nikiu, *Khronike*, R. Charles (trad.), *The Chronicle of John of Nikiu*, Londres, 1916, 120.17-28, pp. 193-194.

33. G. Garitte, «"Histoires édifiantes" géorgiennes», *Byzantion* 36 (1966), pp. 414-416; Holyand, *Seeing Islam*, p. 63.

34. Robinson, *First Islamic Empire*, pp. 239 y ss.

35. W. Kubiak, *Al-Fustiat, Its Foundation and Early Urban Development*, El Cairo, 1987; N. Luz, «The Construction of an Islamic City in Palestine: The Case of Umayyad al-Ramla», *Journal of the Royal Asiatic Society* 7.1 (1997), pp. 27-54; H. Djaït, *Al-Kūfa: naissance de la ville islamique*, París, 1986; D. Whitcomb, «The Misr of Ayla: New Evidence for the Early Islamic City», en G. Bisheh (ed.), *Studies in the History and Archaeology of Jordan*, Amán, 1995, pp. 277-288.

36. J. Conant, *Staying Roman: Conquest and Identity in Africa and the Mediterranean, 439-700*, Cambridge, 2012, pp. 362-370. Véase también P. Grossman, D. Brooks-Hedstrom y M. Abdal-Rassul, «The Excavation in the Monastery of Apa Shnute (Dayr Anba Shinuda) at Suhag», *Dumbarton Oaks Papers* 58 (2004), pp. 371-382; E. Bolman, S. Davis y G. Pyke, «Shenoute and a Recently Discovered Tomb Chapel at the White Monastery», *Journal of Early Christian Studies* 18.3 (2010), pp. 453-462; sobre Palestina, véase L. di Segni, «Greek Inscriptions in Transition from the Byzantine to the Early Islamic Period», en Hoyland, *Hellenism to Islam*, pp. 352-373.

37. N. Green, «The Survival of Zoroastrianism in Yazd», *Iran* 28 (2000), pp. 115-122.

38. A. Tritton, *The Caliphs and their Non-Muslim Subjects: A Critical Study of the Covenant of Umar*, Londres, 1970; Hoyland, *God's Path*, en especial. pp. 207-231.

39. N. Khairy y A.-J. ʿAmr, «Early Islamic Inscribed Pottery Lamps from Jordan», *Levant* 18 (1986), p. 152.

40. G. Bardy, «Les Trophées de Damas: controverse judéo-chrétienne du VIIe siècle», *Patrologia Orientalis* 15 (1921), p. 222.

41. J. Johns, «Archaeology and the History of Early Islam: The First Seventy Years», *Journal of the Economic and Social History of the Orient* 46.4 (2003), pp. 411-436; A. Oddy, «The Christian Coinage of Early Muslim Syria», *ARAM* 15 (2003), pp. 185-196.

42. E. Whelan, «Forgotten Witnesses: Evidence for the Early Codification of the Qur'an», *Journal of the American Oriental Society* 118.1 (1998), pp. 1-14; W. Graham y N. Kermani, «Recitation and Aesthetic Reception», en J. McAuliffe (ed.), *The Cambridge Companion to the Qur'ān*, Cambridge, 2005, pp. 115-143, S. Blair, «Transcribing God's Word: Qur'an Codices in Context», *Journal of Qur'anic Studies* 10.1 (2008), pp. 72-97.

43. R. Hoyland, «Jacob of Edessa on Islam», en G. Reinink y A. Cornelis Klugkist, eds., *After Bardasian: Studies on Continuity and Change in Syriac Christianity*, Lovaina, 1999, pp. 158-159.

44. M. Whittow, *The Making of Orthodox Byzantium, 600-1025*, Londres, 1996, pp. 141-142.

45. R. Hoyland, «Writing the Biography of the Prophet Muhammad: Problems and Sources», *History Compass* 5.2 (2007), pp. 593-596. Véase también I. y W. Schulze, «The Standing Caliph Coins of al-Jazīra: Some Problems and Suggestions», *Numismatic Chronicle* 170 (2010), pp. 331-353; S. Heidemann, «The Evolving Representation of the Early Islamic Empire and its Religion on Coin Imagery», en A. Neuwirth, N. Sinai y M. Marx (eds.), *The Qur'ān in Context: Historical and Literary Investigations into the Qur'ānic Milieu*, Leiden, 2010, pp. 149-195.

46. B. Flood, *The Great Mosque of Damascus: Studies on the Makings of an Umayyad Visual Culture*, Leiden, 2001.

47. Johns, «Archaeology and History of Early Islam», pp. 424-425. Véase también Hoyland, *Seeing Islam*, en especial pp. 550-553, 694-695, y P. Crone y M. Hinds, *God's Caliph: Religious Authority in the First Centuries of Islam*, Cambridge, 1986.

48. O. Grabar, *The Dome of the Rock*, Cambridge (Massachusetts), 2006, pp. 91-92.

49. Juan Damasceno, *On Heresies*, F. Chase (trad.), *The Fathers of the Church*, Washington, D.C., 1958, 101, p. 153; Sarris, *Empires of Faith*, p. 266.

50. Por ejemplo, M. Bennett, *Fighting Techniques of the Medieval World AD 500-AD 1500: Equipment, Combat Skills and Tactics*, Staplehurst, 2005.

51. P. Reynolds, *Trade in the Western Mediterranean, AD 400-700: The Ceramic Evidence*, Oxford, 1995; S. Kinsley, «Mapping Trade by Shipwrecks», en M. Mundell Mango (ed.), *Byzantine Trade, 4th-12th Centuries*, Farnham, 2009, pp. 31-36. Véase M. McCormick, *Origins of the European Economy: Communications and Commerce, AD 300-900*, Cambridge, 2001 (hay trad. castellana: *Orígenes de la economía europea. Viajeros y comerciantes en la Alta Edad Media*, Crítica, Barcelona, 2005); Wickham, *Inheritance of Rome*, en especial pp. 255 y ss.

52. De la Vaissière, *Sogdian Traders*, pp. 279-286.

53. Al-Yaʿqūbī y al-Balādhurī, citados por J. Banaji, «Islam, the Mediterranean and the Rise of Capitalism», *Historical Materialism* 15 (2007), pp. 47-74, en especial pp. 59-60.

54. Sobre las flexibles estructuras a lo largo y ancho del mundo sogdiano en esta época, véase De la Vaissière, *Marchands sogdiens*, pp. 144-176.

55. Véase F. Grenet y E. de la Vaissière, «The Last Days of Panjikent», *Silk Road Art and Archaeology* 8 (2002), pp. 155-196.

56. Véase J. Karam Skaff, *Sui-Tang China and Its Turko-Mongol Neighbours: Culture, Power, and Connections, 580-800*, Oxford, 2012.

57. D. Graff, «Strategy and Contingency in the Tang Defeat of the Eastern Turks, 629-30», en N. di Cosmo, ed., *Warfare in Inner Asian History, 500-180*, Leiden, 2002, pp. 33-72.

58. De la Vaissière, *Sogdian Traders*, pp. 217-220.

59. C. Mackerras, *The Uighur Empire According to the T'ang Dynastic Histories*, Canberra, 1972; T. Allsen, *Commodity and Exchange in the Mongol Empire: A Cultural History of Islamic Textiles*, Cambridge, 1997, p. 65.

60. C. Beckwith, «The Impact of Horse and Silk Trade on the Economics of T'ang China and the Uighur Empire: On the Importance of International Commerce in the Early Middle Ages», *Journal of the Economic and Social History of the Orient* 34 (1991), pp. 183-198.

61. J. Kolbas, «Khukh Ordung: A Uighur Palace Complex of the Seventh Century», *Journal of the Royal Asiatic Society* 15.3 (2005), pp. 303-327.

62. L. Albaum, *Balalyk-Tepe: k istorii material'noĭ kul'tury i iskusstva Tokharistana*, Taskent, 1960; F. Starr, *Lost Enlightenment: Central Asia's Golden Age from the Arab Conquest to Tamerlane*, Princeton, 2014, p. 104.

63. A. Walmsley y K. Damgaard, «The Umayyad Congregational Mosque of Jerash in Jordan and its Relationship to Early Mosques», *Antiquity* 79 (2005), pp. 362-378; I. Roll y E. Ayalon, «The Market Street at Apollonia - Arsuf», *BASOR* 267 (1987), pp. 61-76; K. al-Asʿad y Stepniowski, «The Umayyad *suq* in Palmyra», *Damazener Mitteilungen* 4 (1989), pp. 205-223; R. Hillenbrand, «Anjar and Early Islamic Urbanism», en G.-P. Brogiolo y B. Ward-Perkins (eds.), *The Idea and Ideal of the Town between Late Antiquity and the Early Middle Ages*, Leiden, 1999, pp. 59-98.

64. Hilāl al-Ṣābi', *Rusūm dār al-khilāfah*, en *The Rules and Regulations of the Abbasid Court*, E. Salem (trad.), Beirut, 1977, pp. 21-22.

65. Ibn al-Zubayr, *Kitāb al-hadāyā wa al-tuḥaf*, en *Book of Gifts and Rarities: Selections Compiled in the Fifteenth Century from an Eleventh-Century Manuscript on Gifts and Treasures*, G. al-Qaddūmī (trad.), Cambridge (Massachusetts), 1996, pp. 121-122.

66. B. Lewis, *Islam: From the Prophet Muhammad to the Capture of Constantinople*, Nueva York, 1987, pp. 140-141.

67. Muqaddasī, *Best Divisions for Knowledge*, p. 60.

68. Ibíd., pp. 107, 117, 263.

69. J. Bloom, *Paper before Print: The History and Impact of Paper in the Islamic World*, New Haven, 2001.

70. Muqaddasī, *Best Divisions for Knowledge*, pp. 6, 133-134, 141.

71. *Two Arabic travel books: Accounts of China and India*, T. Mackintosh-Smith y J. Montgomery (ed. y trad.), Nueva York, 2014, p. 37.

72. Ibíd., pp. 59, 63.

73. J. Stargardt, «Indian Ocean Trade in the Ninth and Tenth Centuries: Demand, Distance, and Profit», *South Asian Studies* 30.1 (2014), pp. 35-55.

74. A. Northedge, «Thoughts on the Introduction of Polychrome Glazed Pottery in the Middle East», en E. Villeneuve y P. Watson (eds.), *La Céramique byzantine et proto-islamique en Syrie-Jordanie (IVe-VIIIe siècles apr. J.-C.)*, Beirut, 2001, pp. 207-214; R. Mason, *Shine Like the Sun: Lustre-Painted and Associated Pottery from the Medieval Middle East*, Toronto, 2004; M. Milwright, *An Introduction to Islamic Archaeology*, Edimburgo, 2010, pp. 484-489.

75. H. Khalileh, *Admiralty and Maritime Laws in the Mediterranean Sea (ca. 800-1050): The Kitāb Akriyat al Sufun vis-à-vis the Nomos Rhodion Nautikos*, Leiden, 2006, pp. 212-214.

76. Muqaddasī, *Best Divisions for Knowledge*, p. 347.

77. Daryaee, «Persian Gulf Trade», pp. 1-16; Banaji, «Islam, the Mediterranean and the Rise of Capitalism», pp. 61-62.

78. E. Grube, *Cobalt and Lustre: The First Centuries of Islamic Pottery*, Londres, 1994; O. Watson, *Ceramics from Islamic Lands*, Londres, 2004.

79. Du Huan, *Jinxing Ji*, citado por X. Liu, *The Silk Road in World History*, Oxford, 2010, p. 101.

80. *Kitāb al-Tāj (fī akhlāq al-mulūk)* en *Le Livre de la couronne: ouvrage attribute à Ǧahiz*, C. Pellat (trad.), París, 1954, p. 101.

81. Sobre la apropiación de los ideales sasánidas, véase Walker, *Qardagh*, p. 139. Para las escenas de caza de un grupo de palacios cerca de Teherán, véase D. Thompson, *Stucco from Chal-Tarkhan-Eshqabad near Rayy*, Warminster, 1976, pp. 9-24.

82. D. Gutas, *Greek Thought, Arabic Culture: The Graeco-Arabic Translation Movement in Baghdad and Early ʿAbbasid Society (2nd-4th/8th-10th Centuries)*, Londres, 1998; R. Hoyland, «Theonmestus of Magnesia, Hunayn ibn Ishaq and the Beginnings of Islamic Veterinary Science», en R. Hoyland y P. Kennedy (eds.), *Islamic Reflections, Arabic Musing*, Oxford, 2004, pp. 150-169; A. McCabe, *A Byzantine Encyclopedia of Horse Medicine*, Oxford, 2007, pp. 182-184.

83. V. Van Bladel, «The Bactrian Background of the Barmakids», en A. Akasoy, C. Burnett y R. Yoeli-Tialim, *Islam and Tibet: Interactions along the Musk Route*, Farnham, 2011, pp. 82-83; Gutas, *Greek Thought, Arabic Culture*, p. 13.

84. Véase P. Pormann y E. Savage-Smith, *Medieval Islamic Medicine*, Edimburgo, 2007; Y. Tabbaa, «The Functional Aspects of Medieval Islamic Hospitals», en M. Boner, M. Ener y A. Singer (eds.), *Poverty and Charity in Middle Eastern Contexts*, Albany (Nueva York), 2003, pp. 97-98.

85. Pormann y Savage-Smith, *Medieval Islamic Medicine*, p. 55.

86. E. Lev y L. Chipman, «A Fragment of a Judaeo-Arabic Manuscript of Sābūr b. Sahl's Al-Aqrābādhīn al-Ṣaghīr Found in the Taylor-Schechter Cairo Genizah Collection», *Medieval Encounters* 13 (2007), pp. 347-362.

87. Ibn al-Haytham, *The Optics of Ibn al-Haytham, Books I-III: On Direct Vision*, A. Sabra (trad.), 2 vols., Londres, 1989.

88. W. Gohlman, *The Life of Ibn Sina: A Critical Edition and Annotated Translation*, Nueva York, 1974, p. 35.

89. Al-Jāḥiẓ, *Kitāb al-Ḥayawān*, citado por Pormann y Savage-Smith, *Medieval Islamic Medicine*, p. 23.

90. Mahsatī, *Mahsati Ganjavi: la luna e le perle*, traducción de R. Bargigli, Milán, 1999; véase también F. Bagherzadeh, «Mahsati Ganjavi et les potiers de Rey», en *Varia Turcica* 19 (1992), pp. 161-176.

91. San Agustín, *The Confessions of St Augustine*, F. Sheed (trad.), Nueva York, 1942, p. 247 (hay trad. castellana: *Confesiones*, Biblioteca de Autores Cristianos, Madrid, 1998).

92. Al-Mas'ūdī, citado por Gutas, *Greek Thought, Arabic Culture*, p. 89.

93. Muqaddasī, *Best Divisions for Knowledge*, p. 8.

94. M. Barrucand y A. Bednorz, *Moorish Architecture in Andalusia*, Colonia, 1999, p. 40 (hay trad. castellana: *Arquitectura islámica en Andalucía*, Taschen, Colonia, 2004).

95. Véase M. Dickens, «Patriarch Timothy II and the Metropolitan of the Turks», *Journal of the Royal Asiatic Society* 20.2 (2010), pp. 117-139.

96. Conant, *Staying Roman*, pp. 362-370.

97. Narshakhī, *The History of Bukhara: Translated from a Persian Abridgement of the Arabic Original by Narshakhī*, N Frye (trad.), Cambridge (Massachusetts), 1954, pp. 48-49.

98. A. Watson, *Agricultural Innovation in the Early Islamic World*, Cambridge, 1983; T. Glick, «Hydraulic Technology in al-Andalus», en M. Morony (ed.), *Production and the Exploitation of Resources*, Aldershot, 2002, pp. 327-339.

## Capítulo 6: La ruta de las pieles

1. W. Davis, *Readings in Ancient History: Illustrative Extracts from the Sources*, 2 vols., Boston, 1912-1913, vol. 2, pp. 365-367.

2. Ibn Khurradādhbih, *Kitāb al-masālik wa-l-mamālik*, Lunde y Stone (trad.), «Book of Roads and Kingdoms», en *Ibn Fadlan and the Land of Darkness*, pp. 99-104.

3. E. Van Donzel y A. Schmidt, *Gog and Magog in Early Christian and Islamic Sources: Sallam's Quest for Alexander's Wall*, Leiden, 2010; véanse también F. Sezgin, *Anthropogeographie*, Fráncfort, 2010, pp. 95-97; I. Kracho-

vskii, *Arabskaya geographitcheskaya literatura*, Moscú, 2004, en especial pp. 138-141.

4. A. Gow, «Gog and Magog on *Mappaemundi* and Early Printed World Maps: Orientalizing Ethnography in the Apocalyptic Tradition», *Journal of Early Modern History* 2.1 (1998), pp. 61-62.

5. Ibn Faḍlān, *Book of Ahmad ibn Faḍlān*, Lunde y Stone (trad.), *Land of Darkness*, p. 12.

6. Ibíd., pp. 23-24.

7. Ibíd., p. 12; sobre Tengri, véase U. Harva, *Die Religiösen Vorstellungen der altaischen Völker*, Helsinki, 1938, pp. 140-153.

8. R. Mason, «The Religious Beliefs of the Khazars», *Ukrainian Quarterly* 51.4 (1995), pp. 383-415.

9. Véase una tesis reciente que, en contra de este argumento, separa el sufismo del mundo nómada: J. Paul, «Islamizing Sufis in Pre-Mongol Central Asia», en De la Vaissière, *Islamisation de l'Asie Centrale*, pp. 297-317.

10. Abū Hāmid al-Gharnātī, *Tuḥfat al-albāb wa-nukhbat al-iʿjāb wa-Riḥlah ilá Ūrubbah wa-Āsiyah*, Lunde y Stone (trad.), «The Travels», en *Land of Darkness*, p. 68.

11. A. Khazanov, «The Spread of World Religions in Medieval Nomadic Societies of the Eurasian Steppes», en M. Gervers y W. Schlepp (eds.), *Nomadic Diplomacy, Destruction and Religion from the Pacific to the Adriatic*, Toronto, 1994, pp. 11-34.

12. E. Seldeslachts, «Greece, the Final Frontier? The Westward Spread of Buddhism», en A. Heirman y S. Bumbacher (eds.), *The Spread of Buddhism*, Leiden, 2007; R. Bulliet, «Naw Bahar and the Survival of Iranian Buddhism», *Iran* 14 (1976), pp. 144-145; Narshakhī, *History of Bukhara*, p. 49.

13. Constantino Porfirogéneta, *De Administrando Imperio*, G. Moravcsik (ed.), R. Jenkins (trad.), Washington, D.C., 1967, 37, pp. 166-170.

14. Ibn Faḍlān, «Book of Ahmad ibn Faḍlān», p. 22. Algunos estudiosos minimizan la relevancia del nomadismo pastoril en las estepas, por ejemplo B. Zakhoder, *Kaspiiskii svod svedenii o Vostochnoi Evrope*, 2 vols., Moscú, 1962, vol. I, pp. 139-140.

15. D. Dunlop, *The History of the Jewish Khazars*, Princeton, 1954, p. 83; L. Baranov, *Tavrika v epokhu rannego srednevekov'ia (saltovo-maiatskaia kul'tura)*, Kiev, 1990, pp. 76-79.

16. A. Martinez, «Gardīzī's Two Chapters on the Turks», *Archivum Eurasiae Medii Aevi* 2 (1982), p. 155; T. Noonan, «Some Observations on the Economy of the Khazar Khaganate», en P. Golden, H. Ben-Shammai y A. Róna-Tas (eds.), *The World of the Khazars*, Leiden, 2007, pp. 214-215.

17. Baranov, *Tavrika*, pp. 72-76.

18. Al-Muqaddasī, en *Land of Darkness*, pp. 169-170.

19. Abū Hāmid, «Travels», p. 67.

20. McCormick, *Origins of the European Economy*, pp. 369-384.

21. J. Howard-Johnston, «Trading in Fur, from Classical Antiquity to the Early Middle Ages», en E. Cameron (ed.), *Leather and Fur: Aspects of Early Medieval Trade and Technology*, Londres, 1998, pp. 65-79.

22. Masʿūdī, *Kitāb al-tanbīh wa-al-ishrāf*, Lunde y Stone (trad.), «The Meadows of Gold and Mines of Precious Gems», *Land of Darkness*, p. 161.

23. Muqaddasī, *Aḥsanu-t-taqāsīm fī maʿrifati-l-aqālīm*, Lunde y Stone (trad.), «Best Divisions for the Knowledge of the Provinces», *Land of Darkness*, p. 169.

24. Abū Hāmid, «Travels», p. 75.

25. R. Kovalev, «The Infrastructure of the Northern Part of the "Fur Road" between the Middle Volga and the East during the Middle Ages», *Archivum Eurasiae Medii Aevi* 11 (2000-1), pp. 25-64.

26. Muqaddasī, *Best Division of Knowledge*, p. 252.

27. Ibn al-Faqīh, *Land of Darkness*, p. 113.

28. Al-Muqaddasī, *Best Division of Knowledge*, p. 245.

29. Para un panorama reciente, véase G. Mako, «The Possible Reasons for the Arab-Khazar Wars», *Archivum Eurasiae Medii Aevi* 17 (2010), pp. 45-57.

30. R.-J. Lilie, *Die byzantinische Reaktion auf die Ausbreitung der Araber. Studien zur Strukturwandlung des byzantinischen Staates im 7. und 8. Jahrhundert*, Múnich, 1976, pp. 157-160; J. Howard-Johnston, «Byzantine Sources for Khazar History», en Golden, Ben-Shammai y Róna-Tas, *World of the Khazars*, pp. 163-194.

31. La única excepción fue el matrimonio de la hija del emperador Heraclio con el gran kan turco en el momento álgido de la confrontación con los persas, a comienzos del siglo VII, C. Zuckermann, «La Petite Augusta et le Turc: Epiphania-Eudocie sur les monnaies d'Héraclius', *Revue numismatique* 150 (1995), pp. 113-126.

32. Ibn Faḍlān, «Book of Ahmad ibn Faḍlān», p. 56.

33. Dunlop, *History of the Jewish Khazars*, p. 141.

34. Véase P. Golden, «The Peoples of the South Russian Steppes», en *The Cambridge History of Early Inner Asia*, Cambridge, 1990, pp. 256-284; A. Novosel'tsev, *Khazarskoye gosudarstvo i ego rol' v istorii Vostochnoy Evropy i Kavkaza*, Moscú, 1990.

35. P. Golden, «Irano-Turcica: The Khazar Sacral Kingship», *Acta Orientalia* 60.2 (2007), pp. 161-194. Algunos estudiosos interpretan el cambio en la naturaleza de la función del gran kan como el resultado de un cambio en las creencias y prácticas religiosas durante este periodo. Véase J. Olsson, «Coup d'état, Coronation and Conversion: Some Reflections on the Adoption of Judaism by the Khazar Khaganate», *Journal of the Royal Asiatic Society* 23.4 (2013), pp. 495-526.

36. R. Kovalev, «Commerce and Caravan Routes along the Northern Silk

Road (Sixth-Ninth Centuries). Part I: The Western Sector», *Archivum Eurasiae Medii Aevi* 14 (2005), pp. 55-105.

37. Mas'ūdī, «Meadows of Gold», pp. 131, 133; Noonan, «Economy of the Khazar Khaganate», p. 211.

38. Istakhrī, *Kitāb suwar al-aqalīm*, Lunde y Stone (trad.), «Book of Roads and Kingdoms», en *Land of Darkness*, pp. 153-155.

39. J. Darrouzès, *Notitiae Episcopatuum Ecclesiae Constantinopolitanae*, París, 1981, pp. 31-32, 241-242, 245.

40. Istakhrī, «Book of Roads and Kingdoms», pp. 154-155.

41. Mason, «The Religious Beliefs of the Khazars», p. 411.

42. C. Zuckerman, «On the Date of the Khazars' Conversion to Judaism and the Chronology of the Kings of the Rus' Oleg and Igor: A Study of the Anonymous Khazar Letter from the Genizah of Cairo», *Revue des Etudes Byzantines* 53 (1995), p. 245.

43. Ibíd., 243-244. Sobre los préstamos de los escritos de Constantino, véase P. Meyvaert y P. Devos, «Trois énigmes cyrillo-méthodiennes de la "Légende Italique" résolues grâce à un document inédit», *Analecta Bollandiana* 75 (1955), pp. 433-440.

44. P. Lavrov (ed.), *Materialy po istorii vozniknoveniya drevnishei slavyanskoi pis'mennosti*, Leningrado, 1930, p. 21; F. Butler, «The Representation of Oral Culture in the *Vita Constantini*», *Slavic and East European Review* 39.3 (1995), p. 372.

45. «The Letter of Rabbi Hasdai», en J. Rader Marcus (ed.), *The Jew in the Medieval World*, Cincinnati, 1999, pp. 227-228. Véase también N. Golb y O. Pritsak (eds.), *Khazarian Hebrew Documents of the Tenth Century*, Londres, 1982.

46. «The Letter of Joseph the King», en J. Rader Marcus (ed.), *The Jew in the Medieval World*, p. 300. Para una discusión sobre la fecha y el contexto, véase P. Golden, «The Conversion of the Khazars to Judaism», en Golden, Ben-Shammai y Róna-Tas, *World of the Khazars*, pp. 123-162.

47. R. Kovalev, «Creating "Khazar Identity" through Coins - the "Special Issue" Dirhams of 837/8», en F. Curta (ed.), *East Central and Eastern Europe in the Early Middle Ages*, Ann Arbor, 2005, pp. 220-253. Sobre el cambio en las prácticas funerarias, véase V. Petrukhin, «The Decline and Legacy of Khazaria», en P. Urbanczyk (ed.), *Europe around the Year 1000*, Varsovia, 2001, pp. 109-122.

48. *Qur'ān*, 2.285, p. 48; 3.84, p. 60.

49. Zuckerman, «On the Date of the Khazars' Conversion», p. 241. Véase también Golb y Pritsak, *Khazarian Hebrew Documents*, p. 130.

50. Mas'ūdī, «Meadows of Gold», p. 132; sobre el judaísmo de la élite, véase Mason, «The Religious Beliefs of the Khazars», pp. 383-415.

51. Pritsak y Golb, *Khazarian Hebrew Documents*; Mas'ūdī, «Meadows of Gold», p. 133; Istakhrī, «Book of Roads and Kingdoms», p. 154.

52. Ibn Khurradādhbih, «Book of Roads and Kingdoms», p. 110.

53. Ibíd., pp. 111-112.

54. Ibíd., p. 112.

55. Ibn al-Faqīh, «Book of Countries», p. 114.

56. Liutprando de Cremona, que visitó Constantinopla en el siglo x, pensaba que el nombre de los rus' provenía de la palabra griega *rousios*, «rojo», debido al color característico de su pelo, *The Complete Works of Liudprand of Cremona*, P. Squatriti (trad.), Washington, D.C., 2007, 5.15, p. 179. De hecho, la palabra procede de las palabras escandinavas *rotrsmenn* y *rodr*, «remar». S. Ekbo, «Finnish Ruotsi and Swedish Roslagen - What Sort of Connection?», *Medieval Scandinavia* 13 (2000), pp. 64-69; W. Duczko, *Viking Rus: Studies on the Presence of Scandinavians in Eastern Europe*, Leiden, 2004, pp. 22-23.

57. S. Franklin y J. Shepard, *The Emergence of Rus' 750-1200*, Londres, 1996.

58. Constantino Porfirogéneta, *De Administrando Imperio*, 9, pp. 58-62.

59. *De Administrando Imperio*, 9, p. 60.

60. Ibn Rusta, *Kitāb al-a'lāq an-nafīsa*, Lunde y Stone (trad.), «Book of Precious Gems», en *Land of Darkness*, p. 127.

61. Ibn Faḍlān, «Book of Ahmad ibn Faḍlān», p. 45.

62. Ibn Rusta, «Book of Precious Gems», p. 127.

63. Ibn Faḍlān, «Book of Ahmad ibn Faḍlān», pp. 46-49.

64. A. Winroth, *The Conversion of Scandinavia*, New Haven, 2012, pp. 78-79.

65. M. Bogucki, «The Beginning of the Dirham Import to the Baltic Sea and the Question of the Early Emporia», en A. Bitner-Wróblewska y U. Lund-Hansen (eds.), *Worlds Apart? Contacts across the Baltic Sea in the Iron Age: Network Denmark-Poland 2005-2008*, Copenhague, 2010, pp. 351-361. Sobre Suecia, véanse I. Hammarberg, *Byzantine Coin Finds in Sweden* (1989), y C. von Heijne, *Särpräglat. Vikingatida och tidigmedeltida myntfynd från Danmark, Skåne, Blekinge och Halland (ca. 800-1130)*, Estocolmo, 2004.

66. T. Noonan, «Why Dirhams First Reached Russia: The Role of Arab-Khazar Relations in the Development of the Earliest Islamic Trade with Eastern Europe», *Archivum Eurasiae Medii Aevi* 4 (1984), pp. 151-182, y «Dirham Exports to the Baltic in the Viking Age», en K. Jonsson y B. Malmer (eds.), *Sigtuna Papers: Proceedings of the Sigtuna Symposium on Viking-Age Coinage 1-4 June 1989*, Estocolmo, 1990, pp. 251-257.

## Capítulo 7: La ruta de los esclavos

1. Ibn Rusta, «Book of Precious Gems», pp. 126-127.

2. Ibíd.

3. *De Administrando Imperio*, 9, p. 60.
4. Ibn Faḍlān, «Book of Ahmad ibn Faḍlān», p. 47.
5. D. Wyatt, *Slaves and Warriors in Medieval Britain and Ireland, 800-1200*, Leiden, 2009.
6. L. Delisle, ed., *Littérature latine et histoire du moyen âge*, París, 1890, p. 17.
7. Véase J. Henning, «Strong Rulers - Weak Economy? Rome, the Carolingians and the Archaeology of Slavery in the First Millennium AD», en J. Davis y M. McCormick (eds.), *The Long Morning of Medieval Europe: New Directions in Early Medieval Studies*, Aldershot, 2008, pp. 33-53; sobre Nóvgorod, véase H. Birnbaum, «Medieval Novgorod: Political, Social and Cultural Life in an Old Russian Urban Community», *California Slavic Studies* 14 (1992), p. 11.
8. Adán de Bremen, *History of the Archbishops of Hamburg Bremen*, F. Tschan (ed. y trad.), Nueva York, 1959, 4.6, p. 190.
9. B. Hudson, *Viking Pirates and Christian Princes: Dynasty, Religion and Empire in the North Atlantic*, Oxford, 2005, p. 41; véase también S. Brink, *Vikingarnas slavar: den nordiska träldomen under yngre järnålder och äldsta medeltid*, Estocolmo, 2012.
10. T. Noonan, «Early Abbasid Mint Output», *Journal of Economic and Social History* 29 (1986), pp. 113-175; R. Kovalev, «Dirham Mint Output of Samanid Samarqand and its Connection to the Beginnings of Trade with Northern Europe (10th Century)», *Histoire & Mesure* 17.3-4 (2002), pp. 197-216; T. Noonan y R. Kovalev, «The Dirham Output and Monetary Circulation of a Secondary Samanid Mint: A Case Study of Balkh», en R. Kiernowski (ed.), *Moneta Mediavalis: Studia numizmatyczne i historyczne ofiarowane Profesorowi Stanisławowi Suchodolskiemu w 65. rocznicę urodzin*, Varsovia, 2002, pp. 163-174.
11. R. Segal, *Islam's Black Slaves: The Other Black Diaspora*, Nueva York, 2001, p. 121.
12. Ibn Ḥawqal, *Kītāb ṣūrat al-ard*, citado por D. Ayalon, «The Mamluks of the Seljuks: Islam's Military Might at the Crossroads», *Journal of the Royal Asiatic Society* 6.3 (1996), p. 312. [p. 548; frase omitida: A partir de este punto, paso de los türcos a los turcos para distinguir entre la gente de las estepas y los ancestros de la Turquía moderna.]
13. W. Scheidel, «The Roman Slave Supply», en K. Bradley, P. Cartledge, D. Eltis y S. Engerman (eds.), *The Cambridge World History of Slavery*, 3 vols., Cambridge, 2011-, vol. I, pp. 287-310.
14. Véase F. Caswell, *The Slave Girls of Baghdad. The Qiyan in the Early Abbasid Era*, Londres, 2011, p. 13.
15. Tácito, *Annals*, 15.69, p. 384 (hay trad. castellana: *Anales*, 2 vols., Gredos, Madrid, 2002).
16. Ibn Buṭlān, *Taqwīm al-ṣiḥḥa*, citado por G. Vantini, *Oriental Sources concerning Nubia*, Heidelberg, 1975, pp. 238-239.

17. Kaykāvūs ibn Iskandar ibn Qābūs, R. Levy (ed. y trad.), *Naṣīḥat-nāma known as Qābūs-nāma*, Londres, 1951, p. 102.

18. Ibíd.

19. D. Abulafia, «Asia, Africa and the Trade of Medieval Europe», en M. Postan, E. Miller y C. Postan (eds.), *Cambridge Economic History of Europe: Trade and Industry in the Middle Ages*, Cambridge, 1987², p. 417. Véase también D. Mishin, «The Saqaliba Slaves in the Aghlabid State», en M. Sebök (ed.), *Annual of Medieval Studies at CEU 1996/1997*, Budapest, 1998, pp. 236-244.

20. Ibrāhīm ibn Ya'qūb, Lunde y Stone (trad.), en *Land of Darkness*, pp. 164-5. Sobre la función de Praga como centro esclavista, véase D. Třeštík, «"Eine große Stadt der Slawen namens Prag": Staaten und Sklaven in Mitteleuropa im 10. Jahrhundert», en P. Sommer (ed.), *Boleslav II: der tschechische Staat um das Jahr 1000*, Praga, 2001, pp. 93-138.

21. Ibn al-Zubayr, *Book of Gifts and Rarities*, pp. 91-92. Véase A. Christys, «The Queen of the Franks Offers Gifts to the Caliph Al-Muktafi», en W. Davies y P. Fouracre (eds.), *The Languages of Gift in the Early Middle Ages*, Cambridge, 2010, pp. 140-171.

22. Ibrāhīm ibn Ya'qūb, pp. 162-163.

23. R. Naismith, «Islamic Coins from Early Medieval England», *Numismatic Chronicle* 165 (2005), pp. 193-222, y «The Coinage of Offa Revisited», *British Numismatic Journal* 80 (2010), pp. 76-106.

24. M. McCormick, «New Light on the "Dark Ages": How the Slave Trade Fuelled the Carolingian Economy», *Past & Present* 177 (2002), pp. 17-54; véase también J. Henning, «Slavery or Freedom? The Causes of Early Medieval Europe's Economic Advancement», *Early Medieval Europe* 12.3 (2003), pp. 269-277.

25. Ibn Khurradādhbih, «Book of Roads and Kingdoms», p. 111.

26. Ibn Ḥawqal, *Kītāb ṣūrat al-ard*, Lunde y Stone (trad.), «Book of the Configuration of the Earth», en *Land of Darkness*, p. 173.

27. Ibíd., Also Al-Muqaddasī, *Land of Darkness*, p. 170.

28. Al-Jāḥiẓ, *Kitāb al-Ḥayawān*, citado en C. Verlinden, *L'Esclavage dans l'Europe mediévale*, 2 vols., Brujas, 1955-1977, vol. I, p. 213.

29. Ibíd.

30. Verlinden, *Esclavage*, vol. II, pp. 218-130, 731-2; W. Phillips, *Slavery from Roman Times to the Early Transatlantic Trade*, Manchester, 1985, p. 62 (hay trad. castellana: *La esclavitud desde la época romana hasta los inicios del comercio transatlántico*, Siglo XXI, Madrid, 1989).

31. H. Loyn y R. Percival (eds.), *The Reign of Charlemagne: Documents on Carolingian Government and Administration*, Londres, 1975, p. 129.

32. En Alemania solía ser común hacer lo mismo, en donde *servus* era una forma de saludo habitual.

33. Adán de Bremen, *Gesta Hammaburgensis ecclesiae pontificum*, T. Re-

uter (trad.), *History of the Archbishops of Hamburg-Bremen*, Nueva York, 2002, I.39-41.

34. *Pactum Hlotharii I*, en McCormick, «Carolingian Economy», p. 47.

35. G. Luzzato, *An Economic History of Italy from the Fall of the Roman Empire to the Sixteenth Century*, P. Jones (trad.), Londres, 1961, pp. 35, 51-53; Phillips, *Slavery*, p. 63.

36. McCormick, «Carolingian Economy», pp. 48-49.

37. *Hudūd al-ʿĀlam*, en *The Regions of the World: A Persian Geography 372 AH-982 AD*, V. Minorsky (trad.), C. Bosworth (ed.), Londres, 1970, pp. 161-162.

38. Ibn Faḍlān, «Book of Ahmad ibn Faḍlān», p. 44; Ibn Khurradādhbih, «Book of Roads and Kingdoms», p. 12; Martinez, «Gardīzī's Two Chapters on the Turks», pp. 153-154.

39. *Russian Primary Chronicle*, S. Cross y O. Sherbowitz-Wetzor (trad.), Cambridge (Massachusetts), 1953, p. 61.

40. *Annales Bertiniani*, G. Waitz (ed.), Hanover, 1885, p. 35.

41. Masʿūdī, «Meadows of Gold», pp. 145-146; Ibn Ḥawqal, «Book of the Configuration of the Earth», p. 175.

42. Ibn Ḥawqal, «Book of the Configuration of the Earth», p. 178.

43. R. Kovalev, «Mint Output in Tenth Century Bukhara: A Case Study of Dirham Production with Monetary Circulation in Northern Europe», *Russian History/Histoire Russe* 28 (2001), pp. 250-259.

44. *Russian Primary Chronicle*, p. 86.

45. Ibíd., p. 90.

46. H. Halm, *Das Reich des Mahdi. Der Aufstieg der Fatimiden (875-973)*, Múnich, 1991; F. Akbar, «The Secular Roots of Religious Dissidence in Early Islam: The Case of the Qaramita of Sawad Al-Kufa», *Journal of the Institute of Muslim Minority Affairs* 12.2 (1991), pp. 376-390. Sobre la descomposición del califato en este periodo, véase M. Van Berkel, N. El Cheikh, H. Kennedy y L. Osti, *Crisis and Continuity at the Abbasid Court: Formal and Informal Politics in the Caliphate of al-Muqtadir*, Leiden, 2013.

47. Bar Hebraeus, *Ktābā d-maktbānūt zabnē*, E. Budge (ed. y trad.), *The Chronography of Gregory Abul Faraj*, 2 vols., Oxford, 1932, vol. I, p. 164.

48. Mateo de Edesa, *The Chronicle of Matthew of Edessa*, A. Dostourian (trad.), Lanham, 1993, I.1, p. 19; M. Canard, «Baghdad au IVe siècle de l'Hégire (Xe siècle de l'ère chrétienne)», *Arabica* 9 (1962), pp. 282-283. Al respecto, véanse R. Bulliet, *Cotton, Climate, and Camels in Early Islamic Iran: A Moment in World History*, Nueva York, 2009, pp. 79-81, y R. Ellenblum, *The Collapse of the Eastern Mediterranean: Climate Change and the Decline of the East, 950-1072*, Cambridge, 2012, pp. 32-36.

49. Ellenblum, *Collapse of the Eastern Mediterranean*, pp. 41-43.

50. C. Mango, *The Homilies of Photius Patriarch of Constantinople*, Cambridge (Massachusetts), 1958, pp. 88-89.

51. *Russian Primary Chronicle*, pp. 74-75.

52. Shepard, «The Viking Rus' and Byzantium», en S. Brink y N. Price (eds.), *The Viking World*, Abingdon, 2008, pp. 498-501.

53. Véase A. Poppe, «The Building of the Church of St Sophia in Kiev», *Journal of Medieval History* 7.1 (1981), pp. 15-66.

54. Shepard, «Viking Rus'», p. 510.

55. T. Noonan y R. Kovalev, «Prayer, Illumination and Good Times: The Export of Byzantine Wine and Oil to the North of Russia in Pre-Mongol Times», *Byzantium and the North. Acta Fennica* 8 (1997), pp. 73-96; M. Roslund, «Brosamen vom Tisch der Reichen. Byzantinische Funde aus Lund und Sigtuna (ca. 980-1250)», en M. Müller-Wille (ed.), *Rom und Byzanz im Nordern. Mission und Glaubensweschel im Ostseeraum während des 8-14 Jahrhunderts*, Stuttgart, 1997, vol. II, pp. 325-385.

56. L. Golombek, «The Draped Universe of Islam», en P. Parsons Soucek (ed.), *Content and Context of Visual Arts in the Islamic World: Papers from a Colloquium in Memory of Richard Ettinghausen*, University Park (Pensilvania), 1988, pp. 97-114. Sobre la producción textil de Antioquía después de 1098, véase T. Vorderstrasse, «Trade and Textiles from Medieval Antioch», *Al-Masāq* 22.2 (2010), pp. 151-171.

57. D. Jacoby, «Byzantine Trade with Egypt from the Mid-Tenth Century to the Fourth Crusade», *Thesaurismata* 30 (2000), p. 36.

58. V. Piacentini, «Merchant Families in the Gulf: A Mercantile and Cosmopolitan Dimension: The Written Evidence», *ARAM* 11-12 (1999-2000), pp. 145-148.

59. D. Goitein, *A Mediterranean Society: The Jewish Communities of the Arab World as Portrayed in the Documents of the Cairo Geniza*, 6 vols., Berkeley, 1967-1993, vol. IV, p. 168; Jacoby, «Byzantine Trade with Egypt», pp. 41-43.

60. Nāṣir-i Khusraw, *Safarnāma*, W. Thackston (trad.), *Nāṣer-e Khosraw's Book of Travels*, Albany (Nueva York), 1986, pp. 39-40.

61. Jacoby, «Byzantine Trade with Egypt», 42; S. Simonsohn, *The Jews of Sicily 383-1300*, Leiden, 1997, pp. 314-316.

62. M. Vedeler, *Silk for the Vikings*, Oxford, 2014.

63. E. Brate y E. Wessén, *Sveriges Runinskrifter: Södermanlands Runinskrifter*, Estocolmo, 1924-1936, p. 154.

64. S. Jansson, *Västmanlands runinskrifter*, Estocolmo, 1964, pp. 6-9.

65. G. Isitt, «Vikings in the Persian Gulf», *Journal of the Royal Asiatic Society* 17.4 (2007), pp. 389-406.

66. P. Frankopan, «Levels of Contact between West and East: Pilgrims and Visitors to Constantinople and Jerusalem in the 9th-12th Centuries», en S. Searight y M. Wagstaff (eds.), *Travellers in the Levant: Voyagers and Visionaries*, Durham, 2001, pp. 87-108.

67. Véase J. Wortley, *Studies on the Cult of Relics in Byzantium up to 1204*, Farnham, 2009.

68. S. Blöndal, *The Varangians of Byzantium*, B. Benedikz (trad.), Cambridge, 1978; J. Shepard, «The Uses of the Franks in 11th-Century Byzantium», *Anglo-Norman Studies* 15 (1992), pp. 275-305.

69. P. Frankopan, *The First Crusade: The Call from the East*, Londres, 2012, pp. 87-88.

70. H. Hoffmann, «Die Anfänge der Normannen in Süditalien», *Quellen und Forschungen aus Italienischen Archiven und Bibiliotheken* 47 (1967), pp. 95-144; G. Loud, *The Age of Robert Guiscard: Southern Italy and the Norman Conquest*, Singapur, 2000.

71. Al-ʿUtbī, *Kitāb-i Yamīnī*, J. Reynolds (trad.), *Historical memoirs of the amír Sabaktagín, and the sultán Mahmúd of Ghazna*, Londres, 1868, p. 140. Véase C. Bosworth, *The Ghaznavids, 994-1040*, Cambridge, 1963.

72. A. Shapur Shahbāzī, *Ferdowsī: A Critical Biography*, Costa Mesa (California), 1991, en especial pp. 91-93; véase también G. Dabiri, «The Shahnama: Between the Samanids and the Ghaznavids», *Iranian Studies* 43.1 (2010), pp. 13-28.

73. Y. Bregel, «Turko-Mongol Influences in Central Asia», en R. Canfield (ed.), *Turko-Persia in Historical Perspective*, Cambridge, 1991, pp. 53 y ss.

74. Herrman, «Die älteste türkische Weltkarte», pp. 21-28.

75. Yūsuf Khāṣṣ Ḥājib, *Kutadgu Bilig*, R. Dankoff (trad.), *Wisdom of Royal Glory (Kutadgu Bilig): A Turko-Islamic Mirror for Princes*, Chicago, 1983, p. 192.

76. Sobre el ascenso de los selyúcidas, véase C. Lange y S. Mecit (eds.), *The Seljuqs: Politics, Society and Culture*, Edimburgo, 2011.

77. Para una discusión sobre algunas de las contradicciones presentes en las fuentes señaladas aquí, véase O. Safi, *Politics of Knowledge in Pre-Modern Islam: Negotiating Ideology and Religious Inquiry*, Chapel Hill (Carolina del Norte), 2006, pp. 35-36.

78. Dunlop, *History of the Jewish Khazars*, p. 260; A. Peacock, *Early Seljuq History: A New Interpretation*, Abingdon, 2010, pp. 33-34; Dickens, «Patriarch Timothy», pp. 117-139.

79. Aristakes de Lastivert, *Patmutʿiwn Aristakeay Vardapeti Lastivertsʿwoy*, R. Bedrosian (trad.), *Aristakēs Lastivertcʿi's History*, Nueva York, 1985, p. 64.

80. Para una recopilación de las fuentes de la batalla de Manzikert, véase C. Hillenbrand, *Turkish Myth and Muslim Symbol*, Edimburgo, 2007, pp. 26 y ss.

81. Frankopan, *First Crusade*, pp. 57-86.

82. Ibíd., pp. 13-25.

83. Bernoldo de Constanza, *Die Chroniken Bertholds von Reichenau und Bernolds von Konstanz*, I. Robinson (ed.), Hannover, 2003, p. 520.

84. Frankopan, *First Crusade*, pp. 1-3, 101-113.

85. Ibíd., pássim. Sobre el miedo al apocalipsis, véase J. Rubenstein, *Armies of Heaven: The First Crusade and the Quest for Apocalypse*, Nueva York, 2011 (hay trad. castellana: *Los ejércitos del cielo: la primera cruzada y la búsqueda del Apocalipsis*, Pasado y Presente, Barcelona, 2012).

## Capítulo 8: La ruta del cielo

1. Alberto de Aquisgrán, *Historia Iherosolimitana*, S. Edgington (ed. y trad.), Oxford, 2007, 5.45, p. 402; Frankopan, *First Crusade*, p. 173.

2. Raimundo de Aguilers, *Historia Francorum qui ceperunt Jerusalem*, J. Hill y L. Hill (trad.), *Le «Liber» de Raymond d'Aguilers*, París, 1969, 14, p. 127. Sobre la expedición y las cruzadas en general, véase C. Tyerman, *God's War: A New History of the Crusades*, Londres, 2006 (hay trad. castellana: *Las guerras de Dios: una nueva historia de las Cruzadas*, Crítica, Barcelona, 2007).

3. Fulquerio de Chartres, *Gesta Francorum Iherusalem Peregrinantium*, F. Ryan (trad.), *A History of the Expedition to Jerusalem 1095-1127*, Knoxville, 1969, I.27, p. 122. Hay mucho que aprender de las investigaciones actuales sobre la relación entre la salud mental y la violencia extrema en combate. Por ejemplo, R. Ursano *et al.*, «Posttraumatic Stress Disorder and Traumatic Stress: From Bench to Bedside, from War to Disaster», *Annals of the New York Academy of Sciences* 1208 (2010), pp. 72-81.

4. Ana Comneno, *Alexias*, P. Frankopan (trad.), *Alexiad*, Londres, 2009, 13.11, pp. 383-384; sobre el regreso de Bohemundo a Europa, véase L. Russo, «Il viaggio di Boemundo d'Altavilla in Francia», *Archivio storico italiano* 603 (2005), pp. 3-42; Frankopan, *First Crusade*, pp. 188-189.

5. R. Chazan, «"Let Not a Remnant or a Residue Escape": Millenarian Enthusiasm in the First Crusade», *Speculum* 84 (2009), pp. 289-313.

6. Al-Harawī, *Kitāb al-ishārāt ilā ma'rifat al-ziyārāt* en A. Maalouf, *The Crusade through Arab Eyes,* Londres, 1984, p. xiii (hay trad. castellana: *Las cruzadas vistas por los árabes*, Alianza, Madrid, 2010). Véase asimismo Ibn al-Jawzī', *al-Muntaẓam fī tārīkh al-mulūk wa-al-umam*, en C. Hillenbrand, *The Crusades: Islamic Perspectives*, Edimburgo, 1999, p. 78. En general, véase P. Cobb, *The Race for Paradise: An Islamic History of the Crusades*, Oxford, 2014.

7. Para testimonios del sufrimiento, véase S. Eidelberg (trad.), *The Jews and the Crusaders*, Madison, 1977. Véase asimismo M. Gabriele, «Against the Enemies of Christ: The Role of Count Emicho in the Anti-Jewish Violence of the First Crusade», en M. Frassetto (ed.), *Christian Attitudes towards the Jews in the Middle Ages: A Casebook*, Abingdon, 2007, pp. 61-82.

8. Frankopan, *First Crusade*, pp. 133-135, 167-171; J. Pryor, «The Oath of the Leaders of the Crusade to the Emperor Alexius Comnenus: Fealty, Homage», *Parergon*, nueva serie 2 (1984), pp. 111-141.

9. Raimundo de Aguilers, *Le «Liber»*, 10, pp. 74-75.
10. Frankopan, *First Crusade*, en especial pp. 186 y ss.
11. Ibn al-Athīr, *al-Kāmil fī l-ta'rīkh*, D. Richards (trad.), *The Chronicle of Ibn al-Athir for the Crusading Period from al-Kāmil fī'l-ta'rīkh*, Aldershot, 2006, p. 13.
12. Jacoby, «Byzantine Trade with Egypt», pp. 44-45.
13. S. Goitein, *A Mediterranean Society*, vol. 1, p. 45.
14. A. Greif, «Reputation and Coalitions in Medieval Trade: Evidence on the Maghribi Traders», *Journal of Economic History* 49.4 (1989), p. 861.
15. Ibn Jaldūn, *Dīwān al-mubtada'*, V. Monteil (trad.), *Discours sur l'histoire universelle (al-Muqaddima)*, París, 1978, p. 522.
16. Frankopan, *First Crusade*, pp. 29-30.
17. E. Occhipinti, *Italia dei communi. Secoli XI-XIII* (2000), pp. 20-21.
18. J. Riley-Smith, *The First Crusaders, 1095-1131*, Cambridge, 1997, p. 17.
19. Monje del Lido, *Monachi Anonymi Littorensis Historia de Translatio Sanctorum Magni Nicolai*, en *Recueil des Historiens des Croisades: Historiens Occidentaux* 5, pp. 272-275; J. Prawer, *The Crusaders' Kingdom: European Colonialism in the Middle Ages*, Londres, 2001, p. 489.
20. *Codice diplomatico della repubblica di Genova,* 3 vols., Roma, 1859-1940, vol. I, p. 20.
21. B. Kedar, «Genoa's Golden Inscription in the Church of the Holy Sepulchre: A Case for the Defence», en G. Airaldi y B. Kedar (eds.), *I comuni italiani nel regno crociato di Gerusalemme*, Génova, 1986, pp. 317-335. Véase también M.-L. Favreau-Lilie, que sostiene que este documento podría haber sido alterado en una fecha posterior, *Die Italiener im Heiligen Land vom ersten Kreuzzug bis zum Tode Heinrichs von Champagne (1098-1197)*, Ámsterdam, 1989, p. 328.
22. Dandolo, *Chronica per extensum descripta, Rerum Italicarum Scriptores*, 25 vols., Bolonia, vol. XII, p. 221. Véase también Monje del Lido, *Monachi Anonymi*, pp. 258-259.
23. M. Pozza y G. Ravegnani, *I Trattati con Bisanzio 992-1198*, Venecia, 1993, pp. 38-45. Sobre la fecha de las concesiones, que desde hace mucho tiempo se sitúa en la década de 1080, véase P. Frankopan, «Byzantine Trade Privileges to Venice in the Eleventh Century: The Chrysobull of 1092», *Journal of Medieval History* 30 (2004), pp. 135-160.
24. Monje del Lido, *Monachi Anonymi*, pp. 258-259; Dandolo, *Chronica*, p. 221. Véase también D. Queller e I. Katele, «Venice and the Conquest of the Latin Kingdom of Jerusalem», *Studi Veneziani* 21 (1986), p. 21.
25. F. Miklosich y J. Müller, *Acta et Diplomata graeca medii aevi sacra et profana*, 6 vols., Venecia, 1860-1890, vol. III, pp. 9-13.
26. R.-J. Lilie, *Byzantium and the Crusader States, 1096-1204*, J. Morris y

J. Ridings (trad.), Oxford, 1993, pp. 87-94; «Noch einmal zu den Thema "Byzanz und die Kreuzfahrerstaaten"», *Poikila Byzantina* 4 (1984), pp. 121-174. Tratado de Devol, *Alexiad*, XII.24, pp. 385-396.

27. S. Epstein, *Genoa and the Genoese: 958-1528*, Chapel Hill (Carolina del Norte), 1996, pp. 40-41; D. Abulafia, «Southern Italy, Sicily and Sardinia in the Medieval Mediterranean Economy», en ídem, *Commerce and Conquest in the Mediterranean*, Aldershot, 1993, vol. I, pp. 24-27.

28. T. Asbridge, «The Significance and Causes of the Battle of the Field of Blood», *Journal of Medieval History* 23.4 (1997), pp. 301-316.

29. Fulquerio de Chartres, *Gesta Francorum*, p. 238.

30. G. Tafel y G. Thomas, *Urkunden zur älteren handels und Staatsgeschichte der Republik Venedig*, 3 vols., Viena, 1857, vol. I, p. 78; Queller y Katele, «Venice and the Conquest», pp. 29-30.

31. Tafel y Thomas, *Urkunden*, vol. I, pp. 95-98; Lilie, *Byzantium and the Crusader States*, pp. 96-100; T. Devaney, «"Like an Ember Buried in Ashes": The Byzantine-Venetian Conflict of 1119-1126», en T. Madden, J. Naus y V. Ryan (eds.), *Crusades - Medieval Worlds in Conflict*, Farnham, 2010, pp. 127-147.

32. Tafel y Thomas, *Urkunden*, vol. I, pp. 84-89. Véase también J. Prawer, «The Italians in the Latin Kingdom», en ídem, *Crusader Institutions*, Oxford, 1980, p. 224; M. Barber, *The Crusader States*, Londres, 2012, pp. 139-142; J. Riley-Smith, «The Venetian Crusade of 1122-1124», en Airaldi y Kedar, *I Comuni Italiani*, pp. 339-350.

33. G. Bresc-Bautier, *Le Cartulaire du chapitre du Saint-Sépulcre de Jérusalem*, París, 1984, pp. 51-52.

34. Bernardo de Claraval, *The Letters of St Bernard of Clairvaux*, B. James y B. Kienzle (ed. y trad.), Stroud, 1998, p. 391 (hay trad. castellana: *Obras completas de san Bernardo*, vol. VII: *Cartas*, Biblioteca de Autores Cristianos, Madrid, 2003).

35. *Annali Genovesi de Caffaro e dei suoi Continutatori, 1099-1240*, 5 vols., Génova, 1890-1929, vol. I, p. 48.

36. D. Abulafia, *The Great Sea: A Human History of the Mediterranean*, Londres, 2011, p. 298 (hay trad. castellana: *El gran mar: una historia humana del Mediterráneo*, Crítica, Barcelona, 2013). Véanse también «Christian Merchants in the Almohad Cities», *Journal of Medieval Iberian Studies* 2 (2010), pp. 251-257, y O. Constable, *Housing the Stranger in the Mediterranean World: Lodging, Trade and Travel in Late Antiquity and the Middle Ages*, Cambridge, 2003, p. 278.

37. P. Jones, *The Italian City State: From Commune to Signoria*, Oxford, 1997. Véase también M. Ginatempo y L. Sandri, *L'Italia delle città: il popolamento urbano tra Medioevo e Rinascimento (secoli XIII-XVI)*, Florencia, 1990.

38. Usāma b. Munqidh, *Kitāb al-iʿtibār*, P. Cobb (trad.), *The Book of Contemplation: Islam and the Crusades*, Londres, 2008, p. 153.

39. V. Lagardère, *Histoire et société en Occident musulman: analyse du Mi'yar d'al-Wansharisi*, Madrid, 1995, p. 128; D. Valérian, «Ifrīqiyan Muslim Merchants in the Mediterranean at the End of the Middle Ages», *Mediterranean Historical Review* 14.2 (2008), p. 50.

40. *Gesta Francorum et aliorum Hierosolimitanorum*, R. Hill (ed. y trad.), Londres, 1962, 3, p. 21.

41. Véase C. Burnett (ed.), *Adelard of Bath: An English Scientist and Arabist of the Early Twelfth Century*, Londres, 1987; L. Cochrane, *Adelard of Bath: The First English Scientist*, Londres, 1994.

42. Adelardo de Bath, *Adelard of Bath, Conversations with his Nephew: On the Same and the Different, Questions on Natural Science and on Birds*, C. Burnett (ed. y trad.), Cambridge, 1998, p. 83.

43. A. Pym, *Negotiating the Frontier: Translators and Intercultures in Hispanic History*, Manchester, 2000, p. 41.

44. T. Burman, *Reading the Qur'ān in Latin Christendom, 1140-1560*, Filadelfia, 2007.

45. P. Frankopan, «The Literary, Cultural and Political Context for the Twelfth-Century Commentary on the *Nicomachean Ethics*», en C. Barber (ed.), *Medieval Greek Commentaries on the Nicomachean Ethics*, Leiden, 2009, pp. 45-62.

46. Abulafia, *Great Sea*, p. 298.

47. A. Shalem, *Islam Christianised: Islamic Portable Objects in the Medieval Church Treasuries of the Latin West*, Fráncfort del Meno, 1998.

48. Vorderstrasse, «Trade and Textiles from Medieval Antioch», pp. 168-171; M. Meuwese, «Antioch and the Crusaders in Western Art», en *East and West in the Medieval Mediterranean*, Lovaina, 2006, pp. 337-355.

49. R. Falkner, «Taxes of the Kingdom of Jerusalem», en *Statistical Documents of the Middle Ages: Translations and Reprints from the Original Sources of European History* 3:2, Filadelfia, 1907, pp. 19-23.

50. C. Cahen, *Makhzumiyyat: études sur l'histoire économique et financière de l'Egypte médiévale*, Leiden, 1977; Abulafia, «Africa, Asia and the Trade of Medieval Europe», pp. 402-473.

51. S. Stern, «Ramisht of Siraf: A Merchant Millionaire of the Twelfth Century», *Journal of the Royal Asiatic Society of Great Britain and Ireland* 1.2 (1967), pp. 10-14.

52. T. Madden, «Venice and Constantinople in 1171 and 1172: Enrico Dandolo's Attitudes towards Byzantium», *Mediterranean Historical Review* 8.2 (1993), pp. 166-185.

53. D. Nicol, *Byzantium and Venice: A Study in Diplomatic and Cultural Relations*, Cambridge, 1988, p. 107.

54. P. Magdalino, «Isaac II, Saladin and Venice», en J. Shepard (ed.), *The Expansion of Orthodox Europe: Byzantium, the Balkans and Russia*, Aldershot, 2007, pp. 93-106.

55. Ibn Shaddād, *Life of Saladin by Baha ad-Din*, Londres, 1897, pp. 121-122; G. Anderson, «Islamic Spaces and Diplomacy in Constantinople (Tenth to Thirteenth Centuries C.E.)», *Medieval Encounters* 15 (2009), pp. 104-105.

56. Ana Comneno, *Alexiad*, X.5, p. 277.

57. Ibn Jubayr, *Riḥlat Ibn Jubayr,* R. Broadhurst (trad.), *The Travels of Ibn Jubayr*, Londres, 1952, p. 315.

58. Ibíd. Véase también C. Chism, «Memory, Wonder and Desire in the Travels of Ibn Jubayr and Ibn Battuta», en N. Paul y S. Yeager (eds.), *Remembering the Crusades: Myth, Image and Identity*, Cambridge, 2012, pp. 35-36.

59. Ibn al-Athīr, *Chronicle*, pp. 289-290; Barber, *Crusader States*, p. 284.

60. Barber, *Crusader States*, pp. 296-297; Imād al-Dīn, *al-Fatḥ al-qussī fī l-fatḥ al-qudsī*, H. Massé (trad.), *Conquête de la Syrie et de la Palestine par Saladin*, París, 1972, pp. 27-28.

61. Barber, *Crusader States*, pp. 305-313; T. Asbridge, *The Crusades: The War for the Holy Land*, Londres, 2010, pp. 342-364.

62. J. Riley-Smith, *The Crusades: A History*, Londres, 1987, p. 137.

63. J. Phillips, *The Crusades 1095-1197*, Londres, 2002, pp. 146-150; J. Phillips, *Holy Warriors: A Modern History of the Crusades,* Londres, 2009, pp. 136-165.

64. Godofredo de Villehardouin, «The Conquest of Constantinople», en *Chronicles of the Crusades*, M. Shaw (trad.), Londres, 1963, p. 35.

65. Guillermo de Tiro, *Chronicon*, ed. R. Huygens, 2 vols., Turnhout, 1986, vol. II, p. 408 (hay trad. castellana: *Historia de ultramar*, 2 vols., Asociación de Divulgación e Investigaciones Históricas, Murcia, 2015); J. Phillips, *The Fourth Crusade and the Sack of Constantinople*, Londres, 2004, pp. 67-68 (hay trad. castellana: *La cuarta cruzada y el saco de Constantinopla*, Crítica, Barcelona, 2005).

66. D. Queller y T. Madden, «Some Further Arguments in Defence of the Venetians on the Fourth Crusade», *Byzantion* 62 (1992), p. 438.

67. T. Madden, «Venice, the Papacy and the Crusades before 1204», en S. Ridyard (ed.), *The Medieval Crusade*, Woodbridge, 2004, pp. 85-95.

68. D. Queller y T. Madden, *The Fourth Crusade: The Conquest of Constantinople*, Filadelfia, 1997, pp. 55 y ss.

69. Tafel y Thomas, *Urkunden*, vol. I, pp. 444-452.

70. Robert de Clari, *La Conquete de Constantinople,* P. Lauer (ed.), París, 1924, pp. 72-73, 71-72.

71. Nicetas Choniates, *Khronike diegesis*, J. Van Dieten (ed.), *Nicetae Choniatae Historia*, Nueva York, 1975, pp. 568-577.

72. P. Riant, *Exuviae sacrae constantinopolitanae*, 2 vols., Ginebra, 1876, vol. I, pp. 104-105.

73. Choniates, *Khronike*, p. 591. Para una importante revaloración del daño sufrido por la ciudad, véase T. Madden, «The Fires of the Fourth Crusade

in Constantinople, 1203-1204: A Damage Assessment», *Byzantinische Zeitschrift* 84/85 (1992), pp. 72-93.

74. Véase M. Angold, *The Fourth Crusade*, 2003, pp. 219-267; y también D. Perry, «The *Translatio Symonensis* and the Seven Thieves: Venetian Fourth Crusade *Furta Sacra* Narrative and the Looting of Constantinople», en T. Madden (ed.), *The Fourth Crusade: Event, Aftermath and Perceptions*, Aldershot, 2008, pp. 89-112.

75. R. Gallo, «La tomba di Enrico Dandolo in Santa Sofia a Constantinople», *Rivista Mensile della Città di Venezia* 6 (1927), pp. 270-283; T. Madden, *Enrico Dandolo and the Rise of Venice*, Baltimore, 2003, pp. 193-194.

76. Miguel Choniates, *Michaelis Choniatae Epistulae*, F. Kolovou (ed.), Berlín, 2001), Cartas 145, 165, 100; T. Shawcross, «The Lost Generation (*c.* 1204-*c.* 1222): Political Allegiance and Local Interests under the Impact of the Fourth Crusade», en J. Herrin y G. Saint-Guillain (eds.), *Identities and Allegiances in the Eastern Mediterranean after 1204*, Farnham, 2011, pp. 9-45.

77. Tafel y Thomas, *Urkunden*, vol. I, pp. 464-488; N. Oikonomides, «La Decomposition de l'Empire byzantin à la veille de 1204 et les origines de l'Empire de Nicée: à propos de la "Partitio Romaniae"», en *XV Congrès international d'études byzantines*, Atenas, 1976, vol. I, pp. 3-22.

78. C. Otten-Froux, «Identities and Allegiances: The Perspective of Genoa and Pisa», en Herrin y Saint-Guillan, *Identities and Allegiances*, pp. 265 y ss.; véase también G. Jehei, «The Struggle for Hegemony in the Eastern Mediterranean: An Episode in the Relations between Venice and Genoa According to the Chronicles of Ogerio Pane», *Mediterranean Historical Review* 11.2 (1996), pp. 196-207.

79. F. Van Tricht, *The Latin Renovatio of Byzantium: The Empire of Constantinople (1204-1228)*, Leiden, 2011, en especial pp. 157 y ss.

80. Véanse S. McMichael, «Francis and the Encounter with the Sultan [1219]», en M. Robson (ed.), *The Cambridge Companion to Francis of Assisi*, Cambridge, 2012, pp. 127-142; J. Tolan, *Saint Francis and the Sultan: The Curious History of a Christian-Muslim Encounter*, Oxford, 2009.

81. Delumeau, *History of Paradise*, pp. 71-96.

82. M. Gosman, «La Légende du Prêtre Jean et la propagande auprès des croisés devant Damiette (1228-1221)», en D. Buschinger (ed.), *La Croisade: réalités et fictions. Actes du colloque d'Amiens 18-22 mars 1987*, Göppingen, 1989, pp. 133-142; J. Valtrovà, «Beyond the Horizons of Legends: Traditional Imagery and Direct Experience in Medieval Accounts of Asia», *Numen* 57 (2010), pp. 166-167.

83. C. Beckingham, «The Achievements of Prester John», en C. Beckingham y B. Hamilton (eds.), *Prester John, the Mongols and the Ten Lost Tribes*, Aldershot, 1996, pp. 1-22; P. Jackson, *The Mongols and the West*, Londres, 2005, pp. 20-21.

84. F. Zarncke, «Der Priester Johannes II», *Abhandlungen der Königlich Sächsischen Gesellschaft der Wissenschaften, Phil.-hist. Kl.* 8 (1876), p. 9.
85. Jackson, *Mongols and the West*, pp. 48-49.

## Capítulo 9: La ruta del infierno

1. Het'um, *Patmich'T'at'arats'*, *La flor des estoires de la terre d'Orient*, en *Recueil des Historiens des Croisades: Historiens Arméniens*, vol. I, p. x.
2. 'Ata-Malik Juvaynī, *Ta'rīx-i Jahān-Gušā*, J. Boyle (trad.), *Genghis Khan: The History of the World-Conqueror*, 2 vols., Cambridge (Massachusetts), 1958, 1, vol. I, pp. 21-22.
3. Sobre el significado de Činggis como título, véase I. de Rachewiltz, «The Title Činggis Qan/Qayan Re-examined», en W. Hessig y K. Sangster (eds.), *Gedanke und* Wirkung, Wiesbaden, 1989, pp. 282-288; T. Allsen, «The Rise of the Mongolian Empire and Mongolian Rule in North China», en *The Cambridge History of China,* 15 vols. (Cambridge, 1978-), vol. VI, pp. 321 y ss.
4. *The Secret History of the Mongols*, I. de Rachewiltz (trad.), 2 vols., Leiden, 2004, vol. I, p. 13.
5. Allsen, «Rise of the Mongolian Empire», pp. 321 y ss.; G. Németh, «Wanderungen des mongolischen Wortes *Nökür* "Genosse"», *Acta Orientalia Academiae Scientiarum Hungaricae* 3 (1952), pp. 1-23.
6. T. Allsen, «The Yüan Dynasty and the Uighurs of Turfan in the 13th Century», en M. Rossabi (ed.), *China among Equals: The Middle Kingdom and its Neighbors, 10th-14th Centuries*, Berkeley, 1983, pp. 246-248.
7. P. Golden, «"I Will Give the People unto Thee": The Činggisid Conquests and their Aftermath in the Turkic World», *Journal of the Royal Asiatic Society* 10.1 (2000), p. 27.
8. Z. Bunyatov, *Gosudarstvo Khorezmshakhov-Anushteginidov*, Moscú, 1986, pp. 128-132; Golden, «Činggisid Conquests», p. 29.
9. Juvaynī, *History of the World Conqueror*, 16, vol. I, p. 107.
10. Ibn al-Athīr, en B. Spuler, *History of the Mongols*, Londres, 1972, p. 30 (hay trad. castellana: *Los mongoles*, Castilla, Madrid, 1966).
11. D. Morgan, *The Mongols*, Oxford, 1986, p. 74 (hay trad. castellana: *Los mongoles*, Alianza, Madrid, 1990).
12. Nasawī, *Sīrat al-ṣultān Jalāl al-Dīn Mangubirtī*, O. Houdas (trad.), *Histoire du sultan Djelāl ed-Dīn Mankobirti prince du Khārezm*, París, 1891, 16, p. 63.
13. K. Raphael, «Mongol Siege Warfare on the Banks of the Euphrates and the Question of Gunpowder (1260-1312)», *Journal of the Royal Asiatic Society*, 19.3 (2009), pp. 355-370.

14. A. Waley (trad.), *The Travels of an Alchemist: The Journey of the Taoist, Ch'ang-ch'un, from China to the Hindukush at the Summons of Chingiz Khan, Recorded by his Disciple, Li Chih-ch'ang,* Londres, 1931, pp. 92-93.

15. Véanse los trabajos pioneros de Allsen, *Commodity and Exchange*, y G. Lane, *Early Mongol Rule in Thirteenth-Century Iran: A Persian Renaissance*, Londres, 2003.

16. Juvaynī, *History of the World Conqueror*, 27, vol. I, pp. 161-164.

17. J. Smith, «Demographic Considerations in Mongol Siege Warfare», *Archivum Ottomanicum* 13 (1994), pp. 329-334; ídem, «Mongol Manpower and Persian Population», *Journal of Economic and Social History of the Orient* 18.3 (1975), pp. 271-299; D. Morgan, «The Mongol Armies in Persia», *Der Islam* 56.1 (2009), pp. 81-96.

18. *Novgorodskaya Pervaya Letopis' starshego i mladshego isvodov*, A. Nasonov (ed.), Leningrado, 1950, p. 61.

19. Ibíd., pp. 74-77.

20. E. Petrukhov, *Serapion Vladimirskii, russkii propovedenik XIII veka*, San Petersburgo, 1888, Apéndice, p. 8.

21. Aunque los comentaristas medievales establecen un vínculo entre los tártaros y el Tártaro, lo cierto es que el primero de estos términos ya se usaba a lo largo y ancho de las estepas para referirse a los miembros de las tribus nómadas y probablemente derivaba de la palabra tungús *ta-ta*, que significaba «arrastrar» o «tirar». Véase S. Akiner, *Religious Language of a Belarusian Tatar Kitab*, Wiesbaden, 2009, pp. 13-14.

22. Jackson, *Mongols and the West*, pp. 59-60; D. Sinor, «The Mongols in the West», *Journal of Asian History* 33.1 (1999), pp. 1-44.

23. C. Rodenburg (ed.), *MGH Epistulae saeculi XIII e regestis pontificum Romanorum selectae*, 3 vols., Berlín, 1883-1894, vol. I, p. 723; Jackson, *Mongols and the West*, pp. 65-69.

24. P. Jackson, «The Crusade against the Mongols (1241)», *Journal of Ecclesiastical History* 42 (1991), pp. 1-18.

25. H. Dörrie, «Drei Texte zur Gesichte der Ungarn und Mongolen. Die Missionreisen des fr. Julianus O.P. ins Ural-Gebiet (1234/5) und nach Rußland (1237) und der Bericht des Erzbischofs Peter über die Tataren», *Nachrichten der Akademie der Wissenschaften in Göttingen, phil-hist. Klasse* 6 (1956), p. 179; véase también Jackson, *Mongols and the West*, p. 61.

26. Tomás el Archidiácono, *Historia Salonitanorum atque Spalatinorum pontificum*, D. Krabić, M. Sokol y J. Sweeney (ed. y trad.), Budapest, 2006, p. 302; Jackson, *Mongols and the West*, p. 65.

27. Se han conservado copias de dos de estas cartas, C. Rodenberg (ed.), *Epistolae saeculi XII e regestis pontificum romanorum,* 3 vols., Berlín, 1883-1894, vol. II, pp. 72; vol. III, p. 75.

28. Valtrovà, «Beyond the Horizons of Legends», pp. 154-185.

29. Guillermo de Rubruquis, *The Mission of Friar William of Rubruck*, P. Jackson (trad.), D. Morgan (ed.), Londres, 1990, 28, p. 177.

30. Ibíd., 2, pp. 72, 76; 13, p. 108; Jackson, *Mongols and the West*, p. 140.

31. Juan de Plano Carpini, *Sinica Franciscana: Itinera et relationes fratrum minorum saeculi XVII et XIV,* A. Van den Wyngaert (ed.), 5 vols., Florencia, 1929, vol. I, pp. 60, 73-75.

32. Juan de Plano Carpini, *Ystoria Mongolarum*, A. Van den Wyngaert (ed.), Florencia, 1929, pp. 89-90.

33. «Letter of the Great Khan Güyüg to Pope Innocent IV (1246)», en I. de Rachewiltz, *Papal Envoys to the Great Khans*, Stanford, 1971, p. 214 (con diferencias).

34. C. Dawson, *Mongol Mission: Narratives and Letters of the Franciscan Missionaries in Mongolia and China in the Thirteenth and Fourteenth Centuries*, Londres, 1955, pp. 44-45.

35. P. Jackson, «World-Conquest and Local Accommodation: Threat and Blandishment in Mongol Diplomacy», en J. Woods, J. Pfeiffer, S. Quinn y E. Tucker (eds.), *History and Historiography of Post-Mongol Central Asia and the Middle East: Studies in Honor of John E. Woods*, Wiesbaden, 2006, pp. 3-22.

36. R. Thomson, «The Eastern Mediterranean in the Thirteenth Century: Identities and Allegiances. The Peripheries; Armenia», en Herrin y Saint-Gobain, *Identities and Allegiances*, pp. 202-204.

37. J.-L. Van Dieten, «Das Lateinische Kaiserreich von Konstantinopel und die Verhandlungen über kirchliche Wiedervereinigung», en V. Van Aalst y K. Ciggaar (eds.), *The Latin Empire: Some Contributions*, Hernen, 1990, pp. 93-125.

38. Guillermo de Rubriquis, *Mission of Friar William*, 33, p. 227.

39. Jorge Paquimeres, *Chronicon*, A. Faillier (ed. y trad.), *Relations historiques*, 2 vols., París, 1984, vol. II, pp. 108-109; J. Langdon, «Byzantium's Initial Encounter with the Chinggisids: An Introduction to the Byzantino-Mongolica», *Viator* 29 (1998), pp. 130-133.

40. ʿAbdallāh b. Faḍlallāh Waṣṣāf, *Tarjiyat al-amṣār wa-tajziyat al-aʿṣār*, en Spuler, *History of the Mongols*, pp. 120-121.

41. Allsen, *Commodity and Exchange*, pp. 28-29.

42. J. Richard, «Une Ambassade mongole à Paris en 1262», *Journal des Savants* 4 (1979), pp. 295-303; Jackson, *Mongols and the West*, p. 123.

43. N. Nobutaka, «The Rank and Status of Military Refugees in the Mamluk Army: A Reconsideration of the *Wāfidīyah*», *Mamluk Studies Review* 10.1 (2006), pp. 55-81; R. Amitai-Preiss, «The Remaking of the Military Elite of Mamluk Egypt by al-Nāṣir Muḥammad b. Qalāwūn», *Studia Islamica* 72 (1990), pp. 148-150.

44. P. Jackson, «The Crisis in the Holy Land in 1260», *English Historical Review* 95 (1980), pp. 481-513.

45. R. Amitai-Preiss, *Mongols and Mamluks: The Mamluk-Ilkhanid War, 1260-1281*, Cambridge, 1995.

46. Jūzjānī, *Tabaḳāt-i-Nāṣirī*, H. Raverty (trad.), *A general history of the Muhammadan dynasties of Asia, including Hindūstān, from 810 A.D. to 1260 A.D., and the irruption of the infidel Mughals into Islam*, Calcuta, 1881, 23.3-4, pp. 1104, 1144-1145.

47. L. Lockhart, «The Relations between Edward I and Edward II of England and the Mongol Il-Khans of Persia», *Iran* 6 (1968), p. 23. Sobre la expedición, véase C. Tyerman, *England and the Crusades, 1095-1588*, Londres, 1988, pp. 124-132.

48. W. Budge, *The Monks of Kublai Khan, Emperor of China*, Londres, 1928, pp. 186-187.

49. S. Schein, «Gesta Dei per Mongolos 1300: The Genesis of a Non-Event», *English Historical Review* 94.272 (1979), pp. 805-819.

50. R. Amitai, «Whither the Ilkhanid Army? Ghazan's First Campaign into Syria (1299-1300)», en Di Cosmo, *Warfare in Inner Asian History*, pp. 221-264.

51. William Blake, «Jerusalén». Las leyendas sobre la llegada de José de Arimatea a las islas británicas circulaban en Inglaterra desde la Edad Media, véase W. Lyons, *Joseph of Arimathea: A Study in Reception History*, Oxford, 2014, pp. 72-104.

## Capítulo 10: La ruta de la muerte y la destrucción

1. S. Karpov, «The Grain Trade in the Southern Black Sea Region: The Thirteenth to the Fifteenth Century», *Mediterranean Historical Review* 8.1 (1993), pp. 55-73.

2. A. Ehrenkreutz, «Strategic Implications of the Slave Trade between Genoa and Mamluk Egypt in the Second Half of the Thirteenth Century», en A. Udovitch (ed.), *The Islamic Middle East, 700-1900*, Princcton, 1981, pp. 335-343.

3. G. Lorenzi, *Monumenti per servire alla storia del Palazzo Ducale di Venezia. Parte I: dal 1253 al 1600*, Venecia, 1868, p. 7.

4. «Anonimo genovese», en G. Contini (ed.), *Poeti del Duecento*, 2 vols., Milán, 1960, vol. I, pp. 751-759.

5. V. Cilocitan, *The Mongols and the Black Sea Trade in the Thirteenth and Fourteenth Centuries*, Leiden, 2012, pp. 16, 21; S. Labib, «Egyptian Commercial Policy in the Middle Ages», en M. Cook (ed.), *Studies in the Economic History of the Middle East*, Londres, 1970, p. 74.

6. Véanse D. Morgan, «Mongol or Persian: The Government of Īl-khānid Iran», *Harvard Middle Eastern and Islamic Review* 3 (1996), pp. 62-76, y Lane, *Early Mongol Rule in Thirteenth-Century Iran*.

7. G. Alef, «The Origin and Development of the Muscovite Postal System», *Jahrbücher für Geschichte Osteuropas* 15 (1967), pp. 1-15.

8. Morgan, *The Mongols*, pp. 88-90; Golden, «Činggisid Conquests»,

pp. 38-40; T. Allsen, *Mongol Imperialism: The Policies of the Grand Qan Mongke in China, Russia and the Islamic Lands, 1251-1259*, Berkeley, 1987, pp. 189-216.

9. Juvaynī, *History of the World Conqueror,* 3, vol. I, p. 26.

10. Este proceso había empezado ya a mediados del siglo XIII, como demuestran los testimonios de los misioneros y enviados diplomáticos: G. Guzman, «European Clerical Envoys to the Mongols: Reports of Western Merchants in Eastern Europe and Central Asia, 1231-1255», *Journal of Medieval History* 22.1 (1996), pp. 57-67.

11. Guillermo de Rubriquis, *Mission of Friar William*, 35, pp. 241-242.

12. J. Ryan, «Preaching Christianity along the Silk Route: Missionary Outposts in the Tartar "Middle Kingdom" in the Fourteenth Century», *Journal of Early Modern History* 2.4 (1998), pp. 350-373. Sobre Persia, R. Lopez, «Nuove luci sugli italiani in Estremo Oriente prima di Colombo», *Studi Colombiani* 3 (1952), pp. 337-398.

13. Dawson, *Mission to Asia*, pp. 224-226; Rachewiltz, *Papal Envoys*, pp. 160-178; véase también J. Richard, *La Papauté et les missions d'Orient au moyen age (XIII^e-XV^e siècles)*, Roma, 1977, pp. 144 y ss. Juan culpa a los nestorianos de que no hubiera más conversiones, ya que, según dice, estos lo habían acusado de ser un espía y un mago; como había ocurrido en Persia y en otras partes, los cristianos llevaron sus rivalidades a China.

14. P. Jackson, «Hülegü Khan and the Christians: The Making of a Myth», en J. Phillips y P. Edbury (eds.), *The Experience of Crusading*, 2 vols., Cambridge, 2003, vol. II, pp. 196-213; S. Grupper, «The Buddhist Sanctuary-Vihara of Labnasagut and the Il-qan Hülegü: An Overview of Il-Qanid Buddhism and Related Matters», *Archivum Eurasiae Medii Aevi* 13 (2004), pp. 5-77; Foltz, *Religions of the Silk Road*, p. 122.

15. S. Hackel, «Under Pressure from the Pagans? - The Mongols and the Russian Church», en J. Breck y J. Meyendorff (eds.), *The Legacy of St Vladimir: Byzantium, Russia, America*, Crestwood, Nueva York, 1990, pp. 47-56; C. Halperin, «Know Thy Enemy: Medieval Russian Familiarity with the Mongols of the Golden Horde», *Jahrbücher für Geschichte Osteuropas* 30 (1982), pp. 161-175.

16. D. Ostrowski, *Muscovy and the Mongols: Cross-Cultural Influences on the Steppe Frontier, 1304-1589*, Cambridge, 1998; M. Bilz-Leonardt, «Deconstructing the Myth of the Tartar Yoke», *Central Asian Survey* 27.1 (2008), pp. 35-36.

17. R. Hartwell, «Demographic, Political and Social Transformations of China, 750-1550», *Harvard Journal of Asiatic Studies* 42.2 (1982), pp. 366-369; R. von Glahn, «Revisiting the Song Monetary Revolution: A Review Essay», *International Journal of Asian Studies* 1.1 (2004), p. 159.

18. Véase, por ejemplo, G. Wade, «An Early Age of Commerce in Southeast Asia, 900-1300 CE», *Journal of Southeast Asia Studies* 40.2 (2009), pp. 221-265.

19. S. Kumar, «The Ignored Elites: Turks, Mongols and a Persian Secretarial Class in the Early Delhi Sultanate», *Modern Asian Studies* 43.1 (2009), pp. 72-76.

20. P. Buell, E. Anderson y C. Perry, *A Soup for the Qan: Chinese Dietary Medicine of the Mongol Era as Seen in Hu Szu-hui's Yin-shan Cheng-yao*, Londres, 2000.

21. P. Buell, «Steppe Foodways and History», *Asian Medicine, Tradition and Modernity* 2.2 (2006), pp. 179-180, 190.

22. P. Buell, «Mongolian Empire and Turkization: The Evidence of Food and Foodways», en R. Amitai-Preiss (ed.), *The Mongol Empire and its Legacy*, Leiden, 1999, pp. 200-223.

23. Allsen, *Commodity and Exchange*, pp. 1-2, 18; J. Paviot, «England and the Mongols (*c.* 1260-1330)», *Journal of the Royal Asiatic Society* 10.3 (2000), pp. 317-318.

24. P. Freedman, «Spices and Late-Medieval European Ideas of Scarcity and Value», *Speculum* 80.4 (2005), pp. 1209-1227.

25. S. Halikowski-Smith, «The Mystification of Spices in the Western Tradition», *European Review of History: Revue Européenne d'Histoire* 8.2 (2001), pp. 119-125.

26. A. Appadurai, «Introduction: Commodities and the Politics of Value», en A. Appadurai (ed.), *The Social Life of Things: Commodities in Cultural Perspective*, Cambridge, 1986, pp. 3-63.

27. Francesco Pegolotti, *Libro di divisamenti di paesi (e di misure di mercatantie)*, H. Yule (trad.), *Cathay and the Way Thither*, 4 vols., Londres, 1913-1916, vol. III, pp. 151-155. Véase también J. Aurell, «Reading Renaissance Merchants' Handbooks: Confronting Professional Ethics and Social Identity», en J. Ehmer y C. Lis (eds.), *The Idea of Work in Europe from Antiquity to Modern Times*, Farnham, 2009, pp. 75-77.

28. R. Prazniak, «Siena on the Silk Roads: Ambrozio Lorenzetti and the Mongol Global Century, 1250-1350», *Journal of World History* 21.2 (2010), pp. 179-181; M. Kupfer, «The Lost Wheel Map of Ambrogio Lorenzetti», *Art Bulletin* 78.2 (1996), pp. 286-310.

29. Ibn Baṭṭūṭa, *al-Riḥla*, H. Gibb (trad.), *The Travels of Ibn Battuta*, 4 vols., Cambridge, 1994, 22, vol. 4, pp. 893-894.

30. E. Endicott-West, «The Yuan Government and Society», *Cambridge History of China*, vol. VI, pp. 599-560.

31. Allsen, *Commodity and Exchange*, pp. 31-39.

32. C. Salmon, «Les Persans à l'extrémité orientale de la route maritime (IIe A.E.-XVIIe siècle)», *Archipel* 68 (2004), pp. 23-58; véase también L. Yingsheng, «A Lingua Franca along the Silk Road: Persian Language in China between the 14th and the 16th Centuries», en R. Kauz (ed.), *Aspects of the Maritime Silk Road from the Persian Gulf to the East China Sea*, Wiesbaden, 2010, pp. 87-95.

33. F. Hirth y W. Rockhill, *Chau Ju-Kua: His Work on the Chinese and Arab Trade in the Twelfth and Thirteenth Centuries, Entitled Chu-fan-chi*, San Petersburgo, 1911, pp. 124-125, 151, 142-143.

34. Véase R. Kauz, «The Maritime Trade of Kish during the Mongol Period», en L. Komaroff (ed.), *Beyond the Legacy of Genghis Khan*, Leiden, 2006, pp. 51-67.

35. Marco Polo, *Le Devisament dou monde*, A. Moule y P. Pelliot (trad.), *The Description of the World*, 2 vols., Londres, 1938 (hay trad. castellana: *La descripción del mundo*, Hyspamérica, Madrid, 1987); Ibn Baṭṭūṭa, 22, *Travels*, vol. 4, p. 894.

36. Sobre Marco Polo, véase J. Critchley, *Marco Polo's Book*, Aldershot, 1992, y H. Vogel, *Marco Polo was in China: New Evidence from Currencies, Salts and Revenues*, Leiden, 2013.

37. C. Wake, «The Great Ocean-Going Ships of Southern China in the Age of Chinese Maritime Voyaging to India, Twelfth to Fifteenth Centuries», *International Journal of Maritime History* 9.2 (1997), pp. 51-81.

38. E. Schafer, «Tang», en K. Chang (ed.), *Food in Chinese Culture: Anthropological and Historical Perspective*, New Haven, 1977, pp. 85-140.

39. V. Tomalin, V. Sevakumar, M. Nair y P. Gopi, «The Thaikkal-Kadakkarapally Boat: An Archaeological Example of Medieval Ship Building in the Western Indian Ocean», *International Journal of Nautical Archaeology* 33.2 (2004), pp. 253-263.

40. R. von Glahn, *Fountain of Fortune: Money and Monetary Policy in China 1000-1700*, Berkeley, 1996, p. 48.

41. A. Watson, «Back to Gold - and Silver», *Economic History Review* 20.1 (1967), pp. 26-27; I. Blanchard, *Mining, Metallurgy and Minting in the Middle Age: Continuing Afro-European Supremacy, 1250-1450*, Stuttgart, 2001, vol. III, pp. 945-948.

42. T. Sargent y F. Velde, *The Big Problem of Small Change*, Princeton, 2002, p. 166; J. Deyell, «The China Connection: Problems of Silver Supply in Medieval Bengal», en J. Richards (ed.), *Precious Metals in the Later Medieval and Early Modern World*, Durham (Carolina del Norte), 1983; M. Allen, «The Volume of the English Currency, 1158-1470», *Economic History Review* 54.4 (2001), pp. 606-607.

43. Esto resulta claro en el caso del Japón en el siglo XIV. Véase A. Kuroda, «The Eurasian Silver Century, 1276-1359: Commensurability and Multiplicity», *Journal of Global History* 4 (2009), pp. 245-269.

44. V. Fedorov, «Plague in Camels and its Prevention in the USSR», *Bulletin of the World Health Organisation* 23 (1960), pp. 275-281. Para experimentos anteriores, véase A. Tseiss, «Infektsionnye zabolevaniia u verbliudov, neizvestnogo do sik por poriskhozdeniia», *Vestnik mikrobiologii, epidemiologii i parazitologii* 7.1 (1928), pp. 98-105.

45. Boccaccio, *Decamerone*, G. McWilliam (trad.), *Decameron*, Londres, 2003, p. 51 (hay trad. castellana: *El Decamerón*, Plaza & Janés, Barcelona, 1983).

46. T. Ben-Ari, S. Neerinckx, K. Gage, K. Kreppel, A. Laudisoit *et al.*, «Plague and Climate: Scales Matter», *PLoS Pathog* 7.9 (2011), pp. 1-6. Véanse también B. Krasnov, I. Khokhlova, L. Fielden y N. Burdelova, «Effect of Air Temperature and Humidity on the Survival of Pre-Imaginal Stages of Two Flea Species (Siphonaptera: Pulicidae)», *Journal of Medical Entomology* 38 (2001), pp. 629-637; K. Gage, T. Burkot, R. Eisen y E. Hayes, «Climate and Vector-Borne Diseases», *Americal Journal of Preventive Medicine* 35 (2008), pp. 436-450.

47. N. Stenseth, N. Samia, H. Viljugrein, K. Kausrud, M. Begon *et al.*, «Plague Dynamics are Driven by Climate Variation», *Proceedings of the National Academy of Sciences of the United States of America* 103 (2006), pp. 13110-13115.

48. Algunos estudiosos sostienen que la identificación más antigua podría hallarse en las lápidas de un cementerio al oriente de Kirguistán que datan de la década de 1330. Véase S. Berry y N. Gulade, «La Peste noire dans l'Occident chrétien et musulman, 1347-1353», *Canadian Bulletin of Medical History* 25.2 (2008), p. 466. Esto, sin embargo, se funda en un malentendido. Véase J. Norris, «East or West? The Geographic Origin of the Black Death», *Bulletin of the History of Medicine* 51 (1977), pp. 1-24.

49. Gabriele de' Mussis, *Historia de Morbo*, en *The Black Death*, R. Horrox (trad.), Manchester, 2001, pp. 14-17; M. Wheelis, «Biological Warfare at the 1346 Siege of Caffa», *Emerging Infectious Diseases* 8.9 (2002), pp. 971-975.

50. M. de Piazza, *Chronica*, en Horrox, *Black Death*, pp. 35-41.

51. *Anonimalle Chronicle*, en Horrox, *Black Death*, p. 62.

52. Juan de Reading, *Chronica*, en Horrox, *Black Death*, p. 74.

53. Ibn al-Wardī, *Risālat al-naba' 'an al-waba'*, citado por B. Dols, *The Black Death in the Middle East*, Princeton, 1977, pp. 57-63.

54. M. Dods, «Ibn al-Wardi's "Risalah al-naba" an al-waba», en D. Kouymjian (ed.), *Near Eastern Numismatics, Iconography, Epigraphy and History*, Beirut, 1974, p. 454.

55. B. Dols, *Black Death in the Middle East*, pp. 160-161.

56. Boccaccio, *Decameron*, p. 50.

57. De' Mussis, *Historia de Morbo*, p. 20; «Continuation Novimontensis», en *Monumenta Germaniae Historica, Scriptores*, vol. 9, p. 675.

58. John Clynn, *Annalium Hibernae Chronicon*, en Horrox, *Black Death*, p. 82.

59. Louis Heylgen, *Breve Chronicon Clerici Anonymi*, en Horrox, *Black Death*, pp. 41-42.

60. Horrox, *Black Death*, pp. 44, 117-118; Dols, *Black Death in the Middle East*, p. 126.

61. Bengt Knutsson, *A Little Book for the Pestilence*, en Horrox, *Black Death*, p. 176; Juan de Reading, *Chronica*, pp. 133-134.

62. S. Simonsohn (ed.), *The Apostolic See and the Jews: Documents, 492-1404*, Toronto, 1988, vol. 1, n.º 373.

63. Véase O. Benedictow, *The Black Death, 1346-1353: The Complete History*, Woodbridge, 2004, pp. 380 y ss. (hay trad. castellana: *La peste negra, 1346-1353: la historia completa*, Akal, Madrid, 2011).

64. O. Benedictow, «Morbidity in Historical Plague Epidemics», *Population Studies* 41 (1987), pp. 401-431; ídem, *What Disease was Plague? On the Controversy over the Microbiological Identity of Plague Epidemics of the Past*, Leiden, 2010, en especial pp. 289 y ss.

65. Petrarca, *Epistolae*, en Horrox, *Black Death*, p. 248.

66. *Historia Roffensis*, en Horrox, *Black Death*, p. 70.

67. S. Pamuk, «Urban Real Wages around the Eastern Mediterranean in Comparative Perspective, 1100-2000», *Research in Economic History* 12 (2005), pp. 213-232.

68. S. Pamuk, «The Black Death and the Origins of the "Great Divergence" across Europe, 1300-1600», *European Review of Economic History* 11 (2007), pp. 308-309; S. Epstein, *Freedom and Growth: The Rise of States and Markets in Europe, 1300-1750*, Londres, 2000, pp. 19-26 (hay trad. castellana: *Libertad y crecimiento: el desarrollo de los estados y de los mercados en Europa, 1300-1750*, Universitat de València, Valencia, 2009). Véase también M. Bailey, «Demographic Decline in Late Medieval England: Some Thoughts on Recent Research», *Economic History Review* 49 (1996), pp. 1-19.

69. H. Miskimin, *The Economy of Early Renaissance Europe, 1300-1460*, Cambridge, 1975 (hay trad. castellana: *La economía de Europa en el alto Renacimiento, 1300-1460*, Cátedra, Madrid, 1980); D. Herlihy, *The Black Death and the Transformation of the West*, Cambridge, 1997.

70. D. Herlihy, «The Generation in Medieval History», *Viator* 5 (1974), pp. 347-364.

71. Sobre la contracción de Egipto y el Levante, véase A. Sabra, *Poverty and Charity in Medieval Islam: Mamluk Egypt 1250-1517*, Cambridge, 2000.

72. S. DeWitte, «Mortality Risk and Survival in the Aftermath of the Medieval Black Death», *Plos One* 9.5 (2014), pp. 1-8. Sobre las mejoras de la dieta, T. Stone, «The Consumption of Field Crops in Late Medieval England», en C. Woolgar, D. Serjeantson y T. Waldron (eds.), *Food in Medieval England: Diet and Nutrition*, Oxford, 2006, pp. 11-26.

73. Epstein, *Freedom and Growth*, pp. 49-68; Van Bavel, «People and Land: Rural Population Developments and Property Structures in the Low Countries, *c.* 1300-*c.* 1600», *Continuity and Change* 17 (2002), pp. 9-37.

74. Pamuk, «Urban Real Wages», pp. 310-311.

75. Anna Bijns, «Unyoked is Best! Happy the Woman without a Man», en

K. Wilson, *Women Writers of the Renaissance and Reformation*, Atenas, 1987, p. 382. Véase T. de Moor y J. Luiten Van Zanden, «Girl Power: The European Marriage Pattern and Labour Markets in the North Sea Region in the Late Medieval and Early Modern Period», *Economic History Review* (2009), pp. 1-33.

76. J. de Vries, «The Industrial Revolution and the Industrious Revolution», *Journal of Economic History* 54.2 (1994), pp. 249-270; J. Luiten Van Zanden, «The "Revolt of the Early Modernists" and the "First Modern Economy": An Assessment», *Economic History Review* 55 (2002), pp. 619-641.

77. E. Ashtor, «The Volume of Mediaeval Spice Trade», *Journal of European Economic History* 9 (1980), pp. 753-757; ídem, «Profits from Trade with the Levant in the Fifteenth Century», *Bulletin of the School of Oriental and African Studies* 38 (1975), pp. 256-287; Freedman, «Spices and Late Medieval European Ideas», pp. 1212-1215.

78. Sobre las importaciones venecianas de pigmentos, véase L. Matthew, «"Vendecolori a Venezia": The Reconstruction of a Profession», *Burlington Magazine* 114.1196 (2002), pp. 680-686.

79. Marin Sanudo, «Laus Urbis Venetae», en A. Aricò (ed.), *La città di Venetia (De origine, situ et magistratibus Urbis Venetae) 1493-1530*, Milán, 1980, pp. 21-23; sobre los cambios que sufrieron los interiores en este periodo, véase R. Good, «Double Staircases and the Vertical Distribution of Housing in Venice 1450-1600», *Architectural Research Quarterly* 39.1 (2009), pp. 73-86.

80. B. Krekic, «L'Abolition de l'esclavage à Dubrovnik (Raguse) au XVe siècle: mythe ou réalité?», *Byzantinische Forschungen* 12 (1987), pp. 309-317.

81. S. Mosher Stuard, «Dowry Increase and Increment in Wealth in Medieval Ragusa (Dubrovnik)», *Journal of Economic History* 41.4 (1981), pp. 795-811.

82. M. Abraham, *Two Medieval Merchant Guilds of South India*, Nueva Delhi, 1988.

83. Ma Huan, *Ying-yai sheng-lan*, J. Mills (trad.), *The Overall Survey of the Ocean's Shores*, Cambridge, 1970, p. 140.

84. T. Sen, «The Formation of Chinese Maritime Networks to Southern Asia, 1200-1450», *Journal of the Economic and Social History of the Orient* 49.4 (2006), pp. 427, 439-440; H. Ray, *Trade and Trade Routes between India and China, c. 140 BC-AD 1500*, Calcuta, 2003, pp. 177-205.

85. H. Tsai, *The Eunuchs in the Ming Dynasty*, Nueva York, 1996, p. 148; T. Ju-kang, «Cheng Ho's Voyages and the Distribution of Pepper in China», *Journal of the Royal Asiatic Society* 2 (1981), pp. 186-197.

86. W. Atwell, «Time, Money and the Weather: Ming China and the "Great Depression" of the Mid-Fifteenth Century», *Journal of Asia Studies* 61.1 (2002), p. 86.

87. T. Brook, *The Troubled Empire: China in the Yuan and Ming Dynasties*, Cambridge (Massachusetts), 2010, pp. 107-109.

88. Ruy González de Clavijo, *Embajada a Tamorlán*, G. Le Strange (trad.),

*Embassy to Tamerlane 1403-1406*, Londres, 1928, 11, pp. 208-209 (hay ed. castellana: *Embajada a Tamorlán*, Castalia, Barcelona, 2004).

89. Ibíd., 14, p. 270.

90. Ibíd., pp. 291-292. Sobre la difusión de la visión timúrida en el arte y la arquitectura, véase T. Lentz y G. Lowry, *Timur and the Princely Vision: Persian Art and Culture in the Fifteenth Century*, Los Ángeles, 1989, pp. 159-232.

91. Khvānd Mīr, *Habibu's-siyar*, tomo III, W. Thackston (ed. y trad.), *The Reign of the Mongol and the Turk*, 2 vols., Cambridge (Massachusetts), 1994, vol. I, p. 294; D. Roxburgh, «The "Journal" of Ghiyath al-Din Naqqash, Timurid Envoy to Khan Balïgh, and Chinese Art and Architecture», en L. Saurma-Jeltsch y A. Eisenbeiss (eds.), *The Power of Things and the Flow of Cultural Transformations: Art and Culture between Europe and Asia*, Berlín, 2010, p. 90.

92. R. Lopez, H. Miskimin y A. Udovitch, «England to Egypt, 1350-1500: Long-Term Trends and Long-Distance Trade», en M. Cook (ed.), *Studies in the Economic History of the Middle East from the Rise of Islam to the Present Day*, Londres, 1970, pp. 93-128. J. Day, «The Great Bullion Famine», *Past & Present* 79 (1978), pp. 3-54, J. Munro, «Bullion Flows and Monetary Contraction in Late-Medieval England and the Low Countries», en J. Richards (ed.), *Precious Metals in the Later Medieval and Early Modern Worlds*, Durham (Carolina del Norte), 1983, pp. 97-158.

93. R. Huang, *Taxation and Governmental Finance in Sixteenth-Century Ming China*, Cambridge, 1974, pp. 48-51.

94. T. Brook, *The Confusions of Pleasure: Commerce and Culture in Ming China*, Berkeley, 1998.

95. N. Sussman, «Debasements, Royal Revenues and Inflation in France during the Hundred Years War, 1415-1422», *Journal of Economic History* 53.1 (1993), pp. 44-70; ídem, «The Late Medieval Bullion Famine Reconsidered», *Journal of Economic History* 58.1 (1998), pp. 126-154.

96. R. Wicks, «Monetary Developments in Java between the Ninth and Sixteenth Centuries: A Numismatic Perspective», *Indonesia* 42 (1986), pp. 59-65; J. Whitmore, «Vietnam and the Monetary Flow of Eastern Asia, Thirteenth to Eighteenth Centuries», en Richards, *Precious Metal*, pp. 363-393; J. Deyell, «The China Connection: Problems of Silver Supply in Medieval Bengal», en Richards, *Precious Metal*, pp. 207-227.

97. Atwell, «Time, Money and the Weather», pp. 92-96.

98. A. Vasil'ev, «Medieval Ideas of the End of the World: West and East», *Byzantion* 16 (1942-1943), pp 497-499; D. Strémooukhoff, «Moscow the Third Rome: Sources of the Doctrine», *Speculum* (1953), p. 89; «Drevnie russkie paskhalii na os'muiu tysiachu let ot sotvereniia mira», *Pravoslavnyi Sobesednik* 3 (1860), pp. 333-334.

99. A. Bernáldez, *Memorias de los reyes católicos*, M. Gómez-Moreno y J. Carriazo (eds.), Madrid, 1962, p. 254.

100. I. Aboab, *Nomologia, o Discursos legales compuestos*, Ámsterdam, 1629, p. 195 (hay ed. castellana: Moisés Orfali, ed., *Nomología o Discursos legales de Immanuel Aboab*, Universidad de Salamanca, Salamaca, 2007); D. Altabé, *Spanish and Portuguese Jewry before and after 1492*, Brooklyn, 1983, p. 45.

101. Freedman, «Spices and Late Medieval European Ideas», 1220-1227.

102. V. Flint, *The Imaginative Landscape of Christopher Columbus*, Princeton, 1992, pp. 47-64.

103. C. Delaney, «Columbus's Ultimate Goal: Jerusalem», *Comparative Studies in Society and History* 48 (2006), pp. 260-262.

104. Ibíd., pp. 264-265; M. Menocal, *The Arabic Role in Medieval Literary History: A Forgotten Heritage*, Filadelfia, 1987, p. 12. Para el texto de las cartas de presentación, véase Morison, *Journals and Other Documents on the Life and Voyages of Christopher Columbus*, Nueva York, 1963, p. 30.

## CAPÍTULO 11: LA RUTA DEL ORO

1. O. Dunn y J. Kelley (ed. y trad.), *The Diario of Christopher Columbus' First Voyage to America, 1492-1493*, Norman (Oklahoma), 1989, p. 19 (hay ed. castellana: *Diario de a bordo*, ed. de Luis Arranz Márquez, Edaf, Madrid, 2006).

2. Ibn al-Faqīh, en N. Levtzion y J. Hopkins (eds.), *Corpus of Early Arabic Sources for West African History*, Cambridge, 1981, p. 28.

3. R. Messier, *The Almoravids and the Meanings of Jihad*, Santa Bárbara, 2010, pp. 21-34, y «The Almoravids: West African Gold and the Gold Currency of the Mediterranean Basin», *Journal of the Economic and Social History of the Orient* 17 (1974), pp. 31-47.

4. V. Monteil, «Routier de l'Afrique blanche et noire du Nord-Ouest: al-Bakri (cordue 1068)», *Bulletin de l'Institut Fondamental d'Afrique Noire* 30.1 (1968), p. 74; I. Wilks, «Wangara, Akan and Portuguese in the Fifteenth and Sixteenth Centuries. 1. The Matter of Bitu», *Journal of African History* 23.3 (1982), pp. 333-334.

5. N. Levtzion, «Islam in West Africa», en W. Kasinec y M. Polushin (eds.), *Expanding Empires: Cultural Interaction and Exchange in World Societies from Ancient to Early Modern Times*, Wilmington, 2002, pp. 103-114; T. Lewicki, «The Role of the Sahara and Saharians in the Relationship between North and South», en M. El Fasi (ed.), *Africa from the Seventh to Eleventh Centuries*, Londres, 1988, pp. 276-313.

6. S. Mody Cissoko, «L'Intelligentsia de Tombouctou aux 15e et 16e siècles», *Présence Africaine* 72 (1969), pp. 48-72. Muḥammad al-Wangarī catalogó estos manuscritos en el siglo XVI y entraron a formar parte de la magnífica

colección que en la actualidad pertenece a sus descendientes; los informes iniciales que afirmaban que los tuareg habían destruido los documentos en 2012 resultaron ser falsos.

7. Ibn Faḍl Allāh al-ʿUmarī, *Masālik al-abṣār fī mamālik al-amṣār*, Levtzion y Hopkins (trad.), *Corpus of Early Arabic Sources*, pp. 270-271. Los historiadores modernos señalan por lo general la caída que sufrió el valor del oro; para un punto de vista más escéptico, véase W. Schultz, «Mansa Musa's Gold in Mamluk Cairo: A Reappraisal of a World Civilizations Anecdote», en J. Pfeiffer y S. Quinn (eds.), *History and Historiography of Post-Mongol Central Asia and the Middle East: Studies in Honor of John E. Woods*, Wiesbaden, 2006, pp. 451-457.

8. Ibn Baṭṭūṭa, *Travels*, 25, vol. 4, p. 957.

9. B. Kreutz, «Ghost Ships and Phantom Cargoes: Reconstructing Early Amalfitan Trade», *Journal of Medieval History* 20 (1994), pp. 347-357; A. Fromherz, «North Africa and the Twelfth-Century Renaissance: Christian Europe and the Almohad Islamic Empire», *Islam and Christian Muslim Relations* 20.1 (2009), pp. 43-59; D. Abulafia, «The Role of Trade in Muslim-Christian Contact during the Middle Ages», en D. Agius y R. Hitchcock (eds.), *The Arab Influence in Medieval Europe,* Reading, 1994, pp. 1-24.

10. Véase el trabajo pionero de M. Horton, *Shanga: The Archaeology of a Muslim Trading Community on the Coast of East Africa*, Londres, 1996; y también S. Guérin, «Forgotten Routes? Italy, Ifriqiya and the Trans-Saharan Ivory Trade», *Al-Masāq* 25.1 (2013), pp. 70-91.

11. D. Dwyer, *Fact and Legend in the Catalan Atlas of 1375*, Chicago, 1997; J. Messing, «Observations and Beliefs: The World of the Catalan Atlas», en J. Levenson (ed.), *Circa 1492: Art in the Age of Exploration*, New Haven, 1991, p. 27.

12. S. Halikowski Smith, «The Mid-Atlantic Islands: A Theatre of Early Modern Ecocide», *International Review of Social History* 65 (2010), pp. 51-77; J. Lúcio de Azevedo, *Epocas de Portugal Económico*, Lisboa, 1973, pp. 222-223.

13. F. Barata, «Portugal and the Mediterranean Trade: A Prelude to the Discovery of the "New World"», *Al-Masāq* 17.2 (2005), pp. 205-219.

14. Carta del rey Dionisio de Portugal, 1293, J. Marques, *Descobrimentos Portugueses - Documentos para a sua História*, 3 vols., Lisboa, 1944-1971, vol. I, n.º 29; sobre las rutas mediterráneas, véase C.-E. Dufourcq, «Les Communications entre les royaumes chrétiens et les pays de l'Occident musulman dans les derniers siècles du Moyen Age», *Les Communications dans la Peninsule Ibérique au Moyen Age. Actes du Colloque*, París, 1981, pp. 30-31.

15. Gomes Eanes de Zurara, *Crónica da Tomada de Ceuta*, Lisboa, 1992, pp. 271-276; A. da Sousa, «Portugal», en P. Fouracre *et al.* (eds.), *The New Cambridge Medieval History*, 7 vols., Cambridge, 1995-2005, vol. 7, pp. 636-637.

16. A. Dinis (ed.), *Monumenta Henricina,* 15 vols., Lisboa, 1960-1974,

vol. XII, pp. 73-74, la trad. procede de P. Russell, *Prince Henry the Navigator: A Life*, New Haven, 2000, p. 121.

17. P. Hair, *The Founding of the Castelo de São Jorge da Mina: An Analysis of the Sources*, Madison, 1994.

18. J. Dias, «As primeiras penetrações portuguesas em África», en L. de Albequerque (ed.), *Portugal no Mundo*, 6 vols., Lisboa, 1989, vol. I, pp. 281-289.

19. M.-T. Seabra, *Perspectives da colonização portuguesa na costa occidental Africana: análise organizacional de S. Jorge da Mina*, Lisboa, 2000, pp. 80-93; Z. Cohen, «Administração das ilhas de Cabo Verde e seu Distrito no Segundo Século de Colonização (1560-1640)», en M. Santos (ed.), *Historia Geral de Cabo Verde*, 2 vols., 1991, vol. II, pp. 189-224.

20. L. McAlister, *Spain and Portugal in the New World, 1492-1700*, Minneapolis (Minnesota), 1984, pp. 60-63; J. O'Callaghan, «Castile, Portugal, and the Canary Islands: Claims and Counterclaims», *Viator* 24 (1993), pp. 287-310.

21. Gomes Eanes de Zuara, *Cronica de Guiné*, C. Beazley (trad.), *The chronicle of the discovery and conquest of Guinea*, 2 vols., Londres, 1896-1899, 18, vol. I, p. 61. Sobre Portugal en este periodo, M.-J. Tavares, *Estudos de História Monetária Portuguesa (1383-1438)*, Lisboa, 1974; F. Barata, *Navegação, comércio e relações politicas: os portugueses no Mediterrâneo occidental (1385-1466)*, Lisboa, 1998.

22. Gomes Eanes de Zurara, *Chronicle*, 25, vol. I, pp. 81-82. Para algunos comentarios acerca de esta compleja fuente, L. Barreto, «Gomes Eanes de Zurara e o problema da Crónica da Guiné», *Studia* 47 (1989), pp. 311-369.

23. A. Saunders, *A Social History of Black Slaves and Freemen in Portugal, 1441-1555*, Cambridge, 1982; T. Coates, *Convicts and Orphans: Forces and State-Sponsored Colonizers in the Portuguese Empire, 1550-1755*, Stanford, 2001.

24. Gomes Eanes de Zurara, *Chronicle*, 87, vol. II, p. 259.

25. Ibíd., 18, vol. I, p. 62.

26. H. Hart, *Sea Road to the Indies: An Account of the Voyages and Exploits of the Portuguese Navigators, Together with the Life and Times of Dom Vasco da Gama, Capitão Mór, Viceroy of India and Count of Vidigueira*, Nueva York, 1950, pp. 44-45.

27. Gomes Eanes de Zurara, *Chronicle*, 87, vol. II, p. 259.

28. J. Cortés López, «El tiempo africano de Cristóbal Colón», *Studia Historica* 8 (1990), pp. 313-326.

29. A. Brásio, *Monumenta Missionaria Africana*, 15 vols., Lisboa, 1952, vol. I, pp. 84-85.

30. Hernando Colón, *The Life of the Admiral Christopher Columbus by his Son Ferdinand*, B. Keen (trad.), New Brunswick (Nueva Jersey), 1992, p. 35 (hay ed. castellana: *Historia del Almirante*, Ariel, Barcelona, 2003); C. Delaney, *Columbus and the Quest for Jerusalem*, Londres, 2012, pp. 48-49.

31. C. Jane (ed. y trad.), *Select Documents Illustrating the Four Voyages of Columbus*, 2 vols., Londres, 1930-1931, vol. I, pp. 2-19 (las citas empleadas en la traducción proceden de: Cristóbal Colón, *Relaciones y cartas*, Madrid, 1892).

32. O. Dunn y J. Kelley (ed. y trad.), *The Diario of Christopher Columbus's First Voyage to America, 1492-1493*, Norman (Oklahoma) 1989, p. 67 (hay ed. castellana: *Diario de a bordo*, ed. de Luis Arranz Márquez, Edaf, Madrid, 2006).

33. Ibíd., pp. 143-145.

34. W. Phillips y C. Rahn Phillips, *Worlds of Christopher Columbus*, Cambridge, 1992, p. 185. Sobre la publicación de la carta por toda Europa, véase R. Hirsch, «Printed Reports on the Early Discoveries and their Reception», en M. Allen y R. Benson (eds.), *First Images of America: The Impact of the New World on the Old*, Nueva York, 1974, pp. 90-91.

35. M. Zamora, «Christopher Columbus' "Letter to the Sovereigns": Announcing the Discovery», en S. Greenblatt (ed.), *New World Encounters*, Berkeley, 1993, p. 7.

36. Delaney, *Columbus and the Quest for Jerusalem*, p. 144.

37. Bartolomé de las Casas, *Historia de las Indias*, 1.92, P. Sullivan (trad.), *Indian Freedom: The Cause of Bartolome de las Casas, 1484-1566*, Kansas City, 1995, pp. 33-34.

38. E. Vilches, «Columbus' Gift: Representations of Grace and Wealth and the Enterprise of the Indies», *Modern Language Notes* 119.2 (2004), pp. 213-214.

39. C. Sauer, *The Early Spanish Main*, Berkeley, 1966, p. 109.

40. L. Formisano (ed.), *Letters from a New World: Amerigo Vespucci's Discovery of America*, Nueva York, 1992, p. 84 (hay trad. castellana: *Amerigo vespucci: Cartas de viaje*, Alianza, Madrid, 1986); M. Perri, «"Ruined and Lost": Spanish Destruction of the Pearl Coast in the Early Sixteenth Century», *Environment and History* 15 (2009), pp. 132-134.

41. Dunn y Kelley, *The Diario of Christopher Columbus's First Voyage*, p. 235.

42. Ibíd., pp. 285-287.

43. Ibíd., pp. 235-237.

44. Bartolomé de las Casas, *Historia*, 3.29, p. 146.

45. Francisco López de Gómara, *Cortés: The Life of the Conqueror by his Secretary*, L. Byrd Simpson (trad.), Berkeley, 1964, 27, p. 58 (hay ed. castellana: *Historia general de las Indias y Vida de Hernán* Cortés, Biblioteca Ayacucho, Caracas, 1979).

46. Bernardino de Sahagún, *Florentine Codex: General History of the Things of New Spain. Book 12*, A. Anderson y C. Dibble (trad.), Santa Fe (Nuevo México), 1975, p. 45 (hay ed. castellana: *Historia general de las cosas de Nueva España. Primera versión íntegra del texto castellano del manuscrito conocido como* Códice Florentino, 2 vols., Alianza, Madrid, 1988); R. Wright, *Stolen*

*Continents: Five Hundred Years of Conquest and Resistance in the Americas*, Nueva York, 1992, p. 29 (hay trad. castellana: *Continentes robados. América vista por los indios desde 1942*, Anaya & Mario Muchnik, Madrid, 1994).

47. S. Gillespie, *The Aztec Kings: The Construction of Rulership in Mexican History*, Tucson (Arizona), 1989, pp. 173-207 (hay trad. castellana: *Los reyes aztecas: la construcción del gobierno en la historia mexicana*, Siglo XXI, México, 1993); C. Townsend, «Burying the White Gods: New Perspectives on the Conquest of Mexico», *American Historical Review* 108.3 (2003), pp. 659-687.

48. Una imagen que actualmente pertenece a la Galería Huntington de Austin, Texas, muestra a Cortés saludando a Xicoténcatl, el líder de los tlaxcaltecas, que vio en los recién llegados una oportunidad para fortalecer su posición en Centroamérica.

49. J. Ginés de Sepúlveda, *Demócrates Segundo o de la Justas causas de la Guerra contra los indios*, A. Losada (ed.), Madrid, 1951, pp. 35, 33. La comparación con los monos se borró del manuscrito empleado por Losada, véase A. Pagden, *Natural Fall of Man: The American Indian and the Origins of Comparative Ethnology*, Cambridge, 1982, p. 231, n. 45 (hay trad. castellana: *La caída del hombre: el indio americano y los orígenes de la etnología comparativa*, Alianza, Madrid, 1988).

50. Sahagún, *Florentine Codex*, 12, p. 49; Wright, *Stolen Continents*, pp. 37-38.

51. Sahagún, *Florentine Codex*, 12, pp. 55-56.

52. I. Rouse, *The Tainos: Rise and Decline of the People who Greeted Columbus*, New Haven, 1992; N. D. Cook, *Born to Die: Disease and New World Conquest, 1492-1650*, Cambridge, 1998 (hay trad. castellana: *La conquista biológica: las enfermedades en el Nuevo Mundo, 1492-1650*, Siglo XXI, Madrid, 2005).

53. R. McCaa, «Spanish and Nahuatl Views on Smallpox and Demographic Catastrophe in Mexico», *Journal of Interdisciplinary History* 25 (1995), pp. 397-431. En general, véase A. Crosby, *The Columbian Exchange: Biological and Cultural Consequences of 1492*, Westport (Connecticut), 2003 (hay trad. castellana: *El intercambio transoceánico: consecuencias biológicas y culturales a partir de 1492*, Universidad Autónoma de México, México, 1991).

54. Bernardino de Sahagún, *Historia general de las cosas de Nueva España*, Ciudad de México, 1992, p. 491; López de Gómara, *Life of the Conqueror*, 141-142, pp. 285-287.

55. Cook, *Born to Die*, pp. 15-59. Véanse también Crosby, *Columbian Exchange*, pp. 56, 58, y C. Merbs, «A New World of Infectious Disease», *Yearbook of Physical Anthropology* 35.3 (1993), p. 4.

56. Fernández de Enciso, *Suma de geografía*, citado por E. Vilches, *New World Gold: Cultural Anxiety and Monetary Disorder in Early Modern Spain*, Chicago, 2010, p. 24.

57. V. von Hagen, *The Aztec: Man and Tribe*, Nueva York, 1961, p. 155 (hay trad. castellana: *Los aztecas: hombre y tribu*, Editorial Diana, México, 1977).

58. P. Cieza de León, *Cronica del Perú*, A. Cook y N. Cook (trad.), *The Discovery and Conquest of Peru*, Durham (Carolina del Norte), 1998, p. 361.

59. Sobre Diego de Ordás, véase C. García, *Vida del Comendador Diego de Ordaz, Descubridor del Orinoco*, Ciudad de México, 1952.

60. A. Barrera, «Empire and Knowledge: Reporting from the New World», *Colonial Latin American Review* 15.1 (2006), pp. 40-41.

61. H. Rabe, *Deutsche Geschichte 1500-1600. Das Jahrhundert der Glaubensspaltung*, Múnich, 1991, pp. 149-153.

62. Carta de Pietro Pasqualigo, en J. Brewer (ed.), *Letters and Papers, Foreign and Domestic, of the Reign of Henry VIII*, 23 vols., Londres, 1867, vol. 1.1, pp. 116-117.

63. Sobre Ana Bolena, véase *Calendar of State Papers and Manuscripts, Relating to English Affairs, Existing in the Archives and Collections of Venice, and in Other Libraries of Northern Italy*, R. Brown *et al.* (ed.), 38 vols., Londres, 1970, vol. IV, p. 824.

64. Francisco López de Gómara, *Historia general de las Indias*, J. Gurría Lacroix (ed.), Caracas, 1979, 1, p. 7.

65. Pedro Mexía, *Historia del emperador Carlos V*, J. de Mata Carrizo (ed.), Madrid, 1945, p. 543. Véase también Vilches, *New World Gold*, p. 26.

66. F. Ribeiro da Silva, *Dutch and Portuguese in Western Africa: Empires, Merchants and the Atlantic System, 1580-1674*, Leiden, 2011, pp. 116-117; Coates, *Convicts and Orphans*, pp. 42-62.

67. E. Donnan (ed.), *Documents Illustrative of the History of the Slave Trade to America*, 4 vols., Washington, D.C., 1930, vol. I, pp. 41-42.

68. B. Davidson, *The African Past: Chronicles from Antiquity to Modern Times*, Boston, 1964, pp. 194-197 (hay trad. castellana: *La historia empezó en África. El pasado de un continente*, Ediciones Garriga, Barcelona, 1963).

69. Brásio, *Missionaria Africana*, vol. I, pp. 521-527.

70. A. Pagden, *Spanish Imperialism and the Political Imagination: Studies in European and Spanish-American Social and Political Theory, 1513-1830*, New Haven, 1990 (hay trad. castellana: *El imperialismo español y la imaginación política: estudios sobre teoría social y política europea e hispanoamericana (1513-1830)*, Planeta, Barcelona, 1991).

71. Carta de Manoel da Nóbrega, citada por T. Botelho, «Labour Ideologies and Labour Relations in Colonial Portuguese America, 1500-1700», *International Review of Social History* 56 (2011), p. 288.

72. M. Cortés, *Breve compendio de la sphera y el arte de navegar*, citado por Vilches, *New World Gold*, pp. 24-25.

73. R. Pieper, *Die Vermittlung einer neuen Welt: Amerika im Nachrichtennetz des Habsburgischen Imperiums, 1493-1598*, Maguncia, 2000, pp. 162-210.

74. Diego de Haëdo, *Topografía e historia general de Argel*, H. de Grammont (trad.), *Histoire des rois d'Alger*, París, 1998, 1, p. 18.

75. E. Lyon, *The Enterprise of Florida: Pedro Menéndez de Avilés and the Spanish Conquest of 1565-1568*, Gainesville (Florida), 1986, pp. 9-10.

76. José de Acosta, *Historia natural y moral de las Indias*, en Vilches, *New World Gold*, p. 27 (hay ed. castellana: *Historia natural y moral de las Indias*, Fondo de Cultura Económica, Madrid, 2008).

## Capítulo 12: La ruta de la plata

1. H. Miskimin, *The Economy of Later Renaissance Europe, 1460-1600*, Cambridge, 1977, p. 32 (hay trad. castellana: *Economía de Europa en el bajo Renacimiento, 1460-1600*, Cátedra, Madrid, 1981); J. Munro, «Precious Metals and the Origins of the Price Revolution Reconsidered: The Conjecture of Monetary and Real Forces in the European Inflation of the Early to Mid-16th Century», en C. Núñez (ed.), *Monetary History in Global Perspective, 1500-1808*, Sevilla, 1998, pp. 35-50; H. İnalcık, «The Ottoman State: Economy and Society, 1300-1600», en H. İnalcık y D. Quataert (eds.), *An Economic and Social History of the Ottoman Empire, 1300-1914*, Cambridge, 1994, pp. 58-60.

2. P. Spufford, *Money and its Use in Medieval Europe*, Cambridge, 1988, p. 377 (hay trad. castellana: *Dinero y moneda en la Europa medieval*, Crítica, Barcelona, 1991).

3. Ch'oe P'u, *Ch'oe P'u's Diary: A Record of Drifting Across the Sea*, J. Meskill (trad.), Tucson (Arizona), 1965, pp. 93-94.

4. Vélez de Guevara, *El diablo conjuelo*, citado por R. Pike, «Seville in the Sixteenth Century», *Hispanic American Historical Review* 41.1 (1961), p. 6.

5. Francisco de Ariño, *Sucesos de Sevilla de 1592 a 1604*, en ibíd., pp. 12-13; Vilches, *New World Gold*, pp. 25-26.

6. G. de Correa, *Lendas de India*, 4 vols., Lisboa, 1858-1864, vol. I, p. 7; A. Baião y K. Cintra, *Ásia de João de Barros: dos feitos que os portugueses fizeram no descombrimento e conquista dos mares e terras do Oriente*, 4 vols., Lisboa, 1988, vol. I, pp. 1-2.

7. A. Velho, *Roteiro da Primeira Viagem de Vasco da Gama*, N. Águas (ed.), Lisboa, 1987, p. 22.

8. S. Subrahmanyam, *The Career and Legend of Vasco da Gama*, Cambridge, 1997, pp. 79-163 (hay trad. castellana: *Vasco de Gama*, Crítica, Barcelona, 1998).

9. Velho, *Roteiro de Vasco da Gama*, pp. 54-55.

10. Ibíd., p. 58.

11. S. Subrahmanyam, «The Birth-Pangs of Portuguese Asia: Revisiting the Fateful "Long Decade" 1498-1509», *Journal of Global History* 2 (2007), p. 262.

12. Velho, *Roteiro de Vasco da Gama*, p. 60.

13. Véase Subrahmanyam, *Vasco da Gama*, pp. 162-163, 194-195.

14. Carta del rey Manuel, citada por Subrahmanyam, *Vasco da Gama*, p. 165.

15. B. Diffie y G. Winius, *Foundations of the Portuguese Empire, 1415-1580*, Oxford, 1977, pp. 172-174; M. Newitt, *Portugal in European and World History*, 2009, pp. 62-65; Delaney, *Columbus and the Quest for Jerusalem*, pp. 124-125; J. Brotton, *Trading Territories: Mapping the Early Modern World*, Londres, 1997, pp. 71-72.

16. M. Guedes, «Estreito de Magelhães», en L. Albuquerque y F. Domingues (eds.), *Dictionario de história dos descobrimentos portugueses*, 2 vols., Lisboa, 1994, vol. II, pp. 640-644.

17. M. Newitt, *A History of Portuguese Overseas Expansion, 1400-1668*, Londres, 2005, pp. 54-57; A. Teixeira da Mota (ed.), *A viagem de Fernão de Magalhães e a questão das Molucas*, Lisboa, 1975.

18. R. Finlay, «Crisis and Crusade in the Mediterranean: Venice, Portugal, and the Cape Route to India (1498-1509)», *Studi Veneziani* 28 (1994), pp. 45-90.

19. Girolamo Priuli, *I Diarii di Girolamo Priuli*, D. Weinstein (trad.), *Ambassador from Venice*, Minneapolis, 1960, pp. 29-30.

20. «La lettre de Guido Detti», en P. Teyssier y P. Valentin, *Voyages de Vasco da Gama: Relations des expeditions de 1497-1499 et 1502-1503*, París, 1995, pp. 183-188.

21. «Relazione delle Indie Orientali di Vicenzo Quirini nel 1506», en E. Albèri, *Le relazioni degli Ambasciatori Veneti al Senato durante il secolo decimosesto*, 15 vols., Florencia, 1839-1863, vol. XV, pp. 3-19; Subrahmanyam, «Birth-Pangs of Portuguese Asia», p. 265.

22. P. Johnson Brummett, *Ottoman Seapower and Levantine Diplomacy in the Age of Discovery*, Albany (Nueva York), 1994, pp. 33-36; Subrahmanyam, «Birth-Pangs of Portuguese Asia», p. 274.

23. G. Ramusio, «Navigazione verso le Indie Orientali di Tomé Lopez», en M. Milanesi (ed.), *Navigazioni e viaggi*, Turín, 1978, pp. 683-673; Subrahmanyam, *Vasco da Gama*, p. 205.

24. D. Agius, «Qalhat: A Port of Embarkation for India», en S. Leder, H. Kilpatrick, B. Martel-Thoumian y H. Schönig (eds.), *Studies in Arabic and Islam*, Lovaina, 2002, p. 278.

25. C. Silva, *O Fundador do «Estado Português da Índia», D. Francisco de Almeida, 1457(?)-1510*, Lisboa, 1996, p. 284.

26. J. Aubin, «Un Nouveau Classique: l'anonyme du British Museum», en J. Aubin (ed.), *Le Latin et l'astrolabe: recherches sur le Portugal de la Renaissance, son expansion en Asie et les relations internationales*, Lisboa, 1996, 2, p. 553; S. Subrahmanyam, «Letters from a Sinking Sultan», en L. Thomasz (ed.), *Aquém e Além da Taprobana: Estudos Luso-Orientais à Memória de Jean Aubin e Denys Lombard*, Lisboa, 2002, pp. 239-269.

27. Silva, *Fundador do «Estado Português da Índia»*, pp. 387-388. Sobre los objetivos y las políticas de los portugueses en el Atlántico, el golfo Pérsico, el océano Índico y más allá, véase F. Bethencourt y D. Curto, *Portuguese Oceanic Expansion, 1400-1800*, Cambridge, 2007.

28. G. Scammell, *The First Imperial Age: European Overseas Expansion, c. 1400-1715*, Londres, 1989, p. 79.

29. A. Hamdani, «An Islamic Background to the Voyages of Discovery», en S. Khadra Jayyusi (ed.), *The Legacy of Muslim Spain*, Leiden, 1992, p. 288. Sobre la importancia de Malaca antes de la conquista portuguesa, véase K. Hall, «Local and International Trade and Traders in the Straits of Melaka Region: 600-1500», *Journal of Economic and Social History of the Orient* 47.2 (2004), pp. 213-260.

30. S. Subrahmanyam, «Commerce and Conflict: Two Views of Portuguese Melaka in the 1620s», *Journal of Southeast Asian Studies* 19.1 (1988), pp. 62-79.

31. Atwell, «Time, Money and the Weather», p. 100.

32. P. de Vos, «The Science of Spices: Empiricism and Economic Botany in the Early Spanish Empire», *Journal of World* History 17.4 (2006), p. 410.

33. ʿUmar ibn Muḥammad, *Rawḍ al-ʿāṭir fī nuz'hat al-khāṭir*, R. Burton (trad.), *The Perfumed Garden of the Shaykh Nefzawi*, Nueva York, 1964, p. 117.

34. F. Lane, «The Mediterranean Spice Trade: Further Evidence of its Revival in the Sixteenth Century», *American Historical Review* 45.3 (1940), pp. 584-585; M. Pearson, *Spices in the Indian Ocean World* (Aldershot, 1998), p. 117.

35. Lane, «Mediterranean Spice Trade», pp. 582-583.

36. S. Halikowski Smith, «"Profits Sprout Like Tropical Plants": A Fresh Look at What Went Wrong with the Eurasian Spice Trade, *c.* 1550-1800», *Journal of Global History* 3 (2008), pp. 390-391.

37. Carta de Alberto da Carpi, en K. Setton, *The Papacy and the Levant, 1204-1571*, 4 vols., Filadelfia, 1976-1984, vol. III, p. 172, n. 3.

38. P. Allen, *Opus Epistolarum Desiderii Erasmi Roterodami*, 12 vols., Oxford, 1906-1958, vol. IX, p. 254; J. Tracy, *Emperor Charles V, Impresario of War*, Cambridge, 2002, p. 27.

39. A. Clot, *Suleiman the Magnificent: The Man, his Life, his Epoch*, M. Reisz (trad.), Nueva York, 1992, p. 79 (hay trad. castellana: *Solimán el Magnífico*, Emecé, Buenos Aires, 1985). Véase también R. Finlay, «Prophecy and Politics in Istanbul: Charles V, Sultan Suleyman and the Habsburg Embassy of 1533-1534», *Journal of Modern History* 3 (1998), pp. 249-272.

40. G. Casale, «The Ottoman Administration of the Spice Trade in the Sixteenth Century Red Sea and Persian Gulf», *Journal of the Economic and Social History of the Orient* 49.2 (2006), pp. 170-198.

41. L. Riberio, «O Primeiro Cerco de Diu», *Studia* 1 (1958), pp. 201-295; G. Casale, *The Ottoman Age of Exploration*, Oxford, 2010, pp. 56-75.

42. G. Casale, «Ottoman *Guerre de Course* and the Indian Ocean Spice Trade: The Career of Sefer Reis», *Itinerario* 32.1 (2008), pp. 66-67.

43. *Corpo diplomatico portuguez*, J. da Silva Mendes Leal y J. de Freitas Moniz (ed.), 14 vols., Lisboa, 1862-1910, vol. IX, pp. 110-111.

44. Halikowski Smith, «Eurasian Spice Trade», 411; J. Boyajian, *Portuguese Trade in Asia under the Habsburgs, 1580-1640*, Baltimore, 1993, pp. 43-44, y tabla 3.

45. Casale, «Ottoman Administration of the Spice Trade», pp. 170-198; véase también N. Stensgaard, *The Asian Trade Revolution of the Seventeenth Century: The East India Companies and the Decline of Caravan Trade*, Chicago, 1974.

46. S. Subrahmanyam, «The Trading World of the Western Indian Ocean, 1546-1565: A Political Interpretation», en A. de Matos y L. Thomasz (eds.), *A Carreira da India e as Rotas dos Estreitos*, Braga, 1998, pp. 207-229.

47. S. Pamuk, «In the Absence of Domestic Currency: Debased European Coinage in the Seventeenth-Century Ottoman Empire», *Journal of Economic History* 57.2 (1997), pp. 352-353.

48. H. Crane, E. Akin y G. Necipoğlu, *Sinan's Autobiographies: Five Sixteenth-Century Texts*, Leiden, 2006, p. 130.

49. R. McChesney, «Four Sources on Shah ʿAbbas's Building of Isfahan», *Muqarnas* 5 (1988), pp. 103-134; Iskandar Munshī, «*Tārīk-e ʿālamārā-ye ʿAbbāsī*, R. Savory (trad.), *History of Shah ʿAbbas the Great*, 3 vols., Boulder (Colorado), 1978, p. 1038; S. Blake, «Shah ʿAbbās and the Transfer of the Safavid Capital from Qazvin to Isfahan», en A. Newman (ed.), *Society and Culture in the Early Modern Middle East: Studies on Iran in the Safavid Period*, Leiden, 2003, pp. 145-164.

50. M. Dickson, «The Canons of Painting by Ṣādiqī Bek», en M. Dickson y S. Cary Welch (eds.), *The Houghton Shahnameh*, 2 vols., Cambridge (Massachusetts), 1989, vol. I, p. 262.

51. A. Taylor, *Book Arts of Isfahan: Diversity and Identity in Seventeenth-Century Persia*, Malibú, 1995.

52. H. Cross, «South American Bullion Production and Export, 1550-1750», en Richards, *Precious Metals*, pp. 402-404.

53. A. Jara, «Economía minera e historia económica hispano-americana», en *Tres ensayos sobre economía minera hispano-americana*, Santiago, 1966.

54. A. Attman, *American Bullion in European World Trade, 1600-1800*, Gotemburgo, 1986, pp. 6, 81; H.-Sh. Chuan, «The Inflow of American Silver into China from the Late Ming to the Mid-Ch'ing Period», *Journal of the Institute of Chinese Studies of the Chinese University of Hong Kong* 2 (1969), pp. 61-75.

55. B. Karl, «"Galanterie di cose rare . . .": Filippo Sassetti's Indian Shopping List for the Medici Grand Duke Francesco and his Brother Cardinal Ferdinando», *Itinerario* 32.3 (2008), pp. 23-41. Para un testimonio contemporáneo

sobre la sociedad azteca, véase Diego Durán, *Book of the Gods and Rites and the Ancient Calendar*, F. Horcasitas y D. Heyden (trad.), 1971, pp. 273-274.

56. J. Richards, *The Mughal Empire*, Cambridge, 1993, pp. 6-8.

57. *Bābur-Nāma*, pp. 173-174. Véase también D. F. Ruggles, *Islamic Gardens and Landscapes*, Filadelfia (Pensilvania), 2008, p. 70.

58. *Bābur-Nāma*, p. 359.

59. Ibn Baṭṭūṭa, *Travels*, 8, vol. 2, p. 478.

60. J. Gommans, *Mughal Warfare: Indian Frontiers and High Roads to Empire, 1500-1700*, Londres, 2002, pp. 112-113. Sobre el tamaño de los caballos indios, véase J. Tavernier, *Travels in India*, V. Ball (ed.), 2 vols., Londres, 1889, vol. II, p. 263. Sobre los caballos de Asia central, véase J. Masson Smith, «Mongol Society and Military in the Middle East: Antecedents and Adaptations», en Y. Lev (ed.), *War and Society in the Eastern Mediterranean, 7th-15th Centuries*, Leiden, 1997, pp. 247-264.

61. L. Jardine y J. Brotton, *Global Interests: Renaissance Art between East and West*, Londres, 2005, pp. 146-148.

62. J. Gommans, «Warhorse and Post-Nomadic Empire in Asia, *c.* 1000-1800», *Journal of Global History* 2 (2007), pp. 1-21.

63. Véase S. Dale, *Indian Merchants and Eurasian Trade, 1600-1750*, Cambridge, 1994, pp. 41-42.

64. Citado por M. Alam, «Trade, State Policy and Regional Change: Aspects of Mughal-Uzbek Commercial Relations, *c.* 1550-1750», *Journal of the Economic and Social History of the Orient* 37.3 (1994), p. 221; véase también C. Singh, *Region and Empire: Punjab in the Seventeenth Century*, Nueva Delhi, 1991, pp. 173-203.

65. J. Gommans, *Mughal Warfare: Indian Frontiers and Highroads to Empire, 1500-1700*, Londres, 2002, p. 116.

66. D. Washbrook, «India in the Early Modern World Economy: Modes of Production, Reproduction and Exchange», *Journal of Global History* 2 (2007), pp. 92-93.

67. Carta de Duarte de Sande, en *Documenta Indica*, J. Wicki y J. Gomes (ed.), 18 vols., Roma, 1948-1988, vol. IX, p. 676.

68. R. Foltz, «Cultural Contacts between Central Asia and Mughal India», en S. Levi (ed.), *India and Central Asia*, Nueva Delhi, 2007, pp. 155-175.

69. M. Subtelny, «Mirak-i Sayyid Ghiyas and the Timurid Tradition of Landscape Architecture», *Studia Iranica* 24.1 (1995), pp. 19-60.

70. J. Westcoat, «Gardens of Conquest and Transformation: Lessons from the Earliest Mughal Gardens in India», *Landscape Journal* 10.2 (1991), pp. 105-114; F. Ruggles, «Humayun's Tomb and Garden: Typologies and Visual Order», en A. Petruccioli (ed.), *Gardens in the Time of the Great Muslim Empires*, Leiden, 1997, pp. 173-186. Sobre la influencia centroasiática, véase sobre todo M. Subtelny, «A Medieval Persian Agricultural Manual in Context: The Irshad

al-Zira'a in Late Timurid and Early Safavid Khorasan», *Studia Iranica* 22.2 (1993), pp. 167-217.

71. J. Westcoat, M. Brand y N. Mir, «The Shedara Gardens of Lahore: Site Documentation and Spatial Analysis», *Pakistan Archaeology* 25 (1993), pp. 333-366.

72. M. Brand y G. Lowry (eds.), *Fatephur Sikri*, Mumbai, 1987.

73. *The Shah Jahan Nama of 'Inayat Khan*, W. Begley y Z. Desai (ed. y trad.), Delhi, 1990, pp. 70-71.

74. J. Hoil, *The Book of Chilam Balam of Chumayel*, R. Roys (trad.), Washington, D.C., 1967, pp. 19-20 (hay trad. castellana: *Libro de Chilam Balam de Chumayel*, Secretaría de Educación Pública, México, 1985, p. 58).

75. Carta de John Newbery, J. Courtney Locke (ed.), *The First Englishmen in India*, Londres, 1930, p. 42.

76. Samuel Purchas, *Hakluytus posthumus, or, Purchas His Pilgrimes*, 20 vols., Glasgow, 1905-1907, vol. III, p. 93; G. Scammell, «European Exiles, Renegades and Outlaws and the Maritime Economy of Asia, *c.*1500-1750», *Modern Asian Studies* 26.4 (1992), pp. 641-661.

77. L. Newsom, «Disease and Immunity in the Pre-Spanish Philippines», *Social Science & Medicine* 48 (1999), pp. 1833-1850; ídem, «Conquest, Pestilence and Demographic Collapse in the Early Spanish Philippines», *Journal of Historical Geography* 32 (2006), pp. 3-20.

78. Antonio de Morga, en W. Schurz, *The Manila Galleon* Nueva York, 1959, pp. 69-75; véase también Brook, *Confusions of Pleasure*, pp. 205-206.

79. D. Irving, *Colonial Counterpoint: Music from Early Modern Manila*, Oxford, 2010, p. 19.

80. Sobre la crisis otomana, véase Pamuk, «In the Absence of Domestic Currency», pp. 353-358.

81. W. Barrett, «World Bullion Flows, 1450-1800», en J. Tracy (ed.), *The Rise of Merchant Empires: Long-Distance Trade in the Early Modern Worlds, 1350-1750*, Cambridge, 1990, pp. 236-237; D. Flynn y A Giráldez, «Born with a "Silver Spoon": The Origin of World Trade in 1571», *Journal of World History* 6.2 (1995), pp. 201-221; J. TePaske, «New World Silver, Castile, and the Philippines, 1590-1800», en Richards, *Precious Metals*, p. 439.

82. P. D'Elia, *Documenti originali concernenti Matteo Ricci e la storia delle prime relazioni tra l'Europa e la Cina (1579-1615)*, 4 vols., Roma, 1942, vol. I, p. 91.

83. Brook, *Confusions of Pleasure*, pp. 225-226. Sobre la actitud de los chinos hacia las antigüedades y el pasado, véase C. Clunas, *Superfluous Things: Material Culture and Social Status in Early Modern China*, Cambridge, 1991, pp. 91-115.

84. W. Atwell, «International Bullion Flows and the Chinese Economy *circa* 1530-1650», *Past & Present* 95 (1982), p. 86.

85. Richard Hakluyt, *The Principal Navigation, Voyages, Traffiques, & Discoveries of the English Nations*, 12 vols., Glasgow, 1903-1905, vol. V, p. 498.

86. C. Boxer, *The Christian Century in Japan, 1549-1650*, Berkeley, 1951, pp. 425-427. Véanse R. von Glahn, «Myth and Reality of China's Seventeenth-Century Monetary Crisis», *Journal of Economic History* 56.2 (1996), pp. 429-454, y D. Flynn y A. Giráldez, «Arbitrage, China and World Trade in the Early Modern Period», *Journal of the Economic and Social History of the Orient* 6.2 (1995), pp. 201-221.

87. C. Clunas, *Empire of Great Brightness: Visual and Material Cultures of Ming China, 1368-1644*, Londres, 2007; Brook, *Confusions of Pleasure*.

88. *The Plum in the Golden Vase, or, Chin P'ing Mei*, D. Roy (trad.), 5 vols., Princeton, 1993-2013. Véase N. Ding, *Obscene Things: Sexual Politics in Jin Ping Mei*, Durham (Carolina del Norte), 2002.

89. C. Cullen, «The Science/Technology Interface in Seventeenth-Century China: Song Yingxing on *Qi* and the *Wu Xing*», *Bulletin of the School of Oriental and African Studies* 53.2 (1990), pp. 295-318.

90. W. de Bary, «Neo-Confucian Cultivation and the Seventeenth-Century Enlightenment», en De Bary (ed.), *The Unfolding of Neo-Confucianism*, Nueva York, 1975, pp. 141-216.

91. Es posible que el mapa de Selden hubiera sido conseguido de esta forma. Véase R. Batchelor, «The Selden Map Rediscovered: A Chinese Map of East Asian Shipping Routes, *c.* 1619», *Imago Mundi: The International Journal for the History of Cartography* 65.1 (2013), pp. 37-63.

92. W. Atwell, «Ming Observations of Ming Decline: Some Chinese Views on the "Seventeenth Century Crisis" in Comparative Perspective», *Journal of the Royal Asiatic Society* 2 (1988), pp. 316-348.

93. A. Smith, *An Inquiry into the Nature and Causes of the Wealth of Nations*, 4.7, R. Campbell y A. Skinner (ed.), 2 vols., Oxford, 1976, vol. II, p. 626 (hay trad. castellana: *Una investigación sobre la naturaleza y causas de la riqueza de las naciones*, Tecnos, Madrid, 2009).

## Capítulo 13: La ruta de Europa septentrional

1. José de Acosta, *Historia natural y moral de las Indias*, E. Mangan (trad.), *Natural and Moral History of the Indies,* Durham (Carolina del Norte), 2002, p. 179 (hay ed. castellana: *Historia natural y moral de las Indias*, Consejo Superior de Investigaciones Científicas, Madrid, 2008).

2. *Regnans in excelsis*, en R. Miola (ed.), *Early Modern Catholicism: An Anthology of Primary Sources*, Oxford, 2007, pp. 486-488; P. Holmes, *Resistance and Compromise: The Political Thought of the Elizabethan Catholics*, Cambridge, 2009.

3. D. Loades, *The Making of the Elizabethan Navy 1540-1590: From the Solent to the Armada*, Londres, 2009.

4. C. Knighton, «A Century on: Pepys and the Elizabethan Navy», *Transactions of the Royal Historical Society* 14 (2004), pp. 143-144; R. Barker, «Fragments from the Pepysian Library», *Revista da Universidade de Coimbra* 32 (1986), pp. 161-178.

5. M. Oppenheim, *A History of the Administration of the Royal Navy, 1509-1660*, Londres, 1896, pp. 172-174; N. Williams, *The Maritime Trade of the East Anglian Ports, 1550-1590*, Oxford, 1988, pp. 220-221.

6. C. Martin y G. Parker, *The Spanish Armada*, Manchester, 1988 (hay trad. castellana: *La gran Armada: 1588*, Alianza, Madrid, 1988); G. Mattingly, *The Armada*, Nueva York, 2005 (hay trad. castellana: *La Armada Invencible*, Turner, Madrid, 2004).

7. E. Bovill, «The *Madre de Dios*», *Mariner's Mirror* 54 (1968), pp. 129-152; G. Scammell, «England, Portugal and the Estado da India, *c.* 1500-1635», *Modern Asian Studies* 16.2 (1982), p. 180.

8. *The Portable Hakluyt's Voyages*, R. Blacker (ed.), Nueva York, 1967, p. 516; J. Parker, *Books to Build an Empire*, Ámsterdam, 1965, p. 131; N. Matar, *Turks, Moors, and Englishmen in the Age of Discovery*, Nueva York, 1999.

9. N. Matar, *Britain and Barbary, 1589-1689*, Gainesville (Florida), 2005, p. 21; *Merchant of Venice*, I.1 (hay trad. castellana: *El mercader de Venecia*, Cátedra, Madrid, 2013).

10. C. Dionisotti, «Lepanto nella cultura italiana del tempo», en G. Benzoni (ed.), *Il Mediterraneo nella seconda metà del '500 alla luce di Pepanto*, Florencia, 1974, pp. 127-151; I. Fenlon, «"In destructione Turcharum": The Victory of Lepanto in Sixteenth-Century Music and Letters», en E. Degreda (ed.), *Andrea Gabrieli e il suo tempo: Atti del Convengo internazionale (Venezia 16-18 settembre 1985)*, Florencia, 1987, pp. 293-317; I. Fenlon, «Lepanto: The Arts of Celebration in Renaissance Venice», *Proceedings of the British Academy* 73 (1988), pp. 201-236.

11. S. Skilliter, «Three Letters from the Ottoman "Sultana" Safiye to Queen Elizabeth I», en S. Stern (ed.), *Documents from Islamic Chanceries*, Cambridge (Massachusetts), 1965, pp. 119-157.

12. G. Maclean, *The Rise of Oriental Travel: English Visitors to the Ottoman Empire, 1580-1720*, Londres, 2004, pp. 1-47; L. Jardine, «Gloriana Rules the Waves: Or, the Advantage of Being Excommunicated (and a Woman)», *Transactions of the Royal Historical Society* 14 (2004), pp. 209-222.

13. A. Artner (ed.), *Hungary as «Propugnaculum» of Western Christianity: Documents from the Vatican Secret Archives (ca.1214-1606)*, Budapest, 2004, p. 112.

14. Jardine, «Gloriana Rules the Waves», p. 210.

15. S. Skilliter, *William Harborne and the Trade with Turkey 1578-1582:*

*A Documentary Study of the First Anglo-Ottoman Relations*, Oxford, 1977, p. 69.

16. Ibíd., p. 37.

17. L. Jardine, *Worldly Goods: A New History of the Renaissance*, Londres, 1996, pp. 373-376.

18. *Merchant of Venice*, II.7; *Othello*, I.3.

19. J. Grogan, *The Persian Empire in English Renaissance Writing, 1549-1622*, Londres, 2014.

20. A. Kapr, *Johannes Gutenberg: Personlichkeit und Leistung*, Múnich, 1987.

21. E. Shaksan Bumas, «The Cannibal Butcher Shop: Protestant Uses of Las Casas's "Brevísima Relación" in Europe and the American Colonies», *Early American Literature* 35.2 (2000), pp. 107-136.

22. A. Hadfield, «Late Elizabethan Protestantism, Colonialism and the Fear of the Apocalypse», *Reformation* 3 (1998), pp. 311-320.

23. R. Hakluyt, «A Discourse on Western Planting, 1584», en *The Original Writings and Correspondence of the Two Richard Hakluyts*, E. Taylor (ed.), 2 vols., Londres, 1935, vol. II, pp. 211-326.

24. M. Van Gelderen, *The Political Thought of the Dutch Revolt, 1555-1590*, Cambridge, 2002.

25. «The First Voyage of the right worshipfull and valiant knight, Sir John Hawkins», en *The Hawkins Voyages*, C. Markham (ed.), Londres, 1878, p. 5. Véase también Kelsey, *Sir John Hawkins*, pp. 52-69.

26. Hakluyt, «A Discourse on Western Planting», 20, p. 315.

27. Véase J. McDermott, *Martin Frobisher: Elizabethan Privateer*, New Haven, 2001.

28. *Calendar of State Papers and Manuscripts, Venice*, 6.i, p. 240.

29. P. Bushev, *Istoriya posol'tv i diplomaticheskikh otnoshenii russkogo i iranskogo gosudarstv v 1586-1612 gg*, Moscú, 1976, pp. 37-62.

30. R. Hakluyt, *The principal navigations, voyages, traffiques and discoveries of the English nations*, 12 vols., Glasgow, 1903-1905, vol. III, pp. 15-16; R. Ferrier, «The Terms and Conditions under which English Trade was Transacted with Safavid Persia», *Bulletin of the School of Oriental and African Studies* 49.1 (1986), pp. 50-51; K. Meshkat, «The Journey of Master Anthony Jenkinson to Persia, 1562-1563», *Journal of Early Modern History* 13 (2009), pp. 209-228.

31. S. Cabot, «Ordinances, instructions and aduertisements of and for the direction of the intended voyage for Cathaye», 22, en Hakluyt, *Principal navigations*, vol. II, p. 202.

32. Vilches, *New World Gold*, p. 27.

33. A. Romero, S. Chilbert y M. Eisenhart, «Cubagua's Pearl-Oyster Beds: The First Depletion of a Natural Resource Caused by Europeans in the American Continent», *Journal of Political Ecology* 6 (1999), pp. 57-78.

34. M. Drelichman y H.-J. Voth, «The Sustainable Debts of Philip II: A Reconstruction of Spain's Fiscal Position, 1560-1598», *Centre for Economic Policy Research*, Documento de debate DP6611 (2007).

35. D. Fischer, *The Great Wave: Price Revolutions and the Rhythm of History*, Oxford, 1996. Véase también D. Flynn, «Sixteenth-Century Inflation from a Production Point of View», en E. Marcus y N. Smukler (eds.), *Inflation through the Ages: Economic, Social, Psychological, and Historical Aspects*, Nueva York, 1983, pp. 157-169.

36. O. Gelderblom, *Cities of Commerce: The Institutional Foundations of International Trade in the Low Countries, 1250-1650*, Princeton, 2013.

37. J. Tracy, *A Financial Revolution in the Habsburg Netherlands: Renten and Renteniers in the County of Holland, 1515-1565*, Berkeley, 1985.

38. O. Van Nimwegen, *«Deser landen crijchsvolck». Het Staatse leger en de militarie revoluties 1588-1688*, Ámsterdam, 2006.

39. J. Israel, *The Dutch Republic: Its Rise, Greatness and Fall 1477-1806*, Oxford, 1995, pp. 308-312.

40. W. Fritschy, «The Efficiency of Taxation in Holland», en O. Gelderblom (ed.), *The Political Economy of the Dutch Republic*, Farnham, 2009, pp. 55-84.

41. C. Koot, *Empire at the Periphery: British Colonists, Anglo-Dutch Trade, and the Development of the British Atlantic, 1621-1713*, Nueva York, 2011, pp. 19-22; E. Sluitter, «Dutch-Spanish Rivalry in the Caribbean Area», *Hispanic American Historical Review* 28.2 (1948), pp. 173-178.

42. Israel, *Dutch Republic*, pp. 320-321.

43. M. Echevarría Bacigalupe, «Un notable episodio en la guerra económica hispano-holandesa: El decreto Guana 1603», *Hispania: Revista española de historia* 162 (1986), pp. 57-97; J. Israel, *Empires and Entrepots: The Dutch, the Spanish Monarchy and the Jews, 1585-1713*, Londres, 1990, p. 200.

44. R. Unger, «Dutch Ship Design in the Fifteenth and Sixteenth Centuries», *Viator* 4 (1973), pp. 387-415.

45. A. Saldanha, «The Itineraries of Geography: Jan Huygen Van Linschoten's Itinerario and Dutch Expeditions to the Indian Ocean, 1594-1602», *Annals of the Association of American Geographers* 101.1 (2011), pp. 149-177.

46. K. Zandvliet, *Mapping for Money: Maps, Plans and Topographic Paintings and their Role in Dutch Overseas Expansion during the 16th and 17th Centuries*, Ámsterdam, 1998, pp. 37-49, 164-189.

47. E. Beekman, *Paradijzen van Weeler. Koloniale Literatuur uit Nederlands-Indië, 1600-1950*, Ámsterdam, 1988, p. 72.

48. D. Lach, *Asia in the Making of Europe*, 3 vols., Chicago, 1977, vol. II, pp. 492-545.

49. O. Gelderblom, «The Organization of Long-Distance Trade in England and the Dutch Republic, 1550-1650», en Gelderblom, *Political Economy of the Dutch Republic*, pp. 223-254.

50. J.-W. Veluwenkamp, «Merchant Colonies in the Dutch Trade System (1550-1750)», en K. Davids, J. Fritschy y P. Klein (eds.), *Kapitaal, ondernemerschap en beleid. Studies over economie en politiek in Nederland, Europe en Azië van 1500 tot heden*, Ámsterdam, 1996, pp. 141-164.

51. Citado por C. Boxer, *The Dutch in Brazil 1624-1654*, Oxford, 1957, pp. 2-3.

52. Sobre Goa a comienzos del siglo XVII, véase A. Gray y H. Bell (eds.), *The Voyage of Francois Pyrard of Laval to the East Indies, the Maldives, the Moluccas and Brazil*, 2 vols., Londres, 1888, vol. II, pp. 2-139.

53. J. de Jong, *De waaier van het fortuin. De Nederlands in Asië de Indonesiche archipel, 1595-1950*, Zoetermeer, 1998, p. 48.

54. K. Zandvliet, *The Dutch Encounter with Asia, 1600-1950*, Ámsterdam, 2002, p. 152.

55. Véanse los ensayos reunidos en J. Postma (ed.), *Riches from Atlantic Commerce: Dutch Transatlantic Trade and Shipping, 1585-1817*, Leiden, 2003.

56. J. Van Dam, *Gedateerd Delfts aardwek*, Ámsterdam, 1991; ídem, *Dutch Delftware 1620-1850*, Ámsterdam, 2004.

57. A. Van der Woude, «The Volume and Value of Paintings in Holland at the Time of the Dutch Republic», en J. de Vries y D. Freedberg (eds.), *Art in History, History in Art: Studies in Seventeenth-Century Dutch Culture*, Santa Monica, 1991, pp. 285-330.

58. Véase en general S. Schama, *The Embarrassment of Riches*, Nueva York, 1985; S. Slive, *Dutch Painting, 1600-1800*, New Haven, 1995.

59. T. Brook, *Vermeer's Hat: The Seventeenth Century and the Dawn of the Global World*, Londres, 200, pp. 5-83.

60. *The Travels of Peter Mundy in Europe and Asia, 1608-1667*, R. Temple (ed.), 5 vols., Cambridge, 1907-1936, pp. 70-71; J. de Vries, *The Industrious Revolution: Consumer Behavior and the Household Economy, 1650 to the Present*, Cambridge, 2008, p. 54 (hay trad. castellana: *La revolución industriosa: consumo y economía doméstica desde 1650 hasta el presente*, Crítica, Barcelona, 2009, p. 74).

61. J. Evelyn, *Diary of John Evelyn*, E. de Beer (ed.), 6 vols., Oxford, 1955, vol. I, pp. 39-40.

62. Véase C. Van Strien, *British Travellers in Holland during the Stuart Period: Edward Browne and John Locke as Tourists in the United Provinces*, Leiden, 1993.

63. G. Scammell, «After da Gama: Europe and Asia since 1498», *Modern Asian Studies* 34.3 (2000), p. 516.

64. Pedro de Cieza de León, *The Incas of Pedro de Cieza de Leon*, H. de Onis (trad.), Norman (Oklahoma), 1959, 52, p. 171 (hay ed. castellana: *Crónica del Perú. El señorío de los incas*, Biblioteca Ayacucho, Caracas, 2005, cap. XXIV, p. 358).

65. Ibíd., 55, pp. 177-178 (ed. cast. cit., cap. XIX, p. 342).

66. S. Hill (ed.), *Bengal in 1756-7: A Selection of Public and Private Papers Dealing with the Affairs of the British in Bengal during the Reign of Siraj-uddaula*, 3 vols., Londres, 1905, vol. I, pp. 3-5.

67. P. Perdue, «Empire and Nation in Comparative Perspective: Frontier Administration in Eighteenth-Century China», *Journal of Early Modern History* 5.4 (2001), p. 282; C. Tilly (ed.), *The Formation of National States in Western Europe*, Princeton, 1975, p. 15.

68. P. Hoffman, «Prices, the Military Revolution, and Western Europe's Comparative Advantage in Violence», *Economic History Review*, 64.1 (2011), pp. 49-51.

69. Véanse A. Hall, *Isaac Newton: Adventurer in Thought*, Cambridge, 1992, pp. 152, 164-166, 212-216; L. Debnath, *The Legacy of Leonhard Euler: A Tricentennial Tribute*, Londres, 2010, pp. 353-358; P.-L. Rose, «Galileo's Theory of Ballistics», *The British Journal for the History of Science* 4.2 (1968), pp. 156-159, y S. Drake, *Galileo at work: His Scientific Biography*, Chicago, 1978.

70. T. Hobbes, *Leviathan*, N. Malcolm (ed.), Oxford, 2012 (hay trad. castellana: *Leviatán o La materia, forma y poder de un estado eclesiástico y civil*, Alianza, Madrid, 2014).

71. A. Carlos y L. Neal, «Amsterdam and London as Financial Centers in the Eighteenth Century», *Financial History Review* 18.1 (2011), pp. 21-27.

72. M. Bosker, E. Buringh y J. Van Zanden, «From Baghdad to London: The Dynamics of Urban Growth and the Arab World, 800-1800», *Centre for Economic Policy Research,* Paper 6833 (2009), pp. 1-38; W. Fritschy, «State Formation and Urbanization Trajectories: State Finance in the Ottoman Empire before 1800, as Seen from a Dutch Perspective», *Journal of Global History* 4 (2009), pp. 421-422.

73. E. Kuipers, *Migrantenstad: Immigratie en Sociale Verboudingen in 17e-Eeuws Amsterdam*, Hilversum, 2005.

74. W. Fritschy, «A "Financial Revolution" Reconsidered: Public Finance in Holland during the Dutch Revolt, 1568-1648», *Economic History Review* 56.1 (2003), pp. 57-89; L. Neal, *The Rise of Financial Capitalism: International Capitalism in the Age of Reason*, Cambridge, 1990.

75. P. Malanima, *L'economia italiana: dalla crescita medievale alla crescita contemporanea*, Bolonia, 2002; ídem, «The Long Decline of a Leading Economy: GDP in Central and Northern Italy, 1300-1913», *European Review of Economic History* 15 (2010), pp. 169-219.

76. S. Broadberry y B. Gupta, «The Early Modern Great Divergence: Wages, Prices and Economic Development in Europe and Asia, 1500-1800», *Economic History Review* 59.1 (2006), pp. 2-31; J. Van Zanden, «Wages and the Standard of Living in Europe, 1500-1800», *European Review of Economic History* 3 (1999), pp. 175-197.

77. Sir Dudley Carleton, «The English Ambassador's Notes, 1612», en D. Chambers y B. Pullan (eds.), *Venice: A Documentary History, 1450-1630*, Oxford, 1992, pp. 3-4.

78. G. Bistort (ed.), *Il magistrato alle pompe nella repubblica di Venezia*, Venecia, 1912, pp. 403-405, 378-381.

79. E. Chaney, *The Evolution of the Grand Tour: Anglo-Italian Cultural Relations since the Renaissance*, Portland (Oregon), 1998. Sobre los precios de las obras de arte, véase F. Etro y L. Pagani, «The Market for Paintings in Italy during the Seventeenth Century», *Journal of Economic History* 72.2 (2012), pp. 414-438.

80. Véase C. Vout, «Treasure, Not Trash: The Disney Sculpture and its Place in the History of Collecting», *Journal of the History of Collections* 24.3 (2012), pp. 309-326. Véase también V. Coltman, *Classical Sculpture and the Culture of Collecting in Britain since 1760*, Oxford, 2009.

81. C. Hanson, *The English Virtuoso: Art, Medicine and Antiquarianism in the Age of Empiricism*, Chicago, 2009.

82. Véase P. Ayres, *Classical Culture and the Ideas of Rome in Eighteenth-Century England*, Cambridge, 1997.

## Capítulo 14: La ruta del imperio

1. D. Panzac, «International and Domestic Maritime Trade in the Ottoman Empire during the 18th Century», *International Journal of Middle East Studies* 24.2 (1992), pp. 189-206; M. Genç, «A Study of the Feasibility of Using Eighteenth-Century Ottoman Financial Records as an Indicator of Economic Activity», en H. İslamoğlu-İnan (ed.), *The Ottoman Empire and the World-Economy*, Cambridge, 1987, pp. 345-373.

2. Véase S. White, *The Climate of Rebellion in the Early Modern Ottoman Empire*, Cambridge, 2011.

3. T. Kuran, «The Islamic Commercial Crisis: Institutional Roots of Economic Underdevelopment in the Middle East», *Journal of Economic History* 63.2 (2003), pp. 428-431.

4. M. Kunt, *The Sultan's Servants: The Transformation of Ottoman Provincial Government, 1550-1650*, Nueva York, 1983, pp. 44-56.

5. Schama, *Embarrassment of Riches*, pp. 330-335.

6. Thomas Mun, *England's Treasure by Foreign Trade,* Londres, 1664, citado por De Vries, *Industrious Revolution*, p. 44.

7. C. Parker, *The Reformation of Community: Social Welfare and Calvinist Charity in Holland, 1572-1620*, Cambridge, 1998.

8. S. Pierson, «The Movement of Chinese Ceramics: Appropriation in Global History», *Journal of World History* 23.1 (2012), pp. 9-39; S. Iwanisziw,

«Intermarriage in Late-Eighteenth-Century British Literature: Currents in Assimilation and Exclusion», *Eighteenth-Century Life* 31.2 (2007), pp. 56-82; F. Dabhoiwala, *The Origins of Sex: A History of the First Sexual Revolution*, Londres, 2012.

9. W. Bradford, *History of Plymouth Plantation, 1606-1646*, W. Davis (ed.), Nueva York, 1909, pp. 46-47.

10. Sobre el éxodo a Norteamérica, véase A. Zakai, *Exile and Kingdom: History and Apocalypse in the Puritan Migration to America*, Cambridge, 1992; sobre el debate acerca de los orígenes del día de Acción de Gracias, véase G. Hodgson, *A Great and Godly Adventure: The Pilgrims and the Myth of the First Thanksgiving*, Nueva York, 2006.

11. K. Chaudhari, *The Trading World of Asia and the English East India Company*, Cambridge, 2006.

12. Gelderblom, «The Organization of Long-Distance Trade», pp. 232-234.

13. S. Groenveld, «The English Civil Wars as a Cause of the First Anglo-Dutch War, 1640-1652», *Historical Journal* 30.3 (1987), pp. 541-566. Sobre la rivalidad anglo-holandesa en este periodo, véase L. Jardine, *Going Dutch: How England Plundered Holland's Glory*, Londres, 2008.

14. S. Pincus, *Protestantism and Patriotism: Ideologies and the Making of EnglishForeign Policy, 1650-1668*, Cambridge, 1996. Véase también C. Wilson, *Profit and Power: A Study of England and the Dutch Wars*, Londres, 1957.

15. J. Davies, *Gentlemen and Tarpaulins: The Officers and Men of the Restoration Navy*, Oxford, 1991, p. 15.

16. J. Glete, *Navies and Nations: Warships, Navies and State Building in Europe and America, 1500-1860*, 2 vols., Estocolmo, 1993, pp. 192-195.

17. El libro de Witsen, *Aeloude en Hedendaegsche Scheeps-bouw en Bestier*, publicado en 1671, fue el volumen más influyente de la época. Sobre el ejemplar de Pepys, véase N. Smith *et al.*, *Catalogue of the Pepys Library at Magdalene College, Cambridge*, vol. I (1978), p. 193. El diarista tuvo un papel prominente en la organización del Christ's Hospital, que continúa siendo uno de los colegios más destacados de Gran Bretaña. Véase E. Pearce, *Annals of Christ's Hospital*, Londres, 1901, pp. 99-126; sobre los nuevos diseños, véase B. Lavery (ed.), *Deane's Doctrine of Naval Architecture, 1670*, Londres, 1981.

18. D. Benjamin y A. Tifrea, «Learning by Dying: Combat Performance in the Age of Sail», *Journal of Economic History* 67.4 (2007), pp. 968-1000.

19. E. Lazear y S. Rosen, «Rank-Order Tournaments as Optimum Labor Contracts», *Journal of Political Economy* 89.5 (1981), pp. 841-864; véase también D. Benjamin y C. Thornberg, «Comment: Rules, Monitoring and Incentives in the Age of Sail», *Explorations in Economic History* 44.2 (2003), pp. 195-211.

20. J. Robertson, «The Caribbean Islands: British Trade, Settlement, and Colonization», en L. Breen (ed.), *Converging Worlds: Communities and Cultures in Colonial America*, Abingdon, 2012, pp. 176-217.

21. P. Stern, «Rethinking Institutional Transformation in the Making of Empire: The East India Company in Madras», *Journal of Colonialism and Colonial History* 9.2 (2008), pp. 1-15.

22. H. Bowen, *The Business of Empire: The East India Company and Imperial Britain, 1756-1833*, Cambridge, 2006.

23. H. Bingham, «Elihu Yale, Governor, Collector and Benefactor», *American Antiquarian Society. Proceedings* 47 (1937), pp. 93-144; ídem, *Elihu Yale: The American Nabob of Queen Square*, Nueva York, 1939.

24. J. Osterhammel, *China und die Weltgesellschaft*, 1989, p. 112.

25. Véase F. Perkins, *Leibniz and China: A Commerce of Light*, Cambridge, 2004.

26. Citado por S. Mentz, *The English Gentleman Merchant at Work: Madras and the City of London 1660-1740*, Copenhague, 2005, p. 162.

27. Procopio, *The Wars,* 8.20, vol. V, pp. 264-266.

28. K. Matthews, «Britannus/Britto: Roman Ethnographies, Native Identities, Labels and Folk Devils», en A. Leslie, *Theoretical Roman Archaeology and Architecture: The Third Conference Proceedings* (1999), p. 15.

29. R. Fogel, «Economic Growth, Population Theory, and Physiology: The Bearing of Long-Term Processes on the Making of Economic Policy», *American Economic Review* 84.3 (1994), pp. 369-395; J. Mokyr, «Why was the Industrial Revolution a European Phenomenon?», *Supreme Court Economic Review* 10 (2003), pp. 27-63.

30. J. de Vries, «Between Purchasing Power and the World of Goods: Understanding the Household Economy in Early Modern Europe», en J. Brewer y R. Porter (eds.), *Consumption and the World of Goods* (1993), pp. 85-132; ídem, *The Industrious Revolution*; H.-J. Voth, «Time and Work in Eighteenth-Century London», *Journal of Economic History* 58 (1998), pp. 29-58.

31. N. Voigtländer y H.-J. Voth, «Why England? Demographic Factors, Structural Change and Physical Capital Accumulation during the Industrial Revolution», *Journal of Economic Growth* 11 (2006), pp. 319-361; L. Stone, «Social Mobility in England, 1500-1700», *Past & Present* 33 (1966), pp. 16-55; véase también P. Fichtner, *Protestantism and Primogeniture in Early Modern Germany*, Londres, 1989, para una valoración del vínculo entre religión y primogenitura.

32. K. Karaman y S. Pamuk, «Ottoman State Finances in European Perspective, 1500-1914», *Journal of Economic History* 70.3 (2010), pp. 611-612.

33. G. Ames, «The Role of Religion in the Transfer and Rise of Bombay», *Historical Journal* 46.2 (2003), pp 317-340.

34. J. Flores, «The Sea and the World of the Mutasaddi: A Profile of Port Officials from Mughal Gujarat (*c.*1600-1650)», *Journal of the Royal Asiatic Society* 3.21 (2011), pp. 55-71.

35. *Tūzuk-i-Jahāngīrī*, W. Thackston (trad.), *The Jahangirnama: Memoirs of Jahangir, Emperor of India*, Oxford, 1999, p. 108.

36. A. Loomba, «Of Gifts, Ambassadors, and Copy-cats: Diplomacy, Exchange and Difference in Early Modern India», en B. Charry y G. Shahani (eds.), *Emissaries in Early Modern Literature and Culture: Mediation, Transmission, Traffic, 1550-1700*, Aldershot, 2009, pp. 43-45 y ss.

37. Rev. E. Terry, *A Voyage to East India*, Londres, 1655, p. 397, citado por T. Foster, *The Embassy of Sir Thomas Roe to India,* Londres, 1926, pp. 225-226, n. 1. Cuando visitó Sura, el viajero Peter Mundy vio dos dodos, y es posible que estos fueran también regalo de comerciantes ansiosos por ganarse el favor de Jahāngīr, véase *Travels of Peter Mundy*, vol. 2, p. 318.

38. L. Blussé, *Tribuut aan China. Vier eeuwen Nederlands-Chinese betrekkingen*, Ámsterdam, 1989, pp. 84-87.

39. Para la lista de los regalos, véase J. Vogel (ed.), *Journaal van Ketelaar's hofreis naar den Groot Mogol te Lahore*, La Haya, 1937, pp. 357-393; A. Topsfield, «Ketelaar's Embassy and the Farengi Theme in the Art of Udaipur», *Oriental Art* 30.4 (1985), pp. 350-367.

40. Para los detalles del pesaje, véase *Shah Jahan Nama*, p. 28; Jean de Thévenot, que viajó a la India en el siglo XVII, escribió un relato vívido de la ceremonia del pesaje, en S. Sen, *Indian Travels of Thevenot and Careri*, Nueva Delhi, 1949, 26, pp. 66-67.

41. P. Mundy, *Travels*, pp. 298-300.

42. N. Manucci, *A Pepys of Mogul India, 1653-1708: Being an Abridged Edition of the «Storia do Mogor» of Niccolao Manucci*, Nueva Delhi, 1991, pp. 197, 189.

43. J. Gommans, «Mughal India and Central Asia in the Eighteenth Century: An Introduction to a Wider Perspective», *Itinerario* 15.1 (1991), pp. 51-70. Sobre el pago del tributo, véase J. Spain, *The Pathan Borderland*, La Haya, 1963, pp. 32-34; y también C. Noelle, *State and Tribe in Nineteenth-Century Afghanistan: The Reign of Amir Dost Muhamad Khan (1826-1863)*, Londres, 1997, p. 164.

44. S. Levi, «The Ferghana Valley at the Crossroads of World History: The Rise of Khoqand 1709-1822», *Journal of Global History* 2 (2007), pp. 213-232.

45. S. Levi, «India, Russia and the Eighteenth-Century Transformation of the Central Asian Caravan Trade», *Journal of the Economic and Social History of the Orient* 42.4 (1999), pp. 519-548.

46. Véase I. McCabe, *Shah's Silk for Europe's Silver: The Eurasian Trade of the Julfa Armenians in Safavid Iran and India, 1530-1750*, Atlanta, 1999. Véase también B. Bhattacharya, «Armenian European Relationship in India, 1500-1800: No Armenian Foundation for European Empire?», *Journal of the Economic and Social History of the Orient* 48.2 (2005), pp. 277-322.

47. S. Delgoda, «"Nabob, Historian and Orientalist": Robert Orme: The Life and Career of an East India Company Servant (1728-1801)», *Journal of the Royal Asiatic Society* 2.3 (1992), pp. 363-364.

48. Citado por T. Nechtman, «A Jewel in the Crown? Indian Wealth in Domestic Britain in the Late Eighteenth Century», *Eighteenth-Century Studies* 41.1 (2007), p. 73.

49. A. Bewell, *Romanticism and Colonial* Disease, Baltimore, 1999, p. 13.

50. T. Bowrey, *Geographical Account of Countries around the Bay of Bengal 1669 to 1679*, R. Temple (ed.), Londres, 1905, pp. 80-81.

51. C. Smylitopoulos, «Rewritten and Reused: Imagining the Nabob through "Upstart Iconography"», *Eighteenth-Century Life* 32.2 (2008), pp. 39-59.

52. P. Lawson, *The East India Company: A History*, Londres, 1993, p. 120.

53. Nechtman, «Indian Wealth in Domestic Britain», p. 76.

54. E. Burke, *The Writings and Speeches of Edmund Burke*, W. Todd (ed.), 9 vols., Oxford, 2000, vol. V, p. 403.

55. D. Forrest, *Tea for the British: The Social and Economic History of a Famous Trade*, Londres, 1973, Consumo de té en Gran Bretaña, apéndice II, tabla 1, p. 284.

56. Sobre Bengala, véase R. Datta, *Society, Economy and the Market: Commercialization in Rural Bengal, c. 1760-1800*, Nueva Delhi, 2000; R. Harvey, *Clive: The Life and Death of a British Emperor*, Londres, 1998.

57. P. Marshall, *East India Fortunes: The British in Bengal in the Eighteenth Century*, Oxford, 1976, p. 179.

58. J. McLane, *Land and Local Kingship in Eighteenth-Century Bengal*, Cambridge, 1993, pp. 194-207.

59. Véase N. Dirks, *Scandal of Empire: India and the Creation of Imperial Britain*, Cambridge (Massachusetts), 2006, pp. 15-17.

60. P. Lawson, *The East India Company: A History*, Nueva York, 1993.

61. J. Fichter, *So Great a Proffit: How the East Indies Trade Transformed Anglo-American Capitalism*, Cambridge (Massachusetts), 2010, pp. 7-30.

62. Durante los meses siguientes los habitantes de Boston escribieron cartas quejándose de que «el sabor del pescado [había] cambiado», lo que suscitaba el temor de que el té hubiera podido «contaminar tanto el agua del puerto, que los peces hayan contraído una enfermedad no muy diferente de las dolencias que aquejan el cuerpo humano», *Virginia Gazette*, 5 de mayo de 1774.

63. Citado por Dirks, *Scandal*, p. 17.

## Capítulo 15: La ruta de la crisis

1. K. Marx, *Secret Diplomatic History of the Eighteenth Century*, L. Hutchinson (ed.), Londres, 1969 (hay trad. castellana: *Historia de la diplomacia secreta en el siglo* XVIII, Taller de Sociología, Madrid, 1979).

2. A. Kappeler, «Czarist Policy toward the Muslims of the Russian Empire», en A. Kappeler, G. Simon y G. Brunner (eds.), *Muslim Communities Ree-*

*merge: Historical Perspectives on Nationality, Politics, and Opposition in the Former Soviet Union and Yugoslavia*, Durham (Carolina del Norte), 1994, pp. 141-156; véase también D. Brower y E. Lazzerini, *Russia's Orient: Imperial Borderlands and Peoples, 1700-1917,* Bloomington (Indiana), 1997.

3. Los mejores estudios generales sobre la expansión de Rusia son M. Khodarkovsky, *Russia's Steppe Frontier: The Making of a Colonial Empire, 1500-1800*, Bloomington (Indiana), 2002; J. Kusber, «"Entdecker" und "Entdeckte": Zum Selbstverständnis von Zar und Elite im frühneuzeitlichen Moskauer Reich zwischen Europa und Asien», *Zeitschrift fur Historische Forschung* 34 (2005), pp. 97-115.

4. J. Bell, *Travels from St Petersburg in Russia to Various Parts of Asia*, Glasgow, 1764, p. 29; M. Khodarkovsky, *Where Two Worlds Met: The Russian State and the Kalmyk Nomads 1600-1771*, Londres, 1992.

5. A. Kahan, «Natural Calamities and their Effect upon the Food Supply in Russia», *Jahrbucher fur Geschichte Osteuropas* 16 (1968), pp. 353-377; J. Hittle, *The Service City: State and Townsmen in Russia, 1600-1800*, Cambridge (Massachusetts), 1979, pp. 3-16; P. Brown, «How Muscovy Governed: Seventeenth-Century Russian Central Administration», *Russian History* 36 (2009), pp. 467-468.

6. L. de Bourrienne, *Memoirs of Napoleon Bonaparte*, R. Phipps (ed.), 4 vols., Nueva York, 1892, vol. I, p. 179.

7. J. Cole, *Napoleon's Egypt: Invading the Middle East*, Nueva York, 2007, p. 213-215.

8. C. de Gardane, *Mission du Général Gardane en Perse*, París, 1865. Sobre Francia y Persia en este periodo en general y el intento de usar a esta última como puente hacia la India, véase I. Amini, *Napoleon et la Perse: les relations franco-persanes sous le Premier Empire dans le contexte des rivalités entre la France et la Russie*, París, 1995.

9. Ouseley a Wellesley, 30 de abril de 1810, FO 60/4.

10. Ouseley a Wellesley, 30 de noviembre de 1811, FO 60/6.

11. Sobre este episodio, véase A. Barrett, «A Memoir of Lieutenant-Colonel Joseph d'Arcy, R.A., 1780-1848», *Iran* 43 (2005), pp. 241-257.

12. Ibíd., pp. 248-253.

13. Ouseley a Castlereagh, 16 de enero de 1813, FO 60/8.

14. Abul Hassan a Castlereagh, 6 de junio de 1816, FO 60/11.

15. A. Postnikov, «The First Russian Voyage around the World and its Influence on the Exploration and Development of Russian America», *Terrae Incognitae* 37 (2005), pp. 60-61.

16. S. Fedorovna, *Russkaya Amerika v «zapiskakh» K. T. Khlebnikova*, Moscú, 1985.

17. M. Gammer, «Russian Strategy in the Conquest of Chechnya and Dagestan, 1825-59», en M. Broxup (ed.), *The North Caucasus Barrier: The Rus-*

*sian Advance towards the Muslim World*, Nueva York, 1992, pp. 47-61; sobre Shamil, véase S. Kaziev, *Imam Shamil*, Moscú, 2001.

18. Para las traducciones inglesas de los poemas, véase M. Pushkin, *Eugene Onegin and Four Tales from Russia's Southern Frontier*, R. Clark (trad.), Londres, 2005, pp. 131-140 (hay trad. castellana del poema mencionado en el texto: *El prisionero del Cáucaso*, El Acantilado, Barcelona, 2014; L. Kelly, *Lermontov: Tragedy in the Caucasus*, Londres, 2003, pp. 207-208.

19. M. Orlov, *Kapituliatsiia Parizha. Politicheskie sochinenniia. Pis'ma*, Moscú, 1963, p. 47.

20. P. Chaadev, *Lettres philosophiques*, 3 vols., París, 1970, pp. 48-57.

21. S. Becker, «Russia between East and West: The Intelligentsia, Russian National Identity and the Asian Borderlands», *Central Asian Survey* 10.4 (1991), pp. 51-52.

22. T. Levin, *The Hundred Thousand Fools of God: Musical Travels in Central Asia*, Bloomington (Indiana), 1996, pp. 13-15.

23. J. MacKenzie, *Orientalism: History, Theory and the Arts*, Manchester, 1995, pp. 154-156.

24. F. Dostoyevski, *What is Asia to Us?*, M. Hauner (ed. y trad.), Londres, 1992, p. 1.

25. Broxup, *North Caucasus Barrier*, p. 47; J. Baddeley, *The Russian Conquest of the Caucasus*, Londres, 1908, pp. 152-163.

26. L. Kelly, *Diplomacy and Murder in Teheran: Alexandre Griboyedov and Imperial Russia's Mission to the Shah of Persia*, Londres, 2002. Sobre el punto de vista de Griboyedov, véase S. Shostakovich, *Diplomatischeskaia deiatel'nost'*, Moscú, 1960.

27. «Peridskoe posol'stvo v Rossii 1828 goda», *Russkii Arkhiv* 1 (1889), pp. 209-260.

28. Citado por W. Dalrymple, *Return of a King: The Battle for Afghanistan*, Londres, 2013, pp. 50-51.

29. J. Norris, *The First Afghan War 1838-1842*, Cambridge, 1967; M. Yapp, *Strategies of British India: Britain, Iran and Afghanistan 1798-1850*, Oxford, 1980, pp. 96-152; C. Allworth, *Central Asia: A Century of Russian Rule*, Nueva York, 1967, pp. 12-24.

30. Palmerston a Lamb, 22 de mayo de 1838, Beauvale Papers, MS 60466; D. Brown, *Palmerston: A Biography*, Londres, 2010, p. 216.

31. Palmerston a Lamb, 22 de mayo de 1838, citado en D. Brown, *Palmerston: A Biography*, Londres, 2010, p. 216.

32. Palmerston a Lamb, 23 de junio de 1838, en ibíd., pp. 216-217.

33. S. David, *Victoria's Wars: The Rise of Empire*, Londres, 2006, pp. 15-47; A. Burnes, *Travels into Bokhara. Being an account of a Journey from India to Cabool, Tartary and Persia*, 3 vols., Londres, 1834. Sobre el asesinato de Burnes, véase Dalrymple, *Return of a King*, pp. 30-35.

34. W. Yapp, «Disturbances in Eastern Afghanistan, 1839-1842», *Bulletin of the School of Oriental and African Studies* 25.1 (1962), pp. 499-523; ídem, «Disturbances in Western Afghanistan, 1839-1842», *Bulletin of the School of Oriental and African Studies* 26.2 (1963), pp. 288-313; Dalrymple, *Return of a King*, pp. 378-388.

35. A. Conolly a Rawlinson, 1839; véase S. Brysac y K. Mayer, *Tournament of Shadows: The Great Game and the Race for Empire in Asia*, Londres, 2006 (hay trad. castellana: *Torneo de sombras: el Gran Juego y la pugna por la hegemonía en Asia Central*, RBA, Barcelona, 2008).

36. «Proceedings of the Twentieth Anniversary Meeting of the Society», *Journal of the Royal Asiatic Society* 7 (1843), pp. X-XI. Sobre Stoddart, Conolly y otros como ellos, véase P. Hopkirk, *The Great Game: On Secret Service in High Asia*, Londres, 2001.

37. H. Hopkins, *Charles Simeon of Cambridge*, Londres, 1977, p. 79.

38. J. Wolff, *Narrative of a Mission to Bokhara: In the Years 1843-1845*, 2 vols., Londres, 1845; sobre Wolff mismo, véase H. Hopkins, *Sublime Vagabond: The Life of Joseph Wolff - Missionary Extraordinary*, Worthing, 1984, pp. 286-322.

39. A. Levshin, *Opisanie Kirgiz-Kazach'ikh, ili Kirgiz-kaisatskikh, ord i stepei*, Almatý, 1996 13, p. 297.

40. Burnes, *Travels into Bokhara*, 11, vol. II, p. 381.

41. R. Shukla, *Britain, India and the Turkish Empire, 1853-1882*, Nueva Delhi, 1973, p. 27.

42. O. Figes, *Crimea: The Last Crusade*, Londres, 2010, p. 52.

43. Sobre Francia, véase M. Racagni, «The French Economic Interests in the Ottoman Empire», *International Journal of Middle East Studies* 11.3 (1980), pp. 339-376.

44. W. Baumgart, *The Peace of Paris 1856: Studies in War, Diplomacy and Peacemaking*, A. Pottinger Saab (trad.), Oxford, 1981, pp. 113-116, 191-194.

45. K. Marx, *The Eastern Question: A Reprint of Letters Written 1853-1856 Dealing with the Events of the Crimean War*, Londres, 1969; ídem, *Dispatches for the New York Tribune: Selected Journalism of Karl Marx*, F. Wheen y J. Ledbetter (ed.), Londres, 2007.

46. G. Ameil, I. Nathan y G.-H. Soutou, *Le Congrès de Paris (1856): un événement fondateur*, Bruselas, 2009.

47. P. Levi, «Il monumento dell'unità Italiana», *La Lettura*, 4 de abril de 1904; T. Kirk, «The Political Topography of Modern Rome, 1870-1936: Via XX Septembre to Via dell'Impero», en D. Caldwell y L. Caldwell (eds.), *Rome: Continuing Encounters between Past and Present*, Farnham, 2011, pp. 101-128.

48. Figes, *Crimea*, pp. 411-424; Baumgart, *Peace of Paris*, pp. 113-116.

49. D. Moon, *The Abolition of Serfdom in Russia, 1762-1907*, Londres, 2001, p. 54.

50. E. Brooks, «Reform in the Russian Army, 1856-1861», *Slavic Review* 43.1 (1984), pp. 63-82.

51. Sobre la servidumbre en Rusia, véase T. Dennison, *The Institutional Framework of Russian Serfdom*, Cambridge, 2011. Sobre la crisis bancaria, véase S. Hoch, «Bankovskii krizis, krest'ianskaya reforma i vykupnaya operatsiya v Rossii, 1857-1861», en L. Zakharova, B. Eklof y J. Bushnell (eds.), *Velikie reformy v Rossii, 1856-1874*, Moscú, 1991, pp. 95-105.

52. En 1856 Nikolai Miliutin, ministro adjunto del Interior, había advertido de que la abolición de la servidumbre no era solo una prioridad, sino una necesidad: si no se tomaban medidas, habría malestar en el campo y posiblemente una revolución, *Gosudarstvennyi arkhiv Rossiiskoi Federatsii*, 722, op. 1, d. 230, citado por L. Zakharova, «The Reign of Alexander II: A Watershed?», en D. Lieven (ed.), *The Cambridge History of Russia*, Cambridge, 2006, p. 595.

53. V. Fedorov, *Istoriya Rossii XIX-nachala XX v.*, Moscú, 1998, p. 295; P. Gatrell, «The Meaning of the Great Reforms in Russian Economic History», en B. Eklof, J. Bushnell y L. Zakharovna (eds.), *Russia's Great Reforms, 1855-1881*, Bloomington (Indiana) 1994, p. 99.

54. N. Ignátiev, *Missiya v' Khivu i Bukharu v' 1858 godu*, San Petersburgo, 1897, p. 2.

55. Ibíd.

56. Alcock a Russell, 2 de agosto de 1861, FO Confidential Print 1009 (3), FO 881/1009.

57. A. Grinev, «Russian Politarism as the Main Reason for the Selling of Alaska», en K. Matsuzato (ed.), *Imperiology: From Empirical Knowledge to Discussing the Russian Empire*, Sapporo, 2007, pp. 245-258.

## Capítulo 16: La ruta de la guerra

1. W. Mosse, «The End of the Crimean System: England, Russia and the Neutrality of the Black Sea, 1870-1», *Historical Journal* 4.2 (1961), pp. 164-172.

2. *Spectator*, 14 de noviembre de 1870.

3. W. Mosse, «Public Opinion and Foreign Policy: The British Public and the War-Scare of November 1870», *Historical Journal* 6.1 (1963), pp. 38-58.

4. Rumbold a Granville, 19 de marzo de 1871, FO 65/820, n.º 28, p. 226; Mosse, «End to the Crimean System», p. 187.

5. Lord Granville, Cámara de los Lores, 8 de febrero de 1876, Hansard, 227, 19.

6. Reina Victoria a Disraeli, Hughenden Papers, 23 de julio de 1877; L. Knight, «The Royal Titles Act and India», *Historical Journal* 11.3 (1968), p. 493.

7. Robert Lowe, Cámara de los Comunes, 23 de marzo de 1876, Hansard, 228, 515-516.

8. Sir William Fraser, Cámara de los Comunes, 16 de marzo de 1876, Hansard, 228, 111; Benjamin Disraeli, Cámara de los Comunes, 23 de marzo, Hansard, 227, 500.

9. Knight, «Royal Titles Act», p. 494.

10. L. Morris, «British Secret Service Activity in Khorasan, 1887-1908», *Historical Journal* 27.3 (1984), pp. 662-670.

11. Disraeli a Salisbury, 1 de abril de 1877, W. Monypenny y G. Buckle (eds.), *The Life of Benjamin Disraeli, Earl of Beaconsfield*, Londres, 1910-1920, vol. VI, p. 379.

12. B. Hopkins, «The Bounds of Identity: The Goldsmid Mission and Delineation of the Perso-Afghan Border in the Nineteenth Century», *Journal of Global History* 2.2 (2007), pp. 233-254.

13. R. Johnson, «"Russians at the Gates of India"? Planning the Defence of India, 1885-1900», *Journal of Military History* 67.3 (2003), p. 705.

14. Ibíd., pp. 714-718.

15. Plan del general Kuropatkin para el avance ruso sobre la India, junio de 1886, CID 7D, CAB 6/1.

16. Johnson, «"Russians at the Gates of India"», pp. 734-739.

17. G. Curzon, *Russia in Central Asia in 1889 and the Anglo-Russian Question*, Londres, 1889, pp. 314-315.

18. A. Morrison, «Russian Rule in Turkestan and the Example of British India, *c.* 1860-1917», *Slavonic and East European Review* 84.4 (2006), pp. 674-676.

19. B. Penati, «Notes on the Birth of Russian Turkestan's Fiscal System: A View from the Fergana *Oblast*», *Journal of the Economic and Social History of the Orient* 53 (2010), pp. 739-769.

20. D. Brower, «Russian Roads to Mecca: Religious Tolerance and Muslim Pilgrimage in the Russian Empire», *Slavic Review* 55.3 (1996), pp. 569-570.

21. M. Terent'ev, *Rossiya i Angliya v Srednei Azii*, San Petersburgo, 1875, p. 361.

22. Morrison, «Russian Rule in Turkestan», pp. 666-707.

23. *Dnevnik P. A. Valueva, ministra vnutrennikh del*, P. Zaionchkovskii (ed.), 2 vols., Moscú, 1961, vol. II, pp. 60-61.

24. M. Sladkovskii, *History of Economic Relations between Russia and China: From Modernization to Maoism*, Nuevo Brunswick, 2008, pp. 119-129; C. Paine, *Imperial Rivals: China, Russia and their Disputed Frontier, 1858-1924*, Nueva York, 1996, p. 178.

25. B. Anan'ich y S. Beliaev, «St Petersburg: Banking Center of the Russian Empire», en W. Brumfield, B. Anan'ich y Y. Petrov (eds.), *Commerce in Russian Urban Culture, 1861-1914*, Washington, D.C., 2001, pp. 15-17.

26. P. Stolypin, *Rechy v Gosudarstvennoy Dume (1906-1911)*, Petrogrado, 1916, p. 132.

27. E. Backhouse y J. Blood, *Annals and Memoirs of the Court of Peking*, Boston, 1913, pp. 322-331.

28. M. Mosca, *From Frontier Policy to Foreign Policy: The Question of India and the Transformation of Geopolitics in Qing China*, Stanford (California), 2013.

29. R. Newman, «Opium Smoking in Late Imperial China: A Reconsideration», *Modern Asian Studies* 29.4 (1995), pp. 765-794.

30. J. Polachek, *The Inner Opium War*, Cambridge (Massachusetts), 1991.

31. C. Pagani, «Objects and the Press: Images of China in Nineteenth-Century Britain», en J. Codell (ed.), *Imperial Co-Histories: National Identities and the British and Colonial* Press, Madison (Nueva Jersey), 2003, p. 160.

32. Memorándum de Lord Northbrook para el Gabinete, 20 de mayo de 1885, FO 881/5207, n.º 29, p. 11. Véase I. Nish, «Politics, Trade and Communications in East Asia: Thoughts on Anglo-Russian Relations, 1861-1907», *Modern Asian Studies* 21.4 (1987), pp. 667-678.

33. D. Drube, *Russo-Indian Relations, 1466-1917*, Nueva York, 1970, pp. 215-216.

34. Lord Roberts, «The North-West Frontier of India. An Address Delivered to the Officers of the Eastern Command on 17th November, 1905», *Royal United Services Institution Journal* 49.334 (1905), p. 1355.

35. Resumen del informe de Rittich sobre los «Ferrocarriles en Persia», Parte I, p. 2, sir Charles Scott al marqués de Salisbury, San Petersburgo, 2 de mayo de 1900, FO 65/1599. Véase también P. Kennedy y J. Siegel, *Endgame: Britain, Russia and the Final Struggle for Central Asia*, Londres, 2002, p. 4.

36. «Memorándum del señor Charles Hardinge», p. 9, al marqués de Salisbury, San Petersburgo, 2 de mayo de 1900, FO 65/1599.

37. Ministro de Exteriores, Shimla, al residente político, Golfo Pérsico, julio de 1899, FO 60/615.

38. R. Greaves, «British Policy in Persia, 1892-1903 II», *Bulletin of the School of Oriental and African Studies* 28.2 (1965), pp. 284-288.

39. Durand a Salisbury, 27 de enero de 1900, FO 60/630.

40. Minuta del virrey en Sistán, 4 de septiembre de 1899, FO 60/615, p. 7. Sobre las nuevas redes de comunicación propuestas, véase «Report on preliminary survey of the Route of a telegraph line from Quetta to the Persian frontier», 1899, FO 60/615.

41. R. Greaves, «Sistan in British Indian Frontier Policy», *Bulletin of the School of Oriental and African Studies* 49.1 (1986), pp. 90-91.

42. Lord Curzon a lord Lansdowne, 15 de junio de 1901, Lansdowne Papers, citado por Greaves, «British Policy en Persia», p. 295.

43. Lord Salisbury a Lord Lansdowne, 18 de octubre de 1901, Lansdowne Papers, citado por Greaves, «British Policy in Persia», p. 298.

44. Lord Ellenborough, Cámara de los Lores, 5 de mayo de 1903, Hansard, 121, 1.341.

45. Lord Lansdowne, Cámara de los Lores, 5 de mayo de 1903, Hansard, 121, 1.348.

46. Greaves, «Sistan in British Indian Frontier Policy», pp. 90-102.

47. Intereses británicos en Persia, 22 de enero de 1902, Hansard, 101, 574-628; conde de Ronaldshay, Cámara de los Comunes, 17 de febrero de 1908, Hansard, 184, 500-501.

48. Eduardo VII a Lansdowne, 20 de octubre de 1901, citado por S. Lee, *King Edward VII*, 2 vols., Nueva York, 1935-1937, vol. II, pp. 154-155.

49. S. Gwynn, *The Letters and Friendships of Sir Cecil Spring-Rice*, 2 vols., Boston, 1929, vol. II, p. 85; M. Habibi, «France and the Anglo-Russian Accords: The Discreet Missing Link», *Iran* 41 (2003), p. 292.

50. Informe del comité nombrado para considerar la defensa militar de la India, 24 de diciembre de 1901, CAB 6/1; K. Neilson, *Britain and the Last Tsar: British Policy and Russia, 1894-1917*, Oxford, 1995, p. 124.

51. Stevens a Lansdowne, 12 de marzo de 1901, FO 248/733.

52. Morley a Minto, 12 de marzo de 1908, citado por S. Wolpert, *Morley and India, 1906-1910*, Berkeley, 1967, p. 80.

53. W. Robertson a DGMI, secreto, 10 de noviembre de 1902, Robertson Papers, I/2/4, en Neilson, *Britain and the Last Tsar*, p. 124.

54. S. Cohen, «Mesopotamia in British Strategy, 1903-1914», *International Journal of Middle East Studies* 9.2 (1978), pp. 171-174.

55. Neilson, *Britain and the Last Tsar*, pp. 134-135.

56. *The Times*, 21 de octubre de 1905.

57. H.-U. Wehler, *Deutsche Gesellschaftsgeschichte*, 5 vols., Múnich, 2008, vol. III, pp. 610-612.

58. C. Clark, *The Sleepwalkers: How Europe Went to War in 1914*, Londres, 2012, p. 130 (hay trad. castellana: *Sonámbulos: Cómo Europa fue a la guerra en 1914*, Galaxia Gutenberg-Círculo de Lectores, Barcelona, 2014).

59. F. Tomaszewski, *A Great Russia: Russia and the Triple Entente, 1905-1914*, Westport (Connecticut), 2002; M. Soroka, *Britain, Russia and the Road to the First World War: The Fateful Embassy of Count Aleksandr Benckendorff (1903-1916)*, Farnham, 2011.

60. Minuta de Grey, FO 371/371/26042.

61. G. Trevelyan, *Grey of Fallodon*, Londres, 1937, p. 193.

62. Hardinge a De Salis, 29 de diciembre de 1908, Hardinge MSS, vol. 30.

63. K. Wilson, «Imperial Interests in the British Decision for War, 1914: The Defence of India in Central Asia», *Review of International Studies* 10 (1984), pp. 190-192.

64. Nicolson a Hardinge, 18 de abril de 1912, Hardinge MSS, vol. 92.

65. Grey a Nicholson, 19 de marzo de 1907; Memorándum, sir Edward Grey, 15 de marzo de 1907, FO 418/38.

66. Clark, *Sleepwalkers*, pp. 85, 188; H. Afflerbach, *Der Dreibund. Euro-*

*päische Grossmacht- und Allianz-politik vor dem Ersten Weltkrieg*, Vienna, 2002, pp. 628-632.

67. Grey a Nicolson, 18 de abril de 1910, en G. Gooch y H. Temperley (eds.), *British Documents on the Origins of the War, 1898-1914*, 11 vols., Londres, 1926-1938, vol. VI, p. 461.

68. Citado por B. de Siebert, *Entente Diplomacy and the World*, Nueva York, 1921, p. 99.

69. I. Klein, «The Anglo-Russian Convention and the Problem of Central Asia, 1907-1914», *Journal of British Studies* 11.1 (1971), en especial pp. 140-143.

70. Grey a Buchanan, 18 de marzo de 1914, Grey MSS, FO 800/74, pp. 272-273.

71. Nicolson a Grey, 24 de marzo de 1909, FO 800/337, p. 312; K. Wilson, *The Policy of the Entente: Essays on the Determinants of British Foreign Policy*, Cambridge, 1985, p. 38.

72. Nicolson a Grey, 24 de marzo de 1909, FO 800/337, p. 312.

73. Citado por N. Ferguson, *The Pity of War*, Londres, 1998, p. 73.

74. Citado por K. Wilson, *Empire and Continent: Studies in British Foreign Policy from the 1880s to the First World War*, Londres, 1987, pp. 144-145; G. Schmidt, «Contradictory Postures and Conflicting Objectives: The July Crisis», en G. Schöllgen, *Escape into War? The Foreign Policy of Imperial Germany*, Oxford, 1990, p. 139.

75. Citado por R. MacDaniel, *The Shuster Mission and the Persian Constitutional Revolution*, Minneapolis, 1974, p. 108.

76. T. Otte, *The Foreign Office Mind: The Making of British Foreign Policy, 1965-1914*, Cambridge, 2011, p. 352.

77. Bertie a Mallet, 11 de junio de 1904, en respuesta a Mallet a Bertie, 2 de junio de 1904, FO 800/176.

78. El plan Schlieffen es polémico: por el contexto y la fecha precisa de su composición y por su utilización en el periodo previo a la primera guerra mundial. Véanse G. Gross, «There was a Schlieffen Plan: New Sources on the History of German Military Planning», *War in History* 15 (2008), pp. 389-431; T. Zuber, *Inventing the Schlieffen Plan*, Oxford, 2002, y *The Real German War Plan*, Stroud, 2011.

79. J. Sanborn, *Imperial Apocalypse: The Great War and the Destruction of the Russian Empire*, Oxford, 2014, p. 25. Sobre el Plan 19 y sus variantes, véase también I. Rostunov, *Russki front pervoi mirovoi voiny*, Moscú, 1976, pp. 91-92.

80. Guillermo II a Morley, 3 de noviembre de 1907, citado por Cohen, «British Strategy in Mesopotamia», p. 176. Sobre la implicación del káiser en el ferrocarril, véase J. Röhl, *Wilhelm II: Into the Abyss of War and Exile, 1900-1941*, S. de Bellaigue y R. Bridge (trad.), Cambridge, 2014, pp. 90-95.

81. R. Zilch, *Die Reichsbank und die finanzielle Kriegsvorbereitung 1907 bis 1914*, Berlín, 1987, pp. 83-88.

82. A. Hitler, *Mein Kampf*, Londres, 2007 (reimp.), p. 22 (hay trad. castellana: *Mi lucha*, Librería El Galeón, Madrid, 2002). Véase B. Rubin y W. Schwanitz, *Nazis, Islamists, and the Making of the Modern Middle East*, New Haven, 2014, pp. 22-25.

83. D. Hoffmann, *Der Sprung ins Dunkle oder wie der I. Weltkrieg entfesselt wurde*, Leipzig, 2010, pp. 325-330; véase también A. Mombauer, *Helmuth von Moltke and the Origins of the First World War*, Cambridge, 2001, pp. 172-174.

84. R. Musil, «Europäertum, Krieg, Deutschtum», *Die neue Rundschau* 25 (1914), p. 1303.

85. W. Le Queux, *The Invasion of 1910*, Londres, 1906; Andrew, *Defence of the Realm*, p. 8; Ferguson, *Pity of War*, pp. 1-11.

86. «Britain scared by Russo-German deal», *New York Times*, 15 de enero de 1911. Véase también D. Lee, *Europe's Crucial Years: The Diplomatic Background of World War 1, 1902-1914*, Hanover (New Hampshire), 1974, pp. 217-220.

87. A. Mombauer, *Helmuth von Moltke and the Origins of the First World War*, Cambridge, 2001, p. 120.

88. R. Bobroff, *Roads to Glory: Late Imperial Russia and the Turkish Straits*, Londres, 2006, pp. 52-55.

89. Grigorevich a Sazonov, 19 de enero de 1914, en *Die Internationalen Beziehungenim Zeitalter des Imperialismus*, 8 vols., Berlín, 1931-1943, Serie 3, vol. I, pp. 45-47, citado en Clark, *Sleepwalkers*, p. 485. Véase también M. Aksakal, *The Ottoman Road to War in 1914: The Ottoman Empire and the First World War*, Cambridge, 2008, pp. 42-56.

90. S. McMeekin, *The Russian Origins of the First World War*, Cambridge (Massachusetts), 2011, pp. 29, 36-38.

91. Girs a Sazonov, 13 de noviembre de 1913, citado por McMeekin, *Russian Origins*, pp. 30-31.

92. W. Kampen, *Studien zur deutschen Türkeipolitik in der Zeit Wilhelms II*, Kiel, 1968, pp. 39-57; M. Fuhrmann, *Der Traum vom deutschen Orient: Zwei deutsche Kolonien im Osmanischen Reich, 1851-1918*, Fráncfort del Meno, 2006.

93. J. Röhl, *The Kaiser and his Court: Wilhelm II and the Government of Germany*, T. Cole (trad.), Cambridge, 1996, pp. 162-189.

94. Nicolson a Goschen, 5 de mayo de 1914, FO 800/374.

95. Sobre la transfusión, véase A. Hustin, «Principe d'une nouvelle méthode de transfusión muqueuse», *Journal Médical de Bruxelles* 2 (1914), p. 436; sobre los incendios forestales, Z. Frenkel, «Zapiski o zhiznennom puti», *Voprosy istorii* 1 (2007), p. 79; sobre el fútbol alemán, C. Bausenwein, *Was ist Was: Fusballbuch*, Núremberg, 2008, p. 60; A. Meynell, «Summer in England, 1914», en *The Poems of Alice Meynell: Complete Edition*, Oxford, 1940, p. 100.

96. H. Pogge von Strandmann, «Germany and the Coming of War», en R. Evans y H. Pogge von Strandmann (eds.), *The Coming of the First World War*, Oxford, 2001, pp. 87-88.

97. T. Ashton y B. Harrison (eds.), *The History of the University of Oxford*, 8 vols., Oxford, 1994, vol. VIII, pp. 3-4.

98. Para los detalles del adiestramiento de los asesinos, los atentados contra la vida de Francisco Fernando y su muerte, véanse los documentos oficiales relacionados con el juicio de Princip y sus cómplices, *Libro rojo publicado por el gobierno austro-húngaro,* Sección II, Apéndices 1-13, n.° 20-34 (1914-1915).

99. Clark, *Sleepwalkers*, p. 562.

100. E. Grey, *Twenty-Five Years, 1892-1916*, Nueva York, 1925, p. 20.

101. I. Hull, «Kaiser Wilhelm II and the "Liebenberg Circle"», en J. Röhl y N. Sombart (eds.), *Kaiser Wilhelm II: New Interpretations*, Cambridge, 1982, pp. 193-220; H. Herwig, «Germany', en R. Hamilton y H. Herwig, *The Origins of the First World War*, Cambridge, 2003, pp. 150-187.

102. Conversación con Sazonov, referida por V. Kokovtsov, *Out of my Past: The Memoirs of Count Kokovtsov, Russian Minister of Finance, 1904-1914*, H. Fisher (ed.), Oxford, 1935, p. 348.

103. Buró del Levante a Lecomte, 2 de julio de 1908, *Archives des Ministres des Affaires Etrangères: correspondance politique et commerciale (nouvelle sèrie) 1897-1918. Perse*, vol. 3, folio 191.

104. Clark, *Sleepwalkers*, pp. 325-326.

105. Clerk, «Anglo-Persian Relations in Persia», 21 de julio de 1914, FO 371/2076/33484.

106. Buchanan a Nicolson, 16 de abril de 1914, en Gooch y Temperley, *British Documents*, 10.2, pp. 784-785.

107. Buchanan a Grey, 25 de julio de 1914, en Gooch y Temperley, *British Documents*, 11, p. 94.

108. «Memorándum comunicado a sir G. Buchanan por M. Sazonof», 11 de julio de 1914, en FO 371/2076; M. Paléologue, *La Russie des tsars pendant la grande guerre*, 3 vols., París, 1921, vol. I, p. 23.

109. K. Jarausch, «The Illusion of Limited War: Bethmann Hollweg's Calculated Risk, July 1914», *Central European History* 2 (1969), p. 58, y *The Enigmatic Chancellor: Bethmann Hollweg and the Hubris of Imperial Germany*, Londres, 1973, p. 96.

110. J. McKay, *Pioneers for Profit: Foreign Entrepreneurship and Russian Industrialization, 1885-1913*, Chicago, 1970, pp. 28-29. Véase también D. Lieven, *Russia and the Origins of the First World War*, Londres, 1983; O. Figes, *A People's Tragedy: The Russian Revolution, 1891-1924*, Londres, 1996, en especial pp. 35-83.

111. D. Fromkin, «The Great Game in Asia», *Foreign Affairs* (1980), p. 951; G. D. Clayton, *Britain and the Eastern Question: Missolonghi to Gallipoli*, Londres, 1971, p. 139.

112. E. Vandiver, *Stand in the Trench, Achilles: Classical Receptions in British Poetry of the Great War*, Oxford, 2010, pp. 263-269.

113. H. Strachan, *The Outbreak of the First World War*, Oxford, 2004, pp. 181 y ss.

114. W. Churchill, *The World Crisis, 1911-1918, with New Introduction by Martin Gilbert*, Nueva York, 2005, pp. 667-668 (hay trad. castellana: *La crisis mundial, 1911-1918*, DeBolsillo, Barcelona, 2015); para las opiniones acerca de la familia Churchill, véase Hardinge a O'Beirne, 9 de julio de 1908, Hardinge MSS 30.

115. E. Campion Vaughan, *Some Desperate Glory*, Edimburgo, 1982, p. 232.

116. HM Stationery Office, *Statistics of the Military Efforts of the British Empire during the Great War, 1914-1920*, Londres, 1922, p. 643.

117. Grey a Goschen, 5 de noviembre de 1908, FO 800/61, p. 2.

118. Rupert Brooke a Jacques Raverat, 1 de agosto de 1914, en G. Keynes (ed.), *The Letters of Rupert Brooke*, Londres, 1968, p. 603.

119. W. Letts, «The Spires of Oxford», en *The Spires of Oxford and Other Poems*, Nueva York, 1917, pp. 3-4.

120. *The Treaty of Peace between the Allied and Associated Powers and Germany*, Londres, 1919.

121. Sanborn, *Imperial Apocalypse*, p. 233.

122. H. Strachan, *Financing the First World War*, Oxford, 2004, p. 188.

123. Ibíd. Véase también K. Burk, *Britain, America and the Sinews of War, 1914-1918*, Boston, 1985; M. Horn, *Britain, France and the Financing of the First World War*, Montreal, 2002, pp. 57-75.

124. Véanse Strachan, *Financing the First World War*; Ferguson, *Pity of War*, en especial pp. 318 y ss., y B. Eichengreen, *Golden Fetters: The Gold Standard and the Great Depression, 1919-1939*, Oxford, 1992.

## CAPÍTULO 17: LA RUTA DEL ORO NEGRO

1. D. Carment, «D'Arcy, William Knox», en B. Nairn y G. Serle (eds.), *Australian Dictionary of Biography*, Melbourne, 1981, vol. VIII, pp. 207-208.

2. J. Banham y J. Harris (eds.), *William Morris and the Middle Ages*, Manchester, 1984, pp. 187-192; L. Parry, «The Tapestries of Sir Edward Burne-Jones», *Apollo* 102 (1972), pp. 324-328.

3. National Portrait Gallery, NPG 6251 (14), (15).

4. Para los antecedentes véase R. Ferrier y J. Bamburg, *The History of the British Petroleum Company*, 3 vols., Londres, 1982-2000, vol. I, pp. 29 y ss.

5. S. Cronin, «Importing Modernity: European Military Missions to Qajar Iran», *Comparative Studies in Society and History* 50.1 (2008), pp. 197-226.

6. Lansdowne a Hardinge, 18 de noviembre de 1902, en A. Hardinge, *A Diplomatist in the East,* Londres, 1928, pp. 286-296. Véase también R. Greaves,

«British Policy in Persia, 1892-1903 II», *Bulletin of the School of Oriental and African Studies* 28.2 (1965), pp. 302-303.

7. Wolff a Kitabgi, 25 de noviembre de 1900, la concesión de D'Arcy; Dossier Kitabgi y correspondencia relativa a las declaraciones de Kitabgi, BP 69454.

8. Véase en general Th. Korres, *Hygron pyr: ena hoplo tes Vizantines nautikes taktikes*, Tesalónica, 1989; J. Haldon, «A Possible Solution to the Problem of Greek Fire», *Byzantinische Zeitschrift* 70 (1977), pp. 91-99; J. Partington, *A History of Greek Fire and Gunpowder*, Cambridge, 1960, pp. 1-41.

9. W. Loftus, «On the Geology of Portions of the Turco-Persian Frontier and of the Districts Adjoining», *Quarterly Journal of the Geological Society* 11 (1855), pp. 247-344.

10. M. Elm, *Oil, Power, and Principle: Iran's Oil Nationalization and its Aftermath*, Siracusa, 1992, p. 2.

11. Carta de Sayyid Jamêl al-Dên al-Afghênê a Mujtahid, en E. Browne, *The Persian Revolution of 1905-1909*, Londres, 1966, pp. 18-19.

12. P. Kazemzadeh, *Russia and Britain in Persia, 1864-1914: A Study in Imperialism*, New Haven, 1968, pp. 122, 127.

13. Griffin a Rosebery, 6 de diciembre de 1893, FO 60/576.

14. Minuta de Currie, 28 de octubre de 1893, FO 60/576.

15. J. de Morgan, «Notes sur les gîtes de Naphte de Kend-e-Chirin (Gouvernement de Ser-i-Paul)», *Annales des Mines* (1892), pp. 1-16; ídem, *Mission scientifique en Perse*, 5 vols., París, 1894-1905; B. Redwood, *Petroleum: Its Production and Use*, Nueva York, 1887; J. Thomson y B. Redwood, *Handbook on Petroleum for Inspectors under the Petroleum Acts*, Londres, 1901.

16. Kitabgi a Drummond-Wolff, 25 de diciembre de 1900, Dossier Kitabgi y correspondencia relativa a las declaraciones de Kitabgi, BP 69454.

17. Gosselin a Hardinge, 12 de marzo de 1901, FO 248/733; Marriott menciona la carta de presentación en su Diario, 17 de abril de 1901, BP 70298.

18. Diario de Marriott, pp. 16, 25, BP 70298.

19. Hardinge a Lansdowne, 12 de mayo de 1901, FO 60/640; Diario de Marriott, BP 70298.

20. Marriott a Knox D'Arcy, 21 de mayo, BP 70298; Knox D'Arcy a Marriott, 23 de mayo, BP 70298.

21. Ferrier y Bamberg, *History of the British Petroleum Company*, pp. 33-41.

22. Ibíd., Apéndice 1, pp. 640-643.

23. N. Fatemi, *Oil Diplomacy: Powder Keg in Iran*, Nueva York, 1954, p. 357.

24. Hardinge a Lansdowne, 30 de mayo de 1900, FO 60/731.

25. Diario de Marriott, 23 de mayo de 1901, BP 70298.

26. Knox D'Arcy a Lansdowne, 27 de junio de 1901, FO 60/731; Greaves, «British Policy in Persia», pp. 296-298.

27. Hardinge a Lansdowne, 30 de mayo de 1900, FO 60/731.

28. Ferrier y Bamberg, *British Petroleum*, pp. 54-59.

29. D'Arcy a Reynolds, 15 de abril de 1902, BP H12/24, p. 185.

30. Libro de correspondencia, concesión persa de 1901 a 1902, BP 69403.

31. Bell a Jenkin, 13 de julio, Libro de recibos, BP 69531.

32. A. Marder (ed.), *Fear God and Dread Nought: The Correspondence of Admiral the First Sea Lord Lord Fisher of Kilverstone*, 3 vols., Cambridge (Massachusetts), 1952, vol. I, p. 185. Sobre esto y el cambio al petróleo de Gran Bretaña antes de la primera guerra mundial, véase Yergin, *The Prize*, pp. 134 y ss.

33. Dossier Kitabgi y correspondencia relativa a las declaraciones de Kitabgi, BP 69454; Hardinge a Grey, 23 de diciembre de 1905, FO 416/26; T. Corley, *A History of the Burmah Oil Company, 1886-1924*, Londres, 1983, pp. 95-111.

34. Ferrier y Bamberg, *British Petroleum*, pp. 86-88.

35. Ibíd.

36. A. Wilson, *South West Persia: Letters and Diary of a Young Political Officer, 1907-1914*, Londres, 1941, p. 42.

37. Ibíd.

38. Ibíd., p. 103; Corley, *Burmah Oil Company*, pp. 128-145.

39. Fisher, *Fear God and Dread Nought*, 2, p. 404.

40. Churchill, *World Crisis*, pp. 75-76.

41. «Oil Fuel Supply for His Majesty's Navy», 19 de junio de 1913, CAB 41/34.

42. Asquith al rey Jorge V, 12 de julio de 1913, CAB 41/34.

43. Churchill, Cámara de los Comunes, 17 de julio de 1913, Hansard, 55, 1470.

44. Slade a Churchill, 8 de noviembre 1913, «Anglo-Persian Oil Company. Proposed Agreement, December 1913», ADM 116/3486.

45. Citado por D. Yergin, *The Prize: The Epic Quest for Oil, Money and Power*, Nueva York, 2009[3], p. 167 (hay trad. castellana de la primera edición: *Historia del petróleo: la lucha voraz por el dinero y el poder desde 1853 hasta la guerra del Golfo*, Vergara, Buenos Aires, 1992).

46. Citado por M. Aksakal, «"Holy War Made in Germany?" Ottoman Origins of the Jihad», *War in History* 18.2 (2011), p. 196.

47. F. Moberly, *History of the Great War Based on Official Documents: The Campaign in Mesopotamia 1914-1918*, 4 vols., Londres, 1923, vol. I, pp. 130-131.

48. Kitchener a Su Alteza el jerife Abdalá, Anexa a Cheetham a Grey, 13 de diciembre de 1914, FO 371/1973/87396. Véase también E. Karsh e I. Karsh, «Myth in the Desert, or Not the Great Arab Revolt», *Middle Eastern Studies* 33.2 (1997), pp. 267-312.

49. J. Tomes, *Balfour and Foreign Policy: The International Thought of a Conservative Statesman*, Cambridge, 1997, p. 218.

50. Soroka, *Britain, Russia and the Road to the First World War*, pp. 201-236; Aksakal, *Ottoman Road to War*.

51. «Russian War Aims», Memorándum de la embajada británica en Petrogrado al gobierno ruso, 12 de marzo de 1917, en F. Golder, *Documents of Russian History 1914-1917*, Nueva York, 1927, pp. 60-62.

52. Grey a McMahon, 8 de marzo de 1915, FO 800/48. Sobre las inversiones francesas antes de la guerra, véase M. Raccagni, «The French Economic Interests in the Ottoman Empire», *International Journal of Middle East Studies* 11.3 (198), pp. 339-376; V. Geyikdagi, «French Direct Investments in the Ottoman Empire Before World War I», *Enterprise & Society* 12.3 (2011), pp. 525-561.

53. E. Kedourie, *In the Anglo-Arab Labyrinth: The McMahon-Husayn Correspondence and its Interpretations, 1914-1939*, Abingdon, 2000, pp. 53-55.

54. Sobre la campaña, véase P. Hart, *Gallipoli*, Londres, 2011.

55. *The Times*, 7 de enero de 1918.

56. *The Times*, 12 de enero de 1917.

57. C. Seymour (ed.), *The Intimate Papers of Colonel House*, 4 vols., Cambridge (Massachusetts), 1928, vol. III, p. 48.

58. Yergin, *The Prize*, pp. 169-172.

59. «Petroleum Situation in the British Empire and the Mesopotamia and Persian Oilfields», 1918, CAB 21/119.

60. Hankey a Balfour, 1 de agosto de 1918, FO 800/204.

61. Hankey al primer ministro, 1 de agosto de 1918, CAB 23/119; V. Rothwell, «Mesopotamia in British War Aims, 1914-1918», *The Historical* Journal 13.2 (1970), pp. 289-290.

62. Actas del Gabinete de Guerra, 13 de agosto de 1918, CAB 23/42.

63. G. Jones, «The British Government and the Oil Companies 1912-24: The Search for an Oil Policy», *Historical Journal* 20.3 (1977), p. 655.

64. Comité de Control del Petróleo, Segundo informe, 19 de diciembre de 1916, Junta de Comercio, POWE 33/1.

65. «Reserves of Oil Fuel in U.K. and general position 1916 to 1918», Minuta de M. Seymour, 1 de junio de 1917, MT 25/20; Jones, «British Government and the Oil Companies», p. 657.

66. B. Hendrick, *The Life and Letters of Walter H. Page*, 2 vols., Londres, 1930, vol. II, p. 288.

67. «Eastern Report, n.º 5», 28 de febrero de 1917, CAB 24/143.

68. Balfour a Lloyd George, 16 de julio de 1918, Lloyd George Papers F/3/3/18.

## Capítulo 18: La ruta del arreglo

1. Marling a Ministerio de Asuntos Exteriores, 24 de diciembre de 1915, FO 371/2438/198432.

2. Hardinge a Gertrude Bell, 27 de marzo de 1917, Hardinge MSS 30.

3. Slade, «The Political Position in the Persian Gulf at the End of the War», 4 de noviembre de 1916, CAB 16/36.

4. *Europäische Staats und Wirtschafts Zeitung*, 18 de agosto de 1916, CAB 16/36.

5. Hankey Papers, 20 de diciembre de 1918; entrada del 4 de diciembre de 1918, 1/6, Churchill Archives Centre, Cambridge; E. P. Fitzgerald, «France's Middle Eastern Ambitions, the Sykes-Picot Negotiations, and the Oil Fields of Mosul, 1915-1918», *Journal of Modern History* 66.4 (1994), pp. 694-725; D. Styan, *France and Iraq: Oil, Arms and French Policy-Making in the Middle East*, Londres, 2006, pp. 9-21.

6. A. Roberts, *A History of the English-Speaking Peoples since 1900*, Londres, 2006, p. 132.

7. *The Times*, 7 de noviembre de 1917. Sobre Samuel, véase S. Huneidi, *A Broken Trust: Herbert Samuel, Zionism and the Palestinians*, Londres, 2001.

8. Lord Balfour, Cámara de los Lores, 21 de junio de 1922, Hansard, 50, 1.016-1.017.

9. «Report by the Sub-Committee», Comité de Defensa Imperial, 13 de junio de 1928, CAB 24/202.

10. *Time*, 21 de abril de 1941; J. Barr, *A Line in the Sand: Britain, France and the Struggle that shaped the Middle East*, Londres, 2011, p. 163.

11. A. Arslanian, «Dunstersville's Adventures: A Reappraisal», *International Journal of Middle East Studies* 12.2 (1980), pp. 199-216; A. Simonian, «An Episode from the History of the Armenian-Azerbaijani Confrontation (January-February 1919)», *Iran & the Caucasus* 9.1 (2005), pp. 145-158.

12. Sanborn, *Imperial Apocalypse*, pp. 175-183.

13. Secretario de Estado para la India al virrey, 5 de enero de 1918, citado por L. Morris, «British Secret Missions in Turkestan, 1918-1919», *Journal of Contemporary History* 12.2 (1977), pp. 363-379.

14. Véase Morris, «British Secret Missions», pp. 363-379.

15. L. Trotski, Comité Central, Partido Comunista Ruso, 5 de agosto de 1919, en J. Meijer (ed.), *The Trotsky Papers*, 2 vols., La Haya, 1964, vol. I, pp. 622, 624.

16. *Congress of the East, Baku, September 1920*, B. Pearce (trad.), Londres, 1944, pp. 25-37.

17. L. Murawiec, *The Mind of Jihad*, Cambridge, 2008, pp. 210-223. En general, véase Ansari, «Pan-Islam and the Making of Early Indian Socialism», *Modern Asian Studies* 20 (1986), pp. 509-537.

18. Cabo Charles Kavanagh, Diario inédito, Museo Militar de Cheshire.

19. *Pobeda oktyabr'skoi revoliutsii v Uzbekistane: sbornik dokumentov*, 2 vols., Taskent, 1963-1972, vol. I, p. 571.

20. El cartel se reproduce en D. King, *Red Star over Russia: A Visual History of the Soviet Union from 1917 to the Death of Stalin*, Londres, 2009, p. 180.

21. M. MacMillan, *Peacemakers: Six Months that Changed the World*, Londres, 2001, p. 408 (hay trad. castellana: *París, 1919: seis meses que cambiaron el mundo*, Tusquets, Barcelona, 2011).

22. Tratado con Su Majestad el rey Faisal, 20 de octubre de 1922, Command Paper 1.757; Protocolo del 30 de abril de 1923 y Acuerdos complementarios al Tratado con el rey Faisal, Command Paper 2.120. Sobre el nuevo ceremonial, véase E. Podeh, «From Indifference to Obsession: The Role of National State Celebrations in Iraq, 1921-2003», *British Journal of Middle Eastern Studies* 37.2 (2010), pp. 185-186.

23. B. Busch, *Britain, India and the Arabs, 1914-1921*, Berkeley, 1971, pp. 408-410.

24. H. Katouzian, «The Campaign against the Anglo-Iranian Agreement of 1919», *British Journal of Middle Eastern Studies* 25.1 (1998), p. 10.

25. H. Katouzian, «Nationalist Trends in Iran, 1921-6», *International Journal of Middle Eastern Studies* 10.4 (1979), pp. 539.

26. Citado por H. Katouzian, *Iranian History and Politics: The Dialectic of State and Society*, Londres, 2003, p. 167.

27. Curzon a Cambon, 11 de marzo de 1919, FO 371/3859.

28. Véase Katouzian, «The Campaign against the Anglo-Iranian Agreement», p. 17.

29. Marling a Ministerio de Asuntos Exteriores, 28 de febrero de 1916, FO 371/2732. Véase también D. Wright, «Prince ʿAbd ul-Husayn Mirza Framan-Farma: Notes from British Sources», *Iran* 38 (2000), pp. 107-114.

30. Loraine a Curzon, 31 de enero de 1922, FO 371/7804.

31. M. Zirinsky, «Imperial Power and Dictatorship: Britain and the Rise of Reza Shah, 1921-1926», *International Journal of Middle East Studies* 24.4 (1992), pp. 639-663.

32. Caldwell al ministro de Exteriores, 5 de abril de 1921, en M. Gholi Majd, *From Qajar to Pahlavi: Iran, 1919-1930*, Lanham (Massachusetts), 2008, pp. 96-97.

33. «Planning Committee, Office of Naval Operations to Benson», 7 de octubre de 1918, en M. Simpson (ed.), *Anglo-American Naval Relations, 1917-1919*, Aldershot, 1991, pp. 542-543.

34. Citado por Yergin, *The Prize*, p. 178.

35. Citado por M. Rubin, «Stumbling through the "Open Door": The US in Persia and the Standard-Sinclair Oil Dispute, 1920-1925», *Iranian* Studies 28.3/4 (1995), p. 206.

36. Ibíd., p. 210.

37. Ibíd.

38. Ibíd., p. 209.

39. Ibíd., p. 213.

40. M. Gilbert, *Winston S. Churchill*, 8 vols., Londres, 1966-1988, vol. IV, p. 638.

41. Véase M. Zirinsky, «Imperial Power and Dictatorship: Britain and the Rise of Reza Shah, 1921-1926», *International Journal of Middle East Studies* 24.4 (1992), p. 650; H. Mejcher, *Imperial Quest for Oil: Iraq 1910-1928*, Londres, 1976, p. 49.

42. Sobre Egipto, véase A. Maghraoui, *Liberalism without Democracy: Nationhood and Citizenship in Egypt, 1922-1936*, Durham (Carolina del Norte), 2006, pp. 54-55.

43. Citado por M. Fitzherbert, *The Man Who was Greenmantle: A Biography of Aubrey Herbert*, Londres, 1985, p. 219.

44. S. Pedersen, «Getting Out of Iraq — in 1932: The League of Nations and the Road to Normative Statehood», *American Historical Review* 115.4 (2010), pp. 993-1000.

45. Y. Ismael, *The Rise and Fall of the Communist Party of Iraq*, Cambridge, 2008, p. 12.

46. Para el texto de la declaración de independencia (Purna Swaraj), véase M. Gandhi, *The Collected Works of Mahatma Gandhi*, 90 vols., Nueva Delhi, 1958-1984, vol. XLVIII, p. 261.

47. Citado por Ferrier y Bamberg, *British Petroleum*, pp. 593-594.

48. «A Record of the Discussions Held at Lausanne on 23rd, 24th and 25th August, 1928», BP 71074.

49. Cadman a Teymourtache, 3 de enero de 1929, BP 71074.

50. Informe de Young sobre las conversaciones de Lausana, BP H16/20; véase también Ferrier y Bamberg, *British Petroleum*, pp. 601-617.

51. Minuta de Vansittart, 29 de noviembre de 1932, FO 371/16078.

52. Hoare al Ministerio de Asuntos Exteriores, 29 de noviembre de 1932, FO 371/16078.

53. Diario privado de lord Cadman, BP 96659/002.

54. Cadman, Notas, Ginebra y Teherán, BP 96659.

55. G. Bell, *Gertrude Bell: Complete Letters*, Londres, 2014, p. 224.

## Capítulo 19: La ruta del trigo

1. «Hitler's Mountain Home», *Homes & Gardens*, noviembre de 1938, pp. 193-195.

2. A. Speer, *Inside the Third Reich*, R. y C. Winston (trad.), Nueva York, 1970, p. 161 (hay trad. castellana: *Memorias. Hitler y el Tercer Reich vistos desde dentro*, Plaza & Janés, Barcelona, 1973).

3. Ibíd. Sobre Kannenberg tocando el acordeón, véase C. Schroder, *Er War mein Chef. Aus den Nachlaß der Sekretärin von Adolf Hitler*, Múnich, 1985, pp. 54, 58.

4. R. Hargreaves, *Blitzkrieg Unleashed: The German Invasion of Poland,*

Londres, 2008, p. 66; H. Hegner, *Die Reichskanzlei 1933-1945: Anfang und Ende des Dritten Reiches*, Fráncfort del Meno, 1959, pp. 334-337 (hay trad. castellana: *El Tercer Reich. Ascensión y caída del régimen nazi*, Plaza & Janés, Barcelona, 1967).

5. Speer, *Inside the Third Reich*, p. 162.

6. M. Muggeridge, *Ciano's Diary, 1939-1943*, Londres, 1947, pp. 9-10.

7. Debate en la Cámara de los Comunes, 31 de marzo de 1939, Hansard, 345, 2.415.

8. Ibíd., 2416; véase G. Roberts, *The Unholy Alliance: Stalin's Pact with Hitler*, Londres, 1989; R. Moorhouse, *The Devil's Alliance: Hitler's Pact with Stalin*, Londres, 2014.

9. L. Besymenski, *Stalin und Hitler. Pokerspiel der Diktatoren*, Londres, 1967, pp. 186-192.

10. J. Herf, *The Jewish Enemy: Nazi Propaganda during World War II and the Holocaust*, Cambridge (Massachusetts), 2006 (hay trad. castellana: *El enemigo judío. La propaganda nazi durante la segunda guerra mundial*, Sudamericana/Debate, Buenos Aires, 2008).

11. W. Churchill, *The Second World War*, 6 vols., Londres, 1948-1953, vol. I, p. 328 (hay trad. castellana de la edición abreviada: *La segunda guerra mundial*, 2 vols., La Esfera de los Libros, Madrid, 2008).

12. Besymenski, *Stalin und Hitler*, pp. 142, 206-209.

13. T. Snyder, *Bloodlands: Europe between Hitler and Stalin*, Londres, 2010, pp. 81, 93 (hay trad. castellana: *Tierras de sangre: Europa entre Hitler y Stalin*, Galaxia Gutenberg/Círculo de Lectores, Barcelona, 2012).

14. Citado por E. Jäckel y A. Kahn, *Hitler: Sämtliche Aufzeichnungen, 1905-1924*, Stuttgart, 1980, p. 186.

15. J. Weitz, *Hitler's Diplomat: The Life and Times of Joachim von Ribbentrop*, Nueva York, 1992, p. 6.

16. S. Sebag Montefiore, *Stalin: The Court of the Red Tsar*, Londres, 2004, p. 317 (hay trad. castellana: *La corte del zar rojo*, Crítica, Barcelona, 2004).

17. Hegner, *Die Reichskanzlei*, pp. 337-338, 342-343; sobre el tratado y el anexo secreto, *Documents on German Foreign Policy, 1918-1945*, Serie D, 13 vols., Londres, 1949-1964, vol. VII, pp. 245-247.

18. Sebag Montefiore, *Stalin*, p. 318.

19. N. Jrushchov, *Khrushchev Remembers*, S. Talbott (trad.), Boston (Massachusetts), 1970, p. 128 (hay trad. castellana: *Kruschev recuerda*, Editorial Prensa Española, Madrid, 1970).

20. Besymenski, *Stalin und Hitler*, pp. 21-22; D. Volkogonov, *Stalin: Triumph and Tragedy*, Nueva York, 1991, p. 352.

21. L. Kovalenko y V. Maniak, *33'i: Golod: Narodna kniga-memorial*, Kiev, 1991, p. 46, en Snyder, *Bloodlands*, p. 49; véase también pp. 39-58.

22. Sobre Vyshinski y los juicios farsa, véase A. Vaksberg, *Stalin's Prosecutor: The Life of Andrei Vyshinsky*, Nueva York, 1990, y N. Werth *et al.* (eds.),

*The Little Black Book of Communism: Crimes, Terror, Repression*, Cambridge (Massachusetts), 1999 (hay trad. castellana: *El libro negro del comunismo: Crímenes, terror, represión*, Ediciones B, Barcelona, 2010).

23. M. Jansen y N. Petrov, *Stalin's Loyal Executioner: People's Commissar Nikolai Ezhov, 1895-1940*, Stanford, 2002, p. 69.

24. V. Rogovin, *Partiya Rasstrelianykh*, Moscú, 1997, pp. 207-219; véase también Besymenski, *Stalin und Hitler*, p. 96; Volkogonov, *Stalin*, p. 368.

25. «Speech by the Führer to the Commanders in Chief», 22 de agosto de 1939, en *Documents on German Foreign Policy*, Serie D, vol. 7, pp. 200-204; I. Kershaw, *Hitler, 1936-1945: Nemesis*, Londres, 2001, pp. 207-208 (hay trad. castellana: *Hitler: 1936-1945*, Península, Barcelona, 2005).

26. «Second speech by the Führer», 22 de agosto de 1939, en *Documents on German Foreign Policy, 1918-1945*, Serie D, p. 205.

27. «Speech by the Führer to the Commanders in Chief», p. 204.

28. K.-J. Müller, *Das Heer und Hitler: Armee und nationalsozialistisches Regime 1933-1940*, Stuttgart, 1969, p. 411, n. 153; Müller no cita ninguna referencia de apoyo.

29. W. Baumgart, «Zur Ansprache Hitlers vor den Führern der Wehrmacht am 22. August 1939. Eine quellenkritische Untersuchung», *Viertejahreshefte für Zeitgeschichte* 16 (1968), p. 146; Kershaw, *Nemesis*, p. 209.

30. G. Corni, *Hitler and the Peasants: Agrarian Policy of the Third Reich, 1930-1939*, Nueva York, 1990, pp. 66-115.

31. Véase R.-D. Müller, «Die Konsequenzen der "Volksgemeinschaft": Ernährung, Ausbeutung und Vernichtung», en W. Michalka (ed.), *Der Zweite Weltkrieg. Analysen-Grundzüge-Forschungsbilanz*, Weyarn, 1989, pp. 240-249.

32. A. Kay, *Exploitation, Resettlement, Mass Murder: Political and Economic Planning for German Occupation Policy in the Soviet Union, 1940-1941*, Oxford, 2006, p. 40.

33. A. Bondarenko (ed.), *God krizisa: 1938-1939: dokumenty i materialy v dvukh tomakh*, 2 vols., Moscú, 1990, vol. II, pp. 157-158.

34. E. Ericson, *Feeding the German Eagle: Soviet Economic Aid to Nazi Germany, 1933-1941*,Westport (Connecticut), 1999, pp. 41 y ss.

35. A. Bullock, *Hitler: A Study in Tyranny*, Londres, 1964, p. 719 (hay trad. castellana: *Hitler: estudio de una tiranía*, Grijalbo, Barcelona, 1973).

36. S. Fritz, *Ostkrieg: Hitler's War of Extermination in the East*, 2011, p. 39.

37. C. Browning, *The Origins of the Final Solution: The Evolution of Nazi Jewish Policy, September 1939-March 1942*, Lincoln (Nebraska), 2004, p. 16; Snyder, *Bloodlands*, p. 126.

38. Gabinete de Guerra, 8 de septiembre de 1939, CAB 65/1; A. Prazmowska, *Britain, Poland and the Eastern Front, 1939*, Cambridge, 1987, p. 182.

39. Consulado británico en Kabul al Ministerio de Asuntos Exteriores en Londres, Katodon 106, 24 de septiembre de 1939, citado por M. Hauner, «The

Soviet Threat to Afghanistan and India, 1938-1940», *Modern Asian Studies* 15.2 (1981), p. 297.

40. Hauner, «Soviet Threat to Afghanistan and India», p. 298.

41. Informe del Comité de Jefes del Estado Mayor, «The Military Implications of Hostilities with Russia in 1940», 8 de marzo de 1940, CAB 66/6.

42. «Appreciation of the Situation Created by the Russo-German Agreement», 6 de octubre de 1939, CAB 84/8; véase M. Hauner, *India in Axis Strategy: Germany, Japan and Indian Nationalists in the Second World War*, Stuttgart, 1981, en especial pp. 213-237.

43. Hauner, *India in Axis Strategy*, pp. 70-92.

44. M. Hauner, «Anspruch und Wirklichkeit: Deutschland also Dritte Macht in Afghanistan, 1915-39», en K. Kettenacker *et al.* (eds.), *Festschrift für Paul Kluge*, Múnich, 1981, pp. 222-244; ídem, «Afghanistan before the Great Powers, 1938-1945», *International Journal of Middle East Studies* 14.4 (1982), pp. 481-482.

45. «Policy and the War Effort in the East», 6 de enero de 1940, *Documents on German Foreign Policy, 1918-1945*, Serie D, vol. VIII, pp. 632-633.

46. «Memorandum of the Aussenpolitisches Amt», 18 de diciembre de 1939, *Documents on German Foreign Policy, 1918-1945*, Serie D, vol. VIII, p. 533; Hauner, *India in Axis Strategy*, pp. 159-172.

47. M. Hauner, «One Man against the Empire: The Faqir of Ipi and the British in Central Asia on the Eve of and during the Second World War», *Journal of Contemporary History* 16.1 (1981), pp. 183-212.

48. Rubin y Schwanitz, *Nazis, Islamists*, p. 4 n. 13.

49. S. Hauser, «German Research on the Ancient Near East and its Relation to Political and Economic Interests from Kaiserreich to World War II», en W. Schwanitz (ed.), *Germany and the Middle East, 1871-1945*, Princeton, 2004, pp. 168-169; M. Ghods, *Iran in the Twentieth Century: A Political History*, Boulder (Colorado), 2009, pp. 106-108.

50. Rubin y Schwanitz, *Nazis, Islamists*, p. 128.

51. Citado en ibíd., p. 5.

52. T. Imlay, «A Reassessment of Anglo-French Strategy during the Phony War, 1939-1940», *English Historical Review* 119.481 (2004), pp. 337-338.

53. Minuta personal del Primer Lord, 17 de noviembre de 1939, ADM 205/2. Véase Imlay, «Reassessment of Anglo-French Strategy», pp. 338, 354-359.

54. Imlay, «Reassessment of Anglo-French Strategy», p. 364.

55. CAB 104/259, «Russia: Vulnerability of Oil Supplies», JIC (39) revisión 29, 21 de noviembre de 1939; Imlay, «Reassessment of Anglo-French Strategy», pp. 363-368.

56. Sobre Guderian, y las repetidas veces que Hitler perdió los nervios, véase K. H. Frieser, *Blitzkrieg-Legende. Der Westfeldung 1940*, Múnich, 1990,

pp. 240-243, 316-322 (hay trad. castellana: *El mito de la Blitzkrieg: la campaña de 1940 en el Oeste*, Ediciones Platea, Málaga, 2013).

57. Véase M. Hauner, «Afghanistan between the Great Powers, 1938-1945», *International Journal of Middle East Studies* 14.4 (1982), p. 487; sobre la propuesta de reducción de los costes de los fletes, Ministerio de Guerra Económica, 9 de enero de 1940, FO 371/24766.

58. Ericson, *Feeding the German Eagle*, pp. 109-118.

59. Fritz, *Ostkrieg*, pp. 38-41.

60. J. Förster, «Hitler's Decision in Favour of War against the Soviet Union», en H. Boog, J. Förster *et al.* (eds.), *Germany and the Second World War*, vol. 4: *The Attack on the Soviet Union*, Oxford, 1996, p. 22; véase también Kershaw, *Nemesis*, p. 307.

61. Corni, *Hitler and the Peasants*, pp. 126-127, 158-159, 257-260. Véase también H. Backe, *Die Nahrungsfreiheit Europas: Grosliberalismus in der Wirtschaft*, Berlín, 1938.

62. V. Gnucheva, «Materialy dlya istorii ekspeditsii nauk v XVIII i XX vekakh», *Trudy Arkhiva Akademii Nauk SSSR* 4, Moscú, 1940, en especial pp. 97-108.

63. M. Stroganova (ed.), *Zapovedniki evropeiskoi chasti RSFSR*, Moscú, 1989; C. Kremenetski, «Human Impact on the Holocene Vegetation of the South Russian Plain», en J. Chapman y P. Dolukhanov (eds.), *Landscapes in Flux: Central and Eastern Europe in Antiquity*, Oxford, 1997, pp. 275-287.

64. H. Backe, *Die russische Getreidewirtschaft als Grundlage der Land- und Volkswirtschaft Rußlands*, Berlín, 1941.

65. Bundesarchiv-Militärarchiv, RW 19/164, fo. 126, citado por Kay, *Exploitation*, pp. 211, 50.

66. Citado por A. Hillgruber, *Hitlers Strategie: Politik und Kriegfuhrung 1940-1941*, Fráncfort del Meno, 1965, p. 365.

67. «Geheime Absichtserklärungen zur künftigen Ostpolitik: Auszug aus einem Aktenvermerk von Reichsleiter M. Bormann vom 16.7.1941», en G. Ueberschär y W. Wette (eds.), *Unternehmen Barbarossa: Der deutsche Überfall auf die Sowjetunion, 1941: Berichte, Anaylsen, Dokumente*, Paderborn, 1984, pp. 330-331.

68. G. Corni y H. Gies, *Brot - Butter - Kanonen. Die Ernahrungswirtschaft in Deutschland unter der Diktatur Hitlers*, Berlín, 1997, p. 451; R.-D. Müller, «Das "Unternehmen Barbarossa" als wirtschaftlicher Raubkrieg», en Uebershär y Wette, *Unternehmen Barbarossa*, p. 174.

69. Transmisión radiada alemana, 27 de febrero de 1941, Propaganda Research Section Papers, 6 de diciembre de 1940, Abrams Papers, 3f 65; 3f 8/41.

70. *Die Tagebücher von Joseph Goebbels*, E. Fröhlich (ed.), 15 vols., Múnich, 1996, 28 de junio de 1941, *Teil I*, 9, p. 409; 14 de julio, *Teil II*, 1, pp. 63-64.

71. Kershaw, *Nemesis*, pp. 423-424.

72. Correspondencia privada de Backe, citado por G. Gerhard, «Food and

Genocide: Nazi Agrarian Politics in the Occupied Territories of the Soviet Union», *Contemporary European History* 18.1 (2009), p. 56.

73. «Aktennotiz über Ergebnis der heutigen Besprechung mit den Staatssekretären über Barbarossa», en A. Kay, «Germany's Staatssekretäre, Mass Starvation and the Meeting of 2 May 1941», *Journal of Contemporary History* 41.4 (2006), pp. 685-686.

74. Kay, «Mass Starvation and the Meeting of 2 May 1941», p. 687.

75. «Wirtschaftspolitische Richtlinien für Wirtschaftsorganisation Ost, Gruppe Landwirtschaft», 23 de mayo de 1941, en *Der Prozess gegen die Hauptkriegsverbrecher vor dem Internationalen Militärgerichtshof, Nürnberg 14 November 1945-1 October 1946*, 42 vols., Núremberg, 1947-1949, vol. XXXVI, pp. 135-137. Tres semanas más tarde, el 16 de junio, se presentó un informe similar, véase Kay, *Exploitation*, pp. 164-167.

76. Backe, *Die russische Getreidewirtschaft*, citado por Gerhard, «Food and Genocide», pp. 57-58; véase también Kay, «Mass Starvation», pp. 685-700.

77. H. Backe, «12 Gebote für das Verhalten der Deutschen im Osten und die Behandlung der Russen», en R. Rürup (ed.), *Der Krieg gegen die Sowjetunion 1941-1945: Eine Dokumentation*, Berlín, 1991, p. 46; Gerhard, «Food and Genocide», p. 59.

78. *Die Tagebücher von Joseph Goebbels*, 1 de mayo de 1941, *Teil I*, 9, pp. 283-284.

79. Ibíd., 9 de julio de 1941, *Teil II*, 1, pp. 33-34.

80. Transmisión radiada rusa, 19 de junio dc 1941, Propaganda Research Section Papers, Abrams Papers, 3f 24/41.

81. F. Halder, *The Halder War Diary*, C. Burdick y H.-A. Jacobsen (eds.), Londres, 1988, 30 de marzo de 1941, pp. 345-346.

82. 19 de mayo de 1941, *Verbrechen der Wehrmacht: Dimensionen des Vernichtungskrieges 1941-1945. Ausstellungskatalog*, Hamburgo 2002, pp. 53-55.

83. «Ausübund der Kriegsgerichtsbarkeit im Gebiet "Barbarossa" und besondere Maßnahmen Truppe», 14 de mayo de 1941, en H. Bucheim, M. Broszat, J.-A. Jacobsen y H. Krasunick, *Anatomie des SS-Staates*, 2 vols., Olten, 1965, vol. II, pp. 215-218.

84. «Richtlinien für die Behandlung politischer Kommissare», 6 de junio de 1941, en Bucheim *et al.*, *Anatomie des SS-Staates*, pp. 225-227.

## Capítulo 20: La ruta del genocidio

1. C. Streit, *Keine Kameraden. Die Wehrmacht und die sowjetischen Kriegsgefangenen 1941-1945*, Stuttgart, 1978, pp. 143, 153.

2. Citado por Kershaw, *Nemesis*, p. 359.

3. Ibíd., p. 360.

4. Ibíd., pp. 400, 435.

5. W. Lower, *Nazi Empire Building and the Holocaust in Ukraine*, Chapel Hill (Carolina del Norte), 2007, pp. 171-177.

6. A. Hitler, *Monologe im Fuhrer-Hauptquartier 1941-1944*, W. Jochmann (ed.), Hamburgo, 1980, 17-18 de septiembre de 1941, pp. 62-63; Kershaw, *Nemesis*, p. 401.

7. Citado por Kershaw, *Nemesis*, p. 434.

8. Hitler, *Monologe*, 13 de octubre de 1941, p. 78; Kershaw, *Nemesis*, p. 434.

9. Ericson, *Feeding the German Eagle*, pp. 125 y ss.

10. V. Anfilov, « ... Razgovor zakonchilsia ugrozoi Stalina», *Voenno-istoricheskiy Zhurnal* 3 (1995), p. 41; L. Bezymenskii, «O "plane" Zhukova ot 15 maia 1941 g.», *Novaya Noveishaya Istoriya* 3 (2000), p. 61. Véase E. Mawdsley, «Crossing the Rubicon: Soviet Plans for Offensive War in 1940-1941», *International History Review* 25 (2003), p. 853.

11. D. Murphy, *What Stalin Knew: The Enigma of Barbarossa*, New Haven, 2005.

12. R. Medvedev y Z. Medvedev, *The Unknown Stalin: His Life, Death and Legacy*, Londres, 2003, p. 226 (hay trad. castellana: *El Stalin desconocido*, Crítica, Barcelona, 2005).

13. G. Zhukov, *Vospominaniya i rasmyshleniya*, 3 vols., Moscú, 1995, vol. I, p. 258.

14. Assarasson a Estocolmo, 21 de junio de 1941, citado por G. Gorodetsky, *Grand Delusion: Stalin and the German Invasion of Russia*, New Haven, 1999, p. 306.

15. *Dokumenty vneshnei politiki SSSR*, 24 vols., Moscú, 1957, vol. 23.2, pp. 764-765.

16. A. Tooze, *The Wages of Destruction: The Making and Breaking of the Nazi Economy*, Nueva York, 2006, pp. 452-460; R. di Nardo, *Mechanized Juggernaut or Military Anachronism? Horses and the German Army of World War II*, Westport (Connecticut), 1991, pp. 35-54.

17. Citado por Beevor, *Stalingrad*, Londres, 1998, p. 26 (hay trad. castellana: *Stalingrado*, Crítica, Barcelona, 2004).

18. I. Stalin, *O Velikoi Otechestvennoi voine Sovestkogo Soiuza*, Moscú, 1944, p. 11.

19. A. von Plato, A. Leh y C. Thonfeld (eds.), *Hitler's Slaves: Life Stories of ForcedLabourers in Nazi-Occupied Europe*, Oxford, 2010.

20. E. Radzinsky, *Stalin*, Londres, 1996, p. 482; N. Ponomariov, citado por I. Kershaw, *Fateful Choices: Ten Decisions that Changed the World, 1940-1941*, Londres, 2007, p. 290 (hay trad. castellana: *Decisiones trascendentales. De Dunquerque a Pearl Harbour, 1940-1941: el año que cambió la historia*, Península, Barcelona, 2013).

21. Fritz, *Ostkrieg*, p. 191.

22. H. Trevor-Roper, *Hitler's Table Talk, 1941-1944: His Private Conversations*, Londres, 1953, p. 28 (hay trad. castellana: *Las conversaciones privadas de Hitler, 1941-1944*, Crítica, Barcelona, 2004).

23. W. Lower, «"On Him Rests the Weight of the Administration": Nazi Civilian Rulers and the Holocaust in Zhytomyr», en R. Brandon y W. Lower (eds.), *The Shoah in Ukraine: History, Testimony, Memorialization*, Bloomington (Indiana), 2008, p. 225.

24. E. Steinhart, «Policing the Boundaries of "Germandom" in the East: SS Ethnic German Policy and Odessa's "Volksdeutsche", 1941-1944», *Central European History* 43.1 (2010), pp. 85-116.

25. W. Hubatsch, *Hitlers Weisungen fur die Kriegfuhrung 1939-1945. Dokumente des Oberkommandos der Wehrmacht*, Múnich, 1965, pp. 139-140.

26. Rubin y Schwanitz, *Nazis, Islamists*, pp. 124, 127.

27. Ibíd., p. 85; H. Lindemann, *Der Islam im Aufbruch*, en *Abwehr und Angriff*, Leipzig, 1941.

28. Churchill, *Second World War*, vol. III, p. 424.

29. A. Michie, «War in Iran: British Join Soviet Allies», *Life,* 26 de enero de 1942, p. 46.

30. R. Sanghvi, *Aryamehr: The Shah of Iran: A Political Biography*, Londres, 1968, p. 59; H. Arfa, *Under Five Shahs*, Londres, 1964, p. 242.

31. Bullard a Ministerio de Asuntos Exteriores, 25 de junio de 1941, en R. Bullard, *Letters from Teheran: A British Ambassador in World War II Persia*, E. Hodgkin (ed.), Londres, 1991, p. 60.

32. Lambton a Bullard, 4 de octubre de 1941, FO 416/99.

33. Resumen de espionaje del 19 al 30 de noviembre, 2 de diciembre de 1941, FO 416/99.

34. «Minister in Iran to the Foreign Ministry», 9 de julio de 1941, *Documents on German Foreign Policy, 1918-1945*, Serie D, vol. XIII, pp. 103-104.

35. P. Dharm y B. Prasad, eds., *Official History of the Indian Armed Forces in the Second World War, 1939-1945: The Campaign in Western Asia*, Calcuta, 1957, pp. 126-128.

36. Citado por J. Connell, *Wavell: Supreme Commander*, Londres, 1969, pp. 23-24.

37. R. Stewart, *Sunrise at Abadan: The British and Soviet Invasions of Iran, 1941*, Nueva York, 1988, p. 59, n. 26.

38. «Economic Assistance to the Soviet Union», *Department of State Bulletin* 5 (1942), p. 109.

39. R. Sherwood, *The White House Papers of Harry L. Hopkins*, 2 vols., Washington, D.C., 1948, vol. I, pp. 306-309.

40. Michie, «War in Iran», pp. 40-44.

41. Bullard, *Letters*, p. 80.

42. Reza Shah Pahlavi a Roosevelt, 25 de agosto de 1941; Roosevelt a

Reza Shah Pahlavi, 2 de septiembre de 1941, citado por M. Majd, *August 1941: The Anglo-Russian Occupation of Iran and Change of Shahs*, Lanham (Maryland), 2012, pp. 232-233; Stewart, *Abadan*, p. 85.

43. J. Buchan, *Days of God: The Revolution in Iran and its Consequences*, Londres, 2012, p. 27.

44. Agregado militar, «Intelligence summary 27», 19 de noviembre de 1941, FO 371 27188.

45. R. Dahl, *Going Solo*, Londres, 1986, p. 193 (hay trad. castellana: *Volando solo*, Alfaguara, Madrid, 2011).

46. F. Halder, *Kriegstagebuch: tägliche Aufzeichnungen des Chefs des Generalstabes des Heeres, 1939-1942*, H.-A. Jacobson y A. Philippi (ed.), 3 vols., Stuttgart, 1964, vol. III, 10 de septiembre de 1941, p. 220; 17 de septiembre de 1941, p. 236.

47. D. Stahel, *Kiev 1941: Hitler's Battle for Supremacy in the East*, Cambridge, 2012, pp. 133-134.

48. H. Pichler, *Truppenarzt und Zeitzeuge. Mit der 4. SS-Polizei-Division an vorderster Front,* Dresde, 2006, p. 98.

49. *Die Tagebücher von Joseph Goebbels*, 27 de agosto de 1941, *Teil II*, 1, p. 316.

50. Citado por Beevor, *Stalingrad*, pp. 56-57.

51. Fritz, *Ostkrieg*, pp. 158-159.

52. A. Hillgruber, *Staatsmänner und Diplomaten bei Hitler. Vertrauliche Aufzeichungen 1939-1941*, Múnich, 1969, p. 329 (hay trad. castellana: *Estadistas y diplomáticos con Hitler: notas confidenciales sobre las conversaciones de Hitler con representantes de los países extranjeros desde 1939 a 1941*, Luis de Caralt, Barcelona, 1969).

53. W. Kemper, «Pervitin - Die Endsieg-Droge», en W. Pieper (ed.), *Nazis on Speed: Drogen im Dritten Reich*, Lohrbach, 2003, pp. 122-133.

54. R.-D. Müller, «The Failure of the Economic "Blitzkrieg Strategy"», en H. Boog *et al.* (eds.), *The Attack on the Soviet Union*, vol. IV de W. Deist *et al.* (eds.), *Germany and the Second World War*, 9 vols., Oxford, 1998, pp. 1127-1132; Fritz, *Ostkrieg*, p. 150.

55. M. Guglielmo, «The Contribution of Economists to Military Intelligence during World War II», *Journal of Economic History* 66.1 (2008), en especial pp. 116-120.

56. R. Overy, *War and the Economy in the Third Reich*, Oxford, 1994, pp. 264, 278; J. Barber y M. Harrison, *The Soviet Home Front, 1941-1945: A Social and Economic History of the USSR in World War II*, Nueva York, 1991, pp. 78-79.

57. A. Milward, *War, Economy and Society, 1939-1945*, Berkeley, 1977, pp. 262-273 (hay trad. castellana: *La segunda guerra mundial*, Crítica, Barcelona, 1986); Tooze, *Wages of Destruction*, pp. 513-551.

58. Transmisión radiada alemana, 5 de noviembre de 1941, Propaganda Research Section Papers, Abrams Papers, 3f 44/41.

59. «Gains of Germany (and her Allies) through the Occupation of Soviet Territory», en Coordinador de Información, *Research and Analysis Branch, East European Section Report*, 17 (marzo de 1942), pp. 10-11.

60. «Reich Marshal of the Greater German Reich», 11.ª reunión del Consejo General, 24 de junio de 1941, citado por Müller, «Failure of the Economic "Blitzkrieg Strategy"», p. 1.142.

61. Halder, *Kriegstagebuch*, 8 de julio de 1941, vol. III, p. 53.

62. C. Streit, «The German Army and the Politics of Genocide», en G. Hirschfeld (ed.), *The Policies of Genocide: Jews and Soviet Prisoners of War in Nazi Germany*, Londres, 1986, pp. 8-9.

63. J. Hürter, *Hitlers Heerfuhrer. Die deutschen Oberbefehlshaber im Krieg gegen die Sowjetunion 1941/1942*, Múnich, 2006, p. 370.

64. Streit, *Keine Kameraden*, p. 128; véase también Snyder, *Bloodlands*, pp. 179-184.

65. R. Overmans, «Die Kriegsgefangenenpolitik des Deutschen Reiches 1939 bis 1945», en J. Echternkamp (ed.), *Das Deutsche Reich und der Zweite Weltkrieg*, 10 vols., Múnich, 1979-2008, vol. 9.2, p. 814; Browning, *Origins of the Final Solution*, p. 357; Snyder, *Bloodlands*, pp. 185-186.

66. K. Berkhoff, «The "Russian" Prisoners of War in Nazi-Ruled Ukraine as Victims of Genocidal Massacre», *Holocaust and Genocide Studies* 15.1 (2001), pp. 1-32.

67. Röhl, *The Kaiser and his Court*, p. 210. Sobre las actitudes del káiser en relación a los judíos, véase L. Cecil, «Wilhelm II und die Juden», en W. Mosse (ed.), *Juden im Wilhelminischen Deutschland, 1890-1914*, Tubinga, 1976, pp. 313-148.

68. Discurso de Hitler ante el Reichstag, 30 de enero de 1939, en *Verhandlungen des Reichstags, Stenographische Berichte 4. Wahlperiode 1939-1942*, Bad Feilnbach, 1986, p. 16.

69. Rubin y Schwanitz, *Nazis, Islamists*, p. 94.

70. H. Jansen, *Der Madagaskar-Plan: Die beabsichtigte Deportation der europäischen Juden nach Madagaskar*, Múnich, 1997, en especial pp. 309-311. Sobre las teorías acerca de los malgaches, véase E. Jennings, «Writing Madagascar Back into the Madagascar Plan», *Holocaust and Genocide Studies* 21.2 (2007), p. 191.

71. F. Nicosia, «Für den Status-Quo: Deutschland und die Palästinafrage in der Zwischenkriegszeit», en L. Schatkowski Schilcher y C. Scharf (eds.), *Der Nahe Osten in der Zwischenkriegszeit 1919-1939. Die Interdependenz von Politik, Wirtschaft und Ideologie*, Stuttgart, 1989, p. 105.

72. D. Cesarani, *Eichmann: His Life and Crimes*, Londres, 2004, pp. 53-56.

73. Citado por D. Yisraeli, *The Palestinian Problem in German Politics, 1889-1945*, Ramat Gan, 1974, p. 315.

74. J. Heller, *The Stern Gang: Ideology, Politics and Terror, 1940-1949*, Londres, 1995, pp. 85-87.

75. T. Jersak, «Blitzkrieg Revisited: A New Look at Nazi War and Extermination Planning», *Historical Journal* 43.2 (2000), p. 582.

76. Véase sobre todo G. Aly, «"Judenumsiedlung": Überlegungen zur politischen Vorgeschichte des Holocaust», en U. Herbert (ed.), *Nationalsozialistische Vernichtungspolitik 1939-1945: neue Forschungen und Kontroversen*, Fráncfort del Meno, 1998, pp. 67-97.

77. Streit, «The German Army and the Politics of Genocide», p. 9; Fritz, *Ostkrieg*, p. 171.

78. J.-M. Belière y L. Chabrun, *Les Policiers francais sous l'Occupation, d'après les archives inédites de l'épuration*, París, 2001, pp. 220-224; P. Griffioen y R. Zeller, «Anti-Jewish Policy and Organization of the Deportations in France and the Netherlands, 1940-1944: A Comparative Study», *Holocaust and Genocide Studies* 20.3 (2005), p. 441.

79. L. de Jong, *Het Koninkrijk der Nederlanden in de Tweede Wereldoorlog*, 14 vols., La Haya, 1969-1991, vol. IV, pp. 99-110.

80. Sobre la conferencia de Wannsee, véase C. Gerlach, «The Wannsee Conference, the Fate of German Jews, and Hitler's Decision in Principle to Exterminate All European Jews», *Journal of Modern History* 70 (1998), pp. 759-812; Browning, *Origins of the Final Solution*, pp. 374 y ss.

81. R. Coakley, «The Persian Corridor as a Route for Aid to the USSR», en M. Blumenson, K. Greenfield *et al.*, *Command Decisions*, Washington, D.C., 1960, pp. 225-253; véase también T. Motter, *The Persian Corridor and Aid to Russia*, Washington, D.C., 1952.

82. Sobre los convoyes, véase R. Woodman, *Arctic Convoys, 1941-1945*, Londres, 2004.

83. J. MacCurdy, «Analysis of Hitler's Speech on 26th April 1942», 10 de junio de 1942, Abrams Archive, Churchill College, Cambridge.

84. E. Schwaab, *Hitler's Mind: A Plunge into Madness*, Nueva York, 1992.

85. Rubin y Schwanitz, *Nazis, Islamists*, pp. 139-141. En general, véase M. Carver, *El Alamein*, Londres, 1962.

86. Sobre Estados Unidos en el Pacífico, véase H. Willmott, *The Second World War in the Far East*, Londres, 2012; y también A. Kernan, *The Unknown Battle of Midway: The Destruction of the American Torpedo Squadrons*, New Haven, 2005.

87. Citado por Fritz, *Ostkrieg*, p. 235; para el contexto, pp. 231-239.

88. Ibíd., pp. 261-270; Speer, *Inside the Third Reich*, p. 215.

89. Sobre la visita a Moscú en octubre de 1944, véase CAB 120/158.

90. M. Gilbert, *Churchill: A Life*, Londres, 1991, p. 796; R. Edmonds, «Churchill and Stalin», en R. Blake y R. Louis (eds.), *Churchill*, Oxford, 1996, p. 320. Véase asimismo Churchill, *Second World War*, vol. 6, pp. 227-228.

91. W. Churchill, «The Sinews of Peace», 5 de marzo de 1946, en J. Muller (ed.), *Churchill's «Iron Curtain» Speech Fifty Years Later*, Londres, 1999, pp. 8-9.

92. D. Reynolds, *From World War to Cold War: Churchill, Roosevelt, and the International History of the 1940s*, Oxford, 2006, pp. 250-253.

93. M. Hastings, *All Hell Let Loose: The World at War, 1939-1945*, Londres, 2011, pp. 165-182 (hay trad. castellana: *Se desataron todos los infiernos: historia de la segunda guerra mundial*, Crítica, Barcelona, 2012); Beevor, *Stalingrad*, pássim.

94. Véase A. Applebaum, *Iron Curtain: The Crushing of Eastern Europe, 1944-1956*, Londres, 2012 (hay trad. castellana: *El telón de acero: la destrucción de Europa del Este, 1944-1956*, Debate, Barcelona, 2014).

## Capítulo 21: La ruta de la guerra fría

1. A. Millspaugh, *Americans in Persia*, Washington, D.C., 1946, Apéndice C; B. Kuniholm, *The Origins of the Cold War in the Near East: Great Power Conflict and Diplomacy in Iran, Turkey and Greece*, Princeton, 1980, pp. 138-143.

2. El ministro en Irán (Dreyfus) al secretario de Estado estadounidense, 21 de agosto de 1941, *Foreign Relations of the United States, Diplomatic Papers 1941*, 7 vols., Washington, D.C., 1956-1962, vol. III, p. 403.

3. Ali Dashti, escribiendo en diciembre de 1928, citado por Buchan, *Days of God*, p. 73.

4. B. Schulze-Holthus, *Fruhrot in Persien*, Esslingen, 1952, p. 22. El Abwehr, la organización de inteligencia militar de Alemania, envió a Schulze-Holthus a Irán como vicecónsul en la ciudad de Tabriz. Durante la guerra permaneció en la clandestinidad en Teherán, recabando apoyos entre las facciones contrarias a los aliados. Véase S. Seydi, «Intelligence and Counter-Intelligence Activities in Iran during the Second World War», *Middle Eastern Studies* 46.5 (2010), pp. 733-752.

5. Bullard, *Letters*, p. 154.

6. Ibíd., p. 216.

7. Ibíd., p. 187.

8. C. de Bellaigue, *Patriot of Persia: Muhammad Mossadegh and a Very British Coup*, Londres, 2012, pp. 120-123.

9. Shepherd a Furlonge, 6 de mayo de 1951, FO 248/1514.

10. *The Observer*, 20 de mayo de 1951, FO 248/1514.

11. Citado por de Bellaigue, *Patriot of Persia*, p. 123, n. 12.

12. Buchan, *Days of God*, p. 82.

13. L. Elwell-Sutton, *Persian Oil: A Study in Power Politics*, Londres, 1955, p. 65.

14. Ibíd.

15. C. Bayly y T. Harper, *Forgotten Armies: The Fall of British Asia, 1841-1945*, Londres, 2004, pp. 182, 120.

16. I. Chawla, «Wavell's Breakdown Plan, 1945-1947: An Appraisal», *Journal of Punjabi Studies* 16.2 (2009), pp. 219-234.

17. W. Churchill, debate en la Cámara de los Comunes, 6 de marzo de 1947, Hansard, 434, 676-677.

18. Véase L. Chester, *Borders and Conflict in South Asia: The Radcliffe Boundary Commission and the Partition of the Punjab*, Manchester, 2009. Véase asimismo A. von Tunzelmann, *Indian Summer: The Secret History of the End of an Empire*, Londres, 2007.

19. I. Talbot, «Safety First: The Security of Britons in India, 1946-1947», *Transactions of the RHS* 23 (2013), pp. 203-221.

20. K. Jeffery, *MI6: The History of the Secret Intelligence Service, 1909-1949*, Londres, 2010, pp. 689-690.

21. N. Rose, *«A Senseless, Squalid War»: Voices from Palestine 1890s-1948*, Londres, 2010, pp. 156-158.

22. A. Halamish, *The Exodus Affair: Holocaust Survivors and the Struggle for Palestine*, Siracusa (Nueva York), 1998.

23. Citado por J. Glubb, *A Soldier with the Arabs*, Londres, 1957, pp. 63-66.

24. E. Karsh, *Rethinking the Middle East*, Londres, 2003, pp. 172-189.

25. F. Hadid, *Iraq's Democratic Moment*, Londres, 2012, pp. 126-136.

26. Beeley a Burrows, 1 de noviembre de 1947, FO 371/61596/E10118.

27. Telegrama saliente, 29 de julio de 1947; Busk a Burrows, 3 de noviembre de 1947, FO 371/61596.

28. K. Kwarteng, *Ghosts of Empire: Britain's Legacies in the Modern World*, Londres, 2011, p. 50.

29. B. Uvarov y A. Waterston, «MEALU General Report of Anti-Locust Campaign, 1942-1947», 19 de septiembre de 1947, FO 371/61564.

30. N. Tumarkin, «The Great Patriotic War as Myth and Memory», *European Review* 11.4 (2003), pp. 595-597.

31. I. Stalin, «Rech na predvybornom sobranii izbiratelei Stalinskogo izbiratel'nogo okruga goroda Moskvy', en I. Stalin, *Sochineniya*, R. McNeal (ed.), 3 vols., Stanford (California), 1967, vol. III, p. 2.

32. B. Pimlott (ed.), *The Second World War Diary of Hugh Dalton, 1940-1945*, Londres, 1986, 23 de febrero de 1945, anotación al margen, p. 836, n. 1.

33. Al parecer, Churchill añadió estas palabras en el tren de camino a Fulton, véase J. Ramsden, «Mr Churchill Goes to Fulton», en Muller, *Churchill's «Iron Curtain» Speech: Fifty Years Later*, p. 42. Véase también P. Wright, *Iron Curtain: From Stage to Cold War*, Oxford, 2007.

34. B. Rubin, *The Great Powers in the Middle East, 1941-1947: The Road to the Cold War*, Londres, 1980, pp. 73 y ss.

35. «Soviet Military and Political Intentions, Spring 1949», Informe n.º 7453, 9 de diciembre de 1948.

36. K. Blake, *The US-Soviet Confrontation in Iran 1945-1962: A Case in the Annals of the Cold War*, Lanham (Maryland), 2009, pp. 17-18.

37. «General Patrick J. Hurley, Personal Representative of President Roosevelt, to the President», 13 de mayo de 1943, *FRUS, Diplomatic Papers 1943: The Near East and Africa*, vol. 4, pp. 363-370.

38. Millspaugh, *Americans in Persia*, p. 77.

39. A. Offner, *Another Such Victory: President Truman and the Cold War, 1945-1953*, Stanford, 2002, p. 128.

40. «The Chargé in the Soviet Union (Kennan) to the Secretary of State», 22 de febrero de 1946, *FRUS 1946: Eastern Europe, the Soviet Union*, vol. VI, pp. 696-709.

41. D. Kisatsky, «Voice of America and Iran, 1949-1953: US Liberal Developmentalism, Propaganda and the Cold War», *Intelligence and National Security* 14.3 (1999), p.160.

42. «The Present Crisis in Iran, undated paper presented in the Department of State», *FRUS, 1950: The Near East, South Asia, and Africa*, vol. 5, pp. 513, 516.

43. M. Byrne, «The Road to Intervention: Factors Influencing US Policy toward Iran, 1945-1953», en M. Gasiorowski y M. Byrne (eds.), *Mohammad Mosaddeq and the 1953 Coup in Iran*, Siracusa (Nueva York), 2004, p. 201.

44. Kisatsky, «Voice of America and Iran», pp. 167, 174.

45. M. Gasiorowski, *US Foreign Policy and the Shah: Building a Client State in Iran*, Ithaca (Nueva York), 1991, pp. 10-19.

46. Buchan, *Days of God*, pp. 30-31.

47. Citado por Yergin, *The Prize*, p. 376.

48. A. Miller, *Search for Security: Saudi Arabian Oil and American Foreign Policy, 1939-1949*, Chapel Hill (Carolina del Norte), 1980, p. 131.

49. E. DeGolyer, «Preliminary Report of the Technical Oil Mission to the Middle East», *Bulletin of the American Association of Petroleum Geologists* 28 (1944), pp. 919-923.

50. «Summary of Report on Near Eastern Oil», 3 de febrero de 1943, en Yergin, *The Prize*, p. 375.

51. Beaverbrook a Churchill, 8 de febrero de 1944, citado por K. Young, *Churchill and Beaverbrook: A Study in Friendship and Politics*, Londres, 1966, p. 261.

52. Memorándum del Ministerio de Asuntos Exteriores, febrero de 1944, FO 371/42688.

53. Churchill a Roosevelt, 20 de febrero de 1944, FO 371/42688.

54. Halifax al Ministerio de Asuntos Exteriores, 20 de febrero de 1944, FO 371/42688; Z. Brzezinski, *Strategic Vision: America and the Crisis of Global Power*, Nueva York, 2012, p. 14.

55. *Historical Statistics of the United States: Colonial Times to 1970*, Washington, D.C., 1970; Yergin, *The Prize*, p. 391.

56. Yergin, *The Prize*, p. 429.

57. W. Louis, *The British Empire in the Middle East, 1945-1951: Arab Nationalism, the United States and Postwar Imperialism*, Oxford, 1984, p. 647.

58. Yergin, *The Prize*, p. 433.

59. De Bellaigue, *Patriot of Persia*, p. 118. Véase también M. Crinson, «Abadan: Planning and Architecture under the Anglo-Iranian Oil Company», *Planning Perspectives* 12.3 (1997), pp. 341-359.

60. S. Marsh, «Anglo-American Crude Diplomacy: Multinational Oil and the Iranian Oil Crisis, 1951-1953», *Contemporary British History Journal* 21.1 (2007), p. 28; J. Bill y W. Louis, *Musaddiq, Iranian Nationalism, and Oil*, Austin (Texas), 1988, pp. 329-330.

61. «The Secretary of State to the Department of State», 10 de noviembre de 1951, *FRUS, 1952-1954: Iran, 1951-1954*, vol. 10, p. 279.

62. Ibíd.

63. R. Ramazani, *Iran's Foreign Policy, 1941-1973: A Study of Foreign Policy in Modernizing Nations*, Charlottesville, 1975, p. 190.

64. De Bellaigue, *Patriot of Persia*, p. 150.

65. Yergin, *The Prize*, p. 437.

66. Citado por J. Bill, *The Eagle and the Lion: The Tragedy of American-Iranian Relations*, New Haven, 1988, p. 84.

67. *Correspondence between His Majesty's Government in the United Kingdom and the Persian Government and Related Documents Concerning the Oil Industry in Persia, February 1951 to September 1951*, Londres, 1951, p. 25.

68. Shinwell, Comité de jefes del Estado Mayor, Anexo confidencial, 23 de mayo de 1951, DEFE 4/43; sobre la prensa británica en esta época, véase de Bellaigue, *Patriot of Persia*, pp. 158-159.

69. S. Arjomand, *The Turban for the Crown: The Islamic Revolution in Iran*, Oxford, 1988, pp. 92-93.

70. *Time*, 7 de enero de 1952.

71. Elm, *Oil, Power, and Principle*, p. 122.

72. M. Holland, *America and Egypt: From Roosevelt to Eisenhower*, Westport (Connecticut), 1996, pp. 24-25.

73. H. Wilford, *America's Great Game: The CIA's Secret Arabists and the Shaping of the Modern Middle East*, Nueva York, 2013, p. 73.

74. Ibíd., p. 96.

75. Ibíd.

76. D. Wilber, *Clandestine Services History: Overthrow of Premier Mossadeq of Iran: November 1952-August 1953*, 1969, p. 7, National Security Archive.

77. Ibíd., pp. 22, 34, 33.

78. Véase S. Koch, «*Zendebad, Shah!*»: *The Central Intelligence Agency and the Fall of Iranian Prime Minister Mohammed Mossadeq, August 1953*, 1998, National Security Archive.

79. M. Gasiorowki, «The Causes of Iran's 1953 Coup: A Critique of Darioush Bayandor's Iran and the CIA», *Iranian Studies* 45.5 (2012), pp. 671-672; W. Louis, «Britain and the Overthrow of the Mosaddeq Government», en Gasiorowski y Byrne, *Mohammad Mosaddeq*, pp. 141-142.

80. Wilber, *Overthrow of Premier Mossadeq*, p. 35.

81. Ibíd., p. 19.

82. Berry a Departamento de Estado, 17 de agosto de 1953, National Security Archive.

83. Sobre la radio, véase M. Roberts, «Analysis of Radio Propaganda in the 1953 Iran Coup», *Iranian Studies* 45.6 (2012), pp. 759-777; sobre la prensa, de Bellaigue, *Patriot of Persia*, p. 232.

84. Sobre la estancia en Roma, Soraya Esfandiary Bakhtiary, *Le Palais des solitudes*, París, 1992, pp. 165-166 (hay trad. castellana: *El palacio de las soledades: autobiografía*, Martínez Roca, Madrid, 2004). Véase también Buchan, *Days of God*, p. 70.

85. De Bellaigue, *Patriot of Persia*, pp. 253-70.

86. «Substance of Discussions of State — Joint Chiefs of Staff Meeting», 12 de diciembre de 1951, *FRUS, 1951: The Near East and Africa*, vol. V, p. 435.

87. «British-American Planning Talks, Summary Record», 10-11 de octubre de 1978, FCO 8/3216.

88. «Memorandum of Discussion at the 160th Meeting of the National Security Council, 27 August 1953», *FRUS, 1952-1954: Iran, 1951-1954*, vol. X, p. 773.

89. «The Ambassador in Iran (Henderson) to Department of State», 18 de septiembre de 1953, *FRUS, 1952-1954: Iran, 1951-1954*, vol. X, p. 799.

## CAPÍTULO 22: LA RUTA DE LA SEDA ESTADOUNIDENSE

1. *The International Petroleum Cartel, the Iranian Consortium, and US National Security*, Congreso de Estados Unidos, Senado, Washington, D.C., 1974, pp. 57-58; Yergin, *The Prize*, p. 453.

2. Bill, *The Eagle and the Lion*, p. 88; «Memorandum of the discussion at the 180th meeting of the National Security Council», 14 de enero de 1954, *FRUS, 1952-1954: Iran, 1951-1954*, vol. X, p. 898.

3. M. Gasiorowski, *US Foreign Policy and the Shah: Building a Client State in Iran*, Ithaca (Nueva York), 1991, pp. 150-151.

4. V. Nemchenok, «"That So Fair a Thing Should Be So Frail": The Ford Foundation and the Failure of Rural Development in Iran, 1953-1964», *Middle East Journal* 63.2 (2009), pp. 261-273.

5. Ibíd., 281; Gasiorowski, *US Foreign Policy*, pp. 53, 94.

6. C. Schayegh, «Iran's Karaj Dam Affair: Emerging Mass Consumerism, the Politics of Promise, and the Cold War in the Third World», *Comparative Studies in Society and History* 54.3 (2012), pp. 612-643.

7. «Memorandum from the Joint Chiefs of Staff», 24 de marzo de 1949, *FRUS, 1949: The Near East, South Asia, and Africa*, vol. VI, pp. 30-31.

8. «Report by the SANACC [State-Army-Navy-Air Force Co-ordinating Committee] Subcommittee for the Near and Middle East», *FRUS, 1949: The Near East, South Asia, and Africa*, vol. VI, p. 12.

9. Véase, en general, B. Yesilbursa, *Baghdad Pact: Anglo-American Defence Policies in the Middle East, 1950-1959*, Abingdon, 2005.

10. R. McMahon, *The Cold War on the Periphery: The United States, India and Pakistan*, Nueva York, 1994, pp. 16-17.

11. P. Tomsen, *The Wars of Afghanistan: Messianic Terrorism, Tribal Conflicts and the Failures of the Great Powers*, Nueva York, 2011, pp. 181-182.

12. R. McNamara, *Britain, Nasser and the Balance of Power in the Middle East, 1952-1967*, Londres, 2003, pp. 44-45.

13. A. Moncrieff, *Suez: Ten Years After*, Nueva York, 1966, pp. 40-41; D. Kunz, *The Economic Diplomacy of the Suez Crisis*, Chapel Hill (Carolina del Norte), 1991, p. 68.

14. Eden a Eisenhower, 6 de septiembre de 1956, FO 800/740.

15. M. Heikal, *Nasser: The Cairo Documents*, Londres, 1972, p. 88.

16. H. Macmillan, Diario, 25 de agosto de 1956, en A. Horne, *Macmillan: The Official Biography*, Londres, 2008, p. 447.

17. Citado por McNamara, *Britain, Nasser and the Balance of Power*, p. 46.

18. McNamara, *Britain, Nasser and the Balance of Power*, pp. 45, 47.

19. «Effects of the Closing of the Suez Canal on Sino-Soviet Bloc Trade and Transportation», Oficina de Investigación e Informes, Agencia Central de Inteligencia, 21 de febrero de 1957, Freedom of Information Act Electronic Reading Room, Agencia Central de Inteligencia.

20. Kirkpatrick a Makins, 10 de septiembre de 1956, FO 800/740.

21. *Papers of Dwight David Eisenhower: The Presidency: The Middle Way*, Baltimore, 1970, vol. XVII, p. 2.415.

22. Véanse W. Louis y R. Owen, *Suez 1956: The Crisis and its Consequences*, Oxford, 1989; P. Hahn, *The United States, Great Britain, and Egypt, 1945-1956: Strategy and Diplomacy in the Early Cold War*, Chapel Hill (Carolina del Norte), 1991.

23. Eisenhower a Dulles, 12 de diciembre de 1956, en P. Hahn, «Securing the Middle East: The Eisenhower Doctrine of 1957», *Presidential Studies Quarterly* 36.1 (2006), p. 39.

24. Citado por Yergin, *The Prize*, p. 459.

25. Hahn, «Securing the Middle East», 40.

26. Véase sobre todo S. Yaqub, *Containing Arab Nationalism: The Eisenhower Doctrine and the Middle East*, Chapel Hill (Carolina del Norte), 2004.

27. R. Popp, «Accommodating to a Working Relationship: Arab Nationalism and US Cold War Policies in the Middle East», *Cold War History* 10.3 (2010), p. 410.

28. «The Communist Threat to Iraq», 17 de febrero de 1959, *FRUS, 1958-1960: Near East Region; Iraq; Iran; Arabian Peninsula*, vol. XII, pp. 381-388.

29. S. Blackwell, *British Military Intervention and the Struggle for Jordan: King Hussein, Nasser and the Middle East Crisis*, Londres, 2013, p. 176; «Memorandum of Conference with President Eisenhower», 23 de julio de 1958, *FRUS, 1958-1960: Near East Region; Iraq; Iran; Arabian Peninsula*, vol. XII, p. 84.

30. «Iraq: The Dissembler», *Time*, 13 de abril de 1959.

31. «Middle East: Revolt in Baghdad», *Time*, 21 de julio de 1958; J. Romero, *The Iraqi Revolution of 1958: A Revolutionary Quest for Unity and Security*, Lanham (Meryland), 2011.

32. C. Andrew y V. Mitrokhin, *The KGB and the World: The Mitrokhin Archive II*, Londres, 2005, pp. 273-274; W. Shawcross, *The Shah's Last Ride*, Londres, 1989, p. 85.

33. OIR Report, 16 de enero de 1959, citado por Popp, «Arab Nationalism and US Cold War Policies», p. 403.

34. Yaqub, *Containing Arab Nationalism*, p. 256.

35. W. Louis y R. Owen, *A Revolutionary Year: The Middle East in 1958*, Londres, 2002.

36. F. Matar, *Saddam Hussein: The Man, the Cause and his Future*, Londres, 1981, pp. 32-44.

37. «Memorandum of Discussion at the 420th Meeting of the National Security Council», 1 de octubre de 1959, *FRUS, 1958-1960: Near East Region; Iraq; Iran; Arabian Peninsula*, vol. XII, p. 489, n. 6.

38. Este incidente se reveló en 1975 durante las investigaciones sobre el uso del asesinato como herramienta política por parte de los servicios de inteligencia de Estados Unidos. El coronel, cuyo nombre no se menciona, al parecer fue ejecutado por un pelotón de fusilamiento en Bagdad antes de que el plan del pañuelo se pusiera en marcha. Véase *Alleged Assassination Plots Involving Foreign Leaders, Interim Report of the Select Committee to Study Governmental Operations with Respect to Intelligence Activities*, Washington, D.C., 1975, p. 181, n. 1.

39. H. Rositzke, *The CIA's Secret Operations: Espionage, Counterespionage and Covert Action*, Boulder (Colorado), 1977, pp. 109-110.

40. A. Siddiqi, *Challenge to Apollo: The Soviet Union and the Space Race, 1945-1974*, Washington, D.C., 2000; B. Chertok, *Rakety i lyudi: Fili Podlipki Tyuratam*, Moscú, 1996.

41. A. Siddiqi, *Sputnik and the Soviet Space Challenge*, Gainesville (Florida), 2003, pp. 135-138.

42. G. Laird, *North American Air Defense: Past, Present and Future*, Maxwell (Alabama), 1975; S. Zaloga, «Most Secret Weapon: The Origins of Soviet Strategic Cruise Missiles, 1945-1960», *Journal of Slavic Military Studies* 6.2 (1993), pp. 262-273.

43. D. Kux, *The United States and Pakistan, 1947-2000: Disenchanted Allies*, Washington, D.C., 2001, p. 112; N. Polmar, *Spyplane: The U-2 History Declassified*, Osceola (Wisconsin), 2001, pp. 131-148.

44. Karachi a Washington, D.C., 31 de octubre de 1958, *FRUS, 1958-60: South and Southeast Asia*, vol. XV, p. 682.

45. Memorándum de la conversación entre Eisenhower y Ayub, 8 de diciembre de 1959, *FRUS, 1958-60: South and Southeast Asia*, vol. 15, pp. 781-795.

46. R. Barrett, *The Greater Middle East and the Cold War: US Foreign Policy under Eisenhower and Kennedy*, Londres, 2007, pp. 167-168.

47. Boletín del Departamento de Estado, 21 de julio de 1958.

48. Kux, *United States and Pakistan*, pp. 110-111.

49. V. Nemchenok, «In Search of Stability amid Chaos: US Policy toward Iran, 1961-1963», *Cold War History* 10.3 (2010), p. 345.

50. Central Intelligence Bulletin, 7 de febrero de 1961; A. Rubinstein, *Soviet Foreign Policy toward Turkey, Iran and Afghanistan: The Dynamics of Influence*, Nueva York, 1982, pp. 67-68.

51. Informe de Consejo de Seguridad Nacional, Declaración sobre la política de Estados Unidos en relación a Irán, 6 de julio de 1960, *FRUS, 1958-1960: Near East Region; Iraq; Iran; Arabian Peninsula*, vol. 12, pp. 680-688.

52. M. Momen, «The Babi and the Baha'i Community of Iran: A Case of "Suspended Genocide"?», *Journal of Genocide Research* 7.2 (2005), pp. 221-242.

53. E. Abrahamian, *Iran between Two Revolutions*, Princeton, 1982, pp. 421-422.

54. J. Freivalds, «Farm Corporations in Iran: An Alternative to Traditional Agriculture», *Middle East Journal* 26.2 (1972), pp. 185-193; J. Carey y A. Carey, «Iranian Agriculture and its Development: 1952-1973», *International Journal of Middle East Studies* 7.3 (1976), pp. 359-382.

55. H. Ruhani, *Nehzat-e Imam-e Khomeini*, 2 vols., Teherán, 1979, vol. I, p. 25.

56. Boletín de la CIA, 5 de mayo de 1961, citado por Nemchenok, «In Search of Stability», p. 348.

57. *Gahnamye panjah sal Shahanshahiye Pahlavi*, París, 1964, 24 de enero de 1963.

58. Véase D. Brumberg, *Reinventing Khomeini: The Struggle for Reform in Iran*, Chicago, 2001.

59. D. Zahedi, *The Iranian Revolution: Then and Now*, Boulder (Colorado), 2000, p. 156.

60. «United States Support for Nation-Building» (1968); embajada de Estados Unidos en Teherán a Departamento de Estado, 4 de mayo de 1972, ambas fuentes citadas en R. Popp, «An Application of Modernization Theory during the Cold War? The Case of Pahlavi Iran», *International History Review* 30.1 (2008), pp. 86-87.

61. Polk a Mayer, 23 de abril de 1965, citado por Popp, «Pahlavi Iran», p. 94.

62. Zahedi, *Iranian Revolution*, p. 155.

63. A. Danielsen, *The Evolution of OPEC*, Nueva York, 1982; F. Parra, *Oil Politics: A Modern History of Petroleum*, Londres, 2004, pp. 89 y ss.

64. Véase, sobre todo, M. Oren, *Six Days of War: June 1967 and the Making of the Modern Middle East*, Oxford, 2002 (hay trad. castellana: *La guerra de los Seis Días: junio de 1967 y la formación del Próximo Oriente moderno*, Ariel, Barcelona, 2003).

## Capítulo 23: La ruta de la rivalidad entre las superpotencias

1. P. Pham, *Ending «East of Suez»: The British Decision to Withdraw from Malaysia and Singapore, 1964-1968*, Oxford, 2010.

2. G. Stocking, *Middle East Oil: A Study in Political and Economic Controversy*, Nashville (Tennessee) 1970, p. 282; H. Astarjian, *The Struggle for Kirkuk: The Rise of Hussein, Oil and the Death of Tolerance in Iraq*, Londres, 2007, p. 158.

3. «Moscow and the Persian Gulf», Intelligence Memorandum, 12 de mayo de 1972, *FRUS, 1969-1976: Documents on Iran and Iraq, 1969-1972*, vol. E-4, p. 307.

4. *Izvestiya*, 12 de julio de 1969.

5. Buchan, *Days of God*, p. 129.

6. Kwarteng, *Ghosts of Empire*, pp. 72-73.

7. Departamento de Estado a embajada en Francia, conversación de Davies y Lopinot sobre Irak y el golfo Pérsico, 20 de abril de 1972, *FRUS, 1969-1976: Documents on Iran and Iraq, 1969-72*, vol. E-4, p. 306.

8. G. Payton, «The Somali Coup of 1969: The Case for Soviet Complicity», *Journal of Modern African Studies* 18.3 (1980), pp. 493-508.

9. Popp, «Arab Nationalism and US Cold War Policies», p. 408.

10. «Soviet aid and trade activities in the Indian Ocean Area», Informe de la CIA, S-6064 (1974); V. Goshev, *SSSR i strany Persidskogo zaliva*, Moscú, 1988.

11. Agencia estadounidense para el Control de Armamentos y el Desarme,

*World Military Expenditure and Arms Transfers, 1968-1977*, Washington, D.C., 1979, p. 156; R. Menon, *Soviet Power and the Third World*, New Haven, 1986, p. 173; sobre Irak, véase A. Fedchenko, *Irak v bor'be za nezavisimost'*, Moscú, 1970.

12. S. Mehrotra, «The Political Economy of Indo-Soviet Relations», en R. Cassen (ed.), *Soviet Interests in the Third World*, Londres, 1985, p. 224; L. Racioppi, *Soviet Policy towards South Asia since 1970*, Cambridge, 1994, pp. 63-65.

13. L. Dupree, *Afghanistan*, Princeton, 1973, pp. 525-526.

14. «The Shah of Iran: An Interview with Mohammad Reza Pahlavi», *New Atlantic*, 1 de diciembre de 1973.

15. Ibíd.

16. Boardman a Douglas-Home, agosto de 1973, FCO 55/1116. Véase también O. Freedman, «Soviet Policy towards Ba'athist Iraq, 1968-1979», en R. Donaldson (ed.), *The Soviet Union in the Third World*, Boulder (Colorado), 1981, pp. 161-191.

17. Sadam Husein, *On Oil Nationalisation*, Bagdad, 1973, pp. 8, 10.

18. R. Bruce St John, *Libya: From Colony to Revolution*, Oxford, 2012, pp. 138-139.

19. Gadafi, «Address at Ţubruq», 7 de noviembre de 1969, en «The Libyan Revolution in the Words of its Leaders», *Middle East Journal* 24.2 (1970), p. 209.

20. Ibíd., pp. 209-210; M. Ansell y M. al-Arif, *The Libyan Revolution: A Sourcebook of Legal and Historical Documents*, Stoughton (Wisconsin), 1972, p. 280; *Multinational Corporations and United States Foreign Policy*, Audiencias del 93.° Congreso de Estados Unidos, Washington, D.C., 1975, vol. VIII, pp. 771-773, citado por Yergin, *The Prize*, p. 562.

21. F. Halliday, *Iran, Dictatorship and Development*, Harmondsworth, 1979, p. 139; Yergin, *The Prize*, p. 607.

22. P. Marr, *Modern History of Iraq*, Londres, 2004, p. 162.

23. Embajada en Trípoli a Washington, 5 de diciembre de 1970, citado por Yergin, *The Prize*, p. 569.

24. G. Hughes, «Britain, the Transatlantic Alliance, and the Arab-Israeli War of 1973», *Journal of Cold War Studies* 10.2 (2008), pp. 3-40.

25. «The Agranat Report: The First Partial Report», *Jerusalem Journal of International Relations* 4.1 (1979), p. 80. Véase también U. Bar-Joseph, *The Watchman Fell Asleep: The Surprise of Yom Kippur and its Sources*, Albany (Nueva York), 2005, en especial pp. 174-183.

26. A. Rabinovich, *The Yom Kippur War: The Epic Encounter that Transformed the Middle East*, Nueva York, 2004, p. 25; Andrew y Mitrokhin, *The Mitrokhin Archive II*, p. 160.

27. G. Golan, «The Soviet Union and the Yom Kippur War», en P. Kumaraswamy, *Revisiting the Yom Kippur War*, Londres, 2000, pp. 127-152; ídem,

«The Cold War and the Soviet Attitude towards the Arab-Israeli Conflict», en N. Ashton (ed.), *The Cold War in the Middle East: Regional Conflict and the Superpowers, 1967-1973*, Londres, 2007, p. 63.

28. H. Kissinger, *Years of Upheaval*, Boston, 1982, p. 463.

29. «Address to the Nation about Policies to Deal with the Energy Shortages», 7 de noviembre de 1973, *Public Papers of the Presidents of the United States* [*PPPUS*]: *Richard M. Nixon, 1973*, Washington, D.C., 1975, pp. 916-917.

30. Ibíd; Yergin, *The Prize*, pp. 599-601.

31. D. Tihansky, «Impact of the Energy Crisis on Traffic Accidents», *Transport Research* 8 (1974), pp. 481-483.

32. S. Godwin y D. Kulash, «The 55 mph Speed Limit on US Roads: Issues Involved», *Transport Reviews: A Transnational Transdisciplinary Journal* 8.3 (1988), pp. 219-235.

33. Véase R. Knowles, *Energy and Form: Approach to Urban Growth*, Cambridge (Massachusetts), 1974; P. Steadman, *Energy, Environment and Building*, Cambridge, 1975.

34. D. Rand, «Battery Systems for Electric Vehicles - a State-of-the-Art Review», *Journal of Power Sources* 4 (1979), pp. 101-143.

35. Discurso en el Seminario sobre Energía, 21 de agosto de 1973, citado por E. S. Godbold, *Jimmy and Rosalynn Carter: The Georgian Years, 1924-1974*, Oxford, 2010, p. 239.

36. J. G. Moore, «The Role of Congress», en R. Larson y R. Vest, *Implementation of Solar Thermal Technology*, Cambridge (Massachusetts), 1996, pp. 69-118.

37. Presidente Nixon, «Memorandum Directing Reductions in Energy Consumption by the Federal Government», 29 de junio de 1973, *PPPUS: Nixon, 1973*, p. 630.

38. Yergin, *The Prize*, pp. 579, 607.

39. Ibíd., p. 616.

40. K. Makiya, *The Monument: Art, Vulgarity, and Responsibility in Iraq*, Berkeley, 1991, pp. 20-32; R. Baudouï, «To Build a Stadium: Le Corbusier's Project for Baghdad, 1955-1973», *DC Papers. Revista de crítica y teoría de la arquitectura* 1 (2008), pp. 271-280.

41. P. Stearns, *Consumerism in World History: The Global Transformation of Desire*, Londres, 2001, p. 119.

42. Sreedhar y J. Cavanagh, «US Interests in Iran: Myths and Realities», *ISDA Journal* 11.4 (1979), pp. 37-40; Agencia estadounidense para el Control de Armamentos y el Desarme, *World Military Expenditures and Arms Transfers 1972-1982*, Washington, D.C., 1984, p. 30; T. Moran, «Iranian Defense Expenditures and the Social Crisis», *International Security* 3.3 (1978), p. 180.

43. Citado por Buchan, *Days of God*, p. 162.

44. A. Alnasrawi, *The Economy of Iraq: Oil, Wars, Destruction of Develo-*

*pment and Prospects, 1950-2010*, Westport (Connecticut), 1994, p. 94; C. Tripp, *A History of Iraq,* Cambridge, 2000, p. 206 (hay trad. castellana: *Historia de Iraq*, Cambridge University Press, Madrid, 2003).

45. «Secretary Kerry's Interview on Iran with NBC's David Gregory», 10 de noviembre de 2013, Departamento de Estado de Estados Unidos, página web de la embajada de Estados Unidos en Londres.

46. «Past Arguments Don't Square with Current Iran Policy», *Washington Post*, 27 de marzo de 2005.

47. S. Parry-Giles, *The Rhetorical Presidency, Propaganda, and the Cold War, 1945-1955*, Westport (Connecticut), 2002, pp. 164 y ss.

48. Citado por Shawcross, *Shah's Last Ride*, p. 179.

49. Secretario de Estado Henry A. Kissinger al presidente Gerald R. Ford, Memorándum, 13 de mayo de 1975, en M. Hunt (ed.), *Crises in US Foreign Policy: An International History Reader*, Nueva York, 1996, p. 398.

50. J. Abdulghani, *Iran and Iraq: The Years of Crisis*, Londres, 1984, pp. 152-155.

51. R. Cottam, *Iran and the United States: A Cold War Case Study*, Pittsburgh, 1988, pp. 149-151.

52. H. Kissinger, *The White House Years*, Boston, 1979, p. 1265; ídem, *Years of Upheaval*; L. Meho, *The Kurdish Question in US Foreign Policy: A Documentary Sourcebook*, Westport (Connecticut), 2004, p. 14.

53. *Power Study of Iran, 1974-1975*, Informe al gobierno imperial de Irán (1975), pp. 3-24, citado por B. Mossavar-Rahmani, «Iran», en J. Katz y O. Marwah (eds.), *Nuclear Power in Developing Countries: An Analysis of Decision Making*, Lexington (Massachusetts), 1982, p. 205.

54. D. Poneman, *Nuclear Power in the Developing World*, Londres, 1982, p. 86.

55. Ibíd., p. 87; J. Yaphe y C. Lutes, *Reassessing the Implications of a Nuclear-Armed Iran*, Washington, D.C., 2005, p. 49.

56. B. Mossavar-Rahmani, «Iran's Nuclear Power Programme Revisited», *Energy Policy* 8.3 (1980), pp. 193-194, e ídem, *Energy Policy in Iran: Domestic Choices and International Implications*, Nueva York, 1981.

57. S. Jones y J. Holmes, «Regime Type, Nuclear Reversals, and Nuclear Strategy: The Ambiguous Case of Iran», en T. Yoshihara y J. Holmes (eds.), *Strategy in the Second Nuclear Age: Power, Ambition and the Ultimate Weapon*, Washington, D.C., 2012, p. 219.

58. *Special Intelligence Estimate: Prospects for Further Proliferation of Nuclear Weapons* (1974), p. 38, Archivo de Seguridad Nacional.

59. K. Hamza con J. Stein, «Behind the Scenes with the Iraqi Nuclear Bomb», en M. Sifry y C. Cerf (eds.), *The Iraq War Reader: History, Documents, Opinions*, Nueva York, 2003, p. 191.

60. J. Snyder, «The Road to Osirak: Baghdad's Quest for the Bomb»,

*Middle East Journal* 37 (1983), pp. 565-594; A. Cordesman, *Weapons of Mass Destruction in the Middle East*, Londres, 1992, pp. 95-102; D. Albright y M. Hibbs, «Iraq's Bomb: Blueprints and Artifacts», *Bulletin of the Atomic Scientists* (1992), pp. 14-23.

61. A. Cordesman, *Iraq and the War of Sanctions: Conventional Threats and Weapons of Mass Destruction*, Westport (Connecticut), 1999, pp. 603-606.

62. *Prospects for Further Proliferation*, pp. 20-26.

63. K. Mahmoud, *A Nuclear Weapons-Free Zone in the Middle East: Problems and Prospects*, Nueva York, 1988, p. 93.

64. Wright a Parsons y Egerton, 21 de noviembre de 1973, FO 55/1116.

65. F. Khan, *Eating Grass: The Making of the Pakistani Bomb*, Stanford, 2012, p. 279.

66. Dr. A. Khan, «Pakistan's Nuclear Programme: Capabilities and Potentials of the Kahuta Project», discurso en el Instituto Paquistaní de Asuntos Nacionales, 10 de septiembre de 1990, citado en Khan, *Making of the Pakistani Bomb*, p. 158.

67. Kux, *The United States and Pakistan*, pp. 221-224.

68. Memorándum de conversación, 12 de mayo de 1976, citado por R. Alvandi, *Nixon, Kissinger, and the Shah: The United States and Iran in the Cold War*, Oxford, 2014, p. 163.

69. G. Sick, *All Fall Down: America's Tragic Encounter with Iran*, Nueva York, 1987, p. 22.

70. «Toasts of the President and the Shah at a State Dinner», 31 de diciembre de 1977, *PPPUS: Jimmy Carter, 1977*, pp. 2220-2222.

71. Mossaver-Rahmani, «Iran's Nuclear Power», p. 192.

72. Pesaran, «System of Dependent Capitalism in Pre- and Post-Revolutionary Iran», *International Journal of Middle East Studies* 14 (1982), p. 507; P. Clawson, «Iran's Economy between Crisis and Collapse», *Middle East Research and Information Project Reports* 98 (1981), pp. 11-15; K. Pollack, *Persian Puzzle: The Conflict between Iran and America*, Nueva York, 2004, p. 113; véase también N. Keddie, *Modern Iran: Roots and Results of Revolution*, New Haven, 2003, pp. 158-162 (hay trad. castellana: *El Irán moderno*, Belacqva, Barcelona, 2006).

73. M. Heikal, *Iran: The Untold Story*, Nueva York, 1982, pp. 145-146.

74. Shawcross, *Shah's Last Ride*, p. 35.

75. J. Carter, *Keeping Faith: Memoirs of a President*, Fayetteville (Arkansas), 1995, p. 118.

76. A. Moens, «President Carter's Advisers and the Fall of the Shah», *Political Science Quarterly* 106.2 (1980), pp. 211-237.

77. D. Murray, *US Foreign Policy and Iran: American-Iranian Relations since the Islamic Revolution*, Londres, 2010, p. 20.

78. Departamento de Comercio de Estados Unidos, *Foreign Broadcast Service*, 6 de noviembre de 1979.

79. «Afghanistan in 1977: An External Assessment», embajada de Estados Unidos en Kabul a Departamento de Estado, 30 de enero de 1978.

80. Braithwaite, *Afgantsy*, pp. 78-79; S. Coll, *Ghost Wars: The Secret History of the CIA, Afghanistan, and Bin Laden, from the Soviet Intervention to September 10, 2001*, Nueva York, 2004, p. 48.

## Capítulo 24: La ruta de la catástrofe

1. Andrew y Mitrokhin, *Mitrokhin Archive II*, pp. 178-180.

2. Sreedhar y Cavanagh, «US Interests in Iran», p. 140.

3. C. Andrew y O. Gordievsky, *KGB: The Inside Story of its Foreign Operations from Lenin to Gorbachev*, Londres, 1990, p. 459.

4. W. Sullivan, *Mission to Iran: The Last Ambassador*, Nueva York, 1981, pp. 201-203, 233; véanse también Sick, *All Fall Down*, pp. 81-87; A. Moens, «President Carter's Advisors», *Political Science Quarterly* 106.2 (1991), p. 244.

5. Z. Brzezinski, *Power and Principle: Memoirs of the National Security Adviser, 1977-1981*, Londres, 1983, p. 38.

6. «Exiled Ayatollah Khomeini returns to Iran», BBC News, 1 de febrero de 1979.

7. Sick, *All Fall Down*, pp. 154-156; D. Farber, *Taken Hostage: The Iran Hostage Crisis and America's First Encounter with Radical Islam*, Princeton, 2005, pp. 99-100, 111-113.

8. C. Vance, *Hard Choices: Critical Years in America's Foreign Policy*, Nueva York, 1983, p. 343; B. Glad, *An Outsider in the White House: Jimmy Carter, his Advisors, and the Making of American Foreign Policy*, Ithaca (Nueva York), 1979, p. 173.

9. *Constitution of the Islamic Republic of Iran*, Berkeley, 1980.

10. «Presidential Approval Ratings — Historical Statistics and Trends», www.gallup.com.

11. A. Cordesman, *The Iran-Iraq War and Western Security, 1984-1987*, Londres, 1987, p. 26. Véase asimismo D. Kinsella, «Conflict in Context: Arms Transfers and Third World Rivalries during the Cold War», *American Journal of Political Science* 38.3 (1994), p. 573.

12. Sreedhar y Cavanagh, «US Interests in Iran», p. 143.

13. «Comment by Sir A. D. Parsons, Her Majesty's Ambassador, Teheran, 1974-1979», en N. Browne, *Report on British Policy on Iran, 1974-1978*, Londres, 1980, Anexo B.

14. R. Cottam, «US and Soviet Responses to Islamic Political Militancy», en N. Keddie y M. Gasiorowski (eds.), *Neither East nor West: Iran, the Soviet Union and the United States*, New Haven, 1990, p. 279; A. Rubinstein, «The

Soviet Union and Iran under Khomeini», *International Affairs* 57.4 (1981), p. 599.

15. El testimonio de Turner se filtró a la prensa, «Turner Sees a Gap in Verifying Treaty: Says Iran Bases Can't Be Replaced until '84», *New York Times*, 17 de abril de 1979.

16. R. Gates, *From the Shadows: The Ultimate Insider's Story of Five Presidents and How They Won the Cold War*, Nueva York, 1996. Gates apenas dice que las negociaciones fueron delicadas y que el almirante Turner se dejó crecer el bigote para la visita, con el propósito, es de suponer, de que le sirviera de disfraz, pp. 122-123.

17. J. Richelson, «The Wizards of Langley: The CIA's Directorate of Science and Technology», en R. Jeffreys-Jones y C. Andrew (eds.), *Eternal Vigilance? 50 Years of the CIA,* Londres, 1997, pp. 94-95.

18. Rubinstein, «The Soviet Union and Iran under Khomeini», pp. 599, 601.

19. Gates, *From the Shadows*, p. 132.

20. R. Braithwaite, *Afgantsy: The Russians in Afghanistan, 1979-1989*, Londres, 2011, pp. 37-44.

21. «Main Outlines of the Revolutionary Tasks'; Braithwaite, *Afgantsy*, pp. 42-43; P. Dimitrakis, *The Secret War in Afghanistan: The Soviet Union, China and Anglo-American Intelligence in the Afghan War*, Londres, 2013, pp. 1-20.

22. J. Amstutz, *Afghanistan: The First Five Years of Soviet Occupation*, Washington, D.C., 1986, p. 130; H. Bradsher, *Afghanistan and the Soviet Union*, Durham (Carolina del Norte), 1985, p. 1010.

23. N. Newell y R. Newell, *The Struggle for Afghanistan*, Ithaca (Nueva York), 1981, p. 86.

24. N. Misdaq, *Afghanistan: Political Frailty and External Interference*, 2006, p. 108.

25. A. Assifi, «The Russian Rope: Soviet Economic Motives and the Subversion of Afghanistan», *World Affairs* 145.3 (1982-1983), p. 257.

26. V. Bukovsky, *Reckoning with Moscow: A Dissident in the Kremlin's Archives*, Londres, 1998, pp. 380-382.

27. Gates, *From the Shadows*, pp. 131-132.

28. Departamento de Estado de Estados Unidos, Oficina de Seguridad, *The Kidnapping and Death of Ambassador Adolph Dubs, February 14 1979*, Washington, D.C., 1979.

29. D. Cordovez y S. Harrison, *Out of Afghanistan: The Inside Story of the Soviet Withdrawal*, Oxford, 1995, p. 35; D. Camp, *Boots on the Ground: The Fight to Liberate Afghanistan from Al-Qaeda and the Taliban*, Minneapolis, 2012, pp. 8-9.

30. Documentos informativos de la CIA, 20 de agosto; 24 de agosto; 11 de septiembre; 14 de septiembre, 20 de septiembre; Gates, *From the Shadows*, pp. 132-133.

31. «What Are the Soviets Doing in Afghanistan?», 17 de septiembre de 1979, Archivo de Seguridad Nacional.

32. D. MacEachin, *Predicting the Soviet Invasion of Afghanistan: The Intelligence Community's Record*, Washington, D.C., 2002; O. Sarin y L. Dvoretsky, *The Afghan Syndrome: The Soviet Union's Vietnam*, Novato (California), 1993, pp. 79-84.

33. M. Brecher y J. Wilkenfeld, *A Study of Crisis*, Ann Arbor (Michigan), 1997, p. 357.

34. *Pravda*, 29, 30 de diciembre de 1979.

35. Amstutz, *Afghanistan*, pp. 43-44. Estos rumores eran tan fuertes (y tan convincentes, es de suponer) que el mismo embajador Dubs había consultado con la CIA para verificar si eran ciertos, Braithwaite, *Afgantsy*, pp. 78-79. Sobre la difusión local de los rumores, véase R. Garthoff, *Detente and Confrontation: Soviet-American Relations from Nixon to Reagan*, Washington, D.C., 1985, p. 904. Véase también Andrew y Mitrokhin, *Mitrokhin Archive II*, pp. 393-394.

36. A. Lyakhovskii, *Tragediya i doblest' Afgana*, Moscú, 1995, p. 102.

37. Braithwaite, *Afgantsy*, pp. 78-79, 71; Lyakhovskii, *Tragediya i doblest' Afgana*, p. 181.

38. Citado por V. Zubok, *A Failed Empire: The Soviet Union in the Cold War from Stalin to Gorbachev*, Chapel Hill (Carolina del Norte), 2007, p. 262 (hay trad. castellana: *Un imperio fallido: la Unión Soviética durante la Guerra Fría*, Crítica, Barcelona, 2008); Coll, *Ghost Wars*, p. 48.

39. «Meeting of the Politburo Central Committee», 17 de marzo de 1979, pp. 142-149, en Dimitrakis, *Secret War*, p. 133.

40. Lyakhovskii, *Tragediya i doblest' Afgana*, pp. 109-112.

41. *Pravda*, 13 de enero de 1980.

42. Braithwaite, *Afgantsy*, p. 77.

43. «The Current Digest of the Soviet Press», *American Association for the Advancement of Slavic Studies* 31 (1979), p. 4.

44. Zubok, *A Failed Empire*, p. 262.

45. Lyakhovskii, *Tragediya i doblest' Afgana*, p. 215.

46. *Pravda*, 13 de enero de 1980.

47. Citado por Lyakhovskii, *Tragediya i doblest' Afgana*, p. 252.

48. Brzezinski resta importancia a tales advertencias, *Power and Principle*, pp. 472-475; Vance, *Hard Choices*, pp. 372-373; Glad, *Outsider in the White House*, pp. 176-177.

49. D. Harris, *The Crisis: The President, the Prophet, and the Shah: 1979 and the Coming of Militant Islam*, Nueva York, 2004, p. 193.

50. Ibíd., pp. 199-200.

51. Farber, *Taken Hostage*, pp. 41-42.

52. Saunders, «Diplomacy and Pressure, November 1979-May 1980», en

W. Christopher (ed.), *American Hostages in Iran: Conduct of a Crisis*, New Haven, 1985, pp. 78-79.

53. H. Alikhani, *Sanctioning Iran: Anatomy of a Failed Policy*, Nueva York, 2001, p. 67.

54. «Rivals doubt Carter will retain poll gains after Iran crisis», *Washington Post*, 17 de diciembre de 1979. Véase C. Emery, «The Transatlantic and Cold War Dynamics of Iran Sanctions, 1979-1980», *Cold War History* 10.3 (2010), pp. 374-376.

55. «Text of Khomeini speech», 20 de noviembre de 1979, Memorándum del Consejo de Seguridad Nacional para el presidente Carter, citado por Emery, «Iran Sanctions», p. 374.

56. Ibíd.

57. Ibíd., p. 375.

58. «The Hostage Situation», Memorándum del director de la Agencia Central de Inteligencia, 9 de enero de 1980, citado por Emery, «Iran Sanctions», p. 380.

59. Carter, *Keeping Faith*, p. 475.

60. Ibíd. Véase también G. Sick, «Military Operations and Constraints», en Christopher, *American Hostages in Iran*, pp. 144-172.

61. Centro Woodrow Wilson, *The Origins, Conduct, and Impact of the Iran-Iraq War, 1980-1988: A Cold War International History Project Document Reader*, Washington, D.C., 2004.

62. «NSC on Afghanistan», Fritz Ermath a Brzezinski, citado por Emery, «Iran Sanctions», p. 379.

63. «The State of the Union. Address Delivered Before a Joint Session of the Congress», 23 de enero de 1980, p. 197.

64. M. Bowden, *Guests of the Ayatollah: The First Battle in America's War with Militant Islam*, 2006, pp. 359-361 (hay trad. castellana: *Huéspedes del Ayatolá: la crisis de los rehenes en Teherán*, RBA Libros, Barcelona, 2008).

65. J. Kyle y J. Eidson, *The Guts to Try: The Untold Story of the Iran Hostage Rescue Mission by the On-Scene Desert Commander*, Nueva York, 1990; véase asimismo P. Ryan, *The Iranian Rescue Mission: Why It Failed*, Annapolis, 1985.

66. S. Mackey, *The Iranians: Persia, Islam and the Soul of a Nation*, Nueva York, 1996, p. 298.

67. Brzezinski a Carter, 3 de enero de 1980, en H. Brands, «Saddam Hussein, the United States, and the Invasion of Iran: Was There a Green Light?», *Cold War History* 12.2 (2012), pp. 322-323; véase también O. Njølstad, «Shifting Priorities: The Persian Gulf in US Strategic Planning in the Carter Years», *Cold War History* 4.3 (2004), pp. 30-38.

68. R. Takeyh, «The Iran-Iraq War: A Reassessment», *Middle East Journal* 64 (2010), p. 367.

69. A. Bani-Sadr, *My Turn to Speak: Iran, the Revolution and Secret Deals with the US*, Washington, D.C., 1991, pp. 13, 70-71; D. Hiro, *Longest War: The Iran-Iraq Military Conflict*, Nueva York, 1991, pp. 71-72; S. Fayazmanesh, *The United States and Iran: Sanctions, Wars and the Policy of Dual Containment*, Nueva York, 2008, pp. 16-17.

70. Brands, «Saddam Hussein, the United States, and the Invasion of Iran», pp. 321-337.

71. K. Woods y M. Stout, «New Sources for the Study of Iraqi Intelligence during the Saddam Era», *Intelligence and National Security* 25.4 (2010), p. 558.

72. «Transcript of a Meeting between Saddam Hussein and his Commanding Officers at the Armed Forces General Command», 22 de noviembre de 1980, citado por H. Brands y D. Palkki, «Saddam Hussein, Israel, and the Bomb: Nuclear Alarmism Justified?», *International Security* 36.1 (2011), pp. 145-146.

73. «Meeting between Saddam Hussein and High-Ranking Officials», 16 de septiembre de 1980, en K. Woods, D. Palkki y M. Stout (eds.), *The Saddam Tapes: The Inner Workings of a Tyrant's Regime*, Cambridge, 2011, p. 134.

74. Citado por Brands y Palkki, «Saddam, Israel, and the Bomb», p. 155.

75. «President Saddam Hussein Meets with Iraqi Officials to Discuss Political Issues», noviembre de 1979, en Woods, Palkki y Stout, *Saddam Tapes*, p. 22.

76. Citado por Brands, «Saddam Hussein, the United States, and the Invasion of Iran», p. 331. Sobre las ideas paranoicas de Sadam, véase K. Woods, J. Lacey y W. Murray, «Saddam's Delusions: The View from the Inside», *Foreign Affairs* 85.3 (2006), pp. 2-27.

77. J. Parker, *Persian Dreams: Moscow and Teheran since the Fall of the Shah*, Washington, D.C., 2009, pp. 6-10.

78. Brands, «Saddam Hussein, the United States, and the Invasion of Iran», p. 331.

79. O. Smolansky y B. Smolansky, *The USSR and Iraq: The Soviet Quest for Influence*, Durham (Carolina del Norte), 1991, pp. 230-234.

80. «Military Intelligence Report about Iran», 1 de julio de 1980, citado por Brands, «Saddam Hussein, the United States, and the Invasion of Iran», p. 334. Véase asimismo H. Brands, «Why Did Saddam Hussein Invade Iran? New Evidence on Motives, Complexity, and the Israel Factor», *Journal of Military History* 75 (2011), pp. 861-865; ídem, «Saddam and Israel: What Do the New Iraqi Records Reveal?», *Diplomacy & Statecraft* 22.3 (2011), pp. 500-520.

81. Brands, «Saddam Hussein, the United States, and the Invasion of Iran», p. 323.

82. Sick, *All Fall Down*, pp. 313-314; J. Dumbrell, *The Carter Presidency: A Re-Evaluation*, Manchester, 2005, p. 171.

83. Brzezinski, *Power and Principle*, p. 504.

84. *Sayings of the Ayatollah Khomeini: Political, Philosophical, Social*

*and Religious: Extracts from Three Major Works by the Ayatollah*, J.-M. Xaviere (trad.), Nueva York, 1980, pp. 8-9.

85. E. Abrahamian, *Khomeinism: Essays on the Islamic Republic*, Londres, 1989, p. 51.

86. T. Parsi, *The Treacherous Alliance: The Secret Dealings of Iran, Israel and the United States*, New Haven, 2007, p. 107.

87. R. Claire, *Raid on the Sun: Inside Israel's Secret Campaign that Denied Saddam Hussein the Bomb*, Nueva York, 2004.

88. Woods, Palkki y Stout, *Saddam Tapes*, p. 79.

89. «Implications of Iran's Victory over Iraq», 8 de junio de 1982, Archivo de Seguridad Nacional.

90. *The Times*, 14 de julio de 1982.

91. G. Shultz, *Turmoil and Triumph: Diplomacy, Power and the Victory of the American Deal*, Nueva York, 1993, p. 235.

92. B. Jentleson, *Friends Like These: Reagan, Bush, and Saddam, 1982-1990*, Nueva York, 1994, p. 35; J. Hiltermann, *A Poisonous Affair: America, Iraq and the Gassing of Halabja*, Cambridge, 2007, pp. 42-44.

93. «Talking Points for Amb. Rumsfeld's Meeting with Tariq Aziz and Saddam Hussein», 14 de diciembre de 1983, citado por B. Gibson, *Covert Relationship: American Foreign Policy, Intelligence and the Iran-Iraq War, 1980-1988*, Santa Barbara, 2010, pp. 111-112.

94. Citado por Gibson, *Covert Relationship*, p. 113.

95. H. Brands y D. Palkki, «Conspiring Bastards: Saddam Hussein's Strategic View of the United States», *Diplomatic History* 36.3 (2012), pp. 625-659.

96. «Talking Points for Ambassador Rumsfeld's Meeting with Tariq Aziz and Saddam Hussein», 4 de diciembre de 1983, citado por Gibson, *Covert Relationship*, p. 111.

97. Gibson, *Covert Relationship*, pp. 113-118.

98. Almirante Howe al secretario de Estado, «Iraqi Use of Chemical Weapons», 1 de noviembre de 1983, citado por Gibson, *Covert Relationship*, p. 107.

99. Citado por Z. Fredman, «Shoring up Iraq, 1983 to 1990: Washington and the Chemical Weapons Controversy», *Diplomacy & Statecraft* 23.3 (2012), p. 538.

100. El Consejo de Seguridad de las Naciones Unidas aprobó la Resolución 540, que pedía el fin de las operaciones militares, pero evitaba mencionar el uso de armas químicas. Según un alto cargo de la ONU, cuando el secretario general, Javier Pérez de Cuéllar, planteó la cuestión de indagar ese asunto, «se topó con un ambiente gélido, antártico; el Consejo de Seguridad no quería saber nada de ello». Hiltermann, *A Poisonous Affair*, p. 58. Véase también Gibson, *Covert Relationship*, pp. 108-109.

101. Fredman, «Shoring up Iraq», p. 539.

102. «Iraqi Use of Chemical Weapons», en Gibson, *Covert Relationship*, p. 108.

103. Fredman, «Shoring Up Iraq», p. 542.

104. A. Neier, «Human Rights in the Reagan Era: Acceptance by Principle», *Annals of the American Academy of Political and Social Science* 506.1 (1989), pp. 30-41.

105. Braithwaite, *Afgantsy*, pp. 201-202, y M. Bearden y J. Risen, *Afghanistan: The Main Enemy*, Nueva York, 2003, pp. 227, 333-336.

106. Braithwaite, *Afgantsy*, p. 214; D. Gai y V. Snegirev, *Vtorozhenie*, Moscú, 1991, p. 139.

107. Braithwaite, *Afgantsy*, pp. 228-229.

108. Ibíd., p. 223.

109. J. Hershberg, «The War in Afghanistan and the Iran-Contra Affair: Missing Links?», *Cold War History* 3.3 (2003), p. 27.

110. Directiva de Seguridad Nacional 166, 27 de marzo de 1985, Archivo de Seguridad Nacional.

111. Hershberg, «The War in Afghanistan and the Iran-Contra Affair», p. 28; véase también H. Teicher y G. Teicher, *Twin Pillars to Desert Storm: America's Flawed Vision in the Middle East from Nixon to Bush*, Nueva York, 1993, pp. 325-326.

112. Braithwaite, *Afgantsy*, p. 215.

113. Coll, *Ghost Wars*, pp. 161-162, 71-88.

114. *Beijing Review*, 7 de enero de 1980.

115. M. Malik, *Assessing China's Tactical Gains and Strategic Losses Post-September 11*, Carlisle Barracks, 2002, citado por S. Mahmud Ali, *US-China Cold War Collaboration: 1971-1989*, Abingdon, 2005, p. 177.

116. Braithwaite, *Afgantsy*, pp. 202-203.

117. Citado por Teicher y Teicher, *Twin Pillars to Desert Storm*, p. 328.

118. «Toward a Policy in Iran», en *The Tower Commission Report: The Full Text of the President's Special Review Board*, Nueva York, 1987, pp. 112-115.

119. H. Brands, «Inside the Iraqi State Records: Saddam Hussein, "Irangate" and the United States», *Journal of Strategic Studies* 34.1 (2011), p. 103.

120. H. Emadi, *Politics of the Dispossessed: Superpowers and Developments in the Middle East*, Westport (Connecticut), 2001, p. 41.

121. Hershberg, «The War in Afghanistan and the Iran-Contra Affair», pp. 30-31.

122. Ibíd., pp. 35, 37-39.

123. M. Yousaf y M. Adkin, *The Bear Trap*, Londres, 1992, p. 150.

124. «Memorandum of Conversation, 26 May 1986», *Tower Commission Report*, pp. 311-312; Hershberg, «The War in Afghanistan and the Iran-Contra Affair», pp. 40, 42.

125. Citado por Hershberg, «The War in Afghanistan and the Iran-Contra Affair», p. 39.

126. S. Yetiv, *The Absence of Grand Strategy: The United States in the Persian Gulf, 1972-2005*, Baltimore, 2008, p. 57.

127. E. Hooglund, «The Policy of the Reagan Administration toward Iran», en Keddie y Gasiorowski, *Neither East nor West*, p. 190. Para otro ejemplo, véase Brands, «Inside the Iraqi State Records», p. 100.

128. K. Woods, *Mother of All Battles: Saddam Hussein's Strategic Plan for the Persian Gulf War*, Annapolis, 2008, p. 50.

129. B. Souresrafil, *Khomeini and Israel*, Londres, 1988, p. 114.

130. *Report of the Congressional Committees Investigating the Iran-Contra Affair, with Supplemental, Minority, and Additional Views*, Washington, D.C., 1987, p. 176.

131. Sobre la venta de armamento, véase *Report of the Congressional Committees Investigating the Iran-Contra Affair*.

132. A. Hayes, «The Boland Amendments and Foreign Affairs Deference», *Columbia Law Review* 88.7 (1988), pp. 1534-1574.

133. «Address to the Nation on the Iran Arms and Contra Aid Controversy», 13 de noviembre de 1986, *PPPUS: Ronald Reagan, 1986*, p. 1546.

134. «Address to the Nation on the Iran Arms and Contra Aid Controversy», 4 de marzo de 1987, *PPPUS: Ronald Reagan, 1987*, p. 209.

135. L. Walsh, *Final Report of the Independent Counsel for Iran/Contra Matters*, 4 vols., Washington, D.C., 1993.

136. G. H. W. Bush, «Grant of Executive Clemency», Proclamación 6518, 24 de diciembre de 1992, *Federal Register* 57.251, pp. 62145-62146.

137. «Cabinet Meeting regarding the Iran-Iraq War, mid-November 1986», y «Saddam Hussein Meeting with Ba'ath Officials», comienzos de 1987, ambos documentos citados por Brands, «Inside the Iraqi State Records», p. 105.

138. «Saddam Hussein Meeting with Ba'ath Officials», comienzos de 1987, citado por Brands, «Inside the Iraqi State Records», pp. 112-113.

139. Ibíd., p. 113.

140. *Comprehensive Report of the Special Advisor to the Director of Central Intelligence on Iraq's Weapons of Mass Destruction*, 3 vols., (2004), vol. I, p. 31; Brands, «Inside the Iraqi State Records», p. 113.

141. Colin Powell, Notas de la reunión del 21 de enero de 1987, Centro Woodrow Wilson, *The Origins, Conduct, and Impact of the Iran-Iraq War*.

142. Brands, «Inside the Iraqi State Records», p. 112.

143. D. Neff, «The US, Iraq, Israel and Iran: Backdrop to War», *Journal of Palestinian Studies* 20.4 (1991), p. 35.

144. Brands y Palkki, «Conspiring Bastards», p. 648.

145. Fredman, «Shoring Up Iraq», p. 548.

146. WikiLeaks, 90 BAGHDAD 4237.

147. «Excerpts from Iraqi Document on Meeting with US Envoy», *New York Times*, 23 de septiembre de 1990.

CAPÍTULO 25: LA RUTA DE LA TRAGEDIA

1. Paul al Ministerio de Asuntos Exteriores y de la Mancomunidad, «Saddam Hussein al-Tikriti», 20 de diciembre de 1969, FCO 17/871; «Saddam Hussein», Telegrama de la Embajada británica, Bagdad a Ministerio de Asuntos Exteriores y de la Mancomunidad, Londres, 20 de diciembre de 1969, FCO 17/871.

2. «Rumsfeld Mission: December 20 Meeting with Iraqi President Saddam Hussein», Archivo de Seguridad Nacional. Sobre los franceses y Sadam, véase C. Saint-Prot, *Saddam Hussein: un gaullisme arabe?*, París, 1987; véase también D. Styan, *France and Iraq: Oil, Arms and French Policy Making in the Middle East*, Londres, 2006.

3. «Saddam and his Senior Advisors Discussing Iraq's Historical Rights to Kuwait and the US Position», 15 de diciembre de 1990, en Woods, Palkki y Stout, *Saddam Tapes*, pp. 34-35.

4. Presidente George H. W. Bush, «National Security Directive 54. Responding to Iraqi Aggression in the Gulf», 15 de enero de 1991, Archivo de Seguridad Nacional.

5. G. Bush, *Speaking of Freedom: The Collected Speeches of George H. W. Bush*, Nueva York, 2009, pp. 196-197.

6. J. Woodard, *The America that Reagan Built*, Westport (Connecticut), 2006, p. 139, n. 39.

7. Presidente George H. W. Bush, «National Security Directive 54. Responding to Iraqi Aggression in the Gulf».

8. G. Bush y B. Scowcroft, *A World Transformed*, Nueva York, 1998, p. 489.

9. Citado por J. Connelly, «In Northwest: Bush-Cheney Flip Flops Cost America in Blood», *Seattle Post-Intelligencer*, 29 de julio de 2004. Véase también B. Montgomery, *Richard B. Cheney and the Rise of the Imperial Vice Presidency*, Westport (Connecticut), 2009, p. 95.

10. W. Martel, *Victory in War: Foundations of Modern Strategy*, Cambridge, 2011, p. 248.

11. Presidente Bush, «Address before a Joint Session of the Congress on the State of the Union», 28 de enero de 1992, *PPPUS: George Bush, 1992-1993*, p. 157.

12. Sobre el derrumbamiento de la Unión Soviética, véase S. Plokhy, *The Last Empire: The Final Days of the Soviet Union*, Nueva York, 2014; sobre China en este periodo, L. Brandt y T. Rawski (eds.), *China's Great Economic Transformation*, Cambridge, 2008.

13. Bush, «State of the Union», 28 de enero de 1992, p. 157.

14. Resolución 687 de la ONU (1991), cláusula 20.

15. S. Zahdi y M. Smith Fawzi, «Health of Baghdad's Children», *Lancet*

346.8988 (1995), p. 1485; C. Ronsmans *et al.*, «Sanctions against Iraq», *Lancet* 347.8995 (1996), pp. 198-200. Las cifras de mortalidad se revisaron a la baja posteriormente, S. Zaidi, «Child Mortality in Iraq», *Lancet* 350.9084 (1997), p. 1105.

16. *60 Minutes*, CBS, 12 de mayo de 1996.

17. B. Lambeth, *The Unseen War: Allied Air Power and the Takedown of Saddam Hussein*, Annapolis, 2013, p. 61.

18. Para un panorama de la cuestión, véase C. Gray, «From Unity to Polarization: International Law and the Use of Force against Iraq», *European Journal of International Law* 13.1 (2002), pp. 1-19. Véase asimismo A. Bernard, «Lessons from Iraq and Bosnia on the Theory and Practice of No-Fly Zones», *Journal of Strategic Studies* 27 (2004), pp. 454-478.

19. Ley de liberación de Irak, 31 octubre de 1998.

20. Presidente Clinton, «Statement on Signing the Iraq Liberation Act of 1998», 31 de octubre de 1998, *PPPUS: William J. Clinton, 1998*, pp. 1938-1939.

21. S. Aubrey, *The New Dimension of International Terrorism*, Zúrich, 2004, pp. 53-56; M. Ensalaco, *Middle Eastern Terrorism: From Black September to September 11*, Filadelfia, 2008, pp. 183-186; sin embargo, sobre el atentado en Dharan, véase C. Shelton, «The Roots of Analytic Failure in the US Intelligence Community», *International Journal of Intelligence and CounterIntelligence* 24.4 (2011), pp. 650-651.

22. Respuesta a la carta de Clinton, sin fecha, 1999. Documentos Presidenciales de Clinton, Asuntos de Oriente Próximo, Caja 2962; Carpeta: Irán-EE. UU, Archivo de Seguridad Nacional. Para el despacho de Clinton, transmitido por el ministro de Asuntos Exteriores de Omán, véase «Message to President Khatami from President Clinton», sin fecha, 1999, Archivo de Seguridad Nacional.

23. «Afghanistan: Taliban seeks low-level profile relations with [United Statesgovernment] — at least for now», Embajada de Estados Unidos en Islamabad, 8 de octubre de 1996, Archivo de Seguridad Nacional.

24. «Afghanistan: Jalaluddin Haqqani's emergence as a key Taliban Commander», Embajada de Estados Unidos en Islamabad, 7 de enero de 1997, Archivo de Seguridad Nacional.

25. «Usama bin Ladin: Islamic Extremist Financier», biografía de la CIA, 1996, Archivo de Seguridad Nacional.

26. «Afghanistan: Taliban agrees to visits of militant training camps, admit Bin Ladin is their guest», cable del Consulado de Estados Unidos (Peshawar), 9 de enero de 1996, Archivo de Seguridad Nacional.

27. Ibíd.

28. *National Commission on Terrorist Attacks upon the United States*, Washington, D.C., 2004, pp. 113-114.

29. Presidente Clinton, «Address to the Nation», 20 de agosto de 1998, *PPPUS: Clinton, 1998*, p. 1.461. Tres días antes, el presidente había rendido su

hoy famoso testimonio según el cual la declaración previa que había ofrecido, «yo no tuve relaciones sexuales con esa mujer, la señorita [Monica] Lewinsky», era veraz y que la afirmación de que «no es una relación sexual, una relación sexual inapropiada o cualquier otra clase de relación impropia» era correcta, dependiendo «de cuál es el significado de la palabra "es"», *Appendices to the Referral to the US House of Representatives*, Washington, D.C., 1998, vol. I, p. 510.

30. «Afghanistan: Reaction to US Strikes Follows Predictable Lines: Taliban Angry, their Opponents Support US», cable de la Embajada de Estados Unidos (Islamabad), 21 de agosto de 1998, Archivo de Seguridad Nacional.

31. «Bin Ladin's Jihad: Political Context», Departamento de Estado de EE. UU., Oficina de Inteligencia e Investigación, Evaluación de Inteligencia, 28 de agosto de 1998, Archivo de Seguridad Nacional.

32. «Afghanistan: Taliban's Mullah Omar's 8/22 Contact with State Department», cable del Departamento de Estado de EE. UU., 23 de agosto de 1998, Archivo de Seguridad Nacional.

33. «Osama bin Laden: Taliban Spokesman Seeks New Proposal for Resolving bin Laden Problem», cable del Departamento de Estado de EE. UU., 28 de noviembre de 1998, Archivo de Seguridad Nacional.

34. Ibíd.

35. «Afghanistan: Taliban's Mullah Omar's 8/22 Contact with State Department», cable del Departamento de Estado de EE. UU., 23 de agosto de 1998, Archivo de Seguridad Nacional.

36. «Osama bin Laden: Taliban Spokesman Seeks New Proposal for Resolving bin Laden Problem», cable del Departamento de Estado de EE. UU., 28 de noviembre de 1998, Archivo de Seguridad Nacional.

37. Por ejemplo, «Afghanistan: Tensions Reportedly Mount within Taliban as Ties with Saudi Arabia Deteriorate over Bin Ladin», cable de la embajada de Estados Unidos (Islamabad), 28 de octubre de 1998; «Usama bin Ladin: Coordinating our Efforts and Sharpening our Message on Bin Ladin», cable de la embajada de Estados Unidos (Islamabad), 19 de octubre de 1998; «Usama bin Ladin: Saudi Government Reportedly Turning the Screws on the Taliban on Visas», cable de la embajada de Estados Unidos (Islamabad), 22 de diciembre de 1998, Archivo de Seguridad Nacional.

38. *Osama bin Laden: A Case Study*, Laboratorio Nacional Sandia, 1999, Archivo de Seguridad Nacional.

39. «Afghanistan: Taleban External Ambitions», Departamento de Estado de EE. UU., Oficina de Inteligencia e Investigación, 28 de octubre de 1998, Archivo de Seguridad Nacional.

40. A. Rashid, *Taliban: The Power of Militant Islam in Afghanistan and Beyond*, Londres, 2008, edición revisada (hay trad. castellana: *Los talibán: islam, petróleo y fundamentalismo en el Asia Central*, Península, Barcelona, 2014).

41. *Osama bin Laden: A Case Study*, p. 13.

42. «Bin Ladin Determined to Strike in US», 6 de agosto de 2001, Archivo de Seguridad Nacional.

43. «Searching for the Taliban's Hidden Message», cable de la embajada de Estados Unidos (Islamabad), 19 de septiembre de 2000, Archivo de Seguridad Nacional.

44. *The 9/11 Commission Report: Final Report of the National Commission on Terrorist Attacks upon the United States*, Nueva York, 2004, p. 19.

45. Ibíd.

46. Presidente George W. Bush, Discurso a la nación sobre los ataques terroristas, 11 de septiembre de 2001, *PPPUS: George W. Bush, 2001*, pp. 1099-1100.

47. «Arafat Horrified by Attacks, But Thousands of Palestinians Celebrate; Rest of World Outraged», Fox News, 12 de septiembre de 2001.

48. Declaración de Abdul Salam Zaeef, embajador talibán en Pakistán, 12 de septiembre de 2001, Archivo de Seguridad Nacional.

49. Al-Jazeera, 12 de septiembre de 2001.

50. «Action Plan as of 9/13/2001, 7:55am», Departamento de Estado de EE. UU., 13 de septiembre de 2001, Archivo de Seguridad Nacional.

51. «Deputy Secretary Armitage's Meeting with Pakistani Intel Chief Mahmud: You're Either with Us or You're Not», Departamento de Estado de EE. UU., 13 de septiembre de 2001, Archivo de Seguridad Nacional.

52. «Message to Taliban», cable del Departamento de Estado de EE. UU., 7 de octubre de 2001, Archivo de Seguridad Nacional.

53. «Memorandum for President Bush: Strategic Thoughts», Oficina del secretario de Defensa, 30 de septiembre de 2001, Archivo de Seguridad Nacional.

54. Presidente Bush, Discurso del estado de la Unión, 29 de enero de 2002, *PPPUS: Bush, 2002*, p. 131.

55. «US Strategy in Afghanistan: Draft for Discussion», Memorándum del Consejo de Seguridad Nacional, 16 de octubre de 2001, Archivo de Seguridad Nacional.

56. «Information Memorandum. Origins of the Iraq Regime Change Policy», Departamento de Estado de EE. UU., 23 de enero de 2001, Archivo de Seguridad Nacional.

57. Notas sin título de Donald Rumsfeld, 27 de noviembre de 2001, Archivo de Seguridad Nacional.

58. Ibíd.

59. «Europe: Key Views on Iraqi Threat and Next Steps», 18 de diciembre de 2001; «Problems and Prospects of "Justifying" War with Iraq», 29 de agosto de 2002. Ambos documentos eran «valoraciones de inteligencia» de la Oficina de Inteligencia e Investigación del Departamento de Estado de EE. UU., Archivo de Seguridad Nacional. Lord Goldsmith al primer ministro, «Iraq», 30 de ju-

lio de 2002; «Iraq: Interpretation of Resolution 1441», borrador del 14 de enero de 2003; «Iraq: Interpretation of Resolution 1441», borrador del 12 de febrero de 2003, Archivo de la Investigación sobre Irak.

60. «To Ousted Boss, Arms Watchdog Was Seen as an Obstacle in Iraq», *New York Times*, 13 de octubre de 2013.

61. «Remarks to the United Nations Security Council», 5 de febrero de 2003, Archivo de Seguridad Nacional.

62. «The Status of Nuclear Weapons in Iraq», 27 de enero de 2003, OIEA, Archivo de Seguridad Nacional.

63. «An Update on Inspection», 27 de enero de 2003, UNMOVIC, Archivo de Seguridad Nacional.

64. Woods y Stout, «New Sources for the Study of Iraqi Intelligence», en especial pp. 548-552.

65. «Remarks to the United Nations Security Council», 5 de febrero de 2003; cf. «Iraqi Mobile Biological Warfare Agent Production Plants», informe de la CIA, 28 de mayo de 2003, Archivo de Seguridad Nacional.

66. «The Future of the Iraq Project», Departamento de Estado, 20 de abril de 2003, Archivo de Seguridad Nacional.

67. Ari Fleischer, rueda de prensa, 18 de febrero de 2003; Paul Wolfowitz, «Testimony before House Appropriations Subcommittee on Defense», 27 de marzo de 2003.

68. «US Strategy in Afghanistan: Draft for Discussion», Memorándum del Consejo de Seguridad Nacional, 16 de octubre de 2001, Archivo de Seguridad Nacional.

69. Grupo de planeación Polo Step, compilación de diapositivas del Mando Central de EE. UU., *c.* 15 de agosto de 2002, Archivo de Seguridad Nacional.

70. H. Fischer, «US Military Casualty Statistics: Operation New Dawn, Operation Iraqi Freedom and Operation Enduring Freedom», *Congressional Research Service*, RS22452, Washington, D.C., 2014.

71. Por lo general, los cálculos del número de bajas civiles en Irak y Afganistán entre 2001 y 2014 se sitúan en un rango de entre 170.000 y 220.000 víctimas. Véase, por ejemplo, www.costsofwar.org.

72. L. Bilmes, «The Financial Legacy of Iraq and Afghanistan: How Wartime Spending Decisions Will Constrain Future National Security Budgets», *Harvard Kennedy School Faculty Research Working Paper Series*, marzo de 2013.

73. R. Gates, *Memoirs of a Secretary at War*, Nueva York, 2014, p. 577.

74. «How is Hamid Karzai Still Standing?», *New York Times*, 20 de noviembre de 2013.

75. «Memorandum for President Bush: Strategic Thoughts», Archivo de Seguridad Nacional.

76. «"Rapid Reaction Media Team" Concept», Departamento de Defensa

de EE. UU., Oficina del secretario adjunto para operaciones especiales y conflictos de baja intensidad, 16 de enero de 2003, Archivo de Seguridad Nacional.

77. M. Phillips, «Cheney Says He was Proponent for Military Action against Iran», *Wall Street Journal*, 30 de agosto de 2009.

78. «Kerry presses Iran to prove its nuclear program peaceful», Reuters, 19 de noviembre de 2013.

79. «Full Text: Al-Arabiya Interview with John Kerry», 23 de enero de 2014, www.alarabiya.com.

80. Presidente Obama, «Remarks by the President at AIPAC Policy Conference», 4 de marzo de 2012, Casa Blanca.

81. D. Sanger, «Obama Order Sped Up Wave of Cyber-Attacks against Iran», *New York Times*, 1 de junio de 2012; ídem, *Confront and Conceal: Obama's Secret Wars and Surprising Use of American Power*, Nueva York, 2012.

## Conclusión: La nueva ruta de la seda

1. B. Gelb, *Caspian Oil and Gas: Production and Prospects*, 2006; *BP Statistical Review of World Energy June 2006*; PennWell Publishing Company, *Oil & Gas Journal,* 19 de diciembre de 2005; Administración de Información de Energía (EE. UU.), *Caspian Sea Region: Survey of Key Oil and Gas Statistics and Forecasts*, julio de 2006; «National Oil & Gas Assessment», Servicio Geológico de EE. UU. (2005).

2. T. Klett, C. Schenk, R. Charpentier, M. Brownfield, J. Pitman, T. Cook y M. Tennyson, «Assessment of Undiscovered Oil and Gas Resources of the Volga-Ural Region Province, Russia and Kazakhstan», Servicio Geológico de EE. UU. (2010), pp. 3095-3096.

3. Zelenyi Front, «Vyvoz chernozema v Pesochine: brakon'ervy zaderrzhany», Comunicado de prensa, Járkov, 12 de junio de 2011.

4. Banco Mundial, *World Price Watch*, Washington, D.C., 2012.

5. Afganistán es responsable del 74 por ciento de la producción mundial de opio, un descenso respecto del 92 por ciento alcanzado en 2007, *United Nations Office on Drugs and Crime — World Drug Report 2011*, Viena, 2011, p. 20. Irónicamente, como demuestran los precios locales del opio, cuanto más eficaz es la campaña para reducir la producción de opio, más altos son los precios y, por tanto, más lucrativos resultan el cultivo y el tráfico. Para algunas cifras recientes, véase *Afghanistan Opium Price Monitoring: Monthly Report*, Ministerio Antinarcóticos, República Islámica de Afganistán, Kabul, y Oficina de las Naciones Unidas contra la Droga y el Delito, Kabul, marzo de 2010.

6. «Lifestyles of the Kazakhstani leadership», cable diplomático de EE. UU, EO 12958, 17 de abril de 2008, WikiLeaks.

7. *Guardian*, 20 de abril de 2015.

8. «President Ilham Aliyev — Michael (Corleone) on the Outside, Sonny on the Inside», cable diplomático de EE. UU, 18 de septiembre de 2009, WikiLeaks EO 12958; sobre el patrimonio de Aliyev en Dubái, véase *Washington Post*, 5 de marzo de 2010.

9. Citado en «HIV created by West to enfeeble third world, claims Mahmoud Ahmadinejad», *Daily Telegraph*, 18 de enero de 2012.

10. Hillary Clinton, «Remarks at the New Silk Road Ministerial Meeting», Nueva York, 22 de septiembre de 2011, Departamento de Estado de EE. UU.

11. J. O'Neill, *Building with Better BRICS*, Global Economics Paper, n.° 66, Goldman Sachs (2003); R. Sharma, *Breakout Nations: In Pursuit of the Next Economic Miracles*, Londres, 2012 (hay trad. castellana: *Países emergentes: En busca del milagro económico*, Aguilar, Madrid, 2013); J. O'Neill, *The Growth Map: Economic Opportunity in the BRICs and Beyond*, Londres, 2011 (hay trad. castellana: *El mapa del crecimiento: Oportunidades de negocio en los BRIC y más allá*, Deusto, Barceona, 2012).

12. Jones Lang Lasalle, *Central Asia: Emerging Markets with High Growth Potential*, febrero de 2012.

13. www.rotana.com/rotanahotelandresorts/iraq/erbil/erbilrotana.

14. *The World in London: How London's Residential Resale Market Attracts Capital from across the Globe*, Savills Research, 2011.

15. Samuel Eto'o, la estrella internacional de Camerún, fichó por el Barcelona en 2011, Associated Press, 23 de agosto de 2011. La inauguración de la Copa Mundial Femenina Sub-17 estuvo marcada por una ceremonia inaugural de diez minutos que contó con la presentación del «premiado grupo de danza Shiv Shakit», «Grand Opening: Trinbagonian treat in store for U-17 Women's World Cup», *Trinidad Express*, 27 de agosto de 2010.

16. T. Kutchins, T. Sanderson y D. Gordon, *The Northern Distribution Network and the Modern Silk Road: Planning for Afghanistan's Future*, Centro de Estudios Estratégicos e Internacionales, Washington, D.C., 2009.

17. I. Danchenko y C. Gaddy, «The Mystery of Vladimir Putin's Dissertation», versión revisada de las ponencias presentadas por los autores en el panel del Programa de Política Exterior de la Brookings Institution, 30 de marzo de 2006.

18. «Putin pledges $43 billion for infrastructure», Associated Press, 21 de junio de 2013. Para los cálculos, véase Asociación Internacional Consejo Coordinador del Transporte Transiberiano, «Transsib: Current Situation and New Business Perspectives in Europe-Asian Traffic», Grupo de trabajo sobre tendencias del transporte y la economía de la Comisión Económica de las Naciones Unidas para Europa (UNECE), Ginebra, 9 de septiembre de 2013.

19. Véase, por ejemplo, *Beijing Times*, 8 de mayo de 2014.

20. «Hauling New Treasure along Silk Road», *New York Times*, 20 de julio de 2013.

21. Véase, por ejemplo, el reciente anuncio de una inversión de cuarenta y seis mil millones de dólares para construir el corredor económico China-Pakistán, Xinhua, 21 de abril de 2015.

22. Las ventas en China de Prada y las demás empresas del grupo aumentaron un 40 por ciento solo en 2011, *Annual Report, Prada Group*, 2011. Para finales de 2013, los ingresos del Grupo Prada en la Gran China eran casi el doble de los obtenidos en Norteamérica y Sudamérica juntas, *Annual Report*, 2014.

23. *Investigative Report on the US National Security Issues Posed by Chinese Telecommunications Companies Huawei and ZTE*, Informe de la Cámara de Representantes de EE. UU., 8 de octubre de 2012.

24. Departamento de Defensa, *Sustaining US Global Leadership: Priorities for 21st Century Defense*, Washington, D.C., 2012.

25. Presidente Obama, «Remarks by the President on the Defense Strategic Review», 5 de enero de 2012, Casa Blanca.

26. Ministerio de Defensa, *Strategic Trends Programme: Global Strategic Trends — Out to 2040*, Londres, 2010, p. 10.

27. Federación Internacional de Derechos Humanos, *Shanghai Cooperation Organisation: A Vehicle for Human Rights Violations*, París, 2012.

28. «Erdoğan's Shanghai Organization remarks lead to confusion, concern», *Today's Zaman*, 28 de enero de 2013.

29. Secretaria de Estado Hillary Clinton, «Remarks at the New Silk Road Ministerial Meeting», 22 de septiembre de 2011, Nueva York.

30. Presidente Xi Jinping, «Promote People-to-People Friendship and Create a Better Future», 7 de septiembre de 2013, Xinhua.

# AGRADECIMIENTOS

Para un historiador no hay mejor lugar en el mundo para trabajar que la Universidad de Oxford. Las bibliotecas y colecciones son insuperables, y sus bibliotecarios poseen una brillantez e ingenio especiales para dar con los materiales adecuados. Estoy especialmente agradecido a la Biblioteca Bodleiana, la Biblioteca de la Facultad de Estudios Orientales, la Biblioteca Sackler, la Biblioteca Taylor de Estudios Eslavos y Griego Moderno y la Biblioteca de Estudios de Oriente Próximo del St Antony's College, y a todo el personal que trabaja en ellas. Me habría sido imposible escribir este libro sin usar los asombrosos recursos de la Universidad de Oxford y sin el apoyo y la paciencia de quienes cuidan de ellos.

Pasé mucho tiempo en los Archivos Nacionales del Reino Unido, en Kew, leyendo cartas, telegramas y memorandos conservados en los archivos del Ministerio de Asuntos Exteriores, lidiando con actas de reuniones del Consejo de Ministros o examinando propuestas del Ministerio de Defensa, todos los cuales me llegaban cuarenta minutos, como máximo, después de haberlos solicitado. Estoy muy agradecido por la eficiencia y cortesía de todas las personas que trabajan allí.

La Biblioteca de la Universidad de Cambridge me permitió consultar los documentos de lord Hardinge, mientras que el Centro de Archivos Churchill del Churchill College, Cambridge, tuvo la amabilidad de permitirme leer los diarios íntimos de lord Maurice Hankey y darme acceso al extraordinario archivo de los documentos reunidos por Mark Abrams para la Sección de Investigación de Propaganda. También he de agradecer al Archivo de la British Petroleum en la Universidad de Warwick y, en particular, a Peter Housego, el administrador del archivo, por haber desenterrado una gran cantidad de documentos relacionados con la compañía y sus predecesoras, la Anglo-Persian Oil Company y la Anglo-Iranian Oil Company.

Agradezco igualmente al Archivo de Seguridad Nacional de la Universidad George Washington, una colección no gubernamental de documentos desclasificados relacionados con los asuntos internacionales y, sobre todo, con la historia de Estados Unidos en los siglos XX y XXI. La institución es una mina llena de tesoros, que guarda fuentes importantísimas para la historia de las últimas décadas. Haber tenido la posibilidad de encontrar tantísimos documentos en un solo lugar me ahorró tener que hacer repetidos viajes al otro lado del Atlántico, lo que habría sido frustrante y agotador.

Debo agradecer también al director y los miembros del Worcester College, en Oxford, que han tenido conmigo una amabilidad maravillosa y permanente desde que llegué a la institución siendo un investigador novato hace ya casi veinte años. Tengo la fortuna de trabajar junto a un grupo extraordinario de eruditos en el Centro para la Investigación en Estudios Bizantinos de la Universidad de Oxford, donde Mark Whittow, en particular, ha sido una fuente interminable de inspiración y aliento. Las conversaciones y discusiones con colegas y amigos en Oxford y otros lugares, y durante los viajes por Gran Bretaña, Europa, Asia y África, me han ayudado a refinar las buenas ideas y, en ocasiones, a descartar las malas.

Varios colegas y amigos leyeron capítulos de este libro y tengo con cada uno de ellos una deuda de gratitud. Paul Cartledge, Averil Cameron, Christopher Tyerman, Marek Jankowiak, Dominic Parviz Brookshaw, Lisa Jardine, Mary Laven, Seena Fazel, Colin Greenwood, Anthony McGowan y Nicholas Windsor leyeron secciones del libro e hicieron comentarios incisivos y útiles que contribuyeron a hacer estas páginas mejores de lo que hubieran sido sin su colaboración. Agradezco a Angela McLean, en particular, por haberme encaminado hacia las investigaciones más recientes sobre la peste y la propagación de la enfermedad en Asia Central.

En los últimos años, los libros de historia han tendido a concentrarse en cuestiones cada vez más limitadas con marcos temporales cada vez más breves; el hecho de que Bloomsbury y Knopf accedieran a acoger un libro ambicioso que abarca tantos siglos, continentes y culturas diferentes me llena de emoción. Mi editor, Michael Fishwick, ha sido un apoyo desde el comienzo del proyecto; me instó a ampliar mis horizontes y luego, cuando seguí su consejo, esperó pacientemente los frutos. Su humor, agudeza y respaldo inquebrantable fueron tan fiables como invaluables. También quiero agradecer a Andrew Miller, de Knopf, por sus agudas observaciones, preguntas e ideas, que fueron a la vez útiles y oportunas.

Hay muchas personas en Bloomsbury a las que debo agradecer. Anna Simpson desempeñó el papel de maestra de ceremonias y con un encanto ejemplar se aseguró de que todo estuviera en el lugar y el orden correctos, desde las fuentes tipográficas hasta los mapas, desde las imágenes a la paginación, para convertir un documento informático en un hermoso libro de verdad. Peter James revisó el manuscrito en más de una ocasión y realizó sugerencias elegantes sobre cómo y dónde era posible mejorarlo; aprecié mucho su buen juicio. Catherine Best realizó un maravilloso trabajo como correctora de pruebas y advirtió problemas de los que, de lo contrario, yo nunca me habría dado cuenta; David Atkinson, por su parte, se encargó con heroísmo de elaborar el índice alfabético. Los mapas son obra de Martin Lubikowski, cuya destreza es tan grande como su paciencia; la tarea de reunir todas las maravillosas imágenes del libro corrió a cargo de Phil Beresford. Emma Ewbank diseñó la cubierta, que es sencillamente impresionante. Agradezco a Jude Drake y Helen Flood su ayuda al animar a la gente a leer lo que he escrito.

Tengo además una deuda particular con Catherine Clarke, que hace varios años, durante una comida en Oxford, me dijo que me creía capaz de tejer en una única obra las distintas hebras que conforman este libro. En ese momento la idea me pareció dudosa. Y las dudas reaparecieron con frecuencia mientras lo escribía, por lo general en las noches. Estoy muy agradecido por sus consejos, su apoyo y su aliento; y lo mismo puedo decir de la incansable Zoe Pagnamenta, mi paladín en Nueva York. Chloe Campbell fue mi ángel de la guarda, leyó el borrador de todos los capítulos y limó asperezas y vicios de la escritura de forma elegante y diplomática.

A mis padres les gusta recordarme que fueron ellos los que me enseñaron a andar y hablar. Fueron ellos los que me regalaron mi preciado mapa del mundo cuando era un niño y quienes me permitieron ponerlo en la pared de mi habitación (si bien no me dieron permiso para usar celo o adornar los océanos con pegatinas de Star Wars). Ellos me enseñaron a pensar por mí mismo y a cuestionar lo que oía y leía. Mis hermanos y yo tuvimos la fortuna de crecer en un hogar en el que era posible oír una multitud de idiomas en la mesa del comedor, y en el que se esperaba que siguiéramos la conversación e interviniéramos. Aprender a entender lo que otras personas decían, a descifrar lo que realmente querían decir, fue una lección que se ha revelado invaluable. Agradezco a mis hermanos y hermanas, mis mejores amigos desde la guardería, por haber establecido unos estándares elevados y ser mis críticos más severos; ellos son las únicas personas que conozco que consideran que estudiar el pasado es fácil.

Mi esposa Jessica ha estado a mi lado durante veinte años y ha sido mi inspiración desde el pregrado, cuando éramos unos estudiantes aplicados que debatían el sentido de la vida, hablaban sobre la importancia de los pueblos tribales y bailaban en los sótanos de los colegios de Cambridge. Me siento tan afortunado de tenerla junto a mí, que todos los días tengo que pellizcarme. No habría podido escribir *El corazón del mundo* sin ella.

Con todo, este libro está dedicado a nuestros cuatro hijos, que cuando salía de mi estudio, o reaparecía tras haber estado encerrado en archivos exóticos o despachos con aire acondicionado, me escuchaban reflexionar sobre el problema del día y planteaban preguntas cada vez mejores. Katarina, Flora, Francis y Luke: vosotros sois mi orgullo y mi alegría. Ahora que el libro está terminado, podemos por fin jugar en el jardín todo el tiempo que queráis.

# ÍNDICE ALFABÉTICO

# ÍNDICE DE CONTENIDOS

Esta obra, publicada por CRÍTICA,
se acabó de imprimir
en abril de 2022